D0098685

Diether Koch   Heinemann und die Deutschlandfrage

Diether Koch

Heinemann und die Deutschlandfrage

Chr. Kaiser

UNIVERSITY OF VICTORIA
LIBRARY
Victoria, B. C.

DD259.7
H33 K6

Meiner Frau

© 1972 Chr. Kaiser Verlag München. ISBN 3-459-00813-X
Alle Rechte vorbehalten, auch die des auszugsweisen Nachdrucks, der foto-
mechanischen Wiedergabe und der Übersetzung.
Umschlagfoto: Siegfried Kühl.
Einbandentwurf und Umschlag: Ingeborg Geith & Willem Wijers.
Satz und Druck: Buch- und Offsetdruckerei Georg Wagner, Nördlingen.
Printed in Germany.

Zwei Arten realistischer Politik
Ein Vorwort von Eugen Kogon

Eine der am schwersten zu begreifenden Eigenheiten der Bundesrepublik ist in unserem außenpolitischen Verhalten zur Umwelt die Auffassung vieler – sehr vieler – vom deutschen Anspruch auf Recht. Losgelöst aus den geschichtlichen Zusammenhängen besteht er, wie sie meinen, in sich und für sich, etwas Absolutes, unveränderlich Bleibendes, nur uns Zugehöriges, die anderen einseitig verpflichtend: »man darf sie nicht daraus entlassen«. Im Verhältnis zum »Osten« hat dieser Anspruch nichts zu tun mit dem, was wir selber getan haben, – er ist Bestandteil der reinen, ewigen Gerechtigkeit; unerschütterbar; jenen Wandlungen der Geschichte anvertraut, die ihn, »eines Tages unweigerlich«, verwirklichen werden. Was die ehemals deutschen Ostterritorien betrifft: »Wir fordern prinzipiell unser Recht. Dafür gibt es keinen Preis«, sagte Staatssekretär Walter Hallstein 1952 im Bundestag und fand dafür den Überzeugungsbeifall einer gewaltigen Mehrheit. Anscheinend kann man, darf man auf solches Recht auch nicht verzichten, als Christ etwa. Recht bleibt ja Recht, muß es bleiben; prinzipiell. Selbstverständlich ganz besonders der Sowjet-Union gegenüber, wo Unrecht, Unterdrückung und Gewalt – die wir selbst glücklicherweise abgetan haben – im System zuhause sind.

Diese »Politik aus Prinzip« haben nicht weniger viele in der Bundesrepublik mitgemacht und sie machen sie mit – die einen, weil sie es ganz allgemein für richtig halten, »dem Kommunismus« nichts zuzugestehen – »wie kämen wir dazu?« –, die anderen, weil sie geschehen lassen, was ihnen im Grunde gleichgültig ist, solange es ihr Konzept von der Welt und vom Leben nicht stört: lustvolle Hörige des Konsums, der täglichen Teilnahme an der im Start so kräftig verwirklichten, möglichst individuell nun zu intensivierenden »Gesellschaft im Überfluß«, der sozialkapitalistischen Nutznießungen; sie empfinden nur präsentistisch: Vergangenheit kümmert sie nicht, gar Schuld in ihr, was geht *sie* das an; die Politiker sollen machen, was sie wollen – allenfalls auch »Verzicht« im Osten leisten –, wenn sie nur in der Bundesrepublik, »im Westen«, Zukunft in ständig verbesserte Gegenwart verwandeln.

Einer – gewiß gleichfalls nicht geringen – Minderheit ist der wahre Zusammenhang von Recht, Geschichte und Politik aus der Zeit von 1933 bis heute, das Problem damit des Richtigen, des Notwendigen und des Möglichen bekannt. Sie wäre zusammen mit den »Präsentisten«, sofern deren Zustimmung mobilisiert und gewonnen wird, vermutlich imstande, im Vorfeld von Entscheidungen demoskopisch Mehrheit zu bilden. Wie kommt es, daß die Führung der CDU/CSU, just der als christlich gegründeten beiden Parteien der Bundesrepublik, nicht zu dieser Minderheit gehört, – die dann freilich Minderheit nie gewesen wäre, sondern längst, anders als Konrad Adenauer es vorgesehen und durchgesetzt hat, die Nachkriegswelt hier, in Europa und von Europa aus, ohne allen missionarischen Eifer, der uns ja wahrlich nicht anstand, verändert hätte.

Das vorliegende Buch eines Historikers, der Stellung bezieht, wirft unweigerlich die Frage auf, ob ihm, über die systematische Aufklärung eines enorm wichtigen Stücks unserer Nachkriegsvergangenheit hinaus, am Denk- und Handlungsbeispiel des Mannes, der die Bundesrepublik jetzt an ihrer Spitze repräsentiert, aktuelle Bedeutung für unsere politische Weiterentwicklung – Neuentwicklung, Reformentwicklung – zukommt. Es ist die aufschlußreiche, unter Umständen doch noch, falls daraus gelernt werden sollte, positive Geschichte des Verhältnisses von Moral und politischem Realismus in unserem demokratischen Staatswesen.

Man leugnet neuerdings, daß es nach dem Zusammenbruch des nationalsozialistischen Regimes für uns eine »Stunde Null« gegeben habe. Die Besatzungsmächte, sagen die Orthodoxen des Marxismus, die die Moral zwar exerzieren und verlangen, sogar erzwingen, von ihr aber außerhalb des Klassenkampfes und des sozialistischen Aufbaus nichts halten, hätten mit Hilfe von ihresgleichen innerhalb der deutschen Zustände die gesellschaftlich-politische Formierung nach den vorgegebenen Mustern der Herrschafts- und Herrschaftsänderungsinteressen vorgenommen. Das dogmatische Schema ist indes zu einfach. Zwar verlangten die Erfordernisse baren Überlebens – und einiges mehr – mancherlei folgenreiche Rücksichtnahmen, aber in der Politik der Entmilitarisierung waren alle längere Zeit eins; und für freiheitlich-sozialistische Ansätze gab es nachweislich, auch in der amerikanischen Zone, sowohl an der Basis wie in den übergreifenden wirtschaftlichen Kollektivbereichen Chancen; ebenso, trotz den Behinderungen, zahlreiche zwischenzonale Verhandlungskontakte. Aus der Geschichte ist keine Zeit bekannt, in der jemals eine Nation wie die deutsche nach dem Zweiten Weltkrieg mehrere Jahre die Möglichkeit gehabt hätte, konsequent eine Politik solidarischen Aufbaus, der Verständigung und des Friedens aus klarer moralischer

Besinnung zu unternehmen, die ringsum geradezu erwartet wurde und die, falls praktiziert, im Interessenkonfliktfall nicht billig hätte abgetan werden können. Auf die Herausforderung der totalen Niederlage nach totaler imperialistischer, mörderischer Aggression, die gleichwohl nicht zum eigenen physischen Untergang des ganzen Volkes geführt hatte, war die angebrachte Antwort in allen Existenzbereichen zu geben, von den Wirtschaftsbetrieben bis zu den Hochschulen, von den Kommunen bis zur internationalen Zusammenarbeit. Es ist, immerhin, damals gesehen und gesagt worden. Was hätte allein, in jener Ausnahmssituation, ein trotz allem Geschehenen unverzüglich bekundeter, dann unternommener, dann nicht ablassender Versuch der Aussöhnung mit Polen bedeutet! (Jedoch, bereits wenige Jahre später: »Wir fordern prinzipiell unser Recht.«)

Zwei Umstände bei uns selbst, nach dem Jahr der Betäubung und Desorientierung, verhinderten, daß es dazu kam, einen solchen Weg zu beschreiten: die langanhaltende Bedrängnis durch die Vielzahl der unmittelbaren Existenzsorgen, deren Behebung man sich pausenlos angelegen sein lassen mußte – Dr. Heinemann in Essen –, und sehr bald die magistral-magistratische Begabung Konrad Adenauers, der es verstand, stets für das *ihm* wesentlich Erscheinende sich freizumachen und freizuhalten, um allein darüber zu befinden und zu entscheiden, was im Ganzen zu geschehen hatte, sodann auch als plausibel, ja als die einzig möglichen Lösungen erscheinen zu lassen, was er in Gang gesetzt hatte. Sein Konzept, lediglich von der späteren Wiedergutmachung an Israel abgesehen, hatte mit Moral als konstitutivem Element einer möglichen deutschen Politik, sobald sie in Frage kam – und das geschah bald –, nichts zu tun; Moral war Privatsache jedes Deutschen – sehr wünschenswert, sehr zu empfehlen –, in der Staatspolitik kam es auf die Wiedergewinnung der Selbständigkeit, eigener Handlungsfähigkeit an. Für Dr. Adenauer waren auch in der exzeptionellen deutschen Situation Politik und Moral keine Einheit; er betrieb, ein Meister darin, das Staatshandwerk traditionell. Als die – wenigen – Männer wie Dr. Heinemann sich für die größere Aufgabe, mit vielen bleibenden Verpflichtungen, freigemacht hatten, waren die Beziehungen dort, in voller, geschicktester Anpassung an die Entwicklung des internationalen Interessengegensatzes, präformierend schon geknüpft. Die – begreiflichen – Verkennungen und Unterlassungen lagen bereits in den Anfangsjahren vor der Gründung der Bundesrepublik. Auch die Stuttgarter Schulderklärung der Evangelischen Kirche hat konkrete Politik nicht zur Folge gehabt.

Dieses Buch »Gustav Heinemann und die Deutschlandfrage« zeigt, auf das genaueste dokumentiert, erstmals den Verlauf des traurigtragischen Konflikts zwischen dem in konsequent evangelischer Ethik fundierten, aus ihr jederzeit lebendig erhaltenen politischen Realismus unseres jetzigen Bundespräsidenten (sowie der Freunde, mit denen er sich verbunden wissen durfte) und dem so ganz andersartigen, weltlich-politisch dogmatisierten, christlich ideologisierten Realismus Konrad Adenauers (sowie seiner mächtigen Gefolgschaft innerhalb und außerhalb der CDU/CSU); in jedem Entwicklungsabschnitt, an jedem vielleicht noch möglichen Wendepunkt bis zur Übernahme der Regierung in Bonn durch die sozialdemokratisch-liberale Koalition hat nicht die erste, sondern die zweite Art von Politik obsiegt. Der Unterschied, der sich in den Ereignisauslegungen, den Stellungnahmen, den Vorschlägen während zweier Jahrzehnte der Auseinandersetzung herausgebildet hat, war oft wie Tag und Nacht, in der Sache und in den angewandten Methoden. Es ist aufschlußreich, im Blick zurück zu sehen, wie eine radikal christliche, ganz und gar von der Botschaft Jesu bestimmte Betrachtungsweise bei Heinemann und seinen Freunden nicht nur die Motivationen bestimmte, sondern auch die Möglichkeiten und die Grenzen einer erneuerten deutschen Politik sichtbar machte, – Möglichkeiten und Grenzen, die die offizielle Bonner Politik von damals im Bann ihrer zugleich Angst, Ideologie und Überheblichkeit fördernden Prämisse, »westlich« sei gleichbedeutend mit »Gut«, »östlich« gleichbedeutend mit »Böse«, entweder überhaupt nicht gesehen oder jeweils sofort verkannt hat. Der Illusionismus, der Heinemann stets vorgeworfen wurde, wenn er sich nicht davon abhalten ließ, spezifisch christlich auf notwendige Politik hin zu argumentieren, um den richtigen Ausgangsstandort zu gewinnen für die Analyse der anzuvisierenden Ziele und der einzuschlagenden Wege, hielt just diejenigen in Bann, die von sich überzeugt waren, ganz besonders realpolitisch zu sein, wenn sie, in ihrer »Politik der Stärke«, die Macht der Sowjet-Union teils grotesk über-, teils ebenso grotesk unterschätzten. Aber sie haben, während der Realismus Heinemanns unterlag, mit ihrem Illusionismus Wirklichkeit erzeugt, – Wirklichkeit, mit der wir es auf Jahre hinaus noch zu tun haben werden.

Es ist ein wahres Abenteuer, die Kette der Auseinandersetzungen in der vorliegenden Dokumentation, die der Autor begleitend, allmählich gesteigert verdeutlichend kommentiert, mitzuvollziehen – daneben jeweils die Versuche in der Evangelischen Kirche, den neuen Anstößen so gerecht zu werden wie den alten Überzeugungen. Bewundernswert die Art, wie Dr. Heinemann die Kämpfe bestanden hat – als Christ, als Mensch und als Politiker.

Inhalt

Einleitung

Seit der Wahl Gustav Heinemanns zum Bundespräsidenten ist der paradoxe Zustand eingetreten, daß die Bundesrepublik Deutschland von einem Mann repräsentiert wird, der entscheidende Schritte ihres Weges in den fünfziger Jahren für falsch hielt, der deshalb stark angefeindet wurde, seine Sicht aber bis heute beibehielt[1]. So positiv die Mehrheit der Bevölkerung die Amtsführung des Bundespräsidenten Heinemann beurteilt, so gegensätzlich werden die Kommentare, wenn es um die Vergangenheit Heinemanns geht – ein Zeichen dafür, daß die Grundpositionen, die die Diskussion um Heinemann in den fünfziger Jahren bestimmten, nie geklärt worden sind. Die Frage der Wiedervereinigung Deutschlands, um die es damals in erster Linie ging, ist inzwischen entschieden. Daß trotzdem der Blick auf Heinemanns Vergangenheit Emotionen wachruft, hängt damit zusammen, daß Heinemann, wie seine Bewunderer und Kritiker gleichermaßen sagen, die deutlichste Gegenposition zur Politik Adenauers vertreten hat. Seine Kritik am Wege der Bundesrepublik trifft auch heute noch den Nerv des Selbstverständnisses vieler Westdeutschen.

Um so erstaunlicher ist die Tatsache, daß es eine gründlichere Darstellung des politischen Weges Heinemanns nicht gibt. Er selbst hat bisher nur bei verschiedenen Gelegenheiten kürzere Rückblicke gegeben[2] und einige frühere Artikel wieder veröffentlicht[3]. Anläßlich seiner Wahl erschienen Sammlungen von Zitaten und Porträts[4]; aber

1. Interview v. R. Appel mit Heinemann, Stuttgarter Zeitung 8. 3. 69. – G. Heinemann, Verfehlte Deutschlandpolitik – Irreführung und Selbsttäuschung, Antworten 13, Stimme-Verlag, Frankfurt 1966, S. 151: Nachwort v. 5. 9. 65, unverändert auch in der zweiten Auflage Sommer 1969.
2. z. B. G. Heinemann, Was Adenauer vergißt, Frankfurter Hefte, 11. Jg. Heft 7/ 1956, S. 455ff. – Ders., Warum bin ich Sozialdemokrat. Broschüre, Bad Godesberg (o. J.). – Interview von Günter Gaus mit Heinemann, Erstes Deutsches Fernsehen am 3. 11. 1968, abgedruckt in G. Heinemann, Plädoyer für den Rechtsstaat, Karlsruhe 1969, S. 81.
3. Die Titel sind in der Einleitung zur Bibliographie Gustav W. Heinemann 1945–1958 aufgeführt.
4. H. Schreiber und F. Sommer, Gustav Heinemann. Bundespräsident. Mit einem Vorwort von Günter Grass, Fischer Bücherei 1969. – Gustav Heinemann. Anekdotisch. Vorgestellt von H. Ihlefeld, München/Esslingen 1969. – Worte des Vorsitzenden Gustav. Der neue Bundespräsident zu Lebensfragen unseres Volkes.

ihr Zweck war in erster Linie, den Bundespräsidenten vorzustellen, weniger, seine Vergangenheit darzustellen und kritisch zu betrachten.

Gerade das aber ist nötig. Einmal einfach zu dem Zweck, die Person des Bundespräsidenten aus seiner Vergangenheit deutlicher zu erklären. Zum andern ist eine solche Darstellung aber auch als Beitrag für die gegenwärtige Diskussion um die rechte Ostpolitik der Bundesrepublik nützlich. Denn die verschiedenen Positionen in dieser Frage sind über die Grenzen der Bundesrepublik hinaus so sehr von den Vorstellungen der fünfziger Jahre vorgeprägt, auch wenn man sie verlassen zu haben glaubt, daß eine Klärung der heutigen Standpunkte nur in dem Grade möglich wird, wie man die Position der fünfziger Jahre kritisch in den Blick bekommt. Dazu kann eine Untersuchung über Heinemann und die Deutschlandfrage dienen.

Unter dem Begriff »Deutschlandfrage« ist jedoch nicht nur das Problem einer Wiedervereinigung Deutschlands oder einer westdeutschen Ostpolitik zu verstehen. Beides war gerade in den entscheidenden Jahren bei jedem Politiker nur ein Teil einer Gesamtkonzeption über Deutschland. Heinemanns Vorstellung von der Deutschlandfrage, von Politik überhaupt, war Teil einer theologisch bestimmten Weltsicht. Seine »politische« Konzeption ist deshalb nur darzustellen, indem in erster Linie diese theologisch-politischen Zusammenhänge deutlich gemacht werden. Da Heinemann sich in der Politik nur »auf Vorposten« und seine »erste Verpflichtung im kirchlichen Leben« sah[5], muß auch seine kirchliche Tätigkeit in den Blick kommen, sein Wirken im Rahmen der Evangelischen Kirche Deutschlands.

Diese Zusammenhänge zwischen politischer und kirchlicher Tätigkeit, zwischen theologischer Überzeugung und politischer Konzeption sind aber nicht nur für das Leben Heinemanns von Bedeutung. Seine Weltsicht ist vielmehr als exemplarisch für eine bestimmte Möglichkeit menschlicher Existenz zu sehen. Insofern leistet die Begegnung mit ihr auch den Dienst, daß sie zur Neubesinnung auf theologisch-politischem Felde anregt.

Zusammengestellt von U. Grewe und H. –M. Zywietz, Hamburg 1969. – H. Gollwitzer/D. Posser/H. Ehmke/E. Eppler/E. Wilm, Gustav W. Heinemann. Bundespräsident. Bonn-Bad Godesberg 1971.

5. So formulierte er es in einer seiner ersten nach 1945 gedruckten Schriften: Was geht heute in der Evangelischen Kirche in Deutschland vor? Vortrag in Wuppertal-Barmen am 17. 12. 46, S. 1 (siehe die Bibliographie Nr. 4. Im folgenden wird bei Zitaten aus Veröffentlichungen Heinemanns stets in den Anmerkungen auf diese Liste verwiesen. Für diesen Fall also: GII 4, S. 1).

Heinemann hat seine Vorstellungen in der Auseinandersetzung mit seiner Zeit Schritt für Schritt entwickelt. Die einzelnen Phasen dieser Entwicklung sollen verfolgt und im Zusammenhang mit den Stadien gesehen werden, in denen sich die Deutschlandfrage befand. Ausgangspunkt sind die Jahre nach 1945, weil mit dem Zusammenbruch des Nationalsozialismus die Frage, was aus Deutschland werden sollte, brennend wurde; in dieser Zeit trat Heinemann zum ersten Mal an eine breitere Öffentlichkeit. In einem kurzen Rückblick auf den Kirchenkampf der nationalsozialistischen Zeit wird der Beginn seines Weges in Kirche und Welt bezeichnet. Die späten vierziger und beginnenden fünfziger Jahre werden ausführlich behandelt, weil damals in der deutschen Frage wesentliche Entscheidungen fielen und Heinemann seine theologisch-politische Position präzisierte. Die späteren fünfziger Jahre werden daraufhin untersucht, welche Konsequenzen sich nach den grundlegenden Entscheidungen über den Weg der beiden deutschen Staaten und der Evangelischen Kirche Deutschlands für Heinemann ergaben. Heinemanns Weg in der SPD, als Bundesminister und Bundespräsident ist hier im einzelnen nicht berücksichtigt, weil er in Grundzügen bekannt, weniger umstritten und in den Wirkungen noch nicht zu übersehen ist. Die Arbeit schließt mit einem Ausblick darauf, welche Folgen die damaligen theologischen und politischen Ansichten und Entscheidungen gehabt haben und welche Folgerungen sich heute für uns daraus ergeben.

Bei der Arbeit waren mir manche Anregungen von Kollegen und Schülern, das Entgegenkommen des Bremer Studienseminars, die Unterstützung von öffentlichen und privaten Archiven und der unermüdliche Einsatz der Sekretärin Frau Höppner hilfreich. Herrn Dr. Heinemann und seiner Frau danke ich dafür, daß sie mir auf meine Bitte hin seit 1964 ihr Archiv öffneten. Mein besonderer Dank gilt meinen Eltern und, vor allem, meiner Frau. Ohne ihre jahrelange Mitarbeit hätte ich diese Studie nicht schreiben können.

I

Die ersten Nachkriegsjahre

1

Die politische Lage in Deutschland und die Schuldfrage

So verschieden die Siegermächte waren, die nach der deutschen Kapitulation im Mai 1945 die Regierungsgewalt in Deutschland übernahmen – in einem Punkt waren und blieben sie sich einig: in der Überzeugung, daß das nationalsozialistische Deutschland die weltweite Katastrophe verursacht hatte, die mit dem Zweiten Weltkrieg über viele Völker hereingebrochen war, und daß die Deutschen die Folgen zu tragen hatten. Auf der Konferenz in Potsdam (17. 7. – 2. 8. 1945) verständigten sich die Regierungschefs Großbritanniens, der Sowjetunion und der Vereinigten Staaten leicht darüber, daß der Nationalsozialismus beseitigt und daß Deutschland entmilitarisiert und »demokratisiert« werden sollte[1]. Schwieriger war eine Einigung über das Ausmaß und die Verteilung von Reparationen und über die Gebietsabtretungen zu erzielen. Daß Polen nach Westen verschoben werden und demnach deutsche Ostgebiete an Polen fallen sollten, war im Prinzip schon auf früheren Konferenzen festgestellt worden, ohne daß man sich über den genauen Verlauf der neuen deutsch-polnischen Grenze hatte einigen können. In Potsdam gaben die Vertreter der USA und Englands ihre Zustimmung zur polnischen Verwaltung der Gebiete jenseits von Oder und Lausitzer Neiße und erkannten damit die Verhältnisse an, die seit März 1945 bestanden, als die Sowjetunion die deutschen Ostprovinzen eigenmächtig an Polen übergeben hatte; dabei machten sie allerdings die Einschränkung, daß die Grenzfrage erst im Friedensvertrag endgültig geregelt werden sollte. Ferner wurde eine »Überführung« der noch in Polen, in der Tschechoslowakei und in Ungarn lebenden Deutschen in die britische, ame-

---

1. Zur Potsdamer Konferenz vgl.: Potsdam 1945. Quellen zur Konferenz der »Großen Drei«, hg. von E. Deuerlein (dtv-Dokumente 152/53), München 1963. – E. Deuerlein, Deklamation oder Ersatzfrieden? Die Konferenz von Potsdam 1945, Stuttgart 1970. (Dort weitere Literaturangaben.)

rikanische und sowjetische Besatzungszone vereinbart. Die Sowjetunion sollte die Reparationen aus der von ihr besetzten Zone Deutschlands zu 100% erhalten; außerdem wurde ihr ein Anteil aus den Reparationen, die die Westzonen zu leisten hatten, zuerkannt. Mit dieser Bestimmung wurde an einem wichtigen Punkte die einheitliche Behandlung Deutschlands in wirtschaftlichen Fragen, auf die man sich im übrigen prinzipiell einigte, durchbrochen. Der alliierte Kontrollrat, bestehend aus den Oberbefehlshabern der vier Besatzungszonen, sollte eine einheitliche Gesetzgebung für Rest-Deutschland gewährleisten; jedoch war vorgesehen, daß im Falle von Differenzen zwischen den Alliierten jeder Zonenbefehlshaber für seine Zone Weisungen erteilen konnte, – eine weitere Bestimmung, die die Möglichkeit einer verschiedenen Entwicklung in Ost und West eröffnete. Zwar wurde die Bildung zentraler deutscher Staatssekretariate unter der Leitung des Kontrollrats in Aussicht gestellt, ohne daß jedoch ein Zeitpunkt dafür festgelegt wurde.

Die »deutsche Frage« war nach 1945 vor allem die, ob Deutschland als *ein* Staat überhaupt fortbestehen, welches Gebiet dieser umfassen und wie er im Inneren aufgebaut sein würde[2].

Nachdem sich die Alliierten in West und Ost zunächst in ihrer Deutschlandpolitik eher vorsichtig abwartend verhalten als klare Linien vorgezeichnet hatten, wurde innerhalb einiger Monate deutlich,

---

2. Für den folgenden Überblick über die ersten Nachkriegsjahre kann eine Auseinandersetzung mit der Literatur nicht geleistet werden. An wichtigen Arbeiten sind zu nennen: G. Alperovitz, Atomare Diplomatie. Hiroshima und Potsdam, München 1966. – J. H. Backer, Primming the German Economy. American Occupational Policies 1945–1948, Durham 1971. –R. Badstübner, Restauration in Westdeutschland 1945–1949, Berlin(-Ost) 1965. – R. Badstübner/S. Thomas, Die Spaltung Deutschlands 1945–1949, Berlin(-Ost) 1966. – W. Cornides, Die Weltmächte und Deutschland. Geschichte der jüngsten Vergangenheit 1945–1955, Tübingen/Stuttgart 3. Aufl. 1964. – E. O. Czempiel, Das amerikanische Sicherheitssystem 1945–1949. Studie zur Außenpolitik der bürgerlichen Gesellschaft, Berlin(-West) 1966. – E. Deuerlein, Die Einheit Deutschlands, I: Die Erörterungen und Entscheidungen der Kriegs- und Nachkriegskonferenzen 1941–1949, Frankfurt 2. Aufl. 1961. – J. Gimbel, Amerikanische Besatzungspolitik in Deutschland 1945–1949, Frankfurt 1971. – A. Grosser, Deutschlandbilanz. Geschichte Deutschlands seit 1945, München 1970. – D. Horowitz, Kalter Krieg. Hintergründe der US-Außenpolitik von Jalta bis Vietnam, Berlin(-West) 1969. – P. H. Merkl, Die Entstehung der Bundesrepublik Deutschland, Stuttgart 2. Aufl. 1968. – H.-P. Schwarz, Vom Reich zur Bundesrepublik. Deutschland im Widerstreit der außenpolitischen Konzeptionen in den Jahren der Besatzungsherrschaft 1945–1949, Neuwied/Berlin 1966. – W. Vogel, Amerikanische Sicherheitspolitik und Deutschlandproblem 1945–1949, in: Vjh. f. Zeitgeschichte 1971, S. 64ff. – Th. Vogelsang, Die Bemühungen um eine deutsche Zentralverwaltung 1945/46, in: Vjh. f. Zeitgeschichte 1970, S. 510ff. – G. Wettig, Entmilitarisierung und Wiederbewaffnung in Deutschland 1943–1955, München 1967.

daß sie in nahezu allen entscheidenden Fragen unterschiedliche Positionen einnahmen. Dies trat um so stärker zutage, je mehr die Deutschlandfrage Teil jenes weltpolitischen Ringens wurde, das schon gegen Kriegsende eingesetzt hatte und als »Kalter Krieg« seit 1946/ 47 das Bewußtsein der Zeitgenossen immer stärker bestimmte. Die Einrichtung gesamtdeutscher Staatssekretariate war schon im Herbst 1945 am Einspruch Frankreichs gescheitert, das – obwohl Besatzungsmacht – in Potsdam nicht vertreten gewesen war. Nun traten allmählich auch in der Frage der deutschen Ostgrenze die Gegensätze schärfer heraus: die Westmächte betonten seit der Stuttgarter Rede des amerikanischen Außenministers Byrnes im September 1946 die Vorläufigkeit der in Potsdam getroffenen Regelung, die Sowjetunion machte seitdem dagegen geltend, daß über die Grenzlinie an Oder und Neiße im Zusammenhang mit der gemeinsam beschlossenen Aussiedlung der Deutschen de facto endgültig entschieden sei. Vor allem aber wurde offenbar, daß die Großmächte in Ost und West unter der »Demokratisierung« Verschiedenes verstanden: die Sowjetunion primär die Umwandlung der bestehenden gesellschaftlichen und wirtschaftlichen Ordnung, die Westmächte primär die Wiederherstellung der vor 1933 bestehenden politischen und sozialen Verhältnisse. Unter den deutschen Politikern, die von den Siegermächten zur – begrenzten – Mitarbeit herangezogen wurden, stützte sich die sowjetische Militäradministration immer eindeutiger auf die KPD (ab April 1946 SED), während die Westmächte seit 1947 die nichtkommunistischen Parteien begünstigten. Einigkeit bestand noch über den weitgehenden Ausschluß ehemaliger Nationalsozialisten aus dem politischen Leben und über die Entmilitarisierung Deutschlands, wenn auch alle Siegermächte anfingen, in Bezug auf die Heranziehung ehemaliger Nationalsozialisten Ausnahmen zu machen und ihren Streitkräften unbewaffnete deutsche Arbeitskräfte zuzuordnen.

1947/48 wurde offensichtlich, daß die gemeinsame Grundlage für eine einheitliche Regelung der deutschen Frage nicht ausreichte: Mit der Einbeziehung der Westzonen Deutschlands in den Marshallplan, der wirtschaftliche Hilfe der USA für westeuropäische Länder vorsah, verstärkte sich Mitte 1947 die politische Machtstellung der USA in Westdeutschland, während die Sowjetunion ihre Zone diesem Einfluß fernhielt. Die beiden Außenministerkonferenzen über Deutschland in Moskau und London scheiterten. 1948 beschritt der Westen unter amerikanischer Führung den Weg zur Bildung eines deutschen Weststaates; im Juni wurde eine Währungsreform in den Westzonen durchgeführt, im Winter 1948/49 eine vorläufige Verfassung für Westdeutschland ausgearbeitet. Die Sowjetunion antwortete auf die Weststaat-Planung mit der Sprengung des Kontrollrats, der Blockade

West-Berlins und der Vorbereitung eines Oststaates. Das vorläufige Ende des Schwebezustandes der ersten Nachkriegsjahre bildete im Jahre 1949 die Entstehung eines größeren, westlich geprägten, und eines kleineren, sowjetisch geprägten deutschen Staates.

Der ursächliche Zusammenhang zwischen der Katastrophe des Zweiten Weltkrieges und dem Nationalsozialismus, den siegreichen Völkern selbstverständlich, mußte vielen Deutschen erst in einem schmerzlichen Prozeß der Selbstbesinnung bewußt werden[3]. Im Gegensatz zu 1918 war es für die Deutschen 1945 nicht mehr möglich, die Niederlage zu übersehen und in eine neue Dolchstoßlegende zu flüchten. Die Tatsachen sprachen allzu deutlich: das deutsche Heer besiegt, die Reichsregierung aufgelöst, im Osten mehrere Provinzen an Polen und die Sowjetunion verloren, der Rest des Reiches in Besatzungszonen aufgeteilt und von den Siegermächten regiert. Verhältnismäßig leicht war auch einzusehen, daß der Nationalsozialismus den verlorenen Krieg verbrecherisch verlängert hatte. Ein großer Teil der Bevölkerung wandte sich allein schon deshalb gleich nach dem Kriege instinktiv vom Nationalsozialismus ab. Die Zusammenhänge zwischen der Entfesselung dieses Weltkrieges und seinem schrecklichen Verlauf und Ende, zwischen nationalsozialistischem Weltbild und Kriegsausbruch waren dagegen nicht so leicht zu durchschauen. Vor Augen stand den Deutschen zunächst die Tatsache, daß die Alliierten die Stärkeren gewesen waren und gesiegt hatten. Zwar erkannten immer mehr Deutsche, daß Hitler den Zweiten Weltkrieg begonnen hatte; schwerer aber war die Einsicht zu gewinnen, daß Hitler nicht ohne die Zustimmung eines großen Teils des deutschen Volkes hatte die Macht erlangen, zwölf Jahre regieren und sechs Jahre Krieg führen können; daß also Kriegsende und Kriegsfolgen von allen mitgetragen und mitverantwortet werden mußten[4]. Zu groß waren die menschlichen Belastungen, die das Kriegsende für die meisten Deutschen mit sich brachte: in fast allen Familien waren Angehörige gestorben oder verschollen, fast überall herrschte auf Jahre hinaus die Sorge um Wohnung, Nahrung, Kleidung. Zu groß war auch die Versuchung, einer geistigen Auseinan-

---

3. Einen Überblick über die »Diskussion über die Verantwortung des deutschen Volkes« gibt E. Deuerlein in: Deutschland nach dem Zweiten Weltkrieg 1945– 55 (Brandt/Meyer/Just, Handbuch der Deutschen Geschichte 4/VI), Konstanz 1963/64, S. 68ff. – Vgl. auch: H. Apel, Spaltung. Deutschland zwischen Vernunft und Vernichtung, Berlin(-West) 1966, S. 19ff.
4. Zum psychologischen Problem s. A. u. M. Mitscherlich, Die Unfähigkeit zu trauern. Grundlagen kollektiven Verhaltens, München 1967.

dersetzung mit dem Nationalsozialismus aus dem Weg zu gehen; denn in der von den Alliierten befohlenen Entnazifizierung schien es jedem geraten, sich um seiner wirtschaftlichen Existenz willen weit von der nationalsozialistischen Vergangenheit zu distanzieren[5]. In dieser Lage sich ehrlich über deutsche Schuld, über den Anteil eigener Mitschuld klarzuwerden, eine Mithaftung aller anzuerkennen, war sehr schwer.

Und doch war gerade dies unumgänglich, wenn Deutsche überhaupt ihre Lage angemessen erfassen, wenn sie überhaupt wieder Politik machen wollten. Denn solange sie die »Katastrophe« von 1945 nur als »Schicksal« betrachteten, das über sie gekommen war, mußte das Entsetzen, das mit der Niederlage und ihren Folgen verbunden war, Empörung und den Ruf nach Gerechtigkeit hervorrufen – nicht den Ruf nationaler Empörung wie nach 1918, aber doch ein Aufbegehren in anderer Weise. Jegliches Aufbegehren ging jedoch an der Tatsache vorbei, daß die Siegermächte 1945 den Deutschen nur dann Spielraum zu politischem Handeln einräumen würden, wenn sie ihre eigene Mitschuld eingesehen hatten. Erst wenn das geschehen war, konnten die Deutschen im Rahmen der geringen Möglichkeiten, die ihnen zu Gebote standen, etwas für den friedlichen Wiederaufbau Deutschlands tun.

Zu solcher Einsicht gehörte nicht nur die Erkenntnis des nationalsozialistischen Unrechts im allgemeinen: daß die Verfolgung und Vernichtung von Juden und anderen Minderheiten und die Entfesselung von Kriegen eine logische Folge des Nationalsozialismus war. Die andere, schwerere Aufgabe bestand darin, die durch die nationalsozialistische Weltanschauung bedingte unterschiedliche Zielsetzung und Methode deutscher Kriegführung auf den verschiedenen Kriegsschauplätzen in Ost und West zu erkennen: daß der Krieg sich zwar im Westen im großen und ganzen noch im Rahmen »konventioneller« Kampfführung gehalten hatte, im Osten aber von Anfang an unter rassenideologischem Aspekt als Versklavungskrieg gegen die slawischen »Untermenschen«, als Vernichtungskrieg gegen die polnische Intelligenz, gegen die sowjetische Führungsschicht, gegen kommunistische Funktionäre und vor allem gegen die Juden geführt worden war[6]. Nur wer das erkannte, konnte begreifen, daß Russen und

---

5. Gegenüber der undifferenzierten These von der Kollektivschuld des deutschen Volkes lag es nahe, den Schuldbegriff rechtlich, moralisch, politisch zu analysieren. Vgl. den Überblick bei Deuerlein, aaO. S. 70ff und die von ihm angegebene Literatur S. 288f.
6. Diesen Gegensatz arbeitet A. Hillgruber heraus: Hitlers Strategie. Politik und Kriegführung 1940–41, Frankfurt 1965, bes. S. 516ff, 564ff. – Die Bedeutung dieses Faktums für die Nachkriegsgeschichte betont besonders R. Thilenius, Die Teilung

Polen 1945 mit größerem Haß in Deutschland eindrangen und mehr
Land und Reparationen als Wiedergutmachung forderten als die anderen Siegermächte.

Das zu verstehen erforderte jedoch von den Deutschen eine besondere Anstrengung; denn im Osten erlebten sie ihrerseits besondere
Schrecken: das Leben unter unmenschlichen Bedingungen, Hunger,
Vergewaltigung, Flucht, Vertreibung – mit dem Erlebnis dieses
Furchtbaren waren »der Russe«, »der Pole«, »der Tscheche« verbunden. Anzuerkennen, daß vorher die Deutschen diesen Völkern
Entsetzliches angetan hatten; einzusehen, daß die systematische Vernichtung von Millionen Menschen im Osten im Namen Deutschlands
über die 1945 von Deutschen erlebten Schrecken hinausging – das
war ungeheuer schwer. Wer allein das Leiden der Deutschen im Osten
sah, wurde in eine anti-sowjetische Haltung geradezu hineingedrängt
oder sah sich in ihr bestätigt; nur wer gleichzeitig auch den deutschen
Ostkrieg von 1941–45 im Blick hatte, war in der Lage, die ganze Situation, auch die Haltung der Siegermacht im Osten, politisch zu beurteilen.

Nur wer keiner Siegermacht von vornherein ablehnend gegenüberstand, konnte auch zum Verständnis dessen vordringen, daß die verschiedenen Großmächte das Aufkommen des Nationalsozialismus
verschieden deuteten. Weil der Marxismus-Leninismus die gesellschaftlichen Bedingungen als ausschlaggebende Ursache für den Nationalsozialismus ansah, erzwangen die Sowjets eine Umgestaltung
der gesellschaftlichen Verhältnisse in dem von ihnen besetzten Teil
Deutschlands. Weil die westlichen Demokratien vom Wert individueller Entscheidungen überzeugt waren, konnten sie, ohne große gesellschaftliche Veränderungen vorzunehmen, den Deutschen in dem Maße Freiheiten zurückgeben, wie sie ihnen demokratische Verantwortung zutrauten. Natürlich waren bei allen Siegermächten egoistische
Motive in ihren Entscheidungen über Deutschland mit im Spiel. Vor
der Versuchung, sie allein für ausschlaggebend zu halten, waren nur
die Deutschen gefeit, die die einzelnen Siegermächte in ihrem grund-
verschiedenen Bemühen, die Wurzeln des Nationalsozialismus zu beseitigen, zu verstehen suchten.

In den deutschen Parteien, die in allen Besatzungszonen seit dem
Sommer 1945 gegründet wurden, war das Bewußtsein des deutschen
Unrechts weiter verbreitet als in der Bevölkerung im ganzen. Die Par-
teien verstanden sich alle bewußt als »antifaschistisch«; sie nahmen

---

Deutschlands. Eine zeitgeschichtliche Analyse (Rowohlts Deutsche Enzyklopädie
55), Hamburg 1957, S. 11ff.

den Nationalsozialismus zum negativen Ausgangspunkt, demgegenüber es die politische Sinneswandlung zu akzentuieren galt[7].

Zunächst bedeutete der gemeinsame »Antifaschismus« bis zu einem
gewissen Grade – wie bei den Siegermächten – auch eine Übereinstimmung in der Sache: daß Deutschland entnazifiziert und demili-
tarisiert werden und die Änderung sich von der Geisteshaltung des
einzelnen bis zu der der gesellchaftlichen Strukturen hin erstrecken
müsse. Auch die Kommunisten vertraten anfangs eher ein radikal-
demokratisches als ein sozialistisches Programm; und weite Kreise
der Christlichen Demokraten betonten die Notwendigkeit der vorzu-
nehmenden gesellschaftlichen Änderungen; nur bei den Freien Demokraten war diese Seite von vornherein wenig ausgebildet.

Jedoch war es für die deutschen Parteien schwer, eine umfassende
Sicht der Lage durchzuhalten und allen Siegermächten gleichermaßen
gerecht zu werden. Denn in jeder Partei herrschte auch, wie bei den
verschiedenen Siegermächten, eine bestimmte Grundansicht über den
Ablauf historischer Prozesse und der Glaube an die ausschlaggebende
Bedeutung bestimmter Faktoren für den Frieden der Zukunft. Die
Kommunisten, überzeugt von der unter allen Umständen notwendigen Veränderung der sozialen Basis, sahen die Enteignungsmaßnah-
men der Sowjetunion in ihrer Zone, auch wenn sie unter Druck ge-
schahen, als geeignetes Mittel der Entnazifizierung an. Die Sozialdemokraten traten für eine Sozialisierung der Grundstoffindustrien
durch das Volk ein und sympathisierten mit der englischen Labour-
regierung. Die Freien Demokraten und der rechte Flügel der Christlichen Demokraten hingegen, überzeugt von der Notwendigkeit freier
Entscheidungen jedes Menschen auf jedem Gebiet, begrüßten die
amerikanischen Tendenzen, die das Wiedererstehen einer freien Wirtschaft in Deutschland befürworteten.

Wie bei den Siegermächten war auch in den deutschen Parteien die
Abwendung vom Nationalsozialismus, die Beseitigung seiner Ursachen nicht das einzige Motiv ihres Strebens und Handelns. Es ging
zunächst und Jahre hindurch einfach darum, das Überleben der deutschen Bevölkerung zu ermöglichen. Die deutschen Politiker sahen sich
daher genötigt, mit der jeweiligen Besatzungsmacht zusammenzu-
arbeiten. Hand in Hand mit der Sicherung des Existenzminimums
und der Beseitigung des Nationalsozialismus ging selbstverständlich
die Absicht, politische Macht zu erringen und auszubauen.

Weil bei Siegern und Besiegten von Anfang an Machtinteressen
mit dem Streben nach Beseitigung des Nationalsozialismus untrenn-

---

7. vgl. Dokumente zur parteipolitischen Entwicklung in Deutschland seit 1945, hg.
von O. Flechtheim, II und III, Berlin 1963, u. Flechtheims Einführung in II, S. 1ff.

bar verknüpft waren, jeder aber geneigt war, in sich selbst den Garanten des künftigen Friedens zu sehen, lag die Versuchung nahe, dem Gegner zu unterstellen, er meine es mit seinen Maßnahmen zur Überwindung des Nationalsozialismus und zum friedlichen Neuaufbau nicht ehrlich, sondern handle nur aus Machtgier und Opportunismus.

Dieses Mißtrauen, das zur fortschreitenden Entfremdung der Siegermächte untereinander beitrug, trennte auch in Deutschland immer stärker die KPD von den übrigen politischen Kräften. Im »Kalten Krieg« zwischen den Großmächten ergriffen die Deutschen alsbald Partei[8]. Unvollkommen informiert, in Kritik und Selbstkritik wenig geübt, waren sie als direkt Betroffene zur Relativierung, zum kritischen Abwägen der Standpunkte kaum in der Lage.

Die Folge davon war, daß die Beurteilung der politischen Geschehnisse immer einseitiger wurde und immer stärker zu einer Schwarz-Weiß-Zeichnung ausartete. In der Ausschaltung von Großindustriellen und Großagrariern in der sowjetisch besetzten Zone sahen die nichtkommunistischen Parteien nur die Machtergreifung der Kommunisten, während die Kommunisten diese Maßnahme als Beseitigung von Ursachen des Nationalsozialismus deuteten. In der Einbeziehung Westdeutschlands in den Marshallplan erblickten die Kommunisten nur eine erneute Festigung und Ausweitung der Herrschaft des »Imperialismus«, während die »bürgerlichen« Parteien davon die Rettung aus wirtschaftlicher Notlage und den Beginn friedlichen Wiederaufbaus erhofften[9]. Die westlich gesonnenen Deutschen hielten die Oder-Neiße-Linie im Blick auf die frühere Geschichte der deutschen Ostprovinzen für bares Unrecht, während die Kommunisten diese Grenze seit Herbst 1946 als Folge der Ostpolitik Hitlers um des zukünftigen Friedens willen akzeptierten[10].

Zur Vermittlung und gegenseitigen Erklärung der Standpunkte wäre, ihrer Herkunft nach, theoretisch die SPD in Frage gekommen, weil sich in ihr marxistisches und parlamentarisch-demokratisches Denken verband. Einer Überbrückung der Gegensätze stand aber die Tatsache entgegen, daß das Verhältnis zwischen SPD und KPD seit der Zeit der Weimarer Republik durch gegenseitiges tiefstes Mißtrauen beherrscht wurde. Galt der KPD die SPD als unzuverlässig,

---

8. Eine umfassende und abgewogene Darstellung bietet Schwarz, Vom Reich zur Bundesrepublik, S. 297ff.
9. Schwarz, aaO. S. 322. – Deuerlein, Deutschland nach dem Zweiten Weltkrieg, S. 106ff. – Dokumente der KPD 1945–56, Berlin (-Ost) 1965, S. 73ff. – Arnold J. Heidenheimer, Adenauer and the CDU, Den Haag 1960, S. 111.
10. Schwarz, aaO. S. 226ff. – Polen, Deutschland und die Oder-Neiße-Grenze. Dokumentation zur Zeitgeschichte I, Berlin (-Ost) 1959, S. 547ff, 649ff.

weil sie womöglich wieder mit dem Bürgertum zusammengehen würde, so betrachtete die SPD die KPD als gefährlich, weil sie womöglich wieder bedingungslos die Politik der Sowjetunion gutheißen
würde. So betrieb die KPD, die im Sommer 1945 den Zusammenschluß mit der SPD abgelehnt hatte, in der sowjetischen Zone Anfang 1946 die Vereinigung mit der SPD unter kommunistischer Führung, während die westdeutsche und Berliner SPD unter ihrem Vorsitzenden Kurt Schumacher auf Erhaltung und Ausbau der Selbständigkeit der SPD in scharf antikommunistischer Frontstellung bedacht
war. Während die Kommunisten die Gründung der Sozialistischen
Einheitspartei als Grundsteinlegung für ein antifaschistisches
Deutschland ansahen, galt sie der SPD als Fortsetzung der vergangenen Diktatur unter anderen Vorzeichen[11]. Je deutlicher einerseits die
KPD-SED ihren anfänglichen Zielsetzungen vom »deutschen Weg
zum Sozialismus« abschwor und unmittelbar auf den Moskauer Kurs
einschwenkte und je eindeutiger andererseits die westdeutsche Sozialdemokratie die »Aktionseinheit« mit der KPD-SED ablehnte, desto
mehr sahen sich die Vertreter der beiden Parteien in ihrem gegenseitigen Mißtrauen bestätigt.

Das Bewußtsein nationaler Zusammengehörigkeit unter den Deutschen erwies sich ebenfalls nicht als tragfähig für eine Brücke zwischen Ost und West. Denn die nationale Idee geriet alsbald selbst in
den Strudel der Ost-West-Auseinandersetzung: jede Seite benutzte,
bewußt und unbewußt, den Einheitsgedanken als Mittel, die eigenen
Vorstellungen über das künftige Gesamtdeutschland auch auf den jeweils anderen Teil Deutschlands zu übertragen; und jede Seite war
mißtrauisch gegen jeden Appell zur Einheit, der nicht vom eigenen
Lager ausging. Der Versuch des bayrischen Ministerpräsidenten Dr.
Ehard, die Regierungschefs aller deutschen Länder auf einer Konferenz in München 1947 zu gemeinsamen Überlegungen über die deutsche Frage zu veranlassen, schlug fehl, da einerseits von der SED
Walter Ulbricht um den Einfluß der KPD-SED fürchtete und deshalb
widerstrebte und da sich andererseits die westlichen Ministerpräsidenten nicht entschließen konnten, den politischen Standpunkt ihrer
östlichen Kollegen auch nur anzuhören; denn den Repräsentanten der
westdeutschen Länder war die Erörterung der Einheitsfrage von ihren Besatzungsmächten untersagt worden, und sie fürchteten, wenn
sie sich daran nicht hielten, um ihre wirtschaftlichen Wiederaufbau-
pläne[12]. Der Versuch Jakob Kaisers, des CDU-Vorsitzenden der

---

11. Schwarz, aaO. S. 491ff.
12. Deuerlein, aaO. S. 127ff (weitere Literatur: ebd. S. 294f). – Ders., Das erste Ge-
    samtdeutsche Gespräch. Zur Beurteilung der Ministerpräsidenten-Konferenz in

sowjetisch besetzten Zone, 1947 eine »Nationale Repräsentation«
aus deutschen Parteien aller Zonen zusammenzubringen, stieß nicht
nur auf Ablehnung bei der SED und SPD, sondern auch auf deutliche Reserve bei der West-CDU, weil man in Kaisers Ost-CDU sowjetischen Einfluß fürchtete und weil Konrad Adenauer, der Vorsitzende der CDU der britischen Zone, die Orientierung nach Westen
nicht in Frage stellen lassen wollte[13]. Der Versuch der SED, durch
einen »Deutschen Volkskongreß« in kommunistischem Sinn für die
Einheit Deutschlands tätig zu werden, blieb bei allen übrigen Parteien ohne Resonanz, da man im »Deutschen Volkskongreß« nur ein
sowjetisches Werkzeug sah.

Die antisowjetische Haltung wurde bei den nichtkommunistischen
Parteien geradezu zum Maßstab demokratischer Gesinnung. Das
zeigte sich, als die Westmächte im Juli 1948 den westdeutschen Ministerpräsidenten ihre Pläne für einen deutschen Weststaat unterbreiteten. Zunächst widerstrebten die Regierungschefs, obwohl sie von
General Clay unter Druck gesetzt wurden und amerikanische Hilfe
in der gerade begonnenen Blockade Westberlins brauchten; die Deutschen befürchteten von einer westdeutschen Staatsbildung negative
Rückwirkungen auf die Ostdeutschen. Nachdem jedoch der gerade
neu gewählte Berliner Oberbürgermeister Ernst Reuter erklärt hatte,
eine solche Staatsgründung sei auch für die Menschen in Berlin und
in der sowjetischen Zone in ihrem Kampf gegen den Kommunismus
das beste, ließen die Ministerpräsidenten ihre Bedenken gegen einen
Weststaat fallen, ohne das Argument des Berliners auf seine Richtigkeit hin zu prüfen und zu fragen, ob es das letzte Wort sein dürfte[14].

München 6./7. 6. 1947 (aus Politik und Zeitgeschichte, Beilage zur Wochenzeitung Das Parlament Nr. 23 v. 7. 6. 1967). – Th. Vogelsang, Das geteilte Deutschland (dtv-Weltgeschichte des 20. Jahrhunderts Bd. 11), München 1966, S. 64ff (Literatur S. 275). – K. P. Tudyka, Das geteilte Deutschland. Eine Dokumentation
der Meinungen, Stuttgart 1965, S. 13ff. – E. Gniffke, Jahre mit Ulbricht, Köln 1966,
S. 235ff. – N. N., Das Jahr 1947, in: Die Neue Gesellschaft, 1. 5. 1969, S. 30ff. –
Literatur bei H.-P. Schwarz, aaO. S. 834 Anm. 47.

13. Schwarz, aaO. S. 331ff, 475f, 631ff, 811ff. – W. Conze, Jakob Kaiser, Politiker zwischen Ost und West 1945–49, Stuttgart 1969, S. 133ff. – A. J. Heidenheimer, aaO.
S. 107ff.

14. Schwarz, aaO. S. 586, 614ff. – Wortlaut in: W. Brandt/R. Löwenthal, Ernst
Reuter. Ein Leben für die Freiheit. München 1965, S. 474. – Der dpd verbreitete
am 21. 7. 48 Reuters Votum in der Fassung: »Wir können in Berlin und im Osten
nicht das Verbleiben des Westens in seinem bisherigen politisch unentschiedenen
Status ertragen. Wir sind der Meinung, daß die politische und ökonomische Konsolidierung des Westens eine elementare Voraussetzung für die Gesundung auch
unserer Verhältnisse und für die Rückkehr des Ostens zum gemeinsamen Mutter-
land ist.« – Vgl. auch L. D. Clay, Entscheidung in Deutschland, S. 451. – Die
Gegenwart v. 5. 8. 48, S. 1f.

Reuters Votum stand stellvertretend für die Ablehnung, die die KPD-SED von der überwältigenden Mehrheit der Deutschen in Ost und West erfuhr. Viele Ursachen kamen zusammen: die Erinnerung an die Schrecken, die der Stalinismus seit Jahrzehnten verbreitet hatte, die Tatsache, daß die KPD die Linie Stalins bedingungslos vertrat, überlieferte Pauschalurteile über kommunistische Weltanschauung und Praxis, furchtbare Erlebnisse in und nach dem Kriege, einseitige Berichterstattung und einseitige Aufnahme von Berichten. Dies alles führte dazu, daß sich die Westdeutschen und Westberliner in freien Wahlen gegen die KPD resp. SED aussprachen und die Wahlniederlagen der KPD mit Genugtuung aufnahmen[15].

Die andere Seite dieses Vorgangs blieb dabei jedoch unbeachtet: wenn die Partei, die unter dem Nationalsozialismus am frühesten gelitten und am meisten Blutopfer gebracht hatte, die Sympathien so weniger Deutscher erreichte, so mußte dies die Neigung Stalins, Gewalt anzuwenden, verstärken, während es sich die Westmächte nun eher leisten konnten, den Westdeutschen Freiheiten zu gewähren, die diese ohnehin etwa in ihrem Sinn ausnützen würden. Die Mehrheit der Deutschen war jedoch weit entfernt davon, einen Zusammenhang zwischen den Methoden der Siegermächte und der politischen Entscheidung der Deutschen auch nur in Erwägung zu ziehen. Für sie stand fest, daß die Tendenz zum Zwang im Osten und die Gewährung von Freiheiten im Westen einzig und allein Teil der jeweils bestehenden Staatsordnung und der jeweils herrschenden Weltanschauung seien.

Über die Sowjetunion und die KPD-SED, die Hauptgeschädigten des Nationalsozialismus und die Hauptvertreter der soziologischen Interpretation des Nationalsozialismus, festigte sich das Urteil der Mehrheit des deutschen Volkes und der deutschen Parteien, sie stünden in der Nachfolge des Nationalsozialismus – die Diktatur Stalins sei nur eine andere Spielart der Diktatur Hitlers. Umgekehrt bemühten sich die kleine westdeutsche KPD und die SED hektisch, aber vergeblich, den Deutschen klarzumachen, daß die Westmächte und die nichtkommunistischen Parteien nationalsozialistische Tendenzen fortsetzten, daß der Nationalsozialismus lediglich *eine* Erscheinungsform des kapitalistischen Systems sei, das immer noch die Basis westlicher Gesellschaftsordnung bilde und ähnliche extreme Formen wieder hervorbringen werde. Die Nichtkommunisten warfen den Kommunisten den zwischen Stalin und Hitler geschlossenen Pakt vor, und umgekehrt beschuldigten die Kommunisten die Westmächte, mit Hit-

---

15. Schwarz, aaO. S. 654ff.

ler vor dem Kriege mehr oder weniger intensiv zusammengearbeitet zu haben.

So führten die ersten Nachkriegsjahre dazu, daß der Antifaschismus, der während der Kriegsjahre 1941–1945 die gemeinsame Basis der Alliierten und deutschen Hitlergegner gewesen war, zum Sprengmittel wurde. Je mehr man in dem jeweiligen Gegner denjenigen sah, der nationalsozialistische Tendenzen fortsetzte, den eigenen Weg aber für den einzig richtigen Weg zu Demokratie und Frieden hielt, mußte man sich, unter Siegern wie unter Besiegten, um so intensiver bekämpfen, wobei die Betonung europäischer und deutscher Einheit vielfach die Gegensätze noch verschärfte.

In dieser Lage war es geradezu eine Existenzfrage für Deutschland, ob es Menschen, ob es Gremien gab, die die *ganze* Schuld Deutschlands, die *ganze* Situation und die *verschiedenen* Methoden und Wege zum Frieden im Blick behielten.

2

Die evangelische Kirche und die Stuttgarter Schulderklärung

Nach dem Zusammenbruch des nationalsozialistischen Reiches nahm die evangelische Kirche in Deutschland eine besondere Stellung ein. In Anbetracht der Tatsache, daß sie keine politische Organisation war und Teile von ihr sich gegen die Nationalsozialisten gewehrt hatten, gewährten ihr die Besatzungsmächte die Freiheit, sich selbst zu ordnen. Es war ein Politikum, daß die Kirche, die seit Jahrhunderten von fürstlichen Landesherren regiert und während der NS-Zeit durch Reichsbischof, -kirchenminister und -kirchenausschüsse bedrängt war, gerade zu dem Zeitpunkt die Möglichkeit zur Neuordnung und Vereinigung über Zonengrenzen hinweg erhielt, als sich im staatlichen Bereich die Teilung Deutschlands abzeichnete.

Zwei Ereignisse des Jahres 1945 markieren den Beginn des neuen Zeitabschnitts, die Konferenzen in Treysa/Hessen im August und in Stuttgart im Oktober. »Treysa« und »Stuttgart« waren für Gustav Heinemann und die Deutschlandfrage bedeutungsvoll: in Treysa wurde die organisatorische Grundlage der einheitlichen Evangelischen Kirche Deutschlands gelegt, die in jeder Phase ihres Bestehens im Ost-West-Konflikt in den politischen Bereich hineinwirkte; es wurde der Rat der EKD gebildet und als eines seiner Mitglieder der Essener

Rechtsanwalt Heinemann gewählt, der seitdem auf höchster kirchlicher Ebene eine Rolle spielte, während er bis dahin kirchlich überwiegend auf Gemeinde- und Landesebene, beruflich in der Industrie und wissenschaftlich auf juristischem Gebiet tätig gewesen war. In Stuttgart einigte sich der Rat auf eine Erklärung, die, Heinemanns Worten zufolge,»die Grundlage sowohl für die Neuordnung unserer Kirchen nach der nationalsozialistischen Zerstörung und eine neue ökumenische Gemeinschaft als auch eine Hilfe für die Besinnung unseres Volkes über seinen Weg in den vorausgegangenen zwölf Jahren und damit eine Grundlage für eine neue nationale Gemeinschaft sein« sollte[1]; für seine Person bekannte Heinemann später, die Erklärung sei der »Dreh- und Angelpunkt seiner politischen Anschauung«[2].

Deshalb erscheint es sinnvoll, nach einer kurzen Schilderung der Konferenz von Treysa und ihrer Probleme eine Analyse der Stuttgarter Erklärung zu versuchen, um auf diese Weise damit bekanntzumachen, wie Gustav Heinemann und seine Ratskollegen 1945 die deutsche Lage sahen.

In Treysa kamen die verschiedenen kirchlichen Gruppen zusammen, die sich während des Nationalsozialismus dem Totalitätsanspruch des Staates nicht gänzlich gebeugt hatten. Man war sich einig in der Ablehnung des deutsch-christlichen Kirchenregiments der Vorjahre; man bekannte sich dazu, daß die Barmer Erklärung von 1934 für die Kirche gültig sei; aber in tagelangen Verhandlungen wurde deutlich, daß die verschiedenen Zielsetzungen, die in den dreißiger Jahren die Protestanten nach anfänglich gemeinsamem Handeln wieder voneinander getrennt hatten, unter veränderten Bedingungen fortbestanden[3]. Die Vertreter der Landeskirchen, die sogenannten »Landeskirchenführer«, von denen sich einige gegen die Übergriffe der 1933 gegründeten und von überzeugten Nationalsozialisten regierten Deutschen Evan-

---

1. GH 45: Rede in Bern am 1. 12. 50 (s. Anhang B). Vgl. auch GH 4, S. 8; 6, S. 2; 16; 18; 21, S. 4; 24 etc.
2. Mitarbeiterbrief der Jugendkammern der evangelischen Kirchen im Rheinland und von Westfalen, Nr. 8/1952 (Juni), S. 3.
3. Das ist auf Grund des vorliegenden Quellenmaterials deutlich herausgearbeitet von A. Boyens, Treysa 1945. Die evangelische Kirche nach dem Zusammenbruch des Dritten Reiches, in: Zts. f. Kirchengeschichte Heft 1/1971, S. 29ff. – Eine Dokumentation der Erklärungen von Treysa in: Treysa 1945. Die Konferenz der evangelischen Kirchenführer 27.–31. August 1945, hg. von Fritz Söhlmann, Lüneburg 1946. – Zur Kontroverse zwischen den Richtungen des Protestantismus vgl. die Literaturübersichten von Jürgen Schmidt, Die Erforschung des Kirchenkampfes, München 1968, bes. S. 31ff, und John S. Conway, Der deutsche Kirchenkampf, in: Vjh. f. Zeitgeschichte 17, Heft 4/1969, S. 433ff, bes. S. 435. – Vgl. auch Eberhard Bethge, Dietrich Bonhoeffer, München 1967, S. 346, 433, 494, 603, 729, 747.

gelischen Kirche zur Wehr gesetzt hatten, strebten nach dem Fortfall
der Reichskirche weiter danach, die Selbständigkeit der in ihrer Organisation erhalten gebliebenen Landeskirchen zu stärken. Die Mitglieder des Lutherrates, des gemäßigten Flügels der »Bekennenden
Kirche«, waren darum bemüht gewesen, die noch »intakten« Landeskirchen lutherischer Tradition gegen Übergriffe des Nationalsozialismus zu bewahren, und hatten dieses Ziel zum Teil erreicht, aber um
den Preis mehr oder weniger großer Kompromisse mit dem Nationalsozialismus; diese Lutheraner strebten nun unter Führung des bayrischen Landesbischofs Meiser nach einem besonderen Zusammenschluß der lutherischen Kirchen Deutschlands und hofften, in einer
deutschen evangelischen Kirche die lutherische Konfession angemessen »zur Darstellung zu bringen«[4]. Ihnen gegenüber standen die Bruderräte, der entschiedenere Flügel der Bekennenden Kirche. Die
Bruderräte hatten 1933 in den sogenannten »zerstörten« Landeskirchen, vornehmlich der altpreußischen Union[5], wo die Deutschen
Christen weitgehend die Macht übernommen hatten, eine neue kirchliche Ordnung gebildet, waren weniger Kompromisse mit dem Nationalsozialismus eingegangen und waren deshalb stärker verfolgt
worden, so daß sie bei Kriegsende nur noch auf lokaler Ebene bestanden. Der wieder gegründete »Reichsbruderrat der Evangelischen
Kirche in Deutschland« unter Führung von Martin Niemöller zielte
auf einen grundlegenden Neuaufbau einer einheitlichen deutschen
Kirche. Das sogenannte »Kirchliche Einigungswerk« unter Führung
des lutherischen Landesbischofs von Württemberg, Wurm, hatte
sich schon während des Krieges zum Ziel gesetzt, die Spannungen
zwischen den verschiedenen Richtungen zu beseitigen; Wurm, der
Initiator des Treysaer Treffens, blieb um Einigung der Gruppen bemüht.

Ein Vergleich mit dem politischen Bereich liegt nahe. Ähnlichkei-
ten zwischen »Kirche« und »Welt« bestanden darin, daß die Ablehnung des Nationalsozialismus im deutschen Volk damals verbreitet
war, daß aber nach dem Fall des Dritten Reichs die Gegensätze zwischen den Nicht-Nationalsozialisten zutage traten. Während sich jedoch auf politischer Ebene jeder aktive Bürger für *eine* Partei entscheiden mußte, waren die Gruppierungen in der Kirche nicht so aus-

---

4. Kirchliches Jahrbuch für die evangelische Kirche in Deutschland, hg. von Joachim
   Beckmann, Gütersloh (im folgenden zitiert als KJ), 1945-48, S. 8.
5. Die altpreußische Union umfaßte diejenigen Gebiete Preußens, in denen durch die
   Entscheidung König Friedrich Wilhelms III. 1817 die lutherische und reformierte
   Kirche zur unierten Kirche vereinigt worden war, also nicht die später preußisch
   gewordenen Landesteile (wie Schleswig-Holstein, Hannover, Kurhessen, Nassau),
   die dieser Verfügung nicht unterworfen wurden.

geprägt; es ergaben sich dort vielfältige personelle Überschneidungen[6]. Das wirkte zwar einem Auseinanderbrechen entgegen, erschwerte aber auch eine deutliche Artikulierung der sehr verschiedenartigen Vorstellungen über Aufbau und Weg der Kirche. Im Bruderrat wünschte man eine Umgestaltung von unten, von den Gemeinden her, eine Lösung, die in gewisser Weise mit den Vorstellungen der politischen Linken von Demokratie zu vergleichen war; in den Landeskirchen, dem Lutherrat und dem Einigungswerk überwog eher das Leitbild einer Neugestaltung von oben, in etwa den Vorstellungen der CDU vergleichbar[7].

Die gemeinsame Überzeugung, daß die evangelische Kirche Jesu Christi ein Zusammengehen erfordere, war jedoch so stark, daß es am letzten Tage der Konferenz zur Bildung eines zwölfköpfigen Rats einer (im übrigen erst noch zu bildenden) evangelischen Kirche Deutschlands kam. Die Ratssitze wurden etwa im Verhältnis zum Anteil des Kirchenvolkes verteilt. Sechs Sitze entfielen auf die Lutheraner (die Landesbischöfe Wurm und Meiser, die Oberkirchenräte Lilje und Hahn, Pastor Asmussen und Oberstudiendirektor Meier), vier auf die Unierten (Bischof Dibelius, Superintendent Held, Pastor Niemöller und Rechtsanwalt Heinemann) und zwei auf die Reformierten (Professor Smend und Pastor Niesel). Damit waren die Vertreter einer Neuordnung von oben in der Überzahl gegenüber den Vertretern eines Neubaus von unten. Die Pastoren hatten gegenüber den Laien ein deutliches Übergewicht; da der Pädagoge Meier sein Amt nicht annahm, standen die Juristen Smend und Heinemann als einzige Laien neun Pastoren gegenüber, von denen sieben zu den Sprechern der EKD gewählt waren[8].

Zu einer grundlegenden Verlautbarung über die Situation der evangelischen Kirche Deutschlands war auf der Konferenz in Treysa keine Zeit mehr. Dazu kam es auf der nächsten Sitzung des Rats, die am 18./19. Oktober 1945 in Stuttgart stattfand[9]. An dieser Sitzung nahmen zum ersten Mal alle elf Ratsglieder teil, auch Heinemann, der in Treysa in Abwesenheit gewählt worden war[10]. Es erschienen

---

6. z. B. amtierten Mitglieder des Lutherrats als Landesbischöfe, und es waren auch Mitglieder des Bruderrats seit 1945 in der Leitung der Landeskirchen tätig. Im Einigungswerk waren ohnehin die verschiedenen Flügel vertreten.
7. Boyens, aaO. S. 47.
8. Boyens, aaO. S. 48. – Treysa 1945, hg. von F. Söhlmann, S. 97. – H. Diem, Die Problematik der Konvention von Treysa, in: Evangelische Selbstprüfung, hg. von P. Schempp, Stuttgart 1947, S. 21ff.
9. Darstellung in A. Boyens, Das Stuttgarter Schuldbekenntnis vom 19. Oktober 1945 – Entstehung und Bedeutung, in: Vjh. f. Zeitgeschichte, Heft 4/1971 (Okt.) S. 389ff. – KJ 1945–48, S. 19ff.
10. Tagebuch 1. 9. 45: »auf Vorschlag Lilje (angeregt von Held), unterstützt von As-

außerdem Vertreter des Ökumenischen Rats der Kirchen. Ihnen gegenüber kam es seitens des Rats zu einer Stellungnahme, die als »Stuttgarter Schulderklärung« bekannt wurde[11].

Der Rat begrüßte eingangs die Vertreter der Weltchristenheit und wandte sich von da sofort der Schuldfrage zu:

»Wir sind für diesen Besuch um so dankbarer, als wir uns mit unserem Volk nicht nur in einer großen Gemeinschaft des Leidens wissen, sondern auch in einer Solidarität der Schuld. Mit großem Schmerz sagen wir: Durch uns ist unendliches Leid über viele Völker und Länder gebracht worden. Was wir unseren Gemeinden oft bezeugt haben, das sprechen wir jetzt im Namen der ganzen Kirche aus: Wohl haben wir lange Jahre hindurch im Namen Jesu Christi gegen den Geist gekämpft, der im nationalsozialistischen Gewaltregiment seinen furchtbaren Ausdruck gefunden hat; aber wir klagen uns an, daß wir nicht mutiger bekannt, nicht treuer gebetet, nicht fröhlicher geglaubt und nicht brennender geliebt haben.«

Männer der Kirche bekannten hier als Glieder ihres Volkes ihre eigene Schuld in einer Form, die keine Trennung zwischen einer politischen, kirchlichen und privaten Ebene vornahm. Schon vom Sprachlichen her mußten die Sätze aufhorchen lassen, wurden hier doch Begriffe aus dem kirchlichen Wortschatz in ungewohnter Weise verwendet. Mit den Worten »Bekennen«, »Beten«, »Glauben« und »Lieben« verbanden die meisten Menschen in und außerhalb der Kirche, unter dem Einfluß der vorherrschenden Tendenz einer jahrhundertealten Lehrtradition, die Vorstellung eines besonderen »religiösen«, vom öffentlichen Leben mehr oder weniger abgesonderten Lebensbereiches. Hier aber wurden diese Worte auf das ganze Leben, auch auf das politische Verhalten jedes einzelnen und der ganzen Kirche während der Hitlerzeit bezogen. Eigenes politisches Versagen wurde nicht nur zugegeben, sondern unmittelbar als ein Versagen gegenüber Gott in den entscheidenden Bereichen des menschlichen Verhaltens bezeichnet. Glieder der Kirche sprachen aus, daß sie in ihrer Haltung gegenüber dem Nationalsozialismus nicht nur in einem Randgebiet ihrer Verantwortung, sondern in der Wahrnehmung ihrer eigentlichen Aufgabe gefehlt hätten.

Im mittleren Teil sprachen die Unterzeichner in erster Linie als Glieder ihrer Kirche:

---

mussen.« – Zum 18./19. 10.: »Kampf um Permit . . . Autofahrt . . . Mit Fähre über den Main . . .« (AH).

11. KJ 1945–48, S. 26f. – Kundgebungen. Worte und Erklärungen der Evangelischen Kirche in Deutschland 1945–1959, hg. von Oberkirchenrat Dr. Merzyn, Hannover (o. J.), S. 14 (im folgenden zitiert als »Kundgebungen«). – Hat die Kirche geschwiegen? Das öffentliche Wort der evangelischen Kirche aus den Jahren 1945–64, hg. von G. Heidtmann, Berlin, 3. Aufl. (o. J.), S. 19f.

»Nun soll in unseren Kirchen ein neuer Anfang gemacht werden. Gegründet auf die Heilige Schrift, mit ganzem Ernst ausgerichtet auf den alleinigen Herrn der Kirche, gehen sie daran, sich von glaubensfremden Einflüssen zu reinigen und sich selber zu ordnen. Wir hoffen zu dem Gott der Gnade und Barmherzigkeit, daß Er unsere Kirchen als Sein Werkzeug brauchen und ihnen Vollmacht geben wird, Sein Wort zu verkündigen und Seinem Willen Gehorsam zu schaffen bei uns selbst und bei unserem ganzen Volk. Daß wir uns bei diesem neuen Anfang mit den anderen Kirchen der ökumenischen Gemeinschaft herzlich verbunden wissen dürfen, erfüllt uns mit tiefer Freude.«

Erschien Geschichte im ersten Absatz der Erklärung unter dem Aspekt des handelnden Menschen, so wurde hier deutlich, daß die Verfasser zumindest die Kirchengeschichte als Wirkungsfeld Gottes *und* des Menschen sahen, den Menschen als Verantwortlichen *und* auf Gottes Wirken Hoffenden. Diesen Doppelaspekt enthielt auch der letzte Teil, der auf die Wirkung des Bemühens der Menschen, der Christen, und auf die des Geistes Gottes baute:

»Wir hoffen zu Gott, daß durch den gemeinsamen Dienst der Kirchen dem Geist der Gewalt und der Vergeltung, der heute von neuem mächtig werden will, in aller Welt gesteuert werde und der Geist des Friedens und der Liebe zur Herrschaft komme, in dem allein die gequälte Menschheit Genesung finden kann.

So bitten wir in einer Stunde, in der die ganze Welt einen neuen Anfang braucht: Veni creator spiritus!«

Mit der Erwähnung des »Geistes der Gewalt und der Vergeltung« war ein indirekter Hinweis auf die deutsche Not der Gegenwart und die Schuld der Siegermächte gegeben. Das geschah jedoch nur mit entschiedener Zurückhaltung, verglichen mit dem ersten Absatz, in dem die eigene Schuld stark betont war; der eigentliche Akzent lag im Schlußteil auf der »Hoffnung zu Gott«.

So war die Bezeichnung »Stuttgarter Schulderklärung«, die sich alsbald einbürgerte[12], weitgehend zutreffend, aber nicht umfassend genug. Tatsächlich: was auf rein politischem Gebiet nicht möglich war, weil ein gesamtdeutsches Gremium fehlte und weil die Neigung zur Selbstrechtfertigung dem entgegenstand, wurde innerhalb der Kirche ausgesprochen: ein grundsätzliches Bekenntnis der Schuld. Es war

---

12. Das Wort scheint ursprünglich keinen Titel gehabt zu haben. Die Überschriften heißen in den verschiedenen Quellen verschieden: KJ 1945–48, S. 26: »Erklärung des Rates der Evangelischen Kirche in Deutschland gegenüber den Vertretern des Ökumenischen Rats der Kirchen«. Heidtmann, aaO. S. 19: »Die Stuttgarter Erklärung«. Die Kanzlei des Rates der EKD wählte 1945 als Überschrift: »Das Wort des Rates der Evangelischen Kirche in Deutschland an die Ökumene«. In den einleitenden Sätzen der Kanzlei heißt es: »Diese Erklärung enthält ein ›Schuldbekenntnis‹« (zitiert nach Gesetz- und Verordnungsblatt für die Evangelisch-Lutherische Kirche des Landesteils Oldenburg, Teil II, Nr. 2 v. 6. 12. 1945).

hier leichter möglich, weil es in der Hoffnung geschah, daß die handelnden und schuldig gewordenen Menschen auch im politischen Bereich nicht sich selbst überlassen waren. Indem die Stuttgarter Unterzeichner von dieser Hoffnung ausgingen, wurde ihre Erklärung mehr als ein Schuldbekenntnis: Es wurde ein Dokument, das die Weltlage ohne Beschönigung der eingetretenen Verwüstung dennoch mit dem Gott in Zusammenhang zu bringen wagte, der nach der Bibel die Übertreter seines Willens nicht gewähren läßt, ihnen aber Leben und Zukunft gewährt.

An dieser Stelle muß ein kleiner Exkurs zur Darstellungsmethode dieses Buches eingeschoben werden[13]. Denn mit den oben gegebenen Bemerkungen zu einem kirchlichen Dokument, in denen auch der biblische Gott genannt wurde, ist eine Grenze überschritten worden, die der Historiker im allgemeinen zwischen seinem Fach und der Theologie gezogen sieht. In der historisch-politischen Literatur gilt es als wissenschaftlich, nur von den Menschen, ihren Handlungen und deren Bedingungen als Realität auszugehen; innerhalb dieses Rahmens ist dann Platz für einander so widersprechende Auffassungen wie das idealistische und das materialistische Geschichtsbild. Die Stuttgarter Erklärung aber sieht diese menschlich-politische Geschichte als Raum menschlichen Handelns in Verantwortung vor Gott *und* als Schauplatz des Handelns Gottes selber. Damit ist ein dritter Ort sowohl gegenüber dem idealistischen als auch gegenüber dem materialistischen Standpunkt bezogen.

Der Betrachter aber steht vor der Entscheidung, wie er sich diesem Phänomen gegenüber verhalten soll. In jedem Fall wird seine Ausgangsposition die Auswahl der Maßstäbe seines Urteils bestimmen und damit seine Ergebnisse beeinflussen.

Im folgenden soll versucht werden, von derselben Sicht auszugehen, die die Stuttgarter Ratsmitglieder hatten: Es wird die Realität *einer* Welt vorausgesetzt, in der beide, Gott und Mensch, handeln. Nur auf diese Weise kann die Person Gustav W. Heinemann angemessen dargestellt werden. Wer wie Heinemann die Zeitereignisse und seine eigenen politischen Entscheidungen bewußt und entschieden unter dem Vorzeichen der theologischen Erkenntnisse sah, die in Stuttgart im Oktober 1945 ausgesprochen wurden, der kann nicht verstanden werden, wenn dieses Vorzeichen beseitigt oder auch nur verändert würde.

---

13. Für mancherlei grundsätzliche Probleme während des Schreibens war dem Verf. eine Hilfe: K. Barth, Einführung in die evangelische Theologie, Siebenstern-Taschenbuch 110.

Die Frage kann hier nicht grundsätzlich erörtert werden, ob es wissenschaftlich vertretbar ist, die »Stuttgarter« Sicht in eine politisch-geschichtliche Darstellung zu übernehmen und damit von den üblichen Betrachtungsweisen abzuweichen. Im Rahmen unseres Themas genügt als vorläufige Antwort: Es gibt keine Sicht, die allein Wissenschaftlichkeit für sich in Anspruch nehmen könnte. Mit der Weltsicht, die ein jeder hat, sei sie theistisch oder atheistisch, idealistisch oder materialistisch, ist bereits eine Vorentscheidung über die Deutung von Geschichte gefallen. Wer Gott nicht mit »in Rechnung setzt«, ist darum nicht »objektiver«, nicht »wissenschaftlicher«, er geht nur von anderen Voraussetzungen aus[14].

Wer mit Gott rechnet, gibt damit nicht vor, über Gottes Sicht oder Gottes Maßstäbe verfügen zu können; denn es ist von dem Gott der Bibel die Rede, dessen Wirken und dessen Urteil über Menschen weder von den Stuttgarter Unterzeichnern noch von einem nachträglichen Betrachter aufgedeckt werden können. Weil dieser Gott aber seinen Willen in den biblischen Schriften soweit zu erkennen gegeben hat, daß der Mensch auf seinen Anruf hören und ihm antworten kann, darf der Historiker danach fragen, wie Menschen ihre Verantwortung vor Gott wahrgenommen haben. Das kann nicht in grundsätzlicher Weise, weder von vornherein noch im nachhinein, geschehen, weil die Bibel keine Rezepte für menschliches Handeln enthält. Das muß vielmehr in jedem geschichtlichen Augenblick für die handelnden Personen neu versucht werden.

So soll im folgenden unter steter Berücksichtigung der »weltlichen« Maßstäbe geschichtlicher Beurteilung doch *auch,* gerade an die Christen, die Frage gestellt werden, wie sie ihrer Verantwortung vor Gott *und* Menschen in der Politik entsprochen haben.

Die verschiedenen Beurteilungsmaßstäbe spielen bei einer kritischen Untersuchung des historischen Stellenwertes der Stuttgarter Erklärung, ohne die Gustav Heinemanns Ausgangspunkt unvollständig beschrieben wäre, eine Rolle. Je nach den Maßstäben, die man an sie anlegt, werden verschiedene Akzente betont, und erst die Berücksich-

---

14. Der Alttestamentler G. von Rad formuliert diesen Tatbestand so: »Auch das Bild der modernen Historie ist gedeutete Geschichte und zwar von geschichtsphilosophischen Prämissen aus, die für das Handeln Gottes in der Geschichte keinerlei Wahrnehmungsmöglichkeiten ergeben, weil hier notorisch nur der Mensch als der Schöpfer seiner Geschichte verstanden wird . . . Die historische Methode eröffnet uns nur einen Aspekt in das vielschichtige Phänomen der Geschichte und zwar einen, über das Verhältnis der Geschichte zu Gott schlechterdings nichts auszusagen vermag.« Theologie des Alten Testaments II, München 3. Aufl. 1962, S. 9.

tigung aller verhilft zu einer einigermaßen angemessenen Ausgangsposition.

Vergleicht man die Stuttgarter Erklärung mit Erklärungen, die leitende deutsche Protestanten nach dem Ersten Weltkrieg abgaben[15], so muß das Urteil positiv ausfallen[16]. Damals hatte der weitaus überwiegende Teil des deutschen Protestantismus kritiklos die deutsche Politik vor 1918 gerechtfertigt und einen bestimmten, konservativ geprägten Glauben an Deutschland als evangelisch ausgegeben. Damit war die Kirche den Menschen die Bemühung schuldig geblieben, im Bewußtsein der Vergebung Gottes auch und gerade dunkle Punkte deutscher Geschichte zu sehen und damit der Gegenwart gerecht zu werden. Statt dessen sahen viele den Weimarer Staat vorschnell einseitig negativ und waren empfänglich für die Vergötterung der Nation durch Deutschnationale und Nationalsozialisten. Für solche Selbstrechtfertigung ließ die Stuttgarter Erklärung, indem sie von Gottes Vergebung und menschlicher Schuld sprach, keinen Raum mehr.

Aber eine Rechtfertigung dessen, was während des Nationalsozialismus geschah, wäre angesichts des Ausmaßes an Verbrechen ohnehin 1945 nicht möglich gewesen; dieselbe Haltung wie 1918 hätte die Kirche schon deshalb nicht einnehmen können. Vergleicht man die Erklärung aber mit dem, was geschehen war, bleibt ein Rest des Unbehagens.

Hatten die Unterzeichner wirklich »lange Jahre hindurch im Namen Christi« gegen den Geist des Nationalsozialismus gekämpft und dies ihren Gemeinden »oft bezeugt«? Schließlich hatten sich die Bischöfe Wurm und Meiser 1938 unter Berufung auf religiöse »und vaterländische Gründe« von dem Plan einer Gebetsliturgie aus Anlaß bestehender Kriegsgefahr, den die Leitung der Bekennenden Kirche ausgearbeitet hatte, distanziert und ihn »auf das Schärfste« verurteilt[17]; schließlich hatte Lilje noch 1941 öffentlich über den »Krieg als geistige Leistung« philosophiert[18]; schließlich hatten auch die entschiedeneren Männer der Bekennenden Kirche, wie Martin Niemöller, zumindest in politischen Fragen noch eine erstaunliche

---

15. KJ 1919, S. 307ff. – Vgl. G. Mehnert, Evangelische Kirche und Politik 1917–1919. Die politischen Strömungen im deutschen Protestantismus von der Julikrise 1917 bis zum Herbst 1919, Düsseldorf 1959.

16. H. G. Fischer arbeitet diesen Unterschied heraus in: Evangelische Kirche und Demokratie nach 1945. Ein Beitrag zum Problem der politischen Theologie, Lübeck/Hamburg 1970, S. 28ff. Dort auch Hinweise auf Literatur zur Frage des Verhältnisses zwischen evangelischer Kirche und Weimarer Staat.

17. vgl. Wilhelm Niemöller, Ein Gebet für den Frieden. Ev. Theologie Heft 4/1950, S. 175ff. Text des Absagebriefes ebd. S. 179. – Ders., Kampf und Zeugnis der Bekennenden Kirche, Bielefeld 1948, S. 187, 294, 449.

18. H. Lilje, Der Krieg als geistige Leistung, Berlin 1941.

Neigung zu nationalen Vorurteilen gezeigt[19]. Angesichts des Ausmaßes an Verstrickung in den Nationalsozialismus, wie es an den aufgezählten Beispielen deutlich wird, vermißt man in der Stuttgarter Erklärung zweierlei: einerseits die bohrende Nachfrage nach den Gründen, die Menschen auf diese Irrwege gebracht haben[20], und andererseits den stärkeren Zweifel daran, ob Gott diese Kirche, so wie sie war, überhaupt noch als sein Werkzeug ansehen könne.

Ferner ist kritisch zu sagen, daß andere Verlautbarungen von Ratsmitgliedern aus dem Jahre 1945 mit der Stuttgarter Erklärung nicht übereinstimmten. Bischof Meiser unterschrieb einige Wochen vor »Stuttgart« in Treysa eine Erklärung im Auftrage des Rats der Evangelisch-Lutherischen Kirchen, die mit der Behauptung begann, die in diesem Rat zusammengeschlossenen Landeskirchen hätten »im vergangenen Jahrzehnt im Gehorsam gegen das Bekenntnis der Lutherischen Reformation den Irrlehren der Zeit, besonders der Deutschen Christen, widerstanden«[21]. Meiser übersah, in welchem Maße gerade Lutheraner das Evangelium zugunsten nationaler Staatsideologie hintangestellt hatten. Bischof Wurm erklärte in Stuttgart den ausländischen Christen, der Rat müsse »ernstlich bitten, in dem Fanatismus der Anstifter des ganzen Unheils nicht die Verkörperung des deutschen Wesens zu erblicken. Jedes Volk hat seine Jakobiner, die unter bestimmten Voraussetzungen zur Herrschaft gelangen.« Wurm sah diese Voraussetzungen in der Massenarbeitslosigkeit infolge der Reparationen nach dem Ersten Weltkrieg, die eine Verzweiflungsstimmung erzeugt hätten, »und nur diese macht es erklärlich, daß ein extremer und fanatischer Nationalismus zur Herrschaft gelangen konnte«[22]. Wurms einseitig auf die Reparationen ausgerichtete Geschichtssicht ließ keinen Raum für die Berücksichtigung anderer Fak-

---

19. Dietmar Schmidt, Martin Niemöller, Hamburg 1959, S. 100ff, 108, 150f. – Jürgen Schmidt, Martin Niemöller im Kirchenhampf, 1971.
20. Diesen Akzent betont Hans-Jürgen Benedict, Die Forderung der Wiedervereinigung in den öffentlichen Voten der EKD; JK 6/69, S. 331ff. Benedict kritisiert, daß das Eingeständnis der Schuld »nicht mit den politisch faßbaren Entstehungsgründen des Nationalsozialismus verbunden, sondern im Gestus der Selbstanklage vor Gott vorgetragen« sei. Man habe »das Unrecht gegenüber unzähligen Opfern in christlichen Kategorien als Schuld vor Gott« interpretiert und sei »daher nicht zur Trauer um die Millionen Opfer der Hitlerschen Aggressionen und zur Konfrontation mit den eigenen brutal-aggressiven Tendenzen« gekommen. – Benedict setzt als selbstverständlich voraus, daß Selbstanklage vor Gott notwendig zur Vernachlässigung der politisch faßbaren Entstehungsgründe des Nationalsozialismus führe. Diese Voraussetzung ist unhaltbar. Solange Gottes Vergebung und Zorn ernst genommen werden, schließt Selbstanklage vor Gott vielmehr die Forschung nach den Ursachen menschlichen Versagens ein.
21. KJ 1945–48, S. 7f.
22. ebd. S. 27ff. – Der Text stammt vom Juli 1945; s. Boyens, Treysa, S. 41.

toren, wie z. B. der Sozialstruktur der Weimarer Zeit. Die lutherischen Landesbischöfe waren nationaler und konservativer Denktradition stärker verhaftet, als der Text der Stuttgarter Schulderklärung es erkennen ließ. Und Dibelius, der Bischof von Berlin-Brandenburg, schilderte in Stuttgart vor der Öffentlichkeit und vor den ökumenischen Gästen die deutsche Not der Gegenwart, ohne auf die vergangenen Untaten der Deutschen einzugehen: »Man rechnet damit, daß in den vergangenen sechs Monaten und in den vor uns liegenden Wintermonaten etwa fünf mal soviel Menschen hinweggerafft werden, als uns der ganze Krieg gekostet hat.«[23] Eine Aufrechnung der gegenseitigen Schuld lag da näher als eine deutsche Schulderklärung.

Endlich ist kritisch festzustellen, daß die Stuttgarter Erklärung nicht auf eine Initiative des Rats zurückging; die umfangreiche Tagesordnung der Sitzung enthielt keinen Antrag auf eine solche Verlautbarung[24]. Die Ratsmitglieder wurden vielmehr durch die überraschend auftauchenden Christen der Ökumene ziemlich direkt zu dieser Erklärung gedrängt[25]. Visser't Hooft, der Generalsekretär des ökumenischen Rates, machte ihnen klar, daß die ausländische Christenheit bei ihrem Bemühen um Hilfe für die Kirche in Deutschland und für deutsche Notleidende erst dann in der Öffentlichkeit auf Resonanz hoffen könnte, wenn ein »Zeugnis der Evangelischen Kirche in Deutschland« vorläge, das den Willen zur Erneuerung ausdrücke[26]. Diese Aufforderung entsprach genau der dringlichen Bitte, die der Theologieprofessor Karl Barth in Basel an seinen Freund Niemöller gerichtet hatte[27].

Bezieht man alle diese kritischen Beobachtungen in die Beurteilung »Stuttgarts« mit ein, so muß man fragen, ob man nicht das positive Urteil, das den Text in theologischer und politischer Hinsicht als eine Ausgangsposition zur Neubesinnung verstand, zurücknehmen sollte. Konnten die verschiedenen Ratsmitglieder ihn womöglich deshalb gemeinsam unterzeichnen, weil er *nur* eine Ausgangsbasis bezeichnete und weder im Theologischen noch im Politischen schon konkrete Folgerungen zog? War angesichts der Herkunft, der geistigen wie gesellschaftlichen Bindung der Mehrheit der Unterzeichner eine Entfaltung

---

23. Bericht über die Tagung des Rates der EKD in Deutschland, S. 7 (hekt). – Dibelius in einer Rede in zwei Stuttgarter Kirchen am 17. 10. 45 lt. Stuttgarter Zeitung v. 20. 10. 45.
24. Die Tagesordnung für den 18. 10. umfaßt 13 andere Punkte (AH).
25. vgl. Bericht S. 6 (Koechlin). – Koechlin, Ökumenische Mission nach Deutschland vom 15.–21. Oktober 1945, in: G. Bell-A. Koechlin, Ein Briefwechsel 1933–54, hg. von A. Lindt, Zürich 1969, S. 428, 431.
26. Bericht S. 6; ähnlich sein Brief an Dibelius v. 25. 7. 45 (Boyens, Stuttgart, S. 388f), Mitschrift Heinemanns in Stuttgart (AH).
27. Zitat aus Barths Brief v. 28. 9. 45 in: J. Glenthøj, Mündige Welt V, 1969, S. 339f.

des Stuttgarter Bekenntnisses, wie sie im Text angelegt war, überhaupt möglich?

Aber all dieser Kritik ist entgegenzuhalten, daß die Stuttgarter Erklärung nach eingehender Diskussion von allen Ratsmitgliedern unterzeichnet wurde. Wenn auch der Anstoß in Stuttgart von außen kam, so war das Bewußtsein der Schuld doch unter mehreren Ratsmitgliedern seit Jahren vorhanden[28], wenn auch in verschiedenem Grade. Asmussen hatte ihm schon 1942 in einem Brief an Freunde der Ökumene Ausdruck gegeben, Wurm hatte sich verschiedentlich in diesem Sinne geäußert[29]. Am deutlichsten war dieses Bewußtsein bei Niemöller ausgeprägt. Er war es, auf dessen Initiative in Stuttgart der entscheidende Satz in den Vorschlag von Dibelius eingefügt wurde[30]; er hatte am Vorabend der Stuttgarter Konferenz eine Bußpredigt gehalten[31]; er hatte schon in Treysa in Übereinstimmung mit dem Reichsbruderrat eindringlich gemahnt:

»Gewiß: wir stehen vor großen drückenden Nöten überall, wir stehen vor dem Chaos und vielfach schon mitten drin. Und wir haben zu fragen, was uns dahin gebracht hat? Die Not geht nicht zurück auf die Tatsache, daß wir den Krieg verloren haben; ... Unsere heutige Situation ist aber auch nicht in erster Linie die Schuld unseres Volkes und der Nazis; wie hätten sie denn den Weg gehen sollen, den sie nicht kannten; sie haben doch einfach geglaubt, auf dem rechten Weg zu sein! – Nein, die eigentliche Schuld liegt auf der Kirche; denn sie allein wußte, daß der eingeschlagene Weg ins Verderben führte, und sie hat unser Volk nicht gewarnt, sie hat das geschehene Unrecht nicht aufgedeckt oder erst, wenn es zu spät war. Und hier trägt die Bekennende Kirche ein besonders großes Maß von Schuld; denn sie sah am klarsten, was vor sich ging und was sich entwickelte; sie hat sogar dazu gesprochen und ist dann doch müde geworden und hat sich vor Menschen mehr gefürchtet als vor dem lebendigen Gott.«[32]

28. Das arbeitet überzeugend Boyens in seinem Aufsatz über Stuttgart heraus.
29. Boyens, Stuttgart, S. 375ff. – Zur Frage der Schuld hatte 1940 Bonhoeffer und 1943 die Bekenntnissynode der altpreußischen Union in Breslau Stellung genommen. – Vgl. auch das Wort der Spandauer Bekenntnissynode v. Juli und das Treysaer Wort an die Gemeinden v. Aug. 45 (KJ 45–48, S. 17ff, 129ff).
30. »Mit großem Schmerz sagen wir: Durch uns ist unendliches Leid über viele Völker und Länder gebracht worden« (Otto Dibelius, Ein Christ ist immer im Dienst. Stuttgart 2. Aufl. 1963, S. 311). Niemöller griff damit einen Satz aus Asmussens Vorschlag auf und veränderte ihn: »Wir wissen, daß es unsere Volksgenossen waren, welche unendliches Leid über ganz Europa und auch nach außereuropäischen Ländern gebracht haben. Und unseres Volkes Schuld tragen wir mit.« (Konzepte im AH).
31. W. Niemöller, Neuanfang 1945. Zur Biographie Martin Niemöllers, Frankfurt 1967, S. 57f. Niemöller predigte über Jer. 14, 7–11.
32. M. Niemöller, Reden 1945–54, S. 11ff. – W. Niemöller, aaO. S. 50. – Treysa 1945, S. 23ff. – KJ 45–48, S. 12f.

Daß solche Gedanken im Herbst 1945 noch nicht das Denken aller Ratsmitglieder in gleichem Maße bestimmten, war verständlich. Auch Christen konnten nach Jahren der Verwirrung und der Not nicht sofort das Ausmaß an Schuld überschauen und konkret benennen. Es war schon viel, daß Meiser wenige Wochen nach seiner lutherischen Erklärung in Stuttgart mitunterschrieb und daß Dibelius seine Bedenken überwand: »Der Christ wägt nicht die Schuld der verschiedenen Seiten gegeneinander ab, sondern bekennt vor Gott, welches seine eigene Schuld ist.«[33] Ein gemeinsamer Anfang war mit dem gemeinsamen Bekenntnis gemacht, daß die Vergebung Gottes durch Jesus Christus Tatsache geworden und die alle Menschen tragende Lebensgrundlage geblieben sei, auch und gerade nach der Verstrickung aller in die Untaten des Nationalsozialismus.

Nur durften die Ratsmitglieder, wenn sie ihren Ausgangspunkt ernstnahmen, dabei nicht stehenbleiben. Auf die Dauer paßten die Rechtfertigung der eigenen Geschichte und das Schuldbekenntnis, das auf die Rechtfertigung durch Jesus Christus baute, nicht zusammen. Im Vertrauen auf die vergebende Liebe Gottes mußten die »Stuttgarter« angesichts des Ausmaßes an Mitschuld zu einer allmählichen kritischen Klärung der Vergangenheit kommen, wenn sie ihrer Versicherung treu bleiben wollten, in Christus einen neuen Anfang zu machen, die Kirche zu reinigen und Friedensdienst für die Welt zu tun. Es war kühn, auf der einen Seite die nationalsozialistischen Verbrechen an Millionen Menschen und die Tatsache zu sehen, wie wenig die Kirche dagegen getan hatte, und auf der anderen Seite ein Wirken Gottes, eine Vergebung Gottes in Christus, eine Hilfe des Heiligen Geistes, und das sogar für die Deutschen, für möglich zu halten. Wenn es aber geschah: wenn selbst nach Auschwitz in solch fast vermessener Weise »geglaubt«, auf die Vergebung Gottes in Christus vertraut wurde, wie es die Ratsmitglieder 1945 taten – dann war die Hauptfrage der deutschen Nachkriegsgeschichte die, was der Rat der EKD, was jeder einzelne, was wir alle aus »Stuttgart« gemacht haben.

Es läge nahe, nun die Position Gustav Heinemanns zu untersuchen. Vorher soll jedoch ein Überblick darüber gegeben werden, wie sich die evangelische Kirche in den ersten Nachkriegsjahren zur Schuldfrage gestellt hat. Um so deutlicher kann dann im Vergleich dazu Heinemanns Haltung herausgearbeitet werden.

Der Rat der EKD hat sich in den Folgejahren mehrfach auf die Stuttgarter Erklärung berufen und erklärt, er stünde weiter auf ihrem

---

33. O. Dibelius, aaO. S. 311.

Boden[34]. Er hat die Deutschen aufgefordert, auf die christliche Hoffnung zu vertrauen, und die über Deutschland gekommene Katastrophe als Gericht Gottes gedeutet. Aber er hat die Schulderklärung nie konkretisiert.

Er überließ die Verbreitung, Erklärung und Verteidigung des Worts von Stuttgart bald einigen Mitgliedern, die das für besonders dringlich hielten. Pastor Asmussen, Präsident der Kirchenkanzlei, und Pastor Niemöller, Präsident des Außenamts der EKD, haben das Schuldbekenntnis »gewissermaßen gepredigt«[35].

Niemöller bezog das Wort Jesu Christi »Was ihr nicht getan habt einem unter diesen Geringsten, das habt ihr mir auch nicht getan« (Matth. 25,45) konkret auf die getöteten Kommunisten, Kranken, Juden. In der Predigt der Versöhnung Gottes deckte er schonungslos das Versagen der Kirche und seiner selbst auf. Schuldbekenntnis und christliche Botschaft sah er in eins[36]: »Solange wir unsere Schuld nicht vor Gott und Menschen bekennen, solange wir die Versöhnung Gottes um Christi willen nicht im Glauben an Gottes Zusage empfangen, so lange werden wir als murrende Menschen durchs Leben gehen und ein Hemmnis sein für die Botschaft des Heils.« Damit war der Ansatz zu Überlegungen für die Gegenwart gegeben.

Entschiedene Unterstützung fand Niemöller außerhalb des Rats der EKD. Karl Barth, der deutschen Kirche seit seiner Lehrtätigkeit in Deutschland und dem Kirchenkampf eng verbunden, forderte dazu auf, vor Gott und Menschen nüchtern das deutsche Nachkriegsunglück als Folge der eigenen Schuld zu begreifen, das Stuttgarter Bekenntnis »immer noch einfacher, immer noch direkter, immer noch greifbarer« zu sprechen, auf Restauration früherer Verhältnisse zu verzichten, nationalen und obrigkeitsstaatlichen Traditionen abzusagen und moderne Gedankengänge, auch marxistische, unbefangen zu

---

34. KJ 45–48, S. 172, 196.
35. So Niemöllers Formulierung in einem Gespräch mit dem Verfasser am 5. 1. 70. – Vgl: H. Asmussen, Kommentar der Stuttgarter Erklärung, Gesetz- und Verordnungsblatt für die Ev.-luth. Kirche des Landesteils Oldenburg, Nr. 2 v. 6. 12. 45, S. 9ff. – Ders., Rundgespräch zur Schuldfrage, in: Verordnungs- und Nachrichtenblatt der EKD Nr. 6 v. Februar 1946. – M. Niemöller, Reden 1945–54, S. 16ff, 19ff, 31ff, 43ff, 94ff, 147ff. – Ders., Not und Aufgabe der Kirche in Deutschland. Flugblätter der Bekennenden Kirche, Nr. 3, Stuttgart 1946. – Ders., Was Niemöller in Amerika wirklich sagte. Flugblätter . . . Nr. 7, Stuttgart 1947. – Ders., Die Aufgabe der Evangelischen Kirche in der Gegenwart, Düsseldorf 1946, S. 6ff. – Ders., Zur gegenwärtigen Aufgabe der evangelischen Christenheit, Frankfurt 1946, S. 8ff. – Ders., Rede, gehalten am 17. 1. 1946 in Göttingen. Autorisierte Nachschrift von R. Creydt, Göttingen 1946. – Ders., Der Weg ins Freie, Stuttgart 1946. – W. Niemöller, Neuanfang 1945, S. 61, 64ff. – D. Schmidt, M. Niemöller, S. 184ff.
36. M. Niemöller, Reden 1945–54, S. 50. – KJ 45–48, S. 36.

prüfen[37]. In diesem Sinn begannen Teile der Bekennenden Kirche mit der konkreten Benennung der vergangenen Versäumnisse, so die kirchlich-theologische Sozietät in Württemberg[38]. Auf Initiative des Theologieprofessors Hans Joachim Iwand faßte der Bruderrat der EKD seine Erkenntnisse 1947 in einem »Wort zum politischen Weg unseres Volkes« zusammen[39]. Ausgangspunkt der sogenannten »Darmstädter Erklärung« war die These, daß »das Wort von der Versöhnung der Welt mit Gott in Christus« gehört, angenommen, getan und ausgerichtet werden solle, daß dies aber nicht geschähe, »wenn wir uns nicht freisprechen lassen von unserer gesamten Schuld … und wenn wir uns nicht durch Jesus Christus … heimrufen lassen auch von allen falschen und bösen Wegen, auf denen wir als Deutsche in unserem politischen Wollen und Handeln in die Irre gegangen sind.« Zu den Irrwegen zählte der Bruderrat den »Traum einer besonderen deutschen Sendung«, das alleinige Vertrauen auf militärische Machtentfaltung, das Bündnis mit konservativen Mächten, die Frontstellung angeblich Gerechter gegen Ungerechte. Zum Marxismus bemerkte der Bruderrat, die Kirche hätte, statt vor seinem Materialismus zu erschrecken, sich durch ihn an ihren Auftrag mahnen lassen müssen, für den *ganzen* Menschen dazusein, statt ihn aufs Jenseits zu vertrösten oder mit Almosen abzuspeisen. Die Kirche habe es unterlassen, »die Sache der Armen und Entrechteten gemäß dem Evangelium von Gottes kommendem Reich zur Sache der Christenheit zu machen«. Das nun zu tun, sei die Aufgabe der Christenheit – nicht die Parole »Christentum und abendländische Kultur«, sondern »Umkehr zu Gott und Hinkehr zum Nächsten«. In einer Erläuterung des Darmstädter Worts warnte der Bruderrat Anfang 1948 eindringlich davor, sich einem Propaganda-Feldzug gegen den Osten auf der Seite des Westens zur Verfügung zu stellen. Er sah zu einem Zeitpunkt, als die Bundesrepublik Deutschland noch nicht gegründet war, die Gefahr, daß die Westdeutschen sich einer westlichen Ideologie anschließen würden, in der Hoffnung, »dabei politisch und vielleicht auch militärisch wieder bündnisfähig« zu werden[40].

---

37. Vortrag am 2. 11. 45 in Stuttgart, in: K. Barth, Der Götze wackelt. Zeitkritische Aufsätze, Reden und Briefe von 1930 bis 1960, hg. von K. Kupisch, Berlin 2. Aufl. 1964, S. 94ff. – Auch ebd. S. 120ff.
38. Erklärung der kirchlich-theol. Sozietät in Württemberg v. 9. 4. 1946 (Flugblatt). – Vgl. auch: Götz Harbsmeier, Die Verantwortlichkeit der Kirche in der Gegenwart. Theologische Existenz heute, NF Heft 1, München 1946.
39. KJ 1945–48, S. 224ff, 220ff. – StdG 1964, Heft 1.
40. Die Auslegung veröffentlichten J. Beckmann, H. Diem, M. Niemöller und E. Wolf in: Flugblätter der Bekennenden Kirche Nr. 9/10, Stuttgart 1948; abgedr. bei H. Diem, Haben wir Deutschen etwas gelernt? Zollikon/Zürich 1948, S. 21ff. –

Das Darmstädter Wort stand jedoch in seiner Art »ziemlich einsam da« und wurde vielfach mißverstanden und angegriffen[41]. Die Tendenzen, die schon 1945 nicht in Einklang mit der Stuttgarter Erklärung gestanden hatten, blieben und verstärkten sich. Lutheraner drängten, ohne der Schuldfrage nachzugehen, auf ihr Hauptziel, die Gründung einer besonderen lutherischen Kirche in Deutschland, hin. Bischof Wurm beteiligte sich zwar nicht daran, hielt aber an seiner vereinfachten Sicht der deutschen Geschichte fest[42]. Bischof Meiser gab die Stuttgarter Erklärung den Pastoren seiner Landeskirche erst mit monatelanger Verspätung und dann auch gleich mit einem abschwächenden Kommentar zur Kenntnis[43]. Selbst ein Mann wie Lilje, der sich deutlich zu »Stuttgart« bekannte, schwächte die Erklärung doch, indem er sie verteidigte, ab[44]. Die größte Akzentverschiebung ist bei Asmussen zu beobachten. Er lehnte von Anfang an das rationale Fragen nach den historischen Ursachen des Nationalsozialismus ab, weil die zwölf Jahre ihm als eine »unentwirrbare Zeit« erschienen, in der Teufel und Dämonen gewirkt hätten; sie hätte endzeitlichen Charakter getragen[45]. Je deutlicher nun die Anhänger Barths die früheren Irrwege beim Namen nannten, je schärfer die Marxisten die deutsche Vergangenheit verurteilten und je umfassender die deutsche Not der Gegenwart Asmussen bekannt wurde, desto mehr neigte er dazu, nationale und konservative Strömungen des Protestantismus zu verteidigen und für Vergangenheit und Gegenwart Gegenrechnungen aufzumachen. Er sah die Konsequenz der Stuttgarter Erklärung nun darin, daß von der Schuld der anderen gesprochen werden und für die Deutschen der Ton auf der Vergebung liegen müsse[46].

Analyse bei H. G. Fischer, aaO. S. 59ff. Dort auch weitere Quellenangaben S. 43 Anm. 88, S. 59f, 63.

41. So berichtet Beckmann, KJ 45–48, S. 220.

42. Das kam besonders in seinen Eingaben zum Ausdruck, die er als Ratsvorsitzender der EKD an die Alliierten richtete. Die Bedenken zum Beispiel, die er im April 1946 wegen des Entnazifizierungsgesetzes der amerikanischen Militärregierung vortrug, stellen streckenweise eine Summierung von Entschuldigungen für die Deutschen der NS-Zeit dar (KJ 1945–48, S. 191ff).

43. Amtsblatt der Ev.-Luth. Landeskirche in Bayern v. 15. 3. 46.

44. Lilje betonte in einem Brief an einen Kritiker, es sei »keine politische, sondern eine kirchliche Erklärung« gewesen; sie sei »niemals für die Öffentlichkeit bestimmt gewesen« und nicht so aufzufassen, als ob »das deutsche Volk sich als schuldig an diesem Krieg und seinen Greueln bekenne« (Flugblatt, gedr. Abschrift eines Briefes v. November 1945).

45. H. Asmussen, Antwort an Karl Barth. Schriftendienst der Kanzlei der Evangelischen Kirche in Deutschland, hg. von Superintendent Dr. Siegel, Nr. 7, Schwäbisch Gmünd o. J. (1946). – Dagegen: Werner Koch, Offener Brief an Hans Asmussen. Ein Wort zu Asmussens Stellungnahme gegen K. Barth, Berlin 1947.

46. Ev.-luth. Kirchenzeitung 1, Nr. 1/1947 v. 15. 10. , S. 9ff. Verschiedene Schreiben

Der Rat machte sich Asmussens Vorschläge zwar nicht zu eigen. Aber er war infolge seiner Zusammensetzung auch nicht zu einer Konkretisierung der Stuttgarter Erklärung in der Lage. In den Verlautbarungen des Rats traten andere Akzente hervor. Man war sich einig darin, daß in der Not der Nachkriegsjahre geholfen werden mußte. So setzte sich der Rat, wie andere kirchliche und weltliche Gremien, für Flüchtlinge und Bombengeschädigte, für die Deutschen in der sowjetischen Besatzungszone und in Polen, für Kriegsgefangene und Verurteilte ein[47]. In seinen Erklärungen zeigte sich jedoch, vergleicht man sie mit dem Stuttgarter Bekenntnis, eine Verengung des politischen und theologischen Horizonts.

In einer Erklärung zur Entnazifizierung betonte der Rat, die Kirche habe im Dritten Reich »den Kampf« gegen nationalsozialistische Einflüsse geführt, darin Opfer gebracht, »aber auch in der Stuttgarter Erklärung vom 19. Oktober 1945 es als ihre Schuld bekannt, daß sie nicht die Kraft hatte, diese Einflüsse zu überwinden«. Daraus folgerte der Rat: »Diese Tatsachen und die der Kirche vor Gott obliegende Verantwortung geben ihr das Recht und die Freiheit, ihre ernsten Bedenken gegen das heute eingeschlagene Verfahren zum Ausdruck zu bringen.«[48] Die Stuttgarter Erklärung wurde hier nicht Anstoß zur Prüfung der eigenen Vergangenheit, sondern im Gegenteil nur moralische Basis, von der aus man, ohne genauer auf die Vergangenheit einzugehen, die Ungerechtigkeiten der Entnazifizierung kritisieren konnte.

In einer Eingabe an die UN wagte der Rat 1946 die apodiktische Aussage, daß Deutschland sich »in seinen gegenwärtigen Grenzen nun einmal nicht selbst ernähren« könne, und postulierte: »Es gibt nur zwei Möglichkeiten«, nämlich das Ende der »Evakuierung der Deutschen aus den östlichen Ländern« oder die Rückgabe der Ostgebiete[49]. In einer Erklärung vor der Moskauer Konferenz der Außenminister gab der Rat 1947 seiner Hoffnung »auf Zurückerstattung deutschen Landes« Ausdruck, »das jetzt von fremder Macht verwaltet und von fremder Bevölkerung in Anspruch genommen wird. Unser Volk wird sonst in der Enge seines Landes ersticken und sterben müssen«[50]. Solche Formulierungen, die die geschichtlichen Ursachen

---

Asmussens an die Ratsmitglieder (AH). – Die Schwenkung Asmussens war möglich, weil er von Anfang an die Schuld der andern betont mitgenannt hatte und das kirchliche Schuldbekenntnis als ein priesterliches Tun im Gegenüber zum Volk gedeutet hatte, während Niemöller stärker die eigene Schuld der Kirche betonte, die ihr prophetisches Wächteramt gegenüber dem Staat nicht wahrgenommen habe.
47. KJ 45–48, S. 162f, 171ff. – Kundgebungen, S. 15ff.
48. KJ 45–48, S. 197ff. – Kundgebungen, S. 35ff.
49. KJ 45–48, S. 162ff. – Kundgebungen, S. 25f.
50. Kundgebungen, S. 50.

der Katastrophe im Osten übergingen, trauten dem Erfindungsgeist und der Arbeitskraft von Menschen ebensowenig zu wie der Hilfe Gottes.

In diesen und anderen Ratserklärungen wird deutlich, daß ihre Verfasser ihren Blick so sehr auf die Not gerichtet hatten, daß darüber die deutsche Schuld, die diese Not verursacht hatte, zurücktrat. Zwar wurden der Zorn Gottes und sein Gericht immer wieder genannt und die Menschen beschworen, zu Gott zurückzukehren[51]. Konkretisiert wurde aber vom Rat nur die Not, nicht die Schuld. Nicht einmal zur Judenfrage wurde ein Wort gesagt, obwohl das Verschulden der Kirche auf der Hand lag – geschweige denn zur Frage der Schuld an den Ostvölkern. So wirkte sich die allgemeine Aufforderung, zu Gott zurückzukehren, verbunden mit dem speziellen Hinweis auf die Not im Osten, als doppelte Abgrenzung gegenüber dem atheistischen Kommunismus aus, ohne daß die andere Seite, die Schuldbeziehung der Kirche gegenüber dem Osten, ebenso deutlich ins Blickfeld kam.

Auch die Kirchenversammlung von Eisenach zeigte in ihrem »Wort der EKD zur deutschen Not«, das sie unter dem Vorsitz Gustav Heinemanns im Juli 1948 beschloß, Grenzen theologischen und politischen Bewußtseins. In bewegenden Worten verwandte sich die Versammlung für Kriegsgefangene und Verschleppte, für Arbeitsunfähige und Arbeitslose. Zur »Neuordnung der Besitzverhältnisse« jedoch wußte sie nicht viel mehr zu sagen, als daß »Sauberkeit und Redlichkeit« und Menschlichkeit anzustreben seien. Und zu dem brennenden Problem der Teilung Deutschlands – wenige Tage zuvor hatten die Westmächte ihre Anweisungen für einen Weststaat gegeben und die Sowjetunion den Aufbau einer Volkspolizei verfügt – formulierte die Versammlung:

»Die Aufrechterhaltung der Zonengrenzen und alle Maßnahmen, die auf eine endgültige Aufspaltung Deutschlands hinauslaufen, müssen zu immer weiterer Verelendung und zur Auflösung der sittlichen Bindungen führen. Wir beschwören alle, die es angeht, jedem Versuch einer solchen Aufspaltung entschieden und beharrlich entgegenzutreten und immer wieder darauf zu dringen, daß dem deutschen Volk nicht durch unmögliche Grenzziehung die Lebensgrundlagen genommen werden.«[52]

Die Formulierung war so allgemein gehalten, daß die konkrete Frage, ob die Westdeutschen einen eigenen Staat gründen sollten,

---

51. KJ 45–48, S. 18f, 129, 160, 166f, 174.
52. KJ 45–48, S. 185f. – Kundgebungen, S. 56ff. – Eisenach 1948. Verhandlungen der verfassunggebenden Kirchenversammlung der Evangelischen Kirche in Deutschland v. 9.–13. Juli 1948, Berlin 1951, S. 180ff.

nicht in den Blick kam. Es blieb jedem unbenommen, ohne Selbstkritik nur in seinem Gegner den potentiellen »Spalter« zu erblicken[53].
Der Unklarheit in politischer Hinsicht entsprach die fortdauernde Unklarheit auf innerkirchlichem Felde. Was die Einheit der Evangelischen Kirche in Deutschland bedeutete, die in Eisenach rechtliche Gestalt gewann, blieb umstritten. Während die meisten Lutheraner in der EKD lediglich einen Bund von Kirchen sahen und die Vereinigte Lutherische Kirche Deutschlands (VELKD) als ihre eigentliche Kirche betrachteten, war für die Bruderräte die EKD wirklich Kirche. Die konfessionellen Ausgangspunkte waren zugleich die politischen: Die Lutheraner hielten primär die lutherischen Bekenntnisse der Reformationszeit für gültig und bekundeten damit, daß der Kirchenkampf der Bekennenden Kirche gegen den Nationalsozialismus für sie nur sekundäre Bedeutung hatte und es ihnen um Rückkehr zu früher bezogenen Positionen ging. Dagegen hielten unter den Reformierten und Unierten besonders die Schüler Karl Barths die theologisch-politischen Erkenntnisse des Kirchenkampfes für gleichrangig mit denen der Reformationszeit und sahen in dem Eisenacher Zusammenschluß eine Station auf dem Wege, der über die Barmer Erklärung von 1934, über die Stuttgarter von 1945 und die Darmstädter von 1947 weiterführte[54]. Immerhin war die gemeinsame Tendenz zur Einheit in Eisenach 1948 wie in Treysa 1945 so stark, daß – wie Niemöller es formulierte – »sich niemand als von dem Herrn Jesus Christus bevollmächtigt ansah, das Auseinandergehen zu verlangen und die Spaltung der evangelischen Christenheit vor Gott und den Brüdern zu verantworten«[55]. Zu der gemeinsamen Erkenntnis aber, daß die gemeinsam am Nationalsozialismus mitschuldig gewordenen Protestanten in Deutschland im Vertrauen auf die Erlösung durch Christus die evangelische Kirche in Deutschland bildeten, drang man nicht vor.

So bleibt bei der Betrachtung dessen, was die evangelische Kirche in den ersten Nachkriegsjahren zur Klärung der deutschen Situation beitrug, das Ergebnis zwiespältig. Die Kirche setzte mit »Stuttgart« einen Ausgangspunkt zum Neuanfang, und es gab Männer und Gremien, die eine kritische Untersuchung von Vergangenheit und Gegen-

---

53. Für überzeichnet halte ich allerdings die Kritik von H.-J. Benedict: »Jede bloße Bitte, nicht verbittert gegenüber den Siegermächten zu sein, intensivierte aufgrund ihres Bestätigungscharakters diese Verbitterung . . .« (JK 1969, S. 322).
54. KJ 45–48, S. 66ff, 73ff, 149ff. – Niemöller, Reden 1945–54, S. 59ff, 73ff. – Fischer, aaO. S. 44ff, 50ff.
55. M. Niemöller, Eisenach und die Bekennende Kirche, in: Nachrichten der Bekennenden Kirche, Nr. 9, v. 19. 7. 48, S. 13.

wart in Angriff nahmen. Aber die Mehrheit auch des Rats ließ sich durch die Not der Zeit bewegen, für Kirche und Staat auf alte Denkmodelle zurückzugreifen. Wie auf politischem Felde, so herrschte auch auf kirchlichem die Neigung vor, sich mit beschränkten Deutungen für den Nationalsozialismus zufriedenzugeben, verschiedene Wege in die Zukunft einzuschlagen und am Osten allein die negativen Aspekte zu sehen. Wohl versuchten viele Protestanten, unter Hinweis auf Zorn und Gnade Gottes das Politische in eine theologische Dimension einzuordnen; aber ohne die Konkretisierung der Schuld mußte auch die Versöhnungs- und Trostpredigt blaß und die Einheit der EKD unsicher bleiben.

Der Schluß liegt nahe: Wenn schon von maßgeblichen Männern der EKD so wenig theologisch-politische Klarheit ausging, war noch weniger Selbstbesinnung von der großen Mehrheit der Kirchenglieder und der nichtkirchlichen Bevölkerung zu erwarten, die dem Nationalsozialismus noch weniger kritisch gegenübergestanden hatte. Dieser Schluß enthält allerdings nur eine halbe Wahrheit; denn auch die entschiedene Predigtrede Niemöllers in den ersten Nachkriegsjahren stieß in der Bevölkerung nicht auf größere Aufnahmebereitschaft, im Gegenteil. Die Öffentlichkeit diskutierte gerade im Blick auf Niemöller verbissen das Schlagwort der »Kollektivschuld«, das nicht einmal die »politische« Seite seiner Reden zutreffend wiedergab, und überging völlig seine Verkündigung, daß Christus sogar von der deutschen Schuld erlöse. Von dieser ablehnenden Haltung ließ sich die Mehrheit auch nicht durch die Tatsache abbringen, daß Christen des Auslands in Wort und Tat positiv auf die Stuttgarter Erklärung reagiert hatten[56].

So trifft das Urteil zu, das Gustav Heinemann fünf Jahre nach »Stuttgart« fällte: »Unser Volk hat uns diese Erklärung nicht abgenommen . . . Unsere Kirchen zeigten neben viel Aufgeschlossenheit ebenfalls manche Ablehnung und Verständnislosigkeit. So wurde uns das in Hybris und Katastrophe, in Gericht und Gnade Erlebte aufs ganze gesehen nicht ein Anlaß zur Umkehr und neuer Besinnung.«[57] Nur kleine Gruppen und einzelne nutzten die Chancen, die in der Stuttgarter Erklärung beschlossen lagen.

---

56. Über die Diskussion in Deutschland und die ausländische Resonanz: K. G. Steck, Schuld und Schuldbekenntnis. Ein kritischer Bericht, in: Ev. Theologie 6, 1946/47, S. 368ff. – W. Niemöller, Neuanfang 1945, S. 61ff. – D. Schmidt, M. Niemöller, S. 188ff. – KJ 45–48, S. 23ff, 59ff. – M. Niemöller, Das Stuttgarter Schuldbekenntnis – eine Frage an uns Christen heute, in: JK 1971, S. 451ff.
57. GH 45: Rede in Bern am 1. 12. 50, Wortlaut siehe Anhang B. – Ähnlich M. Niemöller: »So endete diese zunächst weithin Aufsehen erregende Schulderklärung als ein für die Christenheit in Deutschland fast bedeutungsloses Intermezzo . . .« (JK 1971, S. 452).

3
Gustav Heinemanns Ausgangsposition

Gustav Heinemann unterschied sich in mehrfacher Hinsicht von seinen Kollegen im Rat der EKD. Er war der einzige von ihnen, der aus dem Anwaltsberuf und aus der freien Wirtschaft kam, und der einzige, der in Kirche *und* Politik tätig wurde und auf beiden Gebieten hohe Ämter erreichte. Seit 1945 Mitglied der Leitung der Evangelischen Kirche im Rheinland und des Rats der EKD, wurde er 1948 zum Präsidenten der Kirchenversammlung in Eisenach und 1949 auf der ersten Synode der EKD in Bethel für sechs Jahre zum Präses gewählt; damit nahm er das höchste Laienamt in der EKD wahr. Mitgründer der Christlich-Demokratischen Union des Rheinlandes, wurde er 1945 zum Bürgermeister, 1946 zum Oberbürgermeister seiner Heimatstadt Essen gewählt. Mitglied des ernannten und dann des ersten gewählten Landtags von Nordrhein-Westfalen, übernahm er 1947 für ein Jahr, während dessen er seine kommunalpolitische Stellung beibehielt, auch das Justizministerium des Landes NRW. Bis 1949, als er Bundesinnenminister wurde, blieb er Vorstandsmitglied und Bergwerksdirektor der Rheinischen Stahlwerke in Essen.

Gustav Walter Heinemann stammte aus einer Familie, die sich heraufgearbeitet hatte, und hatte selbst diese Linie fortgesetzt. Sein Vater Otto Heinemann, Sohn eines »in ganz ärmlichen Verhältnissen« früh verstorbenen Hausschlachters in einer hessischen Kleinstadt[1], hatte die Tochter eines Dachdeckermeisters in Barmen, Johanna Walter, geheiratet und war bei der Geburt des Sohnes Sparkassenrendant in Schwelm (Westfalen); später stieg er bei der Firma Krupp in Essen zum Prokuristen und Chef des Büros für Arbeiterangelegenheiten und der Betriebskrankenkasse auf[2]. Der einzige Sohn besuchte 1909–17 das Reform-Realgymnasium in Essen, studierte nach einem kurzen Zwischenspiel als Soldat an den Universitäten Münster, Marburg, München, Göttingen und Berlin 1918–22 Volkswirtschaft, Rechtswissenschaft und Geschichte und promovierte in Marburg 1921 zum Dr. rer. pol. und in Münster 1929 zum Dr. iur[3]. Nach der Refe-

---

1. Heinemann in einem Spiegel-Gespräch, Der Spiegel Nr. 46 v. 11. 11. 68.
2. Seine Lebensbeschreibung: O. Heinemann, Kronenorden vierter Klasse. Das Leben des Prokuristen Heinemann (1864–1944), hg. und mit einem Vorwort versehen von W. Henkels, Düsseldorf/Wien 1969.
3. Die Dissertationen: Die Spartätigkeit der Essener Krupp'schen Werksangehörigen, in: Soziale Praxis u. Archiv f. Volkswohlfahrt, 1922, 830ff. – Ders., Die Verwal-

rendarzeit wurde er 1926 Rechtsanwalt in Essen, zunächst als Sozius des Essener Rechtsanwalts Niemeyer[4], und nahm zwei Jahre später das Angebot der Rheinischen Stahlwerke an, in diesem Konzern als Justitiar die Rechts- und Steuerabteilung zu verwalten. Er erhielt Prokura und wurde 1936 zum Bergwerksdirektor und Vorstandsmitglied der Gesellschaft bestellt. Nebenbei schrieb er Aufsätze über verschiedene Rechtsfragen, einen Kommentar zum Kassenarztrecht und ein Handbuch des Bergrechts[5] und lehrte seit 1933 bis 1939 als Lehrbeauftragter für Bergrecht und Wirtschaftsrecht an der Universität Köln.

Die nationale und christliche Tradition des deutschen Bürgertums hatte Gustav Heinemann auf seinem Lebensweg nicht beeinflußt. Die Überlieferung seiner mütterlichen Familie ging auf Revolutionäre der Jahre 1848/49 zurück, der Großvater mütterlicherseits, der aus der Kirche ausgetreten war, war wie der Vater Stadtverordneter für eine freisinnige Bürgervereinigung; beide standen dem wilhelminischen Kaiserreich kritisch gegenüber[6]. Gustav Heinemann selbst, liberal erzogen, war in seiner Jugend Mitglied eines freigeistigen Monistenbundes[7] und zeigte als Student republikanische Gesinnung. Er gehörte einer Deutsch-Demokratischen Studentengruppe an und betätigte sich 1920 während des Kapp-Putsches und während der Reichskrise 1923 auf der Seite der demokratisch gewählten Regierung[8].

Mit der evangelischen Kirche kam Heinemann erst durch seine Heirat mit der Studienreferendarin Hilda Ordemann, der Tochter

---

tungsrechte an fremdem Vermögen, in: Gruchots Beiträge zur Erläuterung des deutschen Rechtes, Bd. 70, 1929, S. 496ff.

4. »Daher bin ich Anwalt geworden, weil das einfach ein Beruf, ein freier Beruf ist, in dem es darum geht, zu fechten, etwas durchzusetzen« (Interview mit G. Gaus am 3. 11. 68; GH, Plädoyer, S. 89). – Vgl. V. Niemeyer, Lebenserinnerungen eines 70jährigen, Berlin 1937.

5. Eine Liste der Veröffentlichungen von 1922–1943 umfaßt 75 Titel von Aufsätzen zu verschiedenen Rechtsfragen, darunter 19 zum Kassenarztrecht und 15 zum Bergrecht, ferner 5 selbständige Veröffentlichungen, darunter: Kassenarztrecht, Berlin 1. Aufl. 1929, 2./1932, 3./1933; Das Recht der Kassenzahnärzte und Kassendentisten, Berlin 1935; Bergrecht (Handbuch des deutschen Bergwesens, hg. gemeinsam mit F. A. Pinkernell u. a., Bd. I), Berlin 1937; Der Bergschaden nach preußischem Recht, Berlin 1941 (Liste im AH). Kassenarztrecht erschien 1950 in 4. Auflage, Der Bergschaden 1961 in 3. Auflage.

6. Heinemann im Interview mit G. Gaus, in: GH, Plädoyer, S. 93f. – H. Schreiber/ F. Sommer, Gustav Heinemann Bundespräsident, S. 69, 82.

7. Zur Geisteswelt des deutschen Monistenbundes s. ihr Publikationsorgan: Mitteilungen des deutschen Monistenbundes, München 1916ff, und Monistische Monatshefte, Hamburg 1920ff.

8. Genauere Darstellung in Schreiber/Sommer, aaO. S. 74ff. – Vgl. auch E. Lemmer, Manches war doch anders, Frankfurt 1968, S. 57, 68, 73, 342.

eines Bremer Kaufmanns und Kirchenvorstehers, in Berührung, die mütterlicherseits aus einer Schweizer Pfarrerfamilie stammte; sie hatte Geschichte, Deutsch und Theologie studiert. Entscheidend für seine weitere Entwicklung wurde für ihn 1927/28 die Begegnung mit dem 15 Jahre älteren Essener Pfarrer Friedrich Graeber, der ihn als Prediger und geistlicher Schriftsteller ebenso überzeugte wie mit seinen Diskussionen in Arbeitervierteln über Marxismus und, vor allem, in seiner praktischen Hilfe für die Arbeitslosen[9]. Für Heinemann, der schon in seiner atheistischen Phase die Verbindung von Theorie und Praxis für ideal gehalten hatte[10], wurde Graeber »der Wegbereiter zum Verständnis des Evangeliums«, »weil er alles und jedes mit der Inanspruchnahme des Hörers für eigene Aktivität zu verbinden wußte«[11]. Im Rückblick auf jene Jahre stellte Heinemann später fest: »Ich war damals allmählich dahintergekommen, daß das Evangelium Wahrheit und Realität ist.«[12]

Bis zum Ende der Weimarer Zeit zeigte Gustav Heinemanns geistige und politische Entwicklung keine auffälligen Merkmale. Seiner Herkunft und seinem Berufsgang nach ein Angehöriger des Bürgertums, setzte er jene demokratische Tradition fort, die während des Kaiserreichs nie zur Herrschaft gelangt war. Politisch betätigte sich Heinemann seit 1930 im »Christlichen Volksdienst«, wählte aber bei der Reichstagswahl 1933 die sozialdemokratische Partei, weil ihm das

---

9. Von Graeber erschienen in dem von ihm gegründeten Freizeiten-Verlag, Velbert/ Essen, eine Reihe von Predigten und Flugschriften. – Graeber und Heinemanns Verhältnis zu ihm behandeln ausführlich: W. Niemöller, Gustav Heinemann – Bekenner der Kirche, Gütersloh 1970, und Werner Koch, Ein Christ lebt für morgen. Lehrjahre eines Bundespräsidenten (noch unveröffentlicht).
Die folgende Zusammenfassung der Tätigkeit Heinemanns im Kirchenkampf fußt auf diesen beiden Arbeiten und den von den Verfassern erschlossenen Quellen, die vornehmlich im Landeskirchlichen Archiv in Bielefeld aufbewahrt werden (LKAB). – Graebers Lebenslauf in der Pfarrchronik von Essen-Altstadt (Abschrift LKAB).
10. So in seinem Artikel: Friedrich Carl Freiherr v. Moser, Essener Allgemeine Zeitung v. 24. 10. 25.
11. Schreiber/Sommer, aaO. S. 81.
12. Schreiber/Sommer, aaO. S. 81. – Heinemann hat sich über seinen Weg zum Christentum fast nie ausführlicher geäußert. In seiner Ansprache zur Essener Jugendwoche am 17. 4. 48 finden sich die Sätze: »Lassen Sie mich . . . mit einem ganz persönlichen Bekenntnis beginnen, um Ihnen deutlich zu machen, von welchem Fundament her ich rede. Dieses Fundament ist das Evangelium von Jesus Christus. Ich habe es nicht ererbt oder erworben, so wenig wie irgend ein anderer Mensch es ererben und vererben oder erwerben kann. Es ist mir nach vielen Jahren völliger Entfremdung und des Verhaftetseins in sog. modernen Ideen des Aufklärung und allerlei Vernunft von dem geschenkt worden, der allein darüber verfügt.« (hsl, AH). – Persönliche Bekenntnisse enthalten einige Briefe, so der an W. Röpke v. 24. 12. 35 (s. W. Koch, aaO. Kap. II 1), und einer v. 11. 5. 36 an einen Strafgefangenen (W. Niemöller, aaO. S. 41f).

»die einzige Chance zu sein schien, gegen Hitler noch ein Gegengewicht zu entwickeln«[13]. Es war folgerichtig, daß der Demokrat Heinemann 1933 in Widerspruch zum nationalsozialistischen Staat geriet.
Die Art, wie das geschah, ist jedoch mit dem Begriff des »Demokratischen« allein nicht zu beschreiben, sondern Folge jener Wandlung,
die er als Dreißigjähriger durchgemacht hatte.
Heinemann schloß sich 1933 der Bekennenden Kirche an. Anfang
1934, als Graeber von den Kirchenbehörden seines Amtes entsetzt
wurde, half ihm Heinemann, seit 1933 Gemeindeältester (Presbyter)
der Gemeinde Essen-Altstadt, bei der Beschaffung von Räumlich-
keiten und bei der Finanzierung einer freien evangelischen presbyterianischen Gemeinde innerhalb der evangelischen Kirche des Rheinlands und lud mit anderen zur ersten freien Synode im Rheinland
ein[14]. In den Folgejahren wurde er als Mitglied des Bruderrats der
Bekennenden Kirche der Rheinprovinz als Abgeordneter in die
Preußen- und Reichssynode gewählt und nahm u. a. an den Reichs-
synoden von Barmen (1934), Augsburg (1935) und Bad Oeynhausen
(1936) teil. Er beriet die Bekennende Kirche und einzelne Mitglieder
in Rechtsfragen, arbeitete bei der Herausgabe eines geheimen kirchlichen Nachrichtendienstes mit, leitete seit 1937 den Christlichen Verein Junger Männer in Essen und hielt im CVJM und in verschiedenen
Kirchengemeinden Vorträge über die kirchliche Lage, im Kriege auch
Bibelarbeiten und Gottesdienste. Als ihm 1936 angeboten wurde,
Vorstandsmitglied im Rheinisch-Westfälischen Kohlensyndikat zu
werden, stellte er die Bedingung, daß er seine kirchliche Tätigkeit
weiterführen durfte, woraufhin der Aufsichtsrat das Angebot zurückzog[15].
Drei Dinge waren es, die ihm im Kirchenkampf am Herzen lagen
und die er unter veränderten Umständen nach 1945 wieder aufgriff.
Das erste war der Aufbau der Gemeinde und der Kirche von unten
her unter starker Beteiligung der Laien. Heinemanns ganze Tätigkeit,

---

13. So Heinemann im Interview mit G. Gaus am 3. 11. 68, in: GH, Plädoyer, S. 84. –
 Vgl. GH 3.
14. Broschüre: »Freie Evangelische Presbyterianer« des Westens. Aufruf – Leitsätze –
 Bekenntnis, hg. von den Pastoren Friedrich, Johannes u. Martin Graeber, Essen
 1933. – Verschiedene Schriftsätze betr. die Suspension Graebers, Anklageschrift
 etc. (LKAB). – Bericht Heinemanns v. 16. 4. 34: »Die freien Presbyterianer haben
 eine Trennung von der Landeskirche sich nicht zum Ziel gesetzt, scheuen allerdings
 auch nicht vor dieser Konsequenz zurück, wenn z. B. die Presbyterial-Synodale Kirchenordnung beseitigt wird« (msl, LKAB). – W. Niemöller, aaO. S. 15ff, und
 W. Koch, Kap. II 2.
15. Schreiben v. Janus, i. A. des Vorstands d. Rheinisch-Westfälischen Kohlen-Syndi-
 kats, Essen, v. 21. 3. 36 (AH), s. auch W. Niemöller, aaO. S. 29. – Tagebuch Febr.
 36 (AH).

ob in der Presbyterianischen Gemeinde, im CVJM oder im Bruderrat, ist von daher zu verstehen[16]. Heinemann stimmte völlig mit dem Punkt IV der Theologischen Erklärung der Synode von Barmen (1934) überein, in der es hieß:»Die verschiedenen Ämter in der Kirche begründen keine Herrschaft der einen über die anderen, sondern die Ausübung des der ganzen Gemeinde befohlenen Dienstes.«[17]

Der zweite Punkt war ein enges Verhältnis der verschiedenen Konfessionen zueinander. Als auf der Synode von Bad Oeynhausen 1936 von lutherischer Seite die Forderung erhoben wurde, die lutherische und reformierte Konfession zur Grundlage der Besprechungen zu machen, widersprach Heinemann im Namen einiger weniger anderer unierter Synodaler. Er erklärte, daß»sie sich als Glieder der Kirche Jesu Christi wissen, berufen und in unierten Gemeinden versammelt durch sein Wort und seinen Geist in der Einen Herde des Einen Hirten«, und folgerte:»Die Gemeinschaft in der Bekennenden Kirche wäre verleugnet und preisgegeben . . ., wenn die lutherischen oder reformierten Brüder diesen Anspruch nicht gelten ließen.«[18] Auch in den persönlichen Worten, die Heinemann dieser Erklärung hinzufügte, zeigte sich: so entschieden er sich als Glied der evangelischen Kirche betrachtete, so entschieden weigerte er sich, sich auf ein bestimmtes Bekenntnis der Reformationszeit verpflichten zu lassen[19]. Die Barmer Synode erschien ihm auch in diesem Punkte als *das* kirchengeschichtliche Ereignis der neuesten Zeit:»Barmen 1934 war das erste gemeinsame Bekennen der deutschen evangelischen Christenheit ohne Rücksicht auf den Konfessionsstand, das erste gemeinsame Bekenntnis von lutherischen, reformierten und unierten Christen.«[20]

Auch für den dritten Problemkreis, der Heinemann beschäftigte,

---

16. vgl. seine Rede am 4. 4. 37 nach seiner Wahl zum Vorsitzenden des CVJM, größtenteils abgedruckt bei W. Niemöller, aaO. S. 44ff (Manuskript im LKAB). Im Konzept zu einer Rede über »Die Ordnung der Kirche und unsere Aufgabe heute« faßte Heinemann 1939 stichwortartig zusammen:»Gemeindekirche heißt: 1) Nicht Bau von oben, sondern unten. 2) Ordnung nicht aus Recht und Zwang, sondern aus Geist und Liebe. 3) Nicht Führerprinzip, sondern Bruderschaft. 4) Entfaltung der Gaben. Mannigfaltigkeit. Leitung – Finanzwirtschaft. Liturgie. Keine Perikopen. Kein Kollektenplan. Keine Uniformität der Gedanken« (LKAB).

17. KJ 33–44, S. 65.

18. K. Immer (Hg.), Vierte Bekenntnissynode der Deutschen Evangelischen Kirche Bad Oeynhausen 17.–22. Februar 1936, Wuppertal-Barmen o. J. (ca. 1936), S. 47f. – W. Niemöller, Die vierte Bekenntnissynode der Deutschen Evangelischen Kirche zu Bad Oeynhausen, 1960, S. 102. – Eine ähnliche Erklärung war schon auf der Synode 1935 in Augsburg im Namen Heinemanns und anderer nichttheologischer Synodaler von Kreyssig abgegeben worden.

19. vgl. auch: Denkschrift v. April 39 (AH u. LKAB). – Rede vor dem CVJM am 4. 4. 37, Niemöller, aaO. S. 46.

20. GH 4, S. 6. – Ähnlich in der Denkschrift v. April 39.

das Verhältnis von Kirche und Staat, war für ihn »Barmen« die Ausgangsbasis. Er setzte Teil V der Erklärung zu Teil II in Beziehung. Einerseits folgte er der Abgrenzung der Bereiche von Kirche und Staat, wie sie in Teil V ausgesprochen wurde, andererseits betonte er aber, und das primär, mit Teil II, daß Jesus Christus Herr des ganzen Lebens und also auch des politischen Bereichs sei[21].

Der Standpunkt, den Heinemann in den drei für ihn wichtigsten Fragen einnahm, läßt deutlich erkennen, daß hier ein Mensch handelte, dessen christliche Existenz seine demokratische Vergangenheit einbezog. Weil für ihn Christus der einzige Herr der Kirche war, mußte die Gemeinde demokratisch aus gleichberechtigten christlichen Gliedern aufgebaut sein, mußte dieser Aufbau zu einer einheitlichen Kirche führen, in der die traditionellen Konfessionen nur ein relatives Gewicht besaßen, mußte jeder Christ Übergriffe des Staates in die Kirche abweisen und in Kirche und Staat tätig werden.

Von diesem Standpunkt aus war die Auseinandersetzung mit dem Nationalsozialismus konsequent. In diese Linie gehören Heinemanns Mithilfe bei dem vergeblichen Versuch, Ende 1933 die politische Gleichschaltung der evangelischen Jugend zu verhindern[22]; seine Mitarbeit bei dem erfolgreichen Bemühen, die politische Unabhängigkeit des Essener CVJM durch die NS-Zeit zu erhalten[23]; ein Protestbrief an Hitler gegen die Übergriffe der nationalsozialistischen Kirchenbehörden vom November 1933[24]; die Stellungnahme gegen die Anordnungen Hitlers auf kirchlichem Gebiet, die Heinemann auf der Kreissynode in Essen 1934 als rechtswidrig bezeichnete[25], gegen die Beschlüsse der DC-Provinzialsynode und gegen die Rechtmäßigkeit der sogenannten Kirchenausschüsse 1935[26]; die Ablehnung des 1938 von dem Na-

---

21. These 2: »Wie Jesus Christus Gottes Zuspruch der Vergebung aller unserer Sünden ist, so und mit gleichem Ernst ist es auch Gottes kräftiger Anspruch auf unser ganzes Leben; durch ihn widerfährt uns frohe Befreiung aus den gottlosen Bindungen dieser Welt zu freiem, dankbarem Dienst an seinen Geschöpfen.
    Wir verwerfen die falsche Lehre, als gebe es Bereiche unseres Lebens, in denen wir nicht Jesus Christus, sondern anderen Herren zu eigen wären, in denen wir nicht der Rechtfertigung und Heiligung durch ihn bedürften« (KJ 33–44, S. 64). – Vgl.: GH 12, S. 51; 15, S. 25; 21 Sp. 3; 45; 158; 284; 336. – GH, Die Barmer Erklärung, in: Vorwärts 29. 5. 59.
22. Protokoll einer Besprechung in Koblenz am 27. 12. 33 (LKAB); vgl. W. Niemöller, aaO. S. 19ff.
23. Dies gelang, weil die Mitglieder zusammenhielten und geschickt rechtliche Möglichkeiten ausnutzten.
24. Schreiben v. 29. 11. 33, abgedr. b. Niemöller, aaO. S. 10f. – Ähnlich ein Schreiben an Pfarrer Lemmer v. 8. 11. 34 (AH).
25. Protokoll der Essener Kreissynode v. 27. 9. 34, S. 34f.
26. Protestschreiben an Pfarrer Harney, Düsseldorf, v. 27. 5. 35 (LKAB). – Heinemann erkannte, daß der Staat »den Ausschüssen auch kirchen-regimentliche Befugnisse

tionalsozialismus geforderten Eides der Pastoren[27]; die Mitwirkung bei der Verbreitung kirchenpolitischer Nachrichten, z. B. über den Verlauf des Prozesses gegen Niemöller 1938[28]; endlich die jahrelange Bemühung um rechtliche Anerkennung der Bekennenden Kirche und ihrer Ordnung und um Rechtsschutz für ihre gefährdeten und verhafteten Brüder, z. B. in einem Brief an Göring 1943[29].

Einen politischen Aspekt hatten auch und gerade die auf den ersten Blick rein innerkirchlich scheinenden Tätigkeiten Heinemanns in der freien evangelischen presbyterianischen Gemeinde in Essen und im Verfassungsausschuß der Rheinischen Kirche. Auch nach der kirchlichen Rehabilitierung Graebers und nach dessen späterem Weggang von Essen blieben die »Freien Evangelischen Presbyterianer« des Westens unter aktiver Mitwirkung Heinemanns noch längere Zeit zusammen. Heinemann trat dafür ein, solche selbständigen Gemeinden »schon vor einer letzten, vom Gegner erst örtlich geschaffenen Not landauf und landab, wo immer es geht, dringlich anzuregen«, und er machte auf Grund der Erfahrungen in Essen konkrete Vorschläge, was im einzelnen zu tun sei[30]. Verselbständigung der Gemeinden schien ihm in der gegebenen Lage christlich geboten und zugleich politisch geschickt, um die Kirche dem Einfluß des Staates zu entziehen. »Solange wir Kirche mit öffentlich-rechtlichen Privilegien sein wollen, kommen wir um einen Pakt mit dem Staate nicht herum. Dieser Pakt wird nach dem Maße unserer Schwäche – schlecht sein, – wenn wir

---

geben will, damit das Einfallstor für DC-Lehre und Mythos in der Kirche offen bleibt. So geht es nicht« (Tagebuch 1. 12. 35, AH). Näheres bei W. Koch, aaO. Kap. II 3.

27. Tagebuch 23., 28. 5., 20., 22., 25. 7. 38. Heinemann vertrat in Essen mit Graeber eine feste Haltung, die auf der Linie Barths und Bonhoeffers lag.

28. Im Keller ihres Hauses Schinkelstraße 34 hatten Heinemanns einen elektrischen Vervielfältigungsapparat, auf dem die »Briefe zur Lage« der Bekennenden Kirche vervielfältigt wurden. Heinemann fuhr öfter nach Berlin, wo die neuesten Nachrichten über die Spannungen zwischen Kirche und Staat ausgetauscht wurden. – Lemmer, aaO. S. 190ff. – Schreiber/Sommer, aaO. S. 84ff. – D. Schmidt, M. Niemöller, S. 138. – Spiegel-Gespräch mit Heinemann, Nr. 46, 11. 11. 68, S. 41f.

29. Niemöller, aaO. S. 30ff. – Schreiben Heinemanns (gemeinsam mit fünf anderen) an Göring v. 14. 2. 43 (AH).

30. Heinemann trat für den Ausbau der Personalgemeinden gegenüber dem Festhalten an festen Pfarrbezirken »mit Amtsmonopol bestimmter Pfarrer« ein; für eine »Arbeitsteilung der Pfarrer je nach ihren von Gott gegebenen unterschiedlichen Gaben«; für eine selbständige Bestimmung der Kollekten durch die Gemeinden; für einen »organisierten ›Kirchenaustritt‹ solcher Gemeindeglieder mit überdurchschnittlichem Steuerzettel«, um die »Gelddiktatur der Finanzabteilungen . . . zu durchbrechen«; für die Heranziehung außerkirchlicher Räume zu gottesdienstlichen Zwecken und die Gewöhnung der Gemeinde an Hausgottesdienste. – Denkschrift vom April 1939.

paktieren.«[31] Heinemanns Entwurf für eine Kirchenordnung der rheinischen Kirche lief darauf hinaus, »daß kirchliche Ordnung und öffentliches Recht sich trennen. Wir sind private Kirche geworden und erhalten nur soviel Recht, wie wir uns jeweils selbst zu erkämpfen vermögen«[32].

Heinemanns Haltung in den Fragen des Verhältnisses von Staat und Kirche, der Konfessionen und des Gemeindeaufbaus wiesen ihn als einen entschiedenen Anhänger der bruderrätlichen Richtung innerhalb der Bekennenden Kirche aus; zu dieser Gruppe hatte er auch starke persönliche Beziehungen[33]. Trotzdem ist seine Position innerhalb des Kirchenkampfes damit nicht genau genug umrissen. Gegen den lutherischen Konfessionalismus hielt er seine erste und einzige Rede auf einer Reichssynode; aber so »unverständlich oder gar anstößig« ihm das Verhalten der sog. »intakten Landeskirchen« auch war, so kritisierte er es doch »zu keiner Zeit« öffentlich[34]. Dagegen stand seine ständige Hoffnung auf Einmütigkeit in der Bekennenden Kirche. Gegenüber der bruderrätlichen Richtung, so nahe er ihr stand, blieb er, wie eine Denkschrift des Jahres 1939 zeigt, kritisch. Er beobachtete dort einen »völlig unbiblischen Uniformismus«, der die Bekennende Kirche veranlasse, »ständig als eine geschlossene Kolonne« auftreten zu wollen[35]; sie gerate damit in Gefahr, »bald zu weit und bald zu kurz zu schießen.«[36] Den Einwand, eine einheitliche Haltung, unabhängig von den äußeren Gegebenheiten, sei nach Schrift und Bekenntnis geboten, ließ Heinemann nicht gelten: »Auch Schrift und Bekenntnis sprechen nur in konkreten Lagen, und es ist noch nie so gewesen, daß Gott etwas anderes aufgetragen hat, als der Mensch leisten kann.« Heinemann plädierte dafür, »die tatsächlichen Umstände ... bei allen Entscheidungen mit in Rücksicht zu nehmen«.

---

31. Tagebuch 18. 1. 36 (AH).
32. Tagebuch 16. 7. 36 (AH). Entwurf v. 15. 7. – Im Rheinland-Ausschuß der 5. Rhein. Bekenntnissynode in Barmen votierte Heinemann am 2. 7. 36 in diesem Sinne (Texte LKAB). – Denkschrift v. April 39.
33. Er arbeitete z. B. eng mit dem Essener Pfarrer Held, dem späteren Präses, zusammen und nahm Asmussen eine Zeitlang in seinem Haus auf, als der sich vor dem Zugriff der Gestapo versteckte (Tagebuch, AH).
34. Schreiben Heinemanns an Wurm v. 13. 9. 47 (AH).
35. Denkschrift v. April 39. – Heinemann hatte sich schon 1936 gegen derartige Tendenzen gewandt (Brief an Held v. 15. 12. 36, an Schlingensiepen v. 10. 4. 37, AH).
36. Denkschrift v. April 1939. Heinemann hielt seit 1936 die Beschlüsse der Synode von Dahlem (1934), »abzielend auf eine *allgemeine* Sonderung« der Bekennenden Kirche von den Deutschen Christen, für »zu weit angesetzt«, weil sie »weithin die Kraft vieler Gemeinden und Pfarrer überschritten« habe; er begrüßte es, daß die 6. Rhein. Bekenntnissynode 1937 »diesen zu weit gespannten Anspruch fallen ließ und ihn auf diejenigen Pfarrer und Gemeinden beschränkte, welche sich ihr zugeordnet haben« (Denkschrift). Dazu W. Koch, aaO. Kap. II 3.

Das bedeutete in der Eidesfrage, daß Heinemann sich konsequent gegen die Eidesleistung aussprach, weil es »genug Pfarrer« gab, die trotz aller Drohungen den Eid zu verweigern entschlossen waren. Außer der Neigung der »theologischen Syndici«, zu »normieren und deduzieren, wo ein schlichtes Sehen besser wäre«, griff Heinemann die »geradezu erschütternde Starrheit« an, mit der sich »gerade auch« seine altpreußische Kirche im Rheinland seinen Vorschlägen auf Verselbständigung der Gemeinden verschloß und »nichts« tat, »um in einer solchen Richtung eine Initiative zu entwickeln«. Als die Bekennende Kirche weder in der Frage der Konfessionen noch in der der rechten Gemeindeverfassung den Weg nahm, den Heinemann für richtig hielt, stellte Heinemann wenige Wochen nach der Eid-Affäre am 17. August 1938 seine Ämter im Rheinischen Bruderrat zur Verfügung und bekräftigte diesen Entschluß im April 1939[37]. In den Kriegsjahren konzentrierte er sich ganz auf die kirchlichen Aufgaben in den unteren Ebenen, in der Gemeinde wie im CVJM, und auf die Rechtshilfe für Bedrängte[38].

Nach dem Zusammenbruch des Dritten Reiches sah Heinemann den Zeitpunkt für eine grundlegende Neuordnung der kirchlichen und politischen Verhältnisse gekommen.

Auf kirchlichem Felde konnte sie sofort in Angriff genommen werden, auf Kreis- und Landesebene schon im Mai 1945[39]. Heinemann trat auf jeder Ebene für Selbstverantwortung, für eine presbyteriale Ordnung, für eine Stärkung des Laien-Elements in der Kirche ein: er wollte die Großgemeinde Essen-Altstadt in überschaubare kleinere Gemeinden, die sich auch finanziell selbst verwalteten, aufgegliedert sehen[40]; er begrüßte es, daß die Bekennende Kirche in die Leitung der offiziellen Kirche hineinging und die rheinische Kirche sich gegenüber der Berliner Zentrale verselbständigte, und machte Vorschläge, wie in der neuen Kirchenordnung die Stellung der Landessynode gegenüber der Kirchenleitung und dem Landeskirchenamt gefestigt werden könnte[41]; er suchte später im Rat der EKD durchzusetzen, daß die zu wählende Synode der EKD »alles in allem nicht mehr als zur Hälfte aus Theologen besteht«, und daß von dieser Synode, nicht von Kir-

---

37. Denkschrift v. April 1939; darin die Zitate. Text bei W. Koch, aaO., Anhang.
38. Er hielt Bibelarbeiten, besonders im CVJM, und Gottesdienste, besonders während einer halbjährigen Abwesenheit Graebers 1942 (Stichworte, Tagebucheintragungen. AH).
39. Tagebuch 13. 5. »Kreissynode. Held Superintendent«.
40. Das Schreiben an den Vorsitzenden des Presbyteriums v. 24. 1. 48 enthält einen Rückblick (AH).
41. Bemerkungen zu Abschnitt V des Entwurfs der Kirchenordnung (msl, AH).

chenleitungen, die Grundordnung der Evangelischen Kirche Deutschlands in Eisenach 1948 verabschiedet wurde[42]. Von Anfang an trat er den Bestrebungen zur Bildung einer lutherischen Kirche entgegen, die er nun aus theologischen wie praktischen Gründen noch weniger befürworten konnte als vor 1945. Einerseits hielt er es für unzumutbar, den Millionen Flüchtlingen die Annahme der Konfession jener Landeskirchen, in die sie kamen, zuzumuten, und für ebenso unmöglich, überall mehrere evangelische Kirchen nebeneinander einzurichten. Andererseits wiederholte er die Überzeugung der Barmer Synode, man solle es Jesus Christus »überlassen, wohin Er uns in diesen Fragen der Kircheneinheit führt«[43]. Heinemann sah sich in seiner Voraussage bestätigt, daß die unierte Kirche bleiben werde[44], und suchte die im Rat der EKD verkörperte Einheit der evangelischen Kirche in Deutschland gegen alle landeskirchlichen und konfessionalistischen Tendenzen zu stärken und auszubauen[45]. Er war »absolut der Meinung, daß, was auch immer gewesen sein mag«, die verschiedenen Richtungen in der Bekennenden Kirche »über die alten Differenzen hinwegkommen« müßten[46]. Deshalb mißbilligte er Asmussens öffentliche Fehde mit Barth und suchte für seine Person zu den verschiedenen Richtungen der Bekennenden Kirche, zu Wurm *und* Barth, ein gutes Verhältnis[47].

Auf politischem Felde stellten sich ähnliche Probleme wie auf kirchlichem. Auch hier ging es Heinemann um die Frage eines Neuaufbaus von unten her und um das Verhältnis der Christen verschiedenen Bekenntnisses zur Politik. Heinemann entschloß sich zur Mitarbeit, obwohl seine kirchliche und berufliche Tätigkeit ihn sehr beanspruchte; er hatte im Mai 1945 die Leitung der Hauptverwaltung der Rheinischen Stahlwerke in Essen übernommen und verantwortete seitdem mit Kollegen das Gesamtunternehmen Rheinstahl.

---

42. Schreiben an den Rat der EKD v. 20. 10. 47. – Mitschrift der Sitzungen des Rats v. 14. 1. u. 9. 3. 48 (AH).

43. GH 4. – Konzept zu Vorträgen über ›Ev. Kirche heute‹ (AH). – Über die Tendenz der Lutheraner, »die Evangelische Kirche Deutschlands als kirchliche Einheit zu Gunsten einer kirchlichen Föderation abzubauen«, war Heinemann schon in Stuttgart »schockiert« (Schreiben an Graeber v. 18. 12. 45, AH).

44. Denkschrift v. April 1939.

45. Er charakterisierte die 3. Tagung des Rats der EKD im Dez. 45 mit den Worten: »Abbau zugunsten der Landeskirchen? Ein Stellungskrieg ohne offene Aussprache« (Tagebuch 12./15. 12. 45, AH).

46. Schreiben an Wurm v. 13. 9. 47 (AH).

47. Schreiben an Asmussen v. 8. 1. 47, an Wurm 13. 9. 47 u. 4. 12. 48 (AH). Heinemann las 1945 Barths Buch: Von der Genesung des deutschen Wesens, besuchte Barth im Mai 1946 in Bonn, nahm im Juni an einem Kolloquium bei ihm über die Barmer Erklärung teil und suchte ihn 1947 in Basel auf (Tagebuch, AH; Schreiben v. Ch. v. Kirschbaum an G. Staewen v. 5. 6. 46, Barth-Archiv, Basel).

Bald spielte er auch in der Essener Kommunalpolitik eine Rolle. Als in Essen Ende Juni 1945 als provisorische Vertretung der Essener Bürgerschaft ein Bürgerausschuß gebildet wurde, wurde Heinemann als stellvertretendes Mitglied in ihn berufen[48]. In den Diskussionen über die Frage, ob das katholische Zentrum und womöglich eine evangelische Partei ähnlich dem früheren Christlichen Volksdienst oder ob eine christlich-demokratische Union gegründet werden sollte, verfocht Heinemann von Anfang an entschieden den Gedanken einer Union[49]. Er nahm am 17. 8. 1945 an einer Besprechung von Protestanten »wegen Christlich-Demokratischer Partei« und am 2. 9. in Köln an der Gründung der Christlich Demokratischen Partei für das Rheinland teil und gehörte zu den sechs Essener Bürgern, die am 13. 10. in Essen den Antrag auf Zulassung dieser Partei stellten[50]. Als im November Andreas Hermes, der Vorsitzende der Ost-CDU, in Düsseldorf die Zentrumsgruppe zur Mitarbeit in der CDU zu bewegen versuchte, unterstützte ihn Heinemann dabei[51]. Im Dezember sprach Heinemann in Düsseldorf auf dem ersten Treffen der Protestanten in der rheinischen CDU und wurde im Januar in die Landesleitung der CDU gewählt[52]. Die Essener CDU nominierte ihn als Mitglied der von den Engländern zu ernennenden Stadtverordnetenvertretung; gleichzeitig wurde er Mitglied des Provinzialrats der Nord-Rheinprovinz[53]. Nachdem die Engländer den Kommunisten Heinz Renner im Februar 1946 zum Essener Oberbürgermeister ernannt hatten, wählte die Stadtverordnetenversammlung auf Vorschlag der CDU am 27. März Heinemann einstimmig zu seinem Stellvertreter[54].

Soviel praktische Aufgaben durch seine berufliche, kirchliche und politische Tätigkeit neben den persönlichen Sorgen um Beschaffung von Nahrungsmitteln und Wiederherstellung der Wohnung auf Heinemann zukamen, so sehr bemühte er sich gerade auch als Bürger-

---

48. Schreiben des Oberbürgermeisters Rosendahl v. 25. 6. 45 (AH). Die erste Sitzung war am 29. 6. (Tagebuch, AH).
49. J. Aust, Zehn Jahre CDU Essen. Werden und Wirken der Kreispartei 1946–1956, Essen 1956, S. 15.
50. Tagebucheintragungen 17. 8. u. 2. 9. 45. – Schreiben an das Hauptquartier der Militärregierung, Stadtkreis Essen, v. 13. 10. 45, unterzeichnet von Heinemann und 5 anderen Essener Bürgern (AH).
51. Notizen v. 10. 11., Tagebuch 5. 12. 45 (AH). – Vgl. H. G. Wieck, Die Entstehung der CDU und die Wiedergründung des Zentrums im Jahre 1945, Düsseldorf 1953, S. 97f, 149f.
52. Korrespondenz mit O. Schmidt, Wuppertal. Schreiben von L. Schwering an Heinemann v. 29. 1. 46 (AH).
53. Aust, aaO. S. 21. – Tagebuch 27. 12. 45, 11. 1. 46 (AH).
54. Aust, aaO. S. 24. – Tagebuch 27. 3. 46 (AH).

meister darum, grundsätzliche Fragen der kirchlichen und politischen Neuordnung in Referaten vor kirchlichen und politischen Gremien zu klären. Hauptthemen seiner zahlreichen Vorträge, die seine Ausgangsposition in der ersten Nachkriegszeit bezeichnen, waren einerseits die Stuttgarter Schulderklärung, andererseits die Beziehungen zwischen der Kirchengeschichte und der Geschichte der Demokratie. Die Grundgedanken dieser Vorträge sollen im folgenden, ehe wir uns den Problemen der politischen Praxis zuwenden, nachgezeichnet werden.

Wenn Heinemann über die Stuttgarter Erklärung sprach[55], schilderte er zunächst die Situation: das Verhältnis der Ratsmitglieder zu ihren ökumenischen Gästen und das Verhältnis der Deutschen zu den Siegern. Heinemann charakterisierte das Gespräch in Stuttgart als eine gegenseitige Bitte um Hilfe: die Bitte Wurms um Unterstützung, weil durch das Verhalten der Sieger »die große Stunde der Rechristianisierung« gefährdet werde, und die Bitte Visser't Hoofts, die Ökumeniker brauchten das Zeugnis der Bekennenden Kirche: »Wir wollen helfen! Helft uns, daß wir Euch helfen können!« Damit machte Heinemann deutlich, daß die Stuttgarter Erklärung weder spontan noch unter dem Druck fremder Nötigung zustandegekommen war und daß die Hilfe einen missionarischen *und* karitativen Aspekt hatte[56].

Er sah das Verhältnis der Besiegten zu den Siegern ähnlich realistisch. Auf den Einwand, »warum keine Gegenanklage« deutscherseits erhoben worden sei, antwortete er in seinen Vorträgen: »Na-

---

55. Im Nov. 45 hielt er Vorträge »über Stuttgart im CVJM, Huyssenstift, Kettwig. Heftiger Widerstand gegen Stuttgarter Erklärung (Tagebuch 4., 7., 16. 11., AH). Ab Jan. 46 behandelte er das Thema im Rahmen von Vorträgen über die Neuordnung der ev. Kirche, später in verschiedenen Zusammenhängen (Konzepte, Rederegister, AH). Die folgende Darstellung beruht auf dem Konzept der ersten Vorträge aus dem Jahre 1946 (AH).

56. Heinemann gab die Worte des Holländers so wieder, wie sie in seinen handschriftlichen Aufzeichnungen und im hekt. Bericht der Stuttgarter Tagung abgedruckt waren: »Helfen Sie uns, daß wir helfen können« (S. 3; ebenso in dem Bericht im KJ 45–48, S. 21). Nach Koechlins Bericht über Stuttgart betonte Visser't Hooft die kirchliche Erneuerung: »Helfen Sie uns, daß wir Ihnen helfen können, die Hütte Davids aufzubauen, damit die Heiden, die dem Herrn gehören, ihn finden können.« Aber auch Koechlin berichtet, daß Visser't Hooft an umfassende Hilfe dachte: »Wir möchten helfen zur Rechristianisierung, möchten auch das Werk des Samariters tun« (Bell/Koechlin, Briefwechsel, S. 430). – Boyens betont den kirchlichen Aspekt zu sehr (Stuttgart, aaO. S. 391). Heinemanns Eindruck war: »Es besteht bei den Ausländern eine wahrhaft echte Hilfsbereitschaft. Sie betonen jedoch immer wieder, daß sie in England und vor allem in U.S.A. unter einem starken Druck der öffentlichen Meinung gegen Deutschland stehen, so daß ihre Hilfsbereitschaft erst dann zu voller Auswirkung kommen kann, wenn sich hier ein Umschwung vollzieht« (Schreiben an Graeber v. 18. 12. 45, AH).

türlich sehen wir und wissen wir . . . Aber Christen sprechen eine eigene Sprache.« Im Raum der Welt spräche »jeder vom Standpunkt
seines Vorteils. Bekennt der eine seine Schuld, so benutzt der andere
dies zur Rechtfertigung seiner Sünde. Das ist die böse Solidarität
zwischen Siegern und Besiegten. Die Sprache der Welt ist Aufrechnung.« Heinemann nannte paarweise Beispiele für solche Aufrechnung: »Andernach« (das amerikanische Kriegsgefangenenlager) und
»Belsen« (das Konzentrationslager); »Hunger in Deutschland – Hunger in Griechenland; Austreibung hier – Austreibung dort«: »Weil
solche Aufrechnung endlos ist, setzt die Tonverstärkung der Propaganda und Enthüllung ein«. Heinemann scheute sich nicht, auch hier
Beispiele der Unmenschlichkeit beider Seiten zu nennen: »Da werden denn Judengreuel enthüllt, Bolschewistengreuel, Priestergreuel,
Tschekagreuel hier und Gestapogreuel dort.« Heinemann deutete die
augenblickliche Lage Deutschlands im Zusammenhang mit solcher
moralischer Selbstrechtfertigung: »Jede Enthüllung dient der Verhül-
lung eigener Schuld . . . Schließlich haben die Waffen und die Macht
das letzte Wort. Und dieses letzte Wort ist bei den anderen verblieben. Wir sind endgültig enthört und stumm gemacht. Die Welt spricht
nicht mehr mit uns. Wir sind nur noch Angeklagte.«

An diesem Punkte sah Heinemann die Aufgabe der Kirche und den
Sinn des Stuttgarter Schuldbekenntnisses:

»Aus dieser Situation, aus der Welt des Fluches ruft die Kirche heraus! Wir
haben mit Stuttgart ein neues Gespräch in Gang gebracht. Niemand sonst
spricht für das deutsche Volk, keine Regierung, Gewerkschaft, Sportverband,
Wissenschaft, Wirtschaftsverband. Nach dem vorigen Kriege dauerte es sieben
Jahre, bis die Kirchen sich fanden; heute sofort.

Die Kirche aber spricht im Angesicht Gottes. Ihr Wort ist nur wahr, wenn es
einfältig und einfach ist, ohne politische Nebengedanken.«

Heinemann betonte, daß Christen keine Gegenrechnungen aufma-
chen könnten und sollten:

»Wir bekennen unsere Schuld, weil kein Unrecht der anderen uns entschuldigt.
Was wir Polen, Griechen, Holländern oder Juden taten, wird uns nicht abge-
nommen durch das, was die Sieger taten oder tun. Nichts rechtfertigt unser
Schweigen und Mitmachen.

Wohl aber ist es so, daß unser Verschweigen uns hindern würde, Gott in
unserer Bedrängnis durch die Sieger anzurufen und die Sieger selber anzure-
den. Die nicht bekannte Schuld verschließt uns den Mund und den anderen das
Ohr.

Hier ist der einzige Ausweg das Bekenntnis unserer Schuld. Nun hört der
Tauschhandel auf.«

Heinemann verwies darauf, daß die ökumenischen Gäste in
Stuttgart die Überreichung der Erklärung mit einem Wort der Dank-

barkeit und des Verständnisses beantwortet hatten, und machte deutlich, daß die Stuttgarter Erklärung nicht in einer Distanz zu den Schuldigen gesprochen war:

»Wir sprechen für das deutsche Volk, – aber wie? In Solidarität der Schuld! Nicht Schuld der »Nazis«. Wäre es nicht leicht für Niemöller, ja vielleicht für uns alle gewesen, unsere Hände in Unschuld zu waschen? Es wäre unwahr gewesen. Wir alle, jeder von uns, ist an dem Abfall von Gott beteiligt. Wir alle, jeder von uns, war schwach in seinem Bekennen, Lieben und Handeln. Wir sind überzeugt, daß sich mangelnder Mut im Bekennen, mangelnde Treue im Gebet, Unlust im Lieben und Glauben unmittelbar auswirkt im Geschehen der Politik.

Darum stehen wir alle mit in der Schuld. Wir verleugnen nicht, daß auch die Nazis unsere Brüder sind. Wir schämen uns ihres Tuns, aber wir schämen uns nicht, sie Brüder zu heißen. Können wir zu Hitlers Taten und Ende anders sagen als: ›Wehe mir, daß solches geschehen konnte in meinem Volke?‹«

Die positiven Folgen der Erklärung sah er einmal darin, daß das Gespräch begonnen war und fortgesetzt wurde. »Unser Bekenntnis ruft das der anderen wach.«[57] Zum anderen verwies Heinemann darauf, daß die Aufklärungsarbeit über die deutsche Not in der westlichen Öffentlichkeit in Gang gekommen und das Hilfswerk der EKD von dort unterstützt werde.

Heinemanns Ausführungen zur Stuttgarter Erklärung lassen erkennen, daß er im Entscheidenden mit Niemöller übereinstimmte: Er sah Schuldbekenntnis und christliche Botschaft in eins und hielt »Stuttgart« für *den* Neuanfang in Kirche und Politik. Dabei vermied er die Gefahren, in der Ratskollegen schwebten. Er veränderte Dibelius' Vergleich der deutschen Kriegstoten mit den deutschen Nachkriegsverlusten, indem er den Blick auf die von Deutschland Überfallenen und auf Gott richtete:

»Wir zittern, wenn wir sehen, daß Gott für einen von den Deutschen Erschlagenen fünf der Unseren umkommen läßt.«

Bei aller Kenntnis der Schuld der anderen hütete er sich, diese Schuld als Entlastung für die Deutschen, wie es in differenzierter Form Asmussen tat, heranzuziehen:

»Wir zittern, wenn wir sehen, daß Gottes Gerichte weiter über die Welt gehen im Hinblick auf die nun von anderen Mißhandelten, Geschändeten, Ermordeten, Vertriebenen. Sie werden bei Gott ebenso unvergessen sein, wie unsere Opfer es waren.«

---

57. Heinemann zitierte einen Ausspruch Bischof Bells von Chichester in der Picture Post: »Kein Volk, keine Kirche ist frei von Schuld. Die Menschheit braucht mehr als Gerechtigkeit. Sie braucht Liebe und Vergebung.«

Weder gab er schnelle Urteile über historische Notwendigkeiten ab, wie Wurm es tat, noch wich er der Frage nach historischen Ursachen des Nationalsozialismus aus wie Asmussen mit seinem Hinweis auf die Dämonen. Er nahm die These Asmussens nur als Frage auf und gab sie als Warnung weiter:

»Wir zittern im Gedanken an die 12 Jahre. War das noch menschlich oder war es nicht dämonisch und apokalyptisch?«

Von seinem Ausgangspunkt, dem radikalen Ernstnehmen der »politischen« Wirklichkeit *und* der christlichen Botschaft, waren mehrere Folgerungen möglich. Heinemann rief genau wie Niemöller in öffentlichen Veranstaltungen der Kirche zum Glauben an Jesus Christus[58]. Er konnte privat auch die politischen Chancen der Stuttgarter Erklärung hervorheben, wie in einem Brief an den in Bezug auf »Stuttgart« skeptischen Freund Graeber[59]. Er sah sich aber jedenfalls zu kritischer Selbstbesinnung über die Geschichte genötigt.

Vor kirchlichen und weltlichen Gremien sprach Heinemann über das Verhältnis von Kirchengeschichte und demokratischer Tradition. Gleich seine erste Rede vor Protestanten in der CDU, die er im Dezember 1945 in Düsseldorf hielt und die kurz darauf in leicht veränderter Fassung im Schriftendienst der CDU im Druck erschien, trägt den Titel »Demokratie und christliche Kirche«[60]. Sie enthält die Ge-

---

58. Der letzte Teil seines Vortrags über ›Ev. Kirche heute‹ lautete: »Wir haben keine Ideale, keine Ersatzreligion, keine Güter, keine Illusionen mehr. Wir stehen vor dem Nichts. Wird das unsere Weltanschauung werden?« Heinemann schloß nach einem Zitat aus einem Briefe Barths mit den Worten: »Liebe Brüder: Laßt uns dieses Angebot der ewigen Liebe Gottes, von dem K. Barth spricht, ans Herz gelegt sein. Laßt es uns hinaustragen in unser gequältes Volk, zur Aufrichtung der Zerschlagenen, zur Heilung der Wunden und über alles zur Ehre Gottes« (Konzept, AH).

59. »Für meine persönliche Beteiligung an der Stuttgarter Erklärung war und ist ausschlaggebend, daß ich jede Form politischer Schuldaufrechnungen für abwegig und total hoffnungslos halte. In dieser Hinsicht ist irgendein Gespräch zur Zeit überhaupt nicht möglich. Es muß das vielmehr erst vorbereitet werden. Gerade dazu dient die Stuttgarter Erklärung, wenn Sie sie überhaupt in politischem Sinne ansehen wollen. Sie schließt für alles, was wir als evangelische Kirche jetzt und künftig gegen Maßnahmen und Taten der Sieger vorzubringen haben, ein für allemal den Einwand unserer eigenen unbereinigten Verstrickung in alle Schuld aus. Sie gibt eine klare Standfestigkeit und nicht zu erschütternde Ausgangsposition für alle weiteren Gespräche und Vorstellungen. Ich bin in der Tat der Meinung, daß der Rat der EKD damit unter dem vollsten und persönlichsten Einsatz seiner Glieder über alles Kirchliche hinaus gerade auch dem deutschen Volk einen großen Dienst getan hat. Die Kirche ist heute die einzige Stelle, die überhaupt mit dem Ausland im Gespräch steht, und ich glaube wohl sagen zu dürfen, daß von dieser Möglichkeit gründlich Gebrauch gemacht wird« (Schreiben an Graeber v. 18. 12. 45, AH).

60. GH 1.

danken, die sich Heinemann seit seiner vergleichenden Darstellung
der Verhältnisse zur Zeit Kaiser Konstantins und des Kirchenkampfes
der Bekennenden Kirche zu diesem Thema gemacht hatte[61] und die er
nach Kriegsende immer wieder vortrug[62].

Als größerer Rahmen für seine Darlegungen diente ihm dabei der
Vergleich mit der englischen und russischen Entwicklung; dabei stützte er sich auf die Arbeiten des Kölner Historikers und Anglisten Herbert Schöffler, mit dem er sich seit den dreißiger Jahren »durch gemeinsame religions-soziologische Interessen persönlich verbunden«
wußte[63]. Wie Schöffler sah er politisch-gesellschaftliche und kirchliche
Geschichte immer in ihrem Zusammenhang.

Heinemann führte aus[64], in England seien im 16. Jahrhundert infolge des Wechsels der staatlichen Kirchenpolitik »für jedes Religions-
system Volksteile wachgerufen« worden, die an ihrer Entscheidung
festhielten. Damit sei die englische Nation die einzige geworden, »die
wirklich in allen Gliedern in eine religiöse Not hereingeführt wird,
in der letzten Endes jeder Einzelne zwischen mehreren Dogmen und
Kirchenverfassungssystemen selbst eine persönliche Entscheidung fällen muß, ohne daß ihm der Staat diese Entscheidung noch aus der
Hand nehmen kann«.[65] Darin sah Heinemann eine Wurzel der Demokratie: »Ein Land mit vielen Glaubensrichtungen, wie England, treibt
zwangsläufig zu einer demokratischen und gemeindemäßigen Ordnung der Dinge.« Umgekehrt: »Ein Land mit nur einer und noch dazu als Staatskirche verfaßten Konfession bleibt dagegen auf autokratischen Bahnen.«[66] Als Hauptbeispiel dafür nannte Heinemann Rußland, wo es außerhalb des Staatschristentums keinen Raum gegeben
habe, keine »gegenständige christliche Dogmatik«, keine »theolo-

---

61. Über das Thema »Kirchengeschichte unter Constantin und heutiger Kirchenstreit«
    hatte Heinemann 1939/40 mehrfach in Essen und Umgebung gesprochen (Liste im
    AII); einen Exkurs über die Kirchengechichte seit Konstantin enthielt auch ein
    Referat über »Ev. Kirche heute«, das Heinemann 1938 vor dem CVJM hielt (Kon-
    zept LKAB).
62. vgl. GH 1, 4, 8, 12, 15, 34, 35, 41, 45, 47, 53, 59, 69, 73, 79, 218, 233 etc., mehrere
    Konzepte und das Redcregister (AH) sowie Presseberichte über Heinemanns Refe-
    rate auf den ersten CDU-Versammlungen in Mülheim/Ruhr am 2. 3. und in
    Rüttenscheid am 3. 3. 46 (Rheinische Post 6. 3. 46).
63. vgl. seinen Aufsatz über Schöffler, GH 227. Dort nennt Heinemann eine Reihe von
    Werken Schöfflers und seiner Schüler. Seine Vorträge der ersten Nachkriegsjahre
    gründeten sich besonders auf Schöffler, Die Anfänge des Puritanismus, Leipzig
    1932; ders., Die politische Schulung des englischen Volkes, Leipzig 1931.
64. Die gedruckten Quellen GH 1 und 4, denen die Wiedergabe folgt, können als ty-
    pisch für viele weitere gedruckte und ungedruckte Ausführungen Heinemanns gel-
    ten (vgl. Anm. 62).
65. GH 1, S. 2.
66. GH 4, S. 7.

gisch-geistig geschulte Elite, schließlich auch keine freien Städte, kein freies Unternehmertum, keinen Ansatz zur Demokratie, ja nicht einmal Toleranz«.

In der deutschen Entwicklung stellte Heinemann eine »größere Verwandtschaft« zu Rußland fest als zu England[67], ja er führte sie geradezu neben der russischen als Beispiel für autokratische Entwicklung an: »Die Landeskirchen sind öffentlich-rechtliche Predigt- und Erziehungsanstalten unter landesherrlicher (konsistorialer) Verwaltung, ohne aktives Gemeindeleben. Damit ist alle Demokratie in diesem Bereich an der Wurzel abgeriegelt.«[68] Die Geschichte des 19. Jahrhunderts zeigte ihm, »wie unglücklich sich die Gebundenheit der evangelischen Kirche an die landesherrlichen Gewalten und die Klasseninteressen eines reaktionären Bürgertums« auswirkten: die Kirche habe Erneuerungsversuche im Stich gelassen[69]. Noch schärfer wurde Heinemanns Kritik an der Zeit nach 1918. Als mit dem Zusammenbruch der Monarchien eine Stunde gekommen sei, »die einen politischen Ansatz ermöglichte, und die insbesondere geeignet war, der Kirche die Freiheit zu geben«, sei es »einem reaktionären Konservatismus« noch einmal gelungen, »sich in der Deutschnationalen Volkspartei fortzusetzen und die Kirchenbehörden in der überkommenen Gebundenheit an diesen Konservatismus festzuhalten.«

»Der Protestantismus bleibt weithin auch in der demokratischen Weimarer Politik aus falsch verstandener lutherischer Loyalität gegenüber aller Obrigkeit politisch scheinbar abstinent, in Wahrheit aber in beträchtlichem Maße wie zuvor tatsächlich eine Stütze aller Residuen der vergangenen landesherrlichen Gewalten in der Form der agrarisch-großindustriellen Interessenverbundenheit, des Nationalismus und Militarismus, ja sogar des Antisemitismus.«

Heinemann beklagte, daß die Kirche den Christlichen Volksdienst, »der zu einer echten demokratischen Haltung aus christlicher Wurzel« vorgestoßen sei, »mit dem Argument, daß das Christentum nichts mit politischer Verantwortung zu tun habe, wiederum im Stich gelassen« habe. Im Dritten Reich hätten große Teile der protestantischen Kirche noch einmal »ein Höchstmaß an Staatsgebundenheit« erlebt[70].

Bei der Betrachtung entfernt liegender Länder und Zeiten überwog bei Heinemann der politische und soziologische Aspekt so sehr, daß die Frage nach dem Grad der Wahrheit, die die verschiedenen Konfessionen enthielten, dahinter zurücktrat. In der deutschen Kir-

---

67. GH 1, S. 3f.
68. GH 4, S. 7.
69. GH 1, S. 5.
70. GH 1, S. 5f.

chengeschichte der letzten Jahre setzte Heinemann jedoch einen anderen Akzent. Nicht mehr die große Mehrheit der national Gesonnenen, der »Unpolitischen« in der Kirche, nicht die nationalen Relikte auch in der Bekennenden Kirche fesselten seinen Blick, sondern der kirchliche Widerstand. Vor kirchlichen Amtsträgern betonte er, daß

»aus den voraufgegangenen zwölf Jahren auch noch etwas ganz anderes verblieben ist, was zukunftweisend ist und eine ungeheure Verheißung in sich trägt: das ist die neue Glaubwürdigkeit, die die Botschaft des Evangeliums in dieser Zeit erfahren hat. Es ist der Kirche in dem Abwehrkampf gegen den Nationalsozialismus von ihrem Herrn geschenkt worden, daß sie widerstand mit ihrem Zeugnis; es ist ihr geschenkt worden, daß Märtyrer dieses Zeugnis bis in den Tod hinein bekräftigt und aufrecht erhalten haben.«[71]

In den Rahmen dieser zuversichtlichen Beurteilung gehört auch die Sicht des Jahres 1945. Heinemann sah in ihm den »Wechsel aller staatlichen, politischen und kirchlichen Szenerie, die durch vier Jahrhunderte das Bild der deutschen Geschichte bestimmt« hatte:

»Zerschlagen ist die 400jährige Gebundenheit der protestantischen Kirche an landesherrliche Gewalten und ihre Nachfolgeschaften. Die traditionelle Botmäßigkeit des deutschen Volkes gegenüber aller Obrigkeit ist angesichts der im Dritten Reich daraus erwachsenen Katastrophe in ihrer tiefsten Fragwürdigkeit enthüllt und bewußt gemacht.«[72]

Heinemann war sicher:

»Jetzt ist das Staatskirchentum für uns endgültig zu Ende gekommen, und es wird nicht wiederkehren. Einerlei, welcher Staat sich entwickelt, er wird ein weltlicher Staat sein. Auch die Kirche selbst, wie sie sich heute darstellt, will eine solche Verbundenheit mit dem Staat nicht wieder eingehen, wie sie in der Vergangenheit einmal bestanden hat.«[73]

Heinemanns teils stärker »historisch«, teils stärker »theologisch« akzentuierte Sicht der Geschichte stand in Beziehung zu seiner Beurteilung der Arbeiterschaft und des Marxismus. Grundsätzlich war er gegenüber den Bemühungen der Arbeiterschaft um Verbesserung ihrer Lage aufgeschlossen, beklagte aber ihre Entfremdung vom christlichen Glauben. Für die Zeit nun, in der die Kirche versagt hatte, zeigte Heinemann viel Verständnis für die Arbeiterschaft. »Als die Arbeiterschaft im 19. Jahrhundert aufstand, um für ihre sozialen Rechte zu kämpfen, stieß . . . sie auf eine mit den politischen Gegnern verbundene Kirche.« Für diese Zeit schien Heinemann das »Wort zum Dienst am Volk« zutreffend, das die Rheinische Kirche 1946 ge-

71. GH 4, S. 1.
72. GH 1, S. 6.
73. GH 4, S. 7.

sprochen hatte und das er vor kirchlichem Publikum zustimmend zitierte:

»Unsere Kirche ist seit der Zeit, als die Industrialisierung die Struktur der Völker zu wandeln begann, in ihrer staatlichen und gesellschaftlichen Bindung zu einseitig für den bestehenden Zustand und damit für die Interessen des Bürgertums eingetreten. Durch die Kirchenfeindschaft der sozialistischen Parteien und unter dem Eindruck des Gegensatzes zwischen dem Evangelium und dem marxistischen Welt- und Menschenverständnis hat sich die Kirche in eine einseitige politische und soziale Stellungnahme zu Gunsten derjenigen Parteien drängen lassen, die sich für die Erhaltung der wirtschaftlichen und gesellschaftlichen Verhältnisse einsetzen. Es ist keine Frage, daß Bürgertum und Marxismus in der Verfestigung und Verabsolutierung der gegenseitigen Standpunkte in einer die Gemeinschaft des Volkes und der Völker geradezu sprengenden Weise aneinander schuldig geworden sind.«[74]

Auch den Kampf der »Teile der Arbeiterschaft, die aus gewerkschaftlicher und politischer Schulung oder aus gesundem Instinkt den Versuchungen des Nationalsozialismus verschlossen blieben«, erkannte Heinemann an; er bezeichnete in seiner ersten Ansprache an den Gemeinderat nach seiner Wahl zum Oberbürgermeister die Arbeiterschaft als einen der beiden »größten Kräfteströme« der Ablehnung des Nationalsozialismus[75].

Was die Gegenwart anbetraf, so schob sich ihm jedoch ein anderer Akzent in den Vordergrund. Er hoffte auf eine Hinwendung von Arbeitern zur Kirche:

»Ich meine, daß wir der Arbeiterschaft, die der Kirche fremd geworden ist, heute sagen können: Du weißt und hast erlebt, daß die Evangelische Kirche nach ihrem ganzen Verhalten im Dritten Reich ein Wort zu sagen hat, für das sie das Letzte einzusetzen bereit ist, und du hörst, daß sie sich bewußt ist, in der Vergangenheit einseitig gebunden gewesen zu sein, und daß sie jetzt davon frei geworden ist und sich nun anschickt, eine Kirche zu werden, die wirklich außerhalb und über allen politischen und sozialen Lagern steht. Willst du solch eine Kirche nicht noch einmal mit neuen Augen ansehen und ihrer Botschaft nicht noch einmal dein Ohr leihen?«[76]

Wenn Heinemann die Arbeiter in der Kirche zunächst einmal zum Hören aufforderte, so die »marxistische Gruppe« in der Politik zum Umdenken; sie habe »hinsichtlich ihres demokratischen Charakters zwei entscheidende Bewährungsproben zu bestehen«:

»Es wird einmal darauf ankommen, ob sie nach der Entmächtigung des reaktionären Konservatismus auch ihrerseits den Klassencharakter abstreifen und einen gegliederten Aufbau der Gesellschaft nach dem Grundsatz ›Jedem das

---

74. GH 4, S. 8.
75. GH 3.
76. GH 4, S. 8.

Seine‹ fördern wird. Zum anderen wird es darauf ankommen, ob diese Gruppe sich angesichts der nun von beiden Kirchen erreichten Befreiung aus aller landesherrlichen oder reaktionären Gebundenheit und angesichts der von beiden Kirchen im Dritten Reich bewiesenen überzeugungsstarken Standfestigkeit aus ihrer feindseligen Haltung gegen Kirche und Christentum herausfinden wird. Wie jede Entfremdung gegenüber der christlichen Kirche dazu neigt, in einen antichristlichen Affekt überzugehen und das Christentum zu bekämpfen, so wird auch der Marxismus und der ihm nahestehende Liberalismus weiterhin in solcher Versuchung stehen und den Weg zu einer echten Bejahung des Christentums noch finden müssen.«[77]

Für die Gegenwart schienen Heinemann von christlicher Seite aus die besseren Ansätze zur Demokratie gegeben, die er einer sozialistischen Demokratie als Alternative gegenüberstellte:

»Die christliche Demokratie findet ihre Anknüpfung in der alten Zentrumspartei sowie im Christlichen Volksdienst. Sie hat sich in der neuen Christlich Demokratischen Union formiert und wird aus den ehemaligen Rechtsparteien diejenigen christlichen Kräfte aufnehmen, die aus der nun zerbrochenen Gebundenheit dieser Gruppen an einen reaktionären Konservatismus für eine demokratische Ordnung unseres öffentlichen Lebens freigeworden sind.«[78]

Vorsichtig deutete Heinemann an, daß es auch in der CDU Gefahren geben könne:

»Auch für die Christlich Demokratische Union wird es Bewährungsproben geben. Ihr steht zunächst die reiche politische Tradition des katholischen Volksteiles zur Verfügung, der bei der durch den Kulturkampf vertieften Distanz seiner Kirche zum Staat schon früh auf den Weg einer eigenen politischen Betätigung geführt worden ist und eine gute demokratische Schule erfahren hat. Der protestantische Volksteil steht in dieser Hinsicht zurück; er hat erst unter den Erlebnissen des Dritten Reiches gelernt, daß es auch für ihn eine politische Verantwortung aus christlicher Haltung gibt. Für die Christlich Demokratische Union wird es darauf ankommen, jeder einseitigen sozialen Interessengebundenheit auszuweichen und die kirchlichen Interessen niemals anders als so zu vertreten, daß die christliche Botschaft zur freien Entscheidung jedes Einzelnen gestellt bleibt.«[79]

Bei seinem Eintreten für die Christlich Demokratische Union befand sich Heinemann in Übereinstimmung mit einem »Wort zur Verantwortung der Kirche für das öffentliche Leben«, das im August 1945 auf der Tagung in Treysa gefaßt worden war und worin es hieß, die Kirche könne »die Bildung einer politischen Partei, die sich selbst auf christliche Grundsätze verpflichtet, mit Wohlwollen« aufnehmen, dürfe sich jedoch nie »mit den Zielen und dem taktischen Vorgehen

---

77. GH 1, S. 7.
78. ebd.
79. GH 1, S. 7f.

einer einzelnen Partei gleichsetzen.« Auch die »Bestrebungen, politische Gegensätze zwischen Protestantismus und Katholizismus auszuräumen, die Gemeinsamkeit des Kampfes gegen den Säkularismus zu betonen«, waren in Treysa positiv beurteilt worden[80].

Die Gefahren, die in der Gründung der CDU lagen, wurden von Karl Barth, dem Heinemann seine Schrift über »Demokratie und christliche Kirche« zugesandt hatte, in einem Antwortbrief mit kritischem Blick aufgedeckt:

»Wer wird da führen?: die ›reiche politische Tradition‹ der römischen oder das nach Ihrer eigenen Darstellung so schwankende Gebilde der in Frage kommenden protestantischen ›Kräfte‹? Was ist das im Sinne des Namens und Anspruchs dieser Partei ›Christliche‹? Hatte das einstige Zentrum nicht auch seinen starken konservativen Flügel, ist also von daher für das ›Demokratische‹ der neuen Partei irgendeine Garantie geboten? Und was hat der protestantische Eheteil in dieser Sache beizusteuern, wo man auch unter den besten BK-Theologen die meisten schon vor dem Wort ›Demokratie‹ noch immer scheuen sieht wie die Kuh vor dem neuen Scheunentor? Was ergibt sich endlich daraus, daß diese Partei nun immerhin den äußersten rechten Flügel in der ganzen Konstellation bildet? Wer wird da ganz zwangsläufig Anschluß suchen und finden? Und was wird sich da unter Mißbrauch des ›christlich‹ und unter Verhöhnung des ›demokratisch‹ aufs neue breit zu machen wissen? Sollte man in Deutschland aus der englischen, amerikanischen – ich kann hinzufügen: schweizerischen – Entwicklung nicht lernen, daß man die allerdings bitter notwendige Herstellung einer positiven Beziehung zwischen der Kirche und der politischen Aufgabe gerade nicht auf dem Wege einer christlichen Parteibildung realisieren wollen sollte?«

Am Schluß seines Briefs wurde Barth noch deutlicher:

»Waren und sind die jetzt getätigten und noch zu tätigenden Wahlen eine Notwendigkeit von der praktischen Größenordnung, daß das ›heute, heute!‹ nun gerade in Beziehung auf sie so dringend war und ist, daß man ›husch, husch!‹ zu der bewußten Parteibildung schreiten mußte, damit nun ja nichts versäumt werde? Und war und ist es nun wirklich auch in der heutigen praktischen Lage sehr realistisch, sich einerseits auf dieses Bündnis mit Rom, andererseits gleich wieder auf diese Abgrenzung nach links so systematisch wie es mit einer solchen Parteibildung geschieht, festzulegen? Der evangelischen Kirche die Ellenbogenfreiheit nach allen Seiten, deren sie jetzt so dringend bedürfte, gleich wieder zu beschneiden? Mir kommt das Ganze, entschuldigen Sie, so gar nicht besinnlich vor.«[81]

---

80. Treysa 1945, hg. v. F. Söhlmann, S. 103f.
81. Schreiben v. 16. 2. 46, veröffentlicht 1961 als »Brief an einen Politiker« aus dem Jahre 1946 in K. Barth, Der Götze wackelt, S. 98ff. Daß es sich um einen Brief an Heinemann handelte, bestätigte Dr. H. Stoevesandt, der Nachlaßverwalter Barths, in einem Schreiben an den Verf. v. 14. 9. 71.

Der Gegenvorschlag, den Barth dem Politiker machte, stellte allerdings keine Alternative zu Heinemanns Konzeption dar. Wenn Barth
vorschlug, daß kirchliche Neubesinnung den Vorrang vor politischen Programmen haben sollte, so entsprach das ganz der Vorstellung Heinemanns, die er kurze Zeit später so formulierte: »Ich
stehe nicht deswegen in der Politik, weil sie mir erste Verpflichtung
wäre. Ich weiß meine erste Verpflichtung im kirchlichen Leben . . .«[82]
Wenn Barth für die Christen eine »grundsätzliche Neubesinnung über
die von der Schrift und vom Glauben her gebotene Gestalt der christlichen Gemeinden und ihres gesamtkirchlichen Zusammenschlusses«
vorschlug, dann sprach er genau das aus, was Heinemann ohnehin
erstrebte; wie Barth war er ja darauf bedacht, die Kirche von unten
aufzubauen und sich in der Kirche über die rechte Form des Staates
klarzuwerden[83].

Auch in politischer Hinsicht stand Heinemann Barth näher, als
dieser auf Grund der Lektüre jener Schrift angenommen hatte. Das
»vorläufige Programm der Christlich-Demokratischen Partei Essen«,
an dem Heinemann mitgearbeitet hatte, suchte jedenfalls Gefahren,
wie sie Barth nannte, zu vermeiden[84]. In mehreren Punkten wurden
darin eingangs die demokratischen Rechte des einzelnen als Ausgangsbasis formuliert. Gegenüber dem politischen Konservatismus
wurde eine deutliche Abgrenzung vorgenommen. Das geschah einmal dadurch, daß die soziale Tat als Konsequenz christlichen Glaubens herausgestellt wurde: »Wer Christ ist, ist auch sozial eingestellt.
Je größer die allgemeine Not, umso größer muß die soziale Verpflichtung der begüterten Schichten sein« (P. 11). Noch deutlicher wurde
diese Abgrenzung in den wirtschaftspolitischen Punkten:

»Das Recht auf Eigentum wird gewährleistet. Die Eigentumsverhältnisse werden nach dem Grundsatz der sozialen Gerechtigkeit und den Erfordernissen
des Gemeinwohles geordnet. Durch gerechten Güterausgleich und soziale Lohn-
gestaltung soll es dem Nichtbesitzenden ermöglicht werden, zu Eigentum zu
kommen. Das Gemeineigentum darf soweit erweitert werden, wie das Allge-
meinwohl es erfordert. Post und Eisenbahn, Kohlenbergbau und Energieerzeu-
gung sind grundsätzlich Angelegenheiten des öffentlichen Dienstes. Das Bank-
und Versicherungswesen unterliegt der staatlichen Kontrolle.«

Im Punkt 10, der als Ziel der Wirtschaft »die Bedarfsdeckung des
Volkes auf der Grundlage einer freien körperlichen Selbstverwaltung« nannte, hieß es sogar: »Die Vorherrschaft des Großkapitals,
der privaten Monopole und Konzerne wird gebrochen.«

---

82. GH 4.
83. ebd.
84. Flugblatt, Beilage zum Schreiben v. 13. 10. 45 an die Militärregierung (AH).

Allerdings war mit diesem Programm noch nicht gewährleistet, daß die dort aufgestellten Ziele nun auch innerhalb der CDU durchgesetzt wurden. Heinemann selbst benutzte bei seinen öffentlichen Reden Formulierungen, die auch im konservativen Sinn verstanden werden konnten. So führte er auf einer Großkundgebung in Essen über die »tiefen Gemeinsamkeiten zwischen Protestanten und Katholiken« aus:

»Wir haben gemeinsam den Ansturm einer gottlosen Obrigkeit und zügelloser Gewalthaber auf die Freiheit des religiösen Gewissens und die staatsbürgerlichen Rechte eines Christenmenschen erlebt und wollen, daß solches nicht wiederkehre. Wir haben gemeinsam eine tiefe Not darüber erlitten, daß Recht und Gerechtigkeit in unserem Volke niedergetreten wurden, und wollen, daß das Recht der Persönlichkeit fortan gewahrt werde. Wir haben gemeinsam eine große Sorge darum gelitten, daß die deutsche Jugend auf den Abweg der Zuchtlosigkeit, der Mißachtung des göttlichen Gebotes und der Entfremdung gegenüber dem Elternhaus geführt wurde, und wollen, daß dieses von Grund auf anders werde. Wir haben gemeinsam den Verrat an den christlichen Grundlagen abendländischer Kultur durch Rassenwahn und nationalistische Überhebung am Werke gesehen und wollen, daß auch unser Volk sich zu den wahren Grundlagen des Gemeinschaftslebens zurückfinde.«[85]

Das Vokabular zeigte an, daß Heinemann wie die konservativen Mitgründer der CDU das Gegenbild säkularer Ideologien im Auge hatte[86]. Aber es kam bei ihm nicht, wie bei anderen Mitgliedern der Partei, zu einer Idealisierung vordemokratischer, z. B. mittelalterlicher Ordnung; nie verstand er unter »christlicher Ordnung« etwa eine ständisch gegliederte. Daran hinderten ihn sein demokratisches Denken, das in der englischen Geschichte sein Vorbild sah, und das Bewußtsein des Irrwegs, den die deutsche Geschichte eingeschlagen hatte. Er begrüßte die Tendenzen in der CDU, die von den gleichen Vorstellungen geprägt waren, so die Kölner Leitsätze vom September 1945, mit denen das Essener Programm der CDU zum Teil wörtlich übereinstimmte[87], und die Entschließungen auf der Godesberger Tagung vom Dezember 1945[88]. Anfang 1946 bekam er Kontakt zu je-

---

85. Rede am 31. 3. 1946 auf dem Burgplatz in Essen (msl, AH).

86. vgl. W.-D. Narr, CDU – SPD. Programme und Praxis seit 1945, Stuttgart 1966, S. 76ff, 170ff.

87. »Leitsätze der Christlich-Demokratischen Partei im Rheinland« v. 2. 9. 45, abgedr. in: Dokumente zur parteipolitischen Entwicklung in Deutschland nach 1945, hg. von O. Flechtheim, Bd. 2, S. 34f.

88. In seinem Exemplar der in Godesberg einstimmig angenommenen Entschließung zur wirtschaftlichen und sozialen Neuordnung unterstrich sich Heinemann, der wegen einer Sitzung des Rats der EKD an der Tagung nicht hatte teilnehmen können, die Sätze: »Damit die von uns geforderte Wirtschafts- und Sozialordnung verwirklicht werden kann, ist es unerläßlich, schon um für alle Zeiten die Staatsgewalt vor illegitimen Einflüssen wirtschaftlicher Machtstellungen zu sichern, daß

nem Vertreter der CDU, der besonders stark für eine gesellschaftliche
Neuordnung Deutschlands eintrat, zu Jakob Kaiser. Der Vorsitzende
der CDU der russischen Zone bekannte sich auf eben jener Großkundgebung in Essen, auf der Heinemann die einleitenden Worte
sprach, dazu,»daß alles Wirtschaften im Gegensatz zum Kapitalismus einzig und allein dem Menschen« untergeordnet sein müsse und
es notwendig sei,»die überlebte kapitalistische Ordnung durch eine
sozialistische zu ersetzen«[89]. Heinemann hoffte mit Kaiser, daß sich in
der CDU die erneuerungswilligen Kräfte durchsetzen würden, und
suchte dazu beizutragen, Protestanten zur Mitarbeit zu gewinnen[90].

Der richtige politische Weg schien ihm trotz aller Warnungen
Barths durch die Zusammenarbeit zwischen Katholiken und Protestanten am besten gewährleistet. Dieser politische Zusammenschluß
in der CDU, so erklärte er in einem Aufruf zur Kommunalwahl im
Herbst 1946, sei aus drei Gründen ein »geradezu elementarer Vorgang«[91]: einmal, weil seit der Reformationszeit nun zum ersten Mal
durch die politischen Ereignisse der letzten Jahre »eine durchgängige
konfessionelle Mischung der Bevölkerung erreicht« sei; dann deshalb,
weil »die ehemals staatsgebundenen protestantischen Landeskirchen
mit dem Zusammenbruch des nationalsozialistischen Staates aus solcher Bindung wie schon früher die katholische Kirche endgültig freigeworden« seien; und endlich deshalb, weil »der nationalsozialistische Gewissensdruck im evangelischen Volksteil ein ebenso nachhal-
tiges demokratisches Bewußtsein wachgerufen hat, wie es der Bismarck'sche Kulturkampf bereits drei Generationen vorher im katholischen Volksteil getan hatte.« In Versammlungen der CDU differenzierte Heinemann. Er sprach auch dort die »christliche Fundierung« der Partei an, nannte aber daneben die kritischen Punkte, die
im Verhältnis zwischen Kirche und Politik zu beachten waren und die
eine Identifizierung von Christentum und Christlich-Demokratischer
Union ausschlossen[92]. Heinemanns kirchliche Ämter durften nicht auf

---

die Bodenschätze in Gemeineigentum übergehen. Der Bergbau und andere mono-
polartige Schlüsselunternehmungen unserer Wirtschaft müssen klar der Staatsgewalt unterworfen werden. Insgesamt muß das System planvoller Wirtschaftslen-
kung mit der alten abendländischen Idee der freien und verantwortlichen Persönlichkeit ausgefüllt und belebt werden. So vertreten wir einen Sozialismus
christlicher Verantwortung« (Erste Reichstagung der Christlich Demokratischen
Union in Godesberg am 14., 15. u. 16. Dezember 1945, hg. von K. Zimmermann,
Schriftenreihe der CDU des Rheinlandes Heft 3, Köln [o. J.], S. 13).
89. Kaisers Essener Rede v. 31. 3. 46 (msl, AH). – Vgl. J. Aust, aaO. S. 26f. – W.
    Conze, Jakob Kaiser. Politiker zwischen Ost und West 1945–1949, S. 74.
90. z. B. im Schreiben an Bierbrauer v. 1. 2. 46 (AH).
91. »Die Stunde der Union« (msl, 9. 9. 46, AH).
92. In den Stichworten für eine Rede »Warum Union?« v. Juni 46 heißt es: »3.

Wahlplakaten und in den Titeln seiner politischen Veröffentlichungen genannt werden[93].

So nahm Heinemann in Kirche und Politik vor wie nach 1945 eine besondere Ausgangsposition ein. In der kritischen Beurteilung der früheren kirchlichen und sozialen Entwicklung in Deutschland, in der Hochschätzung der Barmer und Stuttgarter Erklärung, in der Forderung nach politischen Konsequenzen des Umdenkens stand er »links«, stand er Barth und dem Bruderrat nahe. Aber sowenig er im Kirchenkampf die Linie des Bruderrats immer gutgeheißen hatte, sowenig leuchtete ihm nun Barths radikale Vorwarnung vor Gefahren in der CDU ein; vielmehr forderte er zunächst den praktischen Versuch. Für ihn und seine Neigung zur »beobachtenden, hinschauenden Haltung«[94] mußte deshalb besonders wichtig werden, welche Erfahrungen und Erkenntnisse er in der Auseinandersetzung mit den konkreten Umständen und Problemen der Nachkriegsjahre gewann.

4

Gustav Heinemanns politische Erfahrungen und Zielsetzungen bis zum Ende der vierziger Jahre

Als Bürgermeister einer Stadt des Ruhrgebiets hatte Heinemann in den ersten Nachkriegsjahren in reichem Maße Gelegenheit, politische Erfahrungen zu sammeln.

Essen hatte unter dem Kriege furchtbar gelitten. Nach 272 Luftangriffen, die fast 7000 Menschen das Leben kosteten, bedeckten 12 Millionen Kubikmeter Schutt die Stadt; fast zwei Drittel der

---

Christliche Fundierung: Religion nicht Privatsache. Christus beansprucht ganzes Leben. Christus beansprucht öffentliches Leben. Gott ist größte Realität. Speyrer Dom: per me reges regnant. 4. Keine Verkirchlichung von Politik und Staat: Union frei von Kirchen. Wer gottlos leben will ... Keine Garantie oder Anspruch auf Vollkommenheit. Nicht Monopol, sondern besondere Verpflichtung, so wie Sozialismus auch kein Monopol ist. 5. Keine Politisierung der Kirchen. Aktivität! Sonst Diktatur! 6. Keine Fusion der Kirchen.«

93. Heinemann erklärte sich mit der Veröffentlichung seines Artikels über Demokratie und christliche Kirche (GH 1) nur bereit »mit der bindenden Maßgabe, daß außer meinem Namen keinerlei sonstige Bezeichnung, insbesondere kein Hinweis auf meine kirchlichen Funktionen damit verbunden wird« (Schreiben an O. Schmidt v. 28. 1. 46, AH). – Ähnlich ein Schreiben an den Rheinischen Merkur v. 27. 7. 49 (betr. GH 13; AH).

94. Denkschrift v. April 39 (AH).

Wohnräume waren zerstört, zwei Drittel des Straßennetzes nicht befahrbar, das Gas-, Wasser- und Telefonnetz fast ganz vernichtet; die Bevölkerungszahl von 665 000 auf 300 000 zurückgegangen. Es ging zunächst einfach darum, daß die Menschen überlebten[1].

Jede Planung mußte dabei von der Voraussetzung ausgehen, daß sich das Interesse der Siegermächte in besonderer Weise auf Essen als eine der bedeutendsten Kohlestädte des Kontinents und Sitz der Krupp-Werke konzentrierte. Das Potsdamer Abkommen sah die Vernichtung von deutschem Kriegspotential vor. Die »Produktionskapazität, entbehrlich für die Industrie, welche erlaubt sein wird, ist entsprechend dem Reparationsplan ... entweder zu entfernen oder, falls sie nicht entfernt werden kann, zu vernichten«[2]. Die Frage war die, in welchem Grade die noch vorhandenen Teile der Krupp-Werke demontiert werden und ob Franzosen und Russen ihren Einfluß im Ruhrgebiet durchsetzen konnten.

So mußten sich die deutschen Vertreter der Stadt von Anfang an mit den Besatzungsmächten auseinandersetzen. Bald nachdem der Kommunist Heinz Renner von den Engländern zum Oberbürgermeister ernannt und Heinemann vom Stadtrat einstimmig zum Bürgermeister gewählt worden war, faßte die Stadtverordnetenversammlung einen Beschluß, der sich gegen die französischen Pläne an der Ruhr wandte. Unter Bezug auf die Potsdamer Vereinbarung, »daß Deutschland als wirtschaftliche und staatliche Einheit bestehen bleiben soll«, wies man »mit Entschiedenheit und mit Entrüstung alle separatistischen und föderalistischen Bestrebungen, die auf eine Aufspaltung Deutschlands hinauslaufen, zurück«, forderte »die Aufhebung der Zonengrenzen und die Schaffung zentraler Verwaltungsbehörden als unbedingte Voraussetzung für die politische und wirtschaftliche Einheit, die Wiederankurbelung der Wirtschaft und Verbesserung unserer Ernährung«[3].

Wenn die französischen Pläne auch nicht verwirklicht wurden, so blieb doch die Demontage jahrelang das Hauptthema. Als nach den ersten freien Gemeindewahlen im Oktober 1946 die CDU-Mehrheit des Stadtrats Heinemann als Nachfolger von Renner zum Oberbürgermeister gewählt hatte, erklärte er in seiner Antrittsrede: »In einer Zeit, in der wir schlechthin um unsere nackteste Existenz ringen, nimmt man uns Werke, Maschinen und Institute, die für uns lebenswichtig sind.« Heinemann warnte: »Alle Kriegsverbrecherprozesse,

---

1. Hermann Schröter, Essener Nachkriegsjahre und Oberbürgermeister Dr. Dr. Gustav W. Heinemann, in: Das Münster am Hellweg, Mitteilungsblatt des Vereins für die Erhaltung des Essener Münsters 22, Heft 3/1969 (März), S. 25ff.
2. E. Deuerlein, Potsdam 1945, S. 357.
3. Schröter, aaO. S. 32.

alle Entnazifizierung, alle Worte über eine Hilfe zum demokratischen Aufbau werden fragwürdig, wenn man so mit uns verfährt.« Er appellierte »sorgenvoll« an die Siegermächte, »daß man unserem Volke eine Lebensmöglichkeit lassen und wieder geben möge, damit die demokratischen Kräfte in Deutschland nach diesem Kriege durchbrechen können«[4].

In langen Auseinandersetzungen mit Vertretern der britischen Besatzungsmacht versuchte Heinemann, von den Krupp-Werken wenigstens die Teile zu bewahren, die der Friedensproduktion dienen konnten. Sein zähes Ringen hatte aber jahrelang wenig Erfolg. Denn die Engländer zögerten definitive Entscheidungen immer wieder hinaus, so daß infolge der ungeklärten Lage auch die Ansiedlung neuer Betriebe nicht möglich war[5].

Die Versorgung der Bevölkerung verschlechterte sich inzwischen so sehr, daß Heinemann und der Stadtrat sich 1947 entschlossen, mehrfach in der Öffentlichkeit die Zustände schonungslos beim Namen zu nennen, ein Mittel, das die Presse als »Novum« begrüßte[6]. Ein öffentlicher Anschlag vom April 1947 spricht von einem »neuen Tiefstand der allgemeinen Versorgungslage«, »der zu den schlimmsten Befürchtungen Anlaß gibt«: »Möglichkeiten für eine Abhilfe sind dem Rat der Stadt Essen nicht gegeben. Er hält es für seine Pflicht, diesen Sachverhalt der Bürgerschaft hiermit offen bekanntzugeben.«[7]

Mit um so größerem Nachdruck widersetzten sich Heinemann und der Stadtrat englischen Demontagebefehlen und forderten »den Fortbestand aller Betriebsstätten«, »die die Grundlage für eine notwendige Friedensfertigung« boten[8]. Scharf verurteilte Heinemann die alliierten Maßnahmen; auf die Gesetzwidrigkeit von Streiks angesprochen, erklärte er Engländern, es sei »ebenfalls gesetzwidrig, Arbeiter zu Tode hungern zu lassen«[9]. Und einer englischen Zeitung gegenüber vermerkte er bitter: »Die Alliierten können nicht unter dem Vorwand, Sicherheiten für den Weltfrieden zu schaffen, das Ruhrgebiet ausplündern, wie Hitler unter dem Vorwand, Lebensraum zu schaffen, Europa ausgeplündert hat.«[10]

---

4. GH 3.
5. Schröter, aaO. S. 39ff. – Karl Sabel, Wie Essen fiel und sich wieder erhob, Beilage der Westdeutschen Allgemeinen Zeitung 1961, S. 18ff. – Niederschrift einer Besprechung Heinemanns mit Lord Pakenham am 27. 7. 47, Niederschrift über diverse Besprechungen v. 15. 10. 47 (msl, AH).
6. Westdeutsche Rundschau v. 7. 5. 47.
7. Plakat v. 30. 4. 47, abgedruckt in der Westdeutschen Rundschau v. 7. 5. 47. – Zitiert von G. Heinemann 1961 im Gespräch mit Sabel, aaO. S. 19.
8. Schröter, aaO. S. 42. – Sabel, aaO. S. 21ff.
9. Rheinische Post v. 25. 6. 47.
10. Schröter, aaO. S. 38. – Heinemann weigerte sich, die Freigabe von Wohnungen für

Bei seinem Bemühen, die Besatzungsmächte zum Einlenken zu bewegen, berief sich Heinemann auf völkerrechtliche Grundsätze. Er vertrat in Übereinstimmung mit drei Rechtsgutachten die Meinung, daß die Befugnisse der Militärregierung sinngemäß durch die Regeln der Haager Landkriegsordnung von 1907 begrenzt würden. Der britische Militär-Gouverneur General Robertson entgegnete jedoch, die deutsche Lage sei ohne Präzedenzfall; die oberste Gewalt in Deutschland werde von den vier alliierten Oberbefehlshabern ausgeübt: »Auf Grund der ihnen verliehenen obersten Gewalt gibt es keine Begrenzung ihrer Vollmachten, mit Ausnahme derjenigen, die sie sich selber setzen.« Heinemann widersprach dieser Meinung öffentlich; er hielt es für die »entscheidende Rechtsfrage«, die Grenzen der alliierten Befugnisse festzustellen[11].

Diese Frage bekam in Essen besondere Aktualität, als 1948 der Nürnberger Gerichtshof Alfried Krupp zum Entzug seines Vermögens verurteilte und man um den Bestand des Werkes und seiner Arbeitsplätze fürchtete. Auf Heinemanns Vorschlag hin setzte sich der Stadtrat aufs neue für die Erhaltung der »legitimen Arbeitsplätze« ein, die »der Fertigung von Gebrauchsgütern des friedlichen Bedarfes und dem europäischen Wiederaufbau zu dienen vermögen«[12].

Heinemann fürchtete besonders, daß die Sowjets Ansprüche als Rechtsnachfolger Krupps stellen und auf diese Weise Einfluß im Ruhrgebiet erlangen könnten. In diesem Sinne sprach Heinemann mit amerikanischen Politikern wie Harriman, Clay und Murphy und äußerte sich auch besorgt gegenüber der ausländischen Presse[13].

---

die Engländer durchzusetzen: »Ich habe mich geweigert und ihnen gesagt: ›Ich denke nicht daran. Kupferdreh liegt in meinem Landtagswahlkreis. Wie stellen Sie sich das vor, daß ich die Leute aus ihren Wohnungen herausschmeiße. Wenn die Militärregierung das will, soll sie es machen. Mich kann sie nicht vorspannen‹.« Sabel, aaO. S. 21.

11. So die Überschrift eines Artikels in der »Welt« v. 17. 11. 47 (GH 5a), der auch das Zitat Robertsons enthält. – Engl. Schreiben v. 23. 10. 47 (AH). – Entgegnung von Duncan Wilson in der »Welt« v. 22. 11. 47. – Vgl. Kommentare: Westfalenpost v. 28. 11., Rheinische Post v. 29. 11., Tagesspiegel v. 3. 12., 4. 12., Kölnische Rundschau v. 5. 12., Westdeutsche Rundschau v. 9. 12., Die Zeit (Ost-CDU) v. 28. 12. 47. – Sabel, aaO. S. 23.

12. Schröter, aaO. S. 43.

13. ebd. S. 44. – Heinemann 1961 (lt. Sabel, aaO. S. 22): »Ich bat Clay darum, das Urteil des Gerichts nicht so sich auswirken zu lassen, daß die Sowjets mit ins Spiel kämen. Meine Absicht war, zu erreichen, daß die Sache Krupp in einer Hand blieb und nicht in die aller vier Besatzungsmächte, darunter die Sowjets, geriet. Mir war es dabei vor allem um die Fabrik, um die Erhaltung der Arbeitsplätze vieler Tausender von Essener Bürgern zu tun.« (Dieses Zitat auch in: Sabel, Essen zwischen Krieg und Frieden. Heinemanns Kampf um Essens Lebensrecht, West-

Er lernte seit 1947 die deutschen Nachkriegsprobleme auch auf Landesebene intensiver kennen. Nachdem er dem ersten nordrhein-westfälischen Landtag schon seit 1946 als ernanntes Mitglied angehört hatte, wurde er 1947 in Essen in den zweiten Landtag gewählt. Ein Jahr lang, 1947–48, nahm er auch das Amt des Justizministers im Kabinett Karl Arnold wahr. Auch in diesem Amt ging es um den Wiederaufbau. Heinemann lag daran, die Unabhängigkeit der Justiz herzustellen; er erklärte, er werde »jedes unbefugte Eingreifen in gerichtliche Verfahren sehr entschieden abweisen«, wenngleich er »natürlich auch jede Kritik an der Justiz ernst nehmen« werde[14]. Die schwierigste Sonderaufgabe bestand darin, die Entnazifizierung, die die Alliierten in deutsche Hände übergaben, auf eine klare Rechtsgrundlage zu stellen. Angesichts der Unzulänglichkeiten, die sich bei der Entnazifizierung herausgestellt hatten, trat Heinemann im Landtag dafür ein, »daß wir uns auf eine breitere Entlastung einstellen, mit Ausnahme aller gefährlichen Nationalsozialisten«; da aber aus politischen Gründen die automatische Wiedereinstellung aller Entlasteten nicht tragbar sei, empfahl Heinemann, deren Ansprüche besonders zu prüfen[15].

Heinemann dachte jedoch nicht daran, seine Ämter in Düsseldorf als Sprungbrett zu verstärkter politischer Tätigkeit auf Landes- und Zonenebene zu benutzen. Er übernahm das Ministeramt nur auf Zeit, weil sein Amtsvorgänger Dr. Sträter bei der Landtagswahl 1947 durchgefallen war und die englische Militärregierung kein Regierungsmitglied zulassen wollte, das nicht Parlamentsabgeordneter war; Heinemann sprang ein mit der Abrede, wieder ausscheiden zu können, falls die Militärregierung ihren Standpunkt änderte[16]. Seine eigentliche Aufgabe sah er nach wie vor in Essen; er erklärte schon bei seinem Amtsantritt öffentlich: »Ich wäre gern in meiner beruflichen und politischen Arbeit in Essen geblieben und hoffe, dorthin zurückkehren zu können.«[17] Er behielt sein Bürgermeisteramt nebenbei inne und drängte, als die Engländer ihre Bedingungen fallen ließen, darauf, wieder durch Sträter abgelöst zu werden[18]. Ende Mai 1948

deutsche Allgemeine Zeitung v. 9. 5. 64). – Harriman besuchte Essen am 7. 7. 47; mit Clay u. Murphy sprach Heinemann u. a. in Berlin am 6. 9. 48 (Tagebuch, AH).

14. Rede im Rundfunk am 2. 7. 47 (msl, AH).

15. Verhandlungen des Landtags Nordrhein-Westfalen in der ersten Wahlperiode 1947/1950, 25. Sitzung, 9. 12. 47, S. 42ff.

16. Schreiben Heinemanns an den Vorstand der CDU in Essen v. 21. 6., Schreiben Sträters an Heinemann v. 8. 11. 47 (AH).

17. Rede im Rundfunk am 2. 7. 47 (msl, AH). Ähnlich bei seiner Rückkehr nach Essen, s. Schröter, aaO. S. 46. – Verhandlungen des Landtages von NRW, 46. Sitzung, 2. 6. 48, S. 491.

18. Schreiben an Arnold v. 18. 5. 48 (AH).

legte er sein Ministeramt nieder und widmete sich wieder verstärkt den Aufgaben in Essen.

Dort stand noch immer das Problem der Krupp-Werke an erster Stelle[19]. Die englische Militärregierung entschied schließlich, daß nach der Fläche etwa ein Drittel der Gebäude der Krupp-Werke ganz und ein weiteres Drittel zum Teil für Friedensfertigungen verbleiben könnten. Damit waren, wie Heinemann in einem Artikel zum Neujahr 1949 schrieb[20], endlich »die ersten Ansätze für die künftige eisenindustrielle Existenz der Essener Bevölkerung gegeben«. Es bliebe die große Aufgabe, im einzelnen »die organisatorischen und finanziellen Fragen der Umstellung zu lösen«. Die Mehrheitsverhältnisse im Rathaus ließen allerdings für deutsche Initiativen wenig Raum; denn die Kommunalwahl im Herbst 1948, die der SPD Erfolge brachte, ergab die gleiche Anzahl Stimmen im Rat für Heinemann wie für den Gegenkandidaten von der SPD, so daß Heinemann kommissarisch die Geschäfte weiterführte.

Überblickt man Heinemanns Tätigkeit als Oberbürgermeister und Minister, so muß man feststellen, daß sie nicht aus dem Rahmen dessen herausfiel, was deutsche Politiker in den ersten Nachkriegsjahren taten. Ob es die Auseinandersetzung mit den Siegermächten wegen der Demontagen oder das Ringen ·um die Einhaltung von Rechtsgrundsätzen war, immer ging es Heinemann wie allen Politikern darum, die Not der unmittelbaren Umgebung zu lindern. Zusammenarbeit mit den Besatzungsmächten, aber auch Widerspruch gegen sie lag um dieses Zieles willen nahe. Diesem Ziel dienten auch die Hilfsaktionen für seine Heimatstadt, die Heinemann mit Hilfe seiner kirchlichen Verbindungen auf Auslandsreisen förderte[21]. Über dieses Ziel hinaus sah Heinemann jedoch eine weitere politische Aufgabe: die Verbindung zu den Deutschen im Osten. Dieses Interesse war bei Heinemann stärker als bei manchen anderen westdeutschen Politikern ausgeprägt. Dabei kamen ihm seine kirchlichen Beziehungen und die Tatsache zustatten, daß er mit einem Politiker der Ost-CDU, Ernst Lemmer, seit seiner Studentenzeit befreundet war[22]. Den Vorsitzenden Jakob Kaiser hatte er ja auf dessen erster Nachkriegsreise in den Westen im März 1946 in Essen kennengelernt[23].

---

19. Einen Überblick über Essens Lage gab Heinemann in einer Ratssitzung am 24. 9. 48 (GH 10b; Konzept im AH).
20. GH 11: Neue Ruhr-Zeitung v. 1. 1. 49.
21. Schröter, aaO. S. 47ff, S. 37f.
22. Schreiber/Sommer, aaO. S. 73, 77f. – Lemmer, aaO. S. 57, 68, 73, 190ff, bes. S. 342.
23. Conze, Jakob Kaiser, S. 74.

Heinemann nahm jede Gelegenheit wahr, die Freunde im Osten seiner Sympathie zu versichern und sie in ihren Bemühungen zu unterstützen, von Berlin aus die Reichseinheit zu erhalten. Im Juni 1946 nahm er an dem Parteitag der CDU der sowjetisch besetzten Zone teil, der zu einer Zusammenkunft von Parteimitgliedern aus allen Teilen Deutschlands erweitert war. In der Diskussion über Wirtschaftsfragen ergriff Heinemann das Wort und versicherte, daß die Menschen an Rhein und Ruhr »zu jeder Stunde das Geschehen in der Ostzone mit größter innerer Anteilnahme verfolgt« hätten. Heinemann bedauerte, daß nicht mehr Ruhrkohle nach Berlin geliefert werde; das liege zum Teil am Mangel an Bergarbeitern. Er gab den Siegermächten zu bedenken: »Eine Hilfe in der Zuführung der notwendigen Arbeitskräfte könnte uns zuteil werden, wenn man unsere kriegsgefangenen Bergarbeiter nach Hause schickte«; das sei z. B. für die Engländer günstiger als die Zahlung von Geldern zur Erhaltung des westdeutschen Existenzminimums. Der industrielle Westen und der agrarische Osten gehörten auch »wirtschaftlich auf das engste zusammen«. Heinemann hoffte auf industriellen Austausch und den Abbau der Zonenschranken und schloß unter dem Beifall der Teilnehmer mit dem Aufruf, aus der »Union der Herzen« müsse eine »Union der Tat« werden[24]. Hatte er schon in Berlin zum Ausdruck gebracht, daß zur Behebung des Arbeitskräftemangels »das System der Zwangsverpflichtungen, der Verschickung durch Gestellungsbefehle der Arbeitsämter ein überaus unglückliches System ist«[25], so wurde er nach seiner Rückkehr noch deutlicher; in seiner ersten Rede als Oberbürgermeister sagte er:

»Ein tiefes Erschrecken geht durch unser Volk angesichts der Nachrichten aus dem Osten über den Abtransport deutscher Arbeiter mit oder ohne Familien nach Rußland. Auch eine Bejahung der Frage, ob ein solcher Abtransport dem Potsdamer Abkommen entspricht, kann dieses Erschrecken nicht mildern. In einer Zeit, in der unser Volk immer dringlicher auf die Heimkehr unserer Brüder, Väter und Männer aus der Kriegsgefangenschaft wartet, werden weitere fortgeführt.«[26]

1947 erlebte Heinemann in Berlin auf dem zweiten Parteitag der CDU im September und auf einer Tagung im Dezember die Auseinandersetzungen zwischen Kaiser und der sowjetischen Besatzungs-

---

24. GH 2. – Ähnlich äußerte sich Heinemann in einem Rundfunk-Interview mit W. Klein: »Wir wissen, daß im sowjetisch besetzten Gebiet Erzeugnisse unserer Industrie dringend gebraucht werden. Genau so brauchen wir Vieles aus der Sowjetzone. Und deshalb erwartet die Bevölkerung, dort wie hier, daß so bald wie möglich die Zonenschranken fallen« (msl, AH). – Vgl. Conze, aaO. S. 92. – Tagebuch 6.–8. 9. 47.
25. GH 2.
26. Rede (msl, AH), z. Teil abgedr. GH 3.

macht mit, die zu Kaisers politischer Ausschaltung führten[27]. Heinemann wurde Zeuge, wie Kaiser, der wegen seiner positiven Haltung gegenüber dem Marshallplan und seiner Ablehnung der östlichen Blockpolitik in zunehmendem Maße in Gegensatz zur Sowjetunion geraten war, nach seiner fast einstimmigen Wiederwahl zum Parteiführer sich gegenüber den Vertretern der Besatzungsmacht zu einem unbedachten Wort über die Oder-Neiße-Linie hinreißen ließ, die zu einer scharfen Replik von Oberst Tjulpanow, dem Leiter der politischen Abteilung der sowjetischen Militär-Administration, führte[28]. Mit Lemmer zusammen sprach Heinemann hinterher Tjulpanow an, den er schon im Vorjahr kennengelernt hatte, und suchte den negativen Eindruck zu verwischen, den Kaisers Äußerungen gehabt hatten[29]. Heinemann behielt die Antwort in Erinnerung, die Tjulpanow auf seine besorgte Frage gab, was denn nach einem etwaigen Scheitern der bevorstehenden Londoner Außenminister-Konferenz werden würde: »Dann machen wir die Zonengrenze effektiv!«[30] Auf der Dezember-Tagung war die Londoner Konferenz schon gescheitert und Kaiser durch den Druck der Sowjetunion praktisch seiner Funktion als Führer der CDU in der sowjetischen Zone enthoben. Heinemann gehörte zu den westlichen Politikern, die ihn ihrer Zustimmung versicherten, und er begrüßte eine Entschließung, die es als Aufgabe der CDU bezeichnete, »Wegbereiter der deutschen Einheit zu sein und die deutsche Demokratie einheitlich zu entwickeln«[31]. In der Praxis war allerdings Kaisers Bemühungen vorerst ein Ende gesetzt.

Für das Scheitern Kaisers und Lemmers machte jedoch Heinemann nicht allein die Sowjetunion oder die vier Siegermächte verantwortlich. In Erinnerung blieb ihm auch Kaisers bitterer Ausspruch, das Interesse der Alliierten an einer Spaltung sei noch verständlich, »unbegreiflich ist nur, daß in den Westzonen auch Deutsche zu bequemen Patentlösungen neigen, die auf eine Teilung Deutschlands hinauslaufen«[32]. Heinemann registrierte, daß Adenauer auch in den beson-

---

27. Conze, aaO. S. 168, 209.
28. Schilderung der Szene bei Conze, aaO. S. 173f, schärfer bei Schwarz, aaO. S. 761f Anm. 83. – Heidenheimer, aaO. S. 112.
29. Heinemann hatte während der Tagung im Vorjahr am 17. 6. zu den 12 CDU-Vertretern gehört, die von Tjulpanow zu einem Gespräch eingeladen waren. Er hatte im Mai 1947 eine Sitzung des Rats der EKD dazu benutzt, bei Tjulpanow um die Freilassung eines Kriegsgefangenen vorstellig zu werden, die dieser auch tatsächlich veranlaßte (Tagebuch 17. 6. 46, 11.–13. 5. 47, 6.–8. 9. 47; Schreiben an Tjulpanow v. 5. 5. 48; mdl. Mitteilung Heinemanns an den Verf.).
30. GH 244: Was Dr. Adenauer vergißt, in: Frankfurter Hefte Juli 1956, S. 456; GH, Schnittpunkt, S. 91.
31. Conze, aaO. S. 209f.
32. GH 65 (1951).

ders kritischen Monaten des Jahres 1947 nicht wie andere westliche CDU-Mitglieder an den Treffen im Osten teilnahm: »Wir reisten, wie schon so manches Mal, wenn die Berliner Freunde gerufen hatten, ohne ihn.« Heinemann erlebte die Kritik der Ost-CDU am westlichen Verhalten:

»Wiederholt, und mit besonderer Lebhaftigkeit von Kradel-Berlin[33a], wurde bedauert, daß die CDU nicht zu einer gesamtdeutschen Partei zusammengeschlossen sei, so daß sich ihre Zonenverbände gegenseitig hätten stützen können. Das traf vornehmlich den in dieser so wesentlichen Konferenz fehlenden Dr. Adenauer, von dem als Vorsitzenden der CDU in der britischen Zone der beharrlichste Widerstand gegen einen Zusammenschluß ausging. Mit deutlichem Mißtrauen hinsichtlich der letzten Absichten wiesen einige Ost-Delegierte auf die Frankfurter Zweizonenverwaltung und auf vorbereitende Arbeiten für eine westdeutsche Bundesverfassung hin; Dr. von Brentano und Dr. Holzapfel erwiderten, daß keine politische Sonderentwicklung der Westzonen in Gang sei.«[33]

Seine Verbundenheit mit den Menschen im Osten zeigte Heinemann besonders, als er einige Wochen nach dem Beginn der Berliner Blockade nach Berlin fuhr – neben Helene Weber der einzige bekannte westliche CDU-Politiker, der das tat[34]. In seiner Rede vor dem Schöneberger Rathaus überbrachte er Grüße von Ministerpräsident Arnold und die Nachricht von einer großen Geldspende des Landes Nordrhein-Westfalen für die Stadt und versicherte sie seiner Verbundenheit mit ihr[35].

In dieser Rede brachte Heinemann stärker als sonst sein Nationalgefühl zum Ausdruck:

»Unser Volk ist zerteilt in Zonen, die sich in einer schier unerträglichen Weise auseinanderzuleben drohen. Ich sehe nur eins noch, in dem wir als deutsches Volk uns als Einheit empfinden und symbolhaft ausgedrückt wissen, und das ist diese so bitter umkämpfte Stadt Berlin.«

Zwar habe man in der NS-Zeit Berlin als Zentrale der nationalsozialistischen Diktatur im Westen abgelehnt; aber nun sei die Lage anders:

»Wir *alle* wissen, daß Berlin inzwischen Furchtbares erlebt hat, und insbesondere wissen wir, daß Berlin heute abermals unsagbar leidet. Dieses Leid und diese Not aber stellen Berlin als Brennpunkt mitten hinein in die gesamten

---

33a. Gemeint ist Joh. Baptist Gradl, der spätere Bundesminister.
33. GH 244, S. 457f resp. S. 92. – Vgl. Tagebuch 6.–8. 9. 47 (AH).
34. nach Conze (aaO. S. 288 Anm. 16) hob Kaiser diese Tatsache in einer Rede auf dem 2. Parteitag der CDU der Britischen Zone hervor. – So auch A. J. Heidenheimer, aaO. S. 159.
35. Conze, aaO. S. 239f.

Nöte unseres Volkes. Und seitdem uns allen miteinander nur noch die Solidarität der Not geblieben ist, ist Berlin uns allen neu ans Herz gewachsen.«[36] Heinemanns Rede enthielt jedoch keinerlei Angriffe auf die Sowjets. Das fällt gerade im Vergleich zu Kaisers Antwort auf, der ausrief, die Blockade Berlins sei »hoffentlich das letzte Attentat des Kommunismus auf die Freiheit Europas ... Von Finnland bis Griechenland ist er im Rückzug. Auch in Deutschland, in Berlin, muß ihm Halt geboten werden!«[37] Von solchen Tönen hoben sich die besonnenen Worte Heinemanns ab:

»Es geht für unser ganzes Volk darum, daß hier der letzte Rest unseres nationalen Ausdrucks angetastet ist. Inmitten der Zonenzerrissenheit ist Berlin als Viermächtestadt der Rest von Gesamtdeutschland geblieben, und das deutsche Volk in allen seinen Teilen bebt mit heißem Herzen darum, daß Berlin diese Viermächtestadt sei und bleibe, bis es einmal wieder die Stadt unseres ganzen deutschen Volkes sein kann.«[38]

Heinemann erinnerte daran, daß kurz zuvor in Eisenach »dank des Entgegenkommens *aller* Militärregierungen, insbesondere auch der russischen«, die EKD gegründet sei, ein Vorgang, der zeige, »daß, wo immer uns die Freiheit dazu gegeben wird, wir überall in Deutschland die Gemeinschaft suchen und festigen«.

Diese Absicht brachte Heinemann auch im Westen immer wieder zum Ausdruck. Selbst bei der Einweihung der Essener »Brücke«, einer deutsch-englischen Lesehalle, sprach er seine Hoffnung aus, daß »diese Brücke nicht nur aus einem einzigen Bogen von den westlichen Ländern zu den westlichen Zonen Deutschlands besteht, sondern aus vielen Bogen bis tief in den Osten hinein. Unser notleidendes Volk bangt darum, daß es zwischen zwei großen Lagern in der Welt zermahlen wird.«[39]

Als ein Weg, auf dem Sieger und Besiegte einander finden könnten, schien Heinemann der der »Moralischen Aufrüstung« (MRA) geeignet. Wenn er auch von Anfang an nicht verhehlte, daß er ihr »mit viel innerer Reserve begegnete« war und in manchen Punkten kritische »Anmerkungen« zu machen hatte, so schien sie ihm doch ein Positivum als »Schnittpunkt aller derer, die guten Willens sind und es mit der Erkenntnis ernst nehmen, daß das Gemeinschaftsleben in der Welt sich ändert, wenn wir anfangen, uns selbst zu ändern«[40]. Auf Tagungen der MRA 1947 in Caux, 1948 in Los Angeles, London

---

36. Manuskript der Rede v. 11. 8. 48 (msl, AH).
37. Conze, aaO. S. 240.
38. Manuskript der Rede v. 11. 8. 48.
39. Manuskript der Ansprache v. 5. 9. 47 (msl, AH).
40. GH 11a: Rede auf einer Bergbautagung in Essen am 21. 10. 48. Die kritische Passage ist jedoch nicht mit abgedruckt (msl, AH).

und Amsterdam machte Heinemann die Erfahrung, daß »durch MRA die geistige Isolierung Deutschlands vielfältig durchbrochen« wurde[41]. In einer Tischrede in Washington nahm er in Gegenwart des amerikanischen Außenministers Marshall Gelegenheit, auf die zwei Dinge hinzuweisen, die er für nötig hielt: »Material help as it has been offered in a generous way by the Americans and the spirit of an inspired democracy through MRA. The ideology of MRA must be realised especially in the mining industry of the Ruhr.«[42]

Was Heinemann an der Moralischen Aufrüstung besonders anzog, war die Idee »eines gottbezogenen persönlichen Lebens und der auf Gott bezogenen sozialen Gemeinschaften«. Er hoffte, die MRA könne »eine Antwort auf alle Ismen der Welt« sein, »sogar und vor allem auf den Materialismus und den Totalitarismus. Es gilt, diese Antwort als einen dritten Weg mitten hindurch durch alle Gewalt zur Rechten und zur Linken, durch allen Haß von unten und oben, durch alle Zwietracht und alle Vorurteile ernst zu nehmen.« Die MRA erschien Heinemann auch zur Lösung gesellschaftlicher Konflikte geeignet. Als deren »eindrucksvollste Erfolge« wertete er die Meldung, daß durch ihren Einfluß in den englischen Kohlenrevieren ein »Geist gegenseitigen Vertrauens in der Gemeinschaftsarbeit« eingezogen sei[43]. Die beiden Theaterstücke, die diese Wirkung erzielt hatten, wurden auf Heinemanns Veranlassung auch in Essen aufgeführt[44].

Kritische Einwände gegen diese Beurteilung der Moralischen Aufrüstung durch Heinemann liegen nahe; wir verzichten jedoch zunächst darauf und schildern Heinemanns politische Erwartungen in den zwei Jahren vor der Gründung der Bundesrepublik, um diese Zielsetzungen dann im Zusammenhang kritisch zu betrachten.

Seine außenpolitischen Hoffnungen setzte Heinemann 1948 auf den Zusammenschluß Europas. Auf einem Europa-Kongreß in Den Haag im Mai 1948 stimmte er für eine europäische Union, »die im Hinblick auf jede Macht unabhängig sein muß und keinem Volk gegenüber eine Bedrohung darstellen darf[45].

---

41. GH 11a. – Vgl. GH 10 und ein ungedrucktes msl. Manuskript: Amerikanische Reise (AH).
42. Im Carlton-Hotel am 15. 6. 48 (msl, AH).
43. GH 11a.
44. Schröter, aaO. S. 38.
45. So die Formulierung in GH 244: Was Dr. Adenauer vergißt, Schnittpunkt S. 93. – Der Text lautet in: Europa. Dokumente zur Frage der europäischen Einigung. Dokumente und Berichte des Forschungsinstituts der Deutschen Gesellschaft für Ausw. Politik e. V., Bd. 17, S. 152, P. 8, »daß es das Ziel einer europäischen Union oder Föderation sein müsse, die Sicherheit der in ihr zusammengeschlossenen Völ-

Kurz zuvor hatte er in Essen eine Kundgebung »Die Ruhr ruft Europa!« organisiert, auf der er mit anderen Politikern in bewegenden Worten vor Vertretern der Militärregierung die Not des Ruhrgebiets schilderte: »Es bedrückt uns unsagbar, daß wir drei Jahre nach dem Krieg immer noch kein Ende der Zerstörungen und der unproduktiven Arbeit sehen ... Es geht um eine allgemeine Not. Hochöfen, Stahlwerke, Walzwerke usw. abzubrechen und auf Wanderschaft zu schicken, heißt ihre Produktion auf lange, wenn nicht für immer, lahmzulegen, ganz abgesehen von der unproduktiven Blockierung zahlreicher Arbeitskräfte, Transportmittel und Materialien.«[46]

Heinemann beschwor die Besatzungsmächte:

»Die Ruhr ruft Europa! Sie ruft aus der Bedrängnis ihrer mannigfachen Not. Sie ruft aus ihrer Bereitschaft zum europäischen Wiederaufbau. Dieses Gebiet ist eine Werkstatt von gewaltigem Ausmaß. Ihre Produktivität oder ihr Darniederliegen ist deutsches und europäisches Schicksal zugleich... Nur wer selber hier wirkt und schafft, weiß wirklich um das brennende Verlangen, endlich zu einer neuen Gemeinschaft des Gebens und Nehmens mit Deutschland und den anderen Ländern um uns herum durchzustoßen.«

Das Ruhrstatut, das das Ruhrgebiet einer internationalen Kontrolle unterstellte, schien Heinemann problematisch, weil hier einseitig nur die Souveränität eines einzelnen Landes aufgehoben war. Er fürchtete, die »Sonderregelung« des Statuts könne »uns zum Konjunkturpuffer für alle Anderen werden lassen«, und sah in dem Statut »nach den jetzigen Gesamtumständen und im Hinblick auf viele Einzelheiten nur einen Ausdruck von Siegermacht«, bestenfalls einen »Auftakt zu entsprechenden Regelungen auch bezüglich anderer Industriezentren Europas«[47].

Innenpolitisch baute Heinemann auf die CDU. In seiner Darstellung der Ziele dieser Partei sind jedoch gegen Ende der vierziger Jahre Akzentverschiebungen festzustellen. Das wird in einem Vergleich von Wahlreden Heinemanns zur Wahl des Landtages von Nordrhein-Westfalen im Frühjahr 1947 mit Wahlreden zur Wahl des ersten Bundestages im Sommer 1949 deutlich.

Als die beiden wichtigsten Probleme erschienen ihm 1947 die Ausarbeitung einer Verfassung und eine neue Wirtschaftsordnung. In der Verfassung müßten die »Grenzen der Staatsmacht« deutlich werden,

---

ker zu schützen, daß sie unabhängig von jeder auswärtigen Kontrolle und nicht gegen irgendeine andere Nation gerichtet sein solle«. – Vgl. K. Adenauer, Erinnerungen I (1945–1953), Stuttgart 1965, S. 136f.
46. GH 7.
47. Erklärung zum Ruhrstatut v. 28. 12. 48 (msl, AH).

die sich durch die Grundrechte der Bürger ergäben; Heinemann betonte außer den klassischen Grundrechten wie der Glaubens- und Gewissensfreiheit und der Rede- und Pressefreiheit besonders die »freie
Betätigung der Kirchen samt Jugend- und Wohlfahrtsarbeit« und das
Elternrecht auf Wahl der Schulen, auch von Konfessionsschulen, für
ihre Kinder. Heinemann lehnte das von der SPD befürwortete Ver-
hältniswahlrecht strikt ab, da es die Position eines Führungskreises
in der Partei zu sehr stärke und dem Fraktionszwang Vorschub leiste;
auch öffne es einer Zersplitterung der Parteien die Tür. Das Perso-
nenwahlrecht gewährleiste dagegen eine demokratische »Präsentation
der Kandidaten von unten herauf« und fördere die Ausschaltung »extremer Politiker oder krasser Interessenvertreter oder unduldsamer
Propheten« zugunsten derer, die »eine mittlere Linie« verträten[48].

Diese mittlere Linie schien Heinemann richtungweisend gerade
auch für die wirtschaftliche Neuordnung. »Eine Rückkehr zur privaten Gestaltung der wirtschaftlichen Spielregeln ist völlig indiskutabel.
Auch eine politische Macht privater Wirtschaftskräfte darf es nicht
mehr geben.« Auf der anderen Seite würde der Weg »der Kollekti-
vierung und Kommandierung« der Wirtschaft »den endgültigen Tod
der persönlichen Freiheit und jeglicher Initiative bedeuten«. Heinemann empfahl einen dritten Weg »dergestalt, daß grundsätzlich, d. h.
soweit wie möglich, die Marktwirtschaft wieder hergestellt« werden
sollte, jedoch »im Unterschied zur Vergangenheit an unabänderliche
Regeln zu binden« sei; die Beseitigung der Konkurrenz »durch private Abmachungen, durch Kartelle und dergleichen« müsse unter-
bunden werden. Bestimmte Bezirke der Wirtschaft, in denen »ein
Monopol oder ein Übergewicht bestimmter Betriebe« bestünde, wie
im Bergbau und in der Groß-Eisenindustrie, sollten der ausschließ-
lichen privaten Verfügungsgewalt entzogen und aufgegliedert werden,
durch Auflösung und Entflechtung, durch Aktienbeteiligung der
öffentlichen Hand. Heinemann bezog sich dabei auf das Ahlener Programm der CDU, das er als »wahrhaft zeitgemäß, fortschrittlich und
sozial« vorbehaltlos bejahte. Es schien ihm geeignet, Machtkonzentration sowohl in den Händen einzelner Kapitalisten als auch in
Staatshand zu verhindern[49].

---

48. Rede zur Landtagswahl 1947 (April; msl, AH).
49. ebd. – In einem Flugblatt zur Wahl formulierte er: »Es gilt, eine neue Wirtschafts-
    ordnung zu formen. Sie muß gewährleisten, daß wir unseren Berufsweg selber
    bestimmen, daß wir aufhören, ›Normalverbraucher‹ nach behördlicher Anwei-
    sung zu sein. Es geht um höchste Erzeugungssteigerung und nicht um höchste Büro-
    kratisierung. Eine Bedarfsdeckung soll gelten, bei der der Verbraucher am besten
    und billigsten fährt. Im Bergbau und der Großindustrie wollen wir eine gemein-
    wirtschaftliche Ordnung herbeiführen, die dem Arbeitnehmer Mitwirkung und Be-

In Heinemanns Reden zur Bundestagswahl 1949 treten die Vorstellungen, die auf eine Neuordnung der gesellschaftlichen Verhältnisse abzielen, merklich zurück. Sein Hauptgesichtspunkt in bezug auf Wirtschaftsfragen war nun der, daß die von den Marxisten befürwortete Planwirtschaft zur Reglementierung aller wirtschaftlichen Vorgänge geführt habe; wesentlich sei jedoch eine »Steigerung des volkswirtschaftlichen Ertrages«, »bessere Versorgung«, »höherer Export«, »höherer DMark-Kurs«. »Alles das« werde dank der Marktwirtschaft erreicht. Zwar war sich Heinemann klar darüber, daß die »Schattenseiten des neuen Zustandes leicht erkannt« werden könnten, warnte aber davor, die »guten Seiten als Selbstverständlichkeit« hinzunehmen[50].

Mit dem Zurücktreten des kritischen gesellschaftspolitischen Aspekts war eine zunehmende Reserve Heinemanns gegen die Linksparteien verbunden. Den Entwurf für ein Sozialisierungsgesetz, das die SPD im Landtag von Nordrhein-Westfalen 1948 einbrachte, hielt Heinemann, der als Sprecher der CDU dazu Stellung nahm[51], für »unannehmbar«, weil es darauf beruhte.

»daß das gesamte Eigentum am Steinkohlen- und Braunkohlenbergbau von Nordrhein-Westfalen in eine Hand kommen soll, nämlich in die der sogenannten ›Selbstverwaltung Kohle‹ als neu zu schaffender juristischer Person. Das halten wir nur für eine Machtkonzentration allergrößten Stiles und unseligsten Gedenkens.«

Heinemann bestritt »gar keinen Augenblick«, daß die früheren privaten Eigentumsverhältnisse negative politische Auswirkungen gehabt und zum Nationalsozialismus geführt hätten. Aber er hielt die Überführung von Wirtschaftsmacht in Staatshand für keine gute Lösung und empfahl statt einer solch »abrupten Totalveränderung« ein Vorgehen Schritt für Schritt, das der kommunalen Selbstverwaltung mehr Raum zum Handeln gebe. Der SPD gegenüber unterstrich er,

»daß das Fernziel der Aufgliederung in sogenannte selbständige Unternehmungen in einer viel glaubhafteren, viel einfacheren und viel weniger störenden Weise erreicht werden würde, wenn Sie an die derzeit bestehenden Einheiten anknüpfen und von da aus das Weitere entwickeln würden.«

1949 äußerte Heinemann die Meinung, die SPD opponiere gegen die Marktwirtschaft »nicht aus Vernunft, sondern aus Prinzip«[52]. Dagegen stellte Heinemann die These: »Der Marxismus als Welt-

---

teilung als gleichwertige Persönlichkeit gewährleistet und eine Wiederkehr kapitalistischer Macht ausschließt« (GH 5).

50. Stichworte zum Bundestagswahlkampf 1949 (AH).
51. Verhandlungen des Landtages Nordrhein-Westfalen in der ersten Wahlperiode 1947/50, 57. Sitzung, 5. 8. 48, S. 914ff, bes. S. 920f.
52. Stichworte zum Bundestagswahlkampf 1949 (AH).

anschauung zerblättert und zerbricht. Der Streit um das Eigentum an Produktionsmitteln ist nicht mehr die Kernfrage.«[53]

Allerdings blieb Heinemann auch gegenüber seiner eigenen Partei in einem Punkte kritisch. Besondere Beschwernis machte ihm ihr Name. »Ich erkläre, obwohl ich zu dieser Partei führend gehöre, daß ich eine christliche Partei grundsätzlich für eine ungute Lösung halte«, bekannte er auf kirchlichen Tagungen[54]. Aber er fügte hinzu, diese Lösung sei »zur Zeit leider notwendig«, und zwar solange, wie die anderen, weltanschaulich gebundenen Parteien »den christlichen Menschen nicht den gebührenden Raum gönnen und das öffentliche Ringen der Kirchen auf Widerstand stößt«. Diese Ansicht vertrat Heinemann auch im November 1947 auf einer Tagung in Detmold, an der unter der Leitung von Prof. Hammelsbeck Mitglieder der CDU, des Rats der EKD und der Bekennenden Kirche teilnahmen[55]. Dem Bericht über die Tagung zufolge führte er hier auch die Nöte der politischen Praxis als Motiv für die Beibehaltung des Namens an:

»Die politische Arbeit müsse doch getan werden. Was sollten da grundsätzliche Erwägungen, ob eine christliche Partei theologisch zu rechtfertigen sei, wenn er als Minister an die Fülle der Verantwortungen denke, die auf ihm und Parlamentariern laste. Da habe er die Sorge für die künftige Verfassung, die Rechtseinheit, die Entnazifizierung, die Währungsreform, den Lastenausgleich, die Hausratsbeschaffung, die Bodenreform, die Demontagen und viele, viele andere Dinge noch. Damit müsse er doch fertig werden. Darüber hinaus gelte es, daß eine obrigkeitliche Notordnung geschaffen werde. An ihr haben die christlichen Menschen verantwortlich mitzuarbeiten . . .«[56]

Gegenüber dem Vorwurf, die CDU vertrete eine »christliche Weltanschauung«, nahm Heinemann den Standpunkt ein, daß die Partei als Ganze das im Unterschied zu anderen Parteien gerade nicht täte. Ihre evangelischen Mitglieder seien der Meinung, daß sie im Glaubensgehorsam handelten. Die Partei sei 1945 ohne Warnung der Kirche, ja teilweise unter Empfehlung maßgebender Kirchenmänner angetreten und dürfe nun nicht auseinanderfallen[57]. Auf Vorschlag Heinemanns wurden die verschiedenen Standpunkte folgendermaßen fixiert:

»Die evangelische Kirche verneint alle Ideologie, auch die der sogenannten christlichen Weltanschauung. Sie verneint von da aus Parteibildungen zur Ver-

---

53. GH 12a und 12b: Rede auf dem ersten evangelischen Kirchentag in Hannover.
54. Rede auf einer Tagung der evangelischen Akademie in Hermannsburg am 8. 5. 48 (msl., AH); ähnlich in Detmold am 6. 11. 47, s. Anm. 55.
55. vgl. den hektogr. Bericht über diese Begegnung, hg. von H. Lauffs, und einen msl. Diskussionsbericht (AH).
56. Hekt. Bericht, S. 6.
57. ebd., S. 9.

wirklichung des Christentums oder christlicher Forderungen. – Die Kirche bejaht und fordert politische Aktivität ihrer Glieder. Sie anerkennt die Möglichkeit des parteimäßigen Zusammenschlusses von Christen zu gemeinsamem politischen Handeln. Sie gibt auch in diesem Fall ihre Neutralität gegenüber allen Parteien nicht auf.

Die Union sieht sich als einen politischen Zusammenschluß von Christen aller Konfessionen an, die aus ihrer Verantwortung als Christen öffentliche Verantwortung tragen wollen.«[58]

Die Detmolder Tagung zeigte, daß Heinemann zu einer mittleren Lösung neigte, die sowohl die radikale Entgegensetzung von kirchlicher Aufgabe und politischem Handeln als auch die Identifizierung von Christentum und CDU zu vermeiden suchte. Mit Friedrich Graeber sah er nach wie vor in der CDU die Partei, in der die Mitglieder auf ihre christliche Verantwortung hin angesprochen werden konnten[59].

Heinemann beklagte bitter, daß die Linksparteien kein positives Verhalten zu den Kirchen fanden. Ihnen und den Liberalen warf er im Wahlkampf zur Bundestagswahl 1949 vor:

»Die Vorgänge im Parlamentarischen Rat in Bonn haben deutlich gemacht, daß Sozialdemokratie und Liberale keine politische Heimat für den evangelischen Wähler zu sein vermögen. Von den Liberalen war nichts anderes zu erwarten als das, was sie in Bonn getan haben, aber es gehört für mein Empfinden zu den betrüblichsten Erscheinungen unserer Zeit, daß die Sozialdemokratie in ihrer entscheidenden Führung immer noch im Banne sogenannter Aufklärung und materialistischer Geschichtsauffassung verharrt. Wo man Kirche gleich Besatzungsmacht sehen zu können glaubt, fehlt jedes Empfinden für das wesentliche Anliegen der Union.«[60]

Heinemann brachte auch seine übrigen Bedenken gegen die Linksparteien 1949 in scharfer Form vor. Er nannte das von der Linken propagierte Verhältniswahlsystem nun das »unglückseligste aller Wahlsysteme«, da »der auf Parteiliste gewählte Abgeordnete zwangsläufig das willfährige Werkzeug der obersten Parteiführung wird.« Gegenüber dem Fraktionszwang innerhalb der SPD könne ein »Politiker aus christlicher Gewissensbindung« nur ein »rundes Nein« sprechen. »Wer sein Gewissen nicht in und an Gott binden will, muß es der Parteiführung ausliefern. Und das ist der erste Schritt in den Abgrund der totalitären Systeme.«[61]

---

58. Msl. Diskussionsbericht, S. 5. – Heinemanns gedruckter Kommentar (GH 6a) bezieht sich auf die Schlußfassung der Detmolder Sätze, die am Abend des letzten Tagungstags von anderen Teilnehmern formuliert worden war.
59. Schreiben Graebers an Heinemann v. 19. 6. 47 (AH).
60. GH 13: Rede in Heidelberg.
61. ebd.

So entschieden sich Heinemann innenpolitisch für die CDU und außenpolitisch für die Einigung Europas einsetzte, so deutlich nahm er auch für die Gründung der Bundesrepublik Stellung. Dabei ließ er sich von mehreren Überlegungen leiten. Einmal erblickte er in ihr die Chance, daß sich die Rechtslage in Deutschland bessern würde. Im Juli 1949 stellte er als einen Hauptpunkt heraus, daß Robertsons Hinweis auf die Rechtlosigkeit Deutschlands aus dem Jahre 1947 »auch in dieser Stunde noch den Stand der Dinge« zutreffend wiedergäbe. Aber »mit der Wahl des Bundesparlamentes, mit dem Inkrafttreten des Besatzungsstatuts«, hoffte Heinemann, solle es »nun anders werden.« »Es wird für den Westen einen Schritt nach vorn geben in der Wiederherstellung eigener deutscher Staatlichkeit und Regierungsgewalt.«[62]

Zum anderen tat Heinemann den Schritt auf den Weststaat zu in dem »unerschütterlichen Willen und mit dem Ziel, daß es das ganze Deutschland, ein freies und demokratisches Deutschland in Gemeinschaft mit den Völkern Europas werde.«

In diesem Sinne trat er in der Essener CDU dafür ein, daß Jakob Kaiser unter den drei Essener Kandidaten für den Bundestag an erster Stelle nominiert wurde, und er hob im Wahlkampf hervor, das sei geschehen, »um damit diesem letzten Zielgedanken des einheitlichen deutschen Vaterlandes einen leibhaftigen Ausdruck zu verleihen«[63]. Kaiser solle, so führte Heinemann unter dem »stürmischen« Beifall der 7000 Zuhörer aus[64], »die lebendige Brücke zwischen dem Osten und dem Westen sein« und als »legitimierter Sprecher für die Menschen im Osten« den Westdeutschen »allezeit ... das Gewissen um unsere volle Mitverantwortung für das Land und die deutschen Menschen im Osten wachhalten.«

Heinemanns Entwicklung in den ersten Nachkriegsjahren, die Antworten, die er auf die Zeitfragen gab, waren bis zu einem gewissen Grade typisch für die Art, wie sich Vertreter der West-CDU mit den Ereignissen auseinandersetzten. Die Ablehnung des Marxismus und aller planwirtschaftlichen Bestrebungen, die Betonung geistiger Erneuerung auch durch die Moralische Aufrüstung, die Bejahung amerikanischer Hilfe, der Einigung Europas, der Staatsbildung in Westdeutschland: alles das waren Hoffnungen, die Heinemann mit vielen Parteifreunden gemein hatte[65].

---

62. ebd.
63. ebd.
64. Der Tag, Berlin, 22. 7. 48.
65. vgl. Narr, CDU– SPD, S. 94ff.

Wenn aber Karl Barth und der Bruderrat schon gleich nach 1945 Grund hatten, die Tendenzen zu kritisieren, die in der CDU von Anfang an angelegt waren, so ist für die Jahre 1948/49, als diese Tendenzen deutlicher hervorgetreten waren, um so mehr Anlaß zu Kritik am Wege Heinemanns und seiner Partei.

War die Moralische Aufrüstung wirklich, wie Heinemann meinte, eine Möglichkeit, Vorurteile abzubauen und Menschen zusammenzuführen? Sie ließ sich zumindest *auch* als Mittel verstehen, durch die Minderung sozialer Spannungen die bestehenden gesellschaftlichen Verhältnisse zu erhalten. War das Europa, dessen erste Umrisse sich politisch abzeichneten, jenes Gesamteuropa, das Heinemann ersehnte? Zumindest waren in der Europa-Bewegung von Anfang an sehr starke Strömungen, die Europa mit Churchill als antikommunistisches Bollwerk verstanden wissen wollten[66]. Und war die CDU wirklich »keine Interessenpartei«, wie Heinemann es im Wahlkampf 1949 formulierte: »Wer aus christlicher Verantwortung Politik treiben will, kann sich nicht einem Standesinteresse verpflichten«[67]? Schließlich traten, nachdem sich die Vertreter der »freien Marktwirtschaft« in der CDU durchgesetzt hatten, die Vorstellungen, daß wirtschaftliche Macht gebändigt werden müsse, in der Partei zurück, so daß die früheren Mächte in Wirtschaft und Gesellschaft durch die Politik der CDU an Gewicht gewannen[68].

Es ist auch zu fragen, ob sich die Gründung der BRD und die Sorge für die Deutschen im Osten so miteinander vertrugen, wie es Heinemann meinte. Bezugnehmend auf kommunistische Angriffe gegen die westdeutschen »Spalter« führte Heinemann vor den Berlinern im August 1948 aus:

»Es wird Ihnen hier und in der russischen Zone immer wieder gesagt, daß wir im Westen darauf bedacht seien, uns aus dem Schicksal des deutschen Volkes herauszulösen und einen Weg des Verrates an unserer gemeinsamen Not zu gehen. Das ist eine Lüge und Unwahrheit, die uns im Westen tief kränkt. Allerdings wollen wir unsere Dinge in Ordnung bringen und müssen dabei mit dem anfangen, was uns geblieben ist oder gegeben wird. Wir sind froh, daß unsere Wirtschaft nun endlich einen Weg nach oben angetreten hat und in den Läden wieder vielfältige Dinge des täglichen Gebrauches zu kaufen sind. Was aber auch immer begonnen wird, es zielt auf Deutschland ab!«[69]

---

66. Selbst in der von Heinemann mehrfach zitierten Resolution in Den Haag (vgl. Anm. 45) findet sich der einschränkende Passus, die europäische Union solle allen europäischen Nationen offenstehen, »soweit diese demokratisch regiert sind und sich verpflichten, eine Charta der Menschenrechte anzuerkennen und einzuhalten« (Europa, Dokumente zur Frage der europäischen Einigung, S. 152).

67. GH 13.
68. Narr, aaO. S. 94ff. – Heidenheimer, aaO. S. 139ff.
69. Rede v. 11. 8. 48 in Berlin (AH).

Es fragte sich nur, wieweit Heinemann hier die Wirklichkeit sah. Denn wie immer die *Absichten* der Westdeutschen bei der Staatsgründung waren – die eigentliche Frage war die, ob die Gründung der BRD nicht an sich ein Teil der Teilung Deutschlands *war*. Das meinte jedenfalls Niemöller, als er 1949 erklärte, wer sich an der Wahl zum ersten deutschen Bundestag beteilige, wähle die Spaltung Deutschlands[70]; und so urteilten schon seit 1947 die Kritiker der Staatsgründung wie der Soziologe Alfred Weber[71] und der Historiker Ulrich Noack, die ein separates Vorgehen der Westmächte und Westdeutschen für falsch hielten. Noack sah deutlich, daß eine Einheit Deutschlands nur im Einverständnis aller Siegermächte, auch der Sowjetunion, aufrechtzuerhalten bzw. wiederherzustellen war. Er forderte den Entschluß der Deutschen, eine militärische Neutralisierung Deutschlands zwischen den Blöcken anzustreben, um damit die Sorge aller vier Mächte über Deutschland zu beseitigen, ferner die Ansprüche der Sowjetunion auf Abtretung der ehemaligen deutschen Ostprovinzen und auf Reparationen anzuerkennen, um damit das Interesse der am meisten im Krieg geschädigten Siegermacht an der Einheit Deutschlands zu gewinnen[72].

Zwar blieben auch in Noacks Konzeption Fragen offen: ob sich die Großmächte, die sich mehr und mehr verfeindeten, überhaupt zu einem Rückzug aus Deutschland entschließen könnten; wie der Status eines neutralen Deutschlands praktisch erreicht und nach einem eventuellen Abzug der Besatzungstruppen gesichert werden könnte; und woher denn, wenn die Deutschen überhaupt zur Erfüllung so großer Reparationsforderungen bereit sein würden, ein neutralisiertes Deutschland die wirtschaftliche Hilfe bekommen sollte, die es zum eigenen Wiederaufbau und zu Entschädigungsleistungen für die osteuropäischen Staaten instandsetzte[73].

Aber die Hauptsache war doch, daß Noack das Problem erkannte,

70. D. Schmidt, Martin Niemöller, S. 203.
71. Die Welt v. 8. 5. 48. – Schwarz, aaO. S. 578, 580, 819.
72. Aus den vierziger Jahren sind seine bedeutendsten Schriften zu dem Thema: Ulrich Noack, Die Sicherung des Friedens durch Neutralisierung Deutschlands und seine ausgleichende weltwirtschaftliche Aufgabe, Köln 1948. – Die Nauheimer Protokolle. Diskussion über die Neutralisierung Deutschlands, hg. im Auftrag des »Nauheimer Kreises« von Prof. Dr. Ulrich Noack, o. J. (1950). – Weitere Arbeiten sind aufgeführt bei Schwarz, aaO. S. 768f, Analyse ebd. S. 355ff.
73. Die Bedenken, die z. T. von Noacks Gesprächspartnern im »Nauheimer Kreis« geltend gemacht wurden (s. Protokolle), finden sich in der kritischen Analyse von Wilh. Cornides, Die Neutralitätslehre des Nauheimer Kreises und der geistige Hintergrund des West-Ost-Gespräches in Deutschland, in: EA 1950, S. 3069ff, 3103ff, 1951, S. 3879ff.

wie die Sowjetunion für eine Wiedervereinigung Deutschlands gewonnen werden könnte. Gerade über diesen Punkt gingen aber die Befürworter der Staatsgründung mit mehr oder weniger leichter Hand hinweg. Wenn sie nicht einfach die Frage nach der Reaktion der Sowjetunion beiseiteschoben oder sich mit der angeblichen geschichtlichen Lehre von der Unteilbarkeit von Völkern trösteten, so versprachen sie sich von einem Westdeutschland, das sich wirtschaftlich erholte, eine »Sogwirkung« auf die Bevölkerung der sowjetisch besetzten Zone und eine »Druckwirkung« auf die Sowjetunion, die sich endlich diesem »Magnetismus« fügen und dem Anschluß ihrer Zone an den neuen Staat werde zustimmen müssen[74].

Die Berliner Rede Heinemanns zeigt, daß Heinemann nicht in diesem Grade die Gefahren der Spaltung Deutschlands sah. Wohl sah er sie in Ansätzen; aber er hoffte, daß die anderen Politiker wie er selbst die Vereinigung der Westzonen Deutschlands zu einem Weststaat und die Vereinigung Westeuropas als Durchgangsstadium zu gesamteuropäischen Lösungen ansehen würden.

Als er später in dieser Hoffnung enttäuscht wurde und nachträglich skeptisch auf den Weg der Westzonen zurückblickte, meinte er die Hauptursache in der Person Adenauers sehen zu müssen; dessen Idee eines Weststaates, die er schon 1945 vor amerikanischen Journalisten äußerte, sei »in Deutschland und in den eigenen Parteikreisen nicht bekanntgeworden«[75]. Daran ist richtig, daß Adenauer sich zeitweise zurückgehalten hat, besonders bei der ersten Aufrüstungsdebatte

---

74. Auf die »magnetische Kraft« oder die »saugende Wirkung« hofften auf der Seite der Westmächte der Journalist J. St. Alsop, Nov. 1947 (Schwarz, aaO. S. 83); General Clay (ebd. S. 123, 781 Anm. 191); Stimmen der amerikanischen Presse (ebd. S. 123); Lord Pakenham 1947 (ebd. S. 770 Anm. 34). Vgl. Berichte der Neuen Zürcher Zeitung v. 20. 4. 49 (über Berlin) und v. 9. 5. 49 (über Frankreich). – Auf deutscher Seite wurde der Gedanke vertreten von Erik Reger, dem Herausgeber des Tagesspiegels, Tagesspiegel v. 29. 4., 19. 6. , 22. 8. 47 (Schwarz, aaO. S. 402f); Ernst Friedlaender in der Zeit v. 1. 1. 48 (ebd. S. 403); Friedr. Karl Kramer im Rheinischen Merkur v. 31. 7. 48 (ebd. S. 421); Sebastian Haffner in der Welt v. 20. 9. 47; Hamburger Freie Presse v. 10. 1. 48; Wilh. Röpke: Europa und die deutsche Frage, 3. Aufl. 1948, S. 337. – Unter den Politikern: Dr. Ehard (CSU) laut dpd 9. 4. 48 auf einer Pressekonferenz und in einem Interview mit dem Weser-Kurier v. 8. 5. 48; K. Arnold (CDU) in der Rede zur Eröffnung des Parlamentarischen Rates v. 1. 9. 48; K. Adenauer, Echo der Woche v. 6. 7. 49 (Schwarz, aaO. S. 479). K. Schumacher (SPD) am 31. 3. 47 vor politischen Spitzengremien seiner Partei, 23. 1. 49 im Telegraf (ebd. S. 527, 551); Ernst Reuter (SPD) im Juli 1948 bei der Beratung der Ministerpräsidenten auf Schloß Niederwald bei Rüdesheim (Brandt/Lowenthal, Ernst Reuter, S. 474f. – Schwarz, aaO. S. 586, 615). – Weitere Literaturangaben zu dem Stichwort, die Westmächte betr., bei Manuel Gottlieb, The German Peace Settlement and the Berlin Crisis, S. 246 Anm. 49.
75. GH 244, Schnittpunkt S. 90.

1948[76]. Aber er äußerte 1949 vor der Regierungsbildung dreimal öffentlich, die entstehende BRD solle der NATO eingegliedert werden,
und vertrat in Bezug auf die Sowjetunion die Drucktheorie[77].

Nun mochte es sein, daß derartige Äußerungen, gelegentlich gefallen, nicht überall bekanntwurden, war doch das Pressewesen noch
nicht sehr entwickelt; zudem hatte es eine öffentliche Diskussion
über die Weststaatsgründung nicht, über eine Aufrüstung nur einmal
gegeben[78], so daß es für einen einzelnen fast unmöglich war, einen
Überblick zu gewinnen. Aber die Tendenz ging doch allgemein so
eindeutig in die Richtung des Weststaates, ging so eindeutig hin zur
Einbeziehung dieses Staates in den Westen, daß es nicht allein am
Fehlen genauester Informationen, auch nicht allein an der zielsicheren Politik Adenauers lag, wenn Heinemann nicht kritischer aufhorchte. Es lag in erster Linie daran, daß Heinemann trotz seiner
intensiven Beziehung zur Ostzone das Ganze aus der Perspektive des
Ruhrgebiets sah und nur so sehen konnte. Das Gewicht der Erfahrungen, die er dort mit den Besatzungsmächten gemacht hatte, wog so
schwer, daß ihm als allenfalls erreichbares Ziel die Gewinnung der
Rechtssicherheit in einem deutschen Weststaat vorschwebte, der dann
auch für Gesamtdeutschland mehr würde handeln können. Die politisch interessierten Professoren wie Weber und Noack mochten schon
die nächsten Probleme erkennen, die hinter den damaligen standen:
Heinemann sah aus seiner politischen Praxis die Gründung eines
Weststaats auch in der Verantwortung für die Ostdeutschen als zur
Zeit allein möglichen Weg an.

Damit nimmt Heinemann wieder eine Zwischenstellung ein: was
sein Fernziel anbelangte, war er denen nahe, die ein Gesamtdeutschland und Gesamteuropa erstrebten; was aber das Nahziel anbelangte,
war sein politischer Weg von dem der antikommunistischen Vertreter des Westens schwer zu unterscheiden.

So war Heinemanns Position Ende der vierziger Jahre schwer gegenüber anderen abzugrenzen. In einem Punkte aber, in dem wesentlichsten, war seine Haltung, unterschieden von der der meisten West-

---

76. G. Wettig, Entmilitarisierung und Wiederbewaffnung in Deutschland 1943–55,
    S. 247.
77. UP-Bericht v. 21. 3. 49; Interview im West-Echo 25./26. 5. 49; New York Times
    v. 24. 8. 49; Echo der Woche v. 6. 7. 49. Wettig, aaO. S. 250f. – Ders., Politik im
    Rampenlicht. Aktionsweisen moderner Außenpolitik (Fischer-Bücherei 845),
    Frankfurt 1967, S. 92ff (dort Zitate). – Schwarz, aaO. S. 479.
78. Überblick bei Eugen Kogon, Man braucht Deutschland . . . Auch deutsche Soldaten? Frankfurter Hefte Jan. 49, wieder abgedruckt in E. Kogon, Die unvollendete Erneuerung, Aufsätze aus zwei Jahrzehnten, Frankfurt 1964, S. 80ff. – Analyse bei: Wettig, Entmilitarisierung, S. 243ff.

deutschen, unverwechselbar: in seiner starken Betonung der kritischen Sicht und christlichen Deutung der jüngsten Vergangenheit, wie sie in der Stuttgarter Erklärung ausgedrückt war:

»Nach meiner Überzeugung wird Gott uns keinen Weg in eine neue Freiheit schenken, wenn wir nicht in voller Bereitschaft durch die Tür dieser Erklärung hindurchgehen, ein jeder auf seine Weise.«[79]

Von daher sind die Hoffnungen erst richtig zu verstehen, die Heinemann Ende der vierziger Jahre hegte. Das wird schon in der Auslegung deutlich, die er während der Berliner Blockade vor dem Schöneberger Rathaus dem Rütlischwur gab. Das erste Gelübde, ein »einzig Volk von Brüdern« sein zu wollen, begründete Heinemann unter Berufung auf die »gemeinsam empfangenen Gaben und die gemeinsam von uns zu tragende Geschichte«, die es ausschlössen, »um vorübergehender Vorteile willen den anderen (zu) verlassen.« Das Gelübde, das Gottvertrauen gegen Menschenfurcht setzt, beantwortete Heinemann sogleich mit dem Einwand, daß »nichts . . . schlimmer« sei, als politisch mißbrauchte Religion; zu »Demut und Umkehr« im Sinn des Propheten Jeremia seien Sieger wie Besiegte gerufen. Die Freiheit, im dritten Gelübde zitiert, müsse »im Innersten anfangen und sich an Gottes Gebot und Ordnung halten . . . Hier geht es um einen letzten Gehorsam, der Leid und Gericht anerkennt, aber auch aus der Verheißung die ewige Hoffnung schöpft.« Sehr wohl unterschied Heinemann zwischen dieser Verheißung und politischen Hoffnungen im Westen der Stadt: »Was daraus wird, wissen wir nicht, denn das Weltregiment ist Gottes Monopol.« Wer aber »in solchem Sinne gehorcht und sich an den Unsichtbaren fürbittend und glaubend für sein ganzes Volk wendet, bleibt seines Weges in aller Erschütterung getrost und gewiß«[80].

In diesem Sinne sah er im Wahlkampf die Gemeinsamkeit der Christen in der CDU als Aufgabe:

»Es sollen Regierungen und Parlamente mit Männern und Frauen besetzt werden, welche aus christlicher Gewissensbindung handeln. Zu furchtbar haben wir erlebt, wohin eine Obrigkeit führt, welche solche Gewissensbindung nicht kennt. Ich betrachte es als das ernsteste Anliegen bei der Neuordnung unseres Vaterlandes, daß wir Gottes Gericht über unserer Vergangenheit sehen und uns zur Umkehr von allen gottlosen Wegen rufen lassen.«[81]

Auch den Begriff »Europa« sah Heinemann von demselben Blickwinkel aus:

---

79. GH 21, Sp. 4.
80. Rede v. 11. 8. 48 in Berlin (AH).
81. GH 13.

»Die wahre Einheit Europas in unseren Tagen liegt in der gemeinsamen Demütigung, die über die Völker Europas, Sieger und Besiegte, gekommen ist. Diese Demütigung wahr sein zu lassen, diese Demütigung anzuerkennen, wäre der erste Schritt aus aller Not heraus, so Gott uns noch einmal gnädig sein will, auch in seinem Gericht. Denn in jedem Gericht ist auch der Fingerzeig seiner Gnade.«[82]

Von diesem Ausgangspunkt her sah sich Heinemann auch veranlaßt, im Jahr der westdeutschen Staatsgründung den Staat selbst auf der Grundlage der Barmer Erklärung kritisch zu beleuchten. Er erschien ihm auf der einen Seite als geeignetes Mittel, dem Chaos zu wehren, das Gute zu fördern und der Gemeinschaft zu dienen und in diesen Aufgaben ein »Hinweis auf Gottes Weltregierung« zu sein. Auf der anderen Seite betonte Heinemann die Grenzen des Staates, die Gefahren, in denen er stünde, indem er sich mit Aufgaben überlaste oder zur Beute von Interessengruppen werde. Als dritte Gefahr, »die eigentliche, die letzte und tiefste«, erschien Heinemann »die apokalyptische Gefahr«: daß der Staat göttliche Ehren beanspruchte und erhielte. Angesichts von Erlebnissen in der NS-Zeit, die »doch noch nicht die wirkliche apokalyptische Gefahr, von der die Offenbarung redet«, gewesen sei, wüßten die Christen wieder, »daß der Staat das Tier aus dem Abgrund werden kann, und das ist ein Anliegen auch von heute und morgen.« Heinemann warnte jedoch davor, »in falschen Gleisen zu denken«, indem man sogleich kritisch an kommunistische Staaten dächte: »Es geht nicht um die große Ost-West-Differenz in der Welt.« Es ginge vielmehr »um eine letzte antichristliche Hybris des Gottmenschen, die durch alle Zeit hindurchgeht und sucht, wo sie sich festsetzen könnte. Das kann überall geschehen.« Als Gegengewicht gegen gefährliche Tendenzen des Staates betonte Heinemann die Bedeutung der Einzelperson, der Familie und gesellschaftlichen Gruppen. In diesem Zusammenhang ist auch sein Eintreten für eine freie Wirtschaftsform zu sehen: »Von da ist wohl auch zu fordern, daß der einzelne Mensch seine eigene wirtschaftliche Selbständigkeit haben muß, um wirklich ein freier Staatsbürger sein zu können.«[83] »Vor allem« aber forderte Heinemann eine »eigenständige Kirche.« Allerdings war er nicht mehr so sicher wie unmittelbar nach dem Kriege, wohin sich die Kirche entwickeln würde. Er schloß die veränderte Fassung seines Aufsatzes über »Demokratie und christliche Kirche« mit dem Satz[84]: »Ob die Arbeiterschaft, die Jugend, die Ostvertriebenen, die noch in Besitz und Bildung verbliebenen Menschen sich der Botschaft des Evangeliums erschließen, wird nicht zum

---

82. GH 21, Sp. 9.
83. GH 15; ganz ähnlich GH 12.
84. GH 8.

wenigsten davon abhängen, ob die christlichen Kirchen jede Bindung an soziale Interessen einzelner Volksteile ablegen und fernhalten werden.«

Angesichts des Ausmaßes an Bedrohung erschien die »Moralische Aufrüstung« mit ihrem gläubigen Vertrauen auf des Menschen Selbstlosigkeit, Reinheit, Ehrlichkeit und Liebe nicht als unproblematisch. Hilda Heinemann reflektierte schon nach ihrem Besuch in Caux 1947:

> »Die Überzeugung, daß jeder ernstlich nach den vier »Absoluten« sich ausrichtende Mensch Gottes Willen erkennt und tut, verwandelt die Gnade des Christus, der als Gottes Sohn zu uns Sündern gekommen ist, in eine menschliche Möglichkeit, durch die wir von uns aus zu Gott kommen. Hier zeigt sich die Gefahr der Selbsterlösung, die feinste Form der Selbstgerechtigkeit. Nur solange aber die Früchte, an denen wir nach den Worten unseres Herrn erkannt werden sollen, nicht losgelöst sind vom Baum des Lebens, nur solange ich also im Glauben an Christus lebe, ist die Gefahr einer schwärmerischen Selbsttäuschung gebannt.«[85]

Bedenken machte Hilda Heinemann auch gegen das »Ziel der Weltverbesserung« geltend, wie es in der Hoffnung von Anhängern der MRA auf »inspirierte Demokratie« sichtbar werde. Unter Bezug auf Barth formulierte sie:

> »Weil Christus Sieger ist, wird es für möglich und gottgewollt angesehen, der Völkerwelt durch Umwandlung ein anderes Gesicht zu geben. Es gibt aber keine Entwicklung zu dieser neuen Welt hin. Die Realität des Bösen läßt sich nicht schrittweise beseitigen. Christus allein ist die neue Wirklichkeit . . .
> Unser Glaube ist Gewißheit wider die Erfahrung. Alle Gottunmittelbarkeit und jede Direktheit der Nachfolge kann nur echt sein, wenn sie sich unter Gericht und Gnade gestellt weiß.«

Ebenso entschieden bezog auch Gustav Heinemann die Geschehnisse und Erkenntnisse auf Jesus Christus. Er weigerte sich, die Erschütterungen der jüngsten Vergangenheit nur als »Betriebsunfall« der Weltgeschichte zu deuten und einen »neuen Idealismus« zu vertreten. »Nun ist die große Katastrophe über uns gekommen. Nun liegt der Arbeitsertrag von Generationen in Schutt und Asche zu unseren Füßen. Nun liegen an die 30 Millionen Menschen erschlagen und umgebracht in den Gräbern aller Kontinente.« Ergebnis der Katastrophe sei »diese Wiederentdeckung des Menschen in seiner ganzen Blöße, in seiner ganzen Verstrickung in das Böse.« »Wir wollen in aller Nüchternheit stehenbleiben beim Bild des Menschen, so wie

---

85. Hilda Heinemann, Nachfolge Christi oder Verwirklichung christlicher Prinzipien. Zur Tagung der »Moralischen Aufrüstung« in Caux, in: Unterwegs, Berlin, Heft 2/1948, S. 34f.

es der Wahrheit und Wirklichkeit entspricht.« »Für diese Menschen aber ließ Christus sein Leben als ihr Bruder . . . Indem Gott seinen Sohn in die Hände der Menschen gab, ließ er ihn unseren Erlöser werden . . . Im Hinblick auf ihn und nur auf ihn dürfen wir hoffen. Gott will uns um des unschuldigen Sterbens seines Sohnes willen annehmen, so wir an ihn als den Auferstandenen glauben.« »Die Wiederentdeckung des Menschen, so wie er wirklich ist, und so wie er um Christi willen dennoch geliebt wird, heißt, die Not des anderen zu unserer eigenen zu machen, auf daß das Zeichen der Liebe in dieser Welt aufgerichtet wird, auf daß wir im geringsten Bruder den nach Gottes Bild Geschaffenen und durch Gottes Barmherzigkeit Erlösten sehen.« Wer teilhabe »an der Würde des Menschen, die uns in Christus geschenkt ist«, werde »zum Dienst befreit«[86].

Das Vokabular und die Gedankengänge entsprachen ganz herkömmlichem evangelischem Predigtstil. Der Dienst aber, den Heinemann meinte, war ja nicht nur der seelsorgerliche und karitative, sondern auch und gerade der kirchenpolitische und politische. Das betonte er immer wieder auf den zahlreichen Tagungen, auf denen er redete, vor dem christlichen Männerwerk, vor evangelischen Frauen, vor Akademikern, auf dem ersten evangelischen Kirchentag, der ihn ins Kuratorium wählte[87]. Zwei Themen sprach er immer wieder an: die Aufgabe des Christen in der Politik und die Einheit der Christenheit.

In der Besinnung darüber, »wo die wahre Einheit der Christenheit liegt«, knüpfte Heinemann wieder an den Kirchenkampf an, den er nach wie vor als Gottes Fügung sah: »Damals war es uns gegeben, als Lutheraner, Reformierte, Unierte gemeinsam kirchlich zu handeln.« Nun sah er die Eisenacher Kirchenversammlung von 1948, ein Ereignis von »besonderer kirchengeschichtlicher Bedeutung«[88], auf derselben Linie[89]: »Dort ist es der evangelischen Christenheit geschenkt worden, nach 400jähriger Getrenntheit in echter brüderlicher Einigung zusammenzufinden.« Es gehe jetzt darum, »ob wir diesen Zusammenschluß festhalten und vertiefen oder durch einen Konfessionalismus, der sich ausschließlich verstehen will, wieder in Frage stellen lassen.« Unablässig forderte er dazu auf, unter Berufung auf das Apostelkonzil der Urkirche zu Jerusalem, als gemeinsame Überzeugung der verschiedenen konfessionellen Richtungen gelten zu lassen, daß alle glaubten, »durch die Gnade des Herrn Jesu Christi selig zu

86. GH 16.
87. Evangelische Welt, Nachrichtendienst der Ev. Kirche von Westfalen 1948: 15. 10.
   (S. 602), 1. 12. (S. 689); 1949: 1. 5. (S. 260), 1. 6. (S. 334), 1. 7. (S. 382), 15. 7.
   (S. 424), 1. 8. (S. 457), 15. 8. (S. 476).
88. GH 12, S. 48.
89. GH 21.

werden.« Das sei gerade auch die Erkenntnis der 1. Weltkirchenkonferenz in Amsterdam, an der Heinemann als Gast teilgenommen hatte, gewesen, »daß man gemeinsam auf dem einen Fundament stehe: Jesus Christus, der Herr der Kirche«[90].

Diese auf die Kirchen bezogenen Formulierungen erhielten ihre politische Bedeutung durch die Entschiedenheit, mit der Heinemann sie konkretisierte: »Niemand kann die Sache der Ökumene ernst nehmen, der nicht gewillt ist, zunächst innerhalb unserer EKD die ökumenische Haltung zu bestätigen, indem wir uns immer wieder darauf besinnen: worin sind wir einig und wie wollen wir es vor dem Herrn der Kirche verantworten, daß wir noch getrennt sind?« Daß Heinemann nicht nur an geistige Kontakte geistlicher Oberhirten dachte, wurde aus der Forderung »sonderlich« an die »Nichttheologen« deutlich, »diese in dem Eisenacher Zusammenschluß sichtbar gewordene Gemeinschaft der evangelischen Christenheit in Deutschland auch gegen die Theologen zu verteidigen und nicht zuzulassen, daß die Gräben des 16. Jahrhunderts wieder aufgerissen werden«[91]. Gewiß waren auch diese Sätze in erster Linie an Christen, an die Laien in der Kirche gerichtet. Wenn aber die Gemeinschaft evangelischer Christen ganz Deutschlands ernst genommen wurde, war das in der Zeit zweier sich bildender deutscher Staaten ein Politikum. Heinemann sah durchaus die politische Bedeutung der EKD: »Ist es wirklich ganz in unser Bewußtsein getreten, daß unsere evangelische Kirche heute die einzige öffentliche Körperschaft ist, die über alle vier Zonen hinweg wirkt?«[92]

Beide Linien, die des politischen und die des kirchlichen Engagements, trafen sich in diesem Blick auf die Menschen, auf die Christen in der DDR. Aber auch dieses Interesse hatte bei Heinemann einen spezifischen Akzent. Wenn er seine Zuhörer auf »das Geschehen in der sowjetischen Zone« aufmerksam machte, präzisierte er sogleich: »Aber nicht in dem Sinne des Ost-West-Konflikts, sondern ausschließlich in dem Sinne, ob wir wirklich an dem Anteil nehmen, was unsere Brüder und Schwestern drüben hinter dem sogenannten eisernen Vorhang als Aufgabe vor die Füße gelegt bekommen haben.«[93] Die Aufgaben (z. B. die Übernahme des Religionsunterrichts durch die Kirche) sah er unter dem Blickwinkel: »Immer da, wo Gott seiner Gemeinde solche Aufgaben gibt, ist es nahe dran, daß Gottes Segen über sie kommt.«[94]

---

90. ebd.
91. ebd.
92. GH 12, S. 48.
93. GH 21, Sp. 6.
94. GH 12, S. 49.

Ja Heinemann konnte sogar das politische und kirchenpolitische Engagement wieder relativieren. Gegen »falsche Erwartungen der Welt« wie z. B. die, die Kirche solle »endlich Frieden schaffen oder die Wohnungsnot beheben oder das Ost-West-Problem lösen«, stellte er das Wort Dietrich Bonhoeffers: »Wer sagt uns eigentlich, daß alle weltlichen Probleme gelöst werden können und sollen? Vielleicht ist Gott die Ungelöstheit dieser Probleme wichtiger als ihre Lösung, nämlich als Hinweis auf den Sündenfall der Menschen und auf Gottes Erlösung!«[95] Die Tat der Kirche sei »das aufgerichtete Zeichen dafür, daß Gott diese Welt zu ihrem rechten Ziel und Ende bringen wird.« Und Christen sollten bangen Fragen nach der Zukunft der Welt

»in aller Fröhlichkeit und Freiheit begegnen und ihr sagen: ›Wir wissen nicht, w a s kommt, wir wissen aber, w e r kommt: Christus kommt!‹ Das ist die Hoffnung, die wir der Welt mitzuteilen haben, um sie zu rufen, daß sie sich auch nach dieser wahren Hoffnung streckt und abläßt von allen Ersatzreligionen, von allen Phantasien, daß sie ruhig und sicher werde in diesem Bewußtsein, daß der Herr der Welt auf uns zuschreitet Tag für Tag. Das wäre es, worauf wir alle uns zu besinnen hätten, in der Kirche und außerhalb der Kirche, in Deutschland, in Europa und darüber hinaus. Europa dankt seine Position, die es in der Vergangenheit in der Welt eingenommen hat, diesem Evangelium von Jesus Christus.«[96]

»Politisch« betrachtet, war das Bild Gustav Heinemanns Ende der vierziger Jahre paradox: äußerlich ein Vertreter westlicher Tendenzen, Europas, der MRA, der CDU, der Staatsgründung – das alles aber im Blick auf den Osten; als Christ engagiert in Politik und Kirche – und doch auf das Handeln Gottes vertrauend; für die Einheit der Deutschen in Staat und Kirche sich einsetzend – und doch dieses Streben selbst in Frage stellend. Schlüssel zum Verständnis, deutlicher als jemals vorher, sein Glaube an Gottes Tat durch Jesus Christus in Vergangenheit, Gegenwart und Zukunft: deshalb die eindringliche Erinnerung an »Stuttgart« und die Hoffnung auf die Zukunft – und das in einer Zeit, als die Heftigkeit der Auseinandersetzungen zwischen dem Glauben an östlichen Sozialismus und dem an westliche Demokratie ständig zunahm.

---

95. GH 21, Sp. 8.
96. GH 21, Sp. 9.

II
Die Zunahme des Ost-West-Gegensatzes in den ersten Monaten der Bundesrepublik Deutschland

1
Die politische Lage 1949

Im Jahre 1949, als die beiden deutschen Staaten entstanden, gewann der Kommunismus in China mit dem Siege Mao Tse Tungs ein riesiges Machtpotential, und die Detonation der ersten sowjetischen Atombombe ließ zukünftige Möglichkeiten nuklearer Bewaffnung der Sowjetunion erkennen. Aber der Vorsprung der USA auf diesem Sektor blieb noch Jahre hindurch groß, und in Europa kam es zu keinen Veränderungen der Machtverhältnisse; im Gegenteil, die bestehenden Fronten verfestigten sich, nicht nur in Deutschland.

Die Sowjetunion brach die Blockade Westberlins im Mai ab und gestand damit zu, daß Westberlin zum Westen gehörte. Der Bürgerkrieg in Griechenland ging im Herbst 1949 mit einer Niederlage der kommunistischen Seite zu Ende. Stalin unternahm keine militärischen Schritte zu ihrer Rettung und ging auch nicht gegen das kommunistische Jugoslawien unter Tito vor, das sich 1948 aus dem sowjetischen Einflußbereich gelöst hatte und nun wirtschaftliche Verbindungen zum Westen hin anknüpfte. Die Sowjetunion festigte ihre Macht in den übrigen 1945 von ihr besetzten Staaten Osteuropas, in denen durch große Prozesse die potentiellen »Titoisten«, das Bürgertum und die Katholische Kirche politisch ausgeschaltet wurden. Gleichzeitig schritt im Westen die Konsolidierung der westlichen Demokratien voran. Die NATO, das im April 1949 abgeschlossene Militärbündnis zwischen den USA, Kanada und den westlichen Demokratien Europas, verstärkte den Schutz dieser Staaten und der in das Bündnis einbezogenen deutschen Besatzungszonen der drei westlichen Siegermächte. Der im Mai 1949 gegründete Europarat sollte das Instrument der politischen Einigung Westeuropas werden.

Die Konsolidierung der beiden Blöcke war von einem gegenseitigen Propagandakrieg begleitet. Die Sowjets setzten dabei auf die Kommunisten in Westeuropa, die besonders in Frankreich und Italien stark waren; die westlichen Mächte stützten das Bürgertum innerhalb des kommunistischen Bereichs. Beide Seiten konnten aber keine Erfolge erzielen, die das politische Gewichtsverhältnis zwischen Ost und West verändert hätten.

Die Gründung der beiden deutschen Staaten wies die typischen Züge der jeweiligen politischen Gegebenheiten auf. Im Osten gab es keine freien Wahlen, sondern der »Deutsche Volksrat«, in dem die SED dominierte, erklärte sich zum Parlament, zur »Deutschen Volkskammer«, nahm die Verfassung an und wählte einstimmig die Regierung der Blockparteien unter Ministerpräsident Grotewohl (SED). Im Westen fanden, nachdem die Mitglieder des Parlamantarischen Rats die Verfassung verkündigt hatten, im Herbst 1949 freie Wahlen statt, die eine schwache relative Mehrheit der CDU gegenüber der SPD ergaben[1]. Die politischen Umstände ließen Konrad Adenauers Initiative den Spielraum, eine große Koalition mit der SPD abzulehnen und eine kleine Koalition mit den Freien Demokraten und der Deutschen Partei unter seiner Führung zustandezubringen[2].

Beide Regierungen verstanden sich als einzig legitime Sprecher Gesamtdeutschlands[3]. Nennenswerte Möglichkeiten, Einfluß im anderen Teil Deutschlands zu nehmen, hatten sie allerdings nicht. Der Osten besaß zwar in der KPD der BRD eine gleichgesinnte politische Gruppe; aber sie hatte nur 5,7% der Stimmen erringen können und stieß auf immer stärkere Reserve der westlichen Besatzungsmächte[4]. Auf dem Gebiet der DDR ließ die östliche Besatzungsmacht nicht zu, daß die in ihrer überwiegenden Mehrheit nichtkommunistisch eingestellte Bevölkerung ihre politische Ansicht artikulierte, und die Blockpolitik der SED sorgte dafür, daß die übrigen Parteien nicht mächtig wurden, zumal Wahlen hinausgeschoben wurden[5].

Für die Evangelische Kirche Deutschlands bedeutete die deutliche Teilung Deutschlands eine Belastungsprobe. Die deutschen Politiker der DDR suchten den Einfluß der Kirche, die in ihrer Mehrheit der

---

1. E. Deuerlein, Deutschland nach dem 2. Weltkrieg, S. 155f, 166ff, 179ff. – G. Binder, Deutschland seit 1945. Eine dokumentierte gesamtdeutsche Geschichte in der Zeit der Teilung, Stuttgart 1969, S. 267ff.
2. Eine Darstellung der Initiative Adenauers von R. Pferdmenges in: P. Weymar, Konrad Adenauer. Die autorisierte Biographie, München 1955, S. 427ff. Dieselben Vorgänge stellt kritisch dar: H. Pünder, Von Preußen nach Europa, 1968, S. 409.
3. Rede Wilhelm Piecks nach seiner Wahl zum Präsidenten der DDR am 11. 10. und Regierungserklärung des Ministerpräsidenten Otto Grotewohl in: Dokumente zur Außenpolitik der DDR I, 12ff und 19ff. – Erklärung Adenauers v. 21. 10. 49, Sten. Berichte des 1. Deutschen Bundestages I, S. 308.
4. KAG 1948/49, S. 2040.
5. Deuerlein, aaO. S. 179ff, 221f.

SED-Herrschaft kritisch gegenüberstand, zu beschneiden, indem sie u. a. die atheistische Propaganda in den Schulen förderten und einzelne Pfarrer protegierten, die in ihrer politischen Zielsetzung mit ihnen übereinstimmten und wegen ihrer politischen Tätigkeit mit ihrer Kirche in Konflikt gerieten. Vertreter der Kirche, vor allem Bischof Dibelius, wandten sich gegen die mangelnde Rechtssicherheit in dem sowjetisch besetzten Gebiet und zweifelten öffentlich die demokratische Legitimität des Staates an[6].

Im Westen war die Lage eher umgekehrt: Bischöfe begrüßten die Entstehung des Staates[7], und Politiker bemühten sich darum, Vertreter der Kirche beim Neuaufbau des Staates zu gewinnen. So bat z. B. Adenauer Heinemann, der einige Monate zuvor von der gesamtdeutschen Synode der EKD einstimmig zu ihrem Präses gewählt worden war, »dringendst«, für den Bundestag zu kandidieren und damit dem Wunsche von Parteifreunden zu folgen, die »nachdrücklichst« auf sein »Ansehen in evangelischen Kreisen« und den »Gewinn« hingewiesen hatten, den sein Name »für die Gesamtpartei bedeutete«[8], – was Heinemann allerdings im Hinblick auf seine anderen Aufgaben ablehnte.

Bei allen Deutschen wurde in der Politik das Trennende stärker als das Gemeinsame empfunden. Dabei waren in allen Besatzungszonen die politischen Freiheiten beschränkt. Keine Besatzungsmacht hatte die Entscheidung über eine deutsche Staatsbildung einer freien Volksabstimmung anvertraut. Die Kompetenzen der beiden Regierungen waren und blieben eng begrenzt[9]. Unbeschränkten Raum ließen sie höchstens für Angriffe auf die politischen Gegner auf der anderen Seite des Eisernen Vorhangs.

Diese Freiheit nutzten Politiker in Bonn und Ostberlin gleichermaßen aus. Jede Regierung (und in Bonn die Opposition) betonte, daß sie vom Nationalsozialismus weg den Weg zu Frieden, Freiheit und zu nationaler Selbstbestimmung für ganz Deutschland ginge, daß aber die Gegenseite an nationalsozialistischen Irrwegen festhielte und die

---

6. KJ 1949, S. 232ff. – KJ 1950, S. 110ff. – Auf dem Wege zur gemeinsamen humanistischen Verantwortung. Eine Sammlung kirchenpolitischer Dokumente 1945–1966. Berlin(-Ost) 1967, S. 190ff.

7. O. Dibelius, Predigt zur Eröffnung des Deutschen Bundestages, epd Ausg.B v. 10. 9. 49. – Schreiben des Rats an die Landeskirchen anläßlich der Bundestagswahl, KJ 1949, S. 45f. – Vgl. auch die Stellungnahme, die D. Hanns Lilje im Auftrag des Rats der EKD zur Schulfrage gegenüber dem Parlamentarischen Rat abgegeben hatte: ». . . empfinden wir Genugtuung darüber, daß es durch die Zusammenarbeit der Parteien gelungen ist, unserem Volk die Anfänge einer staatlichen Ordnung wieder zu geben« (KJ 1949, S. 44).

8. Schreiben Adenauers an Heinemann v. 29. 6. 49 (AH).

9. H. Siegler, Dokumentation zur Deutschlandfrage I, S. 72ff, 79, 83ff, 89f, 90ff.

Spaltung Deutschlands verursache. So trat der Konflikt über die Schuldfrage und ihre Folgen mit der Gründung der Staaten auf einer neuen Ebene in ein neues Stadium, ohne daß sich der Inhalt der Auseinandersetzungen änderte.

2
Kanzler Adenauer und Minister Heinemann

Seine Wahl zum ersten Bundeskanzler gab Adenauer die Möglichkeit, den Zielsetzungen näherzukommen, die er bisher als Vorsitzender der CDU in der britischen Zone verfolgt hatte: der Integration des nichtkommunistischen Teils Deutschlands in den Westen. Schon zwei Monate nach seinem Amtsantritt schloß Adenauer mit den Alliierten das sogenannte »Petersberger Abkommen«, in dem er die Reduzierung der Demontagen gegen die Zusicherung erreichte, daß die BRD als Mitglied der Internationalen Ruhrbehörde beitrat[1].

Dem Ausland gegenüber blieben im übrigen der Initiative des Kanzlers zunächst durch das Besatzungsstatut, das ihm z. B. Außenpolitik zu treiben gänzlich untersagte, enge Grenzen gesetzt[2]. Im Verhältnis zu anderen deutschen Politikern der Bundesrepublik gewann Adenauer jedoch bald eine überragende Machtstellung. Die Sozialdemokratische Partei war wie die KPD in der Opposition einflußlos, die beiden Koalitionspartner FDP und DP bedeutend kleiner als die CDU/CSU. In der CDU fehlte es an einem politischen Gegengewicht, weil die Partei auf Bundesebene noch gar nicht organisiert war und keine andere derart profilierte Persönlichkeit wie Adenauer aufzuweisen hatte. Im Kabinett bestimmte Adenauer dem Grundgesetz gemäß die Politik. Er hatte aus den Zeiten des Parlamentarischen Rats gute Kontakte zu den Alliierten. Vor allem aber gab die Tatsache, daß über die meisten wichtigen Fragen erst Besprechungen mit den »Hohen Kommissaren« nötig waren, dem Kanzler eine Schlüsselstellung: da er zu den Besprechungen selten die zuständigen Kabinettsmitglieder, höchstens seine engsten Mitarbeiter, die Staatssekretäre Globke und Lenz, mitbrachte, war er der einzige wirklich Informierte. Und je mehr Fäden im Kanzleramt zusammenliefen, wo unter seiner unmittelbaren Leitung außen- und später militär-politische Dienststellen eingerichtet wurden, desto mehr festigte Adenauer sei-

---

1. Siegler, Dokumentation I, S. 92ff.
2. ebd. S. 74.

ne Position[3]. Die Leidtragenden bei dieser politischen Gewichtsverteilung waren in erster Linie die Minister im Kabinett.

Zu ihnen gehörte als Innenminister auch Gustav Heinemann. Adenauer war »plötzlich aufgrund eines Beschlusses der Bonner CDU-Fraktion« an ihn mit der Aufforderung herangetreten, als Minister in sein Kabinett einzutreten[4]. Das traf Heinemann überraschend[5] und stellte ihn vor schwerwiegende berufliche und politische Entscheidungen. Er entschloß sich, das Angebot anzunehmen, weil er von protestantischer Seite dazu gedrängt wurde[6] und selbst meinte, »daß es unmöglich war, den Neuaufbau unseres Lebens nur durch fremde Militärregierungen gestalten und vollziehen zu lassen, zugleich aber auch in der Absicht, trotz und gerade wegen aller schon eingetretenen Spaltung einer gesamtdeutschen Lösung den Weg bereiten zu helfen«[7].

Heinemann gab seine Position in den Rheinischen Stahlwerken, wo er 21 Jahre tätig gewesen war, und eine Anzahl anderer unternehmerischer Funktionen in Aufsichtsräten auf und legte auch das Amt des Oberbürgermeisters von Essen nieder; sein Mandat im Landtag von Nordrhein-Westfalen endete mit der Legislaturperiode im Frühjahr 1950. Dagegen hatte er von vornherein den Wunsch, Präses der Synode und Mitglied des Rats der EKD zu bleiben[8]. Darin stimmte er mit Adenauer überein, der gleich in einer ersten Besprechung betonte, er lege Wert darauf, daß Heinemann dieses Amt wegen der Verbindung mit den Evangelischen beibehalte[9]. Damit war der Ratsvorsitzende Dibelius einverstanden.

In der Besprechung wurden auch mögliche Schwierigkeiten zwischen Kanzler und Minister angesprochen. Adenauer erklärte, Heinemanns Verbundenheit mit dem nordrhein-westfälischen Minister-

---

3. Eine gründliche Darstellung gibt A. Baring, Außenpolitik in Adenauers Kanzlerdemokratie. Bonns Beitrag zur Europäischen Verteidigungsgemeinschaft (Schriften des Forschungsinstituts d. Deutschen Gesellschaft für Auswärtige Politik e. V. Bd. 28), München/Wien 1969, S. 1ff.
4. GH 244: Was Dr. Adenauer vergißt. Frankfurter Hefte 11, Juli 1956, S. 459f; Schnittpunkt, S. 95.
5. Schreiben Heinemanns an Graeber v. 22. 9. 49: »Ich war in Bonn nur als nordrheinwestfälischer Wahlmann für die Wahl des Bundespräsidenten engagiert und zweifelte nicht daran, daß mit dieser einmaligen Teilnahme an der sogenannten Bundesversammlung und der dieser obliegenden Wahl des Bundespräsidenten meine Bonner Funktion erschöpft sein würde« (AH).
6. Schreiben an Graeber v. 22. 9. 49 (AH).
7. GH 244, S. 460; Schnittpunkt, S. 95.
8. Schreiben an Graeber v. 22. 9. 49 (AH).
9. Aktennotiz über die Besprechung in Bonn am 15. 9. 49 (AH). – GH 244, S. 460.

präsidenten Karl Arnold stimme ihn bezüglich der Gesamtlinie der von ihm gewünschten Politik bedenklich. Heinemann entgegnete, seine persönlichen Beziehungen zu Arnold seien nach wie vor recht freundschaftlich, dennoch vertrete er wie Adenauer die Linie der kleinen Koalition und der sozialen Marktwirtschaft. In Bezug auf soziale Forderungen wie das Mitbestimmungsrecht und die Eigentumsfrage an den Grundstoffindustrien sei allerdings eine Meinungsdifferenz zu den Koalitionspartnern FDP und DP und zu Adenauer persönlich denkbar. Man traf sich in der Feststellung, daß man sich »erst an die Lösung dieser Fragen herantaste«, und nannte das Ahlener Programm von 1947 und die Düsseldorfer wirtschaftspolitischen Leitsätze von 1949 als gewissen Orientierungsrahmen. Des weiteren betonte Heinemann, daß er eine Förderung der Ostzone für geboten halte und auch für eine Verlegung von Bundesbehörden nach Berlin eintreten würde. Endlich machte er Adenauer darauf aufmerksam, daß er seine persönliche Verbundenheit mit Politikern anderer Parteien wie Jacobi (SPD) oder Renner (KPD) fortzusetzen gedächte, und bat Adenauer, daraus keine Monita zu machen[10].

Die Unterredung ließ erkennen, daß sich beide Politiker bemühten, mögliche Spannungsfelder zu entschärfen. Denn in den Vorjahren war es zwischen ihnen zu Differenzen über Personalentscheidungen gekommen, bei denen unterschiedliche Meinungen über Sachfragen untergründig mitgesprochen hatten[11].

Der wesentliche Unterschied zwischen beiden Politikern war der, daß Adenauers Regierungsstil der demokratischen Auffassung seines Innenministers entgegengesetzt war. Heinemann, der sich stets bemühte, selbst Mitarbeiter heranzuziehen, vermerkte kritisch, daß der Kanzler ihn binnen eines Jahres nicht *einmal* zu einer Besprechung mit den Hohen Kommissaren hinzuzog[12].

Später, zum Gegner Adenauers geworden, beklagte er die »Ämterpatronage einmaligen Ausmaßes ... in diesem neuen Ministerium sowie in den aufzubauenden Auslandsvertretungen«; Adenauer, der »auf alle wesentlichen Personalien Einfluß nahm«, habe »nur ausnahmsweise ... Sozialdemokraten in Positionen des höheren Dienstes zum Zuge kommen lassen«[13]. Damals, Ende 1949, trat Heinemann mit einem Artikel »Die Bonner Verfassung in der Praxis«an

---

10. Aktennotiz über die Besprechung in Bonn am 15. 9. 49 (AH).
11. In seinem Tagebuch vermerkte Heinemann in einem Rückblick auf das Jahr 1947 u. a. »Differenzen mit Adenauer« und am 11. 2. 48, als die Landtagsfraktion der CDU mit Kreisvorsitzenden in Gladbeck tagte: »Scharfe Differenz mit Adenauer«.
12. Mündliche Mitteilung Heinemanns an den Verfasser in Tübingen am 29. 1. 51.
13. GH 244, S. 460; Schnittpunkt, S. 96.

die Öffentlichkeit, in dem er auf den Unterschied zwischen einer »Verfassung auf dem Papier« und einer »Verfassung in lebendiger Anwendung« hinwies[14]:

»Das Amt des Bundeskanzlers tritt nicht allein durch die Person des derzeitigen Inhabers überragend in Erscheinung. Er bestimmt unter formeller Mitwirkung des Bundespräsidenten, wer zum Bundesminister zu ernennen und gegebenenfalls abzuberufen ist; das Parlament kann hierbei nicht eingreifen. Der Bundeskanzler kann nur durch das sogenannte positive Mißtrauensvotum (d. h. unter gleichzeitiger Wahl des Nachfolgers) abgesetzt werden. Mißtrauensvoten für sich allein sind im Grundgesetz nicht mehr vorgesehen. Daraus hat sich z. B. im Falle des Petersberger Abkommens das Problem ergeben, wie der Bundestag Billigung oder Mißfallen zu bestimmten Handlungen der Bundesregierung ausdrücken kann.«

Im folgenden wirkt der Aufsatz wie ein vorsichtiges Abtasten der Grenzen, die auch dem Bundeskanzler rechtlich und politisch gesetzt waren:

»Es zeichnen sich Ausweichlösungen ab, entweder in Form von parallelen Fraktionserklärungen oder von Anträgen zu Meinungsäußerungen über rechtliche oder methodische Fragen.

Der Bundeskanzler bestimmt die Richtlinien der Politik; im übrigen handelt die Bundesregierung kollegial. Auch der Kanzler ist innerhalb dieses Kollegiums hinsichtlich seiner Befugnisse ein Mitglied wie jedes andere. Wer mit dem Kurs des Kanzlers nicht einverstanden ist, kann zurücktreten, doch werden in einer Koalitionsregierung alle grundsätzlichen Fragen wechselseitig abgestimmt.«

Zu einer gemeinsamen Absprache der Minister über die Grenzen der Befugnisse des Kanzlers war jedoch keine Gelegenheit. Dazu war der Kontakt unter ihnen nicht intensiv genug. Dazu nahm auch der Aufbau der Ressorts die Minister viel zu sehr in Anspruch.

Als Heinemann nach Bonn kam, war das Innenministerium »nichts als eine leere Kaserne ohne Menschen und Möbel. Es war in jeder Beziehung von Grund auf zu organisieren«[15]. Binnen weniger Monate mußten 220 Mitarbeiter eingestellt werden. Die Kompetenz des Ministeriums war so umfangreich, daß es in 13 von 39 Bundestagsausschüssen vertreten war und eine Fülle von Gesetzentwürfen zu bearbeiten hatte. Sie betrafen das Beamtenrecht, die Wiedergutmachung, Ein- und Auswanderung, Staatsangehörigkeit; die Neugliederung des Bundesgebiets, Presse, Rundfunk, Film; Gesundheitswesen, Fürsorge, Sport. Mit den Ländern wurde über Polizei, Kriminalpolizei und über ein deutsches Jugendwerk verhandelt[16].

---

14. GH 17: Die Welt 20. 12. 49.
15. GH 244, S. 460; Schnittpunkt, S. 96.
16. GH, Rede über seinen Aufgabenbereich, Frühjahr 1950 (msl, AH).

Trotzdem nahm sich Heinemann noch die Zeit für sein wichtigstes Anliegen: die Begegnung von Kirche und Welt. Er beteiligte sich mehrfach an Aussprachen zwischen Theologen und Politikern, Theologen und Journalisten, Theologen und Filmproduzenten[17]. Er nahm regelmäßig an den Sitzungen des Rats der EKD teil und fuhr zu dem Zweck auch als erster Bundesminister in die DDR[18]. Mit 16 anderen Persönlichkeiten aus West- und Ostdeutschland rief er zu einer Stiftung »Kirche für die Welt« auf[19]. Zum Reformationstag 1949 sprach er neben Bischof Dibelius vor einer Versammlung, die eine Entschließung annahm, in der sie die Glaubensgemeinschaft der ost- und westdeutschen Christen betonte[20].

Im Gespräch und im Briefwechsel mit Gliedern der evangelischen Kirche wurden auch die Grundsatzfragen weiter erörtert, die Heinemanns Eintritt in die Bundesregierung aufgeworfen hatte. Die Bedenken, die im Berliner »Unterwegs-Kreis« der Bekennenden Kirche laut wurden, formulierte Georges Casalis, damals französischer Garnisonpfarrer in Berlin[21]. Er fürchtete, Heinemanns Mitgliedschaft in der Bundesregierung könne als Alibifunktion dienen, um herrschende katholisierende Neigungen zu verbergen; sein Doppelamt in Staat und Kirche bedeute »für jeden Kommunisten, aber auch für viele Christen im Osten und im Westen eine Vermengung von verschiedenen Interessen« und für die evangelische Kirche im Osten eine »Kompromittierung«. Außerdem hielt er es für möglich, daß das deutsche Volk eines Tages die Politiker der ersten Stunde, die mit den Besatzungsmächten eng zusammenarbeiten mußten, wegfegen würde, so daß sich die Frage stelle, ob ein Politiker nicht lieber auf eine Zeit warten sollte, in der er »eine politische Verantwortung übernehmen kann, die nicht von vornherein belastet ist«. Trotz dieser Einwände riet Casalis Heinemann, sein Amt weiterzuführen, im Bewußtsein dieser Gefahren.

Heinemann antwortete nach gründlicher Überlegung und Rücksprache u. a. mit Pastor Graeber[22]. Er räumte ein, Casalis habe Ein-

---

17. Evangelische Welt 1949: 16. 11. (S. 663, 667). 1950: 1. 1. (28), 1. 3. (149), 16. 3. (185, 189), 16. 5. (314), 1. 6. (337, 349, 351f), 16. 6. (375, 381), 1. 7. (407, 410, 442, 444, 478).
18. Das betont Walter Henkels: »Er wohnt in einer Feldwebelstube«, Bonner Köpfe XIV, Essener Tageblatt 7. 5. 50.
19. KJ 49, S. 72ff.
20. Evangelische Welt 16. 11. 49, S. 663.
21. Schreiben an Heinemann v. 25. 10./18. 11. 49. – Ähnlich Pastor Rudolf Weckerling, Schreiben an Heinemann v. 12. 10. 49 (AH).
22. Das Schreiben Heinemanns v. 20. 1. 50 ist an seine Schwägerin Gertrud Staewen, Berlin, gerichtet, die es an Casalis und den Unterwegs-Kreis weitergeben sollte. – Schreiben Graebers an Heinemann v. 19. 12. 49 (AH).

wendungen erhoben, die er sich selber auch mache; doch hielt er sie nicht für durchschlagend. Politisch sei Mitarbeit einfach nötig:

»Es mag sein, daß die sogenannte erste Garnitur dieser Nachkriegspolitik einmal fortgefegt wird, wie ja überhaupt Undank der politischen Welt Lohn ist. Dennoch kann ich mich der vielbeliebten Enthaltsamkeit nicht anschließen, weil die Not groß ist und wir alle miteinander keine Zeit haben, in Attentismus zu machen. Täten wir es wirklich alle, was sollte dann werden?«

In Bezug auf die Katholiken differenzierte Heinemann:

»Meine Mitwirkung in Bonn mag seitens mancher Katholiken als eine Alibi-Versicherung begrüßt sein. Sicherlich wird sie seitens anderer Katholiken ebenso sehr loyal im Sinne wirklicher Zusammenarbeit gewünscht. Auch der sogenannte Katholizismus ist hierin keine einheitliche Größe.«

Heinemann bejahte »bei unerschütterlicher Bewußtheit des kirchlich theologischen Gegensatzes« die *politische* Zusammenarbeit, »und zwar in der CDU, weil keine andere Partei in ihrer Führung für Politik aus christlicher Verantwortung aufgeschlossen genug ist und weil ferner eine lediglich evangelische Partei bei der Rückständigkeit des evangelischen Volksteils gegenüber den öffentlichen Dingen gegenwärtig nicht kräftig genug sein könnte«. Das von ihm vertretene Mehrheitswahlrecht liefe ohnehin letztlich auf ganz wenige Parteien hinaus, »von denen sich dann allerdings keine mehr ›christlich‹ firmieren dürfte und würde«.

Entschieden verteidigte Heinemann seine Doppelfunktion in Kirche und Staat:

»Meine kirchlichen Ämter sind um Jahre älter als meine politischen. Wir haben jahrelang aufgerufen, daß evangelische Menschen sich für politische Verantwortungen zur Verfügung stellen sollen. Wenn es denn dazu kommt, darf den Betroffenen nicht der kirchliche Ast abgesägt werden. Das wäre nicht nur eine Unbarmherzigkeit, sondern obendrein eine Torheit, weil es den ganzen Aufruf zur öffentlichen und politischen Verantwortung unglaubwürdig machen würde. Sicherlich ist es richtig, daß ich in mein derzeitiges politisches Amt nicht zuletzt gerade auch wegen meiner kirchlichen »Hausmacht« geholt worden bin, so wie ja jeder Politiker in einer Regierung etwas mitbringen muß. Wer aber solches grundsätzlich verwerfen will, kennt nicht die Spielregeln des politischen Lebens und sollte von vornherein nicht zu politischer Verantwortung der Gemeindeglieder aufrufen.«

Auf die Frage nach den Rückwirkungen der Doppelfunktion auf Christen und Nichtchristen in der DDR ging Heinemann jedoch in diesem Briefe, der mehr das grundsätzliche Verhalten des Protestanten zur Politik zum Inhalt hatte, nicht ein.

Problematisch war aber gerade die praktisch-politische Zielsetzung der Regierung Adenauers. Die Frage war, ob sie nicht negative Aus-

wirkungen auf die Deutschen im anderen Teil Deutschlands, die Heinemann so sehr am Herzen lagen, haben mußte; denn Adenauer gab
bereits ein Vierteljahr nach seiner Regierungsbildung zu erkennen,
wie eng er die BRD an den Westen anlehnen wollte.

Anfang Dezember 1949 erklärte er in einem Interview mit einer
amerikanischen Zeitung, Deutschland »sollte zur Verteidigung in
einer europäischen Armee unter einem Kommando der europäischen
Armee ... beitragen«[23]. Als das Interview großes Aufsehen erregte,
schwächte Adenauer zwar seine Aussage ab: er habe eine Nationalarmee abgelehnt und sich gegen die Rekrutierung von Deutschen als
Söldner in fremden Armeen ausgesprochen[24]. Wesentlich war aber,
daß Adenauer seine Bereitschaft zur Teilnahme an einer Europaarmee nicht zurückzog, sondern deutlich immer wieder zum Ausdruck
brachte. Bewußt benutzte er die Interviews als Mittel, Ideen, die noch
als tabu galten, in die westliche Öffentlichkeit zu tragen[25]. Noch hielt
die offizielle Politik der westlichen Siegermächte an dem Potsdamer
Beschluß fest, Deutschland zu entmilitarisieren; aber einzelne amerikanische Senatoren und Generäle forderten öffentlich eine Aufrüstung Westdeutschlands[26]. Im Hinblick auf derartige Nachrichten
ließ Adenauer seine Bereitschaft zum Mittun erkennen.

---

23. Die wichtigsten Teile des Interviews mit dem Cleveland Plain Dealer, Ohio, 4. 12.
    49, sind abgedruckt bei G. Wettig, Politik im Rampenlicht, S. 96f. – Adenauers
    Darstellung in den Erinnerungen I, S. 341ff.

24. Interview mit der dpa, 4. 12. 49 (Text bei Wettig, aaO. S. 97f), und Interview mit
    der Times, 4. 12. 49 (Text bei Weymar, Konrad Adenauer, S. 494f). Adenauer hat-
    te sich vorher schon mehrfach ähnlich geäußert: in einem Interview mit »L'Est Ré-
    publicain« (12. 11. 49; Wettig, aaO. S. 95f). – Interview Adenauers mit der Zei-
    tung »L'Epoque« am 20. 11. 49 (vgl. EA 1949 S. 2695; Bremer Nachrichten 21. 11.
    49). – Interview Adenauers mit dem »Castrop-Rauxeler Tageblatt«, das am
    3. 12. 49 veröffentlicht wurde, aber schon Monate zurücklag (A. Azzola, Die Dis-
    kussion um die Wiederaufrüstung der BRD vom November 1949 bis zum Dezem-
    ber 1950, msl. Marburg 1962, S. 64).

25. Er tat das übrigens zu einem Zeitpunkt, als die Auseinandersetzungen in der west-
    lichen Presse über diese Frage schon wieder abnahmen. – Adenauers weitere Stel-
    lungnahmen: Presseverlautbarung v. 5. 12. (Text in: Adenauer, Erinnerungen I,
    S. 342f). – Rede auf dem Parteitag des CDU-Landesverbandes Rheinland in Düs-
    seldorf 7. 12. (FAZ 8. 12., DNZ 9. 12., Text bei Weymar, K. Adenauer, S. 495,
    und in: Adenauer, Erinnerungen I, S. 344f). – Rede vor dem CDU-Vorstand des
    Rheinlands in Königswinter 9. 12. (NZZ 11. 12., Stuttgarter Nachrichten 10. 12.,
    Text bei Weymar, aaO. S. 496). – Erklärung Adenauers im Bundestag am 16. 12.
    (Sten. Berichte, 24. Sitzung, S. 734f). – Vgl. Wettig, aaO. S. 92ff. – Ders., Entmili-
    tarisierung und Wiederbewaffnung in Deutschland 1943–55, S. 284ff. – A. Baring,
    Kanzlerdemokratie, S. 71ff.

26. G. Wettig schildert genau die Stimmen der Militärs und Journalisten (Entmilitari-
    sierung, S. 273ff). Die ablehnenden Stellungnahmen der amerikanischen Regierung
    werden bei ihm weniger deutlich (ebd. S. 280f). Präsident Truman und Staatssekre-

Adenauers Interviews wirbelten in der Weltöffentlichkeit viel Staub auf. Sie riefen eine überwiegend negative Reaktion hervor. Die alliierten Regierungen sprachen sich entschieden gegen westdeutsche Soldaten aus[27], ebenso wie die Mehrheit der aus- und inländischen Pressekommentatoren und Politiker bis zum Bundespräsidenten Heuss[28]. Die Tendenz der kritischen Kommentatoren war allerdings unterschiedlich. Nur auf der Linken erkannte man deutlich, daß Adenauers Interviews ein Stück bewußter Politik darstellten, und besonders die KPD attackierte Adenauer deshalb heftig[29]; aber ihre radikale Kritik beeindruckte wenige, da man von der äußersten Linken nichts anderes gewohnt war. Die »Bürgerlichen« betonten in ihren Stellungnahmen stärker den Akzent, daß Adenauer ja eine Nationalarmee ausdrücklich abgelehnt hätte, und ließen sich eher durch seine Ausführungen zu einer Grundsatzdebatte über Militärfragen veranlassen als zu einer konkreten Kritik an Adenauers Außenpolitik[30].

Heinemann gehörte nicht zu denen, die mit Adenauers Interviews einverstanden waren, aber auch nicht zu denen, die des Kanzlers Zielsetzung wirklich durchschauten. Er hielt (und hält) Adenauers Äußerungen »am Anfang« für »gegensätzlich«[31], und verkannte damit, daß sie zumindest in einem Punkte eindeutig waren: was die Bereitschaft Adenauers zur Stellung eines Kontingents deutscher Truppen in einer Europaarmee anbetraf.

Daß Heinemann Adenauers Äußerungen nicht kritischer betrachtete, lag wohl daran, daß er im übrigen mit des Kanzlers Politik weitgehend übereinstimmte. Das galt für sein eigenes Ressort: er konnte als Innenminister Adenauers Forderung nach einer Bereitschaftspolizei auf Bundesebene nur unterstützen, denn angesichts der geringen Stärke, der unzureichenden Bewaffnung und der radikalen Dezentralisation der Länderpolizei lag auch ihm an einer größeren Effektivität der Sicherheitsorgane[32]. Er stimmte dem Kanzler auch in den Hauptpunkten seiner Außenpolitik zu. Daß die Demontagen reduziert wurden, daß die BRD in die Ruhrbehörde eintrat, lag alles auf der schon von ihm als Oberbürgermeister vertretenen Linie. Grundsätzlich traf

---

tär Acheson sprachen sich energisch gegen deutsche Soldaten aus (New York Times 17. 11. 49 S. 2, 18. 11. S. 5, 15. 12. S. 2).
27. Wettig, Entmilitarisierung, S. 288.
28. Heuss' Interview mit der ap in DNZ 9. 12. 49. – Ablehnende Voten von Pünder (CDU), Arnold (CDU): Bremer Nachrichten 12. 12. 49; von Mende (FDP), Lücke (CDU), Bazille (SPD): Bremer Nachrichten 15. 12.
29. Erklärung der kommunistischen Fraktion am 16. 12. 49: Sten. Berichte des 1. Deutschen Bundestages I, S. 737ff. – Dokumente der KPD 1945–56, S. 209ff, 239.
30. Siehe Anm. 29.
31. Schreiben an den Verfasser vom 25. 8. 69.
32. Wettig, Entmilitarisierung, S. 299f.

sich Heinemann auch mit Adenauer in der Bejahung einer Aussöhnung mit Frankreich, die Adenauer trotz der französischen Saarpolitik betrieb. Heinemann trug auf kirchlichem Felde dazu bei, als er im Auftrage der EKD Kontakte zu den französischen Protestanten festigte[33].

Allerdings zeigten gerade diese Kontakte die charakteristischen Unterschiede zwischen Kanzler und Minister. Ging es dem Kanzler primär um eine Aussöhnung zwischen dem französischen und deutschen Volk, damit die beiden den Kern der politischen Einheit »Europa« bilden könnten, so ging es Heinemann primär um die Beziehung zu einer Nachbar-Kirche, die sich einst im Vertrauen auf Gott gegründet und seitdem in Jahrhunderten im Gegensatz zum Staat behauptet hatte[34]. Die wahre Einheit Europas lag ja für ihn nicht, wie für Adenauer, in einer großen Geschichte begründet, sondern »in der gemeinsamen Demütigung«, die er über die Völker Europas, Sieger und Besiegte, gekommen sah und die er als »Fingerzeig« der Gnade Gottes deutete[35].

Aber solche Unterschiede wirkten sich doch nicht so aus, daß es zu abweichender Beurteilung der politischen Situation durch Heinemann gekommen wäre. Eher war das schon auf wirtschaftspolitischem Felde der Fall. Heinemann sah Anfang 1950 mit Besorgnis, wie sich die CDU von ihrem Ahlener Programm entfernte. Er suchte in einem Zeitungsartikel den Gedanken zu verbreiten, daß den Aktionären die Hälfte ihres Stimmrechts genommen und dieses auf verschiedene gewerkschaftliche und öffentlich-rechtliche Gremien übertragen würde, stieß jedoch auf wenig Anklang[36].

Doch gehörten weder wirtschafts- noch militärpolitische Entscheidungen in den eigentlichen Fachbereich des Innenministers, und auch auf diesen beiden Feldern fielen keine grundsätzlichen Entscheidungen, die Heinemann mißbilligt hätte, ebensowenig wie es aktuelle Konflikte mit Adenauer gab[37]. So waren die Worte Heinemanns an seine

---

33. Er nahm an einer Zusammenkunft französischer und deutscher Protestanten in Speyer teil (Evangelische Welt 1. 4. 50, S. 200. – Text der Erklärung auch KJ 50, S. 34) und sprach als Vertreter der EKD auf der Reformierten Synode in Nîmes in Frankreich (s. GH 28).

34 GH 28: Ansprache auf der Reformierten Synode in Nîmes.

35. GH 21, Sp. 9: Vortrag über »Evangelische Kirche heute«.

36. GH 18a: »Die Eigentumsfrage im Ruhrbergbau«, anonym, Die Welt 3. 1. 50. – Entgegnung »aus Kreisen der Verwaltung eines Zechenunternehmens«: »Kohlenbergbau und Gesetz 75«, Die Welt 13. 1. 50. – Vgl. auch »Umstrittene Zechenordnung«, Die Welt 15. 2. 50.

37. Adenauer hütete sich nach der negativen Reaktion der Öffentlichkeit auf seine Interviews, auf seine militär-politischen Vorschläge zurückzukommen (Wettig, Entmilitarisierung, S. 288. – Baring, aaO. S. 73).

evangelischen Mitchristen in der Bekennenden Kirche weniger auf einen aktuellen Punkt bezogen, vielmehr grundsätzlich gemeint, als er sie bat, »allen Fortgang kritisch zu beobachten und mir nach ihrer Verantwortung je und dann zu sagen, wo der Kurs zweifelhaft oder gar falsch wird. Ich sitze locker genug im Sattel, um heruntersteigen zu können; denn der Ehrgeiz packt mich nicht. Ich weiß zur Genüge, was in der Bibel über die sogenannten Großen steht«[38].

3
Niemöllers Denkanstöße

Daß die Diskussion über den Weg der Bundesrepublik um die Jahreswende 1949/50 stärker entfacht wurde und auch in den folgenden Monaten trotz Adenauers Zurückhaltung nicht ganz wieder aufhörte, ist vor allem auf Martin Niemöller zurückzuführen. Form und Inhalt einiger Bemerkungen von Niemöller und Propst Grüber erregten die Öffentlichkeit und beschäftigten den Rat der EKD und besonders Heinemann. Die Auseinandersetzungen zeigten symptomatisch die wachsenden Schwierigkeiten an, die einer rationalen Erörterung der deutschen Frage in den ersten Monaten der Bundesrepublik im Wege standen, und machten psychologische Hintergründe deutlich, die die Diskussion mitbestimmten.

Heinemann und Niemöller waren sich in der Beurteilung der kirchlichen Lage in wesentlichen Punkten einig: in der Ablehnung eines Rückgriffs auf die verschiedenen Bekenntnisse des 16. Jahrhunderts und der Wiederherstellung hierarchischer Strukturen in der Kirche wie in dem Verständnis der EKD als wirklicher Kirche. Unterschiedlich urteilten die beiden auf politischem Gebiet. Wie Niemöller die Gründung der BRD abgelehnt und sich an der ersten Bundestagswahl mit der Begründung nicht beteiligt hatte, sie bedeute die Spaltung Deutschlands, so mißbilligte er auch Heinemanns Entschluß, als Minister in die Bundesregierung einzutreten[1]: »Wenn ich in Deutschland gewesen wäre, wäre er bestimmt nicht Innenminister geworden. Ich hätte ihn beschworen, die Finger davon zu lassen. Denn die Kirche kann sich nicht mit einer Partei und einem Parteiprogramm identifizieren.«

In einem besorgten Brief an Heinemann stellte er ihm seine Beden-

38. Brief an G. Staewen v. 20. 1. 50 (AH).
 1. D. Schmidt, Martin Niemöller, S. 203f.

ken wegen der deutschen Entwicklung dar[2]. Zwei Gedanken waren es, die er auf einer Australienreise und nach seiner Rückkehr immer wieder in der Öffentlichkeit äußerte. Der eine betraf die Deutschen im Osten, deren Lage Niemöller so sah:

»Wir müssen mit großem Ernst darauf hinweisen, daß viele Menschen im Osten unter einem schweren seelischen Druck stehen, weil sie nicht mehr frei sind zu sprechen und zu handeln, wie sie es in freier Gewissensentscheidung glauben verantworten zu müssen: sie fürchten für Leben und Besitz, wenn sie sagen wollten, was sie denken; sie klagen, daß ihnen die eigentlichen und entscheidend wichtigen ›Menschenrechte‹ genommen werden. – ... Wo diese Freiheit der persönlichen, verantwortlichen Entscheidung preisgegeben wird, da hört der Mensch auf, Mensch zu sein ... Und diese drohende Gefahr ist unsere eigentliche Sorge im Blick auf den ›Osten‹ ...«[3]

Der zweite war die Furcht vor einem Kriege, falls die weltpolitischen Reibungsflächen im gespaltenen Deutschland sich weiter erhitzten. Um die Kriegsgefahr zu verringern und den Deutschen in der DDR zu helfen, schlug Niemöller mehrfach die Wiedervereinigung Deutschlands unter UN-Kontrolle vor[4].

Diese Überlegungen fanden in der Öffentlichkeit wenig Resonanz – um so mehr aber zwei Thesen über die Deutschlandfrage, die Niemöller in Gesprächen mit Journalisten geäußert haben sollte. Die Amerikanerin Marguerite Higgins veröffentlichte den Extrakt eines einstündigen Gesprächs mit dem Kirchenpräsidenten unter der Überschrift: »Niemöller versichert, Deutschland würde rotes Regime der Spaltung vorziehen, sagt aber, er hoffe, daß ein dritter Weg gefunden werden könne, um Deutschland als Nation am Leben zu lassen.« Nach Miss Higgins hatte Niemöller »ohne Zögern« die Frage bejaht, ob die Deutschen für die Wiedervereinigung bereit sein würden, kommunistisch zu werden[5]. Gleichzeitig meldete der »Wiesbadener Kurier«, Niemöller habe die Wahlen zum ersten Bundestag als unehrlich bezeichnet, da man die Bevölkerung nicht gefragt habe, ob sie überhaupt einen westdeutschen Staat wünsche: »Er ist meiner Meinung nach ein Kind, das im Vatikan erzeugt und in Washington geboren wurde.«[6]

---

2. Darauf bezieht sich Heinemann in einem Brief an Niemöller v. 7. 11. 49 (AH).
3. StdG Okt. 49, Nr. 10, S. 1ff.
4. Er tat das schon auf seiner Reise in Australien und den USA (KJ 49, S. 258), nach seiner Rückkehr zuerst in einem Interview in Frankfurt am 29. 11. (JK Jan. 1950, S. 36).
5. New York Herald Tribune 14. 12. 49, übers. im Wiesbadener Tageblatt 16. 12. und im KJ 49, S. 240f.
6. Wiesbadener Kurier 16. 12. 49: »Niemöller bezeichnet Bund als katholischen Staat.« – Abdruck (ohne den Titel) im KJ 49, S. 241f.

Beide Äußerungen riefen in der Öffentlichkeit Entrüstungsstürme hervor; Theologen, Politiker und Journalisten meldeten sich zu Wort. Empört rechtfertigten Zeitungen die Gründung der BRD und bestritten konfessionelle Gegensätze und ein Übergewicht der Katholiken. Entschieden lehnte man Niemöllers angebliche Meinung von einer der Spaltung vorzuziehenden Wiedervereinigung unter kommunistischer Herrschaft ab[7].

Die Reaktion der Öffentlichkeit auf Niemöllers Thesen zum Katholizismus war verständlich, denn seine Formulierungen, auch die in späteren Erklärungen, waren angreifbar und wurden der Lage nicht gerecht[8]. Erstaunlich aber war, daß viele Niemöllers angebliche Meinung über die Wünschbarkeit einer kommunistischen Wiedervereinigung sofort für bare Münze nahmen, obwohl sie den früheren Auslassungen des Kirchenpräsidenten stracks zuwiderlief und Niemöller sofort dementierte: seine Äußerungen gegenüber Miss Higgins hätten sich auf den Kriegsfall bezogen, für den Niemöller allerdings weiterhin eine Beteiligung Deutscher ablehnte. Die Hauptsache, so betonte er, sei für ihn die Frage, wie die politischen Reibungsflächen in Deutschland verringert werden könnten[9]. Aber nur wenige nahmen diese Berichtigung überhaupt zur Kenntnis. Wochenlang wurde weiter gegen Niemöller polemisiert.

Heinemann beteiligte sich nicht direkt an den erregten Auseinandersetzungen; aber er förderte die Diskussion über Niemöller und seine Thesen indirekt. Er ließ eine Rede von sich drucken, in der er dem Urteil eines dänischen Geistlichen beigepflichtet hatte, der Niemöller für »Deutschlands größtes Aktivum in der Welt« hielt[10], und er suchte die Diskussion auf die eigentlichen Sachfragen zurückzuführen, indem er Niemöller Gelegenheit zu erneuter Darstellung seiner Überlegungen gab. Niemöller tat das mit Heinemanns Einverständnis in einem offenen Brief an seinen »lieben Freund Heinemann«[11], und der Minister wiederholte in einer öffentlichen Erklärung die Hauptpunkte der Argumentation Niemöllers und gab grundsätzlich zu bedenken,

---

7. z. B. Kölnische Rundschau 17. 12., Die Welt 19. 12., Stuttgarter Zeitung 20. 12. 49.
   – Überblick in: Evangelische Welt 16. 1. 50, S. 56ff, 64.
8. Wenn Niemöller von einer »Einbuße des Protestantismus« durch die »Amputation Ostdeutschlands« und der Grenzziehung des Eisernen Vorhangs sprach, verfiel er in eine merkwürdige konfessionelle Geographie; denn er sprach nicht von der Dezimierung ostdeutscher Menschen, sondern Landesteile, und verlor den geistlichen Aspekt aus dem Auge (KJ 49, S. 246f; dazu Thielicke, KJ 49, S. 247f).
9. Sein Dementi, das am 16. 12. im Wiesbadener Tageblatt erschien, wurde vom epd am 20. 12. verbreitet. Text KJ 49, S. 242ff.
10. GH 21, Sp. 4.
11. Der Brief ging an alle Presseagenturen. Text: StdG Jan. 1950, S. 2f; Evangelische Welt 1. 1. 50, S. 1ff; KJ 49, S. 250ff; JK 11, Heft 1, Jan. 1950, S. 19ff.

daß durch Interviews oft Unheil angerichtet werde,»wenn einzelne
zugespitzte Sätze aus dem Rahmen eines Gesamtgesprächs herausgeschnitten und auf eine unvorbereitete Leserschaft losgelassen würden«, wofür Niemöllers Interviews »klassische Beispiele« gewesen
seien[12].

In seinem Brief an Heinemann ging Niemöller von der doppelten
Voraussetzung aus, daß es auf die Dauer keinen Frieden in einem
gespaltenen Deutschland geben könne und daß dies Problem seit der
»Schaffung zweier deutscher Pseudostaaten«, in denen »sich lediglich
der Antagonismus zwischen Ost und West spiegelt«, nur noch schwieriger geworden sei. Es sei ein Ausweg zu suchen, auf dem die »klaren
Feststellungen des Potsdamer Abkommens, wonach eine einheitliche
Verwaltung Deutschlands vorgesehen war«, wieder zur Geltung gebracht werden könnten. Wenn die vier Besatzungsmächte sich nicht
einigen könnten, so sei die Frage, »ob denn nicht die Vereinten Nationen dazu in die Lage versetzt werden könnten.« Niemöller forderte, »deutsche Politiker hätten vor allem anderen die Verpflichtung,
unter klarer Aufzeigung der drohenden Gefahren die Besatzungsmächte davon zu überzeugen, daß sie um des künftigen und dauernden Friedens willen nichts Besseres tun könnten, als den Weg zur
Aufhebung der friedensgefährdenden Zerreißung des deutschen Volkes freizugeben«. Zwar sei die Frage offen, »ob die Besatzungsmächte
um des künftigen Friedens willen ihre strategischen Positionen im
äußersten Westen und Osten Deutschlands aufzugeben bereit sind«.
Wenn aber die UN die Besetzung Deutschlands übernähme, fiele »der
Eiserne Vorhang in sich selbst zusammen«[13].

Heinemanns Hoffnung, daß nun »das weitere Gespräch bei den
sachlichen Anliegen stehenbleibt«[14], erfüllte sich jedoch nicht. Wo
der Brief in der Presse wiedergegeben wurde, setzte man sich noch
längst nicht damit auseinander; und wo er kommentiert wurde, über-
wogen abfällige Kritiken. Deren Charakteristikum war es, daß die
Ablehnung von Niemöllers Idee einer UN-Besatzung für Deutschland
nicht etwa im Ton des Bedauerns gehalten war, sondern pathetisch
oder höhnisch klang – ohne daß die Verfasser einen anderen Weg zur
Beseitigung der deutschen Reibungsflächen vorbrachten[15]. Mehrere

---

12. GH 20: »Was sagte Pastor Niemöller wirklich?«
13. Siehe Anm. 11.
14. GH 20.
15. KJ 49, S. 244ff. – Christ und Welt 29. 12., 5. 1., 26. 1., 2. 2. – Kölnische Rundschau
   29./30. 12. – Deutsche Tagespost 7. 1. – Wiesbadener Kurier 19. 12. – Darmstädter
   Echo 4. 2. – Frankfurter Rundschau 4. 1. – Frankenpost 24. 12. – Der Kurier
   27. 12. – Die Zeit 5. 1. – Die Junge Kirche spricht von dem »gleich so ungeheuer
   befehdeten Brief« Niemöllers (Jan. 50, Sp. 37). – Typisch der Kommentar der Hes-

Kritiker machten es sich noch einfacher, indem sie trotz der ihnen bekannten Berichtigungen weiter gegen die angebliche Vorliebe Niemöllers für ein kommunistisches Gesamtdeutschland zu Felde zogen. Zu ihnen gehörte der Theologieprofessor Thielicke, der Niemöllers angebliche Haltung auf die »Sympathie Barths für den Osten« zurückführte, dessen »gewisse Harmlosigkeit« in Bezug auf den Kommunismus Niemöller übernommen habe[16]. Unter den kirchlichen Blättern polemisierte besonders die Gerstenmaier nahestehende Wochenzeitung »Christ und Welt« gegen Niemöller[17], obwohl die Zeitung selbst einen Vorschlag unterbreitete, der von denselben Grundgedanken ausging wie Niemöller[18].

Heinemanns Ansicht, »wenn man den Dingen auf den Grund geht, löst sich der aus ihnen erwachsene Ärger erfreulicherweise auf«[19], erwies sich also als falsch. Die Leidenschaft der Stellungnahmen ließ den Schluß zu, daß es sich bei dem »Fall Niemöller« nicht nur um die Beurteilung einer Person und äußerer politischer Tatsachen handelte, sondern um psychologische Grundprobleme der Westdeutschen selbst. Ihre Furcht vor dem Osten und ihre Hoffnung auf den Westen waren so groß, daß es ihnen ständiges Bedürfnis war, sich vom Osten zu distanzieren[20]. Sie identifizierten sich schon so mit dem Staat, den

---

sischen Nachrichten 13. 1. 50: »Mit dem Stalinismus und der von ihm geduldeten und geleiteten ›östlichen Kirche‹ brauchen wir keine Gespräche mehr. Wir kennen zur Genüge ihren Geist der Unmenschlichkeit, der Barbarei und der Menschenverachtung. Wer hier noch ›Gespräche‹ führen will, hat, ohne es zu wissen, seine eigene Position bereits aufgegeben. Niemöller rümpft die Nase und spricht verächtlich von ›Schwarz-weiß-Propaganda‹. Ein gefährliches Beginnen, die Teufeleien des 20. Jahrhunderts bagatellisieren zu wollen! Oder will Niemöller nichts hören und sehen von dem, was unsere Kriegsgefangenen, ihre Angehörigen, ihre Hinterbliebenen, was all die Opfer der bolschewistischen Tyrannei bewegt?«
16. Es erwähnen die Berichtigung und argumentieren gegen die Fassung von Miss Higgins: Ernst Mayer, MdB (FDP), KJ 49, S. 244ff. – Helmut Thielicke, Tagesspiegel 28. 12. 49, Christ und Welt 26. 1. 50 (ein Rundfunk-Vortrag, auch abgedr. im KJ 49, S. 246ff.). – Christ und Welt 29. 12. 49 (»Ein Fall Niemöller«).
17. Christ und Welt 29. 12. 49, 5. 1. (Leitartikel und Leserbriefe), 26. 1., 2. 2. 50 (Nachwort d. Redaktion).
18. Der detaillierte Vorschlag der Zeitung (15. 12. 49) hatte auch zum Ziel, Gesamtdeutschland aus den militärischen Blöcken auszuklammern.
19. GH 20.
20. Mayer (aaO.) vermutet in einem offenen Brief bei Niemöller »Unvermögen und Ungeschick« oder »politische Motive«, Zweckgerede, »getan, um die Hilfswürdigkeit der 45 Millionen Deutschen in der Bundesrepublik im Westen zu diskreditieren, ihre Treue zur Demokratie zweifelhaft erscheinen und sie, vom Westen abgeschrieben, an den Osten sich anlehnen zu lassen.« – Nach Ehlers (Christ und Welt 2. 2. 50) brachten der Bundesminister Hellwege und der CDU-Abgeordnete Schröter dem französischen Außenminister Schuman gegenüber ihr Bedauern über Niemöllers Äußerungen zum Ausdruck. – Johannes Kunze, MdB (CDU),

sie auf Anweisung der Besatzungsmächte und im Einverständnis mit ihnen gegründet hatten, daß ihnen grundsätzliche Kritik an dessen politischem Kurs gegen den Strich ging – besonders wenn sie von einem Mann wie Niemöller kam, der schon mit seinem Schuldbekenntnis ihr Selbstverständnis gestört hatte.

Statt sich Rechenschaft über die Bedingtheit der eigenen Position zu geben, beschränkten sich jedoch Niemöllers Kritiker darauf, dem Phänomen Niemöller psychologisierend beizukommen[21]. Infolgedessen blieben die eigentlich bemerkenswerten Erkenntnisse aus dem Fall Niemöller nur einigen Personen vorbehalten. Dem Oberkirchenrat Hermann Ehlers, Abgeordneten der CDU im Bundestag, fiel auf, mit welcher Vehemenz gerade die amerikanische »Neue Zeitung« und die von den Engländern beeinflußte »Welt« Niemöller bekämpft hatten[22], und er schloß daraus auf ein Interesse der westlichen Alliierten, keine Diskussion über den Weg der Bundesrepublik aufkommen zu lassen. Ehlers stand auch der »peinlichen Weise« »sehr zurückhaltend« gegenüber, mit der »der Westen und das Christentum gleichgesetzt und das Ganze durch den Begriff des ›christlichen Abendlandes‹ überhöht worden« war[23]; und im Blick auf Thielickes fortgesetzte Angriffe gegen Niemöller erkannte er: »Eine Gruppe, die ihn bekämpfte, läßt ihren Zorn aus, der sich seit seinen Ausführungen zur Schuldfrage angesammelt hat.« Für Ehlers lautete das Fazit seiner theologisch-politischen Beobachtungen:

»Es hat sich gezeigt, daß es nur der Tatsache bedarf, daß ein Mensch einmal aus der auch bei uns im Westen geübten Sprachregelung ausbricht, um Stimmen herauszulocken, die sonst in dieser Deutlichkeit nicht hörbar werden.«

Ehlers scheute sich nicht, sich auch inhaltlich zu Niemöllers Grundidee zu bekennen:

»Wir haben jedenfalls noch von keiner Seite einen anderen Vorschlag gehört, der den gegenwärtigen Zustand überwindet und der nicht in einen Krieg führt, als den Martin Niemöllers.«[24]

---

fürchtete, es bliebe »sehr viel im Gedächtnis der sowjetischen Generalstäbler haften, viel an Ermutigung und viel an – sozusagen – moralischer Rehabilitation, um die bewußten Panzer über die Elbe rollen zu lassen« (»Ernstes Wort an Niemöller«, Die Welt 29. 12. 49).

21. Besonders Thielicke, der in Niemöller einen »reaktiven Denktypus« sah, der »hilflos, unklar und widerspruchsvoll« werde, sowie seine Gegner nicht mehr eindeutig und konsequent seien (KJ 49, S. 250).
22. DNZ: 17., 23., 27., 28. Dezember, 4., 7., 19. Jan., 13. Febr.; Die Welt: 19., 21., 28., 29. Dez., 4. Jan.
23. Die Welt schrieb am 19. 12. von »der christlichen Idee, die schließlich die geistige Grundlage jeder westlichen Politik darstellt.«
24. Ehlers in »Kirche und Mann« Febr. 50, S. 4, ähnlich Ehlers in »Christ und Welt«

Im Gegensatz zu Ehlers vermied es Heinemann, zu den von Niemöller angeschnittenen Sachfragen selbst Stellung zu nehmen. Eine rationale Diskussion der Deutschlandfrage schien ihm nötig, aber er hegte Zweifel, ob angesichts der Weltlage eine UN-Besatzung für Deutschland erreichbar wäre[25]. Als Mitglied der Bundesregierung mußte er sich ein größeres Maß an Zurückhaltung als ein Abgeordneter auferlegen. Er schwieg auch, als Niemöller zur Verdeutlichung seiner Thesen nochmals, und nun noch ausführlicher und eindringlicher, das Wort ergriff[26].

Als Mitglied des Rats der EKD bezog Heinemann jedoch Stellung. Eine Erklärung erschien dem Rat deshalb nötig, weil eine weitere kirchlich-politische Affäre die Öffentlichkeit erregte, die Stellungnahme von Propst Grüber zu den politischen Lagern in der DDR[27]. Auch diese Angelegenheit war von symptomatischer Bedeutung: Der Propst, ehemals Häftling des KZs Sachsenhausen, hatte nach einem Besuch in diesem Lager Weihnachten 1949 zu differenzieren versucht: Er kritisierte die Zustände im Lager[28], vermerkte grundsätzlich, »daß Lagerbrot bitter schmeckt und daß Stacheldraht eines der unwürdigsten Mittel ist«, betonte aber auch die Unterschiede zu den KZs Hitlers – es sei ein »unverzeihliches Unrecht«, sie in einem Atemzuge zu nennen[29]. Damit zog er sich ebenso wie Niemöller den Zorn der westdeutschen Öffentlichkeit zu, die empört darüber war, daß jemand die kommunistischen Zustände von den nationalsoziali-

---

2. 2. 50. – Kritische Analyse auch in: JK Jan. 50; Hans Zehrer, Sonntagsblatt 22. 1. 50.

25. In seiner Rücktrittserklärung am 9. 10. 50 bezeichnete er die Idee als »zur Zeit irreal«, GH 40.

26. Wiesbadener Tageblatt 11. 2. 50, Text im KJ 49, S. 256ff. Niemöller versucht hier, seine Äußerungen zur konfessionellen Frage zu erklären: Da die evangelische Bevölkerung Deutschlands unter der Teilung stärker leide als die katholische, sei die Wiedervereinigung Deutschlands »eine unabdingbare Voraussetzung für einen dauerhaften konfessionellen Frieden.« – Das Motiv seines Tuns brachte er auf die Formel: »Ich werde die schamhaft übergangene Frage immer wieder laut und vernehmlich stellen, weil ich Christ und Deutscher bin: ›Was geschieht, damit dennoch Friede werde und nicht wiederum Millionen Menschen in Elend, Not und Tod gestürzt werden, weil die verantwortlichen Männer in der Welt nur an die Macht und nicht an die Menschen denken, denen sie in ihrem politischen Amt dienen sollten?!‹«

27. KJ 49, S. 235ff.

28. »Junge Menschen massiert einzusperren, führt zu großen Schädigungen der körperlichen und seelischen Entwicklung.« Grüber trat dafür ein, »daß alle Insassen einem öffentlichen Gerichtsverfahren unterzogen würden«, regelmäßig schreiben und seelsorgerisch betreut werden könnten.

29. Die Menschen im Lager seien nicht, wie in NS-Zeiten, bloße Nummern, »sondern Individuen«. »Jetzt standen Menschen in zwangloser Unterhaltung umher, gut angezogen – jeder trug seine eigenen Sachen –, gut gepflegt und normal ernährt.«

stischen abhob und damit ihr eigenes Weltverständnis in Zweifel zog[30]. Auch hier spielte die Schuldfrage untergründig mit, hatte doch Grüber an die grausame Behandlung von Juden, Polen und Russen erinnert und es als »die dunkelste Stunde und Sünde« seines Lebens bezeichnet, nicht im KZ für sie eingetreten zu sein – er, der wegen seiner Hilfe für Juden ins KZ gekommen war.

Der Rat der EKD stand vor einer schwierigen Aufgabe. Auf der einen Seite ließ die Erregung der westdeutschen Öffentlichkeit eine Stellungnahme geboten erscheinen. Andererseits war jede Erklärung an den Westen auch gleichzeitig eine Stellungnahme dem Osten gegenüber, und das bei dem gespannten Verhältnis der Kirche zur Regierung in Ostberlin – in so schwierigen Fragen wie der der westdeutschen Außenpolitik und der ostdeutschen Lager.

Der Rat faßte am 17. 1. 50 in Halle eine Entschließung, in der er sich zunächst mit einem formalen Hinweis vorsichtig von beiden Geistlichen distanzierte; ihre »Äußerungen, wie immer sie auch gelautet haben mögen, sind nicht Kundgebungen der evangelischen Kirche, sondern gehen auf die alleinige Verantwortung derer, die sie getan haben.«

Außer einer abgewogenen Beurteilung des interkonfessionellen Problems nahm der Rat in drei Punkten eine Beurteilung der politischen Lage vor:

»1. Würde und Freiheit des Menschen sind nach christlicher Lehre unantastbar. Auch die Einheit des deutschen Volkes, unter deren Verlust wir heute mit unserem ganzen Volke schwer leiden, darf nicht mit der Preisgabe dieser Würde und dieser Freiheit erkauft werden.

2. Die Evangelische Kirche in Deutschland kann den infolge der Politik der Besatzungsmächte entstandenen Eisernen Vorhang nicht anerkennen. Er stellt eine ständige Bedrohung des Friedens und damit der Freiheit der Menschen und Völker dar.

3. Es widerspricht der Würde des Menschen, wenn Angeschuldigte ohne geordnete Rechtsverfahren ihrer Freiheit beraubt werden. Daher sind Konzentrationslager abzulehnen, und zwar in jeder Form und in jedem Land. Gradunterschiede in der Behandlung von Häftlingen ändern an diesem grundsätzlichen Urteil nichts.«[31]

Dieser Formulierung hatten auch Niemöller und Heinemann zugestimmt[32]. Der Text zeigte, in welchem Grade alle Ratsmitglieder westliche Vorstellungen vertraten.

Punkt 2 sollte auf die weltpolitischen Gefahren hinweisen, die die Spaltung Deutschlands mit sich brachte. Aber indem dieser Hinweis

---

30. KJ 49, S. 238ff.
31. KJ 49, S. 253f. – Kundgebungen, S. 89.
32. KJ 49, S. 253, 260.

die Ursachen der Spaltung Deutschlands auf die »Politik der Besatzungsmächte« reduzierte, leistete die Erklärung der Vorstellung Vorschub, daß die Besatzungsmächte allein für die Spaltung verantwortlich gemacht werden müßten. Es fehlte eine Mahnung an die Deutschen, sich zu fragen, wieweit ihr eigenes Verhalten zur Spaltung beigetragen hatte und in der Zukunft womöglich beitragen könnte. Es fehlte auch jeder Hinweis darauf, daß die Ursache der sowjetischen Besetzung und ihrer Schrecken im von den Deutschen begonnenen Zweiten Weltkrieg lag. Punkt 1 konnte nicht anders aufgefaßt werden, als daß die Sowjetunion Würde und Freiheit des Menschen mißachtete, Punkt 3 nur so, als ob die kommunistische der nationalsozialistischen Herrschaft grundsätzlich gleichzusetzen sei. Es fehlte jeglicher Hinweis darauf, daß es auch im Westen Gefahren für Würde und Freiheit des Menschen geben könnte.

Im Gegensatz zum Bruderrat, der noch kurz zuvor Sieger und Besiegte vor Selbstgerechtigkeit gewarnt hatte[33], war diese Erklärung, die die Linie von Ratserklärungen der 40er Jahre fortsetzte, geeignet, westlich gesonnene Deutsche in ihrem ungebrochenen Selbstbewußtsein noch zu stärken. Sie mußte im Osten als Angriff, als Identifizierung der Kirchenleitung mit dem Westen aufgefaßt werden[34].

Das wiederum war allerdings nur bis zu einem gewissen Grade richtig. Auf einer Begegnung des Rats der EKD mit CDU-Politikern in Königswinter wurde deutlich, daß die Gegensätze zwischen Adenauer und Niemöller nicht zu überbrücken waren. Niemöller bedauerte die Schärfe seiner Ausführungen zu »Rom – Washington« und hob hervor, daß er nicht antikatholisch eingestellt sei; Adenauer hingegen versicherte, daß er grundsätzlich eine politische Betätigung von Pfarrern für richtig halte; aber die außenpolitischen Fragen wurden nicht bis zu einer Klärung der Standpunkte ausdiskutiert.

So führten die Äußerungen Niemöllers und Grübers, überblickt man den Beginn des Jahres 1950, aus verschiedenen Gründen nicht zu einer wirklichen Klärung der theologischen und politischen Situation. Die Schärfe der Formulierungen Niemöllers und die Allergie der Öffentlichkeit gegen alles, was aus dem Ost-West-Denkschema herausfiel, erschwerten eine wirkliche Sachdiskussion. Wohl blitzte an einigen Stellen die Erkenntnis tieferer theologisch-politischer Zusammenhänge auf. Aber der Rat der EKD war nicht kritisch genug, so daß er sich durch die Angriffe auf Niemöller und Grüber zum Rückzug auf Positionen nötigen ließ, die den historischen Gesamtzusammenhang

---

33. KJ 49, S. 100ff.
34. Es wurde auch im Westen so aufgefaßt; vgl. Die Welt 19. 1. – Die Zeit 26. 1. 50.

wie den theologischen Aspekt von Buße und Rechtfertigung außer acht ließen.

Gustav Heinemann bemühte sich zwar einerseits um eine rationale Klärung der Sachfragen in der westdeutschen Öffentlichkeit, schloß sich aber andererseits nicht von dem Hallenser Ratswort und seiner Tendenz aus und hielt sich im übrigen zurück. So wirkte er zwar im Prozeß der politischen Willensbildung mit, ohne aber mit einer eigenen Stellungnahme in der Öffentlichkeit hervorzutreten. Auch als es offensichtlich war, daß der Gegensatz zwischen Adenauer und Niemöller über die deutsche Frage unüberwindlich war, blieb Heinemann beiden verbunden: dem Kanzler, der die Richtlinien der Politik bestimmte und dessen Minister er war, und dem Kirchenpräsidenten, der das kirchliche Außenamt verwaltete und dessen Freund Heinemann seit der Zeit der Bekennenden Kirche war und blieb.

4

Die deutsche Frage auf der Synode von Weißensee

Wenn Niemöllers Interviews auch in der Öffentlichkeit zu keiner wirklichen Klärung der Deutschlandfrage führten – sie veranlaßten den Rat der EKD, die nächste Synode unter das Thema zu stellen: »Was kann die Kirche für den Frieden tun?«[1] Mit diesem Thema war das Gremium aufgefordert, im Glauben seine Haltung zur politischen Lage zu reflektieren. Das Wortprotokoll dieser Synode, die im April 1950 in Ostberlin, in Weißensee, zusammentrat, macht Möglichkeiten und Grenzen der theologisch-politischen Reflexion der Synodalen deutlich[2].

Der besonderen Schwierigkeiten, die im Thema beschlossen lagen, war sich Heinemann wie die anderen Synodalen bewußt. Er erklärte, »daß wir uns alle mit Beklemmung hierher auf den Weg nach Berlin gemacht haben. Angesichts dessen, was wir uns vorgenommen hatten, hier zu behandeln, ging eine große Ratlosigkeit durch unsere Reihen, angesichts der Schwere dieser Aufgabe, die da vor uns stand«[3]. Für sich selbst bekannte Heinemann, daß ihm in dem Jahr seit der letzten Synode die Kirche wie der biblische Feigenbaum erschienen sei, des-

---

1. KJ 50, S. 4.
2. Berlin-Weißensee 1950. Bericht über die zweite Tagung der ersten Synode der EKD vom 23. bis 27. April 1950, hg. i. A. des Rates von der Kirchenkanzlei der EKD, Hannover o. J.
3. aaO. S. 396.

sen Existenz von seiner Fruchtbarkeit abhing: »Was tun wir in diesem Jahr? Läßt der Herr uns noch diese Zeit, ihm weiter zu dienen und für ihn zu arbeiten? Er hat es getan.«[4]

In seinen Begrüßungsworten hob Heinemann den politischen Aspekt der Synode hervor:

»Wir sind hier aus allen Teilen Deutschlands beieinander und dokumentieren damit, daß wir eine gesetzgebende Körperschaft sind, die ganz Deutschland umfaßt, soweit es den vier Besatzungsmächten untersteht. So sehr wir uns dieser Tatsache freuen, so ist sie zugleich im Hinblick darauf, daß wir als evangelische Kirche heute die einzige Gesamtdeutschland umfassende Körperschaft sind, ein Ausdruck unserer besonderen Not.«[5]

Heinemann wies darauf hin, daß es seit der Stuttgarter Erklärung von 1945, die schon den Frieden als einziges Heilmittel für die Welt gepriesen habe, »brennender geworden« sei, daß vom Frieden gesprochen werde:

»Menschlicherweise haben wir keine Aussicht, etwas Entscheidendes zur Lösung der Weltspannungen beizutragen. Wir stehen vielmehr in der Gefahr, daß man uns mißverstehen oder daß man unser Handeln so oder so zu einer Waffe im politischen Kampfe mißbrauchen wird. Wenn wir uns dennoch unterfangen, über den Weg zum Frieden zu sprechen, so tun wir es, weil der Friede in der Welt zu aller Zeit ein Anliegen der Christenheit war und gewiß ein hohes Gut für die Menschheit ist. Christus hat in seinem Sterben und Auferstehen den Frieden Gottes über der Welt ausgebreitet.Diesen Frieden darzustellen und anzubieten, empfinden wir als unsere Aufgabe in und an der Welt.«[6]

Die Synode war schon dabei, in allgemeiner Weise die Beziehung zwischen dem Frieden Gottes und dem Frieden der Welt darzustellen, als Professor Heinrich Vogel der Diskussion eine überraschende Wendung gab. Das Bibelwort »Christus ist unser Friede«, das in dem Friedenswort zitiert werden sollte, veranlaßte ihn zu dem Einwurf, man könne es als Deutscher nicht zitieren, ohne zu bedenken, daß dies Wort ursprünglich, im Epheserbrief des Paulus, in der »Bezogenheit auf Israel« gesprochen worden sei. Nötig sei ein Wort, in dem die evangelische Kirche in Deutschland ihre Schuld vor den Juden bekenne[7].

Heinemann begrüßte diese Wendung. Er hatte wenige Tage zuvor

---

4. aaO. S. 397.
5. aaO. S. 18.
6. aaO. S. 20.
7. aaO. S. 116. – Eph. 2, 14 und 15: »Denn er ist unser Friede, der beide Teile (Juden und Heiden) zu einem Ganzen gemacht und die Scheidewand des Zaunes, die Feindschaft, abgebrochen hat in seinem Fleisch, indem er das Gesetz der in Satzungen bestehenden Gebote abgetan hat, um die zwei in ihm selbst zu *einem* neuen Menschen zu machen, dadurch, daß er Frieden stiftete . . .«

antisemitische Vorfälle »schärfstens« verurteilt und dabei ganz ähnlich argumentiert:

»Im Namen des deutschen Volkes sind an den Juden in den Jahren der nationalsozialistischen Herrschaft solch ungeheure Untaten und Verbrechen begangen worden, daß wir allesamt wahrlich nur *einen* Anlaß hätten, nämlich uns der ganzen Tragweite dessen, was in unserem Namen geschah, vor Gott und den Menschen zutiefst bewußt zu werden und uns alle zur Umkehr rufen zu lassen. Es kann keinen Frieden unter uns und mit anderen Nationen geben, wenn wir nicht alle von jeglichem Antisemitismus entschlossen abrücken.«[8]

Der Gedanke, ein Wort zu Israel zu sagen, war in Kreisen der Bekennenden Kirche schon seit langem erwogen worden[9]; nun stieß er auf die grundsätzliche Zustimmung der Synode[10]. Allerdings zeigte die Diskussion, daß dieselben Bedenken, die gegen die Stuttgarter Schulderklärung vorgebracht worden waren, sich auch jetzt wieder als hemmend erwiesen: was vor Gott bekannt werde, brauche nicht vor der Welt gesagt zu werden, die womöglich daraufhin reale Forderungen stellen könnte[11]. Diesen Einwänden begegnete der sächsische Synodale Kreyssig mit dem Hinweis auf den engen Zusammenhang, der zwischen einem Schuldbekenntnis gegenüber Israel, der evangelischen Kirche und der deutschen Frage bestünde:

»Wir sind hier als der Mund der Kirche für die evangelische Kirche Jesu Christi in Deutschland. Da werden wir von Gott wieder zu einer verbindlichen Ganzheit dessen zurückgeführt, was Kirche ist, daß wir sie nicht mehr verstehen als eine Summierung von Einzelnen, die ihren Mund vor Gott auftun, sondern eben als die Ganzheit des Leibes Christi. In dieser Ganzheit der Kirche und ihrer Vollmacht liegt etwas von prophetischem und von priesterlichem Auftrag der Kirche. Ich habe, ohne daß ich das als Laie deutlicher sagen kann, die innere Gewissensüberzeugung, daß es in der priesterlichen und prophetischen Vollmacht der Kirche liegt, eintretend für das deutsche Volk zu sagen, was vor Gott und Menschen zu sagen ist.«[12]

Nach intensiver Diskussion nahm die Synode einmütig eine Erklärung zu Israel an, in der die anfänglich deutlichere Fassung wohl gemildert, aber nicht verwässert worden war[13].

---

8. GH 24: Erklärung im NWDR am 15. 4. 50.
9. KJ 45–48, S. 222, 224ff. – Bekennende Kirche auf dem Weg, 15. 3. 50, Sp. 1ff, 7ff, 9. – Unterwegs, Heft 1/1950, S. 7ff.
10. Berlin-Weißensee 1950, S. 319ff.
11. aaO. S. 330f (Staatsrat Meinzolt); aaO. S. 342 (Prof. Raiser). – Prof. Künneth brachte theologische Bedenken vor und wies darauf hin, »daß in der Stuttgarter Schulderklärung doch wohl auch schon unser Versagen, unser Schweigen, unsere wahrhaftig ungeheure Schuld ausgesprochen ist« (aaO. S. 340).
12. aaO. S. 340.
13. aaO. S. 358f. – Der Text lautete (KJ 1950, S. 5f; Kundgebungen, S. 93):
    »Gott hat alle beschlossen unter den Unglauben, auf daß er sich aller erbarme.
    Röm. 11, 32

In seinem Schlußwort machte Heinemann, der sich als Präses während der Diskussion ganz zurückgehalten hatte, deutlich, wie groß seiner Meinung nach die Bedeutung des Israel-Worts für die Kirche und für die Deutschen war:

»Es lag eine Qual um diese Frage nach den Juden und dem Volk Israel über uns und in uns. Es ist davon gesprochen worden, wieviel Anläufe die Bekennende Kirche genommen hatte, um zur Judenfrage ein lösendes und befreiendes Wort zu sprechen. Es wurde uns damals nicht geschenkt, und dieses Versäumnis, ja diese Schuld ging als diese Qual mit uns. Heute morgen war es wohl vielleicht die letzte Chance, die uns noch gegeben wurde, hierzu das zu sagen, was uns oblag. Gott schob uns diese Frage einfach in den Weg. Wir waren hierher gekommen, um über den Frieden zu sprechen, in der Meinung, das sei das alleinige Zentrale. Aber Gott ließ uns einen Umweg gehen, eben den Umweg durch die Versäumnisse unserer vergangenen Jahre, den Umweg der nun vielleicht letztmalig möglichen Stellungnahme zu der Judenfrage. Vielleicht hatte es ihm nicht genügt, was in Stuttgart gesagt worden war. Vielleicht hatte er gefunden, daß wir diesem unserm eigenen Wort von Stuttgart untreu geworden waren. Deshalb schob er uns diese Frage noch einmal so hin, daß wir wirklich durch sie hindurchgehen mußten.«[14]

Der sonst so nüchtern wirkende und rational argumentierende Präses gab seiner inneren Bewegung Ausdruck:

»Ich empfinde es wahrlich, ja, wie soll ich es sagen, wie eine Durchbruchsschlacht der Befreiung, die sich hier heute morgen unter uns vollzogen hat, und

---

Wir glauben an den Herrn und Heiland, der als Mensch aus dem Volk Israel stammt.
Wir bekennen uns zur Kirche, die aus Judenchristen und Heidenchristen zu einem Leib zusammengefügt ist und deren Friede Jesus Christus ist.
Wir glauben, daß Gottes Verheißung über dem von ihm erwählten Volk Israel auch nach der Kreuzigung Jesu Christi in Kraft geblieben ist.
Wir sprechen es aus, daß wir durch Unterlassen und Schweigen vor dem Gott der Barmherzigkeit mitschuldig geworden sind an dem Frevel, der durch Menschen unseres Volkes an den Juden begangen worden ist.
(Erstfassung: »Wir bekennen uns zu der Schuld der Deutschen, die vor dem Gott der Barmherzigkeit durch den Massenmord an den Juden handelnd oder schweigend schuldig geworden sind.« aaO. S. 319).
Wir warnen alle Christen, das, was über uns Deutsche als Gericht Gottes gekommen ist, aufrechnen zu wollen gegen das, was wir an den Juden getan haben; denn im Gericht sucht Gottes Gnade den Bußfertigen.
Wir bitten alle Christen, sich von jedem Antisemitismus loszusagen und ihm, wo er sich neu regt, ernstlich zu widerstehen und den Juden und Judenchristen in brüderlichem Geist zu begegnen.
Wir bitten die christlichen Gemeinden, jüdische Friedhöfe innerhalb ihres Bereiches, sofern sie unbetreut sind, in ihren Schutz zu nehmen.
Wir bitten den Gott der Barmherzigkeit, daß er den Tag der Vollendung heraufführe, an dem wir mit dem geretteten Israel den Sieg Jesu Christi rühmen werden.«
14. Berlin-Weißensee 1950, S. 397.

ich möchte für mein Teil sagen, daß daraus ein heilsamer Weg für uns alle werden kann, von dem wir Gott anheimstellen, wo er uns damit hinführt.«[15]

In der Beurteilung des Friedensworts hielt sich Heinemann zurück[16]. Die »große Einmütigkeit«, mit der es beschlossen wurde, war erst in tagelangem Ringen möglich geworden. Das Ergebnis war ein langes Wort[17], das im Blick auf den vergangenen Krieg und die drohende Kriegsgefahr auf Christus als den Weg zum Frieden hinwies und in besonderen Abschnitten »alle Glieder unseres Volkes«, »die Regierungen unseres Volkes« und die Besatzungsmächte mit besonderen Bitten ansprach.

Die Bitten an die Glieder des Volkes bestanden meistens in allgemeinen Ratschlägen wie »Haltet euch fern dem Geist des Hasses und der Feindseligkeit«. Die Regierungen wurden aufgefordert, für Gerechtigkeit in der Gesellschaft und besonders in der Justiz zu sorgen. Alle Deutschen wurden eindringlich vor dem Wahn gewarnt, »als ob ein Krieg eine Lösung und Wende unserer Not bringen könnte«. An die Besatzungsmächte erging die Bitte um Freigabe der Gefangenen, Verschleppten und Internierten und die Aufforderung:

»Beendigt durch gerechte Friedensverträge endlich den Krieg, der die Völker zerschlagen hat!

Beseitigt endlich die Zonengrenze zwischen Ost und West, die unser Volk zerreißt und den Frieden der Welt gefährdet!

Gebt dem deutschen Volk die Möglichkeit, sich in Freiheit eine neue Rechtsordnung zu schaffen, in der Osten und Westen wieder zu einer Einheit kommen können!

Sorgt dafür, daß die Grenzen der Staaten nicht länger Mauern bleiben zwischen nationalen und ideologischen Machtsphären!«

Welche praktische Politik die deutschen Staaten denn nun aber um des Friedens willen einschlagen sollten, wurde nur in Ansätzen diskutiert. Niemöller brachte Überlegungen aus den Kreisen des Bruderrats mit und skizzierte kurz deren Inhalt: »Ablehnung jeder Gewaltlösung, Ablehnung der Kriegsvorbereitungen, Ablehnung der Propaganda, Ablehnung der Rachsucht, Ablehnung des Eisernen Vorhangs. Forderung sozialen Ausgleichs.«[18] Landesbischof Lilje von Hannover, der als einziger auf Niemöllers Vorschlag einer Neutralisierung Deutschlands Bezug nahm, nannte kurz die Vor- und Nachteile einer solchen Lösung, ohne aber weiter auf konkrete Pläne einzugehen;

---

15. ebd.
16. aaO. S. 398f.
17. KJ 50, S. 7ff. – Kundgebungen, S. 94ff.
18. Berlin-Weißensee 1950, S 130. – Der Text in StdG April 1950/4, S. 1–4: M. Niemöller, »Was kann die Kirche für den Frieden tun?«

ihm lag daran, die Beziehungen aller Probleme zueinander darzustellen; seine Ratschläge liefen auf allgemein christliche Glaubenssätze hinaus: im Glauben die Furcht zu meiden, nüchtern, vertrauensvoll, geduldig zu bleiben[19].

Zwar waren sich viele Synodale des Mangels an Konkretion bewußt, der immer wieder beklagt wurde[20]. Aber man scheute die konkrete politische Überlegung. Im Ergebnis blieben außer den allgemeinen Appellen nur wenige bestimmte Aussagen über Vergangenheit und Zukunft.

Das eine war der Glaubenssatz »In all diesem Geschehen trifft uns das Gericht Gottes«[21]. Die Synode war einig in der Meinung, daß in der Katastrophe des Nationalsozialismus und ihren Nachwirkungen das Gericht Gottes zu sehen sei, das aber seine Gnade nicht aufhebe[22].

Das andere war ein Kompromiß über das Problem der Kriegsdienstverweigerung. Im Falle eines Krieges von Deutschen gegen Deutsche »legen wir es jedem auf das Gewissen, zu prüfen, ob er . . . eine Waffe in die Hand nehmen darf«. »Wer um des Gewissens willen den Kriegsdienst verweigert, soll der Fürsprache und der Fürbitte der Kirche gewiß sein.«[23] Damit war weder die Gruppe zum Zuge gekommen, die von der Kirche erwartete, sie solle im Kriegsfall zur Nichtteilnahme aufrufen, noch jene, die überhaupt vor einem Wort zu der Frage zurückscheute[24].

Heinemann wertete das Fehlen konkreter Vorschläge nicht als Mangel; »die Welt« werde zwar »enttäuscht sein, daß hier nicht eilige Parolen des politischen Sprachgebrauchs zutage getreten sind und in unseren Entschließungen ihren Niederschlag gefunden haben.« Für Heinemann war aber entscheidend, daß »wir von dieser Synode mit dem Gefühl fortgehen, innerlich zusammengeführt worden zu sein, von dem Herrn der Kirche nähergeführt zu sein«[25]. Er hob der Öffentlichkeit gegenüber hervor, es sei

»eindrucksvoll gewesen, daß hier nicht eilig mit Mehrheitsentscheidungen eine Sache abgeschlossen wurde, sondern daß gegenüber dem dissentierenden Bruder bis zuletzt der Brückenschlag des Einverständnisses versucht wurde . . . Ich

---

19. Berlin-Weißensee 1950, S. 85ff, bes. S. 94, 98.
20. aaO. S. 132 (Niemöller), 138 (Ehlers), 152 (Visser 't Hooft), 154 (Lilje).
21. aaO. S. 308. – KJ 50, S. 7. – Kundgebungen, S. 94.
22. Berlin-Weißensee 1950, S. 103, 115, 122f, 126, 132, 150; 359, 365, 367, 369, 376, 381ff, 387f, 492.
23. aaO. S. 315. – KJ 50, S. 9. – Kundgebungen, S. 96.
24. Berlin-Weißensee 1950, S. 94ff, 113ff, 131, 133ff, 137, 139, 141f, 144ff, 149f, 152, 155; 311, 314f, 318; 371f, 379, 385f, 390.
25. aaO. S. 398.

glaube, daß wir auch darüber erfreut sein dürfen, daß wir hier doch wahrlich in aller Offenheit vor der Welt, soweit sie zu diesen spärlichen Räumen hier Zugang hatte, unsere Dinge verhandelt haben, daß wir uns nicht gescheut haben, unsere Meinungsverschiedenheiten offen zutage treten zu lassen, eben aus dem Bewußtsein heraus, daß hier aus der Kraft Gottes gehandelt werden darf.«[26]

Der Präses, der sonst »Kirche« und »Welt« so dicht nebeneinanderstellte, betonte die Unterschiede:

»Ich weiß, daß manch einer von den Zuhörern heute morgen in der Erwartung hierher kam, nun würde über den Frieden gesprochen, und siehe da, es wurde über die Juden gesprochen. Ja, ihr lieben Gäste, laßt es Euch eben daran deutlich werden, daß Kirche und Welt etwas Verschiedenes sind, daß ein politisches Parlament und eine Synode etwas Verschiedenes sind, daß wir hier unter einer Führung stehen, unter einer Führung stehen wollen und daß wir dieser Führung uns anheimgeben, auch wenn sie Umwege mit uns zu gehen scheint, so wie es vielleicht diesmal der Fall war.«[27]

War Heinemanns erster Eindruck von der Synode zu Weißensee zutreffend? Gab es zwischen den »eiligen Parolen des politischen Sprachgebrauchs« und den allgemein christlichen Glaubenssätzen nicht doch einen Bereich konkreter politischer Aussage, zu dem die Synode hätte vordringen können?

In Bezug auf Israel hatte die Synode tatsächlich den Weg der Bekennenden Kirche weiter beschritten und das Stuttgarter Schuldbekenntnis entfaltet. In Bezug auf die Großmächte, besonders die Sowjetunion, hatte sie jedoch eine andere Haltung eingenommen. Das wurde an zwei Stellen deutlich.

Der Synodale Eugen Gerstenmaier betonte in seinem Bericht über das Hilfswerk der EKD die Verantwortung aller vier Siegermächte für die Vertreibung der Ostdeutschen und erklärte es für seine

»Pflicht auszusprechen, daß nach unserer Überzeugung niemand in Deutschland, auch keine Synode der evangelischen Kirche, frei ist, einer Lösung zuzustimmen, die als eine Förderung des Friedens, in einem Teil der deutschen Länder oft und viel gehört, ja zur unabdingbaren Forderung des Friedens offenbar gemacht wird, nämlich die Oder-Neiße-Linie als Grenze des Friedens anzuerkennen. Die Oder-Neiße-Linie vermögen wir nicht als Grenze des Friedens anzuerkennen, sondern sie ist eine Grenze des Unfriedens, und wir sind nicht frei, dieser Grenze des Unfriedens zuzustimmen. Denn wir sind nicht frei, die angestammte Heimat von Millionen Menschen einer Gewaltlösung, die wir vor Gott und den Menschen nicht für recht halten, anheimfallen zu lassen.«[28]

---

26. aaO. S. 399. »Mit Zustimmung« Heinemanns wurden denn auch die Protokolle des nichtöffentlichen Teils der Sitzung veröffentlicht (aaO. S. 307).

27. aaO. S. 399.

28. aaO. S. 176. – Vgl. E. Gerstenmaier, Reden und Aufsätze I, Stuttgart 1956, S. 135, 137, wo Gerstenmaier eine ähnliche Auffassung vertritt.

In der Diskussion stellte niemand die Frage, wie sich eine solche apodiktische Aussage über die Gerechtigkeit Gottes mit der Rede vom Gericht Gottes vereinbaren ließ. Die Synode konnte sich nicht vorstellen, daß das Gericht Gottes auch heimatlos machen und die Gnade Gottes die Deutschen auch ohne die Gebiete im Osten am Leben erhalten könnte. Die Sowjetunion war in der Vorstellung der Synodalen, auch wenn sie es in Ostberlin nicht expressis verbis sagten, nur der Gegner. Der spontane Beifall, den Gerstenmaier erhielt, war ein deutliches Zeichen dafür[29]. Zu groß war nach wie vor das Entsetzen, das Flucht, Vertreibung, Besetzung hinterlassen hatten.

In ihrem Friedenswort sagte die Synode:

»Haltet euch fern dem Geist des Hasses und der Feindseligkeit.Laßt euch nicht zum Werkzeug einer Propaganda machen, durch die Feindschaft zwischen den Völkern gefördert und der Krieg vorbereitet wird. Auch nicht zum Werkzeug irgendeiner Friedenspropaganda, die in Wirklichkeit Haß sät und den Krieg betreibt!«[30]

Eine richtige Mahnung an alle schlug hier im letzten Satz eindeutig in ein Urteil über die Kommunisten um; denn eine »Friedenspropaganda« betrieben nur sie. Daß sie Haß säte, Haß gegen alle, die nicht auf der kommunistischen Linie lagen, war mit Händen zu greifen; ob damit allerdings schon bewiesen war, daß diese Propaganda nicht doch den Frieden meinte, war zumindest nicht sicher; daß sie den Krieg betrieb, war auf jeden Fall eine für die deutsche Lage unbewiesene Behauptung. Die Synode ging hier aus psychologisch verständlicher Furcht vor sowjetischen Gewaltmethoden und ebenso verständlichem Abscheu vor haßerfüllter Propaganda einen Schritt zu weit und ordnete, dem Geist ihres Aufrufs entgegengesetzt, eine ganze Gruppe von Menschen pauschal als Hassende und Kriegstreiber ein[31]. Dabei hatte Professor Iwand die Synode beschworen, ein Wort zu sprechen, »das auch die Gräber im Osten schließt«; denn seine »größte Sorge um den Frieden« war »der Osten, und zwar deshalb, weil soviel Schuld, so unsagbare Blutschuld in diesem Osten liegt«[32]. Aber die Synode stieß nicht zu der Überlegung durch, daß dem Osten gegenüber der gleiche Ansatzpunkt zu gelten habe, aus

---

29. aaO. S. 176f.
30. KJ 50, S. 8. – Kundgebungen, S. 95f.
31. Zwar empfahl der Synodale Schröter die Streichung des Satzes, der erst während der Diskussion eingefügt wurde: ». . . ich sage etwas, was ich jetzt nicht begründe, was ich jetzt einfach als dringlichen Wunsch anzuhören bitte . . .« Aber er tat es nicht, weil der Satz ihm falsch zu sein schien, sondern nur, weil er zu deutlich war; der vorige Satz genüge: »Es versteht jeder, der zu lesen versteht, was wir meinen« (aaO. S. 374f).
32. aaO. S. 122.

dem das Israel-Wort entsprungen war. Wenn man »Stuttgart« in Bezug auf die Juden konkretisierte, hätte man das im Blick auf den
deutschen Vernichtungskrieg im Osten auch gegenüber den Ostvölkern tun können, ja müssen – in derselben christlichen Hoffnung, wie
es Heinrich Vogel sagte:

> »Und wenn es wirklich so ist, daß die Schuld an Israel all dieses ungeheuerliche
> Ausmaß von Leid heraufbeschworen hat, was möchte dann für ein Segen darin
> liegen, wenn bewußt in dieser Sache etwas ausgesprochen würde, und wenn,
> falls es denn niemand anders aussprechen will von denen, die alle miteinander
> schuldig sind, es diese Synode täte hier in Berlin, im Ostsektor von Berlin.«[33]

Und wenn die Synode Israel gegenüber, um keine Mißverständnisse aufkommen zu lassen, auf die Betonung ihres christlichen Stand-
punkts Wert legte, dann ließ sich auch der Sowjetunion gegenüber
ein differenziertes Wort denken, das Schuldbekenntnis und Rechts-
standpunkt miteinander verband.

Zu einer solchen differenzierten Betrachtung des Zweiten Weltkriegs und der Sowjetunion war die Synode jedoch nicht in der Lage. Ihr Horizont zielte auf ein theologisches Verständnis, das nicht
zugleich konkretes Verständnis war. Martin Niemöller mußte schon
darum kämpfen, daß der Satz »In all diesem Geschehen trifft uns
das Gericht Gottes« nicht ersetzt wurde durch die allgemeine Sentenz
»Gottes Wort offenbart die Wahrheit über Wesen und Ursache des
Krieges«:

> »Meine Herren und Brüder, darin liegt die ganze Differenz. Es wird über etwas
> allgemein dahertheologisiert, wo die Kriege herkommen, was keinen Menschen
> interessiert und worauf wahrscheinlich die Menschen immer sehr verschiedene
> oder allzu gleichförmige Antworten geben, während wir es mit der Situation zu
> tun haben, in die wir heute gestellt sind, in der, aus der heraus und in die hin-
> ein wir zu unseren Menschen, zu unseren Christenbrüdern, zu unserem Volk,
> zu den Menschen um uns her, zu den Völkern und Nationen reden sollen. Ich
> glaube, es war sehr viel besser, darauf hinzuweisen, daß uns in diesem Gesche-
> hen das Gericht Gottes trifft.«[34]

Niemöller zielte auf konkrete Überlegung:

> »Wir haben danach zu fragen: Wodurch ist die akute Kriegsgefahr, in der wir
> stecken, bedingt? Wenn wir die Ursachen finden, müssen wir fragen: Kann man
> auch etwas tun, um diese Ursachen zu beseitigen? Und dann: Was können wir
> etwa dazu beitragen, damit sie beseitigt werden?«[35]

Aber die Synode diskutierte nicht darüber, sondern über die Frage,
ob es genüge, nur von den Dämonen als Ursachen der Kriege zu spre-

---

33. aaO. S. 116.
34. aaO. S. 367.
35. aaO. S. 132.

chen; man beschloß, den Abfall des Menschen zu erläutern: »Es ist
die Macht Satans, des Widersachers Gottes, die in ihm sein verwirren-
des und zerstörendes Werk treibt.«[36] Es bedurfte erst des ironischen
Kommentars Niemöllers, daß diese »theologischen Allgemeinheiten
und Plattitüden« gestrichen wurden[37].

Die Unfähigkeit der Synode, konkret zu werden, hing damit zusammen, daß man die Sowjetunion einseitig als »atheistischen« Staat
sah und sie deshalb nur total ablehnen konnte. Zwar sprach Professor Martin Fischer nach bewegter Klage über die furchtbaren Zustände im Osten den »ganz anderen Gedankengang« aus, »es müsse möglich sein, so zu argumentieren, daß man sie rühmen läßt, die Gnade
der Obrigkeit, auch der Obrigkeit, die noch viel schlimmer sein
könnte«[38]; aber auch er kam nicht auf den Gedanken, daß in der
östlichen Friedenspropaganda trotz aller Gehässigkeit ein echter Friedenswille stecken könne und daß die gesellschaftspolitischen Umwäl-
zungen in der sowjetisch besetzten Zone nach 1945 als Maßnahme
zur Beseitigung von Ursachen, die zum Nationalsozialismus führten,
angesehen werden konnten – selbst wenn die Art der Ausführung un-
menschlich war und neue, problematische Machtpositionen schuf.

So kritisch-ablehnend die Synodalen gegenüber der östlichen Welt
eingestellt waren, so unkritisch-einfältig nahmen sie für sich und ihr
Wort eine theologisch-politische Sonderstellung in Anspruch: »Es
liegt in diesem Wort auch nicht in versteckter oder geheimster Weise
irgendeine Option für eine der Mächte dieser Welt.«[39] Bischof Dibelius war davon überzeugt:

»Was dies Wort unterscheidet von, ich will nicht sagen, all den andern, aber,
ich will sagen, von den meisten der anderen Worte, ist dies, daß die Evangelische Kirche in Deutschland sagen darf, daß sie jedenfalls dieses Wort ohne irgendwelche Hintergedanken um des Friedens willen und um der Menschen willen spricht.«[40]

---

36. aaO. S. 317, 360ff. – Zur Diskussion über die Dämonen s. aaO. S. 9ff; 69, 97, 339,
   374, 377, 372ff; 491.
37. aaO. S. 368: »So schön es ist, daß nun der Satan glücklich seinen Platz in unserer
   Mitte gefunden hat, so halte ich es für durchaus entbehrlich, ihn an dieser Stelle zu
   nennen. Denn entweder glauben die Leute und wissen etwas vom Satan, dann werden sie ihn schon merken. Aber die Leute, die wir auf den Satan hin anreden, ohne
   daß sie etwas von ihm wissen, die überzeugen wir, indem wir seinen Namen nennen, nicht davon, daß er wirklich dahinter ist. Also ich möchte dringend bitten, sich
   doch sehr wohlweislich zu prüfen, ob wir in diesem ersten Abschnitt, statt eine
   existentielle Aussage zu machen, nicht in die Gefahr geraten, theologische Allgemeinheiten und Plattitüden auszusprechen.«
38. aaO. S. 145ff, bes. S. 147.
39. So der luth. Synodale Lücking, aaO. S. 388.
40. aaO. S. 389; KJ 50, S. 6.

Dibelius hatte in seiner Eingangspredigt sogar ausdrücklich die EKD mit dem Hiob des Alten Testaments gleichgesetzt[41]. Den Einwand, ein solcher Vergleich sei überheblich, wehrte Dibelius ab: Wer immer nur die Schwächen und die Schuldhaftigkeit der Kirche sähe, hätte keine Liebe, Ehrfurcht und Dankbarkeit:

»Wer aber der Kirche Jesu Christi mit dem Respekt gegenübertritt, der ihr als dem Leibe des Auferstandenen gebührt, dem wird es am Ende nicht mehr überheblich scheinen, wenn wir von dieser Kirche, wie wir sie gehabt haben, die Worte sagen: schlecht und recht, gottesfürchtig, und meidet das Böse.«

In der Geschichte sah der Bischof vor 1914 Christentum »als die gültige Lebenshaltung eines ganzen Volkes . . . Dann aber war eines Tages alles vorbei. Zwei – hier im Osten drei – Revolutionen, und die Kirchen und Gemeindehäuser waren zu Hunderten in Trümmern . . .« Die Frage nach den geschichtlichen Ursachen wehrte der Bischof ausdrücklich ab; der Versucher sei vor Gott getreten und habe die Erlaubnis erhalten, die Evangelische Kirche Deutschlands, wie Hiob, in seine Hand zu bekommen: »Da ging er hin und nahm es in seine Hand und zerschlug das alles Stück für Stück.«[42]

Dibelius' Deutung sprach die Kirche von kritischer Nachforschung nach den konkreten Ursachen ihres eigenen Versagens frei. Zwar widersprachen einige Synodale dieser Deutung[43]. Aber die Synode als Ganze wies sie nicht zurück.

So hatte die Synode von Weißensee ein zwiespältiges Ergebnis. In Bezug auf die Juden hatte sie das Stuttgarter Schuldbekenntnis entfaltet. Insofern bedeutete sie einen großen Fortschritt gegenüber der voraufgegangenen Synode von Bethel, die sich »gar zu sehr mit Fragen der Ordnung, der kirchlichen Gesetze aufgehalten« hatte[44]. Die Weißenseer Synode hatte aber den von Heinemann genannten »Umweg durch die Versäumnisse unserer vergangenen Jahre, den Umweg der nun vielleicht letztmalig möglichen Stellungnahme«[45] nur zur Judenfrage, nicht auch in der Frage der im Kriege systematisch vernichteten Ostvölker eingeschlagen. Geblendet von falschem Selbstbewußtsein, von einem einseitigen Verständnis von Geschichte und Kommunismus, konnte sie zur Frage der gegenwärtigen politischen Lage nur allgemeine Sätze sagen. Der Mangel an konkretem Schuld-

---

41. Predigt über Hiob 1, 6–12: ». . . es ist seinesgleichen nicht im Lande, schlecht und recht, gottesfürchtig, und meidet das Böse« (aaO. S. 9ff).
42. aaO. S. 12.
43. z. B. H. Vogel, aaO. S. 116.
44. nach Heinemanns Urteil, aaO. S. 398.
45. aaO. S. 397.

bewußtsein und der Mangel an Vertrauen darauf, daß die christliche frohe Botschaft sich auch im Osten auswirke, hatte den Mangel an konkretem Verständnis gegenwärtiger Zustände und den Mangel an kritischem Fragen nach sich abzeichnenden politischen Entwicklungen zur Folge.

Wenn Gustav Heinemann diesen Zwiespalt durchschaut hat, so hat er dem doch nicht Ausdruck gegeben. Wahrscheinlicher ist es, daß er, dem es immer um Diskussion und Einigung der Christen untereinander gegangen war, den Verlauf der Synode wirklich insgesamt so positiv beurteilte, wie er es in seinem Schlußwort tat. Er hatte kurz zuvor zum 70. Geburtstag von Bischof Dibelius dessen »ganze Reife«, seine »Verantwortung und Zuversicht« gepriesen[46]: »Er lebt sie uns in seines Alters Weisheit und Würde, Freundschaft und Liebe vor«. Das Wort zu Israel erfüllte ihn mit soviel Freude und Dankbarkeit, daß dahinter das kritische Bewußtsein für das, was alles noch fehlte, zurücktrat – wenigstens soweit das auf der Synode selbst sichtbar wurde.

5

Heinemanns Isolierung zwischen den Fronten

Während es in den leitenden Gremien der EKD, dem Rat und der Synode, in den ersten Monaten des Jahres 1950 trotz aller bestehenden Spannungen zu gemeinsamen Beschlüssen kam, verschärften sich die politischen Gegensätze zwischen Osten und Westen über die deutsche Frage von Monat zu Monat.

Im Westen forderte die Bundesregierung unter Berufung darauf, daß sie »seit ihrem Bestehen keine verpflichtendere Aufgabe als die Wiederherstellung der deutschen Einheit« kenne, freie Wahlen zu einer gesamtdeutschen Nationalversammlung, die eine deutsche Verfassung ausarbeiten und dem deutschen Volk zur Bestätigung vorlegen sollte. Als Voraussetzung für die Durchführung freier Wahlen sollten die Besatzungsmächte alle bürgerlichen Freiheiten gewährleisten und darauf verzichten, »die Bildung und Betätigung politischer Parteien zu beeinflussen«[1]. Im Osten wiederholte die Nationale Front

---

46. GH 25. Heinemann schrieb das Vorwort am 29. 3. 1950.

1. Die Bemühungen der Bundesrepublik um Wiederherstellung der Einheit Deutschlands durch gesamtdeutsche Wahlen. Dokumente und Akten. I. Teil Okt. 1949 – Okt. 1953, S. 9ff. – H. Siegler, Dokumentation zur Deutschlandfrage I, S. 97f. – Ders., Wiedervereinigung und Sicherheit Deutschlands I (6. Aufl. 1967), S. 33.

ihre Forderungen nach einer »Volksabstimmung für ein geeintes Deutschland, für einen Friedensvertrag und für den Abzug der Besatzungstruppen.« Ulbricht erklärte, er habe »keinen Zweifel daran«, »daß es gelingen wird, immer breitere Kreise auch in Westdeutschland in die Nationale Front einzureihen«. Die Freie Deutsche Jugend rief dazu auf, bei einem Pfingsttreffen Berlin (-West) zu stürmen. Die westdeutsche KP machte sich die östlichen Forderungen zu eigen und polemisierte gegen Adenauers Bereitschaft zur militärischen und wirtschaftlichen Integration in den Westen[2].

Die proklamierten Zielsetzungen in Bonn und Ostberlin liefen darauf hinaus, den jeweils anderen Teil Deutschlands aus dem Machtbereich des gegnerischen Blocks herauszulösen. Auf beiden Seiten kämpfte man auch gegen die Abtretung deutschen Landes jenseits des eigenen Einflußbereiches: die SED und KPD polemisierten gegen die französischen Bestrebungen, das Saargebiet noch stärker als bisher mit Frankreich zu verbinden, während sich die nichtkommunistischen Parteien des Bundestags empört über die Bestrebungen der DDR und Polens zeigten, die Oder-Neiße-Linie für die endgültige Grenze zu erklären[3].

Ein besonderer Streitpunkt zwischen Osten und Westen wurde die Frage der deutschen Kriegsgefangenen in der Sowjetunion. Wenige Wochen nach Adenauers Bereitschaftserklärungen für ein westdeutsches Kontingent in einer Europaarmee ließen die Sowjets Tausende deutscher Kriegsgefangener als »Kriegsverbrecher« verurteilen, was Adenauer vor der Weltöffentlichkeit als »Verbrechen gegen die Menschlichkeit« geißelte[4]. Im Mai, als die Umrisse politischer und wirtschaftlicher Integration der BRD in den Westen sich abzeichneten, erklärte die Sowjetunion die Entlassung deutscher Kriegsgefangener für beendet – eine Meldung, die in der kommunistischen Presse auf Zustimmung stieß, in Westdeutschland jedoch Entsetzen, Erbitterung und Empörung hervorrief[5].

---

2. SBZ von 1945–1954. Eine chronologische Übersicht (1964), S. 120ff. – Dokumente der KPD 1945–1956 (Berlin-Ost 1965), S. 223ff, bes. S. 229, 233, 236, 239.

3. Dokumente der KPD, S. 240. – Regierungserklärung Adenauers v. 9. 6., Erklärung aller Fraktionen außer der KPD am 13. 6. 50. Sten. Berichte des 1. Deutschen Bundestags, 68. Sitzung, S. 2457f. Als Beispiel für die Reaktion der westdeutschen Presse: FAZ 9. 6., 8. 7., 10. 7. 50.

4. Sten. Berichte des 1. Deutschen Bundestags, 32. Sitzung, S. 1013. – FAZ 30. 1. 50.

5. Die »Berliner Zeitung« in Ostberlin nannte die sowjetische Erklärung »ein Dokument der erstaunlichsten Größe und Weitherzigkeit, mit der die Sowjetunion der überwiegenden Mehrheit der Deutschen jenes unendliche Leid verziehen hat, das sie – noch über die Greuel eines ›normalen‹ Krieges hinaus – dem Lande und dem Volke zufügten« (zit. nach NZZ 9. 5. 50). – Adenauer richtete einen »Appell an das gesunde Empfinden und an die Menschlichkeit aller Völker«, Alterspräsident

Heinemann bekam als Innenminister die Verschärfung der Lage vor allem dadurch zu spüren, daß sich die Meldungen über »Störungen und Sprengungen« von Versammlungen in zunehmendem Maße häuften[6]. Er suchte die Demokratie durch ein neues Versammlungsordnungsgesetz zu schützen, wenn er es auch »lieber gesehen« hätte, daß »sich für öffentliche Versammlungen ein guter Stil aus gesunder staatsbürgerlicher Haltung in freier Weise entwickeln würde«. Jedoch: »Die Spannungen in unserem Volke und die intolerante Verbissenheit mancher Parteianhänger sind teilweise so groß, daß sie mit freundlichen Worten oder überlegenem Humor allein nicht gebändigt werden können. Solange diese freiheitlichen Grundrechte von einzelnen Gruppen zur Unterdrückung der grundgesetzlich garantierten Freiheiten anderer mißbraucht werden, erscheint mir eine gesetzliche Festlegung von Ordnungsgrundsätzen leider unerläßlich.«[7] Der Minister legte dem Bundestag einen Entwurf vor, den er auch in der Presse zur Diskussion stellte[8].

Heinemann ging es darum, auf demokratische Weise eine Ordnung herzustellen:

»Es gehört geradezu zum Wesen demokratischer Ordnung, daß die Regierung ihre Arbeit im ständigen Scheinwerferlicht öffentlicher Kritik zu versehen hat. Diese Kritik wird nicht zuletzt in öffentlichen Versammlungen geäußert. Es muß mit gesetzlichen Mitteln sichergestellt werden, daß diese Kritik an der Regierung in öffentlichen Versammlungen genau so ungestört vorgebracht werden kann wie die Verteidigung der Regierungspolitik.«[9]

Heinemann schlug vor, daß die Veranstalter und Besucher von Versammlungen zu demokratischer Haltung gesetzlich verpflichtet werden müßten:

»Zur Erörterung stehen dabei u. a. das Verbot der Verwendung von solchen Fahnen, die als Symbol des Kampfes gegen die bestehende demokratische Grundordnung verwendet werden, das Verbot von uniformähnlichen Kleidungen sowie die Zulässigkeit eines Einsatzes von Ordnern, die den Versammlungsleiter notfalls gegen Störenfriede unterstützen.«[10]

Der Minister trat für eine Erweiterung der Strafbestimmungen ein, die auf Sprengung von Versammlungen standen:

P. Löbe legte im Namen aller Fraktionen außer den Kommunisten im Bundestag »aufs feierlichste Verwahrung ein gegen dieses Unrecht« (Sten. Berichte des 1. Deutschen Bundestages, 62. Sitzung, S. 2282). – FAZ 6. 5. 50, NZZ 6. 5. 50.
6. GH 23: Wettrüsten zur Saalschlacht? Die Zeit 13. 4. 50.
7. GH 26: Versammlungsordnung. Münchner Merkur 23. 5. 50.
8. Sten. Berichte des 1. Bundestages, 40. Sitzung, 23. 2. 50, S. 1338f. – GH 23 und GH 26.
9. GH 26.
10. ebd.

»Künftig sollten darüber hinaus Strafen vorgesehen werden für alle, die eine Versammlung gröblich stören. Verabredete oder gemeinschaftliche Störungen sind verschärft zu bestrafen. Das gilt besonders, wenn sich jemand von vornherein mit der Absicht trägt, die Versammlung zu stören, wie es aus dem Mitbringen von Lärminstrumenten, Stinkbomben und Wurfgegenständen ersichtlich ist. Desgleichen wäre ein Widerstand gegen befugte hausrechtliche Anordnungen des Leiters oder seiner Ordner strafbar zu machen.«[11]

Entschieden stellte sich Heinemann gegen jegliche Radikale:

»Es muß ein für allemal feststehen, daß es an der bestehenden demokratischen Grundordnung nichts herumzudeuteln gibt. Anders als in der Weimarer Republik sollte sich unsere junge Demokratie entschlossen gegenüber den Gegnern der inneren Freiheit den erforderlichen Respekt zu verschaffen wissen.«[12]

»Was ... nicht angeht, ist die Terrorisierung von Versammlungen oder deren Sprengung, ist die Zerschlagung der Versammlungsfreiheit anderer unter Berufung auf die eigene Freiheit der Meinungsäußerung. Natürlich kann in Versammlungen auch über die Verfassung und deren Änderung gesprochen werden, aber wer die freiheitlich-demokratische Staatsform als solche bekämpft, um an ihrer Stelle ein System der Freiheitsvernichtung zu errichten, hat die freiheitlichen Rechte unserer Grundordnung verwirkt.«[13]

Heinemann ließ keinen Zweifel daran, daß er damit in erster Linie die Kommunisten meinte:

»Kommunistische Angriffe richten sich insbesondere dagegen, daß Versammlungen und Kundgebungen unter freiem Himmel vorher angemeldet werden sollen und bei unmittelbarer Gefahr für die öffentliche Ordnung oder Sicherheit unter Auflagen gestellt oder auch verboten werden können. Art. 8. Abs. 2 des Grundgesetzes läßt diese Beschränkung zu. Der Einwand, daß damit ein neuer ›Polizeistaat‹ entstehe, klingt von dieser Seite besonders unglaubwürdig. Im übrigen werden solche Auflagen oder Verbote, wie alle behördlichen Akte, der verwaltungsgerichtlichen Kontrolle unterliegen, so daß von polizeistaatlichen Tendenzen durchaus keine Rede sein kann.«[14]

Ein paar Wochen später wurde der Minister noch deutlicher. In einem Artikel »Politik ohne Parteien verhängnisvoll« wandte er sich gegen die verbreitete Aversion gegen Parteien und legte dar, daß Politik nur in Mannschaften zu betreiben sei; »Politik ohne Parteien haben wir gerade gehabt. Sie hieß Hitler.« In diesem Zusammenhang führte er aus:

»Politik ohne Parteien haben wir heute noch, – in der sowjetischen Zone. Sie heißt: Blockpolitik der ›nationalen‹ Einheitsfront. Wer also aus wirklicher Überlegung Politik ohne Parteien haben will, möge entweder in die Sowjetzone

---

11. GH 23.
12. ebd.
13. GH 26.
14. ebd.

gehen und sich zur Nationalen Front melden, oder aber er möge sich sagen lassen, daß er hier im Westen offenbar die Geschäfte von fernen Drahtziehern betreibt. Sollte es den Schönrednern von der parteilosen Politik nicht zu denken geben, daß unsere Landsleute in der Sowjetzone nach nichts anderem Ausschau halten, als nach einer Politik mit Parteien? Sie sind angewidert durch die Umfälschung aller Parteien aus Instrumenten politischer Entscheidungsfreiheit zu dem einen Instrument der SED-Beherrschung, die auf ihnen lastet.«[15]

Heinemanns entschiedenes Eintreten für die parlamentarische Demokratie westlicher Prägung machte ihn im Osten unbeliebt. Scharfe Angriffe richteten sich gegen »Heinemann als Symptom« westlicher Unterdrückung[16]. Das bekam Heinemann anläßlich der Synode von Weißensee auch persönlich zu spüren, als es dem sowjetischen Botschafter Semjonow mißfiel, daß ein Bonner Minister im Ostsektor Berlins eine kirchliche Versammlung leitete; er untersagte es nicht, glossierte es aber mit einer bissigen Bemerkung[17].

Für das Auseinanderleben der Deutschen in Ost und West war es nun aber symptomatisch, daß gerade während jener Monate, in denen der Abstand zwischen Heinemann und den Kommunisten zu verstärkter Polemik führte, auch das Verhältnis Heinemanns zu Adenauer und seinen Anhängern wegen dessen Außenpolitik kritisch wurde.

Die Synode von Weißensee gab auch in dieser Hinsicht den Anlaß zur ersten kleinen Auseinandersetzung. Adenauer nahm Anstoß daran, daß Heinemann als Präses zu einem Empfangsabend der Synode die Stadtverwaltungen von West- und Ostberlin, die Regierungen der BRD und DDR sowie die vier Berliner Stadtkommandanten eingeladen hatte; das war im Einvernehmen mit dem Rat der EKD geschehen. Der Kanzler »legte Wert darauf, festzustellen, daß die Bundesregierung sich von dieser Einladung völlig distanziert«, und verlangte zwei Tage vor Beginn der Synode, daß Heinemann die Einladung widerriefe. Heinemann lehnte das ab, erklärte sich aber bereit, aus der Bundesregierung auszuscheiden, wenn Adenauer auf dem Widerruf der Einladungen bestehe. Daraufhin ließ der Kanzler seine Forderung fallen[18].

---

15. GH 27: Die Welt 7. 6. 50.
16. Siehe dazu: Berlin-Weißensee 1950, S. 224.
17. GH 244, S. 461; Schnittpunkt, S. 97f. – Semjonow erzählte, es habe in Rußland einen Mönch gegeben, der in der Fastenzeit gern Fleisch essen wollte und zu seinem Schwein im Stall sagte, ehe er es schlachtete: »Jetzt in der Fastenzeit bist du nicht Schwein, sondern Fisch.«
18. Schreiben Adenauers v. 14. 4. 50; Notizen Heinemanns zu seinem Rücktritt (AH). – GH 244, S. 461; Schnittpunkt, S. 97.

Die Episode zeigte, daß Adenauer sogar den Schein eines Kontaktes zur östlichen Besatzungsmacht mied. Um so intensiver waren seine Bemühungen darauf gerichtet, die »Integration« der BRD in den Westen voranzutreiben. Im März schlug er mehrfach eine politische Union zwischen Frankreich und der BRD vor, einen Plan, der zwar angesichts der französischen Psychologie nicht realisierbar war, aber Adenauers Fernziel deutlich machte[19]. Seit dem März suchte Adenauer auch den Beitritt der BRD zum Europarat vorzubereiten, indem er nach langer Verhandlung mit den Hohen Kommissaren darum bat, die Westmächte möchten eine Einladung zum Beitritt an die BRD richten. Er hoffe, eine Mehrheit im Bundestag für diesen Schritt zu bekommen, wenn die Mitgliedschaft des Saargebiets nur »vorbehaltlich der Regelung des Status des Saargebiets durch den Friedensvertrag mit Deutschland« gelte[20].

Dieser Schritt scheint noch die Billigung des Kabinetts gefunden zu haben[21]. Aber in den folgenden Wochen, vor und nach der Weißenseer Synode, wurde es Heinemann deutlich, daß der Europarat des Jahres 1950 nicht dem gesamteuropäischen Ideal des Europarats entsprach, wie Heinemann ihn 1948 mit Adenauer zusammen in Den Haag befürwortet hatte, sondern nur einen Teil Europas umfaßte und damit Teil der west-östlichen Blockbildung war. In der Kabinettssitzung vom 9. Mai, in der über die Annahme der Einladung beschlossen werden sollte, widersprach Heinemann zusammen mit Jakob Kaiser, dem Minister für gesamtdeutsche Fragen[22]. Kaiser hielt im Fall eines Beitritts der BRD zum Europarat eine sowjetische Reaktion für unausbleiblich; die Explosionsgefahr in Europa werde erhöht; die russische Zone verstünde die Westdeutschen nicht; die Zweiteilung werde verewigt. Heinemann schloß sich Kaisers Standpunkt an. Er spräche damit kein Nein zu Europa als Staatenbund, kein Nein zum Westen; er optiere erst recht nicht für die Sowjets; die Saar und ihre Begleitumstände seien auch für ihn nicht von durchschlagendem Gewicht. Er sähe auch keine Chance, daß man deutsche Neutralität achten werde. Entscheidend sei für ihn, daß die BRD mit dem Ja zum Europarat in Konsequenzen der Aufrüstung hineinginge.

Adenauer mußte einräumen, daß der Eintritt in den Straßburger Europarat zu noch weitergehenden westlichen Bindungen der Bun-

19. Adenauer, Erinnerungen I, S. 311ff.
20. ebd. S. 317ff, 324.
21. ebd. S. 326. – Heinemann kommt in seinem kritischen Rückblick nicht auf die Geschichte der Einladung zu sprechen. GH 244, S. 461; Schnittpunkt, S. 98.
22. ebd. – Notizen (AH).

desrepublik führen müßte und führen sollte[23]. Er wandte aber ein[24], die Auseinandersetzung habe ihn lebhaft an Diskussionen erinnert,

»die wir etwa vor zwei Jahren führten, als es sich darum handelte, den Parlamentarischen Rat einzuberufen, das Grundgesetz zu beschließen und im Anschluß daran die Bundesrepublik Deutschland ins Leben zu rufen.« Auch damals seien »Betrachtungen darüber angestellt worden, ob man nicht durch ein solches Vorgehen den deutschen Osten entmutige, ob man nicht den Eisernen Vorhang dadurch fester mache, ob man nicht Berlin dadurch preisgebe«.

Adenauer war der Meinung,

»die Verfechter des Gedankens, die Rettung Berlins und die Rettung des deutschen Ostens habe zur Voraussetzung, daß der deutsche Westen wirtschaftlich und politisch stark werde, hätten recht behalten. Wir wären sonst niemals in der Lage gewesen, Berlin die Hilfe zu gewähren, die es in den Stand gesetzt habe auszuhalten. Ich glaubte, man könne auch auf diese neue Sachlage auf Grund der Erfahrungen, die wir in den letzten Jahren gesammelt hätten, denselben Grundsatz anwenden, nämlich, je stärker die Bundesrepublik Deutschland politisch und wirtschaftlich werde, desto besser sei es für Berlin und für den deutschen Osten«.

Gerade davon waren jedoch Kaiser und Heinemann nicht überzeugt. In stundenlanger Aussprache, die zeitweilig in Sondergespräche des Bundeskanzlers mit Kaiser und Heinemann außerhalb der Kabinettssitzungen verlegt wurde, suchte das Kabinett einen Ausweg. Da Adenauer und die Mehrheit am Beitrittsbeschluß festhielten, stimmten die beiden opponierenden Minister zuletzt einer Formel zu, deren Aussage weniger apodiktisch als die vorgelegte Fassung klang, da sie ins Passiv gewendet war:

»Der Zusammenschluß Europas unter Einbeziehung der Bundesrepublik Deutschland wird als notwendiger Weg zur Erhaltung des Friedens und zur Wiederherstellung der deutschen Einheit angesehen. In der Absicht, diesen Zielen zu dienen, empfiehlt die Bundesregierung, die Einladung zum Beitritt der Bundesrepublik in den Europarat anzunehmen.«[25]

Selbst diese kleine Änderung wurde jedoch von Adenauer einfach rückgängig gemacht. Adenauer gab seine ursprüngliche Fassung (Der Zusammenschluß Europas . . . ist . . .) an den Bundesrat weiter. Heinemann dachte nicht daran, eine solche autoritäre Verfahrensweise des Kanzlers hinzunehmen. Aber die Erfahrungen, die er mit seinen Kabinettskollegen machte, zeigten deren Abhängigkeit von der Person des Kanzlers und dessen dominierende Stellung:

---

23. GH 244, S. 462; Schnittpunkt, S. 98.
24. Textwiedergabe nach seinen Ausführungen auf einer Pressekonferenz an demselben Tage (Adenauer, aaO. S. 330f).
25. GH 244, S. 471f; Schnittpunkt, S. 98.

»Ich protestierte schriftlich, in einer nachfolgenden Kabinettssitzung auch mündlich gegen die eigenmächtige Textänderung durch den Bundeskanzler. Nur Jakob Kaiser unterstützte mich, obwohl eigentlich alle Kabinettsmitglieder sich gegen eine solche Praxis hätten wehren müssen. Dr. Adenauer erklärte, daß die Änderung aus stilistischen (!) Gründen notwendig gewesen sei und aus Mangel an Zeit nicht im Kabinett habe zur Sprache gebracht werden können.«[26]

An der Sache konnte Heinemann nichts ändern. Denn ob im Passiv oder Aktiv formuliert – Adenauer und die Mehrheit des Kabinetts hatten sich für den Eintritt in den Europarat ausgesprochen. Und dieser Schritt war nur einer von mehreren in derselben Richtung. Im Mai begrüßte Adenauer begeistert den Vorschlag des französischen Außenministers Schuman, die Montanindustrie der beiden Länder zusammenzulegen[27]. Im Juni wurden dafür schon die Vorbereitungen getroffen, und der Bundestag stimmte mit Mehrheit für den Eintritt in den Europarat[28].

Daß dieses »Europa« auch einen weltpolitischen und ideologischen Aspekt hatte, wurde Heinemann deutlich vor Augen geführt, als auf einer Akademietagung in seiner Gegenwart der amerikanische Hochkommissar McCloy dazu Stellung nahm[29]. Dem Journalisten Hans Zehrer, der ein Europa als dritte Kraft zwischen den Blöcken wünschte, fuhr der Amerikaner scharf in die Parade, indem er ihn zunächst auf Europas Schwäche hinwies und dann die Alternative aufzeigte, wie er sie sah:

»Wenn Sie die dritte Kraft haben – und bisher haben Sie sie nicht – dann können Sie sich überlegen, mit wem Sie gehen wollen, aber das Problem ist dann kein Problem der ›Dritten Kraft‹, sondern einfach das Problem, für was Sie sich entschieden haben und dann müssen Sie sich für Christ oder Antichrist entscheiden. Ebenso wie mit der ›Dritten Kraft‹ steht es mit der Neutralität. Es gibt im Leben eines jeden Menschen einen Zeitpunkt, wo er sich bekennen und entscheiden muß, ob er für Gutes oder Böses eintreten will. Das gleiche gilt für Europa und für Deutschland.«[30]

Hier wurde ein politisches Glaubensbekenntnis zu »Europa« als christlicher Kraft unter amerikanischer Führung gefordert. Bei Heinemann, dem dies »Europa« gerade problematisch geworden war, mußte die Identifizierung dieses politischen Ziels mit dem Christentum die Bedenken gegen die Politik von Washington und Bonn noch vergrößern.

---

26. ebd. S. 462 resp. S. 99. – Schreiben Heinemanns an Adenauer v. 26. 5., Antwort Adenauers v. 10. 6., Schreiben Heinemanns v. 22. 6. 50 (AH).
27. Adenauer, aaO. S. 327ff.
28. ebd. S. 336ff.
29. Evangelische Welt 16. 6. 50, S. 375.
30. Wiedergabe seiner Rede im Sonntagsblatt 28. 5. 50.

Dabei hatte McCloy ein weiteres Kardinalproblem nicht einmal erwähnt: daß die USA, während in Westdeutschland alle westliche Aktivität als Notwehr gegenüber dem Osten angesehen wurde, ihre globale Strategie durchaus als diplomatische Offensive gegen die Sowjetunion formulierte. Erst wenn man diesen Hintergrund sieht, erkennt man, in welchem Maße sich die deutsche Frage im Frühjahr 1950 komplizierte und wieviel schwerer Heinemanns Positionen zu halten waren.

Nicht anders als offensiv konnte das Sieben-Punkte-Programm interpretiert werden, in dem der amerikanische Außenminister Acheson im Frühjahr 1950 die Bedingungen nannte, unter denen die Großmächte friedlich nebeneinander leben könnten. Die Sowjets sollten nicht nur auf weitere Ausdehnung ihrer Herrschaft verzichten, sie sollten freie Wahlen in den von ihnen besetzten Staaten und in der deutschen Ostzone gestatten, sollten sich Mehrheitsentscheidungen der UN beugen, sollten Personen und Gedanken aus anderen Ländern in der Sowjetunion Einlaß gewähren. Eine »totale Diplomatie« sollte alle Kräfte des Westens im Dienste dieser gänzlichen Demokratisierung der Erde zusammenfassen[31]. Mit John Foster Dulles ernannte Präsident Truman einen Republikaner zum außenpolitischen Berater, der demselben Glauben anhing: »Unter dem Druck von Glauben und Hoffnung und friedvollem Wirken könnte die starre, schwerfällige und überorganisierte Maschinerie der kommunistischen Herrschaft bald zusammenbrechen.« Deutschland erschien Dulles als ideale vorgeschobene Bastion, von der aus man »Osteuropa unterminieren« könnte[32].

Zwar waren offensive Tendenzen in der amerikanischen Außenpolitik auch schon früher von kritischen westlichen Beobachtern erkannt worden[33]; aber in den vierziger Jahren hatte insgesamt doch das Moment der Verteidigung die größere Rolle gespielt. Die programmatische Zielsetzung Achesons bedeutete demgegenüber einen Schritt in Richtung auf die außenpolitische Linie hin, die dann später als »Roll-back-Politik« bezeichnet wurde. Im Lichte des Programms der sogenannten »totalen Diplomatie« geriet jeder außenpolitische Schritt der BRD vollends ins Zwielicht. Das galt für ihre Westpolitik, die Zusammenschlüsse auf wirtschaftlichem und politischem Gebiet, ebenso wie für ihre Ostpolitik; die Forderung nach freien Wahlen im Osten, zu der die Deutschen vom amerikanischen Hohen Kommissar

---

31. EA 1950, S. 2909, 3150, 3154. – Dean Acheson, Strengthening the Force of Freedom. Selected speaches, Washington 1950, S. 1ff, 15ff, 20ff.
32. J. F. Dulles, Krieg oder Frieden, Wien/Stuttgart 1950, S. 163, 261. Vgl. auch S. 253ff.
33. So z. B. von Walter Lippmann, The Cold War, 1947.

McCloy ermutigt worden waren[34], konnte als Ausfluß demokratischer Grundhaltung, aber auch als Propagandawaffe im Kalten Krieg verstanden werden[35].

Daß die Akzente sich im Kalten Krieg verschoben, konnte allerdings Heinemann wie die überwältigende Mehrheit der westdeutschen Bevölkerung nicht klar durchschauen. Denn wie es schon in der Affäre Niemöller offensichtlich geworden war, hatte sich die Presse weitgehend in ihren Meldungen nach Westen ausgerichtet. Man war gewohnt, die Sowjetunion grundsätzlich für den Angreifer zu halten und die Handlungen des Westens stets als Verteidigung zu interpretieren[36]. So tauchte die Frage gar nicht auf, ob sich in der Politik der *beiden* Großmächte womöglich defensive und offensive Elemente mischten. Beispielsweise erschien die Festlegung der Oder-Neiße-Linie als »Friedensgrenze« als pures Unrecht, ohne daß man fragte, wieweit sie womöglich Reaktion auf westliche Pläne einer Montanunion war; und niemand kam auf den Gedanken, den Stop der Heimkehrertransporte durch die Russen mit der vorhergehenden Bereitschaftserklärung Adenauers zur Aufstellung deutscher Soldaten in einer Europaarmee in Verbindung zu bringen[37].

---

34. Die Bemühungen der Bundesrepublik I, S. 9f (Fußnote). – NZZ 2. 3. 50, 4. 3. 50.
35. Im Leitartikel der FAZ vom 4. 4. 50 hieß es: »Das wütende Gekeife der sowjetzonalen Propaganda, das diesem Schritt folgte, ist der beste Beweis dafür, wie gut der Schlag gesessen hat.« – In der »Zeit« forderte R. Tüngel dazu auf, »den Betrügern in der Sowjetzone . . ., die die ›Nationale Front‹ gegründet haben und die nichts anderes sind als servile Agenten des Kominform, die Maske vom Gesicht zu reißen« (»Bonn muß zugreifen. Zu McCloys Vorschlag freier Wahlen in allen vier Zonen.« Die Zeit 9. 3. 50).
36. Bezeichnend R. Tüngel: »Der Beitritt zum Europarat und der Schumanplan sind nichts anderes als sehr späte Antworten auf die zwangsweise Eingliederung der Sowjetzonenindustrie in die sowjetrussische Wirtschaft, auf Blockade und Eisernen Vorhang« (Die Zeit 1. 6. 50). Drei Wochen später formulierte derselbe Journalist, die bisherigen, rein defensiven Versuche, einem sowjetischen Angriff zu begegnen, könnten »uns . . . keinesfalls genügen . . . Wir können uns nicht auf Improvisationen verlassen, wir brauchen, um Widerstand leisten zu können, einen konstruktiven Plan. Unser Widerstand kann auch nicht allein defensiv, sondern muß auch offensiv geführt werden, weil sein Ziel ist, die kommunistische Herrschaft in Ostberlin und der Sowjetzone zu brechen« (Die Zeit 22. 6. 50).
37. Einen Ansatzpunkt in dieser Richtung bildete eine Erklärung des evangelischen Bischofs D. Heckel, dem Leiter des evangelischen Hilfswerks für Kriegsgefangene. Er forderte dazu auf, die TASS-Meldung über die Rückführung der Kriegsgefangenen nie als das endgültige Wort der Sowjetunion zu akzeptieren. »Für die Sowjetunion stehe die Kriegsgefangenenfrage unter dem Primat der Politik, und sie betrachte die deutschen Kriegsgefangenen als eine Art politisches Wechselgeld. Andererseits sei es auch bedenklich, in Deutschland bei den Angehörigen mit Zahlen über die wahrscheinlich zurückgehaltenen Kriegsgefangenen, wie sie kürzlich in der Erklärung des Bundeskanzlers vor dem Bundestag enthalten waren, ungeheure Hoffnungen zu erwecken, die nicht erfüllt werden könnten« (FAZ 19. 6. 50).

Lediglich der Nauheimer Kreis unter Prof. Noack bemühte sich nach wie vor, die beiderseitigen Standpunkte in Rechnung zu setzen[38]. Noack warnte Minister Kaiser, der als Vorbedingung für eine Wiedervereinigung Deutschlands die Verhandlungen mit freigewählten Politikern der Ostzone erklärte; eine solche Forderung mache angesichts der gegebenen Möglichkeiten in der Ostzone eine Politik der Wiedervereinigung Deutschlands geradezu unmöglich[39]. Noack warnte andererseits die SED vor der Hoffnung, die Mehrheit der Bevölkerung Westdeutschlands in die »Nationale Front« einreihen zu können; dazu fehlten alle Voraussetzungen[40]. Unermüdlich empfahl Noack als Ausweg aus dem deutschen Dilemma eine Neutralisierung ganz Deutschlands[41]. Aber gerade Noack bekam die zunehmende Verbissenheit beider Seiten im Kalten Krieg zu spüren. In Westdeutschland fand er schon längst keine Politiker mehr, die ihn unterstützten; in Rheinland-Pfalz wurde eine Tagung verboten, zu der er auch Politiker der DDR eingeladen hatte[42]; in der DDR, in der seine Ideen im Vorjahr noch amtlich gefördert waren, setzte seit dem Februar 1950 eine von Ulbricht begonnene Kampagne gegen die Neutralisierungspläne ein; die SED lehnte Noack hinfort ab, verbot die Erörterung seiner Ideen und sorgte dafür, daß seine Anhänger politisch kaltgestellt wurden[43].

Heinemann kannte Noacks Ideen nur oberflächlich; er stand nicht, wie Niemöller, in brieflichem Kontakt mit dem Professor. Aber er verfolgte mit Interesse die Kommentare Walter Lippmanns, der immer wieder gegen eine zu weitgehende Integration der BRD in den Westen Stellung nahm, weil dann das Deutschlandproblem unlösbar werde[44]. Heinemann äußerte sich öffentlich nirgends, wie er sich die weitere außenpolitische Entwicklung vorstellte. Seine Lage war unangenehm genug: ein erklärter Gegner der kommunistischen Weltanschauung und Methode, hatte er sich von Adenauers Zielsetzung getrennt, ohne doch, wie Niemöller und Noack, ein anderes politisches Konzept gefunden zu haben.

---

38. Ostersendung 1950 des Nauheimer Kreises, Würzburg 1950.
39. aaO. S. 14: Offener Brief des Nauheimer Kreises an Bundeskanzler Adenauer v. 5. 3. 50.
40. aaO. S. 19: Offener Brief des Nauheimer Kreises an den stellvertretenden Ministerpräsidenten Ulbricht v. 5. 3. 50.
41. aaO. S. 6ff, bes. S. 9ff: Denkschrift des Nauheimer Kreises an den amerikanischen Hochkommissar McCloy v. 5. 3. 50.
42. Der Nauheimer Kreis. Dokumente zu dem Verbot des Deutschland-Kongresses in Rengstorf 18.–20. Nov. 1949.
43. SBZ von 1945–1954 (1964), S. 99, 119ff, 124.
44. Heinemann übersandte Niemöller am 23. 1. 50 zur Kenntnisnahme zwei Artikel Lippmanns (NYHT vom 14. und 17. 1. 50; AN).

In der Politik war er isoliert[45]. Er war in eine Lage geraten, auf die in besonderer Weise sein Wort aus dem Jahre 1946 zutraf: daß ein christlicher Politiker angewiesen sei auf die Hilfe, die aus dem kirchlichen Raum käme[46].

Eine Chance für eine theologisch-politische Diskussion hätte die Synode der Vereinigten Lutherischen Kirche Deutschlands eröffnen können, die zwei Monate nach der Synode von Weißensee in Ansbach tagte. Nachdem Bischof Lilje in Weißensee die Nüchternheit des christlichen Glaubens gepriesen und mit Betonung versichert hatte, die Kirche müsse sich den Fragen der Welt nach dem Frieden stellen[47], durfte man eine Konkretisierung dieser Gedanken erwarten.

Aber die Lutheraner taten nichts dergleichen. Sie berieten über die »Erneuerung und Vereinheitlichung gottesdienstlicher Ordnungen innerhalb der VELKD« und faßten eine lange Entschließung zur Lehre vom Sakrament der Taufe[48]. Zum politischen Problem von Spaltung und Einheit Deutschlands und der evangelischen Kirche äußerte sich die Synode nicht – das Stichwort »Einheit« griff sie nur unter konfessionellem Aspekt auf: sie gab eine besorgte Stellungnahme gegenüber den »unionistischen Tendenzen« in der EKD ab und kam in diesem Zusammenhang auch auf Heinemann zu sprechen. Denn sein Monate zurückliegender Vortrag über die Einheit der Christen Deutschlands bildete den eigentlichen Stein des Anstoßes für die Lutheraner[49]. Bischof Meiser bedauerte ihn »aufs tiefste«, sah darin eine falsche »Verpflichtung zum Interkonfessionalismus« und zeigte sich empört über Heinemanns Appell an die Laien, in der Frage der Konfession eventuellen Spaltungstendenzen der Theologen entgegenzutreten. Als unerlaubten Rückzug auf ein »Minimalbekenntnis« erschien dem Bischof Heinemanns Vorschlag, die evangelischen Christen Deutschlands sollten ihre Einheit in der reformierten Gnadenlehre finden; Meiser zählte dagegen die theologischen Unterschiede auf, die seiner Meinung nach das lutherische vom reformatorischen Bekenntnis trennten. Entscheidend war dem Bischof, daß die lutherische Verkündigung unverkürzt erhalten bleibe[50].

Meisers Erklärung, die sich die Synode »ausdrücklich zu eigen« machte[51], zeigte abermals die Befangenheit der Lutheraner. Indem sie

---

45. Die FAZ gab am 7. 7. 50 »Gerüchte um Heinemann« wieder, wonach Heinemann als Minister durch eine dem hohen kath. Episkopat genehmere Persönlichkeit ersetzt werden sollte, eine Meldung, die der Bundespressechef dementierte.
46. GH 4, S. 1.
47. Berlin-Weißensee 1950, S. 98, 155f; vgl. ebd. S. 93, 127.
48. KJ 50, S. 40ff.
49. GH 21.
50. KJ 50, S. 51ff.
51. Beckmann, KJ 50, S. 54.

ihre Kirche, ihre Theologie nicht auf das Stuttgarter Schuldbekenntnis bezogen, waren und blieben sie unfähig zur Erkenntnis dessen, was politisch zu durchdenken nötig war, und damit unfähig zur Hilfe für die Politiker.

Tatsächlich war »eine sehr ernste Lage gegeben« – nur in anderem Sinne, als Meiser meinte[52]: Zwei Tage nach dem Ende der Synode von Ansbach brach der Koreakrieg aus. Vertreter des deutschen Protestantismus hatten in Ansbach versäumt, sich ohne Kriegshysterie über die Weltlage klarer und damit fähig zu werden, deutschen Politikern, Christen wie Nichtchristen, eine Hilfe in der gespannten und verworrenen Weltlage zu sein.

---

52. Wenn die Gedanken aus Heinemanns Artikel »weitere Kreise ziehen sollten, so wäre allerdings eine sehr ernste Lage gegeben und die Evangelische Kirche in Deutschland würde zu fragen sein, ob sie sich diese Gedanken zu eigen macht« (KJ 50, S. 53f).

III
Das Problem westdeutscher Aufrüstung im Herbst 1950

Die Sommer- und Herbstmonate des Jahres 1950 wurden für Deutschland in mehrfacher Hinsicht entscheidend.

Die Schritte, die Adenauer in Bezug auf die Aufstellung deutscher Soldaten unternahm, stellten die folgenreichste Initiative der deutschen Nachkriegs-Diplomatie dar. Der damit zusammenhängende Entschluß Heinemanns zum Rücktritt von seinem Ministeramt bedeutete für ihn persönlich die entscheidende Wende. Die Erklärungen, die er darüber abgab, wurden sein eigentlicher Beitrag zur Deutschlandfrage. Ein Vergleich zwischen ihnen und den gleichzeitigen Verlautbarungen Adenauers zeigt den grundsätzlichen Unterschied in der Weltsicht dieser beiden Männer. Die Diskussion in der westdeutschen Öffentlichkeit, besonders in der evangelischen Kirche, über die Aufrüstung, über Adenauers und Heinemanns Schritte war von großer Bedeutung für den weiteren Weg der Bundesrepublik Deutschland. Besonderes Gewicht hatte dabei eine bestimmte Deutung des Koreakrieges, die für die Beurteilung der deutschen Frage und die Beurteilung Heinemanns auf Jahre hinaus bestimmend blieb. Deshalb muß die Wirkung des Kriegsausbruchs in Korea auf Deutschland zunächst betrachtet werden.

1
Die Wirkung des Kriegsausbruchs in Korea auf die Öffentlichkeit in der BRD

Der Krieg in Korea, der am 25. Juni 1950 ausbrach, fand in der ganzen Welt ein starkes Echo. Die kommunistischen Staaten bezeichneten sofort den südkoreanischen Ministerpräsidenten Syngman Rhee als den Angreifer, gegen den sich der Norden zur Wehr gesetzt habe. Unter den westlichen Staaten jedoch galt es als selbstverständlich, daß Nordkorea Südkorea angegriffen habe. Diese Deutung schien durch Nachrichten der UN-Kommission und durch die Tatsache bewiesen, daß die Nordkoreaner weit nach Süden vorstießen[1].

Die USA machten die Sache Südkoreas sofort zu ihrer eigenen. Auf

---

1. Berichte der UN-Kommission: KAG 30. 6. 50, S. 2458f.

ihre Initiative hin wurde der Sicherheitsrat der UN einberufen, der, nachdem er vergeblich den Rückzug der nordkoreanischen Truppen gefordert hatte, seine Mitglieder zur Hilfeleistung für Südkorea aufforderte. Präsident Truman beorderte amerikanische Luft- und Seestreitkräfte nach Korea[2].

Wie in den USA, so bewirkten auch in Westeuropa die Nachrichten aus Korea eine Verstärkung der Rüstung. Hatte bisher das Bemühen um wirtschaftliche Erholung in den politischen Überlegungen an erster Stelle gestanden, so gewann nun die Überzeugung die Oberhand, daß militärische Stärke ebenso wichtig, ja noch wichtiger sei[3]. Winston Churchill fand im August 1950 im Europarat eine große Mehrheit für seinen Vorschlag, unter Beteiligung aller Demokratien Westeuropas eine Europaarmee zur Abwehr der kommunistischen Bedrohung zu bilden[4].

Damit trat das Thema einer Aufrüstung Westdeutschlands im westeuropäischen Rahmen in ein neues Stadium. Als Churchill in Straßburg die positive Wirkung seines Vorschlags festgestellt hatte, bezog er Westdeutschland in sein Konzept ein[5]. Er stieß damit bei einem großen Teil der Delegierten auf Zustimmung[6]. Allerdings ging er als Führer der englischen Opposition weiter als die westlichen Regierungen, aus deren Kreisen bis zum Herbst 1950 mehrfach die Ablehnung einer westdeutschen Aufrüstung bekräftigt wurde[7]. Immerhin wurden auch andre Stimmen laut, und es wurde bekannt, daß sich eine Konferenz der westlichen Außenminister in New York im September zum ersten Mal mit dem Thema beschäftigen werde[8].

Deutsche Politiker äußerten schon vorher ihre Zustimmung zur Aufrüstung. Als auf der Tagung des Europarats ein Franzose die Vertreter der BRD nach ihrer Meinung fragte, erklärte Eugen Gerstenmaier für die CDU, daß es »vielen meiner Freunde ebenso wie mir selbstverständlich ist, daß wir bereit wären, bei der Verteidigung

---

2. KAG 30. 6. 50, S. 2459ff.
3. So im Kommuniqué des Ständigen Rats des Atlantikpaktrats v. 28. 7. 50, EA 1950, S. 3467.
4. Churchills Rede: EA 1950, S. 3374ff.
5. EA 1950, S. 3349, 3376.
6. EA 1950, S. 3350 (Für eine Resolution, die eine united European army forderte, sprachen sich 89, dagegen 5 Stimmen aus; 27 Stimmenthaltungen).
7. Erklärung des englischen Hohen Kommissars Kirkpatrick, DNZ 18. 7. 50; des amerikanischen Hohen Kommissars McCloy: »Das ist nicht der Augenblick, die Wiederaufrüstung Deutschlands zu organisieren oder nur über dieses Problem zu sprechen« (DNZ 18. 7. 50); desselben v. 22. 7. 50, KAG S. 2501; des US-Landeskommissars für Bayern, Shuster, Süddeutsche Zeitung 18. 8. 50; des französischen Außenministeriums vom 23. 8. 50, EA 1950, S. 3505.
8. Erklärung von J. F. Dulles, KAG 30. 7. 50, S. 2512; vgl. KAG 27. 7. 50, S. 2507.

Europas von uns selber nicht weniger zu verlangen, als von denen, die für die Freiheit und die Gerechtigkeit einstehen«[9]. Ebenso deutlich sprach sich vor der Abstimmung über Churchills Vorschlag der CDU-Delegierte v. Brentano aus: »Um den demokratischen Völkern Europas und der Welt den Frieden, aber auch die Freiheit zu erhalten, sind meine Freunde bereit und entschlossen, den Gedanken einer vereinigten europäischen Armee freier und gleichberechtigter demokratischer Völker unter gemeinsamer europäischer Führung und demokratischer Kontrolle zu unterstützen.«[10] Als Vertreter der FDP begrüßte Dr. Schäfer Churchills Resolution, da sie geeignet sei, »dem potentiellen Angreifer im Osten sehr deutlich zu machen, mit welchem Wagnis er zu rechnen habe«[11].

Während die Vertreter der Koalition einen sowjetischen Angriff für möglich hielten und in der Aufstellung deutscher Soldaten ein geeignetes Mittel zu dessen Abwehr sahen, beurteilten die Vertreter der SPD die Lage anders und lehnten ein deutsches Kontingent von Soldaten ab.

Professor Carlo Schmid warnte in Straßburg, Westeuropa müsse sich davor hüten, Beiträge zu einer Verteidigung zu verlangen, die die Kriegsgefahr erhöhen werde. Die Schaffung deutscher Divisionen würde den Russen einen Vorwand geben und könne sie leicht aus Angst vor einem Kriege dazu bringen, einen Krieg zu provozieren. Die Nachbarn Deutschlands würden dem Wiedererstehen einer deutschen Armee fünf Jahre nach ihrer eigenen Befreiung keinesfalls zustimmen. Die Rolle deutscher Generäle früherer Zeit sei unvergessen; in einem ungefestigten Staat wie der BRD werde das Heer leicht eine zu starke Stellung erringen[12].

Die Argumentation des SPD-Vorsitzenden Schumacher unterschied sich noch stärker von der der CDU. Er erklärte, er glaube nicht daran, daß die »nicht voll ausgerüstete Sowjetunion es wagen werde, in diesem oder den nächsten Jahren einen totalen und globalen Krieg zu entfesseln« und damit »den Bestand ihres Systems leichtfertig aufs Spiel« zu setzen. Ein Vergleich der Angriffshandlungen in Korea mit einem möglichen Angriff auf die BRD sei abwegig, denn Korea sei ein besatzungsfreies Land gewesen, während in Westdeutschland alliierte Truppen ständen. Eine bewaffnete Intervention der Volkspolizei käme einem Angriff auf die westlichen Alliierten gleich und sei deshalb nicht zu erwarten[13].

---

9. EA 1950, S. 3348, 3581. – FAZ 11. 8. 50.
10. EA 1950, S. 3350, 3581.
11. FAZ 12. 8. 50.
12. EA 1950, S. 3349f. – Neuer Vorwärts 18. 8. 50. – FAZ 12. 8. 50.
13. Neuer Vorwarts 4. 8. 50.

Auch in der Presse gab es in den ersten Wochen nach Beginn des Korea-Krieges Stimmen, die eine Parallelisierung von Korea und Deutschland für falsch hielten[14]. Im »Industriekurier« schrieb der FDP-Abgeordnete August Martin Euler, weder könne die schwache KPD einen Bürgerkrieg noch die Sowjetunion oder die Volkspolizei einen Angriff auf die Bundesrepublik riskieren, da dieser zu einem Konflikt mit den an Atomwaffen und Industriepotential überlegenen USA führen müsse[15]. Dieselben Überlegungen führten die »Welt« dazu, vor einer Panik zu warnen[16]. Die Feststellungen der Zeitung trafen sich mit denen des amerikanischen Rundfunkkommentators Alfred H. Boerner, der gleich nach Kriegsbeginn auf den Unterschied der Lage zwischen Südkorea und Westdeutschland hingewiesen hatte[17].

Der der CDU nahestehende »Rheinische Merkur« begrüßte demgegenüber schon im Juli »die realistische Entschlossenheit« der USA, »die Tollheit der zur Weltrevolution Entschlossenen in Asien, noch mehr in Europa, abzukühlen«[18].

»Das Fanal des Krieges in Korea gibt zu denken. Heute ist es ein fernes Land in Ost-Asien, morgen kann es Europa sein . . .
Rußland brauchte auch in Deutschland keine eigenen Truppen einzusetzen. Dies böte ihm noch Vorteile: Der Griff der Volkspolizei nach Rhein und Ruhr könnte propagandistisch als eine innerdeutsche Angelegenheit bezeichnet werden, und der Osten hätte dadurch nicht nur sein eigenes Potential für die spätere Aggression um das westdeutsche vermehrt, sondern auch das des Westens im selben Umfange vermindert.«

Die Zeitung, die schon 1948 für eine Aufrüstung Westdeutschlands eingetreten war[19], erneuerte ihre dringenden Forderungen:

»Wenn es nicht endgültig zu spät sein soll, um den Frieden in jenem Gebiet, das vom Abendland übrig blieb, zu schützen, dann muß sich Europa mit demselben Realismus und derselben Energie auf die eigenen Verteidigungsmöglichkeiten besinnen . . .
Wer in diesem Augenblick in Deutschland nicht konstruktive Politik treibt, die Gründe seien wie immer, der betreibt die Politik Rußlands in Deutschland.«

---

14. Von den folgenden Hinweisen verdanke ich die meisten der Arbeit von G. Heidt, Die Diskussion der deutschen Wiederbewaffnung in Presse und Parlament der Bundesrepublik Deutschland vom Ausbruch des Korea-Krieges (25. 6. 1950) bis zur Brüsseler Konferenz vom 20. 12. 1950, msl. Marburg 1965.
15. Industriekurier 22. 7. 50. – Heidt, aaO. S. 23f.
16. Die Welt 6. 7., 10. 7., 15. 7., 22. 7. 50. – Heidt, aaO. S. 32ff.
17. nach DNZ 29. 6. 50.
18. Rheinischer Merkur 29. 7. 50. – Heidt, aaO. S. 21f.
19. Rheinischer Merkur 6. 11., 13. 11., 20. 11. 48.

Auch die »Zeit« fürchtete, daß die Bundesrepublik einem »neokoreanischen Schicksal« entgegenginge, wenn nicht schleunigst ein deutsches Kontingent in einer Europaarmee aufgestellt würde[20]. Dieses Argument gewann im Sommer 1950 für die westdeutsche Öffentlichkeit immer mehr an Überzeugungskraft. Ein Presseorgan nach dem anderen gab seine Reserve gegen die »Remilitarisierung« auf und trat für einen »Wehrbeitrag« ein.

Die »Welt« gab dem Gedanken immer mehr Raum, es bedürfe einer größeren Anzahl westeuropäischer Divisionen, um die Sowjets vom Einmarsch abzuhalten. Man könne nicht erwarten, daß Engländer und Franzosen »die deutsche Ostgrenze wirksam« verteidigten. Seit der Straßburger Rede Churchills beugte sich das Blatt dieser »unbestrittenen Autorität« in Fragen der europäischen Verteidigung, nahm die These von dem drohenden zweiten Korea auf und trat für eine Europaarmee unter Einschluß westdeutscher Soldaten ein[21].

Die »Frankfurter Allgemeine Zeitung« betonte anfangs den Vorrang wirtschaftlicher Maßnahmen; das beste Mittel zur Sicherung Europas sei die Verwirklichung des Schumanplans, hinter den sich »das Fühlen des Volkes« stelle[22]. Gegenüber Churchill vertrat der Mitherausgeber Paul Sethe die Meinung, wichtiger als eine Europaarmee sei eine politische Einigung Europas, dessen moralische Kraft ein wesentlicher Faktor im Ost-West-Gegensatz werden könne[23]. Aber die Überzeugung, »daß Deutschland wie jedes andere Land verloren sei, wenn das vereinigte Europa nicht zustande« komme, war doch so stark, daß sich daraus letztlich die Konsequenz ergab, daß die Bundesrepublik an einer West-Europaarmee teilnehmen müsse[24].

Der »Industriekurier« zögerte lange eine Entscheidung in der Aufrüstungsfrage hinaus. Wenn er auch die Rede Churchills feierte und die Integration der Bundesrepublik in den Westen befürwortete, wandte er sich doch zunächst gegen die Aufstellung deutscher Soldaten, da das deutsche Soldatentum doch nicht wieder erstehen könne. Kurz darauf aber sah das Blatt »Anzeichen für die Ausbildung in der Ostzone stationierter sowjetischer Truppenteile zu Angriffsformationen« und hielt angesichts des »koreanischen Anschauungsunterrichts« die Aufstellung westdeutscher Soldaten in einer Europaarmee für richtig[25].

---

20. Die Zeit 3. 8. 50. – Heidt, aaO. S. 39f.
21. Die Welt 26. 7., 14. 8., 15. 8. 50. – Heidt, aaO. S. 35f, 51ff.
22. FAZ 5. 7. 50. – Heidt, aaO. S. 29.
23. FAZ 14. 8. 50. – Heidt, aaO. S. 54ff.
24. FAZ 7. 8. 50. – Heidt, aaO. S. 53ff.
25. Industriekurier 15. 8., 19. 8. – Heidt, aaO. S. 23ff, 60ff.   Ähnlich die Schwenkung der »freien demokratischen korrespondenz«, s. Heidt, aaO. S. 27, 58f.

Die Schwenkung der genannten Presseorgane war symptomatisch für eine Erscheinung, die bei der Mehrzahl der Zeitungen der BRD in den Monaten nach dem Ausbruch des Koreakrieges sichtbar wurde. Es entstand eine Diskrepanz zur Mehrheit der Bevölkerung, die eine Aufrüstung ablehnte, wie eine Reihe von Befragungen zeigte. In der Bevölkerung war fünf Jahre nach dem Krieg die Aversion dagegen, wieder Soldat zu werden, und die Furcht, daß militärische Rüstung wieder zum Krieg führen könnte, zu groß. Aber diese Haltung wurde je länger desto weniger von den großen Zeitungen und von den nichtkommunistischen Parteien vertreten. Zwar sprach sich die SPD nach wie vor gegen deutsche Soldaten aus; aber auch bei ihr verschob sich der Akzent. Kurt Schumacher erklärte im August, eine Beteiligung deutscher Soldaten werde dann selbstverständlich sein, wenn die Alliierten ihre Truppen in der BRD so verstärkten, daß sich im Kriegsfall die Verteidigung offensiv gestalten ließe und die Entscheidung jenseits von Weichsel und Njemen fiele[26]. Diese Überlegung, die Schumacher kurz darauf wiederholte[27], zeigte, daß auch er von der russischen Bedrohung und dem Nutzen westdeutscher Soldaten überzeugt war. Das »Nein« der SPD-Spitze zur Aufrüstung galt nur solange, wie den Deutschen von den westlichen Alliierten nicht gleiche Rechte gewährt worden waren.

Bei den Parteien und in der Presse glaubte man die Abneigung gegen Militär für ein bloß psychologisches Faktum halten zu können, das durch stärkere politische Tatsachen entkräftet sei. Der Hinweis auf die Parallele zwischen Deutschland und Korea schien die Aufrüstung der Bundesrepublik nahezulegen. Je länger der Koreakrieg tobte, um so mehr wurde der Begriff »Korea« zu einer Chiffre, mit der sich bestimmte Assoziationen von notwendiger Verteidigung verbanden. Aber gerade ein gründlicher Vergleich der Lage der beiden Länder hätte zu ganz anderen Schlußfolgerungen führen müssen[28].

Zweifellos lagen Parallelen zu Korea und Deutschland auf der Hand: die Aufteilung des Landes in Besatzungszonen 1945, die Verfestigung der Grenze zwischen dem kommunistischen und nichtkommunistischen Teil, die Gründung zweier Staaten, die Sozialisierung

---

26. Pressekonferenz v. 23. 8. 50. – U. W. Löwke, Für den Fall, daß . . . SPD und Wehrfrage 1949–1955, Hannover 1969, S. 68f.
27. Löwke, aaO. S. 64 (am 17. 9. in Stuttgart).
28. Die folgenden Ausführungen stützen sich ausschließlich auf Nachrichten, die über Korea vorlagen, als der Koreakrieg ausbrach. Der Verfasser verdankt dabei wertvolle Hinweise der Artikelserie, die Imanuel Geiss verfaßte: Korea – was man uns nicht sagte. Tatsachenbericht von einem Experimentierfeld der Weltpolitik, in: Gesamtdeutsche Rundschau 1954, Nr. 1–17, und dem Buch von J. F. Stone, The Hidden History of the Korean War, New York 1952.

im kommunistischen Teil, die amerikanische Hilfe für den nichtkommunistischen Teil und die Forderung der Kommunisten nach dem Abzug aller Besatzungstruppen. Aber die Unterschiede waren gewichtiger. Aus Südkorea hatten die Amerikaner ihre Truppen bis Ende 1949 zurückgezogen, nachdem die UN den neuen Staat anerkannt und die Großmächte zum Verlassen des Landes aufgefordert hatten[29]. Nur eine militärische Beratergruppe war zurückgeblieben, die eine südkoreanische Armee aufbauen half; diese hatte Mitte 1950 schon eine beachtliche Stärke erreicht[30]. Die Wirtschaftshilfe der Amerikaner trug in Korea wenig Frucht, da der vorwiegend landwirtschaftlich genutzte Süden des Landes arm war und die Regierung keine energischen Reformen durchführte, sondern die Vorherrschaft der Großgrundbesitzer erhielt[31]. Der amerikanische Kongreß schwankte Anfang 1950, ob er dies Land überhaupt weiter unterstützen sollte; und als Acheson im Januar 1950 die ostasiatischen Länder nannte, die die USA zu sichern bestrebt seien, fehlte die Republik Südkorea[32].

Der Kampf der beiden koreanischen Regierungen gegeneinander hatte derweil schon 1949 Formen eines Krieges angenommen. Die UN-Kommission für Korea, die sich vergeblich um eine friedliche Lösung der Koreafrage bemüht hatte, weil ihr Nordkorea keine Einreiseerlaubnis gab und in Südkorea Rhee ihre Arbeit behinderte[33], hatte immer wieder beide Seiten kritisiert und schon 1949 ihrer Befürchtung Ausdruck gegeben, daß sich die Kämpfe an der Grenze, dem 38. Breitengrad, die Tausende von Opfern forderten, zu einem großen Konflikt ausweiten könnten[34]. Das mußte man von beiden Seiten fürchten, da im Norden Präsident Kim Il Sung immer wieder öffentlich zur Befreiung des Südens aufrief[35], während im Süden Rhee und seine Minister wiederholt in der Öffentlichkeit den militä-

29. KAG 1948, S. 1735, 1748; 1949, S. 1774, 1962, 1992. Danach war der Rückzug der Truppen am 29. 6. 49 beendet.
30. KAG 1949, S. 1962. – NZZ 28. 8. 48. – NYT 31. 1., 30. 5. 50. – NYHT 5. 6. 50. – G. N. McCune und A. L. Grey, Korea Today, 1950, S. 266ff.
31. Gutachten von Prof. Owen Lattimore, UP 5. 4. 50 (Munzinger-Archiv 528/2215). – McCune, aaO. S. 254ff, 268ff.
32. KAG 1950, S. 2210, 2227, 2255, 2315, 2368, 2397, 2402, 2419. – McCune, aaO. S. 255.
33. NYT 19. 2. 49, 6. 10. 49. – KAG 21. 10. 49, S. 2107. – EA 1949, S. 2645.
34. Bericht der Koreakommission der UN, vgl. NYT 27. 8. 49. – NYT 9. 9. 49: »UN Body, Fearing Civil War In Korea, Critizises Both Sides«. – KAG 1949, S. 2107. – EA 1949, S. 2334, 2526. – Vgl. auch NYHT 23. 8. 49 (»Miniature War on the 38th Parallel«). – NYHT 29. 10. 49 (»Undeclared War Rages in Korea«). – EA 1949, S. 1935, 1975, 2214, 2293. – Die Tat 22. 7. 48.
35. KAG 4. 2. 49, 9. 9. 49. – McCune, aaO. S. 242.

rischen Einmarsch in Nordkorea forderten und bedauerten, daß die USA ihnen dafür nicht freie Hand ließen[36].

In Südkorea kam es seit 1949 zu bürgerkriegsähnlichen Zuständen. Rhee suchte sich gegenüber seinen kommunistischen und nichtkommunistischen Gegnern mit terroristischen Maßnahmen durchzusetzen, schränkte die Presse- und Versammlungsfreiheit ein, behinderte die Wahlen und ließ politische Gegner in großer Zahl verhaften[37]. In der Wahl vom 30. Mai 1950 wanderten trotzdem viele Wähler von Rhees Partei zu sogenannten »Parteilosen« ab, die 120 von 210 Sitzen gewannen[38]. Daraufhin startete im Juni der Norden eine neue intensive Einheits- und Befreiungskampagne[39], während J. F. Dulles nach Südkorea reiste und der Republik Mut zusprach[40].

Diese Vorgänge ließen keinen Vergleich mit Deutschland zu. Die Tatsache, daß Deutschland im Gegensatz zu Korea ein besiegtes Land war, wirkte sich ebenso zugunsten der Westdeutschen aus wie die zentrale Lage: die Westmächte, die sich schon in den ersten Nachkriegsjahren, als sie in ihrer Deutschlandpolitik noch schwankten, zu einem Rückzug aus Deutschland nicht bereitgefunden hatten, taten es um so weniger, je mehr sie seit 1948 im Kalten Krieg jede antikommunistische Bastion unterstützten. So war denn ja auch im NATO-Vertrag 1949 verankert, daß die westlichen Besatzungszonen der Alliierten in den Vertrag einbezogen waren.

Die innere Lage der Bundesrepublik war mit der Südkoreas schon gar nicht zu vergleichen: im Fernen Osten eine Diktatur, die in Grenz- und Partisanenkämpfen um ihre Existenz rang und gerade 1950 an Boden verlor – in Mitteleuropa eine Demokratie mit tragfähiger Mehrheit, die gerade 1950 ihre Rechte erweiterte und ihre wirtschaftliche Lage besserte. Die Tatsache, daß es in Westdeutschland keine kommunistischen Partisanenkämpfe und an der Grenze keine blutigen Zwischenfälle gegeben hatte, ließ den Schluß zu, daß sich alle an Deutschland interessierten Mächte durchaus immer des Unterschieds zwischen Korea und Deutschland bewußt gewesen waren. Nach dem Eingreifen der USA in Korea konnten die Sowjets, falls sie tatsächlich den Gedanken einer risikolosen militärischen Be-

---

36. UP-Meldung 18. 12. 48. – NYHT 5. 8. 49, 23. 8. 49 (Allen Raymond), 1. 11. 49. – NYT 8. 10. 49, 2. 3. 50, 14. 3. 50. – McCune, aaO. S. 242, 266f.
37. KAG 1948, S. 1492. – EA 1949, S. 2175, 2293, 2334; 1950, S. 3060. – NYT 1.2., 2.2., 14. 3. 50 (W. Sullivan). – NYHT 29. 10. 49. – Die Zeit 2. 2. 50. – McCune, aaO. S. 239ff.
38. EA 1950, S. 3139. – KAG 1950, S. 2408. – NZZ 20. 6. 50. – NYT 30. 5., 1. 6., 2. 6., 4. 6.
39. KAG 1950, S. 2425, 2444.
40. NYT 19. 6., 20. 6., 22. 6., 23. 6., 24. 6. 50.

setzung Westdeutschlands erwogen, erst recht keine solche Chance mehr als gegeben erachten; denn wenn die USA sogar einem armen, politisch und militärisch isolierten und autoritär regierten Land in Randlage zu Hilfe eilten – wie viel mehr mußten sie dann ihr Besatzungsgebiet in der Mitte Europas festhalten.

In der BRD fürchtete man aber gerade die östlichen Streitkräfte: den Einmarsch sowjetischer Truppen oder, wenn man schon kritisch genug war, eine Zurückhaltung der Sowjets in Rechnung zu setzen, den Einmarsch der Volkspolizei der DDR, die man mit der nordkoreanischen Armee verglich[41].

Dieser Vergleich war schlechthin absurd; denn die nordkoreanische Armee war ein schlagkräftiges Heer, das, wie die Partisanenkämpfe zeigten, im Süden bedeutende Sympathien genoß; wogegen die Volkspolizei eine mühsam aufgebaute Truppe war, deren Mitglieder man durch direkten oder indirekten Zwang rekrutiert hatte, bestenfalls eine Hilfstruppe der Besatzungsmacht gegen die Deutschen der DDR, die in ihrer großen Mehrheit der Besatzungsmacht feindlich gegenüberstanden[42]. Daß diese Truppe von einigen -zigtausend Mann – die Zahlenangaben schwankten im Westen stark – in die drei westlichen Besatzungszonen zwecks Besetzung einrücken könnten, war eine geradezu abenteuerliche Vorstellung[43].

Sie resultierte wie der Vergleich mit Korea aus der ins Maßlose gewachsenen Furcht der Westdeutschen vor dem Kommunismus[44]. Nicht

---

41. Belege bei Heidt, aaO. – Vgl. auch Kapitel III 3.
42. Ein Artikel in der »Zeit« v. 9. 3. 50 stellt der »neuerlich anschwellenden Flut sensationeller Berichte über die Volkspolizei« kritisch Tatsachen und Überlegungen entgegen. – Allein im Juni flüchteten 300 Volkspolizisten nach Westberlin (NYT 5. 7. 50).
43. Die Stärke der Volkspolizei betrug nach Angaben der englischen Nachrichtenagentur Reuter: 150–200 000 Mann (KAG 3. 9. 49, S. 2057);
    der »Zeit«: 264 000 Mann (9. 3. 50);
    McCloys vor dem Kongreß der USA: 45 000 Mann (NYT 3. 4., NZZ 4. 4., KAG 3. 4. 50, S. 2318f);
    Kurt Schumachers im Sender Rias: 48 500 Mann, die auf 150 000 gebracht und künftig alle sechs Monate um 50 000 bis zum Endziel von 350–400 000 verstärkt werden sollte (KAG 15. 5. 50, S. 2382);
    der westlichen Regierungen in einer Protestnote an die Sowjetunion: 50 000 (KAG 23. 5. 50, S. 2395);
    der NYT (2. 10. 50) 100 000;
    der NYT (29. 10. 50) 182 000. –
    Wettig nennt die Zahl von 70 000–90 000 Mann, ohne auf die Problematik der schwankenden Zahlen einzugehen (Entmilitarisierung, S. 292. Vgl. auch ebd. S. 263). – Genaue Angaben fehlen auch bei H. Bohn, Die Aufrüstung in der sowjetischen Besatzungszone Deutschlands, Bonn 1958.
44. In der NYT sprach Drew Middleton von den »feverish, almost hysterical, weeks

in einer zutreffenden Beurteilung der Weltlage hatte die Furcht vor den Sowjets in Westdeutschland wie in Westeuropa ihren Grund, sondern in erster Linie in der Psychologie der Westdeutschen selbst. So viele Jahre hatte man in Furcht vor sowjetischer Aggression gelebt, daß man nicht fähig und nicht gewillt war, den Kriegsausbruch in Korea anders zu deuten als den letzten, den Hauptbeweis für den grundsätzlichen Aggressionswillen der Sowjetunion – ein Akt politischer Selbsttäuschung: man wähnte, von Korea auf die Sowjets zu schließen, während man in Wirklichkeit von seiner vorgefaßten Meinung über die Sowjets auf Korea schloß.

Man hielt es nicht für nötig, der Ursache des Krieges in Korea durch das Studium amerikanischer Zeitungen und Bücher kritisch nachzugehen. Nur die »Welt« machte einen Ansatz zu einer kritischen Analyse der Kriegsursachen[45], ehe auch sie auf die Linie der Aufrüstung einschwenkte[46]. Unbeachtet blieb ein Werk amerikanischer Wissenschaftler über Korea, das kurz vor Beginn des Krieges erschienen war und die komplexe Lage analysierte[47]; unbeachtet blieben Meldungen der amerikanischen Presse, von denen einige auch in deutschsprachigen Zeitungen abgedruckt waren[48], worin Rhees Angriffsabsichten deutlich geworden waren[49].

Aus diesen Nachrichtenquellen hätte man leicht entnehmen können, daß die Ursachen des Koreakriegs in den weltanschaulichen und gesellschaftlichen Gegensätzen lagen, wobei beide Seiten gleichermaßen der jeweiligen Gegenseite Grund zur Furcht und zur Flucht in den Präventivkrieg gaben. Dieses Faktum war für die Beurteilung des Phänomens »Korea« wichtiger als die nicht zu entscheidende Frage nach dem Anlaß: ob am 25. Juni Kim Il Sung die revolutionsreife Frucht Südkorea einheimsen wollte, ehe Dulles seine Worte in Taten umsetzte und Südkorea durch Einbeziehung in das amerikanische Militärsystem gegen den Kommunismus absicherte; oder ob Rhee, von außen und innen bedrängt, in den lange beabsichtigten Angriff auf Nordkorea flüchtete in der Hoffnung, daß die USA Südkorea nach Dulles' Hilfsversprechen nicht im Stich lassen würden; oder ob die Zusammenhänge noch komplizierter waren[50].

---

after the Korean invasion« (24. 10. 50). – Die NZZ benutzte die Vokabel »koreanischer Komplex« (24. 9. 50).
45. vgl. Anm. 16.
46. vgl. Anm. 21.
47. Das Werk von McCune (s. oben Anm. 30) war kurz vor dem Ausbruch des Koreakriegs in den USA erschienen.
48. Tagesspiegel 21. 12. 48. – NZZ 10. 12. 49 (Emil Brunner). – NZZ 20. 6. 50.
49. vgl. Anm. 36.
50. Neuerdings ist die These vertreten worden, eine nordkoreanische Truppeneinheit, die im chinesischen Bürgerkrieg auf der Seite Mao Tse Tungs mitgekämpft hatte, habe

Die Einseitigkeit, mit der man in der BRD den Krieg in Korea als Angriff des Kommunismus auf einen friedlichen westlichen Staat interpretierte, war für die deutsche Frage in doppelter Hinsicht folgenschwer: die politische Logik führte zur Aufrüstung Westdeutschlands im westlichen Rahmen – und zur noch stärkeren Verurteilung der ostdeutschen Machthaber. Nicht nur erblickte man in den Sowjets die Anstifter des Überfalls in Korea – man hielt sie auch für Heuchler, da sie und die KPD-SED den Westen des Angriffs in Korea beschuldigten. Undenkbar war die Vorstellung, die Kommunisten könnten womöglich den Westen genauso »logisch« für den Schuldigen halten, wie man es umgekehrt selbst tat, – sie könnten womöglich glauben, was sie propagandistisch verbreiteten, daß sie den Frieden meinten und sich vor dem bedrohlichen Westen schützen wollten.

Zu weit war das Bewußtsein vergangener deutscher Schuld zurückgedrängt, als daß Zweifel daran hätten aufkommen können, daß man diesmal auf der Seite der bedrohten Friedliebenden stünde. Das war der einzige Punkt, über den man »links« und »rechts«, in Ost und West gleich dachte – nur daß die Konsequenz der um so schärfere Kalte Krieg auf deutschem Boden war.

2
Die Aufspaltung der Ansichten zur deutschen Frage in der
evangelischen Kirche

In der Diskussion der evangelischen Christen Deutschlands über den politisch richtigen Weg der Bundesrepublik nach dem Ausbruch des Koreakriegs spielte naturgemäß die Bedrohung durch den Kommunismus, ebenso wie in der »weltlichen« Öffentlichkeit, eine große Rolle; aber dieser militärisch-politische Aspekt beherrschte nicht durchgängig die Argumentation; in ihr hatten das Problem der Kriegsdienstverweigerung, der deutschen Einheit, der Vergangenheit Deutschlands und der Kirche ein stärkeres Eigengewicht.

---

nach ihrer Rückkehr nach Nordkorea dort denjenigen politischen u. militärischen Kräften das Übergewicht verschafft, die einen Angriff auf Südkorea befürworteten, während die Sowjetunion diesen Richtungswechsel nicht durchschaut habe (Philippe Devillers, L'U.R.S.S., La Chine et les Origines de la Guerre de Coree, in: Revue Française de Science Politique XIV 6. Dez. 1964). – Zu welchem Ergebnis die historische Forschung über den Ausbruch des Koreakrieges auch kommen mag: für die deutsche Frage bleibt die Tatsache entscheidend, daß die 1950 über Korea bekannten Tatsachen die Deutung, die sich damals in der BRD verbreitete, nicht zuließen.

Bei einer Reihe prominenter Protestanten war die Tendenz stark, den politischen Tendenzen in Ost und West mit Zurückhaltung zu begegnen.

Gegenüber dem katholischen Kardinal Frings, der einige Wochen nach dem Ausbruch des Koreakriegs eine Kriegsdienstverweigerung in einem gerechten Krieg für nicht möglich erklärte[1], wandte der Präsident des Deutschen Evangelischen Kirchentages, R. von Thadden-Trieglaff, ein, die evangelische Kirche werde sich niemals mit einer weltlichen Ideologie identifizieren, auch nicht im Ost-West-Konflikt »mit einer kapitalistischen Ideologie Amerikas«. Man dürfe die »Brücke zu den bedrängten Menschen im Osten« nicht vorzeitig abbrechen. Für den Fall eines Krieges könne die evangelische Kirche nicht »eine Entscheidung vorwegnehmen, die einen Bruch mit dem Osten bedeute«[2].

Auch der Theologieprofessor Helmut Gollwitzer sah den Ort des Christen »zwischen Ost und West«[3]. »Weil wir auf Gedeih und Verderb mit unserem ... Herrn, Christus, verbunden sind, sind wir nicht mehr auf Gedeih und Verderb mit einer der beiden Weltmächte verbunden.« »Frei vom Zwang der Angst«, sehe der Christ den Gegensatz zwischen Ost und West »entschärft«, »ernüchtert« und »unbefangen«, so daß er auch im politischen Handeln ein »Mensch der Versöhnung« bleibe. Damit vertrat Gollwitzer keine prinzipielle Neutralität gegenüber West und Ost. »Indem der Osten Recht und Freiheit verloren hat, hat er in Wahrheit auch die soziale Gerechtigkeit, um die es ihm einst ging, verloren.« Ebenso deutlich nannte Gollwitzer aber auch die Schäden des westlichen Systems beim Namen: die »Übelstände ... der sozialen Ungerechtigkeit, des Nationalismus, der Rüstungsprofite, des Kolonialsystems, des halben und ganzen Faschismus in Spanien und Südkorea.« Wenn Gollwitzer einerseits Bedenken gegen einen grundsätzlichen Pazifismus vortrug, so wollte er doch »keinen Zweifel darüber lassen, daß nach seiner Meinung angesichts der heutigen Lage des deutschen Volkes ... der deutsche Beitrag zur Verteidigung des Westens nicht in der Aufstellung militärischer Einheiten bestehen kann, wenn nicht der Schaden für alle Beteiligten größer sein soll als der Nutzen«. Die Lage schien Gollwitzer charakterisiert durch »eben erst überwundene militaristische Mentalität, ungefestigte Demokratisierung des Staatsapparats und der Ge-

---

1. KAG 23. 7. 50, S. 2501.
2. Frankfurter Rundschau 26. 7. 50.
3. H. Gollwitzer, Der Christ zwischen Ost und West. Vortrag, gehalten Anfang August 1950, in: Evangelische Theologie 10, 1950/51, Heft 4, S. 154ff, und in: H. Gollwitzer, Forderungen der Freiheit. Aufsätze und Reden zur politischen Ethik, München 1962, S. 125ff.

sinnung, ungelöste soziale und Flüchtlingsprobleme, Zweiteilung Deutschlands, fehlende Gleichachtung des deutschen Volkes als Nachwirkung der Hitlerzeit, besonderer Aggressionsverdacht gegen jedes deutsche Militär«.

Noch stärker als Gollwitzer betonte der Theologieprofessor Hans Joachim Iwand die Notwendigkeit des Sinneswandels. Er führte auf dem Kirchentag in Essen aus, der drohende Krieg sei ein drohendes Strafgericht Gottes, dem man nur durch Buße und Umkehr entgehen könne. Die Schaffung sozialer Gerechtigkeit sei die einzige wirksame Abwehr eines drohenden Krieges, denn nur eine in Gottes- und Bruderliebe lebende Gemeinde habe die Chance, vor Gott zu bestehen[4].

Die Gedanken Gollwitzers und Iwands berührten sich mit denen Heinemanns. Er erklärte schon wenige Tage nach dem Ausbruch des Koreakrieges, »nicht von Korea oder der Atombombe« hinge »unser Schicksal ab, sondern von den geistlichen Entscheidungen«[5]. Er sah keinen bestimmten Weg für die Christen vorgezeichnet. Im Gegenteil, er wertete die Verschiedenheit der Anschauungen unter evangelischen Christen als Positivum. Auf dem Männertreffen des Kirchentages interpretierte er ausdrücklich »evangelisch« als »Einheit in Mannigfaltigkeit«[6]. Heinemann benutzte die Kontroversfrage zu einem Aufruf an die Laien: »Als auf diesem Kirchentag die Rüstungsfrage von zwei Rednern verschieden beantwortet wurde, sagte ein Zuhörer: ›Sie wissen selbst nicht, was sie wollen!‹ Wer sind diese ›Sie‹? Wir alle würden den Kirchentag falsch verstehen, wenn hier von oben herab geredet und unten nur Ja gesagt würde. So wenig wie wir als Evangelische einen Einzelpapst haben, können wir diesen Kirchentag oder seine Redner oder irgendeine Mehrheit zu einem Kollektivpapst machen, der uns der persönlichen Entscheidung entheben würde. Es geht um dich und um dein Gewissen! Evangelisch heißt Bruderschaft der einzelnen Personen. Es geht nicht um Gleichheit im Denken, sondern um persönliche Entscheidung.«

Unter der Entscheidung verstand Heinemann nicht eine politische Grundsatzentscheidung wie die für »Europa« oder für den Pazifismus. Es ging seiner Meinung nach »immer um den nächsten Schritt«. Heinemann interpretierte das Bibelwort »Dein Licht ist meines Fußes Leuchte«[7] so: »Mein Fuß aber kann jeweils nur einen Schritt tun. Das Evangelium ist kein Scheinwerfer in die Zukunft hinein. Alle Zu-

---

4. So die Darstellung der »Zeit« 31. 8. 50.
5. In einer Rede vor dem Presseverband der ev. Kirche im Rheinland lt. Essener Tageblatt 2. 7. 50.
6. GH 34.
7. Psalm 119, 105: »Dein Wort ist meines Fußes Leuchte und ein Licht auf meinem Wege.«

kunft bleibt in Gottes Hand. Für das Heute und Jetzt dürfen wir Gewißheit erbitten, nicht aber für morgen und übermorgen.« Indem
Christus »uns retten« wolle, stünde jeder, ob Theologe oder Laie, in
der Entscheidung, »in gleicher Weise für die Sache Jesu Christi und
uns selbst«[8].

Damit meinte Heinemann nicht nur ein Glaubensbekenntnis zu
Christus; wie immer schloß er die politische Haltung ein: »Die Entscheidung soll eine ganze sein. Ein halber Christ ist ein ganzer Unsinn! Ganze Entscheidung heißt Tat. Laßt uns aufhören, alle brenzeligen Dinge immer an sogenannte führende Persönlichkeiten nach
oben zu tragen. Laßt uns anfangen, sie an Ort und Stelle selber anzufassen, im Betrieb und Betriebsrat, in der Gewerkschaft und den Parteien, im öffentlichen Dienst und Amt. Sage keiner, er könne das
nicht. Gott gibt Hilfe.« Heinemann beendete seine Ansprache auf
dem Männertreffen mit einem Wort Pastor Graebers: »Wer nicht bekennt, bleibt einsam. Wer aber bekennt, findet den Bruder.«[9] Und
auf der Schlußfeier ermutigte er die Teilnehmer des Kirchentages:
»Laßt uns der Welt antworten, wenn sie uns furchtsam machen will:
Eure Herren gehen, unser Herr aber kommt!«[10]

Die Reaktion von Thaddens und Gollwitzers, Iwands und Heinemanns auf die Ereignisse in Korea war jedoch nicht für alle Repräsentanten der evangelischen Christenheit Deutschlands typisch. Eine
Reihe von Christen zogen aus dem Koreakrieg Schlußfolgerungen,
die sie dazu veranlaßten, intensiv für West oder Ost Partei zu ergreifen.

Bezeichnend für die Haltung der »Westler« war das Votum Eugen
Gerstenmaiers und der von ihm mit herausgegebenen Wochenzeitung
»Christ und Welt«. Nachdem Gerstenmaier als Vertreter der CDU in
Straßburg für eine Europaarmee eingetreten war, sprach sich auch
»Christ und Welt« für die Aufstellung von Einheiten gleichberechtigter deutscher Freiwilliger in einer Europaarmee aus und folgte damit
dem allgemeinen politischen Trend in der westdeutschen Presse. Die
Zeitung machte sich, im Gegensatz zu fast allen westdeutschen Presseorganen, klar, welche Folgen diese Entscheidung für die Lösung
der Deutschlandfrage haben mußte. »Christ und Welt« nahm bewußt
Abschied von politischen Vorstellungen, die es vorher vertreten hatte. Die Zeitung erinnerte daran, wie energisch sie »die deutsche Einheit selbst unter dem uns unvermeidlich erscheinenden Risiko einer
allgemeinen Räumung Deutschlands gefordert«, sich gegen eine Auf-

---

8. GH 34.
9. ebd. – Vgl. Schreiber/Sommer, Gustav Heinemann Bundespräsident, S. 85.
10. GH 35.

rüstung Westdeutschlands gewehrt und gehofft habe, daß eine bescheidene deutsche Ordnungstruppe genüge. Aber nun sei die Lage verändert: »Seit Korea haben wir diese Hoffnung nicht mehr.« Angesichts der Entwicklung im Osten bestünden innerhalb des nächsten Jahres keine Chancen für eine Wiedervereinigung Deutschlands. Nicht ohne Pathos erklärte die Zeitung, die Westdeutschen müßten »vor die Deutschen der Sowjetzone treten und ihnen sagen«:

»So wie sich die weltpolitische Lage auf das äußerste zugespitzt hat, müssen wir um unser- wie um Euretwillen unser volles Gewicht in die Schale des Westens werfen, obgleich wir wissen, daß dieser Entschluß zunächst dazu beitragen kann, die entsetzliche Trennung von Euch zu vertiefen und den Eisernen Vorhang zwischen Euch und uns zu verdichten. Wir müssen das tun, ebensosehr um uns zu schützen, als um uns eines Tages, wenn sich das weltpolitische Gefälle gegen Moskau gewandt hat, in Freiheit wieder mit Euch zu vereinigen.«[11]

Einen Schritt weiter ging Eugen Gerstenmaier auf dem evangelischen Kirchentag in Essen. Er änderte kurzfristig das Thema seines Vortrags[12] und sprach über »unsere christliche Verantwortung für Europa«[13]: »Ohne uns vor der bitteren Härte der Entscheidung zur militärischen Verteidigung zu drücken, sollte unser ganzes Herz heute der friedlichen Vereinigung Europas gehören.« Denn Gott habe eine »innere Wandlung« »am Kern unseres Volkes vollzogen« und »uns im Gericht eines Jahrzehnts die Augen dafür geöffnet«, daß die nationalistische Werteordnung suspekt geworden sei; er habe »uns aus Schutt und Trümmern heraus einen neuen Weg gezeigt, auf dem wir gehen können. Es ist der Weg in diese Zukunft des christlichen Abendlandes.«

Nach Gerstenmaier war die Lage dadurch gekennzeichnet, daß »wir ernsthaft damit rechnen müssen, daß wir wehrlos, wie wir sind, angegriffen, überrollt und in ein Staatssystem gezwungen werden, das nach gemeinchristlicher Überzeugung unwürdig und ungerecht ist, weil es mit der Freiheit des nach Gottes Bilde geschaffenen Menschen und mit dem gottgegebenen Recht so umgeht, wie niemand – weder ein Mensch, noch eine allmächtige Staatsmaschine – damit umgehen

---

11. Christ und Welt 17. 8. 50.
12. Zu der Kontroverse über Gerstenmaiers Rede vgl. Rhein-Neckar-Zeitung 3. 10. und 20. 10. 50. Gerstenmaier erklärte, das Präsidium des Kirchentages habe das von ihm gewählte Thema ausdrücklich gebilligt, und der Rat habe eindeutig dafür votiert, daß der ihm bekannte Text der Rede gehalten werden sollte. Demgegenüber erklärte Chr. v. Imhoff, weder Präsidium noch Rat seien mit dem Thema und dem Text einverstanden gewesen; man habe Gerstenmaier zu Änderungen bewogen und absichtlich die Rede nicht in die Kirchentags-Broschüre aufgenommen (Rhein-Neckar-Zeitung 20. 10. 50).
13. Eugen Gerstenmaier, Reden und Aufsätze I, S. 162–176, bes. S. 162–64, 166–68, 171 bis 73, 176.

dürfen.« Zwar sei auch im Westen gegen diese Freiheit und dieses Recht »zuzeiten gefehlt worden«, aber man habe auf diese Freiheit zurückgreifen können, während im Osten das verweigert werde: »da ist die Unfreiheit, da ist der Staat im Kern wider Gott und den Menschen«.

Nicht ohne Genugtuung vermerkte Gerstenmaier, so, wie die Dinge nun stünden, entfielen die »oft diskutierten Zaubermittel der Wiedervereinigung und Neutralisierung Deutschlands«; sie hätten sich angesichts der Aggressionstendenzen des Ostens als »Träume und Schäume« herausgestellt. Statt dessen hielt Gerstenmaier die Stunde für gekommen, »vorwärtszugehen und einen Schutzwall des Friedens, der Freiheit und des Rechts zu schaffen«. Eine Aufrüstung Westdeutschlands zu seiner Verteidigung erschien Gerstenmaier »christlich geboten«.

Genau umgekehrt wie Gerstenmaier und »Christ und Welt« argumentierten einige wenige Pfarrer, deren Mißtrauen sich gegen den Westen richtete. Sie hielten die Politik der USA für aggressiv, bejahten zu deren Abwehr die militärischen Anstrengungen des Ostens und arbeiteten bewußt in der »Nationalen Front« mit, in der Meinung, damit als Christen dem Frieden einen Dienst zu tun[14].

Ihre Stellung innerhalb der EKD war jedoch völlig anders als die des westeuropäischen Flügels. Während die westlich gesonnenen Christen in Staat und Presse Westdeutschlands an wichtigen Stellen gehört wurden, waren die Parteigänger des Ostens innerhalb der Kirche isoliert. Um so stärker war allerdings die Unterstützung, die sie in der DDR von staatlicher Seite erfuhren, während die östlichen Kirchenleitungen die Pfarrer von politischem Engagement zurückzuhalten suchten. Die SED brandmarkte die betreffenden Bischöfe als »Kriegshetzer und Reaktionäre«, die »die Aufträge der anglo-amerikanischen Imperialisten und ihrer deutschen Handlanger« erfüllten: »Dies sind die gleichen Kirchenführer, die stets die Herrschaft der Monopolisten und Junker verteidigt haben, die den Terror im Nazireich guthießen und die Waffen zu Hitlers Raubkrieg segneten«[15].

Der Ratsvorsitzende Dibelius, der als Bischof von Berlin-Brandenburg in erster Linie von der SED angesprochen war, reagierte darauf in der Weise, daß er auf einem Kirchentag der »Jungen Gemeinde« öffentlich einen Preis von 100 000 DM für denjenigen aussetzte, der einen führenden Mann der Kirche beim Waffensegnen gesehen habe[16].

---

14. KJ 50, S. 119ff, 123ff. – Auf dem Wege zur gemeinsamen humanistischen Verantwortung. Eine Sammlung kirchenpolitischer Dokumente 1945 bis 1966, Berlin(-Ost) 1967, S. 205ff, 224ff.
15. Auf dem Wege . . ., S. 219.
16. ebd. S. 215. – KJ 50, S. 122.

Als die SED ihm auf ihrem Parteitag die pronationalsozialistische Haltung evangelischer Geistlicher vorhielt und aus seinen eigenen Reden, besonders aus der Ansprache in der Potsdamer Garnisonkirche am »Tag von Potsdam« 1933, zitierte[17], behauptete der Bischof, unter den leitenden Persönlichkeiten der gegenwärtigen Kirche sei »nicht ein einziger, der nicht zum nationalsozialistischen Staat im leidenschaftlichen Gegensatz gestanden« habe; seine eigene Potsdamer Rede habe lediglich die lutherische Lehre von der Obrigkeit dargestellt und ihm den Haß der Nationalsozialisten eingetragen[18].

Die Stellungnahmen von Gerstenmaier und Dibelius machten deutlich, wie leicht im »christlichen« Kampf gegen den atheistischen Osten das Stuttgarter Schuldbekenntnis verlassen wurde. Ob man, wie Gerstenmaier, die »innere Wandlung« am Kern des deutschen Volkes bereits vollzogen sah oder sich, wie Dibelius, auf eine spitzfindige Verteidigung der Vergangenheit zurückzog – das Ergebnis war eine Haltung, die einen Teil der Vergangenheit rechtfertigte und damit ein gutes Gewissen zum Parteiergreifen in der Gegenwart gab – wie es umgekehrt die Pfarrer in der Nationalen Front für sich in Anspruch nahmen.

Der Rat der EKD, der Ende August 1950 in Essen anläßlich des Kirchentages zusammentrat, stand vor der schweren Aufgabe, ein Wort zur Lage zu sagen. Einstimmigkeit war nicht zu erzielen[19]; es kam zu einer Kampfabstimmung. Die Mehrheit des Rats sprach sich in einer Entschließung »zur Frage einer Wiederaufrüstung« gegen derartige Pläne aus[20]: »Einer Remilitarisierung Deutschlands können wir das Wort nicht reden, weder was den Westen noch was den Osten angeht.« Die Pflicht der Kirche könne es »immer nur« sein, an die Großmächte zu appellieren, dem heillosen Wettrüsten ein Ende zu machen. »In jedem Fall aber muß derjenige, der um seines christlichen Gewissens willen den Dienst mit der Waffe verweigert, die Freiheit haben, sein Gewissen unverletzt zu erhalten.« Bekräftigte damit der Rat seinen Beschluß von der Weißenseer Synode, so wies er andererseits darauf hin, daß der Christ im Polizeidienst ein gutes Gewissen haben könnte: »Jedes geordnete Staatswesen bedarf eines ausreichenden Polizeischutzes gegen die, die Ordnung und Frieden zu untergraben versuchen.«

---

17. Auf dem Wege . . ., S. 215f.
18. KJ 1950, S. 122f. – Vgl. O. Dibelius, Ein Christ ist immer im Dienst, Stuttgart 2. Aufl. 1963, S. 171ff.
19. Nach der Aussage von Dibelius in seinem Rückblick am 1. 4. 51 in: Hamburg 1951, Bericht über die 3. Tagung der 1. Synode der EKD, S. 20.
20. KJ 50, S. 165f. – Kundgebungen, S. 104f.

Aus dem Koreakrieg zog die Mehrheit des Rats die Lehre, »daß der Friede durch nichts so sehr bedroht wird, als wenn man ein Land durch willkürliche Grenzziehung in zwei Teile aufgespaltet hält«. Die Vereinten Nationen müßten »unablässig« darauf hinwirken, daß gespaltene Länder wiedervereinigt würden.

In dieser Lage baute der Rat auf eine feste Haltung:

»Keine Macht der Welt wird leichthin wagen, den Frieden zu brechen, wenn sie einer entschlossenen, inneren Abwehr im eigenen Volk begegnet. Es kommt alles darauf an, daß wir uns nicht durch eine verlogene Propaganda beirren lassen, daß wir allen Versuchen, uns und unsere Kinder in eine Gesinnung des Hasses hineinzutreiben, ein entschlossenes Nein entgegensetzen und uns weder an Kriegshetzerei noch an Angstpsychosen mitschuldig machen.«

Den Grund dieser inneren Abwehrbereitschaft sah der Rat in der Weltherrschaft Jesu Christi:

»Er hat seine Gewalt an niemanden abgetreten, weder an sogenannte unentrinnbare Entwicklungen noch an die ›stärkeren Bataillone‹. Er sitzt im Regiment. Darum sind wir auch in diesen ernsten und bewegten Tagen ruhig und getrost. Angst ist Unglaube und bringt die Gefahr des Krieges näher. Christliche Glaubenszuversicht ist eine reale Macht des Friedens!«

Im Blick auf die Herrschaft Jesu Christi traten die Gegensätze, die im Verlauf des Kirchentags deutlich geworden waren, zurück. Damit blieben aber auch die eigentlich entscheidenden Fragen unbeantwortet: ob die christliche Brüderlichkeit die Möglichkeit einschloß, sachlich diametral entgegengesetzte Standpunkte in der EKD als christlich zu bezeichnen und das Stuttgarter Schuldbekenntnis, in welcher Richtung auch immer, zu verlassen. Allerdings war es wohl in so kurzer Zeit kaum möglich, die verschiedenen theologisch-politischen Positionen in aller Deutlichkeit zu erkennen und zu kritisieren. So blieb die Frage, ob sich die Glieder der EKD durch das Bewußtsein der Einheit in Christus so lange zu gegenseitigem brüderlichen Befragen gedrängt sehen würden, bis – womöglich angesichts neuer politischer Tatsachen – Klarheit über Vereinbarkeit oder Unvereinbarkeit der verschiedenen Standpunkte entstünde.

3

Adenauers Initiative zur Aufrüstung Westdeutschlands

Für Bundeskanzler Adenauer war der Ausbruch des Koreakrieges Anlaß, erneut von den Westmächten eine Sicherheitsgarantie für die BRD und eine Verstärkung der Polizei und des Grenzschutzes zu fordern[1]. Dieser Vorstoß fand jedoch bei den westlichen Alliierten kein positives Echo. Sie gingen in ihrer offiziellen Antwort an Adenauer auf seine Wünsche nach Schaffung einer Bundespolizei nicht näher ein. Die Hohen Kommissare erklärten, die früher abgegebenen Verlautbarungen hätten völkerrechtlich eine eindeutige Lage geschaffen[2].

Dem Bundeskanzler hatte der Hinweis auf den Atlantikpakt, der ausdrücklich für die Dauer der Besetzung auch die Westzonen Deutschlands automatisch in seinen Schutz einbezog, schon früher nicht genügt[3]. Nun hielt er ihn noch weniger für ausreichend; denn er beurteilte die weltpolitische Lage Deutschlands in Analogie zu »Korea«: Rückblickend schrieb er später:

»Meine Überzeugung, daß Stalin von jeher die Absicht gehabt hatte, Westdeutschland möglichst unzerstört in seine Hände zu bekommen, hatte sich immer mehr gefestigt ... Ich war fest überzeugt, daß Stalin für Westdeutschland das gleiche Vorgehen plante wie in Korea. Ich nahm an, daß Rußland sich im Laufe der nächsten Monate von der Sowjetzonenregierung stärker absetzen werde, um dieser den äußeren Anschein einer erhöhten Handlungsfreiheit zu geben. Ich fürchtete, wenn das erreicht sei, würde Stalin darin den richtigen Zeitpunkt erblicken, die Sowjetzonenpolizei zu einer sogenannten ›Befreiung‹ der westdeutschen Gebiete einzusetzen ... Die westalliierten Truppen in Deutschland waren meiner Ansicht nach nicht stark genug. Die Sowjetzone dagegen war durch die Volkspolizei militärisch stark bewaffnet. Die Bundesrepublik würde gegenüber einem Angriff aus der Zone völlig wehrlos sein.«[4]

---

1. Adenauer, Erinnerungen 1945–53, S. 347.
2. ebd.
3. Wettig, Entmilitarisierung, S. 289.
4. Adenauer, aaO. S. 348f. – Es besteht m. E. kein Grund, an der Ehrlichkeit dieser Aussage Adenauers zu zweifeln, wie es Baring tut (Außenpolitik in Adenauers Kanzlerdemokratie, S. 87). Baring stützt seinen Zweifel auf einen logischen Schluß: Wegen der mit Korea nicht vergleichbaren Lage Deutschlands seien »isolierte, nicht von Moskau gesteuerte Aktionen der DDR ... ganz undenkbar, ein lokalisierter Konflikt in Deutschland ebenso unmöglich wie eine auf Deutsche beschränkte Ost-West-Auseinandersetzung« gewesen; Baring fährt fort: »Man kann daher kaum glauben, Adenauer sei wirklich der Überzeugung gewesen, daß ›in der Ostzone Vorbereitungen zu einem Unternehmen getroffen werden, das unter vielen Gesichtspunkten an den Ablauf der Aktion in Korea gemahnt‹.« Ein solcher Schluß ist angesichts der Tatsache, daß die Koreafurcht 1950 die meisten Westeuropäer erfaßt hat, sehr problematisch. Wenn Adenauer die Korea-Argumentation wider bessere Überzeugung verwandt hätte, so müßten dafür Belege angeführt oder zumindest dem Kanzler Widersprüche zu sonstigen Überlegungen nachgewiesen werden. Derartige Belege bringt Baring nicht vor, obwohl er Zugang zu vielen unveröffentlichten Materialien hatte und 100 Personen interviewt hat. Ein Widerspruch zwischen Adenauers öffentlicher Korea-Deutung und seiner sonstigen Denk- und Handlungsweise bestand nicht (vgl. dazu Kapitel III 5). So muß bis zum Beweis des Gegenteils als gesichert gelten, daß Adenauer in der Deutung des Koreakriegs mit der der meisten Westdeutschen übereinstimmte.

»Wenn die Sowjetzonenarmee, ähnlich wie es in Korea geschehen war, mit Panzern angriff«, fürchtete Adenauer, daß die Bevölkerung sich neutral verhalten und daß die BRD den Russen unversehrt in die Hände fallen würde. »Wenn es Sowjetrußland gelingen würde, Westdeutschland in das sowjetische System einzubauen, so erfuhr es einen derartigen Zuwachs an Wirtschafts- und Kriegspotential, daß es ein Übergewicht gegenüber den Vereinigten Staaten erreichte.« Denn von Westdeutschland aus könnte die Sowjetunion bestimmenden Einfluß in Frankreich und Italien nehmen: »Das würde den Sieg des Kommunismus in der Welt, auch über die Vereinigten Staaten, bedeuten.«[5]

In dieser Sicht der Lage wurde Adenauer durch ein Gutachten bestätigt, das er von General a. D. Hans Speidel erbat. Von Speidel hatte Adenauer schon seit Mitte 1948 mehrfach Denkschriften zur militärischen Lage erhalten. Speidel hatte 1948 Deutschland als Vakuum bezeichnet, vor der Volkspolizei gewarnt, die Bereitschaft der Westmächte zum Schutz ihrer Zonen angezweifelt, westliche Sicherheitsgarantien und die Aufstellung deutscher Schutztruppen gefordert[6]. 1949 hatte Adenauer sich von Speidel Vorschläge ausarbeiten lassen, in welcher Form Westdeutschland an der gerade erst entstehenden NATO teilnehmen könne[7]. Nach Speidel hatte sich die Lage 1950 trotz NATO und amerikanischen Eingriffs in Korea verschlechtert. Für ihn war wie für Adenauer Korea ein »Fanal«; auch er hielt die Sowjetmacht, deren Formationen er detailliert schilderte, für bedrohlich, die Westmächte dagegen für zu schwach; auch er vermißte eine deutliche Sicherheitsgarantie. Der General wiederholte die Forderungen früherer Denkschriften: deutsche Truppen sollten als Kontingent einer Europaarmee eingegliedert werden, aber aus national homogenen Korps bestehen. Er verglich mehrere Wege zur westdeutschen Aufrüstung miteinander, kam zu dem Schluß, daß sie trotz Bedenken alle gangbar seien, und nannte verschiedene Voraussetzungen für eine westdeutsche Wiederbewaffnung[8].

Schon 1948 hatte Adenauer mit Speidel in der Lagebeurteilung übereingestimmt[9]. Nun, Mitte August 1950, beschloß er, aus seiner Reserve herauszutreten, die er sich seit Ende 1949 auferlegt hatte. Durch die Reaktion der westlichen Öffentlichkeit auf Churchills Straßburger Plädoyer für die Europaarmee war die Lage für eine

---

5. Adenauer, aaO. S. 348f.
6. Wettig, aaO. S. 244f. – Baring, aaO. S. 22f.
7. Wettig, aaO. S. 250f. – Baring, aaO. S. 23, 360 Anm. 7.
8. Wettig, aaO. S. 321f. – Baring, aaO. S. 82 ff.
9. Wettig urteilt, »Speidels Sicherheitskonzeption« habe die Politik Adenauers »entscheidend beeinflußt« (aaO. S. 245).

deutsche Initiative günstiger geworden. Adenauer selbst war »auf Grund vertraulicher Informationen überzeugt, daß ein erneuter Vorstoß meinerseits einen noch vorhandenen französischen Widerstand überwinden könnte«[10]. Adenauer unternahm in drei Richtungen Vorstöße. Am 15. August ließ er durch Minister Wildermuth Speidels Gedanken im Kabinett vortragen, ohne jedoch den Ministern Gelegenheit zu einer Diskussion darüber zu geben[11]. Zwei Tage später gab er dem Deutschlandkorrespondenten der New York Times ein Interview, in dem er unter Hinweis auf Deutschlands bedrohte Lage an die amerikanische Öffentlichkeit einen Hilferuf richtete[12]. An demselben Tage trug er den Hohen Kommissaren seine Gedanken vor[13].

Im Interview wie in der Besprechung zeichnete Adenauer unter Hinweis auf Korea ein düsteres Bild der Lage in Mitteleuropa. Dabei spielte die Volkspolizei wieder eine große Rolle: über ihre Absicht könne, wenn man die Reden Piecks und Grotewohls von der ›Befreiung Westdeutschlands‹ beachte, »kein Zweifel bestehen«[14]; sie bilde »offensichtlich die Grundlage für eine echte Angriffsmacht«. Auch die starken militärischen Kräfte der Russen hätten Angriffsabsichten: »Ich bin kein militärischer Sachverständiger, aber Militärexperten berichten mir, daß ihre Formationen so organisiert sind, wie das nur für Angriffszwecke der Fall ist.«[15]

Adenauer schloß die Bitte an, die westdeutsche Bevölkerung durch Entsendung alliierter Truppen und durch eine Sicherheitsgarantie zu ermutigen. Vor allem aber schlug er den Hohen Kommissaren die Aufstellung deutscher Soldaten vor.

»Ich legte den Hohen Kommissaren dar, daß ich daran dächte, eine deutsche Verteidigungsmacht aufzubauen in Form von freiwilligen Formationen bis zu einer Gesamtstärke von 150 000 Mann. Nach Artikel 3 des Besatzungsstatuts hätten die Alliierten das Recht, Maßnahmen zur Verteidigung der demokratischen Ordnung zu ergreifen. Sie könnten also jederzeit auf dieser Grundlage die Bundesregierung zu entsprechenden Maßnahmen ermächtigen.«[16]

Der Zeitung gegenüber wurde Adenauer nicht so konkret, sprach aber doch auch deutlich aus: »Wir müssen die Notwendigkeit der Schaffung einer starken deutschen Verteidigungskraft erkennen.«[17]

---

10. Adenauer, aaO. S. 350.
11. Baring, aaO. S. 82.
12. NYT 18. 8. 50., übersetzt im EA 1950, S. 3515f.
13. Adenauer, aaO. S. 350ff. – Baring, aaO. S. 86.
14. Adenauer, aaO. S. 351.
15. NYT 18. 8. 50. – EA 1950, S. 3515.
16. Adenauer, aaO. S. 351.
17. NYT 18. 8. 50. – EA 1950, S. 3515.

Zwar schränkte Adenauer in einer Pressekonferenz ein: er hielte den Ausdruck »Verteidigungstruppen« nicht für gut, »denn das sieht wieder aus nach Wehrmacht«; besser sei der Ausdruck »Schutzpolizei«. Aber diese sollte seiner Meinung nach nicht nur Sabotage- und Putschversuche im Innern verhindern, sondern auch »Einbrüche von der Grenze her«. Ausdrücklich sprach sich Adenauer für eine europäische Armee aus und verneinte die Frage, ob eine Beteiligung deutscher Verbände einen Anreiz zur Aggression für die Sowjetunion bilden könnte. Unter gewissen Voraussetzungen werde die Bundesregierung bereit sein, ihre Rolle in der europäischen Verteidigung zu erfüllen[18]. Diese Voraussetzungen deutete Adenauer nur an. In bezug auf die Stahlquote, das Ruhrstatut und das Besatzungsstatut meinte er, man solle Vertrauen in die Entwicklung haben und in die Gewalt der Tatsachen[19]. Aber eben die wollte er verändern. Seine Klage über das Fehlen deutscher Vertretungen im Ausland zeigte, daß sein Bestreben auf eine Revision des Besatzungsstatuts gerichtet war.

Die Konferenz der Außenminister, die für September 1950 anberaumt war, schien dem Kanzler die geeignete Gelegenheit zu bieten, seinen Vorstellungen Gehör zu verschaffen. Auf Anregung der Hohen Kommissare formulierte er in zwei Memoranden seine Standpunkte und Ziele.

In dem »Memorandum über die Sicherung des Bundesgebietes nach innen und außen«[20] nehmen den größten Teil die Schilderungen der Militär- und Polizeikräfte jenseits und diesseits des Eisernen Vorhangs ein, deren Aufbau, Bewaffnung und Stationierung Adenauer im einzelnen darstellte. Mehrfach betonte er den »ganzen Ernst der Situation«; die sowjetischen Divisionen seien

»verwendungsbereit auf den Sommerübungsplätzen versammelt. Sämtliche Führungsstäbe sind vorhanden. Die Mobilmachungsausrüstung, Munition, Betriebsstoff, Fahrzeuge, Marschverpflegung usw. ist in den Händen der Truppe, die innerhalb 24 Stunden in Marsch gesetzt werden kann. Diese sowjetischen Armeen stehen auf der Linie Neustrelitz-Döberitz-Berlin-Witten-

---

18. dpa-Meldung v. 23. 8. 50. – KAG 23. 8. 50, S. 2544. – Baring, aaO. S. 85.
19. dpa-Meldung v. 23. 8. 50.
20. Das bisher im vollständigen Wortlaut nicht veröffentlichte Dokument wurde von Adenauer am 8. 2. 52 zum größten Teil im Bundestag vorgelesen (Sten. Prot., S. 8159f). Der wichtigste Teil wurde im November 1950 von der Bundesregierung veröffentlicht (Pressemitteilung des Presse- und Informationsamts der Bundesregierung v. 24. 11. 50). Ein weiterer Absatz ist bei P. Weymar zu finden (aaO. S. 528f). – Vgl. Wettig, aaO. S. 337 Anm. 43, und Baring, aaO. S. 382 Anm. 22, 24 bis 26. – K. v. Schubert, Wiederbewaffnung und Westintegration, Stuttgart 1970, nennt S. 196 den Fundort des Manuskripts: Bundesarchiv/Militärarchiv (im Militärgeschichtlichen Forschungsamt Freiburg), Zentrale für Heimatdienst, Handakte Graf Schwerin, (Schw) 1–/Bd. 4, Bl. 148–55.

berg (Elbe)-Grimma-Harz. Der Aufmarsch zeigt in vorderer Linie die motorisierten schnellen Truppen, dahinter in zweiter Linie die schweren Panzerverbände mit dazwischenliegenden besonderen Artillerie- und Flakeinheiten. Dieses Bild muß als ein ausgesprochener Offensivaufmarsch bezeichnet werden.«

Adenauer wies darauf hin, die »ca. 70 000 Mann« der Volkspolizei würden »ausgesprochen militärisch« ausgebildet; in der Ostzone würden Vorbereitungen zu einem Unternehmen getroffen, »das unter vielen Gesichtspunkten an den Ablauf der Aktion in Korea gemahnt«. Demgegenüber hob Adenauer die organisatorische Zersplitterung, die geringe Anzahl, die mangelnde Ausbildung und Bewaffnung der Polizei in der Bundesrepublik hervor.

Aus dieser Lageanalyse zog Adenauer dann die Folgerungen: er schlug für die innere Sicherheit die Aufstellung einer Schutzpolizei auf Bundesebene vor, die stark genug sein müsse, gegen »offene oder getarnte Aktionen der 5. Kolonne nach koreanischem Muster« einzuschreiten. Was die äußere Sicherheit anlangte, so erneuerte Adenauer »in dringlichster Form« sein Ersuchen um Verstärkung der Besatzungstruppen, damit der über die koreanischen Vorgänge und das ungünstige Kräfteverhältnis in Europa beunruhigten Bevölkerung sichtbar der Wille der Besatzungsmächte kundgetan werde, »daß Westdeutschland im Ernstfall auch verteidigt wird. Eine solche Verstärkung der alliierten Truppen ist aber auch deshalb notwendig, weil nur hinter dem Schutz einer ausreichenden Zahl gut ausgerüsteter alliierter Divisionen die gegenwärtig in Westeuropa anlaufenden Verteidigungsmaßnahmen ungestört durchgeführt werden können.« Darauf folgten die beiden entscheidenden Sätze des Memorandums:

»Der Bundeskanzler hat ferner wiederholt seine Bereitschaft erklärt, im Falle der Bildung einer internationalen westeuropäischen Armee einen Beitrag in Form eines deutschen Kontingents zu leisten. Damit ist eindeutig zum Ausdruck gebracht, daß der Bundeskanzler eine Remilitarisierung Deutschlands durch Aufstellung einer eigenen nationalen militärischen Macht ablehnt.«

Die entschiedene Ablehnung Adenauers, eine nationale westdeutsche Armee aufzustellen, war dazu geeignet, alle Konferenzteilnehmer über seine Absicht in dieser Richtung zu beruhigen; sein Hinweis auf die Bereitschaft der Bundesregierung zur Leistung eines deutschen Kontingents in einer westeuropäischen Armee war so zurückhaltend formuliert, daß er die Gegner eines solchen Planes unter den Konferenzteilnehmern nicht verletzen konnte, und er war doch wiederum deutlich genug, um die Befürworter zu ermutigen, mit dem Hinweis auf das ausgebreitete Material ihre widerstrebenden Kollegen zu drängen, das angebotene westdeutsche Kontingent anzufordern.

Ein zweites Memorandum, das Adenauer am gleichen Tage übersandte, nahm indirekt auf das Angebot westdeutscher Soldaten Bezug; es spielte darauf an, daß »der deutsche Mensch Opfer jeder Art
bringen« solle, und forderte dafür ein größeres »Maß von Handlungsfreiheit und Verantwortlichkeit«: die Beendigung des Kriegszu-
stands und eine Neuregelung zwischen den Besatzungsmächten und
der Bundesrepublik. Ein System vertraglicher Abmachungen sollte an
die Stelle des Besatzungsstatuts treten, und die Besatzungstruppen
sollten in Zukunft in erster Linie die BRD gegen äußere Gefahr
sichern[21].

Da Adenauer mit einer Zustimmung der Franzosen, die im September turnusmäßig den Vorsitz der Hohen Kommission übernahmen, nicht rechnen konnte, beeilte er sich, dem amerikanischen Hohen Kommissar McCloy die Memoranden mitzugeben[22]. Denn
McCloy hatte zu verstehen gegeben, daß die USA den Deutschen das
»Recht auf Selbstverteidigung« schwerlich würden bestreiten können[23], während Präsident Truman und Außenminister Acheson noch
zögerten, öffentlich zu dieser Frage Stellung zu nehmen. McCloy
machte sich denn auch zum Fürsprecher der Vorschläge Adenauers.

Die Außenminister kamen auf der Konferenz Adenauers Wünschen in mehreren, aber nicht in allen Punkten entgegen: sie kündig-
ten die Beendigung des Kriegszustandes mit Deutschland an, versicherten, daß die Besatzungstruppen die Bundesrepublik und West-
berlin nach außen hin beschützen würden, und genehmigten zum
Schutz der inneren Sicherheit die Aufstellung beweglicher Polizeikräfte auf Landesebene, über die die Bundesregierung im Notfall
verfügen dürfe. Die Aufstellung einer deutschen Nationalarmee lehnten die Westmächte ab. Vage formulierten sie, sie hätten

»die in Deutschland und außerhalb geäußerten Ansichten zur Kenntnis genommen, die für eine deutsche Beteiligung an einer gemeinsamen Streitmacht
zur Verteidigung der Freiheit Europas plädierten. Die Frage, die durch das
Problem der Teilnahme der deutschen Bundesrepublik an der gemeinsamen
Verteidigung Europas aufgeworfen wird, ist zur Zeit Gegenstand von Untersuchungen und Gedankenaustausch.«[24]

Obwohl die ursprünglich nur auf zwei Tage angesetzte Konferenz
verlängert worden war, waren sich die Außenminister über diese Frage sichtlich nicht einig geworden; die Gegner einer deutschen Wiederaufrüstung, Frankreich und England, hatten sich noch einmal durch-

21. Text veröffentlicht von Weymar, aaO. S. 529ff, und Adenauer, aaO. S. 385ff.
22. Baring, aaO. S. 89. – Ch. Thayer, Die unruhigen Deutschen, S. 240f.
23. KAG 22. 7. 50, S. 2501.
24. EA 1950, S. 3406.

gesetzt; aber sie waren in ihrer Argumentation geschwächt. Presseberichten zufolge erklärten die USA, ein deutscher Beitrag sei nicht nötig, wenn die Westeuropäer selbst die Aufrüstung Westdeutschlands mit militärischen Kräften übernähmen; dazu hatten sich aber die Engländer und Franzosen gerade in Memoranden als nicht in der Lage erklärt; die USA übten also einen moralischen Druck auf die Alliierten aus.

Dabei spielte Adenauers Memorandum eine gewichtige Rolle. Seine Stellungnahme gab den Amerikanern die moralische Bestätigung für ihre Zielsetzung. In diesem Sinn schrieb Acheson an Truman, es habe sich

»ergeben, daß wir in dieser Frage nicht als Bittsteller bei der deutschen Regierung aufzutreten brauchen, sondern lediglich den Vorschlag Adenauers akzeptieren, deutsche Einheiten in die Verteidigung Europas einzuschalten, sofern er seinerseits zur Annahme gewisser Bedingungen bereit ist.«[25]

Auch in der Öffentlichkeit erklärte Acheson,

»die Grundlage für die amerikanische Forderung, daß deutsche Truppen innerhalb einer künftigen nordatlantischen Armee aufgestellt werden sollen, sei die Einstellung einiger ›fortschrittlicher Politiker der Bundesrepublik‹, die die Ansicht zum Ausdruck gebracht hätten, daß die Deutschen an der Verteidigung des Westens teilnehmen sollten. Diese Bereitschaft der deutschen Politiker sei die Basis der amerikanischen Vorschläge während der New Yorker Konferenz gewesen.«[26]

Unter diesen Umständen hatten es die Engländer schwer, ihren hinhaltenden Widerstand gegen deutsche Soldaten durchzuhalten. Außenminister Bevin setzte sich für den Aufbau »militärischer Polizeistreitkräfte« ein. »Aber« – so der englische Hohe Kommissar Kirkpatrick[27], »die Amerikaner weigerten sich, zu glauben, daß eine neue deutsche Armee nicht auf allgemeine Begeisterung stoßen werde; man sagte uns höflich, wir erfänden nur Argumente gegen eine Wiederaufrüstung Deutschlands ... Wir gaben schließlich nach, um General Eisenhowers Ernennung und massive Verstärkung der USA-Truppen in Europa sicherzustellen.«

Kurz darauf trug Adenauers Bemerkung doch Früchte: noch im September formulierte der Rat der zwölf Außenminister der NATO im Schlußkommuniqué:

»Die Verwendung von deutschem Menschenpotential und deutschen Hilfsquellen wurde im Lichte der Gesichtspunkte erörtert, die kürzlich von Führern der Verteidigung in Deutschland und andernorts geäußert wurden. Der Rat war

25. 15. 9. 50, Text in: H. S. Truman, Memoiren II, S. 285.
26. Auf einer Pressekonferenz in Washington, Stuttgarter Zeitung 13. 10. 50.
27. J. Kirkpatrick, Im inneren Kreis, S. 201.

sich einig darüber, daß Deutschland in die Lage versetzt werden soll, zum Aufbau der Verteidigung Westeuropas beizutragen.«

Der Rat forderte vom Verteidigungsausschuß »sobald wie möglich Empfehlungen über die Methoden« an, wie »Deutschland seinen Beitrag am wirkungsvollsten leisten könne«[28].

Zwar war der Widerstand der Franzosen, die sich entschiedener als die Engländer der Aufstellung deutscher Soldaten widersetzten, noch nicht gebrochen[29]. Aber es war doch zum ersten Mal eine amtliche »positive« Stellungnahme der Westmächte zur Aufstellung deutscher Truppen ausgesprochen. Adenauer hatte dazu durch sein Memorandum so viel beigetragen, wie es seine Möglichkeiten erlaubten. Indem er sich mit taktischem Geschick auf die Seite des mächtigsten Alliierten stellte, gewann er gegen die zögernden Engländer und die widerstreitenden Franzosen Einfluß auf die Entwicklung. So wurde durch das Memorandum von deutscher Seite die außenpolitische Konstellation mit geschaffen, deren Ausbau die folgenden Jahre bestimmte[30].

---

28. EA 1950, S. 3476. – Baring, aaO. S. 384 Anm. 4.

29. Baring weist darauf hin, daß die Formulierung des Textes Frankreich noch nicht auf die Zustimmung zur Aufstellung deutscher Soldaten festgelegt habe (aaO. S. 91). – Demgegenüber urteilt Wettig: »Das deklamatorische Bekenntnis der Westmächte zum westdeutschen Verteidigungsbeitrag hatte, so wenig es auch ein praktisches Programm darstellte, doch seine Bedeutung. Von nun an wechselte die Diskussion von dem Ob auf das Wie über; die Notwendigkeit westdeutscher Truppenkontingente wurde seither von den westlichen Regierungen nicht mehr offen in Frage gestellt« (aaO. S. 352).

30. Insofern hatten Adenauer und F. J. Strauß recht, als sie in den sechziger Jahren das Memorandum als den eigentlichen Beginn der Aufrüstung der BRD bezeichneten. In seinen Memoiren sprach Adenauer von dem »Anerbieten einer deutschen Beteiligung, wie es in meinem Memorandum vom 29. August 1950 ausgesprochen worden war« (I, 1965, S. 414). Er antwortete in einem Fernsehinterview am 5. 5. 65 auf die Frage nach dem »Wehrbeitrag« der BRD: »Ich habe ihn angeboten. Und ich wußte, daß darin ein Wagnis lag, auch wegen der Wirkung auf das deutsche Volk. Aber gerade Korea hat im deutschen Volk damals eine solche Unruhe hervorgerufen, weil es fürchtete, im Stich gelassen zu werden, daß es mir auch gerade aus diesem Gesichtspunkt heraus nötig erschien, auf den Wehrbeitrag loszugehen. Mit voller Offenheit, nicht etwa hintenherum, sondern voller Offenheit gegenüber den drei Hohen Kommissaren. Die Herren haben überraschend schnell Verständnis dafür gezeigt« (Die Welt 6. 5. 65). – Ähnlich Adenauer am 5. 1. 60 (Süddeutsche Zeitung 7. 1. 60, Der Spiegel 41 v. 9. 10. 63, S. 53). – Im gleichen Sinne äußerte sich F. J. Strauß am 14. 12. 59 (FAZ 15. 12. 59), 26. 2. 60 (Baring, aaO. S. 412 Anm. 21) und 15. 3. 61 (Sten. Prot. des Deutschen Bundestags, 4. Wahlperiode, S. 8624). – Baring meint, mit dieser Version werde Adenauers Initiative von 1950 »überbewertet«, und weist darauf hin, daß Adenauer schon seit 1948 »planmäßig auf eine Bewaffnung der BRD hingearbeitet habe« (aaO. S. 413 Anm. 21). Barings Urteil wird aber m. E. der Tatsache nicht gerecht, daß erst das Memorandum vom August 1950 auf eine *Situation* traf, die Adenauers Zielsetzung günstig war. Seine Äuße-

4

Heinemanns Rücktritt als Bundesminister

So geschickt Adenauer die beiden Memoranden auf die Denkweise der westlichen Alliierten abgestimmt hatte, so wenig hatte er die Meinung der Kabinettsmitglieder zu der Aufrüstungsfrage berücksichtigt. Zwar waren die außenpolitischen Grundlinien im Kabinett vorgetragen worden, am 15. August durch Minister Wildermuth[1], am 25. August durch Adenauer selbst. An diesem Tage hatte es auch »nach langer Unterbrechung erstmalig«[2] eine Aussprache im Kabinett mit Adenauer gegeben. Aber es war kein Beschluß gefaßt worden, mit der Begründung, den Ministern solle Gelegenheit zur Überlegung gegeben werden, auch stünde noch eine Unterredung zwischen Adenauer und dem englischen Hohen Kommissar bevor. In einer Sitzung am 29. August, in der Haushaltsfragen besprochen wurden, teilte Adenauer den Ministern mit, die Vorlage des Memorandums werde am Abend fertig, und versicherte, sie werde alle befriedigen. Heinemann regte an, das Memorandum, über das in der nächsten Sitzung beschlossen werden sollte, vorher an die Kabinettsmitglieder zu geben, und bat tags darauf nochmals telefonisch darum, ohne jedoch eine Antwort zu bekommen. Als er am 30. August die Tagesordnung erhielt, die unter 17 Punkten die Sicherheitsfrage nicht aufführte, war er erstaunt, nahm das aber hin, weil hochpolitische Fragen oft ohne Ankündigung in der Tagesordnung behandelt wurden[3].

Am Morgen des nächsten Sitzungstages, dem 31. August, lasen die Minister in den Zeitungen, daß Adenauer inzwischen McCloy das Memorandum übergeben hatte[4]. Diese Notiz war, wie Heinemann später schrieb[5], »das Gespräch unter den sich versammelnden Kabi-

---

rungen bis zum Jahre 1949 waren politische Versuchsballons, die Adenauer als Politiker eines besiegten Landes steigen ließ, während seine Initiative 1950 einen diplomatischen Schachzug eines Politikers darstellte, der im Bewußtsein der gestiegenen Bedeutung seines Landes in günstiger Situation die große Politik in dem entscheidenden Punkte in seinem Sinne beeinflußte.

1. Baring, aaO. S. 82.
2. Aktennotiz Heinemanns zu seiner Rücktrittserklärung (AH). – Mitte August beklagte sich das Kabinett über Adenauer, der von seinem Schweizer Urlaubsort aus direkt Anweisungen an eine Verhandlungskommission nach Paris gab, ohne die zuständigen Fachminister zu benachrichtigen (Bremer Nachrichten 16. 8. 50).
3. Aktennotiz (AH). – Vgl. auch Heinemanns Bericht in der Süddeutschen Zeitung v. 19. 10. 50.
4. Die Welt 31. 8. 50.
5. GH 244: Was Dr. Adenauer vergißt. Notizen zu einer Biographie, Frankfurter Hefte 11, Heft 7, Juli 1956, S. 462; GH, Schnittpunkt, S. 99.

nettsmitgliedern. Man war über die Eigenmächtigkeit des Kanzlers empört, bis er als letzter hinzukam und die Sitzung eröffnete«. Adenauer entwickelte seine Sicht der Lage; Heinemann kritisierte die Art seines Vorgehens und erklärte, er sei nicht in der Lage, sich in bedeutungsvollsten Fragen, bei denen er als Kabinettsmitglied und als in Polizeisachen zuständiger Ressortminister beteiligt sei, vor vollendete Tatsachen stellen zu lassen[6].

»Dr. Adenauer fragte erregt, was das bedeuten solle? Ich sagte: ›Ich scheide aus der Bundesregierung aus.‹ Der Eklat war da.«[7]

Adenauer verteidigte sein Vorgehen mit dem Hinweis darauf, daß die Übergabe des Memorandums durch die Abreise McCloys am 30. August nötig geworden sei, und lenkte dann vom Memorandum ab; er richtete seinerseits Vorwürfe gegen Heinemanns Amtsführung; Heinemann sei gegen Kommunisten und Neutralisten zu lau. Heinemann legte demgegenüber im einzelnen seinen Standpunkt in diesen Fragen dar. Nach längerer Debatte verlas Adenauer dann endlich auszugsweise sein Memorandum; Heinemann verzichtete darauf, noch eine weitere Erklärung dazu abzugeben[8].

Zu dem Entschluß Heinemanns hatte Adenauers Verletzung demokratischen Stils den entscheidenden Anstoß gegeben; aber die unterschiedliche Beurteilung der Sachfragen spielte eine gleich große Rolle. Beides war im Grunde untrennbar. Heinemann hatte vier Tage vorher auf dem Kirchentag in Essen die Frage der Aufrüstung als eine Sache bezeichnet, die jeder einzelne mit seinem Gewissen ausmachen müsse; er konnte nicht zugestehen, daß ausgerechnet in dieser außerordentlich wichtigen Sachfrage der Kanzler allein entschied, ohne sich um die Minister, geschweige denn das betroffene Volk zu kümmern. Er mußte deshalb auch kritisch gegenüber Möglichkeiten sein, daß die Aufrüstung Westdeutschlands vom Kanzleramt aus im Stillen anlaufen könnte. Die Tätigkeit von Adenauers Sicherheitsberater Graf Schwerin, die nicht klargestellt war, gab Anlaß zu dieser Befürchtung[9].

Heinemanns Erklärungen zu seinem Rücktritt gingen immer auf den formalen und den inhaltlichen Grund seines Schrittes ein. Er legte am 1. September Dr. Schäffer (CSU), der sich als besonderer Vertrauter des Bundeskanzlers um Vermittlung bemühte, einige schriftliche Sätze vor, in denen er beide Aspekte betonte[10]. In Absatz I

6. Aktennotiz Heinemanns zu seiner Rücktrittserklärung (AH).
7. GH 244, S. 462.
8. Aktennotiz Heinemanns zu seiner Rücktrittserklärung (AH).
9. GH 43. – Zu der Tätigkeit Schwerins vgl. Baring, aaO. S. 36f, 47, 82.
10. Notiz an Schäffer (AH). – Darstellung in GH 244, S. 463; Schnittpunkt S. 100.

forderte er, Adenauer sollte erklären, daß das Memorandum vorher hätte erörtert werden müssen und in Zukunft ein solches Vorgehen nicht wieder vorkommen werde; das Memorandum sollte den Ministern unverzüglich zugänglich gemacht werden. In Absatz II nahm Heinemann zur Sachfrage Stellung:

»Ich bejahe die Notwendigkeit einer Bundespolizei unter Betonung beider Teile dieses Wortes, d. h. es soll sich nicht um militärische Kräfte, sondern um polizeiliche Kräfte handeln, die unmittelbar in der Hand der Bundesregierung sind. Eine Mitwirkung an militärischer Rüstung lehne ich ab.«

Für die Errichtung einer Bundespolizei sei eine Änderung des Grundgesetzes nötig.

Nachdem der Kanzler durch Schäffer den Bescheid gab, daß es auf dieser Grundlage keine Lösung gebe, und nachdem Aussprachen mit dem Kanzler am 4. September und innerhalb des Kabinetts am 5. September ergebnislos verlaufen waren, stellte Heinemann in einem Exposé an den Kanzler am 11. September beide Motive wiederum deutlich nebeneinander[11]:

»Der am 31. August entstandene Konflikt zwischen dem Herrn Bundeskanzler und mir ist daran aufgebrochen, daß das Memorandum zur Sicherheitsfrage vom 29. August 1950 vor abschließender Behandlung und Beschlußfassung im Kabinett den Hohen Kommissaren überreicht worden ist. Damit hat sich in einem besonders bedeutsamen Fall die unzureichende Beteiligung der Kabinettsmitglieder an der Willensbildung der Bundesregierung wiederholt.

Die Meinungsverschiedenheit zwischen dem Herrn Bundeskanzler und mir ist aber, wie die am 4. September erfolgte Aussprache ergeben hat, darüber hinaus auch eine solche in der Sache. Diese sachliche Meinungsverschiedenheit hat meinerseits keine ressortmäßigen oder konfessionellen Gründe. Auch in Bezug auf die Notwendigkeit zur Schaffung einer die innere Sicherheit gewährleistenden Bundespolizei bestehen keine Differenzen. Die sachliche Differenz hat ihren Grund vielmehr in unserer verschiedenen Beurteilung dessen, was heute zu einer deutschen Beteiligung an einer europäischen Aufrüstung und der sich daraus zwangsläufig ergebenden Eingliederung der Bundesrepublik in den Atlantikpakt zu sagen ist.«

In dem Exposé legte Heinemann zum ersten Mal seine Auffassungen zur politischen Lage in zusammenhängender Form schriftlich nieder.

Ausgangspunkt der Überlegungen waren für Heinemann die durch

---

11. Abgedruckt in GH 244, S. 463f; Schnittpunkt, S. 100ff. – Die folgenden Zitate stellen, in dieser Reihenfolge aneinandergereiht, den vollständigen Wortlaut des Exposés dar. – Die Formulierung, die Aussprache am 4. 9. habe »ergeben«, daß die Meinungsverschiedenheit »auch eine solche in der Sache sei«, läßt den Schluß zu, daß die sachlichen Gegensätze, die ja schon am 31. 8. eine Rolle gespielt hatten, in den folgenden Tagen noch deutlicher geworden waren.

die Kapitulation Deutschlands geschaffenen Verhältnisse und der Aufbau einer Demokratie in Deutschland:

»Aufgrund der bedingungslosen Kapitulation obliegt den Alliierten die Verpflichtung, für unsere Sicherheit gegen Angriffe von außen zu sorgen. Zu dieser Pflicht müssen wir die Alliierten in aller Deutlichkeit aufrufen. Jeder Schritt der Bundesregierung in dieser Richtung findet meine volle Zustimmung.

Nachdem es eines der vornehmsten Kriegsziele der Alliierten gewesen ist, uns zu entwaffnen und auch für die Zukunft waffenlos zu halten, nachdem die Alliierten in fünfjähriger Besatzungszeit alles darauf angelegt haben, das deutsche Militär verächtlich zu machen, unsere Wehrmöglichkeiten unter Einschluß sogar von Luftschutzbunkern zu zerstören und das deutsche Volk zu einer jedem Militärwesen abholden Geisteshaltung zu erziehen, ist es nicht an uns, irgendeine deutsche Beteiligung an militärischen Maßnahmen nachzusuchen oder auch nur anzubieten. Dies muß zudem eine geistige Verwirrung hervorrufen, die unsere junge Demokratie gegenwärtig in höchstem Maße gefährdet.«

Maßstab für jede weitere diplomatische Tätigkeit der Bundesregierung erschien Heinemann der gesamtdeutsche und gesamteuropäische Aspekt:

»Jede Aktivität der Bundesrepublik im gegenwärtigen Zeitpunkt, die über eine den inneren Bedürfnissen entsprechende Bundespolizei hinausgreift, würde den Riß durch Deutschland vertiefen und die Spannungen verschärfen, ohne unsere akute Bedrohung zu beheben. Wenn die Alliierten unserer Mitwirkung zu bedürfen glauben, so mögen sie an uns herantreten und verbindlich sagen, welches die Voraussetzungen einer etwa von ihnen gewünschten deutschen Mitwirkung sein sollen.

Erst wenn eine solche Aufforderung von den Regierungen der Alliierten vorliegen sollte, ist der Zeitpunkt für unsere Entscheidung gegeben. Wir würden die Aufforderung alsdann unter Berücksichtigung unserer gesamten Situation und zumal unserer eigenen Anliegen, einschließlich des Zieles der Wiederherstellung deutscher Einheit, der Wahrung des vorläufigen Charakters der Oder-Neiße-Linie und des deutschen Charakters des Saargebietes zu prüfen haben.

Alles selbstverständliche Streben nach Befreiung von alliierten Beschränkungen darf nicht durch neue Verstrickungen erkauft werden, die nicht einer freien Entschlußfassung aus deutschem Interesse entspringen oder in ihrer Tragweite undurchsichtig sind.«

Die Aufgaben, die die BRD angesichts der außenpolitischen Lage zu bewältigen hatte, schienen Heinemann in erster Linie innenpolitischer Natur zu sein:

»Wenn wir Deutschen im Westen und im Osten die Geduld und den Mut haben, zu warten, wenn wir im Westen gleichzeitig alle Kräfte auf eine soziale Neuordnung bei entschlossener Entfaltung von Freiheit und Gerechtigkeit konzentrieren, aber auch kommunistischen Infiltrationen aus dem Osten und von dort geschürten inneren Unruhen mit den geeigneten Maßnahmen entgegentreten, dürfen wir hoffen, daß wir nicht nur unsere eigene Existenz bewahren, sondern auch einen entscheidenden Beitrag zur Erhaltung des Friedens liefern.«

In seinen Schlußsätzen stellte Heinemann deutliche Bedingungen für sein Verbleiben im Kabinett:

»Ich beanspruche, auch wenn ich Mitglied der Bundesregierung bleiben würde, innerhalb und außerhalb derselben den mir einsichtigen Weg zur Erhaltung des Friedens zu vertreten. Von dieser Verantwortung vor Gott könnte mich niemand entbinden.«

Angesichts der unterschiedlichen Auffassungen von Kanzler und Minister waren für eine Einigung wenig Chancen gegeben. Trotzdem dauerte es fast sechs Wochen, ehe Adenauer Heinemanns Rücktritt akzeptierte. Es widersprachen dem verschiedene Tendenzen.

Heinemann selbst hatte jahrelang die Gemeinsamkeit katholischer und evangelischer Christen in der CDU so sehr betont, daß es ihm trotz allem schwerfallen mußte, im Rahmen des Kabinetts die Zusammenarbeit für unmöglich zu erklären. Als Minister konnte er zudem noch am meisten gegen die Eigenmächtigkeiten und den Kurs des Kanzlers ausrichten, zumal wenn er auch Kabinettskollegen zum gemeinsamen Vorgehen überzeugte. In einem wesentlichen Punkte bestand sogar noch eine Gemeinsamkeit mit dem Kanzler: in der Bemühung um Schutz vor kommunistischer »Unterwanderung«. Heinemann wurde denn auch gerade in dieser Hinsicht im September aktiv; das Kabinett faßte Beschlüsse, die z. B. eine Verpflichtung der Beamten vorsahen, keiner kommunistischen Tarnorganisation beizutreten.

Diese Aktivität konnte Adenauer allerdings nicht mit dem widersprechenden Minister versöhnen, den er gern durch einen folgsameren ersetzt hätte. Aber Adenauer mußte den Rücktritt dieses Ministers mit allen Konsequenzen fürchten[12].

Adenauer wußte, daß sein Angebot an die Westmächte im Volk weithin nicht gebilligt wurde; er selbst hatte die Hohen Kommissare mehrfach auf die ablehnende Haltung der Mehrheit der westdeutschen Bevölkerung hingewiesen[13]. Gerade in der evangelischen Kirche traf die Aufrüstungsfrage bei gewissen Kreisen auf entschiedenen Widerstand. Ein Rücktritt Heinemanns, des Präses der Synode und Ratsmitglieds der EKD, konnte Opponenten ermutigen und Schwankende zu Gegnern machen, mußte jedenfalls die Diskussion weiter entfachen.

Besonders fürchtete Adenauer, daß Heinemann vor der Öffentlichkeit seine Kenntnisse über das Memorandum ausbreiten würde. Als Heinemann es noch einmal zu sehen verlangte, da es nur einmal

---

12. vgl. dazu Adenauer, Erinnerungen I, S. 373f.
13. vgl. dazu Adenauer, aaO. S. 349. – Weymar, Konrad Adenauer, S. 565f.

stückweise im Kabinett verlesen war, wurde eine Übersendung ins Innenministerium abgelehnt und es ihm lediglich im Bundeskanzleramt in Gegenwart eines Beamten zur Einsichtnahme zur Verfügung gestellt[14]. Als Heinemann den Kanzler Mitte September um die Angabe eines »baldigen Termins« bat, da ihm »daran gelegen« sei, die »Aussprache zu einem Ergebnis zu bringen, zumal, da ich unausgesetzt angegangen werde, meine Stellung zu den sachlichen Fragen öffentlich darzulegen«[15], setzte Adenauer zwar einen Zeitpunkt fest, verschob ihn aber wegen starker Inanspruchnahme wieder. Auf diese Weise gelang es ihm, seinen Minister wochenlang am öffentlichen Reden zu hindern.

Schriftlich wies er ihn entschieden darauf hin, daß Heinemann nicht die Freiheit zur öffentlichen Vertretung seines Standpunktes haben könnte: »Davon kann natürlich keine Rede sein.« Die Mitglieder eines Kabinetts müßten einheitlich den Standpunkt der Regierung vertreten[16].

Im übrigen versuchte er, die Bedeutung des Memorandums zu bagatellisieren:

»Sie werden ja aus meinem gestrigen Vortrag im Kabinett entnommen haben, daß ein Anbieten auch von mir absolut abgelehnt wird, und daß es sich lediglich um Folgendes handelt:
Es wird in absehbarer Zeit – es können bis dahin einige Wochen vergehen, es kann aber auch schon sehr bald kommen – an die Bundesregierung und Deutschland die offizielle Frage gestellt werden, ob es bereit sein wird, seine Menschenreserven und seine Materialreserven zum Schutze der westlichen Freiheit einer internationalen Armee zur Verfügung zu stellen, die allerdings unter Umständen die Aufgabe haben wird, einen sowjetrussischen Angriff abzuwehren.«[17]

Ein Interesse daran, die Gemeinschaft katholischer und evangelischer Christen in der CDU zu wahren, hatte auch die CDU. Am 26. September entwickelte Heinemann in Düsseldorf vor Protestanten in der CDU auf Einladung und unter Vorsitz von Lehr seine Gedanken[18], am Tage darauf kam es zu einer Besprechung mit Gerstenmaier, Kunze, Tillmanns, Ehlers und Höfler, die Tage zuvor mit Adenauer konferiert hatten. Sie bemühten sich, die Punkte festzustellen, die eine weitere Zusammenarbeit mit Adenauer möglich machen und tunlich erscheinen ließen: daß Heinemann kein Pazifist aus

---

14. GH 244, S. 463; Schnittpunkt, S. 100. – Baring, aaO. S. 167.
15. Schreiben vom 16. 9. 50. – GH 244, S. 464; Schnittpunkt, S. 102.
16. Schreiben vom 28. 9. 50 (AH).
17. Schreiben vom 28. 9. – GH 244, S. 464; Schnittpunkt, S. 102f.
18. Konzept-Stichworte (AH).

Grundsatz sei, so daß für ihn Rüstung zu jeder Zeit indiskutabel wäre; daß seine Person im Schnittpunkt zwischen Protestanten und Katholiken in der CDU, zwischen CDU und SPD, zwischen Regierung und evangelischer Kirche stünde[19]. Doch blieben derartige Versuche ergebnislos, ebenso wie ein privater Schlichtungsversuch Adolf Scheus, der unter vier Augen mit Adenauer sprach[20].

In umgekehrter Richtung gingen die Sorgen jener Protestanten, die die Aufrüstung für falsch hielten und eine klare Trennung Heinemanns von Adenauer befürworteten. An ihrer Spitze stand Martin Niemöller.

Niemöller hatte Heinemann brieflich schon acht Tage nach Ausbruch des Koreakrieges auf die »Gefahr« hingewiesen, die er »weniger sehe als vermute«:

»Wird nicht unter Umständen Adenauer in diesem Augenblick sich für eine Remilitarisierung Westdeutschlands bereitfinden bzw. entschließen, und wird dann nicht die gesamte christliche Kirche – auch die evangelische – widerstandslos in seinen Kurs einschwenken? Ich glaube nicht, daß wir das dürfen.«[21]

Nach Churchills Aufruf zur Bildung einer Europaarmee schrieb auch Graeber in diesem Sinn an Heinemann: »Wir haben nur das zu sollen, was wir auch können . . . Polizei, das können wir. Aufrüsten, das können und dürfen wir nicht.«[21a]

Niemöller gab Heinemann, als der im September die Verordnungen gegen die Kommunisten guthieß, zu bedenken: »Ich bin nun in großer Sorge, daß Du in dieser Sache von Adenauer überspielt worden bist; denn wie stellst Du Dir das nun noch vor mit einer Auseinandersetzung über die Wiederbewaffnungsfrage?«[22] Ende September wurde Niemöller durch Nachrichten beunruhigt, daß die Deutschen in den Labor Services der Amerikaner bewaffnet würden und deutsche Offiziere die Führung von Organisationsstäben übernähmen, die deutsche Einheiten für eine europäische Wehrmacht aufstellen sollten[23].

Daraufhin schrieb Niemöller am 4. Oktober einen »Offenen Brief« an Adenauer, in dem er behauptete, die Remilitarisierung Westdeutschlands werde »mit allen Mitteln betrieben«; Niemöller wies auf Gerüchte über diesbezügliche Abmachungen zwischen Adenauer und

---

19. Aktennotiz (AH).
20. Mitteilung Scheus an den Verfasser v. 20. 9. 71.
21. Schreiben v. 4. 7. 50 (AH). – Vgl. D. Schmidt, Martin Niemöller, S. 212.
21a. Schreiben v. 17. 8. und 14. 9. 50 (AH).
22. Schreiben vom 26. 9. 50 (AH).
23. Niemöller hat die Belege später der Presse zur Verfügung gestellt: epd 13. 10. 50 (Originale im AN). – Vgl. Kapitel III 6 und 7.

den Hohen Kommissaren hin und forderte eine Volksbefragung oder Neuwahlen[24].

Niemöllers Brief, der in der Öffentlichkeit wie eine Bombe einschlug, trug dazu bei, daß die Spannung zwischen Adenauer und Heinemann unlösbar wurde. Denn als am 9. Oktober endlich die abschließende Aussprache zwischen Adenauer und Heinemann stattfand, kam die Tatsache zur Sprache, daß Heinemann neben Niemöller und Dibelius für den 15. Oktober als Redner auf einer kirchlichen Versammlung in Frankfurt vorgesehen war: »Das mißfiel dem Kanzler sehr. Ich sagte ihm aber, daß ich die Rede nicht absagen werde.«[25]

Damit entschied sich Heinemann dafür, dem Wirken in der kirchlichen Öffentlichkeit den Vorrang vor dem stillen politischen Wirken im Kabinett zu geben und lieber die Beziehungen zum Kanzler als die zum Leiter der Bekennenden Kirche zu lockern. Zu diesem Schritt entschloß er sich nach mehreren Aussprachen mit Vertretern der Bekennenden Kirche wie Professor Helmut Gollwitzer und dem Berliner »Unterwegs-Kreis«[26]. Bei den abschließenden Besprechungen mit Adenauer kam es zu keiner Annäherung der Standpunkte:

»Wir sprachen noch einmal unsere Auffassungen von der politischen Lage und unsere Differenz hinsichtlich der daraus zu ziehenden Schlüsse – Bundespolizei oder militärische Aufrüstung? – durch, und ich übergab dem Kanzler eine neunseitige Denkschrift, deren wesentlichen Inhalt ich einige Tage darauf auch der Presse zugehen ließ. Am Nachmittag erhielt ich seine Erklärung, daß er dem Bundespräsidenten aufgrund meines Rücktrittsgesuches die Entlassung aus der Bundesregierung vorschlagen werde.«[27]

Die Argumente, die Heinemann dem Kanzler mündlich und schriftlich vortrug, hat er später so zusammengefaßt:

»1. Die Verteidigung der Bundesrepublik gegen etwaige östliche Angriffe muß in erster Linie die Sache der Westmächte sein. Das ist kein unbilliges Verlangen, weil ein östlicher Angriff auch ihnen gälte und alle Westmächte sich ohnehin lieber im deutschen Vorfeld als im eigenen Bereich verteidigen würden.

2. Ein Angebot westdeutscher Aufrüstung schwächt unsere Position gegenüber den Westmächten (Gleichberechtigung, Solidarität, Saargebiet).

3. Westdeutsche Aufrüstung im Verbund mit den USA kann sowjetische Schockwirkung aus der Furcht vor kapitalistischer Einkreisung auslösen.

4. Westdeutsche Aufrüstung beunruhigt Polen und Tschechen aus Furcht vor Revanche.

5. Westdeutsche Aufrüstung kann den Westen zum Präventivkrieg gegen den Osten verführen.

---

24. KJ 50, S. 174f.
25. GH 244, S. 464; Schnittpunkt, S. 103. – Weymar, aaO. S. 546f.
26. Nach Mitteilungen von C. Ordemann und W. Koch an den Verfasser.
27. GH 244, S. 464f; Schnittpunkt, S. 103.

6. Westdeutsche Aufrüstung verdirbt oder erschwert eine friedliche Lösung der deutschen Frage; sie vertieft die Spaltung.

7. Westdeutsche Aufrüstung bringt Gefährdungen der sozialen und innenpolitischen Entwicklung bis hin zur Renazifizierung mit sich.

8. Wir werden uns nach allem, was wir mit der Waffe angerichtet haben, als christliche Politiker, die wir sein wollen, fragen müssen, ob es Gottes Wille sein kann, schon wieder nach Waffen zu greifen.«[28]

Adenauer suchte in seinem letzten Schreiben an Heinemann seinem Minister auch für die Zukunft die Zunge zu binden. Er rügte unter Hinweis auf das Amtsgeheimnis, das der Minister zu wahren verpflichtet sei, daß Heinemann über die Unterredung vom 9. Oktober mit ihm der Presse und dem Rundfunk Mitteilung gemacht habe. Heinemanns Aussage, der Kanzler habe die Bereitschaft zur Remilitarisierung erklärt, bezeichnete Adenauer als »unwahr«[29].

Am 10. Oktober nahm Heinemann letztmalig an einer Kabinettssitzung teil; Adenauer und er legten ihre Kontroverse noch einmal dar. Heinemann mußte feststellen, daß er im Kabinett allein stand. Schon am 31. August, als Adenauers Eigenmächtigkeit bekanntgeworden war, hatten die andern Kabinettsmitglieder außer Jakob Kaiser[30] »von ihrer Ungehaltenheit über die Art, wie sie übergangen worden waren, nichts merken« lassen[31]. Nun versicherten sie alle dem Kanzler ihre Übereinstimmung mit seiner Politik, allen voran ausgerechnet Kaiser[32], von dem Heinemann zu Beginn der Krise noch angenommen hatte, er stände auch in der Sache auf seiner Seite[33]. Kaiser vertrat nun mit mehreren Kabinettskollegen die Meinung, die russische Gefahr sei bisher unterschätzt worden und eine westdeutsche Rüstung stelle einen Akt der Notwehr dar. Deshalb lehnten auch mehrere Minister die öffentliche Diskussion über die Rüstungsfrage, wie Heinemann sie gefordert und mit seiner Mitteilung an die Presse praktiziert hatte, als für das Volk gefährlich ab; nur Kaiser trat für eine Veröffentlichung der Gründe Heinemanns ein, stieß jedoch auf entschiedenen Widerspruch Adenauers[34].

Auch der Bundespräsident gewährte Heinemann keinerlei Unterstützung. Heuss hatte sich schon im September von Heinemann über

---

28. Schreiben Heinemanns an Gerhard Heidt, Gießen, vom 26. 4. 65. Wortlaut des Schreibens Heinemanns an Adenauer v. 9. 10. 50 s. Anhang A.
29. Schreiben v. 9. 10. 50. – Aktennotiz über die Sitzung am 10. 10. (AH). – Vgl. GH 39.
30. Aktennotiz Heinemanns zu seiner Rücktrittserklärung (AH).
31. GH 244, S. 462; Schnittpunkt, S. 99.
32. Aktennotiz (AH). – GH 244, S. 464f; Schnittpunkt, S. 103. – Baring, aaO. S. 168.
33. DNZ 6. 9. 50. – Vgl. Rheinische Post 6. 9. 50.
34. Aktennotiz (AH).

die Streitpunkte informieren lassen, und in der Presse war darauf hingewiesen worden, daß die Verfassung ihm bei der Entlassung eines Ministers »jederzeit die Möglichkeit, sich einzuschalten«, gäbe[35]. Nun bat er zwar Heinemann zu einem Gespräch zu sich, ehe er die Entlassungsurkunde unterschrieb; aber es blieb, Heinemanns Worten zufolge, »ohne Belang«[36]. Heuss begnügte sich damit, Heinemann schriftlich zu versichern: »Ich glaube die inneren Motive Ihrer Entscheidung würdigen zu können und respektiere sie.«[37]

So schied Heinemann am 10. Oktober aus der Bundesregierung aus, ohne mit seinen Gedanken bei den anderen Ministern, beim Kanzler und beim Präsidenten Verständnis gefunden zu haben. Lediglich Sprecher der SPD versicherten mehrfach, Heinemanns Gründe »deckten sich weitgehend« mit denen der SPD[38].

5

Die politische Welt Adenauers und Heinemanns

Die Gegensätze, die Kanzler und Minister trennten, wurden von beiden Seiten in den folgenden Tagen mündlich und schriftlich fixiert. Adenauer sprach am 11. Oktober im Rundfunk über »Die internationale Lage und Deutschland«[1], Heinemann übergab am 13. Oktober der Presse ein »Memorandum über die deutsche Sicherheit«[2], sprach am 15. Oktober in Frankfurt/Main auf dem evangelischen Männertag Hessen-Nassau vor 15 000 Menschen über die »Freiheit des Volkes«[3], und Adenauer hielt am 20. Oktober in Goslar auf dem ersten Bundesparteitag der Christlich-Demokratischen Union das einleitende Hauptreferat über »Deutschlands Stellung und Aufgabe in der Welt«[4].

---

35. Die Welt 7. 9. 50.
36. GH 244, S. 465; Schnittpunkt, S. 103. Nach Baring »stellte sich rasch heraus, daß Heuss nach Adenauers Entlassungsvorschlag nichts mehr zu bereden fand, sich für die grundgesetzliche Problematik überhaupt nicht interessierte und sich daher auf geistvolle Arabesken beschränkte« (aaO. S. 171).
37. Die Welt 18. 10. 50.
38. So Ollenhauer lt. Rheinischer Zeitung 10. 10. 50. – Ähnlich C. Schmid (Die Welt 11. 9., FAZ 13. 9., Süddeutsche Zeitung 12. 9. 50).
 1. EA 1950, S. 3516f.
 2. GH 40. – Das Wort »Memorandum« scheint ein Zusatz des Europa-Archivs zu sein. – Die Flugblätter tragen den Titel: »Warum ich zurücktrat«.
 3. GH 41. – Bericht der FAZ 16. 10. 50.
 4. Erster Parteitag der Christlich-Demokratischen Union Deutschlands Goslar, 20.–22. Oktober 1950, hg. von der CDU, Bonn o. J. (Broschüre).

Die öffentlichen Verlautbarungen des Kanzlers und seines ehemaligen Ministers boten für die Öffentlichkeit die Gelegenheit, die Standpunkte der beiden Kontrahenten gründlich kennenzulernen; das war um so nötiger, als wochenlang nur Vermutungen, bruchstückweise bestätigt, über die Gegensätze zwischen Adenauer und Heinemann an die Öffentlichkeit gedrungen waren. Was jetzt bekanntwurde, war um so umfassender. Im Rückblick kann man sagen, daß beide Politiker in diesen Tagen ihre Sicht der Weltlage formulierten, wie sie sich in Jahren nicht wesentlich geändert hat. Die Erklärungen können über ihre zeitgeschichtliche Bedeutung hinweg geradezu als Muster verschiedener Weltbetrachtung angesehen werden. Sie machen sichtbar, in welcher Weise bei beiden Männern die Analyse der Lage mit »weltanschaulichen« Überzeugungen zusammenhing.

Adenauer sah zwischen Ost und West einen unüberbrückbaren Gegensatz, ein weltgeschichtliches Entweder-Oder, einen Kampf zwischen Christentum und antichristlichem Geist[5]:

»In unserer Zeit wird es sich entscheiden, ob Freiheit, Menschenwürde, christlich-abendländisches Denken der Menschheit erhalten bleibt oder ob der Geist der Finsternis und der Sklaverei, ob der anti-christliche Geist für eine lange, lange Zeit seine Geißel über die hilflos am Boden liegende Menschheit schwingen wird.«[6]

»Auf der einen Seite steht Sowjet-Rußland mit seinen Trabanten- und Satellitenstaaten, seinen Fünften Kolonnen und den ihm blind gehorchenden kommunistischen Parteien in den demokratischen Ländern, hochgerüstet, überall in der Welt das Feuer schürend, Religion und Christentum, europäische Sitten und Kultur, Freiheit und Würde der Person vernichtend. Auf der anderen Seite stehen die Westalliierten, stehen die Atlantikpaktstaaten unter Führung der Vereinigten Staaten, bereit und entschlossen, alles zu tun für den Frieden, aber nur für einen Frieden in Freiheit und Würde, bereit, ihre Rüstung aufs äußerste zu verstärken, um auf diese Weise den von Sowjet-Rußland drohenden Angriff zu verhindern.«[7]

Weite Passagen seiner Ausführungen benutzte der Kanzler dazu, die gegensätzlichen Charaktere der beiden Weltmächte zu schildern. Auf der einen Seite zählte er die Länder auf, die sich die Sowjetunion 1945 und seitdem eingegliedert hatte, und stellte den Ernst der gegenwärtigen und zukünftigen Lage heraus:

»Rußland steht jetzt mitten in Europa. Es ist in der Lage, in seinen europäischen Satellitenstaaten und durch die von ihm beeinflußten Völker in Asien jederzeit große Kriege zu führen, ohne einen einzigen sowjet-russischen Soldaten dafür

---

5. Die folgenden Zitate stammen aus Adenauers Rede: »Deutschlands Stellung und Aufgabe in der Welt« vom 20. 10. 50 in: Erster Parteitag der CDU, S. 11–21.
6. aaO. S. 12.   7. aaO. S. 15.

einzusetzen. Darüber hinaus hat Sowjet-Rußland in europäischen Ländern starke Fünfte Kolonnen aufgebaut, kommunistische Parteien gegründet und finanziert. Es ist so in der Lage, auf die politischen Geschicke anderer europäischer Länder ohne kriegerische Maßnahmen unter Umständen einen entscheidenden Einfluß in seinem Sinne auszuüben. Es hat planmäßig und zielbewußt alle Kampfmittel des Kalten Krieges vorbereitet.«[8]

»Es rüstet hinter seinem eisernen Vorhang mit Hochdruck; es rüstet in seinen Satellitenstaaten und in der Sowjetzone. Wo in der Welt jetzt schon kriegerische Unruhen bestehen – in Korea, in Indochina – hat Sowjet-Rußland seine Hand im Spiel.«[9]

Andererseits hob der Kanzler erleichtert den Entschluß der USA hervor, die »nunmehr« der Sowjetunion ihre eigene Stärke entgegenstellten, wie aus Reden Trumans und Achesons hervorginge und durch den Entschluß zum Eingriff in Korea bewiesen werde:

»Amerika ist die stärkste Militärmacht, die stärkste wirtschaftliche Macht der Erde. Es ist ein großes Glück für die Menschheit, daß das amerikanische Volk freiheitsliebend, fortschrittlich und entschlossen ist. Es hat überraschend schnell die Rolle, die ihm nunmehr in der Geschichte der Menschheit zugefallen ist, begriffen, es hat klar erkannt, welche Verantwortung ihm seine Macht und sein Reichtum gegenüber der gesamten Menschheit auferlegt.«[10]

Ein bestimmtes Geschichtsbild der Hitlerzeit diente dem Kanzler als Beweis für seine Deutung der Gegenwart; erst spät hätten sich die westlichen Alliierten

»der Lehren erinnert, die sie in den Jahren vor dem Ausbruch des zweiten Weltkrieges bei den Verhandlungen mit dem totalitären Hitlerregime bekommen haben. Auch damals haben sie mit dem Diktator in der unter demokratischen Staaten üblichen Weise gesprochen und so versucht, ihn auf die Bahn der normalen friedlichen Zusammenarbeit mit anderen Völkern zu bringen. Österreich und die Tschechoslowakei haben für die falsche Einschätzung eines totalitären Regimes den Preis ihrer Freiheit zahlen müssen, und ein furchtbarer Krieg war schließlich das Ende dieser ganzen Art der Verhandlung mit Hitler. Ich bin überzeugt, hätte man Hitler sofort oder in den ersten Jahren nach der Machtergreifung des Nationalsozialismus gezeigt, welche Macht die Westalliierten besaßen, hätte man ihn dazu überzeugt, daß man entschlossen war, falls nötig, diese Machtmittel anzuwenden, niemals wäre der zweite Weltkrieg ausgebrochen.«[11]

Aus dieser Geschichtssicht heraus sah der Kanzler als erwiesen an:

»Jetzt endlich haben die Westalliierten auch gegenüber Sowjet-Rußland erkannt, daß ein totalitärer Staat nur eine Sprache kennt, die Sprache der Macht, daß man mit einem totalitären Staat nur dann zu einem vernünftigen Ergebnis kommt, wenn man bei der Verhandlung mindestens so stark ist wie er. Ein

---

8. aaO. S. 13.   10. ebd.
9. aaO. S. 15.   11. ebd.

totalitärer Staat wird nur dann bereit sein, sich friedlich einzuordnen in das Gesamtgefüge der Völker, wenn seine Machthaber wissen, daß jedes Ausbrechen, jeder Angriff für sie selbst schwerste, unter Umständen vernichtende Folgen hat.«[12]

Daraus ergaben sich Folgerungen für die Zukunft:

»Nach meiner Überzeugung haben wir allen Grund zu der Annahme, daß es keinen Krieg geben wird, wenn Sowjet-Rußland eine Macht gegenübergestellt wird, die ihm gewachsen ist. Sowjet-Rußland hat keine Veranlassung, seine Existenz in einem neuen Kriege aufs Spiel zu setzen.«[13]

Als »einziger Weg, den Frieden zu sichern«, erschien Adenauer der,

»den die Westalliierten und die Atlantikpaktstaaten jetzt einzuschlagen beschlossen haben: nämlich mit Sowjet-Rußland über die Herstellung eines dauernden Friedens zu verhandeln, nachdem sie sich mindestens ebenso stark gemacht haben wie Sowjet-Rußland ist.«[14]

Im Rahmen dieser weltgeschichtlichen Schau erschien dem Kanzler Deutschland in der jüngsten Vergangenheit sehr gefährdet:

»Deutschland in zwei Teile gewaltsam zerrissen, politisch und wirtschaftlich schwer geschädigt, außenpolitisch ein Vakuum.«[15]

»Seit Jahr und Tag mußte jeder, der die Dinge klar sieht, fürchten um unser Vaterland, um unsere Sicherheit; er mußte fürchten, daß Deutschland eventuell Schauplatz kriegerischer Auseinandersetzungen werden könnte; er mußte zittern davor, daß im Falle eines russischen Angriffs Millionen von Deutschen nach Rußland getrieben, in russische Armeen gesteckt oder zur Sklavenarbeit verdammt würden.«[16]

Die westliche Garantie-Erklärung vom September 1950 nahm Adenauer mit »Erleichterung und Befriedigung«, mit »Beruhigung und Freude« auf[17]. Da er Deutschland jedoch in einer Geschichtsperiode sah, in der »es nur eine Wahl zwischen Gut und Böse, zwischen Leben und Untergang gibt« und in der »diese Wahl schnell und ohne Zögern getroffen werden muß«[18], schienen ihm deutsche Entscheidung und deutsche Aktivität nötig:

»Ich glaube, wenn alle Zeugen des Elends, das die sowjet-russische Herrschaft über die Menschen bringt, sprechen könnten, keinen Augenblick würde das deutsche Volk zögern, seine Entscheidung zu treffen. Es würde nur eine Stimme erklingen: daß wir zwar den Frieden wollen, mit aller Kraft wollen, aber daß wir auch wissen, daß Freiheit das höchste Gut des Menschen ist und daß daher für uns Deutsche niemals sowjet-russische Sklaverei in Frage kommt, sondern nur Friede in Freiheit!

---

12. aaO. S. 15.
13. aaO. S. 21.
14. aaO. S. 20.
15. aaO. S. 13.

16. aaO. S. 15.
17. aaO. S. 15. – EA 1950, S. 3516.
18. aaO. S. 12.

Es ist die Aufgabe Deutschlands, einen Damm aufzurichten gegen das Einsickern und die Infiltration sowjet-russischer Ideen. Wir müssen die Menschheit diesseits des Eisernen Vorhangs aufklären über das, was jenseits des Eisernen Vorhangs vor sich geht, was auch uns, was Europa beschieden sein würde, wenn die russische Ideologie bei uns in Europa zur Herrschaft gelangte.«[19]

Alle Überlegungen Adenauers führten zu der politischen Konsequenz, daß die BRD sich an der westeuropäischen Aufrüstung zu beteiligen habe. Jedoch sprach Adenauer das mit Rücksicht auf die kritische Öffentlichkeit im westlichen Ausland und in Westdeutschland selbst nicht aus. Er stritt vielmehr ausdrücklich ab, Angebote an die Westmächte gemacht zu haben[20]. Aber im Zusammenhang seiner Reden war deutlich genug, was er für richtig hielt, wenn er andeutete: »Was Europa not tut, weiß und fühlt jeder, er sollte auch entsprechend handeln.«[21]

Adenauers Sicht der Lage war in sich ganz geschlossen: Weil er von einem weltgeschichtlichen Entweder/Oder zwischen Ost und West ausging, weil er Hitler und Stalin gleichsetzte, weil er die deutsche Lage nach 1945 als Vakuum sah, führten seine Überlegungen logisch dahin, daß sich die Deutschen für den Westen zu entscheiden hätten. Allerdings läßt sich die logische Folge auch umkehren: Weil Adenauer schon seit Jahren, seit Jahrzehnten die Integration eines westdeutschen Staats in den Westen für den richtigen politischen Weg hielt, erschienen ihm die besetzten Westzonen als Vakuum, paßte ihm die Identifizierung Stalins mit Hitler und die Sicht eines weltgeschichtlichen Gegensatzes zwischen Ost und West ins Konzept.

Die Frage, was hier primär war, weltanschauliche Überzeugungen oder politische Überlegungen, führt nicht weiter. Weltanschaulicher Hintergrund und realpolitischer Vordergrund gehörten vielmehr so sehr zusammen, bedingten sich wechselseitig in einem Maße, daß die Frage nach der Priorität nur von der Hauptsache ablenkt: daß es einen Widerspruch gar nicht gab[22]. Adenauer konnte mühelos die Akzente verschieben, wie es opportun erschien: z. B. betonte er in seiner Rundfunkrede stärker den Schutz der BRD durch die Garantieerklärung der Westmächte, um die Bevölkerung zu beruhigen und

---

19. aaO. S. 16.
20. aaO. S. 18: »Ich stelle fest: Die Bundesregierung oder der Bundeskanzler haben keine Verpflichtungen irgendwelcher Art eingegangen. Es ist auch das Eingehen solcher Verpflichtungen von niemand verlangt worden.« Der Nachsatz: »es ist kein Angebot gemacht worden« (EA 1950, S. 3590) ist allerdings in der Broschüre vom Goslarer Parteitag gestrichen.
21. EA 1950, S. 3517.
22. Deshalb geht auch Barings Kombination fehl, der Kanzler habe gegen seine Überzeugung das Korea-Argument nur aus taktischen Gründen verwandt. Vgl. Kapitel III 3 Anm. 30.

damit Diskussionen den Boden zu entziehen[23]; er hob in Goslar die russische Gefahr und den Entscheidungscharakter der weltgeschichtlichen Situation hervor, um sich bei den Christlichen Demokraten als ihr weitblickender Parteiführer zu empfehlen[24] – niemals sprach er dabei etwas aus, was seinen Überzeugungen zuwiderlief. Eine immanente Geschichtsbetrachtung mit festem Entweder/Oder-Schema und sicherer Zielsetzung ließ Raum dafür, daß Adenauer den einen oder anderen Punkt taktisch hervorhob – sie ließ nur keinen Raum für Zweifel an der eigenen Überzeugung, für rationale Selbstkritik.

In Heinemanns Ausführungen ist der Gedanke eines Entweder/Oder, einer weltgeschichtlichen Entscheidung zwischen Gut und Böse nirgends zu finden. Sein Ausgangspunkt war ja die Überzeugung, daß Geschichte ein Geschehen zwischen Gott und Menschen sei. Unter diesem Doppelaspekt, unter dem er die Geschichte und besonders die jüngste Geschichte immer gesehen hatte, sah er nun auch die eigentliche Problematik der anstehenden »politischen« Entscheidung.

Zu rechtem politischen Tun schien Heinemann derjenige fähig, der zweierlei tat: der einmal politische Tatsachen, auch einander widersprechende, zur Kenntnis nahm und zueinander in Beziehung setzte, und der sich zum anderen von Gott die Freiheit zu rechtem Tun geben ließ: »Wo der Herr uns frei macht, da sind wir wahrhaftig frei.«[25] Diese Freiheit gründete sich auf die Zuversicht, daß die Geschichte Schauplatz des Handelns Gottes sei: »Gott mag sich je und dann eines Volkes als Zuchtrute gegen ein anderes Volk bedienen. Aber auch dieses Werkzeug seines Gerichts steht selbst wieder im Gericht.«[26]

Das Handeln Gottes und das Handeln des Menschen schlossen sich nach Heinemann keineswegs gegenseitig aus. Gott handelte. Der Mensch hatte auch, und intensiv, zu handeln:

»Wer mit Röm. 13 (›Seid untertan der Obrigkeit‹) beweisen will, daß wir uns allem unterwerfen sollen, auch dem Widerchristlichen, kennt Paulus nicht. Wie soll aber Widerchristliches in der Wirtschaft, in der Schule, in der Justiz, im Völkerverkehr ausbleiben, wenn die Christenheit schweigt, untätig bleibt und ihre Pflicht gegenüber ihrem Volke mit passiver Unterwürfigkeit erfüllt zu haben meint? Mit gutem Gewissen kann nur leiden, wer zuvor gehandelt hat.«[27]

In der Hoffnung auf Gottes Handeln konnte der Mensch in seinem Handeln gelassen bleiben und erhielt Raum zu kritischer Selbstbesinnung[28].

23. EA 1950, S. 3516f.
24. Broschüre, S. 12ff.
25. GH 41: Ansprache auf dem ev. Männertag in Frankfurt am 15. 10. 50.
26. GH 41, S. 13.
27. GH 41, S. 14.
28. GH 40.

Von diesem doppelten Ausgangspunkt her ergab sich für Heinemann die Möglichkeit, auf zwei Wegen zur politischen Lage Stellung
zu nehmen. Entweder er ging von Gottes Wirken aus, wie in Frankfurt; dann führte die Gedankenlinie über die Rolle der Völker und
ihrer Herrschaft im allgemeinen zu den besonderen Herrschaftsver-
hältnissen des gegenwärtigen Deutschland, wobei die Wiederaufrüstung nur als Spezialfall der grundsätzlich immer gebotenen menschlichen Aktivität erschien; in diesem Fall konnte Heinemann auf die
präzise Darlegung der Aufrüstungsfrage sogar verzichten und die
Zuhörer auf sein Memorandum verweisen[29]. Oder Heinemann ging,
wie in der Erklärung, die er über seinen Rücktritt an die Presse gab,
von der Analyse der gegenwärtigen politischen Situation aus und wies
erst zuletzt, gleichsam nebenbei und auf den ersten Blick gesehen fast
entbehrlich, kurz auf den Rahmen hin, in dem die Argumente ihr
Gewicht erhalten hatten[30]. Auf beiden Wegen ergab sich in dieser
Spannweite des Denkens ein differenziertes Urteil über Völker und
Staaten im allgemeinen und über die gegenwärtige Lage der Großmächte und Deutschlands im besonderen.

In seiner Rücktrittserklärung setzte Heinemann mit einer Darstellung
des Verhältnisses der BRD zu den Westmächten an[31]. Während die
BRD für ihre innere Sicherheit selbst zu sorgen habe, läge die Sicherheit gegen Angriffe von außen nicht in ihrer Hand. »Sie ist Sache der
Besatzungsmächte.«[32] Daß die Westmächte in New York eine entsprechende Erklärung abgaben und sie durch Truppenverstärkung
militärisch fundierten, begrüßte Heinemann wie Adenauer. Aber er
schloß daraus nicht auf eine einseitige moralische Dankesverpflich-
tung der Westdeutschen gegenüber den westlichen Alliierten; denn
dieser Vorgang habe auch eine »andere Seite«, die noch »keinen klaren Ausdruck gefunden« habe:

»Ich sehe ihn darin, daß die Westmächte, zumal die kontinentalen, damit ihre
eigene Verteidigung gegen einen Angriff vom Osten im Vorfeld ihrer Länder
auf deutschem Boden aufzubauen gedenken. Die Westmächte erklären m. a. W.,
uns schützen zu wollen, weil sie damit sich selber zu schützen gedenken. Sie wollen eine etwaige Auseinandersetzung mit dem Osten lieber auf unserem Boden
vollziehen als auf dem Boden ihrer Heimatländer.«[33]

Heinemann sah das Verhältnis der BRD zu den Westmächten
nüchtern als das eines wechselseitigen Interesses[34]:

---

29. GH 41.   32. ebd.
30. GH 40.   33. ebd.
31. ebd.   34. ebd.

»Die Bundesrepublik hat somit durchaus nichts Unbilliges gefordert, wenn sie die Westmächte um ein Verteidigungsversprechen anging. Die Westmächte haben es gegeben, das sei in Anerkennung der darin bezeugten Solidarität unterstrichen. Sie haben es aber selbstverständlich nicht nur um unseretwillen, sondern auch um ihrer selbst willen gegeben.«

Auf die Sowjetunion und ihr Verhältnis zur BRD ging Heinemann im Zusammenhang mit der Frage ein, ob westdeutsche Soldaten grundsätzlich für westeuropäische Verteidigung von Nutzen seien:

»Besonders bedeutungsvoll ist die Frage, ob eine westdeutsche militärische Beteiligung auf Rußland provozierend wirken würde. Der Marxist glaubt ohnehin an kapitalistische Einkreisung. Er glaubt andererseits an den Endsieg des Kommunismus, den er dadurch heraufziehen sieht, daß der Kapitalismus sich in seinen Krisen selbst zerstören wird. Der Marxist ist geneigt, diese Krisenentwicklung zu fördern, das heißt er ist revolutionär und nicht primär ein Krieger. Deshalb ist ihm gegenüber die innere Immunisierung durch beispielhafte Ordnung der Gerechtigkeit und Freiheit mindestens ebenso wichtig wie äußere Panzerung. Wenn das Wiedererstehen des deutschen Soldaten in Frankreich ein tiefes Mißbehagen auslöst, was wird es in Rußland auslösen, das den furor teutonicus in besonderem Maße erlebt und ebenfalls nicht vergessen hat?«[35]

So energisch Heinemann nach wie vor den Kommunismus ablehnte und westdeutsche kommunistische Untergrundtätigkeit zu unterbinden suchte, begriff er doch die Sowjetunion als einen politischen Gegner, nicht als weltanschauliches Prinzip, und verstand sie aus ihren eigenen Denkvoraussetzungen. Dabei nahm er den marxistischen Denkansatz über die westlichen Staaten im allgemeinen genau so ernst wie die Erinnerung an den deutschen Überfall auf die Sowjetunion. Die Folge war, daß er für den Fall einer westdeutschen Aufrüstung einen möglichen sowjetischen Präventivkrieg fürchtete. Jedenfalls konnte er nicht einfach die Gegensätze unter dem Aspekt sehen, daß es um eine Entscheidung zwischen Gut und Böse, dem Christentum und dem Antichrist ginge.

Indem Heinemann die Geschichte ernstnahm und beide Seiten kritisch und verständnisvoll zugleich beurteilte, konnte er ein militärisches Engagement der Westdeutschen auf westlicher Seite grundsätzlich nur für so problematisch halten, daß es gründlich diskutiert werden mußte. Falsch schien ihm aber jedenfalls eine westdeutsche Bereitschaftserklärung, bevor die Bundesregierung überhaupt von den Westmächten gefragt worden war. Dagegen hatte er nicht nur den Mangel an demokratischer Willensbildung im Kabinett anzuführen. Auch in diesem Zusammenhang wies Heinemann auf die Jahre nach 1945 zurück, als die Alliierten Deutschland entmilitarisierten

---

35. ebd.

und die Deutschen zu »einer jedem Militärwesen abholden Geisteshaltung« erzogen. Er stellte fest, die Deutschen hätten

».. . allen Anlaß, auf gegenteilige Aufforderungen so zurückhaltend wie nur
möglich zu reagieren. Dies wird für unsere Nachbarvölker im Westen wie im
Osten der eindrücklichste und immer noch notwendige Beweis für die doch
unleugbare Gesinnungsänderung des deutschen Volkes sein. Wenn wir anders
handeln, kann nur der alte Verdacht gegen unseren Militarismus und die aus
ihm folgende Mißachtung unseres Volkes verhängnisvoll belebt werden.«[36]

Nebenbei war in diesem Konzept auch noch Raum für die Bemer-
kung, daß eine Bereitschaftserklärung für die Westmächte auch der
Anlaß sein könnte, die Bedingungen für die Deutschen im Fall einer
Aufrüstung zu erschweren.

Vor allem aber ließ dies Konzept, das nicht aus weltanschaulichen
Erwägungen eine schnelle Grundsatzentscheidung forderte, Raum für
wichtige Vorbehalte, die zu überlegen waren. Heinemann nannte die
mangelnde Gleichberechtigung der BRD und Konsequenzen, die eine
Beteiligung an einer Europaarmee auch in dieser Hinsicht haben
mußte; er fragte, ob denn für einen Kriegsfall deutsche Soldaten
überhaupt Aussicht darauf hätten, den Krieg zu bestehen; er warnte
davor, daß die Aufstellung deutscher Truppen »eine schwere Belastung unserer sozialen Gestaltungsmöglichkeiten« bedeuten und die
militärische Macht »nahezu unvermeidlich wieder eine eigene politische Willensbildung entfalten« würde[37].

Im Rahmen einer solchen differenzierten Gesamtsicht der Lage ergab sich eine Unterscheidung zwischen solchen Überlegungen, »die
wir mit den Westmächten gemeinsam anzustellen haben«, und solchen, »die uns Deutschen besonders obliegen werden«:

»Ein europäischer Krieg unter unserer Beteiligung wird für uns nicht nur ein
nationaler Krieg sein, wie für die anderen betroffenen Völker, sondern obendrein ein Krieg von Deutschen gegen Deutsche. Er wird sich, so wie die Dinge
liegen, auf deutschem Boden abspielen. Wer auch immer die erste Schlacht gewinnt – der Stoß geht in deutsches Land, im Westen oder im Osten. Wenn der
erste Stoß sich nicht zu einem endgültigen entwickelt, kann dasselbe deutsche
Land im Westen oder im Osten abermals der Schauplatz des Krieges sein.
Angesichts dieser Situation haben wir wahrlich bis zum Äußersten ein Lebensinteresse daran, daß eine friedliche Lösung gefunden wird. . . Natürlich
kann Deutschland jederzeit von den anderen zum Schlachtfeld gemacht werden.
Aber wir legitimieren Deutschland selbst als Schlachtfeld, wenn wir uns
in die Aufrüstung einbeziehen.«[38]

Auch die Möglichkeiten einer friedlichen Lösung des Deutschland-
problems faßte Heinemann ins Auge; wenn er auch die Schwierig-

---

36. ebd.   38. ebd.
37. ebd.

keiten sah, die einer internationalen Lösung der Deutschlandfrage im Augenblick entgegenstanden, so wollte er doch die Chance zu einer späteren Verwirklichung der Idee Martin Niemöllers nicht vergeben:

»Ich weiß, daß es zur Zeit irreal ist, an eine Verständigung unter den Weltmächten über Deutschland oder an eine UNO-Lösung für Deutschland zu denken. Wer aber vermöchte zu sagen, daß es auch morgen irreal sein wird? Es kommt darauf an, daß die Chance für eine friedliche Lösung nicht verlorengeht. Unsere Beteiligung an der Aufrüstung würde das Aufkommen einer solchen Chance kaum mehr offenlassen.«[39]

Im letzten Teil seiner Rücktrittserklärung redete Heinemann erst ganz »geistlich« von Gottes Handeln und dann ebenso »weltlich« von menschlichem Handeln[40].

Der Abschnitt »Gandhi-Apostel?« enthält komprimiert Heinemanns »politisches Glaubensbekenntnis«, das von Heinemanns Anhängern und Gegnern seitdem mehr oder minder genau zitiert worden ist[41]. Es kommt hier für das richtige Verständnis auf jedes Wort an. Heinemann wies zunächst die Vermutung zurück, er sei wie Gandhi ein Vertreter der Gewaltlosigkeit. Er bekannte sich vielmehr zu dem lutherischen Satz: »Es ist Gottes Wille, daß weltliche Obrigkeit regiert und daß sie das Schwert führt. Sie hat es auch gegen äußere Feinde zu führen –«. Aber Heinemann leitete aus diesem Satz nicht etwa direkte Konsequenzen für eine Aufrüstung der BRD ab; er stellte ihm vielmehr zunächst die politische Wirklichkeit gegenüber: »– sofern sie überhaupt eins besitzt. Wir besitzen keins.« Schlüssel zum Verständnis der gegenwärtigen Lage war für Heinemann der Hinweis auf die deutsche Schuld vor Gott und Menschen: »Hier erhebt sich – zumal für Politiker, die aus christlicher Verantwortung zu handeln erklären – die Frage, ob es nicht etwa so ist, daß wir durch Gottes Gericht waffenlos gemacht worden sind um deswillen, was wir mit der Waffe angerichtet haben.« Doch ergab sich als Folge nicht logisch ein neues Prinzip der Waffenlosigkeit: »Auch dann würden wir nicht für alle Zeit waffenlos bleiben müssen.« Ebensowenig schien es Heinemann aber an der Zeit, in Anbetracht äußerer Gefahr den Zeitpunkt der Bewaffnung für gekommen zu halten. Vielmehr war die erste Konsequenz der Hinweis auf das Handeln Gottes und das rechte Handeln des Menschen in der Hoffnung auf Gottes Handeln: »Aber wir sollten uns gefragt wissen, ob es denn wirklich wieder soweit ist, oder ob Gott uns heute nicht noch die Geduld und den Mut beibringen will, auch in gefahrvollster Situation seinem von

---

39. ebd.
40. ebd.
41. Zur Darstellung in der Presse 1950 vgl. Kapitel III 6.

uns nicht vorher zu berechnenden Weltregiment zu vertrauen. Er hat
Möglichkeiten die Fülle.« Heinemann schloß die Bitte um rechtes Verständnis solcher christlichen Aussage an: »Diese Frage kann indessen
nur derjenige recht hören, der Gott nicht als Idee versteht, sondern in
ihm den Schöpfer und Erhalter der Welt und ihrer Völker weiß. Ich
bitte, diese Frage stehen zu lassen und nicht mit billigen Reden abzu-
tun.« Ein Bibelwort aus dem Brief des Paulus an die Galater[42] sah
Heinemann in der deutschen Geschichte bestätigt: »Gott läßt sich
nicht spotten. Das hat unser deutsches Volk wahrlich gerade erlebt.«
Heinemann verband die Warnung vor Angstpsychose mit der Ermutigung zur Entscheidung im Glauben: »Wer nur aus Angst handelt,
fällt erst recht in die Grube. Neben allem Aufruf zur Tat ist uns je
und dann auch gesagt: ›Wenn ihr umkehrtet und stille bliebet, so
würde euch geholfen. Durch Stillesein und Hoffen würdet ihr stark
sein, aber ihr wollt nicht‹ (Jes. 30, Vers 15).«

Heinemann griff damit auf ein Bibelwort zurück, das schon zwei
Jahre zuvor die Eisenacher Kirchenversammlung in dem Wort zum
Frieden zitiert hatte; damals war es allerdings verkürzt und in ganz
allgemeiner Form auf den Weltfrieden bezogen worden[43]. Dagegen
hatte es Bischof Wurm im Frühjahr 1950 in einem Brief an Heinemann als das Wort bezeichnet, von dem her sich eine konkrete Anwendung auf die deutsche Situation ergäbe[44]. In diesem Sinn legte es
auch Pastor Graeber aus, als er im August 1950 vor westdeutscher
Aufrüstung warnte[44a]. Heinemanns Zitat vermied sowohl eine Ver-

---

42. Gal. 6, 7: »Irret Euch nicht! Gott läßt seiner nicht spotten. Denn was der Mensch
    sät, das wird er auch ernten.«
43. »Die Welt braucht Liebe, nicht Gewalt. Sie braucht Frieden und nicht Krieg. Die
    Heilige Schrift sagt: ›Durch Stillesein und Hoffen werdet ihr stark sein!‹ Und
    unser Herr Jesus Christus spricht: ›Selig sind die Sanftmütigen, denn sie werden
    das Erdreich besitzen. Selig sind die Friedfertigen, denn sie werden Gottes Kinder
    heißen‹« (KJ 45–48, S. 186).
44. Brief vom 22. 2. 50 an Heinemann: Die Kirche »muß der Verharmlosung ja Glo-
    rifizierung des Krieges, wie sie bei uns Deutschen durch 1813 und 1870 entstanden
    ist, radikal ein Ende machen; sie muß in der heutigen Einkeilung Deutschlands
    zwischen West und Ost die Politik des Propheten Jesaja befolgen, der ein Bündnis
    mit Ägypten ebenso verwarf wie ein Bündnis mit Assyrien, sondern die Parole
    ausgab: ›Durch Stillesein und Hoffen würdet ihr stark sein‹, und sie wird mit
    ganzer Entschiedenheit und zusammen mit den Kirchen aller in Betracht kom-
    menden Staaten für die ›Vereinigten Staaten von Europa‹ werben müssen« (AH).
    – Das Wort hatte auch schon in Überlegungen Iwands auf einer Tagung des
    Bruderrats der Bekennenden Kirche in Darmstadt im Febr. 1950 eine Rolle ge-
    spielt (BKadW 15. 2. 50, Sp. 9).
44a. Graeber schrieb am 17. 8. 50 an Heinemann, er wolle »in Anteilnahme an den
    schweren Entscheidungen über die westdeutsche Sicherheit, die vor anderen Ihnen
    mitauferlegt ist, sagen, was ich vom Worte Gottes her zu sagen genötigt bin in die-
    ser Sache: I. Laß meinen Gang gewiß sein in deinem Wort und laß kein Unrecht

allgemeinerung des Sinns als auch eine völlige Parallelisierung der Lage des jüdischen Staates Juda zur Zeit Jesajas mit der deutschen Situation; er hob vielmehr den eigentlich theologischen Akzent der Aussage des Propheten in der konkreten Lage hervor: die Umkehr des Menschen im Angesicht des handelnden Gottes[45].

In dem letzten großen Absatz seiner Rücktrittserklärung arbeitete Heinemann die »weltliche« Seite der wichtigen Entscheidung heraus[46]. Kritisch stellte er die Unterschiede zwischen Adenauer, der den Bundestag für zuständig für die Aufrüstung erklärt hatte, und McCloy heraus, der »das Volk, die Volksvertretung und die Regierung« als Willensträger genannt hatte[47]:

»McCloy denkt offensichtlich in den Traditionen amerikanischer Demokratie, in der sich der politische Wille aus den Staatsbürgern über das Parlament in die Regierung entwickelt. Der Bundeskanzler denkt in den Formen autoritärer Willensbildung und des stellvertretenden Handelns.«

Heinemann mied zwar das Wort »Volksentscheid«, ließ aber keinen Zweifel daran, was er meinte:

»Streiten wir dabei nicht um Verfassungswortlaute. Wo ein Wille zur Mitbeteiligung des Volkes vorhanden ist, gibt es auch Wege, um diese Mitbeteiligung aufzuschließen.

über mich herrschen, Psalm 119, 113. II. Jesaja 30, 15: Durch Stillesein und Hoffen würdet ihr stark sein, aber ihr wollt nicht! Beide Teile des Wortes gelten! – das heißt in der von Gott über unser Volk verhängten Lage: strenge Neutralität; auch nicht über eine schnell gemachte Europa-Fassade sich von diesem Grundsatz abbringen lassen!« (AH).

45. Gerhard von Rad analysiert das Wort des Propheten Jesaja (Jes. 7,4 und Jes. 30, 15) so: »Das . . . hieß Jesaja ›Glauben‹: dieses Raumgeben dem Walten Gottes, dieses Abstehen von Selbsthilfe. Die Glaubensforderung wird also bei Jesaja in einem entschieden polemischen, ja negativen Sinne aktualisiert: Nur jetzt nicht durch eigene politisch-militärische Geschäftigkeit Gott den Platz verstellen! Sich ›stille zu verhalten‹ (Jes. 7,4) wäre die einzige, der Situation angemessene menschliche Haltung. Dasselbe hat Jesaja noch einmal viele Jahre später, angesichts der Bedrohung durch die Assyrer, in dem Paradox ausgesprochen, daß ›Stillesein‹ jetzt ›Stärke‹ wäre (Jes. 30,15). Ohne Zweifel denkt Jesaja bei diesem Stillesein nicht nur an einen inneren Zustand der Seele, sondern an eine Einstellung, die sich in einem ganz bestimmten politischen Verhalten äußern wird. Aber der ›Gegenstand‹, auf den sich dieser Glaube gründen sollte, war für die Zeitgenossen Jesajas noch nicht vorhanden; er war zukünftig. Das also war das Ungeheure, daß Jesaja ihnen zumutete, ihre Existenz in ein zukünftiges Gotteshandeln hinauszuverlegen. Wenn es ihnen gelänge, sich in der zukünftigen Rettungstat Jahwes zu bergen, dann würden sie gerettet werden.« (G. v. Rad, Theologie des Alten Testaments II: Die Theologie der prophetischen Überlieferungen Israels, S. 170f. Vgl. auch aaO. S. 160f, 228).

46. GH 40.

47. Rundfunkrede vom 8. 10. 50. DNZ 10. 10. 50.

Wir werden unser Volk nur dann demokratisch machen, wenn wir Demokratie riskieren.«

Noch einmal beschwor Heinemann die Geschichte:

»Wenn in irgendeiner Frage der Wille des deutschen Volkes eine Rolle spielen soll, dann muß es in der Frage der Wiederaufrüstung sein.

Angesichts dessen, was unser Volk durch Krieg erlebt und durch fünfjährige Besatzungserziehung erfahren hat, wäre es eine Vermessenheit, jetzt so zu handeln, als ob nichts geschehen sei.«

Er machte Mut, die Klärung abzuwarten und alle Fragen in Ruhe zu durchdenken:

»Es wird noch eine sehr respektable Zeit dauern, bis alle anderen westlichen Völker so weit gerüstet sind, daß auch wir an der Reihe sein würden.«

In Heinemanns Rede auf dem evangelischen Männertag in Frankfurt über die »Freiheit des Volkes« stehen theologische Reflexionen im Vordergrund[48]. Heinemann bestimmte zunächst den Rang von Völkern im allgemeinen von der Bibel aus als einen mittleren Wert:

»Die Bibel redet sehr zurückhaltend von den Völkern. Im Mittelpunkt des Alten Testaments steht Israel als das einzige Volk, mit dem Gott einen Bund schließt. Im Mittelpunkt des Neuen Testamentes steht die Gemeinde Jesu Christi, die sich in allen Völkern sammelt. So sehr das Volk ein gottgewollter natürlicher Zusammenhang von Menschen der gleichen Sprache, der gemeinsamen Geschichte, der einheitlichen Lebensordnung, der verbindenden Heimat- und Vaterlandsliebe ist, so wenig gibt Gott irgendwo einem Volk das Recht der Willkür gegen andere Völker.«

Heinemann betonte, daß äußere Freiheit nach der Aussage der Bibel weder dem Volk Israel noch der Christenheit von Gott garantiert worden sei:

»Israel hatte keine Verheißung der äußeren Freiheit von Fremdherrschaft, wohl aber die Verheißung des Bestehens. Diese Verheißung des Bestehens erstreckt sich auf die Gemeinde Jesu Christi, die von den Pforten der Hölle nicht überwunden werden kann. Eine Verheißung der Freiheit von Fremdherrschaft hat Gott auch keinem anderen Volk gegeben, so sehr es das natürliche Bestreben aller Völker bleibt, sich selbst zu regieren.«

Heinemann folgerte daraus für die Deutschen, daß sie für nationale und internationale Entwicklungen offen zu sein hätten:

»Das heißt, daß auch wir Deutsche nicht nachlassen werden, wieder ein Volk zu sein, das seinen Weg selber bestimmt. Es heißt dies aber auch, daß Gott als Herr der Welt solches nach seinem Willen gewähren oder auch nicht gewähren

---

48. GH 41. Die folgenden Zitate geben, in dieser Reihenfolge aneinandergereiht, den größten Teil der Rede wieder.

wird –, alles zu seiner Zeit. Es könnte auch sein, daß für die europäischen Völker die Zeit der nationalen Selbstbestimmung zu Ende geht und eine Zeit der gemeinsamen Ordnungen heraufzieht. Solche Ordnungen brauchen der Freiheit der Völker nicht zu widersprechen.«

Im Lichte dieser Überzeugung hatte auch die Fremdherrschaft der Siegermächte über Deutschland kein eindeutig negatives Vorzeichen:

»Wer auch immer ein Volk regiert, das Volk kann frei sein, wenn das Regiment ein gutes ist. Gutes Regiment ist dort, wo ein Volk das Recht hat, zu tun, was es soll. Es soll leben und wirken nach den Geboten Gottes. Das kann es da, wo das uralte Königsgesetz des Moses (5. Buch 17, 20) geübt wird, das von dem König sagt: ›Er soll sein Herz nicht erheben über seine Brüder und soll nicht weichen von dem Gebot, weder zur Rechten noch zur Linken.‹ Das Herz nicht erheben über die Brüder heißt: Ihnen dienen in Gerechtigkeit und Fürsorge, ihnen allen Schutz gewähren, so, daß Friede und Menschenwürde gewahrt bleiben. Das Gebot nicht verlassen heißt: In der Verantwortung vor Gott handeln und tun, was sonderlich seine 10 Gebote sagen. Es geht um die Frage: Wer regiert die Regierenden? Wenn das kein anderer ist, als der Herr der Völker, Jesus Christus, dann kann ein gut Regiment sein.«

Dafür zu sorgen, daß »gut Regiment« werde, war nun jedermanns Sache:

»Es wäre schön, wenn man einfach auf evangelische Minister vertrauen könnte. Manche scheinen das im Hinblick auf mich getan zu haben, und nun geht es nicht mehr. Ich bin wieder Privatmann wie ihr. Ich bin fortgegangen, weil die Grenze dessen, was ich mitverantworten kann, überschritten ist.«

Wie in seiner Rücktrittserklärung appellierte Heinemann an das kritische Bewußtsein der Zuhörer:

»Mein Ausscheiden möge jeden einzelnen von euch vor die Frage führen, wie er sich gut Regiment denkt, und wie er sich insbesondere zu einer Wiederaufrüstung zu stellen hat. Vieles ist dabei zu überlegen. Es wird Zeit, daß wir alle miteinander anfangen, diese Überlegungen anzustellen und unsern Willen deutlich zu machen. Es geht um den rechten Weg der Freiheit unseres Volkes. Meine persönliche Meinung dazu habe ich den Zeitungen zur Verfügung gestellt. Sorgt dafür, daß sie euch bekannt wird. Zu entscheiden aber habt ihr euch selbst!«

Zum Schluß formulierte Heinemann sein Verständnis von Demokratie und Christentum:

»Wenn wir Demokratie verteidigen wollen, müssen wir erst einmal Demokratie riskieren! Wenn wir Freiheit des Volkes wollen, müssen wir in persönlicher Entscheidung und brüderlicher Gemeinsamkeit unseren Weg bestimmen! So wie der Essener Kirchentag keine Massenkundgebung gewesen ist, auf der von oben herab geredet und unten alles geschluckt worden wäre, sondern eine echte Gemeindeversammlung, in der jeder an seine persönliche Gewissensentscheidung herangeführt wurde, so darf auch dieser Männertag nichts anderes als eine Ge-

meinde von Personen sein, die – ein jeder für sich – vor Gott stehen und sich
von ihm unmittelbar rufen lassen!
Wo der Herr uns frei macht, da sind wir wahrhaftig frei.«

Wie bei Adenauer, so bedingten auch bei Heinemann die weltanschauliche Grundüberlegung und die politische Reflexion einander.

Indem Heinemann bei allem weltlichen Engagement das entscheidende Geschehen zwischen Gott und Mensch sich abspielen sah,
empfand er aus dem politischen Raum keinen Zwang zu absoluter
Entscheidung. Indem er Gottes Handeln ebenso ernst nahm wie
menschliche Entscheidung, fand er im »Stillesein und Hoffen« Ruhe
zu rationaler politischer Überlegung. Dabei zog er keine direkten
Schlüsse aus dem »geistlichen« in den »weltlichen« Bereich, nannte
keine Gebote, Verbote, berief sich nicht auf eine bestimmte geistliche
Erfahrung. Sein Glaube verstärkte »nur« die Beweiskraft rein rationaler Argumente. Da sich Heinemann aber im Glauben der deutschen
Schuld als eigener Schuld vor Gott und Menschen bewußt geblieben
war, konnte er nicht selbst in die Rolle eines Gerechten gegenüber
einem anderen Volk, einer anderen Weltanschauung verfallen; er war
in der Lage, das Bild Deutschlands im Denken aller Siegermächte
einzukalkulieren und Personen wie Umstände neu zu beurteilen,
ohne etwa Stalin für einen zweiten Hitler halten zu müssen. Heinemanns von den Lutheranern geschmähtes »Minimalbekenntnis« erwies sich als umfassend: indem er, ohne politische oder theologische
Lehrsätze absolutzusetzen oder zu verwerfen, Gott und Mensch
ernstnahm, wurde er, der idealistische Verfechter der CDU und Gegner des Marxismus, offen für die Situation des Jahres 1950 – und das,
obwohl ihm zu dem Zeitpunkt die Zwielichtigkeit der Ereignisse in
Korea noch nicht einmal bekannt war.

Was dabei herauskam, war nicht ein neues Konzept – jedenfalls
noch nicht. Es war zunächst nur die Sicherheit, daß die politische
Führung der Bundesrepublik falsch handelte, wenn sie in dieser Situation westdeutsche Soldaten von sich aus anbot[49]. Alles weitere
mußte gründlich in Ruhe abgewogen werden.

Gerade dies aber war Adenauer zu begreifen unmöglich. Er meinte
schon während der Krise, daß »ja doch die ganze Sache sehr klar

---

49. In seinem Brief v. 9. 10. an Adenauer hatte er vor der Aufzählung der Gründe
gegen eine Aufrüstung für sich selbst »die Entscheidung über die militärische Einbeziehung der Bundesrepublik in eine westeuropäische Verteidigungsgemeinschaft
als eine noch offene bezeichnet. Es wird auf die Umstände ankommen, die dieser
Einbeziehung zu gegebener Zeit zugrunde liegen werden. Ich verhehle nicht, daß
ich nur mit den größten Bedenken zu einer positiven Entscheidung kommen
könnte. Der Gründe dafür sind viele . . .« (Vollständiger Wortlaut s. Anhang A).

liegt«[50]. Wie er später erklärte, habe Heinemann den Standpunkt vertreten, »daß man, nachdem Gott den Deutschen zweimal die Waffen aus der Hand geschlagen habe, sie nicht zum dritten Mal aufheben dürfe«, und Adenauer beschworen, »nichts zu tun«; dagegen habe Adenauer die Auffassung gesetzt, »daß Gott uns den Kopf zum Denken gegeben hat und Arme und Hände, um damit zu handeln«[51].

Vergeblich hatte Heinemann schon während der Krise brieflich eingewendet, er stehe »keineswegs auf dem Standpunkt, daß wir fatalistisch abzuwarten hätten, was über uns verhängt wird«, wenn er zum Ausdruck bringe, daß es nicht Sache der Westdeutschen sei, eine Beteiligung an militärischen Maßnahmen nachzusuchen oder anzubieten; er sei »vielmehr der Meinung, daß gerade uns Deutschen eine besondere aktive Funktion für die Erhaltung des Friedens zukommt«[52]. Der Bundeskanzler blieb bei seiner Behauptung, aus Taktik und Überzeugung: Einmal konnte die Charakterisierung Heinemanns als eines weltfremden Pazifisten dazu dienen, alle diejenigen auf die Seite des Kanzlers zu bringen, die Heinemann nicht kannten und die entweder einem Handeln Gottes ohnehin nicht vertrauten oder christlichen Pazifismus als theologische Irrlehre abtaten[53]. Zum andern paßte die Vorstellung von einem untätigen Gegenüber aber auch so gut in Adenauers eigenes Denkschema von der notwendigen Entscheidung zwischen Ost und West, zwischen passivem Hinnehmen und aktivem Bekämpfen einer gegebenen Gefahr, daß der Gedanke an eine Fehlinterpretation der Überlegungen Heinemanns dem Kanzler, solange er Heinemanns Erklärungen nicht genau zur Kenntnis nahm, gar nicht zu kommen brauchte.

Die Trennung der beiden Politiker war tragisch für sie und für Deutschland. Während der Entscheidung über die Aufrüstung der BRD trat mit Heinemann dem Kanzler zum ersten und einzigen Mal ein Mann gegenüber, der die früher schon hier und da aufgetauchten Bedenken gegen eine zu weitgehende Westpolitik neu formulierte und durchhielt. Adenauer jedoch setzte seinen Weg unbeirrt fort, in der Meinung, einem christlichen Pazifisten begegnet zu sein, mit dem die politische Auseinandersetzung nicht lohnte. Und Heinemann, der

---

50. Schreiben an Heinemann v. 29. 9. 50 (AH).
51. Adenauer, Erinnerungen I, S. 374. Adenauer übernahm hier wörtlich Passagen aus der von ihm autorisierten Biographie von P. Weymar, Konrad Adenauer, S. 547.
52. Schreiben an Adenauer v. 9. 10. 50 (Anhang A).
53. Der frühere CSU-Abgeordnete Hans Bodensteiner weiß sich heute noch an die Wirkung zu erinnern, die Adenauer vor der Fraktion der CDU/CSU mit der rhetorischen Frage erzielte, ob Heinemann sich die Hilfe Gottes etwa als Sendung einer Legion Engel vorstelle.

fortgesetzt die Einheit der Christen über die Konfessionsgrenzen hinweg betont und für das gemeinsame politische Tun aller Christen eingetreten war, mußte erfahren, daß die gemeinsame Basis zwischen Adenauer und ihm nicht einmal zu einem gegenseitigen Verstehen der Standpunkte ausreichte, geschweige denn zu einem gemeinsamen Handeln in christlicher Verantwortung.

6

Die Diskussion über Heinemanns Rücktrittsgründe in der westdeutschen Öffentlichkeit

Die Nachricht vom bevorstehenden und vollzogenen Rücktritt eines Bundesministers war dazu angetan, die Öffentlichkeit auf die Tragweite der Schritte Adenauers und der zur Entscheidung anstehenden Probleme aufmerksam zu machen. Die Person Heinemanns war zudem wie wenig andere für eine solche Wirkung geeignet.

Zwar hatte der Minister keine politische »Hausmacht« hinter sich, auf deren Hilfe er bauen konnte[1]; aber gerade deshalb fiel die Vermutung fort, es möchte bei seinem Streit mit Adenauer machtpolitischer Egoismus im Spiele sein. Gerade in den Regierungsparteien und unter ihren bürgerlichen Anhängern mußte es kritische Überlegungen hervorrufen, wenn mit Heinemann ausgerechnet ein Mann der Ruhrindustrie, an dessen proeuropäischer und antikommunistischer Haltung kein Zweifel möglich war, gegenüber der Politik der Westmächte und einer militärischen Westintegration der BRD Kritik übte und zum Verstehen der Sowjetunion mahnte. Nichtchristen wie Christen konnten sich durch ihn angesprochen fühlen: die einen durch seine nüchterne Argumentation, die anderen obendrein durch den christlichen Hintergrund seines Denkens. Daß Heinemann sich nicht, wie Niemöller, eine Formverletzung zuschulden kommen ließ, sondern im Gegenteil peinlich auf faire Auseinandersetzung bedacht war, sprach ebenso für ihn wie die Tatsache, daß er keine politische Patentlösung für Deutschland anbot, sondern einfach zum Nachdenken aufrief. Wenn überhaupt jemand kritische Besinnung unter den Westdeutschen fördern konnte, dann dieser prominente Neuling der Kritik aus der CDU.

Allerdings standen einer Wirkung Heinemanns in der Öffentlich-

---

1. Darauf weist Baring hin, aaO. S. 168.

keit auch Hemmnisse entgegen. Sie bestanden im September 1950 darin, daß die Öffentlichkeit während der Krise nicht offiziell und damit sehr unvollkommen über die Ursachen des Konflikts orientiert wurde und auf Grund von direkten und indirekten Hinweisen der Beteiligten Vermutungen anstellte. Im Oktober hingegen, als die Gegensätze vollständig am Tage lagen, galt das Tagesinteresse schon anderen Ereignissen, wie dem Brief Niemöllers (4. 10.), der Wahl in der DDR (15. 10.), dem Goslarer Parteitag der CDU (20.–22. 10.) und dem Plan des französischen Ministerpräsidenten Pleven für eine Europaarmee (24. 10.).

Hinzu kam, daß Adenauer und die CDU konsequent bestritten, daß Adenauer Schritte zur Aufrüstung der BRD unternommen hatte. Der Deutschland-Union-Dienst der Partei erklärte sogleich »aus genauer Kenntnis der Zusammenhänge«, es habe sich »an der grundsätzlichen Gegnerschaft des Bundeskanzlers gegen eine deutsche Wiederaufrüstung nichts geändert«; er hielte »das Thema der Wiederaufrüstung nicht für einen Bestandteil der deutschen Außenpolitik, wie leider vielfach angenommen wird«[2]. Und der Kanzler bemerkte anläßlich des Rücktritts Heinemanns, die Behauptung, er führe Verhandlungen über eine Aufrüstung Westdeutschlands, sei »frei erfunden«[3]; Heinemanns Angabe, Adenauer habe die Initiative für eine Aufrüstung ergriffen, sei »unrichtig«, er »ahne nicht, worauf sie basiere«[4], er »lehne es ab, die Erklärungen Heinemanns überhaupt zu lesen«[5].

Doch wurden wesentliche Punkte der Auseinandersetzung schon während der Ministerkrise, die zu Anfang Bonn tagelang »in Atem hielt«[6], wenigstens annähernd der Öffentlichkeit bekannt, teils durch Äußerungen Heinemanns der Presse gegenüber, teils wohl auch durch in die Presse lancierte Gerüchte seitens des Kanzlers[7].

Dazu gehörte in erster Linie die formale Seite des Konflikts[8]. Heinemanns Widerspruch gegen Adenauers Eigenmächtigkeit trug ihm in der Öffentlichkeit große Sympathien ein. Viele Publizisten sahen sich in ihrem Mißtrauen gegen die schon früher bei Adenauer beobachteten »allzu einsamen Beschlüsse« bestärkt, und viele Presseorgane mißbilligten das Vorgehen des Kanzlers. Selbst Zeitungen, die für eine starke Stellung des Kanzlers im Kabinett und für Adenauers au-

---

2. DUD 1. 9. 50. Ebenso DUD 10. 10., 16. 10.; Union in Deutschland 21. 10. 50.
3. Rhein-Ruhr-Zeitung 10. 10. 50.
4. Generalanzeiger 10. 10. – Rhein-Zeitung 10. 10. 50.
5. Neue Ruhr-Zeitung 13. 10. 50.
6. So die Formulierung der Süddeutschen Zeitung 12. 9. 50.
7. Times 5. 9. – DNZ 6. 9. 50.
8. cpd Nr. 204 v. 4. 9. Interpress 6. 9. 50.

ßenpolitische Linie eintraten, kritisierten doch sein Verhalten gegenüber den Ministern[9].

Allerdings erschien anderen angesichts der kommunistischen Gefahr auch die Regierungspraxis des Kanzlers entschuldbar. Manche Journalisten nahmen bewußt in Kauf, daß an der Spitze des Staates demokratische Formen nicht beachtet wurden. »Christ und Welt« formulierte pointiert, eine zu späte Unterrichtung der Minister durch den Kanzler sei besser, »als wenn er nichts getan und seinen Ministern Fehlanzeige gemeldet hätte«[10].

Daß die Frage des Verhältnisses zum Osten bei dem Konflikt eine Rolle spielte, wurde schon in den ersten Septembertagen klar. So meldete z. B. die »Süddeutsche Zeitung«, Adenauer habe Heinemann vorgeworfen, er müsse als Präses der Synode der Evangelischen Kirche Deutschlands »auf die Verhältnisse in der Ostzone mehr Rücksicht nehmen ..., als dies in Zukunft der Innenminister tun könne«[11].

Kanzler und Minister bestritten zwar beide, daß Heinemanns Doppelfunktion in dem Konflikt eine Rolle spiele[12]; aber die Presse beschäftigte sich weiter mit der Frage der Beziehungen Heinemanns zu den Deutschen im Osten. Von verschiedenen Seiten fand Heinemann Zustimmung. Die der CDU nahestehende »Rheinische Post« begrüßte es, daß »die evangelischen Westdeutschen in Heinemann den Mann ihres Vertrauens sehen und daß seine Doppeleigenschaft von großem Einfluß auf die innere Einstellung der Evangelischen in der Sowjetzone zu der Bundesrepublik ist«[13]. Die der SPD nahe »Rheinische Zeitung«, die keine »sonstige besondere Sympathie« für Heinemann hatte, kommentierte ihre Vermutung, Heinemann hoffe, »durch die Tätigkeit kirchlicher Stellen ... etwas von dem Haß abbauen zu können, der die Völker vergiftet«: »Man mag solche Vorstellungen für utopisch halten – daß sie jemand ungeeignet machen könnten, in der Deutschen Bundesrepublik Innenminister zu sein, glauben wir nicht.«[14] Das von Bischof Lilje herausgegebene »Sonntagsblatt« formulierte scharf: »Ein westdeutscher Staatsmann, dem die Rücksicht auf die Brüder im Osten nicht wesentlich wäre, wäre ein schlechter

9. FAZ 6. 9. 50: »Für den Kanzler aber ergibt sich vielleicht eine Lehre: daß es sogar im Bundeskabinett angebracht ist, demokratische Grundsätze anzuwenden.« – Rhein-Echo 6. 9. – Rheinische Post 6. 9. – Oberbayerisches Volksblatt, Rosenheim, 9. 9. 50 (Winfried Martini). – Die Zeit 14. 9. 50.
10. Christ und Welt 12. 10. 50: »Heinemann sprach nicht für alle.«
11. Süddeutsche Zeitung 2./3. 9. 50; ähnlich der epd 4. 9., Die Welt 5. 9. 50.
12. Rheinische Post 6. 9. – epd 6. 9. – DNZ 6. 9. – Neue Berner Zeitung 11. 9. 50.
13. Rheinische Post 6. 9. – Ähnlich: Neue Ruhr-Zeitung 6. 9. – Echo der Woche 8. 9. 50.
14. Rheinische Zeitung 6. 9. 50.

Staatsmann. Er hätte in der deutschen Politik nichts zu suchen, ob er evangelisch oder katholisch ist.«[15]

Aber die Meinungen waren doch auch in dieser Frage nicht einheitlich. Zeigte sich das »Sonntagsblatt« »erbittert« über das Argument, »Heinemann nähme zu sehr Rücksicht auf die Evangelischen Ostdeutschlands«[16], so wurden anderwärts Zweifel laut, ob der Innenminister der BRD gegen die kommunistische Infiltration alle Mittel einsetze[17]. Daß es dazu an der Zeit sei und daß Heinemann in dieser Beziehung zu wenig getan habe, war, der »Welt« zufolge, die Auffassung, die »alle Koalitionsparteien« vertraten: »Man warf ihm Passivität in der Säuberung der inneren Verwaltung von antidemokratischen Elementen vor, man kritisierte seine vermeintliche Inaktivität in der Abwehr jeder Art von östlicher Infiltration.«[18]

Nur ganz selten wurde dabei allerdings der Gedanke laut, den der »Münchner Merkur« so formulierte: »Wir wissen alle, daß den Deutschen in der Sowjetzone schaden kann, was zu gleicher Zeit für uns im Westen von Nutzen ist.«[19] Gerade an dieser Stelle sah der Deutschland-Union-Dienst der CDU kein Problem. Scharf wandte er sich gegen Heinemanns angebliche »Auffassung, jede Stellungnahme gegen den Osten bedeute eine Erschwerung der Lage der Deutschen in der sowjetisch besetzten Zone«. Es sei im Gegenteil nicht zu leugnen, »daß jede Weichheit gegen den Osten die Gefahr sowohl für die Menschen der Bundesrepublik wie für jene in der sowjetisch besetzten Zone vergrößert. Auch die Kirchen können nur dort verteidigt werden, wo eine Verteidigungsmöglichkeit noch besteht. Das hat die Zeit nach 1933 zur Evidenz bewiesen, und im Grundsatz liegen die Probleme heute nicht anders«[20]. Der Westberliner »Tagesspiegel« wurde noch deutlicher. Er begrüßte, daß Adenauers Bekenntnis zur amerikanischen Politik »auch die Befürchtungen jener Kreise zerstreuen« könnten, »die glauben, daß eine Remilitarisierung jede Aussicht auf eine friedliche Einigung mit dem Osten zerstöre«. »Achesons These: Man kann mit Sowjetrußland nur verhandeln, wenn man gleich stark

15. Sonntagsblatt 14. 9. 50.
16. ebd.
17. Rheinische Post 6. 9. – Süderländer Tageblatt, Plettenberg, 9. 9. – Euler, stellvertretender FDP-Fraktionsführer, lt. Bremer Nachrichten 7. 9. – Berner Bund lt. FAZ 11. 9. 50.
18. Die Welt 11. 10. 50. – Die Deutsche Zeitung berichtet am 9. 9.: »In der Umgebung des Kanzlers scheut man sich nicht, das Wort Sabotage zu gebrauchen.«
19. Münchner Merkur 11. 10. 50. – Im Ausland sah man diesen Punkt schärfer: »Durch eine Wiederbewaffnung würde naturgemäß eine solche Vereinigung in unabsehbare Weite gerückt« (Weltwoche, Zürich, 27. 10. 50, S. 3).
20. Bonner Kurzdienst des DUD Nr. 125 v. 6. 9. 50. – Ähnlich Bremer Nachrichten 16. 9. 50.

ist, darf hinfort als Bestandteil der deutschen politischen Konzeption gelten.« Der »Tagesspiegel« sagte voraus, einmal werde »sich Rußland dem Anspruch unseres von der Stärke der freien Welt getragenen Rechtes beugen müssen«[21].

Politischen Kräften, die sich von der zunehmenden Stärke des Westens so viel erhofften, mußte Heinemanns Zögern verderblich erscheinen. Im »Neuen Abendland« schrieb der Schweizer Publizist Robert Ingrim: »Heinemann ist der Wurm im Apfel, und ehe er zur Freude Schumachers und Stalins weiterfrißt, wird man ihn wohl herausgeschnitten haben.«[22] An dem Innenminister schien antikommunistischen Kräften nun alles Mögliche suspekt: daß Professor Noack zu einem Besuch bei ihm gewesen war[23]; daß er die ehemalige Sekretärin seines kommunistischen Amtsvorgängers in Essen, Renner, weiterbeschäftigt hatte[24]; ja daß er mit Renner öfter Skat spielte, registrierte man in Bonn, Walter Henkels zufolge, »mit einigem Unbehagen«[25]. Ein kritischer ausländischer Beobachter formulierte: »Man wollte . . . Heinemann den Prozeß machen, indem man die These vertrat, ein Mann, der als Präsident der evangelischen Kirchensynode mit dem Osten liebäugle, könne unmöglich gleichzeitig westdeutscher Innenminister sein.«[26] Die Meinung wurde laut, Heinemann sei deshalb dem Osten gegenüber nicht aktiv genug, weil er christlicher Pazifist sei und deshalb Aufrüstung grundsätzlich ablehne. Sie gab Presseorganen Veranlassung zu Betrachtungen über die angeblich grundsätzliche Verschiedenheit politischen und kirchlichen Denkens: »Die politische Praxis dürfte kaum mit kirchlichen Prinzipien in Einklang zu bringen sein.«[27] Kommentatoren verurteilten ein solches Denken als politisch schlechthin indiskutabel; z. B. schrieb in der »Frankfurter Allgemeinen Zeitung« Hans Baumgarten[28]:

---

21. Tagesspiegel 12. 10. 50: »Recht plus Stärke«.
22. Neues Abendland 1950/10: »Der Wurm im Apfel«.
23. Laut epd v. 5. 9. wurde Heinemann »ein informatorisches Gespräch« mit Noack »zum Vorwurf gemacht, der kurz darauf den sowjetischen Botschafter Semjonow in Karlshorst aufgesucht habe«. Die dpa verbreitete am 13. 9. eine angebliche Meldung des »Nauheimer Kreises«, wonach sich Heinemann, Theo Kordt, Semjonow und Albert Norden in Bad Kissingen getroffen haben sollten, eine Meldung, die Heinemann als »Brunnenvergiftung« bezeichnete (DNZ 13. 9.) und die sich als Fälschung einer antikommunistischen Organisation herausstellte (Die Welt 14. 9.). – Das Gespräch hatte schon am 2. 7. auf Initiative Noacks stattgefunden. – Vgl. auch FAZ 7. 9. 50.
24. Abendpost 4. 9., Echo der Woche 8. 9. 50.
25. Flensburger Tageblatt 14. 9. 50.
26. Neue Berner Zeitung 11. 9. 50.
27. Bayreuther Tageblatt 12. 10. 50. – Ähnlich Baumgarten im Wiesbadener Tageblatt 11. 10. 50.
28. FAZ 28. 9. 50: »Ministerwechsel, nicht Linienwechsel«.

»Der Niemöller-Kreis, zu dem Heinemann als prominenter Vertreter gehört, glaubt, die christliche Jugend müsse sich dem, was man dort den Willen Gottes nennt, widerstandslos fügen und auch bolschewistischen Terror als Schickung des Himmels hinnehmen. Das ist allenfalls kirchlich, aber nicht politisch gedacht. Ein praktischer Staatsmann kann damit nichts anfangen. Dieser Meinung ist auch die große protestantische Mehrheit in Westdeutschland und der Christlich-Demokratischen Union.«

Gelegentlich regte sich jedoch gegen solche politische Abqualifizierung kräftiger Widerspruch. Die »Rhein-Neckar-Zeitung« vermutete hinter dem »plötzlichen Schuß aus Frankfurt« politische Motive; die FAZ sei »ja wohl von Industriekreisen getragen, die am Bonner Regierungskurs einiges Interesse und dementsprechenden Einfluß« habe[29].

Die »Neue Berner Zeitung« machte ihre Leser auf einen weiteren Punkt aufmerksam:

»Hinter dieser Kampagne gegen Heinemann steckt im Grunde genommen etwas ganz anderes: weite Kreise der Regierungsparteien sind verärgert darüber, daß der überzeugte Christ und Nazigegner Heinemann gegen die Bonner Personalpolitik ankämpft, die u. a. dadurch gekennzeichnet ist, daß überall, sogar an führenden Stellen, ehemalige Mitglieder der NSDAP sitzen.«[30]

Daß Heinemanns Haltung zur deutschen Vergangenheit wenigstens unterschwellig bei der Diskusison seines »Falles« eine Rolle spielte, machte eine Verlautbarung der nordrhein-westfälischen FDP deutlich; darin hieß es, Heinemann habe in einer Stellungnahme zu einem von der FDP eingebrachten Gesetzentwurf zur Beendigung der Entnazifizierung »bewiesen, wie wenig geeignet er ist, die durch die Willkür der Entnazifizierung entstandene Verkrampfung zu lösen. Auf der anderen Seite aber ließ er eine deutliche Distanzierung von der Weltgefahr des Sowjetfaschismus und entschiedenes Eintreten für ein in Freiheit geeintes Europa auffällig vermissen«[31].

So zeigt die Diskussion der Kabinettskrise in der Öffentlichkeit ein diffuses Bild. Wenn auch wesentliche Streitpunkte zwischen Adenauer und Heinemann in die Öffentlichkeit gedrungen waren, so waren der Umfang und die Tiefe der Gegensätze nicht bekannt. Mit dem Willen, diese Gegensätze kennenzulernen, mischte sich aber von Anfang an die Tendenz, Heinemann durch Hinweis auf sein mangelndes westliches Engagement als Pazifisten abzuqualifizieren.

29. Rhein-Neckar-Zeitung 3. 10. 50: »Querschüsse gegen Heinemann«.
30. Neue Berner Zeitung 11. 9. 50.
31. Die Plattform, Informationsorgan der FDP in NRW, zitiert nach Essener Allgemeiner Zeitung 27. 9. 50.

Diese Haltung des Großteils der Presse änderte sich auch nicht, als Heinemann seine Rücktrittserklärung der dpa übergab. Nur eine einzige Zeitung, die »Stuttgarter Zeitung«, hielt es für nötig, den vollständigen Wortlaut abzudrucken[32]. Die meisten Blätter beschränkten sich auf stark gekürzte Inhaltsangaben[33]; viele verzichteten auf einen Kommentar, da sie ja den Rücktritt gerade kommentiert hatten. Die Öffentlichkeit war nicht geneigt, das Bild zu korrigieren, das sie sich vom »Pazifisten« Heinemann gemacht hatte. Leitartikler philosophierten über die Ethik des Christentums und die Gültigkeit christlicher Grundsätze in der Politik, um – wie die »Deutsche Zeitung« – zu dem Schluß zu kommen, »daß dem Übel nicht freier Lauf gelassen, sondern daß ihm sehr handfest widerstanden werden muß. Nicht um den Gegensatz von Krieg und Frieden geht es dabei, sondern um Freiheit oder Knechtschaft. An diesem Gegensatz scheiden sich die Geister und nicht an der Bergpredigt«[34].

Die Meinung der Presseorgane, die sich gründlich mit dem Rücktritt auseinandersetzten, unterschied sich nicht von den Kurzkommentaren. Bezeichnend waren Ausführungen in zwei seriösen Publikationsorganen, der »Neuen Zürcher Zeitung« und im »Europa-Archiv«. Nachdem das Schweizer Blatt Heinemanns Bedenken wegen eines russischen Präventivkriegs und des Verlusts der Wiedervereinigungs-Chance wiedergegeben hatte, apostrophierte es doch Heinemanns Grundhaltung spöttisch als »Abwarten und Stillesitzen« und wertete seine »frommen Bedenken«, die geistliche Deutung der deutschen Vergangenheit betreffend, als »Flucht in mystische Spekulation«. Durch »seine religiös motivierte Politik des ›Stilleseins‹, die nicht einmal seinen nächsten Freunden in der Regierung mehr annehmbar erschien«, habe Heinemann »sich selbst von der Verständigung ausgeschlossen«, schloß das Blatt nicht ohne Genugtuung[35].

Entschieden lehnte auch das »Europa-Archiv« Heinemann ab. Der Mitherausgeber Wilhelm Cornides hielt es für eine »Entscheidung auf Tod und Leben«, ob die Bundesrepublik angesichts der drohenden Gefahr aus dem Osten zum Eintritt in die Atlantische Gemeinschaft, die ohne Westdeutschland »rein kräftemäßig unvollendet« bleibe, bereit sei, oder ob sie »durch Bedenken gegen seine Wiederaufrüstung eine gewisse Manövrierfähigkeit zwischen West und Ost bewahren will.

---

32. Stuttgarter Zeitung 18. 10. 50.
33. So z. B. Hamburger Freie Presse 14. 10., FAZ 16. 10., Badische Zeitung 17. 10., Rheinische Zeitung 19. 10.
34. Deutsche Zeitung und Wirtschafts Zeitung 14. 10. 50: »Dem Übel doch widerstehen«. – Ähnlich Bremer Nachrichten 28. 10. (»Ein falscher Weg«).
35. NZZ 20. 10. 50.

Die Verantwortung, die der letztere Kurs dem deutschen Volk auferlegen würde, ist allerdings ungeheuer. Er vermeidet das im großen und ganzen überschaubare Risiko der deutschen Teilnahme an einer westeuropäischen Armee, um sich in das unabsehbare Abenteuer einer Politik der waffenlosen Neutralität zu stürzen.«[36]

In diesem und in einem späteren ausführlicheren Artikel[37] überging Cornides völlig, daß Heinemann unter den »überschaubaren Risiken« einer deutschen Aufrüstung den sowjetischen Präventivkrieg und den Verlust einer Chance für eine friedliche Wiedervereinigung Deutschlands genannt hatte. Emphatisch verglich er Heinemann mit einem Steuermann,

»der in einem Orkan auf hoher See das Steuerrad freigibt, um das Schiff und seine Passagiere allein der Gnade Gottes und dem Spiel der Wellen anzuvertrauen. Kein weltanschaulicher Exkurs kann darüber hinwegtäuschen, daß Westdeutschland in diesen Tagen vor die freie Entscheidung gestellt ist, ob und unter welchen Bedingungen es Bestandteil der westlichen Welt sein will und daß ein Vorbeigehen an dieser Entscheidung der freiwilligen politischen Selbstaufgabe gleichkommt.«[38]

Es war offensichtlich, daß Heinemanns politische Welt im Spannungsbogen von Gott bis zu den politischen Einzelfakten für alle *die* Bürger nicht verständlich war, die wie Adenauer die Entscheidung zwischen Ost und West als politisch-weltanschauliche Entscheidung ansahen. Wieweit hier im einzelnen das Unverständnis säkularisierter Bürger gegenüber dem Glauben an Gottes Wirken ging, wieweit die Unwilligkeit, daß jemand eigene politische Glaubenssätze in Frage stellte, war kaum zu entscheiden: beides lief auf dasselbe hinaus, daß man über den unbequemen Denker zur Tagesordnung überging.

Die Diskussion um die Aufrüstung verlagerte sich jedenfalls auf Tatsachen-Behauptungen von anderer Seite, die einfacher zu begreifen waren, während Heinemann nur noch am Rande vorkam.

Es war ausgerechnet Martin Niemöller, der durch seinen Brief an Adenauer der Presse Gelegenheit bot, über Heinemann hinwegzugehen[39]. Die Öffentlichkeit ergriff Partei für oder gegen Niemöllers Behauptungen, Adenauer habe schon Abmachungen mit McCloy getroffen, die Aufrüstung werde schon »mit allen Mitteln betrieben«, hohe Offiziere seien eingestellt, »Organisationsstäbe zur Aufstellung deutscher Einheiten innerhalb einer europäischen Armee« seien ab

---

36. EA 5. 11. 50, S. 3463: »Die deutsche Europapolitik vor der Entscheidung«.
37. EA 20. 12. 50, S. 3580ff.
38. EA 5. 11. 50, S. 3463.
39. KJ 50, S. 174f.

1. Oktober tätig, Rüstungsaufträge seien bereits erteilt. Es stellte sich heraus, daß Niemöllers Beweise, die er auf dem evangelischen Männertag in Frankfurt veröffentlichte, zu solch pauschalen Behauptungen nicht ausreichten[40]. Während die Gegner einer Aufrüstung darauf hinwiesen, daß Niemöller doch richtige Symptome der Entwicklung belegt habe[41], warfen ihm viele, nicht nur die Befürworter einer Aufrüstung, die außerordentliche Schärfe seines Tons vor.

Adenauer, der in Niemöllers Vorgehen »glatten Landesverrat« sah[42], nutzte seinerseits die Gelegenheit, an politischem Terrain zu gewinnen. Während er Heinemann weder in seiner Radiorede noch in seiner Goslarer Rede auch nur eines Satzes würdigte, griff er Niemöller scharf an. In seiner Radiorede widmete er ihm Anfang und Schluß, in seiner Goslarer Rede weite Passagen. Niemöllers Behauptungen erklärte er kurzerhand für »frei erfunden«, für »mehr als absurd«[43]. Mit »tiefem Bedauern« und »Empörung« konstatierte er auf dem Parteitag, daß Niemöller »in geradezu unverantwortlicher Weise sich gegen die Ehre und das Ansehen seiner Mitmenschen versündigt und dem deutschen Volke im Inlande und im Auslande schwersten Schaden« zugefügt habe[44], und versicherte immer wieder, es sei kein »Angebot« westdeutscher Soldaten erfolgt[45].

Alte Gegner Niemöllers sekundierten sogleich dem Kanzler: die CDU-Abgeordneten Kunze und Gerstenmaier wandten sich gegen Niemöllers »Pazifismus um jeden Preis«[46], und Minister Hellwege, Vorsitzender der Deutschen Partei, polemisierte gegen die »Neutralitätsapostel und Rückversicherer« und betonte, Stärke sei der »beste Pazifismus«[47]. Im Pressedienst der CDU hieß es, Niemöller irre »nicht zum ersten Mal«, »weite Kreise« seien »noch heute darüber erschüttert, daß sich Dr. Niemöller einmal den Vorwurf der ›Kollektivschuld‹ gegen sein deutsches Volk zu eigen gemacht hat«. Der

---

40. epd 13. 10. 50. – Originalbelege im AN.
41. Das wird durch neuere Forschungen bestätigt. Nach Wettig (aaO. S. 314) tauchte bei amerikanischen Militärs im Juli 1950 der Plan auf, die bestehenden Labor-Service-Bataillone als vierte Bataillone den aus drei Bataillonen bestehenden amerikanischen Divisionen anzugliedern, damit sie dort ihre militärische Ausbildung und Ausrüstung empfingen. Vgl. auch Wettig, aaO. S. 276, und Baring, aaO. S. 82, 381 Anm. 4.
42. Weymar, Konrad Adenauer, S. 548.
43. Radiorede 11. 10. 50, EA 1950 S. 3516.
44. Erster Parteitag der CDU Deutschlands Goslar, S. 19. Vgl. auch Weymar, aaO. S. 543ff.
45. Am 17. 10. vor der Fraktion; am 20. 10. auf dem Parteitag in Goslar (Broschüre S. 18. Vgl. den Wortlaut mit EA 1950, S. 3590). – Baring, aaO. S. 167.
46. EA 1950, S. 3587.
47. ebd. – DNZ 14. 10. 50.

DUD hielt es für »bedauerlich«, daß Heinemann in der Sache der »sogenannten Remilitarisierung« »an der Seite Dr. Niemöllers steht«[48].

Dagegen hatte es Heinemann schwer, der Öffentlichkeit überhaupt klarzumachen, daß er nicht einfach einem »Niemöller-Kreis« zugerechnet werden konnte, wie das aus Adenauers Umgebung verlautete[49], oder gar eine »Marionette« Niemöllers war[50]. Mehrfach verwahrte er sich gegen die vereinfachte Darstellung und betonte, er sei kein Pazifist[51]. Aber es fiel ihm schwer, das Ohr der Politiker und der Öffentlichkeit zu erreichen. Seine einzige Radiorede führte nur zu einer kurzen Meldung in der Presse[52].

Eine öffentliche Wirkung war ihm auch deshalb erschwert, weil er sich auf das geheime Sicherheitsmemorandum Adenauers nicht berufen konnte und deshalb gezwungen war, andere Zeugen als Beweis heranzuziehen. Dieser »Indizienbeweis« wurde aber von den wenigsten als bloßer taktischer Ausweg erkannt; man meinte oder gab vor zu meinen, Heinemann stütze sich allein darauf. Die »Süddeutsche Zeitung« erkannte, was jeder Kritiker hätte bemerken können:

»Aus Gründen politischer Fairness hat Heinemann offensichtlich bisher davon Abstand genommen, letzte Einzelheiten zur Kenntnis zu bringen, die der Erhellung des Dunkels um das Memorandum dienlich wären. Er führt, wie er selbst sagt, einen Indizienbeweis, indem er Äußerungen des Auslandes, insbesondere des französischen Hohen Kommissars François-Poncet anführt, in denen unter anderem von der ›Bereitwilligkeitserklärung‹ die Rede ist.«[53]

---

48. DUD 16. 10. 50. – Auch die fdk erinnerte am 1. 11. daran: »Seine Proklamierung der deutschen Kollektivschuld ist noch unvergessen.«

49. Die Stuttgarter Nachrichten sprachen von einer solchen »aus der Umgebung des Bundeskanzlers angedeuteten – man kann auch sagen: lancierten Lesart des Konfliktes« (10. 10. 50).

50. So bezeichnete ihn MdB Mühlenfeld, Mitglied der Deutschen Partei (Rheinische Zeitung 10. 10. 50). – Heinemanns Distanzierung von Niemöller: Generalanzeiger 12. 10. – Essener Tageblatt 19. 10. – Frankfurter Rundschau 31. 10. – FAZ 31. 10. 50.

51. Frankfurter Neue Presse 13. 10. – Rheinische Zeitung 13. 10. – Essener Tageblatt 19. 10. ; 31. 10. – FAZ 31. 10. 50.

52. Über Radio Stuttgart nannte er am 19. 10. fünf Gründe für seinen Rücktritt: die mangelnde Beteiligung des Kabinetts an der Willensbildung der Bundesregierung; die mangelnde Unterrichtung von allgemein wichtigen Vorgängen; der Fall des Sicherheitsmemorandums; die Tatsache, daß die Tätigkeit von Adenauers Sicherheitsberater Graf Schwerin nicht klargestellt sei; und die Frage westdeutscher Aufrüstung: »Das deutsche Volk muß genügend Zeit und Gelegenheit haben, um über diese Frage nachzudenken, sich eine eigene Meinung zu bilden und diese zum Ausdruck zu bringen. Es darf nicht zum Objekt geheimer Entscheidungen gemacht werden . . .« (Die Welt 20. 10. 50). – Wortlaut der Radiorede im Brief an die Rheinische Post, GH 43.

53. Süddeutsche Zeitung 19. 10. 50: »Heinemanns Indizienbeweis«.

Die Presse aber war weithin nicht mehr gewillt, sich auf kritische Überlegungen einzulassen. Ungeachtet der Tatsache, daß in westlichen Zeitungen das deutsche Angebot eines Kontingents bekannt war[54], daß Regierungen dazu, wie Heinemann unablässig betonte, Stellung nahmen[55], daß Adenauer selbst in mehr oder weniger deutlicher Form seine Bereitschaft wiederholte, ja zur Eile drängte[56], stritt ein Großteil der Presse nach wie vor Adenauers Initiative ab.

An dieser Haltung änderte sich auch nichts, als Adenauer selbst Ende 1950 im Wahlkampf den wichtigsten Passus seines Memorandums veröffentlichte[57]. Jeder hätte nun feststellen können, was das »Berliner Stadtblatt« erkannte:

»Daraus ergibt sich ganz eindeutig, daß er den Westmächten ein Angebot gemacht hat. Die Widerlegung dieser Behauptung ist nur dann möglich, wenn man eine Bereitschaftserklärung etwas spitzfindig von einem Angebot unterscheidet. Tatsache bleibt, daß Adenauer in dieser Schicksalsfrage – wie man sie selbst auch beantworten möge – auf eigene Faust gehandelt hat. Er konnte sich auf keinen Regierungsbeschluß stützen, und das Parlament war überhaupt nicht befragt worden. Ein solches Verfahren ist in einer parlamentarischen Demokratie eine Unmöglichkeit.«[58]

Daß die Mehrheit der Publikationsorgane auch jetzt Adenauer nicht kritischer beurteilte, lag daran, daß sie mit ihm in der Sache weitgehend übereinstimmte[59]. Dadurch waren der Wirksamkeit Heinemanns innerhalb seiner eigenen Partei und der Koalition enge Grenzen gezogen. Hinzu kam, daß man von Anfang an Heinemann bewußt isolierte. Er konnte seine Ansicht der CDU-Fraktion des Bundestages erst vortragen, als er sich am 10. Oktober von ihr verabschiedete:

»Diese meine Abschiedsrede war das einzige Mal, daß die Fraktion im ganzen sich über meine Auffassung unterrichten ließ; jede vorherige Aussprache mit

---

54. New York Times 31. 8. 50: Adenauer Details Needs for McCloy (J. Raymond). Dort ist sogar die Zahl 150 000 wiedergegeben, die in den Gesprächen zwischen Adenauer und den Hohen Kommissaren genannt wurde.
55. Im Kommuniqué der New Yorker Außenministerkonferenz, EA 1950, S. 3406. – Heinemanns Hinweis im Interview mit dem Nachrichtendienst Dimitag, Bonner Generalanzeiger 12. 10. und Rheinische Zeitung 13. 10. 50, GH 39.
56. Erster Parteitag der CDU Deutschlands Goslar, S. 18.
57. Pressemitteilung des Presse- und Informationsamts der Bundesregierung v. 24. 11. 50. – EA 20. 12. 50, S. 3581. – FAZ 25. 11. – NZZ 26. 11. 50.
58. Berliner Stadtblatt 26. 11. 50.
59. Tagesspiegel ·17. 10. 50: »Daß der Kritisierte in der Sache recht hat, nimmt dem Epilog des Exministers die beabsichtigte Wirkung.« – Die Welt 11. 10. (»Heinemanns Rücktritt«): »Es ist jedem Deutschen klar, daß die gewaltigen Anstrengungen der westlichen Welt, auch den deutschen Boden gegen alle Übergriffe vom Osten her zu schützen, Spree und Elbe zu verteidigen, eine deutsche Mitwirkung erfordern.«

der gesamten Fraktion war ebenso abgeriegelt worden, wie auch die Fortsetzung eines Gesprächs mit dem Vorstand der zweitgrößten Koalitionspartei, der FDP, auf höheren Wink plötzlich vom FDP-Vorstand abgesagt wurde, nachdem etwas von meinem Gespräch mit ihr verlautet war.«[60]

Die Entscheidung des Goslarer Parteitages zeigte Heinemanns Isolierung noch deutlicher. Man hatte von vornherein den Parteitag »mit Referaten in einem solchen Ausmaß überlastet«, daß, wie Heinemann voraussah, »für die klärende Diskussion kaum Spielraum blieb«; deshalb hatte Heinemann seine Anmeldung zur Teilnahme zurückgezogen[61]. Auf dem Parteitag unterzeichneten die evangelischen Delegierten eine Erklärung, in der sie sich vorbehaltlos »hinter die Politik des Bundeskanzlers« stellten:

»Vornehmstes Ziel unserer politischen Arbeit ist die Wiedervereinigung Deutschlands in einem geeinten Europa. Die gegenwärtige Spaltung, die unsere größte Not ist, ist allein verursacht durch den Machtwillen des Bolschewismus, der auf das ganze Europa zielt und die Parolen von Einheit und Frieden nur als Mittel zur Unterwerfung mißbraucht. In dieser Lage führt der Weg zur Wiedervereinigung nur über die Erstarkung, die wirtschaftliche und soziale Gesundung des freien Deutschlands und seine Sicherung. Wenn wir daran einmütig arbeiten, leisten wir den wichtigsten stellvertretenden Dienst auch für die Deutschen in der Sowjetzone.«[62]

Im übrigen ließen die Delegierten offen, ob sie mit ihren Formulierungen gegen Niemöller auch Heinemann meinten, den sie nicht erwähnten:

»Wir sind von tiefer Sorge erfüllt über Erklärungen, die Männer der evangelischen Kirche, insbesondere Kirchenpräsident Niemöller, in letzter Zeit zu politischen Fragen unseres Volkes abgegeben haben. So sehr wir die Pflicht der Kirche bejahen, die Verantwortung für die Gestaltung unseres öffentlichen Lebens mit zu tragen, so sehr erwarten wir, daß solche Erklärungen nicht voreilig, sondern nur nach gewissenhafter Sachprüfung, nach brüderlicher Beratung und in gemeinsamer Verantwortung veröffentlicht werden.«[63]

Die evangelischen Christen in der Christlich-Demokratischen Union zeigten damit, daß sie so wenig wie die Öffentlichkeit fähig oder gewillt waren, die Sicht Heinemanns auch nur einer Diskussion für wert zu erachten.

Zwar faßten die evangelischen Mitglieder der CDU von Nordrhein-Westfalen eine Entschließung über die »Meinungsfreiheit in der CDU«, in der sie aussprachen, sie seien »unbeschadet unserer verschie-

---

60. GH 244, S. 465; Schnittpunkt, S. 103.
61. Schreiben Heinemanns an die CDU des Rheinlands v. 18. 10. 50 (AH).
62. Erster Parteitag der CDU Deutschlands Goslar, S. 112. – KJ 50, S. 190f.
63. ebd.

denen Auffassungen in der Sache ... dankbar dafür«, unter sich
»einen Mann zu wissen, der in lebendiger christlicher Verantwortung
seine Entscheidung getroffen hat. Seine begründete Auffassung muß
in unseren Reihen Raum haben und behalten können.« Man solle
sich mit den verschiedenen Schlußfolgerungen, »sofern sie im Gewissen vor Gott geprüft sind«, gegenseitig »Gehilfen zu einer guten
demokratischen Ordnung« sein[64]. Aber die Praxis sah so aus, daß
noch nicht einmal Heinemanns Antrag an den heimatlichen Kreisverband Essen stattgegeben wurde, der Delegierten-Versammlung des
Kreises seine Gründe vorzutragen; die CDU-Organe erhielten vielmehr Weisung, ihn auch in keiner öffentlichen Versammlung über die
Sicherheitsfrage sprechen zu lassen[65].

Während Presse und Regierungsparteien sich der Diskussion mit
Heinemann entzogen, blieben Heinemann noch zwei Möglichkeiten,
seinen Rücktritt politisch auszumünzen.

Die eine war der Übertritt zur SPD. Schumachers Argumentation
gegen Adenauers Politik ähnelte ja in mehreren Punkten der Heinemanns: auch er hielt Adenauers Angebot für einen großen taktischen
Fehler und das Gerede vom Zeitdruck für »Geschwätz«; auch er forderte die Verstärkung deutscher Polizeikräfte und bedachte die womöglich provozierende Wirkung deutscher Soldaten auf die Russen;
auch er lehnte den unbedingten Pazifismus ab, hob die Bedeutung
der sozialen Frage hervor und trat dafür ein, daß das Volk selbst
über die Aufrüstung entscheiden sollte[66].

Aber ganz abgesehen davon, daß es Heinemann als Mitgründer
der CDU sehr schwer fallen mußte, die Partei zu wechseln, und das
gerade vor Landtagswahlen – die Unterschiede zur Konzeption der
SPD waren doch nach wie vor beträchtlich, nicht nur weil Schumacher
unter der Lösung der sozialen Frage die Einführung der Planwirtschaft verstand, die Heinemann nach wie vor ablehnte. Schumachers
Vorstellungen, wie den Deutschen im Osten geholfen werden könnte,
stimmten nicht mit denen Heinemanns überein: »Es handelt sich darum, daß wir eine Konzentration an Militärmacht auf europäischem
und deutschem Boden bekommen, der die Kriegsentscheidung in Europa bei einem versuchten Angriff im Gegenstoß nach dem Osten tragen läßt.«[67] Eine Verteidigung an der Elbe würde Berlin und Ostdeutschland abschreiben. »Das Nichtabschreiben ist nur möglich in

64. FAZ 8. 11. 50. – GH 204; Schnittpunkt, S. 61.
65. GH 204; Schnittpunkt, S. 61.
66. U. Löwke, Für den Fall, daß . . ., S. 61ff.
67. Schumacher am 17. 9. 50. – Löwke, aaO. S. 64.

der Form der Defensive, die zur Offensive übergeht und die die Entscheidung zwischen der Weichsel und dem Njemen sucht.«

Solche Äußerungen, denen ähnliche von Carlo Schmid an die Seite gestellt werden könnten[68], zeigten, daß Schumacher und Schmid sich in der Beurteilung der Weltlage prinzipiell doch nicht so sehr von Adenauer unterschieden, wie es bei oberflächlicher Betrachtung der in der Öffentlichkeit erbittert ausgefochtenen Gegensätze scheinen mochte. In Schumachers politischen Verlautbarungen der zweiten Hälfte des Jahres 1950 findet sich nirgends ein Hinweis auf den Zusammenhang der Problematik von Wiederbewaffnung und Wiedervereinigung[69], die für Heinemann so wichtig war.

Die zweite Möglichkeit, die Heinemann noch offen blieb, war der direkte Appell an die anti-militärischen Instinkte der Westdeutschen. Im Volk war, wie Befragungen zeigten, die Aversion gegen eine Aufrüstung unvermindert groß; die Popularität des Kanzlers war trotz der Unterstüzung vieler Presseorgane auf einem Tiefpunkt; in den Landtagswahlen im November erlitt die CDU einen starken Rückschlag[70]. Die »Süddeutsche Zeitung« malte aus,

»wie ein Politiker von Leidenschaft und Temperament die Grundstimmung weiter Teile unseres Volkes aufgenommen und genutzt, wie er Funken aus dem leblosen Stein der Kriegsverdrossenheit geschlagen und eine Bewegung gegen jede Wiederbewaffnung entfacht hätte, an der niemand, weder im Palais Schaumburg noch auf dem Petersberg, ernstlich hätte vorübergehen können.«[71]

Aber gerade das war Heinemanns Sache nicht. Ein Appell an Emotionen lag ihm grundsätzlich fern. Angesichts des Ernsts der Weltlage hielt er nicht in erster Linie unmittelbare politische Aktionen für angebracht, sondern die besonnene, kritische Prüfung der Lage:

»Das Bedürfnis nach Klärung bewegt viele Menschen. Niemand aber darf seine Entscheidung von anderen Menschen abhängig machen. Jeder muß seines Weges gewiß sein, auch in einer politischen Frage. Das allein ist evangelisch. Deshalb liegt mir zunächst daran, daß die Frage, um die es geht, überhaupt an jeden herangetragen wird. Wir werden schon Mittel und Wege finden, die Antworten zum Ausdruck zu bringen.«[72]

So konnte es im Herbst 1950 nicht zu einer von Heinemann geführten Volksbewegung gegen die Aufrüstungstendenzen kommen.

---

68. am 3. und 22. 10., EA 1950, S. 3583f.
69. So Löwke, aaO. S. 72f. Löwke schließt daraus, daß Schumacher letztlich wie Adenauer eine Stärke-Politik befürwortet habe; nur habe er stärker die deutsche Gleichberechtigung als Voraussetzung einer deutschen Beteiligung an einer Europaarmee betont.
70. KAG 1950, S. 2679, 2688.
71. Süddeutsche Zeitung 11. 10. – Ähnlich Bayreuther Tageblatt 12. 10. 50.
72. Schreiben an Dr. Eberhard Barth, Bad Honnef, 20. 10. 50 (AH).

Während der Kanzler im Verein mit den Amerikanern Wege zu einer westdeutschen Aufrüstung suchte und ein Großteil der Presse aus Furcht vor den Sowjets und in der Hoffnung auf die Stärke der USA ihre Entscheidung für die Aufrüstung schon gefällt hatte und deshalb die Analyse des Ministers überging, unterließ dieser bewußt den Appell an Emotionen und suchte in der Hoffnung auf spätere Aktionen zunächst einen Klärungsprozeß in Gang zu bringen.

7

Die Diskussion über Heinemann und Niemöller in der evangelischen Kirche

Der Ort, an dem gehört zu werden Heinemann noch am ehesten hoffen konnte, war die evangelische Kirche. Als deutlich wurde, daß seine Rücktrittserklärung von den Zeitungen weithin nicht beachtet wurde, druckten kirchliche Blätter sie im Wortlaut nach[1]; auch wurde sie als Flugblatt in kirchlichen Kreisen weit verbreitet. Heinemann erhielt »eine Fülle von Anfragen nach Vorträgen« von »kirchlichen Gemeinden, Akademien und Kreisen«[2].

Zwei kirchliche Gremien hatten sich deutlich im Sinn Heinemanns gegen eine deutsche Initiative zur Aufrüstung ausgesprochen: der Rat auf dem Kirchentag in Essen[3] und der Bruderrat der Bekennenden Kirche, der unter dem Vorsitz Niemöllers Ende September in Darmstadt ein ebenso entschiedenes wie besonnenes Wort zur Aufrüstung herausgab[4].

Der Bruderrat erinnerte an die Eisenacher Kirchenversammlung, die 1948 mit der Formulierung »Auf der Gewalt ruht kein Segen« vor einer gewaltsamen Änderung des politischen Zustands in Europa gewarnt hatte, und an die Erklärung des Rats der EKD in Essen, einer Remilitarisierung in beiden Teilen Deutschlands könnte er »das Wort nicht reden«: »Das gilt im gegenwärtigen Augenblick für die Aufstellung deutscher Verbände innerhalb einer westeuropäischen Armee nicht weniger als für die Schaffung einer eigenen deutschen Wehrmacht. Dies gilt in der gleichen Weise für alle ähnlichen Bestre-

---

1. GH 40: Stimme der Gemeinde, November 50. – JK 6. 11. 50.
2. Heinemann in einem Schreiben an Dr. E. Barth v. 20. 10. 50 (AH).
3. KJ 50. S. 165f.
4. KJ 50, S. 167f.

bungen auf der östlichen Seite des Eisernen Vorhangs.« Der Bruderrat wiederholte »dringend« die »ernste Frage« der Synode von Weißensee, »ob ein deutscher Mann heute in dieser Lage mit gutem Gewissen eine Kriegswaffe in die Hand nehmen darf«, und »die Forderung an die eigenen deutschen Regierungen wie an die Obrigkeit
der Besatzungsmächte«, Kriegsdienstverweigerer aus Gewissensgründen »anzuerkennen und zu schützen«.

Die Weltlage sah der Bruderrat in erster Linie durch ein psychologisches Faktum bestimmt:

»Unser eigentlicher Feind ist heute die Angst, und die Angst lähmt uns. Sie
verführt uns dazu, immer nur auf den vermutlichen Feind und Angreifer zu
blicken mit der Frage, wie wir uns ihm gegenüber sichern können, obwohl durch
keine Sicherung unsere Angst behoben wird. So verschwenden wir die Reste
unserer Kraft in Rüstungsaufgaben, die uns doch keine Sicherheit schaffen.«

Zwar wurde diese Beobachtung vom Bruderrat nicht konkretisiert;
aber er zog, ganz im Sinne seines Darmstädter Worts von 1947, deutliche Konsequenzen in Bezug auf die dringenden sozialpolitischen
Aufgaben:

»Unser Miteinander in Freiheit und Gerechtigkeit ist aufs äußerste bedroht,
wenn wir eine Freiheit wollen unter Vernachlässigung der sozialen Gerechtigkeit oder wenn wir soziale Gerechtigkeit wollen unter Preisgabe der Freiheit.
Nur beides miteinander, Freiheit und Gerechtigkeit, ermöglicht ein menschen-
würdiges Dasein.«

Der Bruderrat nannte im einzelnen »die großen sozialen Ungerechtigkeiten« bis hin zur fehlenden »Mitbestimmung der Arbeiten-
den« und rief die Verantwortlichen in der Bundesrepublik dazu auf,
diese Fragen anzugreifen; denn dann »werden wir Festigkeit gewinnen gegenüber einer verführerischen Ideologie, die die Freiheit des
Menschen für eine angebliche soziale Gerechtigkeit verkauft. Mit
Verbotmaßnahmen allein wird man dieser Gefahr niemals Herr werden«. Auf diese Weise könne man auch den Ostdeutschen, »die im
Machtbereich einer solchen Ideologie leben, am ersten helfen. Sie
werden in dem Vertrauen gestärkt, daß es wirklich eine geistige
Macht zur Überwindung dieser Ideologie gibt, und werden Hoffnung
schöpfen, daß diese Überwindung auf geistigem Wege und auch ohne
Waffengewalt geschehen wird«. In deutlichem Widerspruch zur herrschenden Ansicht von dem Primat militärischer Faktoren für den Bestand Europas schloß der Bruderrat:

»Indem wir so das christliche Erbe des Abendlandes heute wieder sichtbar und
fruchtbar werden lassen, wirken wir der Angst entgegen und leisten damit zugleich den uns aufgetragenen und möglichen Beitrag zur Gewinnung und Erhaltung des Friedens unter den Völkern.«

Auch eine ganze Reihe offizieller kirchlicher Gremien beschäftigte sich mit der Frage der Aufrüstung[5]. Aber diese Gremien legten bei ihrer Diskussion nicht die Erklärungen Heinemanns und des Bruderrats, sondern den Brief Niemöllers zugrunde.

Das war psychologisch verständlich, weil in diesem Brief vieles zum Widerspruch reizte. Außer unglaublich klingenden Behauptungen des Kirchenpräsidenten über den derzeitigen Stand einer westdeutschen Aufrüstung waren es seine scharfen Formulierungen, die Anstoß erregten: »Vor den Augen und Ohren des gesamten deutschen Volkes« bat Niemöller den Kanzler, »in dieser entscheidenden Stunde nicht vollendete Tatsachen zu schaffen, ohne eine vorherige, echte Befragung der Bevölkerung.« Die Verfassung sei »ja so geschickt gearbeitet, daß das deutsche Volk wieder in einen Krieg hineingestürzt werden kann, ohne daß es überhaupt gefragt wird«. Dem Bundestag warf Niemöller vor, wenn er über die Frage der Aufrüstung entscheide, »käme das einem Volksbetrug gleich, da kein deutscher Wähler bei der Wahl im Sommer 1949 die Absicht gehabt hat, dem Deutschen Bundestag die Vollmacht zu einer Kriegsrüstung oder Kriegsbeteiligung zu geben«. Der Presse hielt er vor, sie hätte dem deutschen Volk »Gründe . . . aufgetischt«, »um in Ost und West seine Angst zu erhöhen und es williger zu machen, sich in neue Rüstungsabenteuer stürzen zu lassen.« Und die Alliierten forderte Niemöller auf, wenn sie schon »einen Beitrag an Waffen und Soldaten verlangen, dann sollen sie das selbst offen befehlen und sich nicht hinter einer deutschen Demokratie verstecken«[6].

Es war offensichtlich, daß Niemöller, seit Jahren enttäuscht und entsetzt über den äußeren und inneren Weg der Westdeutschen, die provozierenden Formulierungen nicht scheute, um nur endlich das Volk und besonders die evangelischen Christen aufzurütteln: Niemöller sagte voraus, evangelische Christen würden sich »jeder Remilitarisierung praktisch widersetzen« und diese Haltung auch für den Fall durchhalten, daß durch eine Verfassungsänderung das Recht auf Kriegsdienstverweigerung abgeschafft würde[7]. Ebenso scharf in Inhalt und Form war der gleichzeitige Brief der kirchlichen »Bruderschaften«, eines Teils der Bekennenden Kirche[8].

Die Reaktion auf Niemöller, die in offiziellen kirchlichen Gremien meist negativ war, richtete sich jedoch nicht nur gegen überspitzte Formulierungen. Die Kritiker ließen sich nicht in erster Linie die

5. KJ 50, S. 160ff.
6. KJ 50, S. 174f.
7. ebd.
8. KJ 50, S. 176.

sachliche Widerlegung oder Differenzierung von Niemöllers Behauptungen angelegen sein. Vielmehr kehrten besonders lutherische Persönlichkeiten und Gremien grundsätzliche Unterschiede zu Niemöller heraus und kritisierten ihn von einem bestimmten Amtsverständnis aus.

Die hannoversche Synode bedauerte, daß Niemöller »die Grenzen überschritten« habe, »die ihm durch sein hohes kirchliches Amt gezogen sind«[9], die bayrische konstatierte, Niemöllers »einseitige Stellungnahmen« seien »nicht im Auftrag und nicht im Sinn unserer Kirche geschehen«[10]. Bischof Lilje wies darauf hin, Niemöller habe nicht etwa die »amtliche Meinung der Evangelischen Kirche«, sondern nur seine private Meinung wiedergegeben[11].

Hinter diesen Äußerungen wurde deutlich die Zwei-Reiche-Lehre erkennbar, die schon auf früheren Synoden der lutherischen Auseinandersetzung mit politischen Fragen Grenzen gesetzt hatte. »Die Kirche hat das Wort Gottes zu verkündigen in seinem ganzen Ernst und in seinem ganzen Trost«, formulierte die bayrische Synode[12]. Und Propst Asmussen rief dazu auf, »das besondere, das lutherische Bekenntnis, auf das wir verpflichtet sind«, zu erfüllen und »fromm und gottesfürchtig zu leben, in der Ordnung des Gebetes, der Beichte und des sakramentlichen Lebens«[13].

Von diesem Standpunkt aus wurden Niemöller und die Bruderschaften an zwei Stellen besonders scharf attackiert. Sein leidenschaftliches Bemühen um die Einheit Deutschlands erschien Asmussen als eine unerlaubte Vermischung geistlicher und irdischer Wünsche: »Die Einheit Deutschlands ist kein Glaubensartikel, sondern ein berechtigter, heißer irdischer Wunsch.«[14] Für Niemöller sei dagegen die Einheit Deutschlands in ihrer Funktion »als Brücke zwischen Ost und West« »oberstes Gesetz für die evangelische Kirche in Deutschland«[15]. Der andere Streitpunkt betraf den Wehrdienst und die Kriegsdienstverweigerung. Der hannoversche Pastor Erwin Wilkens wies in einer gründlichen Studie nach, daß der »Niemöller-Kreis« an drei Stellen seiner Schriften aus seinem Glauben direkt ein politisches Urteil folgerte; z. B.: »Im Glauben erkennen wir, daß uns Deutschen jetzt der

9. KJ 50, S. 194.
10. KJ 50, S. 193.
11. Essener Allgemeine Zeitung 16. 10. – Wiesbadener Kurier 16. 10. – Rheinischer Merkur 21. 10. – FAZ 25. 10. 50.
12. KJ 50, S. 193.
13. Gedrucktes Schreiben v. 11. 11. 50 »An die Herren Geistlichen der Ev.-Luth. Landeskirche Schleswig-Holsteins«.
14. Asmussen, ebd.
15. Interview Asmussens mit den Kieler Nachrichten 17. 10. 50.

Weg der Machtpolitik von Großmächten verwehrt ist; Wiederaufrüstung aber wäre das Beschreiten dieses uns verbotenen Weges.«[16] Tatsächlich hatten die Lutheraner damit schwache Stellen in der Argumentation ihrer kirchenpolitischen Widersacher gefunden; denn angesichts der besonderen Bedeutung, die der »Niemöller-Kreis« der Brückenfunktion Deutschlands und der Verhinderung der westdeutschen Aufrüstung beimaß, mußte gefragt werden, ob die theologische und politische Begründung dafür ausreichte. Die lutherische Kritik wurde nur ihrerseits dadurch zweifelhaft, daß sie sich unpolitischer gab, als sie war. In Wirklichkeit enthielten die lutherischen Stellungnahmen, die auf die saubere Trennung der Zwei Reiche drängten, massive politische Urteile.

Asmussen beispielsweise hielt es für die

»Pflicht sowohl der westlichen als auch der alliierten Regierungen, das Leben und die Freiheit Westeuropas zu sichern. Auf welche Weise dies geschehen soll, habe ich als Mann der Kirche nicht zu beurteilen. Wohl aber habe ich als Teil meiner christlichen Verkündigung zu bezeugen, daß die Obrigkeit ihre Pflicht versäumt, wenn sie nicht jedes rechtlich mögliche Zwangsmittel einsetzt, um den widerrechtlichen Zwang, der vom Osten ausgeht, von unseren Grenzen fernzuhalten ... Ein freies und starkes Westdeutschland ist die größte Hoffnung, die man für Ostdeutschland denken könnte.«[17]

Die Sicht des Ostens als eines militärisch aggressiven Unrechtsstaates paßte nahtlos zu der lutherischen Vorstellung von der Aufgabe weltlicher Obrigkeit, die das Recht zu schützen habe. Die politische und theologische Voraussetzung bedingten sich wechselseitig derart, daß in der Regel weder die Fakten noch die Lehre einer Kritik unterzogen wurden.

Wilkens allerdings stellte zwei Thesen einander gegenüber: »Ein waffenloses Volk bietet den Anreiz zur Vergewaltigung durch andere« – und: »Es ist die Erfahrung der Geschichte, daß eine um des Friedens willen oft für notwendig gehaltene Rüstung ebenso notwendig beim Kriege endet.« Statt aber diese beiden Sätze weiter zu reflektieren und zu der politischen Wirklichkeit in Beziehung zu setzen, zog sich Wilkens auf die Feststellung zurück, daß aus diesem »circulus vitiosus« »keine theologische und politische Klugheit, sondern allein

---

16. KJ 50, S. 203.
17. Interview mit den Kieler Nachrichten 17. 10. 50. – Von da war es nur ein kleiner Schritt zur Argumentation Hellweges, der, »als ›bekennender Christ‹ und als gewählter Synodaler der Landeskirche Hannovers«, »angesichts des überwältigenden deutschen Bekenntnisses zu Europa« eine Volksabstimmung für überflüssig erachtete: »Unser Bekenntnis zu Europa ist unerschütterlich ... Nur ein starkes Europa wird die Sowjetmacht vor Übergriffen abschrecken; nur mit einem sozial und militärisch gesicherten Deutschland wird Europa stark sein« (DNZ 14. 10. 50).

der wiederkehrende Herr rettet«. Bis das geschehe, sei Luthers Zwei-Reiche-Lehre dazu dienlich, »die Unzulänglichkeiten und Katastrophen dieser Welt zu tragen«. Folgerichtig erschien Wilkens gegenüber kontroversen politischen Fragen Zurückhaltung als angemessen[18]. Daß dies de facto auf die Unterstützung der herrschenden politischen Tendenz hinauslief, sah Wilkens nicht, da er die Zurückhaltung schon für ein Stück Fortschritt gegenüber früherer obrigkeitsfrommer Haltung des Luthertums hielt.

Es war offensichtlich, daß die kirchlichen Parteien nicht zu einem Konsensus kommen, nur einander ihre Grenzen aufzeigen konnten. Gewann bei den einen das Engagement des Christen in der Welt eine bisher nicht gekannte Dringlichkeit und Konkretion, so zogen sich die andern in eschatologischer Hoffnung auf einen scheinbar distanzierten Standpunkt zurück, der in Wirklichkeit auf eine Unterstützung der Aufrüstung hinauslief.

Für eine genaue Analyse Heinemanns war bei beiden kirchlichen Parteien kein Raum.

Den kirchlichen Gegnern der Aufrüstung erschien Heinemann deshalb, weil er von einem ähnlichen Ausgangspunkt wie sie die Aufrüstung ablehnte, als Kronzeuge ihrer Meinung. Es gibt kein Zeugnis dafür, daß sie sich mit den Unterschieden auseinandergesetzt hätten. Sie hielten angesichts der Initiative Adenauers die Zusammenfassung der Rüstungsgegner und Aufrufe zur Wehrdienstverweigerung für viel dringender. Das Flugblatt »An die Gewehre? Nein!«, das die Erklärungen und Briefe des Bruderrats, der Bruderschaften und Niemöllers enthielt[19], besagte nach Meinung Professor Iwands »substantiell . . . nichts anderes als eben das, was auch im Memorandum (Heinemanns) steht. Nur ist hier aus einer Schalmei eine Fanfare geworden«[20]. Folgerichtig sahen die Anhänger Niemöllers die scharfen Briefe von Niemöller und den Bruderschaften einseitig positiv: »Selbst über den Rücktritt Heinemanns wäre man einfach zur Tagesordnung übergegangen. Niemöller hat es erreicht, daß die Sorge, die ihn und viele andere bewegt, nicht länger totgeschwiegen, sondern wenigstens in der Öffentlichkeit laut werden kann.«[21] Tatsächlich hatte sich ja Adenauer erst »angesichts des weltweiten Echos«, das Niemöllers Brief gefunden hatte, zu seiner Rundfunkrede am 11. Oktober ent-

---

18. KJ 50, S. 206ff.
19. Die im Flugblatt abgedruckten Texte sind abgedruckt im KJ 50, S. 167–176.
20. BKadW 15. 11./15. 12. 50, Sp. 22.
21. aaO. Sp. 29, Anm. 10 (Meinung des Herausgebers). – Ähnlich Prof. Iwand: »Sollte denn der Protest Heinemanns spurlos verhallen, – indem einfach ein anderer Mann an seine Stelle trat und er nun wohlmöglich noch als ein Remonstrant aus Prinzip hingestellt wurde?« (aaO. Sp. 22).

schlossen, nachdem er sieben Wochen zum Thema der Aufrüstung in der Öffentlichkeit geschwiegen hatte[22]. Aber die Bruderschaften übersahen, daß die Schärfe der Briefe aus Darmstadt der Wirkung Heinemanns in der Öffentlichkeit abträglich gewesen war.

Die Niemöller-Gegner dagegen waren geneigt, Heinemann mit denselben Argumenten zu begegnen, mit denen sie auch Niemöller bekämpften. Asmussen betonte der Presse gegenüber, daß auch Heinemann »weder im Namen der evangelischen Kirche handelte noch redete. Es lag dazu keine Bevollmächtigung vor«[23]. Wilkens sprach zwar in Bezug auf Heinemann von gewichtigen Thesen und der »nüchternen und besonnenen« Art, wie Heinemann sie vorgetragen habe – aber er setzte »diese Konzeption« keineswegs von der Niemöllers ab, sondern nannte sie in einem Atemzug mit dem »schroff einseitigen Friedensruf« des Niemöller-Kreises, dessen »einseitige« Urteile über die politische Lage und über die Stellung des Christen er bemängelte[24].

Ein ähnliches Bild bot die kirchliche Publizistik. Hatte der evangelische Pressedienst die Vorstellung, Heinemann sei ein »Pazifist vom Geiste Gandhis«, unkritisch weitergegeben, so stellte »Christ und Welt« einen allgemein politischen Bereich dem »Bereich des persönlichen Bekenntnisses« gegenüber und sah Heinemann in der Nähe der »Gruppe Niemöller«, der das Blatt »Passivität« vorwarf, während es selbst den »Wunsch und den tatbereiten Willen der evangelischen Christen in Deutschland« unterstrich, »am Aufbau und an der Sicherung des Staates mitzuwirken«[25]. Ähnlich argumentierte auch Liljes »Sonntagsblatt«. Zwar ließ es Heinemann mit einem Artikel zu Wort kommen, »aus Gründen der Ritterlichkeit«, wie es im Vorspann schrieb, kürzte aber, angeblich aus drucktechnischen Gründen, das Manuskript ohne Rücksprache mit dem Verfasser um ein Drittel und machte in der Schlagzeile und im Leitartikel derselben Ausgabe unmißverständlich deutlich, daß es für eine deutsche Beteiligung an einer Europaarmee einträte: »Greift der Deutsche zur Waffe? Ja! Aber nur gleichberechtigt für Europa!«[26]

Heinemann versuchte nochmals deutlich zu machen, daß es ihm nicht um programmatischen Pazifismus ginge, sondern um die Prü-

---

22. So Baring, aaO. S. 439 Anm. 21.
23. Interview mit den Kieler Nachrichten 17. 10. 50.
24. KJ 50, S. 202ff.
25. Christ und Welt 12. 10. 50.
26. Sonntagsblatt 5. 11. 50. – GH 43a. – Manuskript. Schreiben Heinemanns an die Schriftleitung v. 3. 11., an Plog v. 13. 11., an Lilje 15. 11. 50; Schreiben an Heinemann von Plog v. 10. 11., von C. Ahlers v. 10. 11. 50 (AH.) – Notiz im Sonntagsblatt 19. 11. 50.

fung der rationalen Argumente in der Furcht vor Gott und der Hoffnung auf ihn. Die Frage, ob die deutsche Waffenlosigkeit inmitten der Bedrohung nicht ein Stück Gottesgericht sei, verband er abermals mit dem Hinweis auf die im Alten Testament zugesagte Stärke durch Stillesein und Hoffen: »Merkwürdig, daß der bloße Hinweis auf solche Fragestellung sogar im christlichen Lager so viel eilige Abwehr erfährt, wie es geschehen ist!«[27]

An diesem Punkt stand sein Freund Hermann Ehlers Heinemann bei. Der CDU-Bundestagsabgeordnete erklärte öffentlich, nur der könne die Frage Heinemanns als unrealistisch bezeichnen, »der nicht bereit ist, Gott und sein Wort und Handeln ernst zu nehmen«. Im übrigen habe Heinemann »oft gesagt«, er sei »kein unrealistischer Pazifist«[28]. Auch in der Fraktionssitzung der CDU am 11. Oktober betonte Ehlers das Gewicht der Argumente Heinemanns; er hielt es für ein »letztes Warnungszeichen«, daß Heinemann sein Amt zur Verfügung gestellt hatte[29].

Aber gerade an Ehlers zeigte es sich, wie schwer es war, diesen Standpunkt im Oktober 1950 durchzuhalten. Denn wenige Tage nach jenen Erklärungen setzte er selbst auf dem Goslarer Parteitag der CDU am 22. Oktober als erster seinen Namen unter jenen Aufruf der Protestanten, die sich vorbehaltlos hinter die Politik des Bundeskanzlers stellten[30]. Adenauer hatte darauf gedrungen, daß ihm Ehlers vor seiner Wahl zum Bundestagspräsidenten seine Loyalität versicherte[31]. Daß Ehlers es tun konnte, zeigt, daß er in der Sicht der Weltlage und der theologischen Position letztlich doch nicht mit Heinemann übereinstimmte.

So blieb Heinemanns Wirkung auf bestimmte Kreise der Kirche beschränkt. Der westdeutsche Jungmännerbund dankte Heinemann für sein »mannhaftes und richtungweisendes Eintreten in der Frage der Wiederaufrüstung«[32], der publizistische Ausschuß des Evangeli-

27. GH 43a. – Das Sonntagsblatt kürzte u. a. die darauf folgenden Sätze: »Wollten wir nicht Politik aus christlicher Verantwortung treiben? Redet man nicht unentwegt vom christlichen Abendland? Ich meine, daß es sehr unecht zugeht, wenn dann die Frage nach Gottes Willen in unserer Lage als eine so störende oder »weltfremde« empfunden wird. Ich vermag diese Frage wahrlich nicht verbindlich zu beantworten, kann aber auch nicht unterlassen, sie zu erheben und als einen Auftrag zu brüderlicher Klärung vor uns hinzustellen. Sie hat nicht das geringste mit unrealistischem Pazifismus zu tun.«
28. epd v. 13. 10. 50.
29. Mitteilung von Hans Bodensteiner an den Verfasser.
30. Baring, aaO. S. 214.
31. Mitteilung von Hans Bodensteiner an den Verfasser. – Deutsche Zeitung 21. 10. 50. – Baring, aaO. S. 214. – Ehlers war von der Stärke östlicher Truppenverbände und der Volkspolizei beunruhigt (Brief an Heinemann v. 2. 1. 51, AH).
32. epd 13. 10. 50.

schen Kirchentages erklärte, Heinemann stimme mit den Auffassungen des Rats der EKD überein[33]. Die kirchlichen Bruderschaften im Rheinland richteten ein kritisches Wort an die Amtsträger und Gremien der EKD, in dem sie bemängelten, daß Heinemann bei seinem Rücktritt »von seiten der Kirche in der Öffentlichkeit weithin alleingelassen worden« sei[34]. Entschieden traten Theologen der Bekennenden Kirche für Heinemann ein und suchten seine Position zu erklären. Pfarrer Hermann Diem verteidigte Heinemann gegen »Christ und Welt«[35], Präses Wilm von Westfalen beschwor Adenauer in einem offenen Brief, Heinemanns Argumente nicht zu übergehen[36], Professor Iwand setzte sich mit theologischen Amtsbrüdern auseinander, die Heinemann als »Schwärmer« einstuften[37], und Pastor H.-W. Bartsch wies in einem Brief an einen lutherischen Bischof darauf hin, daß der Begriff der »Schwärmerei« eher auf Adenauer als auf seinen Gegner zutreffe[38].

---

33. Die Welt 17. 10. 50.
34. BKadW 15. 11./15. 12. 50, Sp. 21.
35. Frankfurter Rundschau 18. 10. 50 (»Das christliche Privatgewissen«): »Man bleibt der alten Tradition treu: Wo die Kirche Ja sagte zu der Politik der im Staat herrschenden Mächte, war das keine Politik. Wehrte sie sich aber dagegen, so war das noch immer und ist auch heute wieder ein unbefugter Übergriff in das politische Gebiet. Man weiß nichts anderes dagegen zu tun, als wieder die alte Trennung zwischen dem Bereich des christlichen Privatgewissens und dem der staatspolitischen Entscheidungen zu empfehlen und damit die prinzipielle Sterilität des christlichen Glaubens in politischen Dingen zu akzeptieren . . .«
36. am 15. 10. 50, KJ 50, S. 177f. »Wir haben gewartet, wann Sie die ernsten Bedenken Ihres Mitarbeiters Dr. Heinemann hören und prüfen und so ernst nehmen würden, wie sie einfach genommen werden müssen, weil es um Leben und Tod unseres Volkes geht. Und dann lesen wir in der Zeitung, daß Sie auf die Frage, was Sie zu dem Interview von Dr. Heinemann sagen, . . . geantwortet haben sollen: ›Ich werde das nicht einmal lesen!‹ Mit dieser Haltung, Herr Bundeskanzler, stellen Sie unser Vertrauen auf eine sehr ernste Probe . . . Es geht darum, daß hier ein Mann diese entscheidenden Fragen für den Weg unseres Volkes in letzter Verantwortung vor Gott geprüft und Ihnen vorgetragen hat, und daß Sie ihm das nicht abgenommen haben, jedenfalls nicht so, wie es nach unserer Meinung hätte geschehen müssen.«
37. BKadW 15. 11./15. 12. 50, Sp. 22: »Wenn Sie das Memorandum von Dr. Heinemann für eine schwärmerische Politik halten, dann ist es um den von Ihnen vertretenen Realismus schlecht bestellt. Aus dem Memorandum wird klar, daß Dr. Heinemann sich eben nicht auf seinen Verstand verließ, sondern auf den der Heiligen Schrift. Von daher gewinnt er dann auch die imponierende Nüchternheit in der Beurteilung unserer Lage.«
38. Brief an Bischof D. Halfmann von Schleswig-Holstein, teilweise abgedruckt in BKadW 15. 1. 51, Sp. 13f: »Ich möchte noch ein wenig näher auf den Vorwurf der Schwärmerei eingehen, den ich ja nicht allein gegen den Kreis um Niemöller erheben. Nach meinem Wissen besteht zu allen Zeiten die Schwärmerei immer in dem Wahn, das Gottesreich auf Erden durch eigene Kraft, z. B. mit den Mitteln der Macht, aufrichten zu wollen . . . Nun soll es mit einmal Schwärmerei sein,

Prominentester Fürsprecher Heinemanns wurde Karl Barth. An ihn hatte »Christ und Welt« die provozierende Frage gestellt, warum er denn zu den Fragen einer westdeutschen militärischen Verteidigung schweige, er, der 1938 die Tschechen zum Widerstand gegen Hitler ermutigt habe[39]. Barth legte in einem langen Schreiben dar, daß die Umstände nicht vergleichbar seien[40]. Im Herbst 1938 habe der Westen in München Hitlers Forderungen nachgegeben; im Gegensatz dazu sei die »Entschlossenheit zur Abwehr des drohenden Stalinistischen Kommunismus, um die es heute geht, ... im Westen Gemeingut«, »wahrlich ohne daß eine besondere christliche Ermahnung dazu auch nur von ferne nötig wäre«. Den Unterschied zu 1938 sah Barth darin, daß mit Hitlers Taten von 1938 der Krieg faktisch schon dagewesen sei.

»Ein solches Ereignis hat Rußland bis heute nicht herbeigeführt. Es hat bis jetzt niemandem ein Ultimatum gestellt oder sich – ich halte Korea nicht dafür – einer entsprechenden Aggression schuldig gemacht. Es gibt keinen Beweis dafür, sondern es spricht manches ernstlich dagegen, daß es den Krieg überhaupt will. Noch sind andere Mittel vorhanden, den bestehenden Konflikt auszutragen. Bevor sie erschöpft sind, wie sie im Herbst 1938 faktisch schon erschöpft waren, hat niemand im Westen das Recht, den Krieg zu erwarten oder gar an ihn zu glauben und also Rußland so zu begegnen, wie man Hitler damals hätte begegnen müssen.«

Was die Frage einer »Remilitarisierung des deutschen bzw. westdeutschen Volkes« anbetraf, warnte Barth:

»Man sollte diese Frage weder mit dem allgemeinen Problem des Pazifismus verwirren, noch mit der Frage der sonstigen westlichen Abwehrbereitschaft. Die Logik kann durchaus nicht verlangen, daß, wer den Pazifismus ablehnt und die

---

wenn man sich konkret gegen den schwärmerischen Glauben an die Macht wendet! ... Sicher können wir dem Staat nicht verbieten, seinen Bestand auch mit Waffengewalt zu verteidigen ... Es ist aber eine ganz andere Frage, wie wir heute das Evangelium des Friedens glaubwürdig verkündigen. Ich muß z. B. sagen, daß es mir einen Schock versetzte, als ich am Sonntag im Radio in einem Gottesdienst der Church of England ..., der aus Berlin vom BBN übertragen wurde, ein Gebet hörte, in dem nicht nur für die Truppen seiner Majestät gebetet wurde, sondern wörtlich um den Sieg in der Schlacht. Ist es etwas anderes, wenn Herr. Dr. Adenauer davon spricht, daß es gelte, die christlich-abendländischen Werte zu verteidigen? In beiden Fällen tritt der schwärmerische Glaube an die Verbindung zwischen dem Gottesreich und der Macht hervor. Ist hier nicht die Kirche zu einem Zeugnis und zwar zu einem ganz konkreten Zeugnis gerufen?«

39. Christ und Welt 12. 10. 50.
40. Barths Brief wurde zuerst in der Berliner Zeitschrift Unterwegs abgedruckt (1. 11. 50) und dann als Sonderdruck an alle Pfarrer in der BRD und DDR versandt (Brief von W. Koch an G. Heinemann v. 30. 10. 50). Text auch: KJ 50, S. 214ff; JK 6. 11. 50, S. 641ff; K. Barth, Der Götze wackelt, S. 150ff.

westliche Abwehrbereitschaft bejaht, darum auch der Aufstellung einer neuen deutschen Armee im Rahmen eines künftigen Westheeres zustimmen müsse.« In sieben Punkten, die sich mit denen Heinemanns berührten, argumentierte Barth gegen eine westdeutsche Aufrüstung. Und um auch den letzten Zweifel an seiner Haltung auszuräumen, erklärte er am Schluß ausdrücklich, er stelle sich »mit aller Bestimmtheit auf die Seite von Niemöller und Heinemann«.

Für Heinemanns innere Sicherheit bedeutete Barths Brief eine wesentliche Unterstüzung. Daß der geistige Vater der Bekennenden Kirche, der 1946 Heinemanns CDU-Konzeption so grundsätzlich kritisiert hatte, seine nunmehrige Analyse teilte, war ihm wesentlich. Er wertete Barths Brief als das wichtigste Dokument für den »pausenlosen Gleichklang«, der ihn seitdem mit Barth verband[41].

In der kirchlichen Öffentlichkeit aber wirkte sich Barths Brief keineswegs so aus, daß er nun die Diskussion hervorgerufen hätte, die durch Heinemanns Rücktrittserklärung nicht zustandegekommen war. Die »Barthianer« nahmen den Brief nicht zum Anlaß für einen kritischen Vergleich mit der eigenen Position, sondern als Bekräftigung ihrer negativen Haltung gegenüber westdeutscher Aufrüstung. Die wurde um so mehr auf politischem Felde dadurch bestätigt, daß Pastor Mochalski, der Herausgeber der »Stimme der Gemeinde«, wichtige Tatsachen über Korea in Erfahrung brachte, die innerhalb des kritischen Flügels der Bekennenden Kirche die westlichen Glaubenssätze über den Koreakrieg endgültig erschütterten[42].

Dagegen ließ sich die lutherische Seite durch Barth nur zu noch grundsätzlicher ablehnenden Stellungnahmen provozieren. Landesbischof Wurm konstatierte, daß Barth »in fast perverser Weise« die »moskowitische Gefahr« unterschätze[43]. Das sei der Punkt, der ihn, Wurm, von Barth, Niemöller und Heinemann trenne, meinte der Bischof, der mit einer solch pauschalen Formulierung seinen Standpunkt zu »präzisieren« glaubte. Er bekannte sich »nach wie vor zu der Auffassung, daß uns die kampflose Unterwerfung unter das Diktat Stalins gar nichts nützen würde und daß die Vereinigung mit der Ostzone um diesen Preis das größte Unglück wäre«[44].

---

41. Schreiber/Sommer, Gustav Heinemann Bundespräsident, S. 87. – Baring berichtet, Heinemann habe noch 1965 den Sonderdruck des Barth-Briefs von 1950 in der Brieftasche bei sich geführt (aaO. S. 437 Anm. 7).
42. StdG Oktober 1950, S. 5.
43. Die Welt 8. 12. 50.
44. Sonntagsblatt 17. 12. 50. – Wurm hatte nach einem Bericht der FAZ (9. 11.) auf einer Tagung in Herrenalb ausgeführt: »Die deutsche Geschichte darf nicht mit der widerstandslosen Ergebung in die Diktatur Moskaus abschließen. Ein Schluß mit der Vernichtung eines Volkes ist immer noch anders als ein Schluß mit geistiger Kapitulation.«

Während Wurm in seinem Antikommunismus nicht wahrnahm, daß er die drei Protestanten mit dieser Aussage gar nicht traf, gab Asmussen in seiner Auseinandersetzung eine erneute Rechtfertigung der Kirchengeschichte der letzten Jahre vom Standpunkt eines scheinbar unpolitischen Luthertums. Er interpretierte, wie schon Ende der vierziger Jahre, das Stuttgarter Schuldbekenntnis nicht als Ansatz zu kritischer Selbstbesinnung, sondern als Verpflichtung, »ungerechte Vorwürfe« gegen das deutsche Volk, wie sie Barth erhoben habe, abzuwehren[45].

An Asmussens Stellungnahme wurde deutlich, daß der tiefe Riß durch die evangelische Kirche die verschiedene Beurteilung von Vergangenheit und Gegenwart, von Kirche und Welt einschloß. Indem die Lutheraner ihre Schuld nicht erkannten, sondern sich in der Predigt ihres Bekenntnisses in Vergangenheit und Gegenwart gerechtfertigt glaubten, wurden sie unfähig zu kritischer Untersuchung der früheren und gegenwärtigen politischen Zustände, tradierten sie alte und übernahmen neue politische Vorstellungen, die auf Parteinahme im Kalten Krieg auf westlicher Seite hinausliefen – und dies alles in der Meinung, damit gegenüber der »Kirchenpartei« Niemöllers[46] einen überpolitischen Standpunkt zu vertreten.

Die Anhänger Niemöllers wiederum, die sich ihrer Schuld des politischen Versäumnisses in der NS-Zeit bewußt waren, sahen die Problematik der deutschen Lage im Kalten Krieg ungleich deutlicher, strebten aber gerade deshalb so intensiv nach festem politisch-theologischem Bekenntnis in dieser politischen Lage, daß sie nicht bemerkten, daß ihre Position in dem Maße angreifbar wurde, in dem sie sich – im Gegensatz zu ihren Kronzeugen Barth und Heinemann – außer auf rationale Argumente auf eine unmittelbare Sicherheit in geistlichen Fragen beriefen.

Ins Bewußtsein hätten die feinen, aber entscheidenden Unterschiede womöglich noch dringen können, wenn der Streit in der EKD immer offener und entschiedener geführt worden wäre. Gerade davor schreckten aber alle Beteiligten zurück. Sie zogen es vor, sich auf das Minimum dessen zurückzubesinnen, was sie trotz aller Gegensätze verband.

Dazu boten sich die Sätze an, die der Rat der EKD in Essen formuliert hatte. Dibelius, um einen Ausgleich der verschiedenen Richtungen bemüht, hob hervor, daß der Rat nach wie vor über drei Punkte einig sei: daß die Kirche den Frieden ernstlich wolle, daß eine Poli-

---

45. Gedrucktes Schreiben v. 11. 11. 50 »An die Herren Geistlichen der Ev.-Luth. Landeskirche Schleswig-Holsteins«.
46. ebd.

zeimacht in der BRD auf kirchliche Zustimmung rechnen könne und daß die Kirche jeglicher Aufrüstung in West und Ost »feind sei«[47]. Aber die Art, wie Dibelius in seinem Artikel politische Akzente setzte, zeigte deutlich, daß hier das Essener Ratswort weniger befestigt als vielmehr aufgeweicht wurde.

Denn Dibelius erschien es »zweifelhaft«, ob der Rat es überhaupt »als Remilitarisierung ansehen würde«, wenn Kontingente deutscher Freiwilliger für eine Europaarmee aufgestellt würden. Eine solche Aufstellung hielt Dibelius angesichts der Lage, die er – ganz unkritisch – durch die Korea-Gefahr bestimmt sah, für verständlich. Er betonte, daß auch Heinemann eine solche Form der Bewaffnung »keineswegs grundsätzlich« verneint habe, und tröstete: »Über dies alles kann es unter evangelischen Christen verschiedene Meinungen geben.«[48]

Auf derselben Linie lag die Erklärung des Rats und der Kirchenkonferenz, die am 17. November in Berlin-Spandau nach langen Auseinandersetzungen verabschiedet wurde[49]. Als erstes stellte man »dankbar fest, daß die Einheit unserer evangelischen Kirche trotz starker Spannungen außer Frage steht. Der Rat weiß, daß die Gemeinschaft im Glauben nicht die Einheitlichkeit der politischen Urteile einschließt. Auch die Frage, ob eine wie immer geartete Wiederaufrüstung unvermeidlich ist, kann im Glauben verschieden beantwortet werden«.

Kein Wort verwandte der Rat darauf, diese Meinung zu begründen, obwohl der Widerspruch zur Essener Erklärung[50] auf der Hand lag. Wenn das Ratswort etwas gelten sollte, mußten die neuen politischen oder theologischen Erkenntnisse genannt werden, die das Verlassen des Essener Standpunktes nahelegten. Aber weder politische noch theologische Gründe wurden auch nur angedeutet, um den Wandel der Haltung binnen eines knappen Vierteljahres verständlich zu machen.

Im Zusammenhang mit Punkt 1 war auch Punkt 2 problematisch, in dem der Rat sich zu Niemöller und Heinemann äußerte. Was Niemöller betraf, so erkannte der Rat »den Ernst und das Gewicht seiner Fragestellung« an, bedauerte jedoch »die Schärfen mancher seiner Äußerungen« ebenso wie »die Form der Kritik durch den Bundeskanzler«. Der Rat achtete »die gewissensmäßige Entscheidung, die Dr. Heinemann durch sein Ausscheiden aus der Bundesregierung vollzogen hat, und die Gründe, die ihn zu diesem Schritt geführt haben«[51].

---

47. in der Berliner Kirchenzeitung »Die Kirche« am 29. 10. 50, abgedruckt im KJ 50, S. 210ff. 48. ebd.
49. KJ 50, S. 222ff. 50. KJ 50, S. 165f. 51. KJ 50, S. 223.

Scheinbar wurde dieser Passus den beiden Männern gerecht, wurden doch ihre Fragestellung, Begründung, Entscheidung anerkannt und geachtet. Aber es war fraglich, ob man den Fragen, die Heinemann gestellt hatte, mit Vokabeln wie »Anerkennung« und »Achtung« in einem christlichen Gremium beikommen konnte. Es handelte sich ja darum, ob sie theologisch und politisch *richtig* waren. Wenn aber Heinemanns Bedenken zutrafen, wenn also angesichts der Lage vor Gott und Menschen ein Abwarten in Bezug auf Aufrüstung erforderlich war, dann fiel Absatz 1 der Spandauer Erklärung hin, der prinzipiell verschiedene Meinungen für christlich erklärte.

Daß die Spandauer Konferenz in ihrer Erklärung nicht dringlicher die Frage nach dem womöglich einzigen rechten Wege stellte, lag einmal daran, daß sie in erster Linie um die Erhaltung der Einheit der Kirche bemüht war. Diese war im Osten dadurch bedroht, daß die SED die wenigen ihr nahestehenden Pfarrer gegen die Kirchenleitungen ausspielte und für den Fall der Ablösung Niemöllers im Kirchlichen Außenamt der EKD mit weiteren Schritten drohte; sie war im Westen dadurch bedroht, daß die der CDU nahestehenden Kreise eben diese Ablösung forderten, während die Bruderschaften auf der Fortführung des Amts durch Niemöller bestanden. Indem die Spandauer Konferenz Niemöller wohl rügte, aber im Amt beließ, suchte sie die Kirche in der DDR vor stärkeren Angriffen abzuschirmen[52].

Aber so klug dieser Kompromiß überlegt war, so wenig war er geeignet, den evangelischen Christen in der DDR wirklich zu helfen. Denn der SED ging es ja nicht allein um die Person Niemöllers, sondern primär um die Aufrüstung im Westen. Die Regierung in Ostberlin nahm die kleine, aber entscheidende Verschiebung vom Essener Widerstand der EKD gegen Aufrüstung zum Spandauer Gewährenlassen sehr wohl wahr und hatte nun doch Grund und Anlaß, die Kirche als Instrument des Westens zu bekämpfen[53].

Das unerschütterliche Festhalten an der Einheit der Kirche wurzelte, über alle taktischen Überlegungen hinaus, letztlich in der Überzeugung, daß nicht die einheitliche Meinung der Christen die Gemeinschaft der Kirche begründe, sondern Christus selbst. Diese Grundhaltung konnte von Christen nur bejaht werden. Nur mußte man von ihr aus, sowie man sie konkretisierte, wieder auf die Frage stoßen, ob rechte Nachfolge Christi in der politischen Lage des Jahres 1950 eine Zustimmung zu westdeutscher Aufrüstung ausschloß. Zwar

---

52. Diesen Gesichtspunkt hob die NZZ in der Berichterstattung über die Spandauer Tagung mit Recht hervor: 20. 11., 27. 11. 50.
53. Neues Deutschland 17. 11. – NZZ 19. 11. 50. – KJ 50, S. 146f.

beanspruchte Heinemann keineswegs, unanfechtbare prophetische Wahrheiten über die rechte Nachfolge zu verkündigen; aber seine Frage, ob hier nicht *ein* Weg geboten, der andere verboten sei, konnte jedenfalls nicht *prinzipiell* im Sinn eines Sowohl-Als-auch beantwortet werden und schon gar nicht mit der apodiktischen Feststellung, daß die Einheit der EKD »außer Frage steht«. Gerade wenn man auf Christus blickte, mußte man *beides* sehen: die in ihm begründete Einheit der Kirche *und* die Gefahr, die Einheit mit ihm zu verlieren, wenn man die Einheit der Kirche absolutsetzte. Wer diese Gefahr sah, mußte weiter fragen: Wenn die Möglichkeit bestand, daß angesichts der Lage vor Gott und Menschen rechte Nachfolge die Aufrüstung ausschloß – war dann das Aushandeln von Kompromißformeln, die den letzten Ernst der Entscheidung nicht erkennen ließen, vor Jesus Christus vertretbar? War dann nicht auch das Zusammenbleiben mit denen, die westdeutsche Aufrüstung befürworteten, in Frage zu stellen?

In der Praxis war man ja gerade innerhalb der Bekennenden Kirche längst auseinandergegangen, hatte man das letzte gemeinsame Wort des Bruderrates vom September 1950 längst auf verschiedenen Wegen verlassen. Was an gemeinsamer Überzeugung blieb, war außer den genannten problematischen Formulierungen der Spandauer Konferenz deren wenig konkrete Mahnung an »alle, die im Osten oder im Westen Verantwortung tragen, in dieser Frage mit letztem Gewissensernst zu handeln und sie nicht gegen den Willen des Volkes zu entscheiden«, und der noch weniger konkrete Aufruf des Rats an alle Glieder der Gemeinden, »ihre Verantwortung im öffentlichen Leben unseres Volkes wahrzunehmen«.

Gustav Heinemann nahm die Tatsache hin, daß man in Spandau die Essener Position aufgegeben hatte. Von der Politik Adenauers hatte er sich gelöst, hatte der *Welt* die radikale Frage gestellt, ob sie angesicht der Lage vor Gott westdeutsche Aufrüstung verantworten könne. Aber in der *Kirche* stellte er die radikale Frage nicht, ob Kompromißformeln wie die von Spandau erlaubt waren und ob nicht sogar die weitere Gemeinsamkeit mit denen, die Aufrüstung für möglich hielten oder gar befürworteten, in Frage zu stellen war. Gerade Heinemann hatte ja unablässig die Einheit der Christen Deutschlands betont, die seiner Meinung nach nicht in »Gleichheit im Denken« zum Ausdruck kommen mußte, sondern in der Person Jesu Christi beschlossen lag, vor dem »persönliche Entscheidung« eines jeden zählte[54]. Er war immer der Meinung gewesen, daß man von der Kir-

---

54. GH 34: Rede auf dem Männertreffen des Kirchentags in Essen, vgl. Kap. III 2;
GH 43a: Rede auf dem evangelischen Männertag Hessen-Nassau, vgl. Kap. III 5.

che als ganzer nicht generell *eine*, die rechte Haltung erwarten konnte, daß man aber nach der eigenen Erkenntnis persönliche Konsequenzen zu ziehen hatte. So hatte er die Dahlemer Beschlüsse von 1934, die die *generelle* organisatorische Trennung der Bekennenden Kirche von den Deutschen Christen vorsahen, nicht gebilligt, wohl aber selbst Folgerungen gezogen durch die Mitarbeit in der »Freien Presbyterianischen Gemeinde«, jener ganz unabhängigen Gemeinde *innerhalb* der evangelischen Kirche im Rheinland[55]. Ebenso hatte er nun für seine Person deutliche Zeichen gesetzt: er war als Minister zurückgetreten, hatte seinen Standpunkt der Öffentlichkeit dargelegt, in seinem Memorandum anläßlich seines Rücktritts, in seiner Rede auf dem Männertag in Frankfurt, und er war im Begriff, seine Erkenntnisse weiter zu verbreiten. Aber er sah auch, daß die Kirche als ganze, so wie sie sich in Rat und Kirchenkonferenz repräsentierte, die von ihm für richtig gehaltene Linie im gegenwärtigen Augenblick nicht einschlagen konnte, so wenig wie der Rat bisher imstande gewesen war, die Erkenntnisse der Bekennenden Kirche konsequent zu verwirklichen[56]. Das war jedoch für ihn kein Grund zu radikaler Infragestellung. Denn so wesentlich, so außerordentlich wichtig ihm die anstehende Entscheidung vor Gott und Menschen war – gemessen an der in Christus begründeten Einheit der Kirche erschienen ihm die Spannungen in der Kirche sekundär; er sah in ihnen nicht den Beginn eines Dissensus, sondern den ständigen Anstoß dazu, miteinander zu sprechen und aufeinander zu hören, in der Hoffnung, daß man gemeinsam den rechten Weg fände. So hatte er schon auf dem Essener Kirchentag die Gegensätze über die Aufrüstung verstanden[57]; so verstand er nun auch das Wort des Rats und der Kirchenkonferenz in Spandau. Das Problem, ob die Einheitstendenz in Spandau die Frage der rechten Nachfolge nicht doch in einer Weise zurückdrängte, die

---

55. Siehe Kap. I 3.
56. Als Casalis Heinemann ein Jahr zuvor besorgt gefragt hatte, ob er auch im Rat der EKD alles täte, »damit die bischöfliche Institution durch die Bekennende Kirche ersetzt werde«, oder ob er lediglich der Mehrheit als Alibi diente, hatte er geantwortet: »Die EKD beruht erklärtermaßen auf der Spannung, die nun einmal in der ›bestehenden Gemeinschaft der deutschen evangelischen Christenheit‹ (Artikel I Eisenacher Grundordnung) obwaltet. Wer trotz dieser Spannung den Zusammenschluß in der EKD bejaht, muß folgerichtigerweise auch in ihren Organen das Sichtbarwerden dieser Spannung akzeptieren bzw. persönlich mit durchmachen. Darin bin ich u. a. mit Niemöller einig, der ja sicherlich nicht die Neigung hat, sich da aufzuhalten, wo er nicht hingehört. Auch in diesem Punkt kommt es auf uns selbst an, wobei ich hier unter ›uns‹ sonderlich die Bekennende Kirche meine. Auch hier kommt es darauf an, daß von unten, d. h. von den Gemeinden herauf die Kräfte aktiviert werden, die die kirchliche Restauration brechen wollen« (Casalis an Heinemann 25. 10./18. 11. 49. – Heinemann an G. Staewen, 20. 1. 50. – AH).
57. GH 34, vgl. Kap. III 2.

einen gleich gewichtigen Schritt wie Heinemanns Rücktritt auch in der Kirche nötig machen könnte – dieses Problem bestand für ihn nicht[58].

Soviel war Ende 1950 sicher: der erste Anlauf war mißglückt, der Notruf Heinemanns war verhallt. Seine Frage, wie sich die Westdeutschen Demokratie dächten, war ebenso negativ vorentschieden wie seine Frage an die evangelischen Christen, ob in der derzeitigen Lage eine Aufrüstung Westdeutschlands vor Gott und Menschen nicht vermieden werden müsse und könne. Die Aussichten auf eine Umkehr vom eingeschlagenen Wege waren gering: Wenn sich sogar Männer wie Jakob Kaiser und Hermann Ehlers von Heinemann abwandten und unter dem Eindruck des Koreaschocks der Persönlichkeit Adenauers beugten, war nicht abzusehen, wer dem Kanzler denn nun entgegentreten sollte. Wenn die Öffentlichkeit und die Politiker selbst nach einem solchen für den Regierungsstil Adenauers typischen Formfehler wie der Übergabe des Memorandums nicht auf eine Änderung der Regierungspraxis drangen, dann war die Stellung des Kanzlers auch für die Zukunft fast unanfechtbar geworden. Wenn Presse und Parteien selbst die Rücktrittserklärung eines Ministers nicht gründlich bedachten, war zu fragen, was sie denn überhaupt noch veranlassen könnte, sich kritisch in größeren Zusammenhängen mit politischen Fragen auseinanderzusetzen. Wenn in der Kirche immer noch Lehren über die Scheidung geistlicher und weltlicher Ämter und Amtsbefugnisse in einer so brennenden Frage wie der Wiederbewaffnung eines Volkes, das mit Waffen Entsetzliches angerichtet hatte, und gegenüber einem Mann, der zugleich Minister und Präses war, ins Feld geführt wurden, dann war zweifelhaft, ob irgendeine andere Sache oder Person den Anstoß zu einer Revision solcher Lehren geben konnte. Und wenn nicht einmal Christen in der Christlich-Demokratischen Union, Christen in der Evangelischen Kirche Deutschlands, die Spannweite theologischen und politischen Denkens aushielten, dann erschien es fast aussichtslos, daß die »Welt« dazu gebracht werden könnte, die politische Lage, die historische Schuld und die Frage nach Gottes Willen zugleich kritisch zu durchdenken – es sei denn, man setzte mit Gustav Heinemann auf jene »Fülle« neuer »Möglichkeiten«, auf die er in seiner Rücktrittserklärung verwiesen hatte[59].

---

58. Zum Problem der Einheit der Kirche vgl. K. Barth, Politische Entscheidung in der Einheit des Glaubens, Theologische Existenz heute, NF. Nr. 34, München 1952; G. Heinemann, Ansprache zum Gedenken an die Emdener Generalsynode von 1571, Bulletin Nr. 144 v. 7. 10. 71, S. 1539ff.
59. GII 40.

IV

Die Auseinandersetzungen über die Konzeptionen
zur Deutschlandfrage 1950–52

Die Auseinandersetzung über Aufrüstung und Westintegration beherrschte in den beginnenden fünfziger Jahren die politische Diskussion in der Bundesrepublik. Dabei spielte die Frage einer Wiedervereinigung Deutschlands eine allmählich größer werdende Rolle. Je mehr die BRD Staat wurde und nach Westen hin Außenpolitik trieb, je mehr die ostdeutschen Politiker diplomatische Vorstöße unternahmen, desto mehr wurden die westdeutschen Politiker vor die Frage gestellt, welches politische Konzept sie nach Osten hin vertraten. In dem Zeitraum bis zum Herbst 1951 bezogen die großen Parteien grundsätzlich Stellung zur Frage der Westintegration der BRD und der Neutralisierung Gesamtdeutschlands. In dieser Zeit entwickelte Heinemann, in Konsequenz seiner 1950 gewonnenen Erkenntnisse, allmählich die Grundlinien seiner eigenen Konzeption zum deutschen Problem. Vom September 1951 bis zum Frühjahr 1952 wurden in Ostberlin und Bonn die Standpunkte modifiziert und präzisiert; Adenauer ergänzte seine Konzeption um Thesen zur Ostpolitik. Seit dieser Zeit war Heinemann darum bemüht, seinen Vorstellungen mit Hilfe der »Notgemeinschaft für den Frieden Europas« Gehör zu verschaffen. Die Resonanz, die die Notgemeinschaft in der politischen und kirchlichen Öffentlichkeit erfuhr, zeigte den Standort der Westdeutschen in der Frage der Wiedervereinigung Deutschlands. Die Verlautbarungen von Seiten der Regierungen, der parlamentarischen und außerparlamentarischen Opposition verdienen gründliche vergleichende Betrachtung: sie bezeichnen die Situation, in die dann seit März 1952 die sowjetischen Noten zur Deutschlandfrage hineinstießen; die Positionen, die von den deutschen Politikern 1951/52 eingenommen wurden, wurden auch in der Folgezeit weitgehend beibehalten; gerade Heinemann hat sich in seiner späteren Argumentation zur Deutschlandfrage häufig auf eigene und fremde Stellungnahmen der Jahre 1951/52 zurückbezogen.

1
Die Haltung der großen Parteien bis zum Herbst 1951

Die Einigung Westeuropas unter Einschluß der BRD, Adenauers politisches Hauptziel, kam bis zum Herbst 1951 nur mit langsamen Schritten weiter.

Am deutlichsten sichtbar waren die Fortschritte im wirtschaftlichen Bereich. Das Abkommen über die Montanunion wurde am 18. April 1951 in Paris von Frankreich, Italien, der Bundesrepublik und den Beneluxländern unterzeichnet. Es sollte 50 Jahre gelten und sah die Schaffung eines gemeinsamen Marktes für Kohle und Stahl vor. Die Vertragspartner verpflichteten sich, zugunsten der Wirtschaftsunion auf bestimmte staatliche Hoheitsrechte zu verzichten.

Die Verhandlungen über eine militärische »Integration« der Bundesrepublik in den Westen ließen dagegen auch nach Monaten noch keine wesentlichen Fortschritte erkennen. Die Vorstellungen der amerikanischen, französischen und westdeutschen Regierungen gingen zu weit auseinander; die Hauptstreitpunkte waren die Frage nach den Rechten deutscher Soldaten, nach der Größe deutscher militärischer Verbände und der Art ihrer Einbeziehung in das westliche Bündnissystem[1].

Die USA zielten darauf hin, deutsche Divisionen aufzustellen und sie der NATO einzugliedern. Der französische Plevenplan sah dagegen eine integrierte westeuropäische Armee mit national gemischten Divisionen vor, wobei die deutschen Kontingente aus »kleinstmöglichen« Einheiten bestehen sollten, möglichst aus Kompanien, notfalls aus Bataillonen und allerhöchstens aus Regimentern. Die deutschen Soldaten sollten alle in die Europaarmee eingegliedert werden, während die bestehenden Streitkräfte der westeuropäischen Staaten wenigstens teilweise und vorläufig selbständig bleiben sollten.

Das Ziel der Franzosen war es, das westdeutsche Militärpotential in den militärischen Aufbau des Westens einzubeziehen, dabei die

---

1. Zum Problem der westdeutschen Aufrüstung:
   Wettig, Entmilitarisierung, S. 363ff. – Baring, Außenpolitik, S. 90ff. – Jules Moch, Histoire du réarmament allemand depuis 1950, Paris 1965. – K. v. Schubert, Wiederbewaffnung und Westintegration. Die innere Auseinandersetzung um die militärische und außenpolitische Orientierung der Bundesrepublik 1950–1952, Stuttgart 1970, S. 26ff, 34ff. – W. F. Hanrieder, West German Foreign Policy 1949–1963. International Pressure and Domestic Response, Stanford, California 1967, S. 40ff. – W. Besson, Die Außenpolitik der Bundesrepublik. Erfahrungen und Maßstäbe, München 1970, S. 103ff. – Adenauer, Erinnerungen 1945–53, 1965, S. 394ff, S. 442ff. – H. S. Truman, Memoiren II, Stuttgart 1956, S. 288ff.

Deutschen aber unter Kontrolle zu behalten. Den Amerikanern ging es dagegen primär um die Kampfkraft westeuropäischer Truppen und die Stärkung der unter ihrem Oberbefehl stehenden NATO. Da die Franzosen schwach waren und nach dem siegreichen Eingreifen der Chinesen in den Koreakrieg fürchteten, die USA könnten sich unter Vernachlässigung Westeuropas Asien ganz zuwenden, mußten sie allerdings schon im Dezember 1950 nachgeben und den Vermittlungsplan des amerikanischen Botschafters Spofford gutheißen, der die Aufstellung deutscher Kontingente in der Größe von Kampfgruppen von 5000–6000 Mann vorsah. Auf der Brüsseler Tagung des Nordatlantikrats wurde die Aufstellung westdeutscher Soldaten ausdrücklich beschlossen, aber die Frage des Rahmens von alliierter Seite nicht endgültig entschieden[2].

Adenauer war grundsätzlich mit beiden Formen westdeutscher Aufrüstung einverstanden. Ihm ging es hauptsächlich darum, daß die Gleichberechtigung der BRD sobald wie möglich durchgesetzt wurde, solange der Kalte Krieg die Westmächte zu Zugeständnissen an die BRD bewog. An sich lag ihm die Idee einer Europaarmee sehr, da sie zu seiner alten Vorstellung einer »Einigung Europas«, d. h. einer engen Verbindung Westdeutschlands mit seinen westlichen Nachbarn, paßte, die er weiter enthusiastisch vertrat. Da jedoch auf dem Wege einer Europaarmee die politische Gleichberechtigung und der Aufbau militärischer Verbände langsamer zu erreichen waren, zog Adenauer zunächst die Verhandlungen mit den Hohen Kommissaren auf dem Petersberg vor, um auf diesem Wege die Aufstellung deutscher Kontingente für die NATO durchzusetzen[3].

In Übereinstimmung mit einigen Wortführern des früheren deutschen Offizierskorps ließ Adenauer durch seinen Beauftragten Theodor Blank die Forderung nach absoluter Gleichberechtigung deutscher Soldaten, nach deutschen Panzertruppen, nach deutschen Kontingenten mindestens in Divisionsstärke und nach einem eigenen westdeutschen Verteidigungsministerium vertreten. Als sich im Sommer 1951 jedoch herausstellte, daß sich die absolute Gleichberechtigung nicht durchsetzen ließ, wandte sich Adenauer stärker der Idee der Europaarmee zu, für die er sich im August endgültig entschied[4]. Die Zustimmung wurde Adenauer dadurch erleichtert, daß sich bei den Alliierten der Gedanke durchsetzte, der Aufbau der militärischen Formationen sollte bei allen Mitgliedstaaten einheitlich geregelt und die zulässige Größe nationaler Kampfverbände nicht durch Frank-

2. Wettig, aaO. S. 391ff. – Baring, aaO. S. 93ff.
3. Baring, aaO. S. 91ff, 103ff. – Adenauer, Erinnerungen I, S. 426, 434,
4. Baring, aaO. S. 100ff. – v. Schubert, aaO. S. 104ff.

reich, sondern durch das Alliierte Oberkommando bestimmt werden[5].

Inzwischen hatten die Bemühungen um eine politische Aufwertung der BRD schon Früchte getragen: das Besatzungsstatut wurde im März revidiert. Gegen die Anerkennung der deutschen Vor- und Nachkriegsschulden erhielt Adenauer die ausdrückliche Erlaubnis, eine eigene Außenpolitik zu betreiben, und übernahm sogleich das Amt des Außenministers selbst. Im April wurden die Beschränkungen für die westdeutsche Industrie weiter gelockert, und im Juli erklärten die westlichen Alliierten den Kriegszustand mit Deutschland für beendet[6]. Wenn das alles auch hinter Adenauers Zielsetzung zurückblieb und ihm zu langsam ging, zeigte es doch das westliche Entgegenkommen gegenüber der in jeder Hinsicht integrationswilligen BRD.

Auf der östlichen Seite führte die Absicht des Westens, Westdeutschland aufzurüsten, zu einer Kette von Initiativen. Auf der Prager Konferenz der Ostblockstaaten forderten die östlichen Außenminister im Oktober 1950, die in Potsdam beschlossene Entmilitarisierung aufrechtzuerhalten, einen Friedensvertrag mit Deutschland abzuschließen und einen gesamtdeutschen konstituierenden Rat zu bilden, der die Bildung einer gesamtdeutschen souveränen Regierung vorzubereiten hätte[7]. Dieselbe Forderung erhob am 30. November 1950 Otto Grotewohl, der Ministerpräsident der DDR. Ein solcher paritätisch aus Vertretern West- und Ostdeutschlands zusammengesetzter Rat könnte »die Bildung einer gesamtdeutschen souveränen, demokratischen und friedliebenden Provisorischen Regierung« vorbereiten, den vier Siegermächten »entsprechende Vorschläge zur gemeinsamen Betätigung unterbreiten«, er könnte auch »die Vorbereitung der Bedingungen zur Durchführung freier gesamtdeutscher Wahlen für eine Nationalversammlung übernehmen«. Bis zur Bildung einer gesamtdeutschen Regierung könnte er die Regierungen der vier Siegermächte »bei der Ausarbeitung eines Friedensvertrags konsultieren«[8].

Die Bundesregierung entschloß sich erst sechs Wochen später, den

5. Baring, aaO. S. 109ff.
6. Wettig, aaO. S. 397ff. – Adenauer, Erinnerungen I, S. 463ff. – EA 1951, S. 3919ff, 3849, 3928ff, 3851ff.
7. B. Meißner, Rußland, die Westmächte und Deutschland, Hamburg 1954, S. 241. – Dokumente zur Außenpolitik der Sowjetunion I, Berlin(-Ost) 1957, S. 252.
8. Bemühungen I, S. 21f. – Siegler, Wiedervereinigung und Sicherheit Deutschlands I, 1967, S. 35f. – Ders., Dokumentation zur Deutschlandfrage I, S. 105. – J. Weber, Die sowjetische Nachkriegspolitik als Ursache der westlichen Neuorientierung, in: Politische Studien 20, Heft 185, Mai/Juni 1969, S. 272ff.

Brief zu beantworten. Ihre Erklärung vom 15. Januar 1951 nahm Bezug auf ihre Schritte vom März und September 1950, die bisher ohne Antwort geblieben seien. Die Regierung forderte als unabdingbare Voraussetzungen für freie Wahlen, daß den Bewohnern der DDR »das in einem Rechtsstaat unerläßliche Maß an persönlicher Freiheit und Sicherheit« und »die in einem demokratischen Staatswesen üblichen politischen Freiheiten« gewährleistet werden müßten. Schuld an der Spaltung Deutschlands sei »das in der Sowjetzone eingeführte, der deutschen Tradition und dem deutschen Charakter widersprechende Regierungssystem«, das Freiheit verhindere. Die Bundesregierung sei »sich mit allen Deutschen darin einig, daß nichts unversucht bleiben darf, die deutsche Einheit in Frieden und Freiheit wiederherzustellen«; sie könne »aber nur mit denjenigen in Besprechungen über die deutsche Wiedervereinigung eintreten, die willens sind, eine rechtsstaatliche Ordnung, eine freiheitliche Regierungsform, den Schutz der Menschenrechte und die Wahrung des Friedens vorbehaltlos anzuerkennen und zu garantieren«. Die »Behörden der Sowjetzone«, die auf die deutschen Ostgebiete Verzicht geleistet hätten, seien »nicht legitimiert«, »von einer Wiedervereinigung Deutschlands zu sprechen«[9].

Schon vierzehn Tage später kam aus Ostberlin eine zweite Initiative. Die Volkskammer konkretisierte die Vollmachten, die sie ihren Vertretern in einem Gesamtdeutschen Rat geben würde: sie sollten Vorschläge über die Bedingungen für die Einheit Deutschlands behandeln, »über die zahlenmäßige Stärke, die Bewaffnung und die Standortverteilung der Polizei in ganz Deutschland« verhandeln, »darunter auch der Volkspolizei der Deutschen Demokratischen Republik«, und eine gemeinsame Erklärung über ein Verbot der Bildung deutscher militärischer Formationen abgeben. Es sollten über die Bedingungen für »allgemeine, gleiche, geheime und direkte Wahlen« in ganz Deutschland beraten und Verhandlungen geführt werden, um die Besatzungsmächte zum Abschluß eines Friedensvertrages und zum Abzug der Besatzungsmächte zu bewegen. Auch andere Vorschläge, die der Vereinigung Deutschlands auf friedlicher und demokratischer Grundlage dienten, sollten beraten werden[10].

---

9. Bemühungen I, S. 21ff. – Siegler, Dokumentation zur Deutschlandfrage I, S. 106f. – Adenauer, Erinnerungen II, 1953–55, S. 40ff.

10. Volkskammer der DDR, 5. Sitzung, 30. 1. 51, Sten. Niederschrift, S. 82; zitiert nach: Geschichte der Außenpolitik der DDR. Abriß, Berlin(-Ost) 1968, S. 163f. – Zusammenfassung in der »Welt« 31. 1. 51. – KAG 30. 1. 51, S. 2794.
Der Text fehlt in den »Bemühungen«, in allen Auflagen von Siegler, Wiedervereinigung und Sicherheit Deutschlands, in Siegler, Dokumentation zur Deutschlandfrage (S. 107), in den Dokumenten zur Außenpolitik der DDR I (1949–54) Berlin (-Ost) 1954.

Aber in Bonn waren sich Regierung und Opposition einig in der Ablehnung von Verhandlungen mit Ostberlin. Die Bundesregierung stellte »mit Empörung fest, daß zur gleichen Zeit, in welcher der Außenminister der Sowjetzone auf alles Land ostwärts der Oder-Neiße ... feierlich Verzicht leistet«, die Volkskammer zu der »Schaffung einer rechtsstaatlichen Ordnung, die der Erhaltung des Friedens dient«, aufrufe und für sich in Anspruch nehme, »im Sinne wahrer demokratischer Legitimation des ganzen deutschen Volkes« zu sprechen[11]. Ebenso hielt es Schumacher für unmöglich, mit »Vertretern des nationalen Verzichts und Verrats«, mit »Gesinnungsrussen, deren Deutschtum eine bloße Äußerlichkeit ist«, in eine Unterhaltung zu kommen, denn damit käme man »in einen Prozeß der Anerkennung und Billigung des Verzichts auf den deutschen Osten«. »Die Fülle der Versprechungen, Andeutungen und Gaukeleien hilft nicht darüber hinweg, daß alles als Betrug gemeint ist.« Die Sowjetunion wolle eine politische Macht in Westdeutschland werden, während die westlichen Alliierten in der Ostzone nichts zu sagen haben sollten. Nur eine Chance hätte »die Verwaltung in Pankow«, in Westdeutschland ernster genommen zu werden: wenn sie freie und gleiche, direkte und geheime Wahlen »als Voraussetzung und Anfang jeder Unterhaltung« anböte[12].

Hinter der Ablehnung der östlichen Vorschläge stand bei Schumacher wie bei Adenauer die Meinung, eine Neutralisierung Deutschlands zwischen den Machtblöcken komme für Deutschland nicht in Frage. Beide sahen in den östlichen Bemühungen Versuche mit dem Ziel der Schwächung und Lähmung der demokratischen Kräfte in Deutschland. Beide stimmten darin überein, daß die deutschen Kräfte nicht ausreichten, ein neutralisiertes Deutschland zu schaffen und zu erhalten[13]. Allenfalls hielt Schumacher noch die Neutralisierung durch die vier Großmächte in einer »in ihrem eigenen Interesse gewollten Übereinkunft« für möglich; »eine solche Neutralisierung würde für das deutsche Volk den stärksten Zwang zur höchsten Wachsamkeit und Anspannung seiner demokratischen Kräfte bedeuten«[14].

Aber gerade eine solche Übereinkunft der Siegermächte fürchtete Adenauer mehr als alles andere, gerade im Hinblick auf die Außenministerkonferenz der Großmächte, die in Paris vom März bis Mai

---

11. Die Welt 31. 1. 51. – Über die Haltung der FDP und DP s. v. Schubert, aaO. S. 159f.
12. Stuttgarter Zeitung 2. 2. 51. – Ein anderer Beleg bei v. Schubert, aaO. S. 159f.
13. U. F. Löwke, Für den Fall, daß ... SPD und Wehrfrage 1949–1955, Hannover 1969, S. 80ff, 246. – Adenauer, Erinnerungen I, S. 411, 416ff; II, S. 20, 64f. – v. Schubert, aaO. S. 138ff.
14. DNZ 15. 2. 51. – Löwke, aaO. S. 80.

1951 stattfand. Obwohl die Westmächte, besonders die USA, mehrfach versicherten, sie dächten nicht an eine Übereinkunft mit den Sowjets im Sinne einer Neutralisierung Deutschlands, hielt es Adenauer für geboten, immer wieder in der Öffentlichkeit seinen Standpunkt darzulegen und klarzustellen, daß er seine Stellungnahme als Veto gegen eventuelle alliierte Beschlüsse verstanden wissen wollte; wenn die Konferenz einen solchen Beschluß fassen sollte, so müßte sich das deutsche Volk mit ganzer Kraft und allen zur Verfügung stehenden Mitteln dagegen wenden. Dies solle keine Drohung sein, aber »als Chef der deutschen Bundesregierung muß ich . . . darauf aufmerksam machen, daß wir uns nicht mehr im Jahre 1945 befinden«[15].

Auf der anderen Seite steuerten Regierung und Parlament in Ostberlin entschieden auf ein entmilitarisiertes Gesamtdeutschland hin. Kurz vor der Konferenz wandte sich die Volkskammer abermals an den Bundestag, um ihn zu einer gemeinsamen Initiative gegenüber den vier Siegermächten zu veranlassen, einen deutschen Friedensvertrag auf die Tagesordnung der Konferenz zu setzen. Dieckmann, der Präsident der Volkskammer, nannte als Grundsätze dieses Friedensvertrages: »Entmilitarisierung und Demokratisierung Deutschlands, Wiederherstellung der Einheit Deutschlands, Gewährung eines freien Außenhandels und freier Entwicklung der Produktion für friedliche Zwecke, Abzug der Besatzungstruppen ein Jahr nach Unterzeichnung des Friedensvertrages.«[16]

Dagegen nahm der Bundestag mit den Stimmen aller Nichtkommunisten eine Entschließung an, die den vier Besatzungsmächten »als dringendes Anliegen des deutschen Volkes das Ersuchen . . . unterbreiten« sollte, die Vier-Mächte-Konferenz möge die Voraussetzungen dafür schaffen, daß möglichst bald »freie, allgemeine, gleiche, geheime und direkte Wahlen zu einem Parlament für ganz Deutschland durchgeführt« würden; sie möge als Voraussetzung dafür »durch internationale Maßnahmen vor, während und nach den Wahlen« die Freiheiten aller Personen und Parteien gewährleisten; ein aus solchen Wahlen hervorgegangenes Parlament solle alle Vollmachten einer verfassung- und gesetzgebenden Versammlung haben. Der Bundestag versicherte, er wolle »dem Ziel der Wiedervereinigung mit allen Kräften dienen«; die Westdeutschen seien mit den Ostdeutschen »untrennbar verbunden und erstreben wie sie den gemeinsamen

---

15. FAZ 12. 2. 51. – Ähnlich die Regierungserklärung am 9. 3. 51: Sten. Bericht der 125. Sitzung, S. 4760. – Adenauer, Erinnerungen II, S. 48. – Siehe auch NZZ 18. 2.; DUD 14. 2.; DNZ 8. 2., 15. 2. 51.
16. Geschichte der Außenpolitik der DDR, S. 164ff.

Staat, in dem wir in Freiheit und sozialer Gerechtigkeit zusammen leben. So werden wir als gleichberechtigtes Glied in einem freien und vereinten Europa dem Frieden der Welt dienen«[17].

In der Bundestagssitzung war es gerade der Oppositionsführer, der andere Wege für eine Einigung Deutschlands ablehnte. Da die Sowjetunion in ihrer Zone Machtpositionen geschaffen habe, könne man die deutsche Einheit nicht so organisieren wie in Österreich, wo »der Prozeß und die Methoden ... etwas grundsätzlich Verschiedenes und Unvergleichbares« im Vergleich zur BRD seien. Angesichts dieser Tatsache wäre die Übertragung des österreichischen Beispiels die Auslieferung Deutschlands an den Kommunismus mit Privilegierung der kommunistischen Chancen. Das deutsche Volk könne keinem Vorschlag zustimmen, »der zur Viermächtekontrolle oder gar zur Viermächtekontrolle mit Vetorecht führt«[18].

Die Abstimmung im Bundestag bewies erneut, daß die SPD bei aller Gegnerschaft gegen den Bundeskanzler letztlich nichts grundsätzlich anderes als er wollte: ein souveränes, aus der BRD hervorgegangenes Gesamtdeutschland, gleichberechtigt innerhalb des westlichen Bündnisses[19].

Der Verlauf der Pariser Konferenz der Außenminister zeigte, daß kein Anlaß für die Westdeutschen bestand, eine Einigung der Siegermächte über eine Neutralisierung Deutschlands, die die Westdeutschen selbst schon nicht wollten, zu fürchten. Es kam in zwei Monate dauernden Verhandlungen zu überhaupt keiner Einigung, nicht einmal über die Tagesordnung. Denn ebenso entschieden, wie die Sowjetunion auf der Forderung nach einer Diskussion des Atlantikpakts und der militärischen Stützpunkte in Europa bestand, weigerten sich die Westmächte, dieser Forderung nachzugeben[20].

So konnte Adenauer seine politische Zielsetzung ungehindert weiter verfolgen. Gefördert wurde er dabei durch die grundsätzliche Unterstützung wesentlicher Gruppen. Die maßgeblichen Männer der katholischen Kirche glaubten ohnehin die deutsche Außenpolitik bei Adenauer in guten Händen; Adenauer hatte ein gutes Verhältnis zu dem Beauftragten der Fuldaer Bischofskonferenz, Prälat Wilhelm Böhler, der seine Beziehungen zum Vatikan und zu Frankreich ebenso wie seine verschiedenen Positionen in Deutschland nutzte, um im

17. Sten. Berichte, 125. Sitzung, S. 4779f. – Bemühungen I, S. 32. – Siegler, Wiedervereinigung und Sicherheit I, S. 341. – Ders., Dokumentation zur Deutschlandfrage I, S. 109f.
18. Sten. Berichte, 125. Sitzung, 9. 3. 51, S. 4761f.
19. vgl. U. Löwke, aaO. S. 75ff.
20. KAG 1951, S. 2845, 2995.

Sinne der Politik Adenauers zu wirken[21]. Der Bundesverband der deutschen Industrie, der als Sprecher der deutschen Unternehmer immer mehr in Erscheinung trat, hielt sich zwar äußerlich zurück, stimmte aber unter seinem Präsidenten Fritz Berg der Politik des Kanzlers zu; Berg versicherte im Juni 1951, daß die deutsche Industrie »mit aller Kraft« Adenauers Außenpolitik unterstütze[22]. Ein Teil der deutschen Offiziere und Soldaten, wie die Generäle Heusinger und Speidel, stimmte schon länger mit Adenauers außenpolitischer Sicht überein, besonders in Hinblick auf den Kommunismus; andere hatten zwar zunächst Pläne einer westdeutschen Aufrüstung im westalliierten Lager entrüstet mit dem Hinweis auf die generelle Verurteilung deutscher Soldaten durch die Alliierten in der Nachkriegszeit zurückgewiesen, fanden aber allmählich zu einer positiven Haltung gegenüber Adenauers Politik, nachdem General Eisenhower Anfang 1951 eine öffentliche Ehrenerklärung für die Offiziere des Zweiten Weltkriegs abgegeben, ja sich intern für früher negative Äußerungen entschuldigt hatte und in Landsberg Männer begnadigte, die als Kriegsverbrecher verurteilt worden waren[23].

Besonders wichtig war für Adenauer, daß die Gewerkschaften, an sich aufrüstungsfeindlich, zu einer Duldung, ja Unterstützung der Außenpolitik Adenauers bereit waren, wenn er ihnen nur in Fragen der Mitbestimmung in der Wirtschaft entgegenkam. In dem Streit zwischen Unternehmern und Gewerkschaften vermittelte Adenauer in dem Sinn, daß die Forderungen der Gewerkschaften anerkannt wurden, und das Gesetz über die Mitbestimmung in Unternehmen der Montanunion vom 21. Mai 1951 trug ihren Wünschen weithin Rechnung. Zwar blieb unter den Mitgliedern der Widerspruch gegen die Aufstellung der Soldaten groß, aber die Gewerkschaftsspitze, primär auf Besserung und Sicherung des Lebensstandards der westdeutschen Arbeiter bedacht, stimmte der Außenpolitik Adenauers, die dies versprach, zu; der Vorsitzende Christian Fette erklärte im Juni 1951 öffentlich die Bereitschaft, »für die Erhaltung unserer Freiheit bei selbstverständlich vollkommener Gleichstellung mit den übrigen freien Staaten der Welt unseren Beitrag zur Verteidigung zu leisten«[24].

Trotz dieser für seine Politik günstigen Lage fürchtete Adenauer

---

21. Baring, aaO. S. 204ff.
22. ebd. S. 188ff, bes. S. 191.
23. ebd. S. 99 und 387f (dort weitere Quellen). – Wettig, aaO. S. 400ff. – C. -Chr. Schweitzer, Eiserne Illusionen. Wehr- und Bündnisfragen in den Vorstellungen der extremen Rechten nach 1945, Köln 1969, S. 54ff. – v. Schubert, aaO. S. 79ff.
24. Baring, aaO. S. 429ff. – Vgl. E. Schmidt, Die verhinderte Neuordnung 1945 1952, Frankfurt 1970, S. 204f.

nach wie vor jeden Disput über eine Neutralisierung Deutschlands; diese Vorstellung war der seinen in jeder Weise so diametral entgegengesetzt, daß er sie, wo immer sie auftauchte, schärfstens verurteilte. Die größte Gefahr in der Richtung sah er trotz des Ausgangs der Pariser Konferenz bei den Alliierten. Kaum hatte am 23. Juni 1951 der sowjetische Chefdelegierte bei der UN, Malik, Waffenstillstandsverhandlungen über den Koreakrieg vorgeschlagen, als Adenauer wieder im Gefolge einer vorzeitigen Entspannung zwischen Ost und West die Möglichkeit einer Neutralisierung Deutschlands auftauchen sah[25]. Auf dem CSU-Parteitag in Bad Reichenhall formulierte er im Blick auf die Westalliierten und die Westdeutschen:

»Neutralisierung unter gleichzeitiger Demilitarisierung Deutschlands bedeutet, daß wir in ganz kurzer Zeit ein Satellitenstaat sind. Es bedeutet weiter, meine Damen und Herren, daß in Frankreich und Italien der Kommunismus triumphieren wird, es bedeutet, daß das christliche Abendland erledigt ist, es bedeutet, daß die Vereinigten Staaten ihr Interesse an Europa verlieren. Darum, meine Freunde: Wer die Neutralisierung und Demilitarisierung in Deutschland hier bei uns will, ist entweder ein Dummkopf allerersten Ranges oder ein Verräter.«[26]

Grundsätzlich paßte das Bild eines schwachen, gefährdeten, zwischen den Blöcken neutralisierten Deutschlands als negatives Gegenbild zu einem starken, in den Westen integrierten Deutschland gut in Adenauers Vorstellungswelt des Entweder/Oder, des großen Gegensatzes zwischen Gut und Böse. Was er selbst für eine große Gefahr hielt, konnte er als Schreckmittel benutzen, um Westdeutsche und Westalliierte für seine Politik willig zu machen. Denn noch war die westdeutsche Bevölkerung nicht zur Hälfte mit der Politik militärischer Westeingliederung einverstanden, über ein Drittel befürwortete eine Neutralisierung Deutschlands[27]. Und die »Integration« der BRD in den Westen war noch nicht so weit vollzogen, daß eine andere Lösung ausgeschlossen gewesen wäre. Trotz aller Uneinigkeit der Siegermächte und aller ganzen und halben Unterstützung Adenauers durch Parteien und Verbände lagen hier für die Bundesregierung noch Unsicherheitsfaktoren.

25. Adenauer beim Kanzlertee am 13. 7. 51. - Baring, aaO. S. 106f, 390.
26. ebd. S. 106f.
27. Eine Umfrage ergab im März 1951: 36% für eine Neutralisierung, 39% für eine Beteiligung an westlicher Aufrüstung. Noelle-Neumann: Jahrbuch der öffentlichen Meinung 1947-55, S. 333.

2

Heinemanns Hinwendung zum Gedanken
der Neutralisierung Deutschlands

Unter den entschiedenen Gegnern der Außenpolitik Adenauers, die eine Neutralisierung Deutschlands für möglich hielten, war seit dem Herbst 1950 zunächst Niemöller der politisch aktivste. Er wiederholte mehrfach in der Öffentlichkeit seinen Gedanken, mit Hilfe der UN müsse eine Herauslösung Deutschlands aus den Blockbildungen angestrebt werden[1], eine Idee, die jedoch in der Öffentlichkeit ebensowenig Resonanz wie früher fand. Großes Aufsehen erregte dagegen eine Zusammenkunft, die Niemöller und Vertreter der Bruderschaften mit Schumacher und anderen Politikern der SPD in Darmstadt hatten. Daß ein gemeinsames Kommuniqué herausgegeben wurde, in dem »in wichtigen Punkten Übereinstimmung« festgestellt und Neuwahlen gefordert wurden[2], stieß bei der CDU und in der evangelischen Kirche auf heftige Kritik[3]. Zu der geplanten Fortsetzung dieses Gesprächs kam es jedoch nicht. Wenn man sich auch in der Gegnerschaft gegen Adenauers Außenpolitik und die Restauration der deutschen Gesellschaftsordnung einig war, so ließen sich die positiven Ziele weniger leicht auf einen Nenner bringen: stand bei der SPD die Einführung der Planwirtschaft auf dem Programm, so lag den Vertretern der Bruderschaften in erster Linie an einer politischen Lösung der Deutschlandfrage im Sinn einer Neutralisierung, die der SPD suspekt erschien.

Heinemann ging es im Unterschied zu Niemöller in erster Linie nicht um Aktion, sondern um Aufklärung als Voraussetzung dazu. Er suchte in Vorträgen die gesamte Problematik der deutschen Situation darzustellen und anschließend mit seinen Hörern zu diskutieren[4]. In seinen Vorträgen spannte er den Bogen von der Situationsanalyse, wie er sie schon in seiner Rücktrittserklärung versucht hatte,

---

1. Interview mit dem Wiesbadener Kurier 17. 10. 50. – Frankfurter Neue Presse 13. 11. 50. – FAZ 15. 12. 50.
2. Text KJ 50, S. 220. – Darstellung von H. J. Iwand in: BKadW 11/12 v. 15. 12. 50 (»Das Ende der restaurativen Episode«). – Vgl. EA 1950, S. 3591f.
3. fdk 1. 11. 50. – NZZ 19. 11. 50.
4. Im Süddeutschen Rundfunk (Stuttgarter Zeitung 20. 10. 50); – vor der Gesellschaft für ev. Theologie in Dortmund (Essener Tagblatt 31. 10.); – auf der deutsch-holländischen Studentenkonferenz in Arnheim (Westdeutsche Allgemeine Zeitung, FAZ, FR 31. 10.); – vor der Vertrauensmännerversammlung der rheinischen evangelischen Pfarrbruderschaft in Düsseldorf (FAZ 10. 11.); – auf einer Tagung des ev. Teils der CDU in Nordrhein-Westfalen (FAZ 8. 11. 50).

bis hin zur genauen Darstellung theologischer Grundfragen, deren Ansatz in seinen Erklärungen anläßlich seines Rücktritts enthalten war[5]. Einen solchen weitgespannten Überblick über die deutsche Frage in christlicher Sicht gab Heinemann auch ausländischen Hörern auf einer Reise in die Schweiz (Wortlaut der Rede siehe Anhang B)[6]. Diese Rede wurde wegen ihrer grundsätzlichen Bedeutung in der schweizerischen Presse weiter verbreitet[7]. Die westdeutsche Presse zeigte dafür kein Interesse, um so mehr aber für einige Äußerungen, die Hans Fleig, ein Journalist der Züricher »Tat«, aus einem Gespräch mit Heinemann wiedergab[8]. Durch eine dpa-Meldung wurde der Inhalt des »Interviews« in der BRD verbreitet[9]: Heinemann bedaure, daß er zwar im Augenblick keine Plattform habe, von der er seinen »Aufklärungsfeldzug« fortführen könnte; er hielte eine politische Tätigkeit »innerhalb der verknöcherten Hülsen einer der historischen Parteien« ohnedies nicht für verlockend; in der BRD dränge alles auf die Schaffung einer nichtkatholischen Partei hin, in der sowohl Protestanten als auch Sozialisten Platz hätten; »es müßte sich um eine Partei des praktischen Realismus handeln, wie sie etwa im Bündnis Schumacher-Niemöller angedeutet« sei; »tiefe ideologische Verwurzelung wäre für eine solche Partei nur schädlich, da sie als eine Kampfgemeinschaft mit praktischen Tageszielen dienen sollte«. Starke Kritik habe Heinemann auch an dem »rein automatisch-mechanischen Charakter der bestehenden parlamentarischen Parteimaschinerie« geübt; den Parteien ginge es nicht darum, die deutsche Volksmeinung kennenzulernen, sondern nur darum, Stimmen zu fangen, während sich um die sachliche Meinung der großen Massen niemand kümmere; auch auf diesem Gebiet sei für eine »Partei der Sammlung« viel zu tun.

Heinemann berichtigte zwar alsbald die dpa-Meldung, die Fleigs Worte als Heinemanns Zitate wiedergegeben hatte: er, Heinemann, habe lediglich Vorbehalte vieler Wahlberechtigter gegenüber der CDU wiedergegeben und beschäftige sich »trotz erheblicher Bedenken gegen gewisse Erscheinungsformen der CDU-Politik nicht mit der Proklamierung einer neuen Partei«, hoffe vielmehr, »daß bestehende Spannungen innerhalb der Partei gelöst werden können«[10]. Aber von verschiedenen Seiten hatte man schon vor dieser Berichti-

---

5. Reden in Bremen am 7. 1. und Tübingen 29. 1. 50 (Stichworte Heinemanns im AH und Mitschrift des Verfassers).
6. GH 45: Vortrag in Bern am 1. 12. 50.
7. GH 44: Auszüge aus GH 45.
8. Die Tat 2. 12. 50: »Ex-Bundesinnenminister Heinemann kämpft weiter«.
9. dpa 2. 12. 50. – DNZ, FAZ 4. 12. 50.
10. dpa 8. 12. – DNZ, Rheinische Zeitung 9. 12. 50.

gung scharfe Angriffe gegen den ehemaligen Minister gestartet und führte sie unbedenklich fort. Sein Amtsnachfolger, Dr. Lehr, der kurz zuvor noch versichert hatte, er nehme »in den grundsätzlichen Fragen vom Standpunkt des evangelischen Christen aus keine andere Haltung ein« als Heinemann[11], erklärte die Meldung der »Tat« für glaubhaft und forderte, die CDU müsse einen scharfen Trennungsstrich zu Heinemann ziehen[12]. Die rheinische CDU distanzierte sich von Heinemann und nahm die Gelegenheit zum Anlaß, ihn nicht in den Landesvorstand zu wählen[13]. CDU und FDP zogen in ihren Pressediensten mit scharfem Geschütz gegen Heinemanns angebliche Absicht einer Parteigründung zu Felde[14], wobei Heinemanns theologischer Standpunkt den besonderen Zorn der CDU erregte[15].

Unter diesen Umständen trug Heinemann keine Bedenken mehr, der Einladung Niemöllers zu einem Treffen entschiedener Gegner der Politik Adenauers zuzustimmen. In Niemöllers Wohnung in Wiesbaden kam Heinemann kurz vor Weihnachten 1950 mit ihm, Professor Noack und dem niedersächsischen Landwirtschaftsminister Günter Gereke zusammen. Gereke, der wie Noack und Heinemann nach dem Kriege zunächst Mitglied der CDU geworden war, war Mitte 1950 wegen wirtschaftlicher Ostkontakte aus der CDU ausgeschlossen worden und zum BHE übergewechselt, hatte sich aber auch von

---

11. epd 12. 10. 50.

12. Bonner Rundschau 4. 12. 50.

13. FAZ 5. 12. 50.

14. DUD 4. 12. 50. – Pressedienst der FDP laut Tat 9. 12. 50. – Vgl. auch Katholischer Beobachter 16. 12. 50.

15. Informationsdienst der CDU, Nr. 87/88 vom 23. 12. 50: »Der frühere Bundesinnenminister Dr. Dr. Heinemann wirbt reisend für seine bekannte These, die deutsche Sicherheitspolitik sei Provokation. Richtig sei es vielmehr, im Warten auf den Ratschluß Stalins sich dem zu unterwerfen, was Dr. Dr. Heinemann als den ›Willen Gottes‹ ansieht: nämlich gar nichts zu tun, es sei denn Widerstand gegen Beteiligung an einer europäischen Verteidigungspolitik, die bekanntlich den Frieden unantastbar machen will . . .
Dr. Heinemann interpretiert den Willen Gottes folgendermaßen: Gott werde seine Gemeinde selbst unter einer antichristlichen Obrigkeit nicht im Stiche lassen, was er mit den Erfahrungen unter Hitler belegt. Nun, es gibt antichristliche Obrigkeiten verschiedenen Grades. Das Zutrauen zur Mäßigung Stalins und seiner Mongolen ist – rührend, aber es wird am allerwenigsten von den Deutschen geteilt, die mit Stalins Soldaten seit 1944 und 1945 ganz unsentimentale Erfahrungen machen mußten. Und nun sich auf Gedeih und Verderb dem auszuliefern, was im Kreml eines Tages beschlossen werden könnte, das heißt eigentlich von jedem, der eine Verantwortung für Frau und Kind, Volk und Freunde, Eltern und Geschwister in sich trägt, etwas viel verlangt. Hier geht die Vermengung von Religion und Politik zu weit. Wir wollen keinerlei ›Aufrüstung‹. Aber eine Politik der Passivität mit der mahdistischen Glaubensformel zu begründen ›Gott will es‹, das ist etwas viel zugemutet.«

den Flüchtlingen wieder getrennt und eine eigene Partei, die Deutsche Soziale Partei, gegründet.

Die vier Teilnehmer der Wiesbadener Zusammenkunft einigten sich auf einen »Ruf zum Frieden«, der, von Noack vorformuliert, im Gespräch geringfügig im Sinn Heinemanns verändert worden war[16]. Die Unterzeichner appellierten an die Großmächte und an »die Regierungen der Bundesrepublik und der Deutschen Demokratischen Republik«:

»Setzt alles daran, daß durch eine Verständigung über die deutsche Frage und durch den beiderseitigen Verzicht auf jegliche Aufstellung bewaffneter Verbände in West- und Ostdeutschland dem deutschen Volk *Einheit* und *Friede* wiedergegeben und dadurch nach Möglichkeit auch die allgemeine Befriedung unter den Weltmächten gefördert wird.«

Die Regierungen und Volksvertreter in beiden Teilen Deutschlands wurden aufgefordert, »keinesfalls eine der folgenden Maßnahmen zur Wiederbewaffnung deutscher Menschen in Ost oder West vorzunehmen, ohne sie vorher zu einer freien und geheimen Volksabstimmung mit Ja oder Nein vorzulegen:

1. Wiedereinführung einer Wehrdienstpflicht;
2. Einbeziehung von Ost- oder Westdeutschland in internationale Sicherheitspakte;
3. Zulassung der Anwerbung deutscher Staatsbürger zum Wehrdienst irgendwelcher Art.«

Die Intention Heinemanns ging dahin, »einen Aufruf lediglich auf Zustimmung zu einer Volksbefragung über einige wesentliche Stücke eines Remilitarisierungsprogrammes ohne alle Propaganda zur Sachfrage zu machen und diesen Aufruf durch prominente und möglichst unverbrauchte Namen aus den verschiedenen Lagern einschließlich solcher Personen zeichnen zu lassen, die für eine Aufrüstung, aber nicht ohne Fundierung durch Volksbefragung sind«[17].

Gerade an »bekannten Namen von Leuten aus den großen Parteien oder sonstigem Belang im öffentlichen Leben, insbesondere den Kirchen«, lag Heinemann viel. Denn er hoffte, damit die Presse zu zwingen, »sich um der Unterschriftsträger willen mit der Sache aus-

---

16. Text in: Für die Wiedervereinigung Deutschlands in Freiheit, Broschüre, hg. v. U. Noack, S. 4. – Dort auch S. 2 Noacks Aussage, der Text sei von Heinemann entworfen. Auch Niemöller schrieb, der Text »stammte ursprünglich« von Heinemann (Brief an Heinemann vom 24. 1. 51). Gereke erklärte, Heinemann sei »eigentlich der hauptsächlichste Verfasser« (DNZ 24. 1. 51). – Der erste Entwurf ist jedoch mit Noacks, nicht mit Heinemanns Schreibmaschine geschrieben (AH). Es ist zu vermuten, daß die anderen Beteiligten durch ihre Aussage Heinemanns Rolle hervorheben wollten.
17. Brief an Niemöller 12. 2. 51 (AH).

einanderzusetzen«, so daß dadurch auch die Diskussion innerhalb der großen Parteien entfacht würde[18]. Zunächst wurde ein ausgewählter Kreis von Personen angeschrieben, die um ihre vorläufige Erklärung über ihre grundsätzliche Bereitschaft zur Unterschrift gebeten wurden. »Sobald wie möglich soll mitgeteilt werden, wer zur Mitunterschrift grundsätzlich bereit ist. Erst dann hat jeder endgültig zu sagen, ob seine Unterschrift auch im Hinblick auf die Gesellschaft der Mitunterzeichner gelten soll.« Bis dahin sollten alle Beteiligten die Sache streng vertraulich behandeln[19]. Auf diese Weise wollte Heinemann den Aufruf gegen vorzeitige Abqualifizierung in der Presse absichern.

Der »Wiesbadener Aufruf« wurde jedoch ein völliger Mißerfolg. Zwar erklärten sich Heinemann gegenüber einige Persönlichkeiten aus Politik und Kirche zur Unterschrift bereit; aber von den Mitgliedern der großen Parteien waren es nur ein paar Landespolitiker, Landtagsabgeordnete, und unter den bekannten Männern der Kirche fast nur solche, deren kritische Haltung bereits bekannt war. Prominente Protestanten anderer Richtungen zögerten oder lehnten ab, der eine, weil er seine unabhängige Stellung in der Kirche nicht gefährden wollte, ein anderer, weil ihm eine Volksbefragung nicht als das geeignete Mittel erschien, daß das deutsche Volk in dieser Frage wirklich eine Urteilsbildung vom Evangelium her vollzöge, einem dritten erschien die Bedrohung Westdeutschlands durch ostdeutsche Volkspolizei und russische Truppen im Wachsen begriffen und der Aufruf deshalb problematisch[20]. Vor allem aber geriet der Aufruf dadurch in Verruf, daß die Presse schon Anfang Januar 1951 durch Gereke davon erfuhr[21]. Das benutzte Adenauer sogleich zu Angriffen auf die vier Unterzeichner, während die von Heinemann angeschriebenen Prominenten nun um so mehr zögerten, ihre Unterschrift zu geben. Dazu trug in starkem Maße auch die Tatsache bei, daß alsbald die Namen der Personen bekannt wurden, die sofort unterschrieben hatten; darunter befanden sich einige Vertreter rechtsradikaler Gruppen, und die Mehrzahl der übrigen war in der Öffentlichkeit als neutralistisch oder pazifistisch abgestempelt[22].

Damit war der eigentliche Plan Heinemanns schon vor dem geplanten zweiten Treffen gescheitert, und er hielt es in Anbetracht der ver-

---

18. Brief an Niemöller 3. 3. 51 (AH).
19. Durchschlag des Schreibens vom 28. 12. 50 (AH).
20. Antworten (AH).
21. Mannheimer Morgen 6. 1. – FAZ 8. 1. – DNZ 9. 1. 51.
22. Unterschrieben hatten angeblich u. a. Dorls und Remer (Sozialistische Reichspartei) und von Ostau (Nationaldemokratische Partei); nach epd, Die Welt, DUD 17. 1. 51.

fahrenen Situation für das beste, für seine Person von dem in Wiesbaden jedem Teilnehmer eingeräumten Recht Gebrauch zu machen und seine Unterschrift unter den Aufruf am 14. Januar zu verweigern[23].

In den folgenden Wochen wurde Heinemann deutlich, daß die Intentionen der Mitverfasser weiter auseinandergingen, als er von Anfang an befürchtet hatte. Gereke verband im Wahlkampf um die bevorstehende niedersächsische Landtagswahl die Sammlung der Unterschriften unter den Wiesbadener Aufruf mit der Werbung für seine neue Partei, was Heinemann vollends abstieß[24]. Noack hielt dagegen Gerekes Abschneiden in der niedersächsischen Landtagswahl für eine symptomatische Entscheidung für die Frage der Aufrüstung; in seinem Bestreben, möglichst viel Unterschriften zusammenzubekommen, setzte Noack sich auch mit betont national gesinnten Kreisen in Verbindung, die ihn dazu veranlaßten, auf die Rückfrage bei den Angeschriebenen zu verzichten. Der »Ruf zum Frieden« wurde etwas verändert[25], und es wurde ihm ein ebenso langer Aufruf »gegen Wiederaufrüstung und für allgemeinen Friedensschluß« vorangestellt, der in pathetischen Worten an das Nationalgefühl appellierte und »in dieser Gesinnung« den Ruf zum Frieden verstanden wissen wollte[26].

Niemöller begrüßte die neue Fassung »völlig und ohne Einschränkung«[27]. Nach Seitenhieben auf Presse und Regierung der BRD betonte Niemöller öffentlich seine Freude darüber, daß es »gelungen ist, mit dem Aufruf die Zustimmung der allerverschiedensten Gruppen – von der äußersten Rechten bis zur äußersten Linken – zu finden«, und versicherte, er werde ihn im Ausland bei jeder sich ihm bietenden Gelegenheit verbreiten[28].

Heinemann dagegen hielt die neue Fassung und die Unterzeichnerliste für problematisch; er nahm außerdem besonders Anstoß daran, daß Namen von Personen unter den Aufruf geraten waren, die ihn respektive seine neue Form nicht kannten[29]. Heinemann suchte Niemöller brieflich davon zu überzeugen, daß sie beide in Zukunft besser Kontakt halten und politische Mitstreiter wie politische Mittel genauer prüfen sollten: »Es geht auch bei einer Feuersbrunst nicht, daß

---

23. dpa 9. 1., FAZ 10. 1.: »Heinemann dementiert«. – Brief an Niemöller 12. 2. 51. – Stuttgarter Zeitung 23. 1., FAZ, DNZ 24. 1. 51.
24. Brief an Niemöller 3. 3. 51 (AH).
25. Der Passus »Wiedereinführung der Wehrdienstpflicht« wurde ergänzt durch »unter den gegenwärtigen Verhältnissen«.
26. Siehe Anm. 16.
27. So interpretierte wenigstens Noack (Broschüre S. 2) einen Brief Niemöllers v. 26. 1. 51 an ihn (AN).
28. DNZ 27. 1. 51.
29. Brief an Niemöller 12. 2. 51 (AH).

man jeden zum Löschen heranholt.«[30] Niemöller gab dagegen zu bedenken, daß man in einer Lage, in der »unser Volk und die ganze Welt am Rande des Abgrunds« stünden, nicht die »Feuerwehrleute, die löschen und retten sollen, erst auf ihre gesellschaftliche Qualifikation« prüfe.»Wenn wir eine gute Sache zu vertreten haben, dann lasse ich von der guten Sache nicht, weil ich gegen diesen oder jenen Menschen, der auch für diese Sache eintritt, persönliche oder moralische Einwendungen habe.«[31] Heinemann versicherte demgegenüber, nicht moralische oder persönliche Wertungen von Personen seien für ihn entscheidend, sondern die Effektivität der Sache; und die sei durch die Formfehler Gerekes und Noacks zunichte gemacht worden. Heinemann betonte, daß es »nicht auf das Tun schlechthin ankommt, sondern darauf, daß etwas Richtiges getan wird«[32]. Deshalb hatte sich Heinemann schon im Januar entschlossen, sich »zumindest bis auf weiteres« aus der Aktion herauszuhalten[33]. Das brachte ihm von Seiten Noacks den öffentlichen Vorwurf der »Bedenklichkeit« ein[34], während er seinerseits gegenüber Niemöller Noacks »Betriebsamkeit« tadelte[35].

Die Gegensätze, die sich zwischen den Verfassern des Wiesbadener Friedensrufs auftaten, waren symptomatisch für die Schwierigkeiten, die entschiedenen Gegner Adenauers zu sammeln. In der Ablehnung einer westdeutschen Aufrüstung, in der Forderung nach einer Volksabstimmung waren sich mehrere Richtungen einig, und sie alle hielten den Gedanken einer Neutralisierung Deutschlands für diskutabel. Ein Zusammengehen aller war trotzdem fast unmöglich, weil sich die verschiedenen Richtungen in ihren Motiven weit voneinander unterschieden[36].

Für die radikale Linke, die den Ruf nach einer Volksbefragung am lautesten erhob, war der Gedanke einer Volksbefragung das Mittel, die Legalität der Bonner Regierung überhaupt zu bestreiten und die Gesellschaftsordnung in der BRD umzustürzen. Deshalb setzte von Seiten der KPD eine intensive Kampagne für eine Volksbefra-

---

30. Brief an Niemöller 12. 2. 51; ähnlich der vom 3. 3. 51 (AH).
31. Brief an Heinemann 1. 3. 51 (AH).
32. Brief an Niemöller 3. 3. 51 (AH).
33. Brief an Werner Koch 24. 1. 51 (AH).
34. Broschüre, S. 2.
35. Brief an Niemöller 12. 2. 51 (AH).
36. P. Molt, Die neutralistische Opposition. Bedingungen und Voraussetzungen der neutralistischen Opposition in der Bundesrepublik Deutschland, vor allem der Gesamtdeutschen Volkspartei, 1949–55. Dissertation, Heidelberg 1955, S. 44ff. – v. Schubert, aaO. S. 127ff.

gung gegen die »Remilitarisierung« und für den Abschluß eines Friedensvertrages mit Deutschland im Jahre 1951 ein. Vom Anti-Amerikanismus bestimmt, war diese kommunistische Kampagne identisch mit den Zielen und Motiven der SED. Das Ziel der Neutralisierung, das die äußerste Linke nun wieder aufgriff, nachdem sie es während des Jahres 1950 aufgegeben hatte, diente in erster Linie als Mittel, die Herauslösung der BRD aus der westlichen Allianz doch noch durchzusetzen[37].

Für die radikale Rechte dagegen war die Neutralisierung nur eine Etappe auf dem Wege einer Wiederherstellung des deutschen Reiches, und die Volksbefragung diente als Mittel dazu, nationalen Unterströmungen politisches Gewicht zu geben. Starke Aversionen gegen alle Siegermächte, gegen die Demokratie westlicher Prägung und gegen den Sozialismus östlicher Prägung, kurz gegen alles, was nach 1945 in Deutschland zur Herrschaft gekommen war, spielten eine große Rolle. Die Bewaffnung von Deutschen wurde nur deshalb abgelehnt, weil sie innerhalb einer Allianz mit Siegermächten geschah. An sich war die Restauration eines militärisch starken Deutschland das Ziel[38].

Zwischen den beiden Extremen standen Neutralisten, die aus Grundsatz für den Gedanken einer deutschen Neutralität eintraten. Ihnen ging es darum, daß die Deutschen nach ihrer Verirrung im Nationalwahn des Nationalsozialismus nun durch ein neutrales Verhalten zum Ausgleich zwischen Ost und West beitrugen; in diesem Brückenschlag sahen sie eine geschichtliche Notwendigkeit. Eine Befragung des deutschen Volkes mit dem Ziel einer Neutralisierung schien ihnen den Interessen Deutschlands und des Friedens unter den Großmächten am besten zu dienen[39].

Die Pazifisten wiederum gingen von dem Grundsatz aus, daß Waffenlosigkeit von Völkern dem Frieden am meisten diene. Volksbefragung und Neutralisierung Deutschlands waren ihnen primär Mittel, diese Grunderkenntnis auf Deutschland anzuwenden, die mehr aus individueller Überzeugung als aus einer Analyse der politischen Lage entsprang.

Innerhalb der Strömungen gab es wiederum gewichtige Unterschiede; sie reichten unter den Rechten von der Zielsetzung einer direkten Wiederherstellung faschistischer Zustände bis zu der eines demokratischen Deutschland mit nationalem Akzent; bei den Linken bestand

---

37. v. Schubert, aaO. S. 134f. – Dokumente der KPD 1945–1956, Berlin (-Ost) 1956, S. 250ff.

38. Schubert, aaO. S. 133ff. – H.-H. Knütter, »Nein – aber . . .« zur Wiederbewaffnung, in: C. C. Schweitzer, Eiserne Illusionen, S. 51ff.

39. v. Schubert, aaO. S. 128ff.

ein Bruch zwischen den Kräften, die auf die Sowjetunion setzten, und den Demokraten, denen an der demokratischen Gestalt eines gesellschaftlich umgestalteten Deutschland lag. Und überall gab es Mischungen dieser hier nur als Typen skizzierten Denkweise: von pazifistischen Neutralisten[40] bis hin zu Nationalbolschewisten[41].

Ein »Deutscher Kongreß«, der auf Grund des Wiesbadener Appells im März in Frankfurt am Main zusammentrat, suchte wenigstens die nichtkommunistischen Gruppen zu sammeln; Vertreter von 35 Organisationen waren erschienen[42]. Dem »Deutschen Kongreß« schlossen sich 17 Organisationen und viele Einzelmitglieder an, die alle eidesstattlich ihre Unabhängigkeit vom Osten und Westen versicherten; sie sprachen sich für freie Wahlen in ganz Deutschland, den Abschluß eines Friedensvertrages mit einem neutralisierten, entmilitarisierten Deutschland und Garantie der Neutralität Deutschlands durch die Verfassung und durch internationale Verträge aus[43].

Eine Einigung aller nichtkommunistischen Kräfte gelang jedoch auch hier nicht. Gruppen von Nationalisten trennten sich während und nach der Tagung von der Organisation, da sie sich ihrer Meinung nach nicht genügend vom Kommunismus distanzierte. Eine Verbreiterung durch Einbeziehung kirchlicher und sozialdemokratischer Kreise gelang nicht[44]. So blieb der »Deutsche Kongreß« in seiner Wirkung auf die Kreise beschränkt, die ihn von Anfang an getragen hatten.

Heinemann ließ sich nicht zur Mitarbeit am »Deutschen Kongreß« gewinnen. Nach den Erfahrungen mit dem »Ruf zum Frieden« hielt er sich gegenüber den Neutralisten zurück. In der Sache trat er aber dem Gedanken einer Neutralisierung Deutschlands näher. Seit Februar 1951 forderte er in der Öffentlichkeit »eine Diskussion über die echten Probleme einer Neutralisierung«[45].

Veranlaßt wurde er dazu durch die Beobachtung der politischen Entwicklung im Osten Anfang 1951. Anläßlich einer Tagung des Rats der EKD in Berlin wurde den Ratsmitgliedern, wie die »Stuttgarter Zeitung« meldete, »von unterrichteter ostdeutscher Seite mitgeteilt«, daß die Regierung in Ostberlin »auf Weisung des Kremls bei Besprechungen über die Wiederherstellung der deutschen Einheit folgende Vorschläge machen werde: Vollständig freie, gleiche und geheime

40. v. Schubert (aaO. S. 128ff) faßt von vornherein den »pazifistischen Neutralismus« als eine Strömung.
41. H.-H. Knütter, aaO. S. 71ff.
42. Molt, aaO. S. 46.
43. Molt, aaO. S. 48. – v. Schubert, aaO. S. 131.
44. Molt, aaO. S. 46f.
45. GII 46: vgl. auch GH 51.

Wahlen auch in Ostdeutschland, Entmilitarisierung der Volkspolizei und Gleichberechtigung aller Parteien bei der Aufstellung eigener Kandidaten auch für die SPD«[46]. Die Meldung erschien dem Rat der EKD so wichtig, daß er sogleich als Sonderkurier Dr. Kreyssig nach Bonn sandte, um Adenauer davon Mitteilung zu machen[47].

Diese Nachricht aus Ostberlin bekam dadurch Gewicht, daß sie mit anderen Meldungen übereinstimmte, die von einem Wandel der sowjetischen Deutschlandpolitik sprachen.

»Alles, nur keine Wiederbewaffnung?« überschrieb die »Frankfurter Allgemeine Zeitung« eine Meldung der »Associated Press« aus Moskau:

»Westliche Diplomatenkreise in Moskau glauben, die Sowjetunion sei möglicherweise bereit, die Bildung eines vereinten, unbewaffneten Deutschland, das an keine Großmacht gebunden sei, mit allen Kräften zu unterstützen. Eine sorgfältige Prüfung des zweiten Briefes von Grotewohl an die Regierung Adenauer, der in allen sowjetischen Zeitungen ohne Kommentar veröffentlicht wurde, lasse darauf schließen, daß die Sowjetunion zu weitgehenden Konzessionen bereit sei, um die Wiederbewaffnung Westdeutschlands zu verhindern. Es habe den Anschein, als wolle die Sowjetunion die Bildung eines neutralen, unabhängigen Staates in Kauf nehmen, um diese Gefahr zu umgehen.«[48]

Und aus London wurde gemeldet, die Sowjetunion habe die amerikanische Regierung auf internen diplomatischen Wegen wissen lassen, daß sie bereit sei, anstelle einer Remilitarisierung Westdeutschlands der Frage einer Viermächte-Garantie für eine Neutralität Deutschlands nahezutreten. Denselben Vorschlag hatten Anfang des Jahres schon sowjetische Stellen in Berlin gemacht[49].

Die sowjetische diplomatische Initiative traf mit Überlegungen westlicher Politiker zusammen, angesichts derer eine Revision der 1950 gefällten Entscheidung für die westdeutsche Aufrüstung möglich schien. In England sah sich Ministerpräsident Attlee unter dem Druck des linken Flügels der Labourpartei zu der Erklärung genötigt, man solle eine westdeutsche Aufrüstung zurückstellen und zunächst die militärische Macht der westeuropäischen Länder aufbauen[50]. Ähnlich argumentierte der französische Ministerpräsident Pleven gegenüber

---

46. Stuttgarter Zeitung 19. 1. 51: »Adenauer wurde unterrichtet.« – Nach StZ v. 16. 1. war Heinemann der Meinung, »nachdem Ulbricht sogar erklärt habe, die ostdeutsche Regierung sei zu Verhandlungen auch über Polizeifragen bereit, müsse angenommen werden, daß die Verhandlungsbereitschaft auf der Gegenseite offenbar beachtlich weit ginge«.
47. ebd. – Dill-Zeitung 29. 3. 51: Gespräch der Dill-Zeitung mit Barth und Heinemann. – Andeutungen bei Adenauer, Erinnerungen II, S. 42f.
48. FAZ 2. 2. 51.
49. FAZ 10. 2. 51.
50. FAZ 14. 2. 51. – v. Schubert, aaO. S. 57f. – Vgl. Adenauer, Erinnerungen I, S. 497ff.

244 Die Auseinandersetzungen über die Konzeptionen 1950–52

Präsident Truman[51]. Und der neu ernannte atlantische Oberkommandierende, General Eisenhower, betonte das Gewicht der politischen und psychologischen Fragen vor den militärischen[52].

Unter diesen Umständen hielt es Heinemann für geboten, aus der »Stickluft der Vorurteile und Verdächtigungen« herauszukommen und den Gedanken einer Neutralisierung Deutschlands zu diskutieren:

»Mit der angestrebten Viererkonferenz scheint sich eine Chance für uns zu eröffnen, aus der Einbeziehung der beiden Hälften unseres Volkes in den Aufmarsch der Weltmächte gegeneinander herauszukommen. Es liegt klar auf der Hand, daß eine Verwirklichung dieser Chance sehr große Schwierigkeiten aufwirft. Es liegt ebenso klar auf der Hand, daß eine Ausklammerung von West- und Ostdeutschland aus dem Weltkonflikt neue Risiken für uns aufwirft. Man sollte uns aber nicht einreden wollen, daß schon der Versuch einer Lösung unserer gesamtdeutschen Nöte in solcher Richtung gegen unser Interesse wäre. So überzeugend oder gar gefahrlos ist der andere Weg einer Eingliederung Westdeutschlands in eine westeuropäische oder atlantische Verteidigungsgemeinschaft bei entsprechender Eingliederung Ostdeutschlands in die entgegengesetzte russische Mächtegruppierung nun wahrhaftig ganz und gar nicht, daß schon jeder Versuch, uns vor einer noch stärkeren Zerreißung zu bewahren und das primäre Schlachtfeld eines Zusammenpralles zu werden, von vornherein ›mit ganzer Kraft und mit allen Mitteln‹ von uns selber abgewehrt werden müßte. Derartiges kann man nur dann sagen, wenn die Eingliederung Westdeutschlands in ein französisch-italienisch bestimmtes Westeuropa, aus welchen Gründen auch immer, ein Ziel an sich ist.«[53]

Heinemann spielte damit auf Adenauer an, der Grotewohls ersten Brief nach sechswöchigem Zögern noch schnell abgelehnt hatte, nachdem er durch Kreyssig von bevorstehenden Zugeständnissen aus Ostberlin gehört hatte[54]. Demgegenüber forderte Heinemann, »man hätte mindestens die ostdeutsche Verhandlungsbereitschaft einmal ausprobieren müssen«, denn man könne Erfolgsaussichten von Verhandlungen »erst dann beurteilen, wenn man einen praktischen Versuch gemacht« habe[55]. Man müsse deshalb ständig zum Verhandeln bereit sein, auch mit unangenehmen Partnern[56].

Bezeichnend für Heinemanns Denken war es nun aber, daß er in der Möglichkeit einer Neutralisierung Deutschlands, die er zu sondieren forderte, keinen Augenblick unkritisch ein Ideal sah; im Gegen-

---

51. Bremer Nachrichten 5. 2. 51.
52. FAZ 2. 2. 51.
53. GH 46.
54. Stuttgarter Zeitung 19. 1. 51.
55. So gab die Stuttgarter Zeitung Heinemanns Äußerung gegenüber einem Korrespondenten wieder (StZ. 16. 1.).
56. DNZ 30. 1. 51.

teil. Schon in seiner ersten kurzen öffentlichen Erklärung zur ostdeutschen Initiative nahmen die kritischen Passagen zwei Drittel des Raumes ein[57], und in einer Zuschrift an die »Zeit«, die die Teilnehmer des Wiesbadener Treffens schlankweg mit Rechtsextremisten zusammen als »Rattenfänger von Wiesbaden« in einen Topf geworfen hatte[58], betonte er: »Es braucht mir niemand zu erzählen, daß eine sogenannte Neutralisierung Deutschlands schwieriger ist, als etliche es sich vorstellen, und daß sie neue Risiken für uns alle in sich birgt«, und fügte hinzu: »Hier liegt übrigens ein wesentlicher Teil der Gründe, weshalb ich mit Noack und Gereke nicht einig geworden bin und mit ihnen keinerlei gemeinsame Aktionen mache.«[59]

Die Bedenken, die Heinemann im Auge hatte, formulierte er in seinem ersten Artikel so:

»Natürlich wäre mit der Einsetzung einer gesamtdeutschen Regierung aus freien und geheimen Wahlen noch nicht viel gelöst. Diese Regierung würde wahrscheinlich eine Regierung aus mehreren Parteien, also eine Koalition sein. Sie würde ferner eine bundesstaatliche Regierung sein, und wir alle wissen aus Bonner Erfahrung (so z. B. Bundespolizei), was das bedeutet. Sie würde vollends ohne einen allseitig gefestigten Staatsapparat und ohne brauchbare Machtmittel ihren Weg beginnen müssen. Wie kann diese Regierung bestehen und ausführen, was ihr obliegen wird? Von gefestigten freiheitlich-demokratischen Überzeugungen oder auch nur Spielregeln unter uns kann keine Rede sein. Eine neue Integration unseres Volkes nach jahrelangem Auseinanderleben erfordert nicht nur die Weisheit der Mäßigungen und die Entschlossenheit zum Entgegenkommen, sondern auch Zeit. Kann man sich deshalb eine gesamtdeutsche Regierung schon aus inneren Gründen ohne eine schützende Übergangshilfe vorstellen? Wie könnte sie aussehen? Das wäre eine der Fragen, die ihre Lösung über die erste Thematik der ›freien und geheimen Wahlen‹ hinaus erfordert.«[60]

Außer diesen innenpolitischen Überlegungen sah Heinemann folgende außenpolitische und wirtschaftspolitische Probleme:

»Ein wiedervereinigtes Deutschland müßte des weiteren aus dem Weltkonflikt zwischen Osten und Westen herauskommen. Das geht nicht ohne Vereinbarung unter den ehemals Alliierten und kann nur dann auf Beständigkeit rechnen,

---

57. »Nach meinem Eindruck sind ostzonale Stellen zur Zeit zu einer Reihe von Zugeständnissen, wie geheime Wahlen, Vereinbarungen über die Volkspolizei und Amnestierungen bereit. Die kritische Frage ist meines Erachtens die, wie eine aus gesamtdeutschen Wahlen hervorgehende Regierung – angesichts der Tatsache, daß sie wahrscheinlich als eine bundesstaatliche Regierung mehrerer Parteien ohne allseitig gefestigten Staatsapparat und ohne brauchbare Machtmittel beginnen müßte – wirklich nachhaltig handlungsfähig sein könnte. Mit einer gesamtdeutschen Regierung, die ein Spielball widerstreitender Kräfte wäre, würde nichts gedient sein« (FAZ 24. 1. 51). – Vgl. auch Le Monde 24. 1. 51.
58. Die Zeit 25. 1. 51.
59. Schreiben an Die Zeit 4. 3. 51 (AH).
60. GH 46. Wiedergabe des Inhalts: FAZ 6. 3. 51.

wenn von den Alliierten untereinander Vorsorge gegen einseitige Gefährdungen
der deutschen Ausklammerung getroffen oder sich über einer Lösung der deutschen Frage eine weitergreifende Entspannung unter den Alliierten entwickeln
würde.
Auch Wirtschaftsfragen werden mit alledem verbunden sein. Deutschland
bliebe natürlich auf Zufuhr von Lebensmitteln und Rohstoffen sowie auf Aus-
fuhr von Industriewaren angewiesen, um leben zu können. Auch daraus ergeben
sich Anfälligkeiten unserer Existenz. Andererseits würde das deutsche Wirt-
schaftspotential, etwa der Ruhr, nicht einseitig in die Waagschalen des Ostens
oder Westens fallen dürfen.«[61]

Diese »Fülle von schweren Problemen« trieb Heinemann jedoch
nicht in Resignation. Er erinnerte an den erstaunlich schnellen »Wandel der politischen Situationen« im Jahre 1950 und erwähnte, scheinbar nebenbei: »Zudem sollten wir, die wir christliches Abendland sein
wollen, wissen, daß immer noch Gott im Weltregimente sitzt.« Am
Schluß des Artikels skizzierte Heinemann die politische und moralische Situation, wie er sie 1951 sah:

»Freilich, wir Deutsche können unter den gegebenen Verhältnissen nur das eine
tun, daß wir immer wieder auf eine Lösung der uns quälenden Nöte hindrängen
und uns als ost- oder westdeutscher Teil auf keinen Fall voreilig in Maßnahmen
der Weltmächte einbeziehen lassen, die deren Aufmarsch gegeneinander dienen,
uns aber noch tiefer auseinanderbringen. Es ist heute schon schwer genug,
Deutschland wieder zusammenzufügen. Es wird noch schwerer, wenn wir uns
mit den ost- und westdeutschen Hälften in die beiden Lager des Weltkonfliktes
eingliedern. Hier liegt ein wesentlicher Teil der Motive eines Widerstandes gegen die Aufrüstung. Im Westen haben wir wenigstens zur Zeit noch einige
Bewegungsfreiheit. Darauf beruht die besondere Verantwortung Westdeutschlands für das gesamtdeutsche Schicksal. Sie besteht in der Verpflichtung, allen
Widerständen zum Trotz einer gesamtdeutschen Lösung unter Wahrung der
Würde und der Freiheit des Menschen sachlich und zeitlich bis zum äußersten
nachzugehen.«[62]

In den ersten Artikeln Heinemanns zur Neutralisierung sind die wesentlichen Punkte enthalten, in denen sich Heinemann 1951 und in
den folgenden Jahren von den Regierungsparteien unterschied. Der
Kalte Krieg wird von ihm primär als ein Machtkampf angesehen,
nicht als eine Entscheidung zwischen schuldiger und unschuldiger Seite, zwischen Gut und Böse. Weil eine Intensivierung dieses Macht-
kampfes allen Beteiligten, besonders aber den Deutschen, nur schaden
kann, haben nach Heinemann die Westdeutschen in erster Linie die
Aufgabe, die Spannung mildern zu helfen; von daher ergibt sich eine
Verpflichtung zur Reserve gegenüber einer deutschen Aufrüstung.

---

61. GH 46,
62. ebd.

Für die Westdeutschen ist diese Verpflichtung gerade im Blick auf die Ostdeutschen dringend: weil die Westdeutschen mehr politischen Spielraum als die Ostdeutschen haben, müssen sie sich darum bemühen, daß auch die Ostdeutschen in den Genuß freiheitlicher Staatsordnung kommen. Die moralische Verpflichtung gegenüber den Westmächten hebt diese Priorität ebensowenig auf wie das natürliche Bedürfnis nach Wohlstand und Sicherheit; im Gegenteil, je größer die Diskrepanz zwischen demokratischer Freiheit in Westdeutschland auf der einen und in Ostdeutschland auf der anderen Seite ist, um so stärker ist damit die moralische Nötigung, für die Ostdeutschen politisch zu handeln. Von daher ergibt sich aber, weil eine Lösung der Deutschlandfrage im westlich-demokratischen Sinne durch bloßen Rückzug der Sowjets undenkbar ist, die Notwendigkeit, eine Neutralisierung Deutschlands, d. h. einen Rückzug beider Seiten, zu erwägen.

Heinemann hatte damit den entscheidenden Unterschied erkannt, der die beginnenden fünfziger Jahre von den ersten Nachkriegsjahren trennte. Damals war nicht zu sehen, wie angesichts der ungeheuren Not in Deutschland, der riesigen Forderungen der Siegermächte an dieses Deutschland und der minimalen politischen Möglichkeiten für die Deutschen überhaupt eine Neutralisierung zwischen den Blöcken, wie Noack sie erstrebte, möglich werden sollte[63]. Nun hatten sich die Westzonen wirtschaftlich wenigstens soweit erholt, daß ein Existenzminimum gesichert war, und es hatte sich im Westen auch der Raum zu politischer Betätigung wenigstens soweit geöffnet, daß die Zielsetzung einer deutschen Neutralität in den Bereich des Denkbaren rückte, so schwer auch eine Verwirklichung sein würde.

An sich war Heinemanns Konzeption nichts eigentlich Neues. Sie enthielt alle Elemente, die schon in Heinemanns Auseinandersetzungen mit Adenauer im Vorjahr eine Rolle gespielt hatten, vom Hinweis auf Gottes Weltregiment, angesichts dessen eine kritische Lagebeurteilung und der Mut zu einer neuen Lösung möglich war, bis hin zur Beurteilung der Sowjetunion als eines Staates, der, durch marxistische Lehre geprägt, nach dem deutschen Einfall im Osten zum Rückzug höchstens im Falle der Gegenseitigkeit bereit sein würde. Ergänzt war die Sicht des Jahres 1950 durch die fortschreitende Entmythologisierung des Koreakriegs für den kritischen Beobachter Heinemann: er hatte inzwischen den Artikel erhalten, in dem der Theologieprofessor Emil Brunner schon 1949 von Syngman Rhees Angriffsabsichten berichtet hatte[64], und die Meldung der »Westdeutschen Allgemeinen Zeitung« vom November 1950 zur Kenntnis genommen, daß die süd-

63. vgl. Kapitel I 4, Anm. 72 u. 73.
64. NZZ 10. 12. 49 (AH).

koreanische Nationalversammlung Rhees Regierung zum Rücktritt aufgefordert und sie beschuldigt hatte, für den koreanischen Krieg verantwortlich zu sein[65]. Neu war in Heinemanns Konzeption, daß Heinemann nun klar die Konsequenzen zog, die in dem Wiesbadener »Ruf zum Frieden« nur angedeutet waren, und zur Lösung der deutschen Frage eine Neutralisierung Deutschlands für diskutabel und – bei kritischer Prüfung aller Schwierigkeiten – für erstrebenswert hielt.

Damit war er in größere Nähe zu den anderen Neutralisten gerückt, ohne daß er jedoch mit einer Gruppe identifiziert werden konnte: wenn er westdeutsche Aufrüstung ablehnte und sich für Neutralisierung aussprach, geschah das nicht aus Vorliebe für die pazifistische oder neutralistische Idee, sondern als Konsequenz einer Lageanalyse; er nannte das einmal »realistischen Pazifismus«[66]. Wenn er gegenüber westlicher Europapolitik für eine Wiedervereinigung Deutschlands eintrat, dann nicht aus nationalistischem oder antiamerikanischem Ressentiment, sondern wiederum aus der Lageanalyse, die ihn zu Reserve gegenüber westlicher Einigungs- und Rüstungspolitik und zu vermehrter Verantwortung im Sinn der Ostdeutschen veranlaßte.

Während Heinemann also mit seiner Entscheidung zu keiner politischen Gruppe stieß, geriet er in der Öffentlichkeit von zwei Seiten ins Schußfeld. Auf der einen Seite hatten Vertreter der westlichen Integration schon seit dem Wiesbadener Aufruf Heinemann unter die Parteigänger des Ostens eingereiht[67]. Auf der anderen Seite hatten die Kommunisten ihn seitdem als Kronzeugen für ihre Forderung nach einer »Volksbefragung gegen eine Remilitarisierung« und für die Zielsetzung »Deutsche an einen Tisch« in Anspruch genommen[68].

Heinemann ließ sich dadurch nicht schrecken, seinerseits die Forderung nach einer Volksbefragung, die er seit seinem Rücktritt unab-

---

65. Westdeutsche Allgemeine Zeitung 4. 11. 50 (AH).
66. In einem Vortrag vor Darmstädter Studenten (nach epd 26. 6. 51). Es ist dies die einzige Formulierung, in deren Zusammenhang er den Begriff »Pazifismus« für sich gelten ließ: dann nämlich, wenn ihm aus der Situation heraus der Verzicht auf Rüstung geboten erschien. Pazifismus aus Grundsatz hat Heinemann stets abgelehnt (Herrn Günther Israel, Bremen, verdankt der Verfasser eine systematische Durchsicht aller Veröffentlichungen Dr. Heinemanns auf den Komplex Pazifizismus hin, die dies Ergebnis hatte).
67. DUD 5. 1. 51 »Viererkonferenz en miniature«: »Im übrigen steht Dr. Gereke bekanntlich im Geruch recht undurchsichtiger Beziehungen zu sowjetzonalen Machthabern. Die Akten über Prof. Noack ziert seit langem der Vermerk ›suspekt‹, der in die Richtung der Fünften Kolonne des Bolschewismus weist. Bleibt der gewesene Bundesinnenminister Dr. Heinemann. Von ihm möchte man mit ›Gretchen‹ sagen: ›Es tut mir lang schon weh, daß ich Dich in der Gesellschaft seh!‹«.
68. Dazu vgl. Die Welt 8. 1. 51.

lässig vorgetragen hatte, weiter zu erheben. Er wandte sich gegen beide Seiten: gegen »die suggestiven Fragestellungen« der Kommunisten, »diese irreführende, kommunistische Volksbefragung«, wie gegen die Regierung, die einfach unter Berufung auf das Grundgesetz eine Volksbefragung ablehnte und die kommunistische Aktion endlich kurzerhand verbot. Heinemann lehnte eine solche Reaktion auf die kommunistische Aktion ab:

»Positive Gestaltung wäre: freiheitliche Demokratie zunächst einmal zu exerzieren, ehe man freiheitliche Demokratie verteidigen will. Wenn uns zu dem ersteren der Mut fehlt, wird uns zu dem letzteren wahrscheinlich die Kraft fehlen. Ich weiß, daß das Grundgesetz keine Volksbefragung auf Initiative aus dem Volke kennt. Wohl aber kann der Bundestag einen solchen Beschluß fassen, und ich meine, er sollte es tun ... Es ist unfair, in die Wahlmandate vom August 1949 nachträglich eine Entscheidungsbefugnis über die Aufrüstung einzubeziehen. So weit geht repräsentative Demokratie nicht, wenn wir überhaupt ernstlich von Demokratie reden wollen. Hier ist nicht nur eine neue Situation entstanden, sondern hier soll eine völlige Kehrtwendung gegen das Voraufgegangene vollzogen werden, und das eben erheischt neuen Kontakt mit den Wählern im Volke. Hier ist zumindest eine Volksbefragung geboten.«[69]

Wenn Heinemann es als »Vorzug echter Demokratie« pries, »daß sie Verantwortungsbewußtsein aller wachruft und damit letzten Endes stärkere Kräfte entfaltet, als Zwang und Abstumpfung es vermögen«[70], bekam er doch sehr deutlich zu spüren, wie begrenzt seine Möglichkeiten waren, das Ohr der Öffentlichkeit zu erreichen. Er suchte gegenüber den Verzerrungen von links und rechts seinen Standpunkt in Zeitungsartikeln, Erklärungen und Briefen an Redakteure und Politiker zu verdeutlichen, aber seine Artikel wurden nur von wenigen Presseorganen abgedruckt[71], und im Rundfunk kam er seit Ende 1950 fast gar nicht mehr zu Wort[72]. Lediglich die »Stimme der Gemeinde«, das Blatt der kirchlichen Bruderschaften um Niemöller und Mochalski, öffnete ihm bereitwillig ihre Spalten, und im Frühjahr 1951 trat Heinemann in das Kollegium der Herausgeber ein[73].

---

69. GH 54.
70. ebd.
71. Siehe: GH 46, 49–51, 54–55.
72. Im Jahre 1951, abgesehen vom Kirchentag Berlin, nur viermal: am 7. 1. u. 14. 7. in Radio Bremen, am 24. 6. im bayrischen Rundfunk und am 4. 4. in einem Rundgespräch im NWDR (Liste der Reden, AH).
73. Diese »Monatsschrift der Bekennenden Kirche«, als deren Herausgeber bis zur Märznummer 1951 »der Bruderrat der Evangelischen Kirche in Deutschland, Schriftleiter Herbert Mochalski« fungierte, wurde von der Aprilnummer 1951 an »für den Bruderrat der Evangelischen Kirche in Deutschland herausgegeben von Martin Niemöller, Oskar Hammelsbeck, Gustav W. Heinemann, Hans Joachim Iwand, Friedrich Karrenberg, Ludwig Metzger, Herbert Mochalski, Karl Gerhard Steck, Herbert Werner«.

Das bedeutete, daß seine Wirkung im großen und ganzen auf Kreise der Bekennenden Kirche und alle diejenigen beschränkt blieb, die von sich aus für Artikel und Vorträge des zurückgetretenen Ministers Interesse aufbrachten.

Heinemanns Wirkung im politischen Raum war auch dadurch beschränkt, daß er nicht seine ganze Kraft der Politik im engeren Sinn widmen konnte und wollte. Er *konnte* es aus beruflichen Gründen nicht: Nachdem die Rheinischen Stahlwerke ihn nach seinem Konflikt mit Adenauer, einer vorherigen Vereinbarung zum Trotz, nicht wieder eingestellt, sondern nach langen Verhandlungen abgefunden hatten, war er genötigt, sich eine neue berufliche Existenz aufzubauen. Als Justizminister Dehler anfragte, ob er bereit sei, Bundesverfassungsrichter zu werden, lehnte er allerdings ab, weil er die mit diesem Amt verbundene Einschränkung seiner politischen und kirchlichen Tätigkeit nicht auf sich nehmen wollte[74]. Er fing im November 1951 eine Rechtsanwaltspraxis in Essen an, die in ihren Anfängen »im wesentlichen eine Klein-Leute-Praxis« war, »weil weder die alte Firma noch sonstige Industriegesellschaften« ihn beruflich in Anspruch nahmen[75]. Immerhin garantierte ihm die Anwaltspraxis seine wirtschaftliche Unabhängigkeit, und sein junger Mitarbeiter Dr. Diether Posser, sein späterer Sozius, arbeitete aus verwandter Grundüberzeugung gerade auch auf politischem Felde tatkräftig mit.

Aber Heinemann *wollte* auch nicht Nur-Politiker sein. Einen großen Teil seiner Kraft widmete er, wie in den Vorjahren, der Kirche: er führte die Diskussion um das rechte Verhältnis der Konfessionen zueinander fort[76] und setzte sich mit der theologischen Literatur auseinander[77]; er sprach auf kirchlichen Veranstaltungen, sei es in kleinerem Rahmen, wie vor Studentengemeinden oder auf Gemeindetagen, oder in größerer kirchlicher Öffentlichkeit, wie auf dem Deutschen Evangelischen Kirchentag in Berlin[78] und auf der europäischen Laientagung in Bad Boll[79] im Sommer 1951. Dabei stand das Thema »Kirche und Welt« immer wieder im Vordergrund.

In Berlin und Bad Boll suchte Heinemann vorsichtig die Grenzen kirchlichen Tuns gegenüber weltlichen Erwartungen abzustecken: gegenüber privaten Erwartungen, daß Kirche zur Verschönerung oder Erbauung menschlichen Lebens da sein solle; gegenüber weltanschau-

---

74. Schreiben Dehlers v. 31. 5. u. 11. 6., Antworten Heinemanns v. Anfang Juni u. 15. 6. 51 (AH).
75. Schreiben Heinemanns an H. Gollwitzer v. 18. 5. 54 (AH).
76. GH 48; vgl. GH 36.
77. GH 53 und 72.
78. GH 56–58.
79. GH 59.

lichen Ideen, daß Kirche der Veredelung des Menschen dienen solle,
sei es im liberalen oder marxistischen Sinne; gegenüber machtpoliti-
schen Erwägungen, daß Kirche entweder im »Kampf der Verteidigung« politischer Größen wie des christlichen Abendlandes oder als
»Revolutionsinstitut« zur Befreiung Ausgebeuteter beizutragen oder
gar selbst Herrschaft auszuüben habe; gegenüber weltanschaulichen
Prinzipien wie dem des Pazifismus und eines Marxismus, der sich als
Ersatzreligion verstünde[80].

Sosehr Heinemann sich bemühte, den einzelnen menschlichen Bedürfnissen, die hinter diesen Wünschen standen, gerecht zu werden,
so deutlich zielte er doch in seinen Vorträgen darauf, daß »alle Entscheidungen unter uns nur vorletzte Entscheidungen« seien, daß
Christen sich nicht »bedingungslos und total in die Schablonen der
Welt einordnen« dürften, sondern am ersten »nach dem Reich Gottes und seiner Gerechtigkeit trachten« sollten: »Trachten nach dem
Reich Gottes heißt, daß wir gehorsam sein sollen, damit Gott sein
Reich bauen kann. Dieser Gehorsam kann auch politische Verantwortung und Betätigung einschließen.«[81]

Derartige theologisch-politische Reflexionen wiederholten ähnliche
Gedankengänge früherer Jahre auf prononcierte Weise. Sie zeigten,
daß der Impetus zu Heinemanns unverdrossen fortgesetzter politischer Tätigkeit nach wie vor in seinem Vertrauen zu Gottes Weltregiment lag[82]: »Wer da sagt, daß er sich gegenüber den bestimmenden
Kräften des Zeitgeschehens ohnmächtig fühle, dem ist zu antworten,
daß Einer mit Gott immer noch Majorität ist. Was wir ausrichten
werden, hängt nicht davon ab, welche Kräfte gegen uns stehen, sondern davon, wie viel oder wenig wir gehorsam sind.«

3

Die Präzisierung der Standpunkte zur Frage der Wiedervereinigung Deutschlands bis zum Februar 1952

Die politische Entwicklung in dem halben Jahr vom September 1951
bis zum Februar 1952 war durch die Tatsache gekennzeichnet, daß
die Bemühungen um politische Zusammenarbeit und militärische Erstarkung innerhalb der westlichen Hemisphäre mehr Erfolg als in den
Monaten vorher hatten.

---

80. GH 56 und 59.
81. GH 57 und 59.
82. GH 59: Rede in Bad Boll am 23. 7. 51.

In Asien kam es schon im Herbst 1951 zum Abschluß mehrerer Verträge: die USA schlossen Beistandspakte mit den Philippinen, Australien und Neuseeland und einen Friedens- und Sicherheitsvertrag mit Japan. In Europa wurde ein halbes Jahr später die NATO durch den Beitritt Griechenlands und der Türkei verstärkt. In den dazwischen liegenden Monaten gewann die geplante »Europäische Verteidigungsgemeinschaft« Gestalt; in den Grundzügen war der Vertrag im November fertig; seine Unterzeichnung wurde für das Frühjahr 1952 in Aussicht genommen. Die Stärke der zukünftigen Europaarmee wurde auf einer Tagung des NATO-Rats in Lissabon auf 50 Divisionen festgesetzt.

Daß die Bundesrepublik Deutschland an der EVG beteiligt werden sollte, bekräftigten die Außenminister der Westmächte auf ihrer Konferenz in Washington im September 1951; mit der Teilnahme sollte die Ablösung des Besatzungsstatuts verknüpft sein. Die Konferenz fand die volle Zustimmung Adenauers, der alle Hoffnung auf eine baldige Realisierung des Projekts setzte, das die Aussöhnung zwischen Frankreich und Westdeutschland, die Einigung Westeuropas, die Sicherung vor der Sowjetunion und die Gleichberechtigung der BRD zugleich vorantreiben sollte.

So schnell und total allerdings, wie Adenauer es erhoffte, ließ sich der Status der BRD nicht verbessern. Adenauer erwartete die Aufstellung deutscher Kontingente und die volle Gleichberechtigung der BRD binnen weniger Monate; er drängte in den Verhandlungen darauf, daß die drei Westmächte der BRD völlige Souveränität zugestehen sollten, daß jede Rüstungskontrolle fallen und die BRD Mitglied der NATO werden sollte[1]. Eine solche Zielsetzung war natürlich sieben Jahre nach der totalen Kapitulation und zwei Jahre nach der Gründung des westdeutschen Staates nicht zu realisieren. Die Westmächte gestanden der BRD keine volle Souveränität zu, bestanden auf einer Rüstungskontrolle und hielten die BRD außerhalb der NATO. Adenauer zeigte sich darüber in den Verhandlungen immer wieder enttäuscht.

Aber die Lösungen, die zwischen Alliierten und Westdeutschen ausgehandelt wurden, stellten doch einen großen Schritt auf dem von Adenauer befürworteten Wege dar. In fast allen strittigen Fragen erreichte Adenauer Kompromisse: eine beschränkte Rüstung sollte der BRD innerhalb einer bestimmten Zone erlaubt sein; die Stationierungs- und Notstandsrechte der Alliierten galten nicht pauschal, sondern wurden klar umrissen; die Organisationen der EVG und NATO

---

1. Näheres bei Baring, aaO. S. 112ff.

wurden durch gegenseitige Garantieerklärungen eng miteinander verbunden; die BRD, obschon kein Mitglied der NATO, erhielt das Recht, gemeinsame Sitzungen der beiden Organisationen einzuberufen[2]. Die Ratstagung der NATO in Lissabon setzte die Zahl der deutschen Divisionen auf zwölf fest, und in einer vertraulichen Nebenabrede zum EVG-Vertrag wurde der BRD das Recht eingeräumt, eine halbe Million Mann unter Waffen zu halten[3]. Die positive Beurteilung, die Adenauer mehrfach in der Öffentlichkeit über den Gang der Verhandlungen abgab, war also nicht nur Zweckoptimismus, sondern echt[4]: die Verwirklichung von Adenauers Zielen rückte, langsamer zwar, als er es für eigentlich wünschenswert hielt, in greifbare Nähe.

Aber in dem Maße, wie das geschah, trat der Osten wieder, wie in den Monaten zuvor, diplomatisch mit Gegenvorschlägen auf den Plan. Der Ende 1950 begonnene Austausch politischer Verlautbarungen zwischen Bonn und Ostberlin wurde fortgesetzt[5].

Angesichts der Außenministerkonferenz in Washington schlugen Ministerpräsident Grotewohl und die Volkskammer der DDR am 15. September 1951 eine »gesamtdeutsche Beratung der Vertreter Ost- und Westdeutschlands« vor, und zwar »erstens über die Abhaltung freier gesamter Wahlen mit dem Ziel der Bildung eines einheitlichen demokratischen und friedlichen Deutschland, und zweitens über die Beschleunigung des Abschlusses eines Friedensvertrages mit Deutschland«.

Grotewohl betonte, daß es sich um freie Wahlen handeln solle; es sei »selbstverständlich, daß eine Betätigungsfreiheit für alle demokratischen Parteien in ganz Deutschland geschaffen werden muß, und daß die Wahlen in ganz Deutschland unter völlig gleichen Bedingungen durchgeführt werden müssen. Es muß dabei auch für alle Personen, demokratischen Parteien und gesellschaftlichen Organisationen die völlige persönliche und bürgerliche Freiheit und die Gleichberechtigung in allen Teilen Deutschlands gesichert werden«.

Grotewohl ließ durchblicken, daß er nicht mehr auf einer paritätischen Zusammensetzung eines »Gesamtdeutschen Rates« bestünde; die Zahl der Verhandlungsteilnehmer sei »nicht von grundsätzlicher Bedeutung«, da es nicht darum gehen könne, daß man sich gegensei-

2. ebd.
3. Baring, aaO. S. 122 u. 394 Anm. 78.
4. Baring, aaO. S. 120, 130f. Baring zweifelt an, daß Adenauer nach der Konferenz von London »Anlaß zum Jubel« gehabt habe (aaO. S. 120, 145); an anderer Stelle nennt er aber selber die Fortschritte der Konferenz (S. 119).
5. Bemühungen I, S. 35ff. – Siegler, Wiedervereinigung und Sicherheit I, S. 36ff. – Ders., Dokumentation zur Deutschlandfrage I, S. 110ff. – Adenauer, Erinnerungen II, S. 52ff.

tig überstimmte, sondern daß man »eine Verständigung zwischen den Deutschen aus Ost und West« erreichte[6].

Der neuerliche Vorstoß aus Ostberlin wurde in Westdeutschland ernster genommen als die vorherigen Briefe Grotewohls. Das sprach prononciert Schumacher aus:

»In diesem Brief wird alles angebetet, was vorher verbrannt, verhöhnt und verflucht wurde. Keine Rede ist mehr von dem sofortigen Abzug der Besatzungsmächte. Kein Wort ist davon zu hören, daß die Pankow-Regierung und Bonn paritätisch bei Verhandlungen vertreten sein sollten. Nichts hört man mehr von der undemokratischen Einrichtung des ›Gesamtdeutschen Konstituierenden Rates‹. Das Kernstück ist jetzt der Vorschlag freier Wahlen zu einer Nationalversammlung unter gleichen Bedingungen für alle demokratischen Parteien und Organisationen. Die Aufgaben dieser Nationalversammlung sollen sein die Schaffung einer Verfassung und der Abschluß eines Friedensvertrages.«[7]

Schumacher warnte davor, die Grotewohl-Erklärung einfach abzulehnen, und Ernst Reuter sprach die Vermutung aus[8], die auch hier und da in der Presse laut wurde[9]: »Vielleicht ist Moskau bereit, einen ziemlichen Preis dafür zu zahlen, daß die Westaufrüstung nicht eintritt.«

Trotz dieser Äußerungen prominenter Sozialdemokraten war die SPD jedoch nicht bereit, eine deutliche Alternative zu Adenauers Außenpolitik zu entwickeln. Schumacher sah in dem Vorschlag Grotewohls letztlich doch nur eine »Umgruppierung der ganzen kommunistischen Strategie und Taktik«[10]. Als das kommunistische Ziel bei eventuellen Verhandlungen bezeichnete er die »Schaffung Sowjetdeutschlands, die dominierende Rolle der Sowjets bei der internationalen Kontrolle der Ruhr und die Anerkennung der Oder-Neiße-Linie als sogenannte Friedensgrenze«.

Die SPD scheute wie die Regierung den Gedanken an Verhandlungen. Sie beschränkte sich darauf, Forderungen an den Osten anzumelden, ohne auf mögliche Gegenleistungen zu sinnen. Der Berliner Senat ging damit, einer Anregung Schumachers folgend[11], voran, indem er als Testfall für ganz Berlin freie Wahlen forderte; die Politiker in Ostberlin sollten damit zeigen, »daß sie bereit sind, die... wi-

---

6. Bemühungen, S. 35ff. – O. Grotewohl, Im Kampf um die einige Deutsche Demokratische Republik. Reden und Aufsätze II, S. 444ff.
7. EA 1951, S. 4407.
8. Stuttgarter Zeitung 20. 9. 51.
9. z. B. Bremer Nachrichten 22. 9. – Vgl. Der Spiegel 26. 9. – Stuttgarter Zeitung 25. 9. – Die Welt 27. 9. – FAZ 16. 8. 51.
10. EA 1951, S. 4407. – Löwke, aaO. S. 90.
11. EA 1951, S. 4408.

derrechtlich in Anspruch genommene Macht in die Hände einer legal gewählten Volksvertretung zurückzugeben«[12].

So fand Adenauer im Bundestag auch wieder die Zustimmung aller nichtkommunistischen Parteien für eine Regierungserklärung, in der Beratungen mit Kommunisten pauschal abgelehnt wurden[13]; denn »die Welt weiß aus vielfachen bitteren Erfahrungen, daß Repräsentanten des Kommunismus, wenn sie von Beratung sprechen, entweder Diktat oder endlose Verzögerungen wollen«. Den Hauptteil der Erklärung nahmen 14 Punkte ein, in denen Umrisse einer gesamtdeutschen Wahlordnung abgesteckt wurden. Sie wiederholten im wesentlichen die Forderungen nach Freiheitsrechten, die schon 1950 erhoben worden waren. Neu war an der Erklärung, daß die Bundesregierung einen Schritt bei der UN ankündigte. Freie Wahlen seien »nur möglich, wenn in der Sowjetzone tatsächliche Voraussetzungen für einen freien Ausdruck des Volkswillens gegeben sind«. Die Bundesregierung fühle sich »verpflichtet, alles zu tun, um Gewißheit zu schaffen, daß die tatsächlichen Voraussetzungen für die Abhaltung der von ihr vorgeschlagenen gesamtdeutschen Wahlen gegeben sind«. Das könne »vor der Weltöffentlichkeit nur dadurch geschehen, daß eine neutrale internationale Kommission unter der Kontrolle der Vereinten Nationen in der Sowjetzone und auf dem Gebiet der Bundesrepublik untersucht, inwieweit die bestehenden Verhältnisse die Abhaltung freier Wahlen ermöglichen«.

Grotewohl antwortete vor der Volkskammer, »die Mehrzahl« der vom Bundestag genannten 14 Punkte sei »annehmbar«; man könne »über alle Fragen« sprechen, auch über »die Frage der internationalen Kontrolle über die Wahlen«; man müsse allerdings auch noch andere Probleme bei den Gesprächen berücksichtigen[14].

Adenauer wertete vor dem Bundestag Grotewohls Antwort als Ausflucht vor der westdeutschen Forderung nach einer UN-Kommission und verwies auf die Vereinten Nationen, bei deren Verhandlungen es sich zeigen werde, ob Sowjetrußland »die Durchführung geheimer, freier und direkter Wahlen in ganz Deutschland will, oder ob es sie nicht will«. Die Regierung begrüßte es, daß die westlichen Alliierten sich die westdeutsche Forderung zu eigen machten und die UN, wie erwartet, eine Kommission zur Prüfung der Voraussetzungen für gesamtdeutsche Wahlen einsetzte[15].

Nach dem Scheitern ihrer Vorstöße machten die Politiker in Ostberlin noch zwei weitere Versuche, um zu Verhandlungen zu kom-

---

12. Essener Tageblatt 22. 9. 51.
13. Bemühungen I, S. 40ff. – Siegler, Dokumentation I, S. 111ff.
14. Bemühungen I, S. 49f. – Grotewohl, aaO. S. 509ff. – Siegler, aaO. S. 114.
15. Bemühungen I, S. 54f. – Siegler, aaO. S. 116ff.

men. Präsident Pieck schlug eine Zusammenkunft mit Bundespräsident Heuss vor und erklärte, die Regierung der DDR sei mit der »Überprüfung der Voraussetzungen für die Durchführung freier Wahlen in allen Teilen Deutschlands einverstanden«; sie sei aber »der Meinung, daß eine solche Überprüfung am besten von den Deutschen selbst durchgeführt werden könnte durch eine aus Vertretern Ost- und Westdeutschlands zusammengesetzte Kommission unter der Viermächtekontrolle« der Alliierten[16]. Heuss hielt jedoch diesen Vorschlag, »der im Grunde eine Neubelebung des ›Kontrollrats‹ bedeutet, unter dem gesamtdeutschen Aspekt des Weges zur staatlichen Unabhängigkeit für einen Rückschritt« und war auch nicht mit einem Treffen der Staatsoberhäupter einverstanden[17].

Daraufhin verabschiedete die Volkskammer am 9. Januar 1952 einen Gesetzentwurf für gesamtdeutsche Wahlen, der von den 14 Punkten des Bundestages die meisten dem Sinne nach, mehrere sogar wörtlich enthielt; in den ersten acht Paragraphen waren die demokratischen Grundsätze einer freien Wahl aufgeführt[18]. Dagegen stellte der Bundestag seinerseits am 6. Februar eine Ordnung für gesamtdeutsche Wahlen auf, die erfolgen sollten, »sobald festgestellt ist, daß freie Wahlen auch in der sowjetischen Besatzungszone durchführbar sind und eine gesamtdeutsche Nationalversammlung ihre Aufgaben erfüllen kann«[19].

So endete Anfang 1952 der diplomatische Kleinkrieg zwischen Ost und West in einer Groteske: von beiden Seiten wurde nicht nur von Wiedervereinigung und freien und geheimen Wahlen gesprochen, sondern beide Seiten hatten auch schon Wahlordnungen verfaßt, die so sehr verschieden voneinander gar nicht waren – aber von einem Gespräch über die Umstände, unter denen gesamtdeutsche Wahlen stattfinden könnten, war man in Bonn und Ostberlin so weit entfernt wie je.

Auf den ersten Blick mutet das diplomatische Hin und Her zwischen Ostberlin und Bonn vom September 1951 bis zum Februar 1952 wie eine Wiederholung dessen an, was sich schon in den Monaten vorher abgespielt hatte. Tatsächlich stimmen die in Ost und West benutzten Vokabeln und vorgebrachten Argumente in den Grundzügen mit den früheren überein. Verändert hatten sich die Umstände: die Unterzeichnung des EVG-Vertrages unter Einschluß der BRD stand bevor. Wenn die Sowjetunion daran noch etwas ändern wollte, muß-

---

16. Bemühungen I, S. 56f.
17. ebd. S. 57f.
18. ebd. S. 63ff. – Siegler, aaO. S. 126ff.
19. Bemühungen I, S. 71ff. – Siegler, aaO. S. 133ff.

te sie jetzt aktiv werden. Daß dies der eigentliche Anstoß für die diplomatische Aktivität des Ostens war, verhehlten die Politiker der SED nicht[20]. Aber gerade dieser Ansatz machte die Ostberliner Angebote vielen Westdeutschen verdächtig. Für sie galt es als ausgemacht, daß es sich bei Grotewohls Vorschlägen nur um ein östliches Propagandamanöver zur Torpedierung der EVG handle, das Grotewohl auf Geheiß Moskaus gestartet habe; das Angebot freier Wahlen im Osten könne nicht ehrlich gemeint sein, weil es nicht im Interesse der SED hätte liegen können, sich selbst abwählen zu lassen. Dagegen wies die »Stuttgarter Zeitung« darauf hin, daß »eine solche Beweisführung sich selbst widerspricht«: Wenn schon Grotewohl, was richtig sei, »nur als Beauftragter rede«, dann könne auch »nicht von seinem Interesse und dem der SED die Rede sein, sondern nur vom Interesse des Kremls«. Der Sowjetunion sei aber durchaus zuzutrauen, daß sie politische Ziele »auf Kosten des Sowjetzonenregimes« anstrebe. Angesichts der Fortschritte der westlichen Bündnissysteme in Ostasien, Südostasien und Südosteuropa sei es denkbar, daß der Sowjetunion daran gelegen sei, wenigstens die BRD aus dem westlichen Bündnis herauszuhalten und als Gegenleistung dafür womöglich die Freigabe der DDR durch freie Wahlen zu bieten[21].

»Beweisen« ließ und läßt sich eine solche Absicht der Sowjets nicht. Gewisse Anzeichen für einen Kurswechsel der Sowjets gab es: Ulbricht, der Generalsekretär der SED, hatte kurz vor Grotewohls Aufforderung zu gesamtdeutschen Beratungen noch Gespräche mit den »Landesverrätern« in Bonn abgelehnt[22]. Während Ulbricht sich in der Sowjetunion aufhielt, regte Semjonow, der politische Berater des Vorsitzenden der sowjetischen Kontrollkommission in Deutschland, die Erklärung Grotewohls an, und zwar so plötzlich, daß Ostberliner Regierungsmitglieder erst in der Volkskammersitzung davon erfuhren. Auf die Forderungen des Bundestags nach Garantie für freie Wahlen reagierte man im Osten mit einem überraschenden Abbau eines Teils der im August errichteten Straßensperren zwischen Ost- und Westberlin[23]. Die Regierung verkündete eine Teilamnestie der politischen Gefangenen[24]. In einer Präambel zum Wahlgesetzentwurf vom Januar 1952 bot die Volkskammer an, »die Frage der internatio-

---

20. Bemühungen I, S. 35f, 50.
21. Stuttgarter Zeitung 25. 9. 51. – Ein Sprecher der Bundesregierung hatte erklärt, Grotewohls Vorschlag sei ein »reiner Propagandatrick« (NZZ 18. 9. 51).
22. lt. NZZ 18. 9. 51.
23. FAZ 1. 10. 51.
24. Die Welt 1. 10. 51.

nalen Kontrolle der Wahlen auf der gesamtdeutschen Beratung zu besprechen«[25]. Ulbricht wies in einer Erläuterung zum Wahlgesetzentwurf darauf hin, »alle demokratischen Parteien, auch die SPD und auch die CDU/CSU«, könnten in der DDR Kandidaten aufstellen[26]. Ulbricht schien nicht mehr das uneingeschränkte Vertrauen der Sowjets zu besitzen[27].

Aber es gab natürlich auch Punkte, die westlichem Mißtrauen gegen die Echtheit der östlichen Reden über die Möglichkeit freier Wahlen Nahrung gaben. Schon daß die Angebote Grotewohls ziemlich allgemein gehalten waren, ließ für die Befürchtung Raum, daß die Sowjets hinter dehnbaren Vokabeln womöglich Bedingungen verbargen, die für den Westen unannehmbar waren[28]. So können die diplomatischen Aktionen aus Ostberlin nicht eindeutig beurteilt werden. Gewissen positiven Anzeichen in Wort und Tat standen gewisse negative gegenüber. Damit erwies sich die Ostberliner Aktivität als typisch für diplomatische »Fühler« überhaupt.

Nur soviel stand fest: es erschien politisch denkbar, daß die östlichen Reden ein Angebot der Sowjetunion enthielten, ein Gesamtdeutschland durch Wahlen zuzulassen, wenn sich die BRD nicht dem Westen anschloß – ob diese Vermutung richtig war und welche Bedingungen die Sowjetunion einem solchen Gesamtdeutschland im einzelnen aufzuerlegen gewillt war, konnte aus dem Text nicht entnommen, sondern nur in Verhandlungen geklärt werden.

Entscheidend war also, ob die westdeutsche Regierung bereit war, eine solche Prüfung vorzunehmen. Natürlich konnte das kein westdeutscher Politiker tun, ohne darüber zunächst mit den westlichen Alliierten zu verhandeln, deren Interessen zu berücksichtigen für die Bundesrepublik selbstverständlich sein mußte. Westdeutscher Wille, östliche Angebote zu prüfen, mußte also zunächst in vorsichtigem Anfragen bei den westlichen Alliierten, womöglich mit Unterstützung der Öffentlichkeit, seinen Ausgang nehmen.

Ein solcher Wille trat aber auf Seiten der Regierung in Bonn nir-

---

25. nach R. Augstein, Konrad Adenauer und seine Epoche, in: Die Ära Adenauer. Einsichten und Ausblicke, Fischer-Bücherei Nr. 550, S. 36. Die Präambel ist in den Textsammlungen nicht abgedruckt.
26. lt. dpa v. 16. 1. 52.
27. Herrnstadt übte am 25. 1. im Neuen Deutschland Kritik an »undemokratischen« Methoden in der Partei: »Wir sind schuld, die Parteiorganisation von unten bis oben. Und je weiter nach oben, desto mehr –!« M. Jänicke vermutet, daß Herrnstadt von sowjetischer Seite gestützt wurde (Der dritte Weg. Die antistalinistische Opposition gegen Ulbricht seit 1953, Köln 1964, S. 23 und 226 Anm. 4).
28. Kritisch beurteilt die Initiative J. Weber, Die sowjetische Nachkriegspolitik als Ursache der westlichen Neuorientierung, Politische Studien Heft 185, Mai/Juni 1969, S. 278ff.

gends in Erscheinung. Adenauers Zielsetzung in Bezug auf den Osten ging bei seinen Verhandlungen mit den westlichen Alliierten in ganz andere Richtung. Er bemühte sich intensiv darum, in den Westverträgen die Mithilfe der drei Westmächte bei den Bemühungen um eine Wiedervereinigung Deutschlands vertraglich festzulegen[29]. Der Passus, der dies vorsah, erschien ihm, wie er vor dem Bundestag erklärte, von »eminenter Bedeutung«[30]. Darüber hinaus drängte Adenauer auf eine Formulierung, die die automatische Einbeziehung ganz Deutschlands mit seinen Rechten und Pflichten in das westliche Vertragswerk vorsah[31]. Schon im Oktober 1951 teilte er vor dem Parteitag der CDU mit, es sei ihm von den westlichen Alliierten »ausdrücklich erklärt worden, daß sie mit der Eingliederung nicht nur der Bundesrepublik, sondern eines wiedervereinten freien Deutschlands in das westliche Vertragssystem als gleichberechtigte Partner durchaus einverstanden sind«[32]. Der Artikel 7 Abs. III des Deutschlandvertrages, wie er am 22. November 1951 beschlossen wurde, trug diesem Wunsche Rechnung; er lautete:

»Die Bundesrepublik Deutschland und die Drei Mächte sind darin einig, daß ein wiedervereinigtes Deutschland durch die Verpflichtungen der Bundesrepublik nach diesem Vertrag, den Zusatzverträgen und den Verträgen über die Bildung einer integrierten europäischen Gemeinschaft – in einer gemäß ihren Bestimmungen oder durch Vereinbarung der beteiligten Parteien angepaßten Fassung – gebunden sein wird, und daß dem wiedervereinigten Deutschland in gleicher Weise die Rechte der Bundesrepublik aus diesen Vereinbarungen zustehen werden.«[33]

Damit aber nicht genug. Adenauer wollte auch die früher deutschen Provinzen östlich der Oder-Neiße-Linie in das westliche Vertragswerk einbezogen wissen. Hatte er schon im Oktober in Berlin »mit letzter Klarheit« gesagt: »Das Land östlich der Oder-Neiße-Linie gehört für uns zu Deutschland«[34] – so versicherte er im November vor dem CDU-Parteiausschuß: ». . . daß die deutschen Ostgebiete, auch die jenseits der Oder-Neiße-Linie, in dem kommenden deutsch-alliierten Generalvertrag die gleiche rechtliche Stellung erhal-

---

29. Bericht der Deutschen Zeitung vom 5. 12. 51. Die damals bekannt gewordenen Einzelheiten werden von Baring auf Grund unveröffentlichten Materials bestätigt (aaO. S. 135ff).
30. Sten. Berichte, 190. Sitzung, 7. 2. 52, S. 8099.
31. ebd.
32. Broschüre: Zweiter Parteitag der CDU, Karlsruhe 18.–21. 10. 1951, S. 22.
33. Baring, aaO. S. 409 Anm. 153.
34. Bemühungen I, S. 46. – Dieselbe These vertrat Adenauer am 14. 10. auf dem Berliner Parteitag der Exil-CDU und am 17. 11. anläßlich der Gründung des Bundes der vertriebenen Deutschen (Baring, aaO. S. 402).

ten würden wie die Bundesrepublik«[35]. Und im Bulletin des Presseamts der Bundesregierung unterstrich Adenauers Staatssekretär Otto Lenz die Bedeutung der Westverträge für die Rückgewinnung der ehemaligen deutschen Ostprovinzen[36].

Wie diese Ziele zu erreichen seien, darüber äußerte sich Adenauer im Laufe jener Monate deutlicher, in denen das westliche Vertragswerk Gestalt annahm und Grotewohls September-Brief diskutiert wurde. Während er sich in seiner ersten Erklärung zum Grotewohl-Brief noch darauf beschränkt hatte, die Gefahren der Lage ausführlich zu schildern, ohne einen Weg zur Wiedervereinigung Deutschlands aufzuzeigen[37], entwickelte er allmählich seine eigene Ostkonzeption. Als nach der Konferenz von Washington die Verhandlungen über die Westverträge aufgenommen und Grotewohls drittes Angebot abgelehnt worden war, meinte Adenauer in einem Interview mit der amerikanischen Zeitung »New Leader«, nachdem er vor einer unbewaffneten Neutralisierung der Bundesrepublik gewarnt hatte:

»Wenn die Deutschen als Ergebnis der gegenwärtig geführten Besprechungen als eine wirklich freie Nation in den Kreis der Völker des Westens aufgenommen werden, dann sind die sowjetischen Bestrebungen ein für allemal gescheitert. Deshalb muß man hoffen, daß – nachdem die Sowjets seit Beginn des Kalten Krieges durch den Abschluß des Japan-Vertrages in San Franzisko ihre erste diplomatische Niederlage erlitten haben – die Besprechungen mit Deutschland zu einer zweiten großen diplomatischen Schlappe für die Sowjets führen.

Danach wird die Sowjetunion diplomatisch und militärisch in der Defensive sein.«[38]

Wenige Wochen später erklärte der Kanzler auf dem Zweiten Parteitag der CDU in Karlsruhe:

»Wenn die Sowjetunion sieht, daß Neutralisierung der Bundesrepublik durch deren Eintritt in die Europäische Verteidigungsgemeinschaft nicht mehr zu erreichen ist, wenn Rußland sieht, daß die westlichen Länder ihm weit überlegen

---

35. DNZ 15. 11. 51.
36. Bulletin Nr. 17 vom 6. 12. 51, S. 111f: »Der Generalvertrag . . . konnte zwar zunächst nur einen Status für das gegenwärtige Bundesgebiet schaffen; aber ebenso wie er die Bundesrepublik als die tatsächliche Repräsentanz des ganzen Deutschland und als tatsächlichen Partner begreift und behandelt, so wird mit dem Hinweis auf Deutschlands Teilnahme am künftigen Friedensvertrag auch der deutsche Osten in die Vertrags- und Bündnispolitik mit dem Westen einbezogen. So viel Versuche seit 1945 angestellt worden sind, die kalte Annexion deutscher Gebiete, wie die Auseinanderreißung Deutschlands, wieder rückgängig zu machen – so sehr hat jetzt die Politik der Bundesregierung mit dem Abschluß des Generalvertrages erst die reale Basis für dieses deutsche Schicksalsproblem geschaffen.«
37. Rede am 18. 9. 51, EA 1951, S. 4405.
38. Zitiert nach FAZ vom 6. 10. 51.

sind, dann wird auch der Kreml, der ein kühler Politiker und Rechner ist, bereit sein, allen Aggressionen und aggressiven Tendenzen zu entsagen und sich seinen drängenden innerpolitischen Aufgaben zuzuwenden, anstatt ohne jede Aussicht auf Erfolg weiter zu rüsten und dadurch ungeheure Mittel sinn- und zwecklos zu verschleudern.«[39]

Auch vor der Weltpresse in London gab Adenauer seiner Hoffnung Ausdruck, »daß nach einer Ausgleichung des Kräfteverhältnisses die Zeit für eine umfassende diplomatische Aktion mit dem Ziel einer Normalisierung der Verhältnisse gekommen sein wird«[40].

Vor dem Bundestag deutete Adenauer kurz an, wie er sich »den weiteren Verlauf der Dinge« dächte: »Ich denke ihn mir so, daß, wenn der Westen stark genug ist, Sowjetrußland bereit ist, in vernünftige Verhandlungen mit dem Westen einzutreten.«[41]

Wie solche »vernünftigen Verhandlungen« mit einer durch die Stärke des Westens in die Defensive gedrängten Sowjetunion aussehen sollten, führte Adenauer am 1. März 1952 in Heidelberg aus:

»Kann einer glauben, daß Sowjetrußland jemals ohne dazu genötigt zu sein, die Ostzone wieder freigeben wird? Ich glaube es nicht. Aber ich denke mir die Entwicklung folgendermaßen: Wenn der Westen stärker ist als Sowjetrußland, dann ist der Tag der Verhandlungen mit Sowjetrußland gekommen. Dann wird man auf der einen Seite Deutschland die Furcht nehmen müssen, die es hat. Dann wird man auch Sowjetrußland klarmachen müssen, daß es so nicht geht, daß es unmöglich halb Europa in Sklaverei halten kann, und daß im Wege einer Auseinandersetzung, nicht einer kriegerischen Auseinandersetzung, sondern im Wege einer friedlichen Auseinandersetzung die Verhältnisse in Osteuropa neu geklärt werden müssen.«[42]

Sowjetrußland werde »zu solchen Verhandlungen alsdann bereit sein«, denn – so versicherte Adenauer: »auch Sowjetrußland hat schwere innere Probleme, sogar außerordentlich schwere innere Probleme, nämlich das Nahrungsmittelproblem«. Es müsse »in größtem Umfang Ackerland schaffen, weil der größte Teil des ungeheuren Gebietes unfruchtbares Land, Steppe und Urwald ist«. Adenauer verglich die durchschnittliche Lebensdauer eines Bewohners der Sowjetunion mit der eines Westeuropäers (38:60):

»Und allein diese Ziffern mögen Ihnen klarmachen, daß Sowjetrußland große innere Aufgaben zu erfüllen hat, wenn es am Leben bleiben will. Es kann aber diese Aufgaben dann nicht erfüllen, wenn es fortwährend rüstet und rüstet. Es

---

39. Broschüre: Zweiter Parteitag der CDU, S. 24.
40. Bulletin Nr. 19 vom 11. 12. 51, S. 135.
41. Sten. Berichte, 190. Sitzung, 7. 2. 52, S. 8117.
42. Bulletin Nr. 26 vom 4. 3. 52, S. 254.

bedarf des Kapitals, das es in die Rüstung steckt, und es bedarf der Menschen, die es in Uniformen steckt, um seine Aufgaben erfüllen zu können.«

Wieder beschwor Adenauer den Zeitpunkt, an dem die Sowjetunion »vernünftig« werden würde:

»Ich glaube und bin überzeugt, daß der Tag kommen wird, wo man mit Sowjetrußland vernünftig über alle diese Dinge sprechen kann und sprechen muß, und dann wird auch der Tag gekommen sein, wo wir mit unseren Brüdern und Schwestern im Osten in Freiheit wiedervereint sein werden.«

In der ersten Märzwoche gab der Kanzler noch zweimal im Radio seiner Hoffnung auf die Wirkung westlicher Stärke Ausdruck. Wenn die »freie Welt erst einmal ihre Stärke organisiert« habe, dann werde auch der Zeitpunkt gekommen sein, »wo man mit dem Ostblock mit Aussicht auf Erfolg verhandeln kann«[43]. Und, noch deutlicher: »Erst wenn der Westen stark ist, ergibt sich ein wirklicher Ausgangspunkt für friedliche Verhandlungen mit dem Ziel, nicht nur die Sowjetzone, sondern das ganze versklavte Europa östlich des eisernen Vorhangs zu befreien, in Frieden zu befreien.«[44]

Die Äußerungen Adenauers zur Ostpolitik, seine sogenannte »Politik der Stärke«, haben in der Argumentation Heinemanns viele Jahre eine wesentliche Rolle gespielt. Mit ihnen, besonders mit Adenauers Heidelberger Rede, setzte er sich immer wieder kritisch auseinander. Dabei ging er von der Voraussetzung aus, daß diese Reden tatsächlich, ebenso wie die Erklärungen der Bundesregierung zu den Grotewohl-Briefen, die ostpolitische Konzeption Adenauers enthalten hätten. Ob das aber wirklich der Fall war, ist unter den Historikern nicht unbestritten[45]. Deshalb soll hier, ehe Heinemanns eigene Position dargestellt wird, auf die Frage eingegangen werden, ob Adenauers Ausführungen sich mit seiner wahren Überzeugung deckten oder nicht.

Zweifel daran stützen sich auf die Erkenntnis, die sich heute bei kritischer Betrachtung der damaligen Äußerungen Adenauers aufdrängt: daß die Verkündung der ostpolitischen Thesen Adenauers wohl als taktisches Mittel zur Abwehr außen- und innenpolitischer Gegner gebraucht werden konnte, eine Verwirklichung aber ganz unmöglich war. Weil die Bevölkerung der DDR sich 1951/52 in freien

43. Bulletin Nr. 28 vom 8. 3. 52, S. 277.
44. Bulletin Nr. 27 vom 6. 3. 52, S. 262. – Dieselbe Formulierung gebrauchte Adenauer in seinen Erinnerungen (I, S. 536) zur Charakterisierung seiner »allgemeinen Gedanken« im Frühjahr 1952. Ähnlich seine Überlegungen im Bd. II der Erinnerungen, S. 63ff.
45. Baring zweifelt daran: aaO. S. 138ff.

Wahlen mit Mehrheit für den Westen ausgesprochen hätte, war schon die Forderung nach freien Wahlen, solange sie nicht mit der Bereitschaft zu Gegenleistungen verbunden war, für die Sowjetunion unannehmbar. Wenn nun sogar die automatische Einbeziehung ganz Deutschlands in das westliche Paktsystem und darüber hinaus die Rückkehr der deutschen Ostprovinzen im Zuge einer Neuordnung ganz Osteuropas ins Auge gefaßt wurden, war das für die Sowjetunion schlechthin indiskutabel. Eine Weltmacht, im Besitz der Atombombe, gab ihre Siegesbeute nicht ausgerechnet an eine gegnerische Mächtegruppe heraus.

Trotzdem ist der Schluß falsch, Adenauers Ostthesen müßten demnach als bloßer taktischer Schachzug gewertet werden[46]. Denn dieser Schluß setzt voraus, daß Adenauer Geschichte und Psychologie der Sowjetunion in Rechnung gesetzt hätte. Das aber war, wie sich in den Auseinandersetzungen mit Heinemann 1950 und in verschiedenen Reden Adenauers aus dem Jahre 1951 zeigte, gerade nicht der Fall. Adenauer sah nur *ein* Faktum, die militärische Ausdehnung der Sowjetunion, und verabsolutierte diese Tatsache zu einer Art negativem Mythos. Dagegen baute er auf »Stärke« und »Integration Europas«. Sie verhinderten die Katastrophe der Sowjetisierung, sie bewirkten den Frieden unter bisher verfeindeten Völkern im Westen – warum sollten sie nicht endlich auch positive Auswirkungen im Osten haben? Für Adenauer, der nicht geneigt war, bei sich und anderen irgendwelche Zweifel an der Generallinie seiner Politik aufkommen zu lassen, lag es nahe, sich von der westlichen Stärke auch etwas für die Ostpolitik zu erhoffen[47]. Die Denkalternative bot sich an: Entweder übt die Sowjetunion einen fortgesetzten expansiven Druck auf Westeuropa aus und heimst bei westdeutscher Nichtteilnahme an der Verteidigung das Gebiet endlich ein – oder sie wird durch die vereinte Stärke des Westens zur Besinnung gebracht und zieht sich eines Tages, einsichtig geworden, zurück, ihre bisherigen bösen Absichten aufgebend.

Mit diesem Denkschema, das dazu verleitete, bestimmte politische Tatsachen zu übersehen, stand Adenauer nicht allein. Es prägte die amerikanische Politik der »Eindämmung«, der »totalen Demokratie« und später des »Roll back« ebenso wie die Vorstellungswelt vieler Westdeutscher. Regierung und Opposition waren in so starkem Maße

---

46. So argumentiert Baring, aaO. S. 140.

47. Ähnlich urteilt Erdmenger: Die Politik der Stärke sei »in der Vorstellung von Bundesregierung und Regierungskoalition die notwendige Ergänzung und Verlängerung der Wiedervereinigungsvorstellungen in die praktische Politik«. K. Erdmenger, Das folgenschwere Mißverständnis. Bonn und die sowjetische Deutschlandpolitik 1949–1955, Freiburg i. B. 1967, S. 124.

einerseits bestimmt von der Furcht vor dem Kommunismus und der moralischen Überheblichkeit ihm gegenüber und andererseits vom Streben nach Gleichberechtigung und Souveränität der BRD, daß sie sich der Probleme beider Denkrichtungen nicht bewußt wurden. Symptomatisch für diese Tatsache war der Eklat um den SPD-Abgeordneten Luetkens; als dieser im Bundestag erklärte, eine volle westdeutsche Souveränität sei gar nicht wünschbar, da sie einer Wiedervereinigung Deutschlands und einer weiteren Lösung europäischer Fragen im Wege stehe, mißbilligte nicht nur Adenauer, sondern auch die SPD-Fraktion die »mißglückten Formulierungen«[48]. Symptomatisch war auch die überwältigende Mehrheit, die im Bundestag und in der Öffentlichkeit die ostpolitischen Forderungen Adenauers nach freien Wahlen stützte. Weit verbreitet war auch die Überzeugung, daß Stärke nicht nur der Verteidigung des Westens nütze, sondern sich auch positiv auf die Ostpolitik auswirken würde[49]. Sogar die Formulierungen von der »Einsicht«[50], ja der »Einsicht und Umkehr« der Sowjetunion[51], die anzustreben sei, kehren bei anderen Politikern wieder.

Eine Beobachtung der Umstände, unter denen Adenauer seine ostpolitischen Äußerungen tat, macht es noch wahrscheinlicher, daß er damit seine wahre Meinung aussprach. Als Adenauer im Herbst 1950 zum ersten Mal Achesons Wort von der Bedeutung westlicher Stärke aufgenommen hatte, hatte noch jeder Bezug zur Wiedervereinigungsfrage gefehlt. Bis zum Herbst 1951 hatte Adenauer nur ganz gelegentlich den Akzent verändert und westlicher Stärke auch positive Auswirkungen auf den Osten zugesprochen[52]. Je mehr aber im Winter 1951/52 die Pläne einer Europaarmee Gestalt gewannen und die Vereinten Nationen ihr moralisches Gewicht für ein freies Deutschland in die Waagschale warfen, desto deutlicher gab Adenauer der Hoffnung Ausdruck, daß die militärische und moralische Erstarkung des Westens auch die Wiedervereinigung Deutschlands und Neuordnung Osteuropas zur Folge haben würde. Man wird es nicht für Zufall halten dürfen, daß Adenauer seine Aussagen über die Fernwirkung westlicher Stärke gerade nach den Konferenzen von Washington, London und Lissabon pointierte, als der deutsche »Verteidigunsbeitrag« angefordert, die Verzahnung von EVG und NATO perfekt gemacht und die Größe des westdeutschen Kontingents auf eine halbe Million Mann festgesetzt wurde. Nicht zufällig fallen auch Adenauers

48. Sten. Berichte, 168. Sitzung, 16. 10. 1951, S. 6945.
49. v. Schubert, aaO. S. 175ff, 150.
50. So J. Kaiser lt. NZZ 14. 1. 52.
51. So der Berliner CDU-Abgeordnete J. B. Gradl in: Der Tag 23. 12. 51.
52. Belege bei v. Schubert, aaO. S. 176f.

herausfordernde Reden in die Zeit, in der er sich von Äußerungen amerikanischer Offiziere sehr beeindrucken ließ, wonach die Bundesrepublik in fünf Jahren die stärkste Militärmacht auf dem Kontinent sein werde[53]; und nicht zufällig entschloß er sich auch zu diesem Zeitpunkt, als seine Militärpolitik verwirklicht zu werden schien, im Bundestag den größten Teil jenes bis dahin geheim gehaltenen Sicherheitsmemorandums vom August 1950 selbst zu verlesen[54] und vor der Presse darauf hinzuweisen, daß er schon seit 1948 auf die westdeutsche Aufrüstung hingearbeitet habe[55].

Es sprechen also drei Gründe dafür, daß Adenauers ostpolitische Sentenzen, wie Heinemann annahm, seine wahre Meinung ausdrückten: die Tatsache, daß seine Thesen innerhalb eines bestimmten Denksystems logisch waren; die Tatsache, daß diese Denkweise weit verbreitet war; und die Tatsache, daß sie durch bestimmte politische Ereignisse psychologische Nahrung erhalten hatte. Unter diesen Umständen wäre nur dann Grund, an Adenauers Zielsetzung zu zweifeln, wenn direkte Zeugnisse diese Vermutung belegten. Solche Dokumente sind aber auch von den Historikern, die bisher unveröffentlichtes Material einsahen, nicht zutage gefördert worden[56]. So ist nur der Schluß erlaubt, Überzeugung und Taktik seien bei Adenauer wieder, wie schon früher, zusammengefallen: Er setzte – wie viele Menschen im Westen – von seinen Denkvoraussetzungen her tatsächlich auf die Politik der Stärke Hoffnungen; und seine Zielsetzung leistete *auch*, aber nicht *nur*, den taktischen Dienst, die Gesprächsbereitschaft von Kommunisten hintanzuhalten – solange, bis durch

---

53. Das berichtet Baring, aaO. S. 122.
54. Sten. Berichte, 191. Sitzung, 8. 2. 52, S. 8159f.
55. Die Zeit 31. 1. 52.
56. Weder Baring noch v. Schubert bringen Belege. So läßt Baring, obwohl er das Gegenteil vermutet, die Möglichkeit offen, Adenauer habe an die Politik der Stärke geglaubt: »Man wird das nicht von vornherein ausschließen dürfen. Es gibt zahlreiche Äußerungen von ihm aus den frühen fünfziger Jahren, die in diese Richtung weisen.« Baring meint aber, man dürfe sie nicht isoliert betrachten, da Adenauer »seine Darlegungen auf die jeweiligen Gesprächspartner und Auditorien abzustimmen« pflegte. Daraus folgert Baring, m. E. keineswegs schlüssig: »Insgesamt war sein Konzept daher komplizierter, als die einfachen Formeln ahnen lassen, derer er sich bediente. Und vor die Wahl gestellt, sollte man eher Adenauers Aufrichtigkeit als seine Intelligenz bezweifeln.« In diesem Zusammenhang verweist Baring auf den Essay von Kl. Epstein, The Adenauer Era in German Hostory, in: A New Europe? hg. v. St. Graubard, Boston-Cambridge 1964, S. 105 ff. Aber gerade Epstein, der für Adenauers Westpolitik viel Verständnis aufbringt, betont dreimal (S. 113, 114, 115), es gebe »no conclusive evidence that he believed that Germany would have to make a choise between unification and western integration« (S. 114). »There is much evidence that he believed that a successful ›policy of strength‹ could result in a Germany reunited upon his own terms and remaining a part of the Western alliance« (S. 115).

westliche Stärke Grundlagen für »vernünftige Gespräche«, d. h. über die Freigabe besetzter Gebiete durch die Sowjets, geschaffen sein würden.

Aber gerade diese Zielsetzung war geeignet – das sah Heinemann deutlich – jeglichen ostpolitischen Ansatz der BRD zunichte zu machen. Denn für Kommunisten lag es von ihren Denkvoraussetzungen her nahe, in Adenauers Äußerungen mehr als nur ein taktisches Mittel und ein in Frieden anzustrebendes politisches Fernziel zu erblicken. Die »Neuordnung Osteuropas« erschien ihnen als die eigentliche Zielsetzung eines Politikers im Gefolge der imperialistischen USA, die aus Gründen wirtschaftlicher Logik in einer militärischen Aggression enden würde, soviel auch Adenauer vom Frieden sprach. Was Marxisten auf Grund ihres Denkansatzes ohnehin fürchteten, sahen sie durch Adenauer bestätigt, so daß sie es nun mit um so größerer Vehemenz auch als taktisches Mittel im propagandistischen Kampf gegen den Westen verwenden konnten – eine Tatsache, die im Westen wieder als Beweis für die Aggressivität des Ostens ausgelegt wurde.

So trug die jeweilige Verengung des politischen Horizonts durch ideologische Barrieren dazu bei, daß die deutschen Politiker in Ost und West sich gegenseitig durch die jeweils andere Seite moralisch-politisch bestätigt sahen. Dabei trifft die Politiker der westlichen Seite die größere Verantwortung: sie, die im Vergleich zu ihren ostdeutschen Kollegen die größeren politischen Freiheiten besaßen, benutzten diese nicht zu größerer politischer Bedachtsamkeit, sondern forderten, Adenauer an der Spitze, von vornherein und bedingungslos die Herausgabe des ganzen übrigen Deutschland – während die Vorschläge aus Ostberlin, soviel Hoffnungen auf eine spätere kommunistische Einwirkung auf ganz Deutschland auch dahinterstecken mochten, doch zunächst dem Wortlaut nach Kompromißbereitschaft anzeigten. Im Westen war die Verengung des politischen Horizonts größer als im Osten.

Möglich war diese Verengung deshalb, weil man die deutschen Untaten im Osten aus der Erinnerung verdrängt hatte. Mochte es politisch denkbar erscheinen, daß die USA und die westliche Welt mit vereinter Stärke irgendwo anders auf der Erde die Sowjetunion machtvoll-friedlich zurückdrängten – in Deutschland war das unmöglich. So sicher die Deutschen zwanzig Millionen Menschen aus der Sowjetunion getötet hatten, so ausgeschlossen war es, daß diese Weltmacht nach ihrem Siege ohne Gegenleistung aus Deutschland zurückwich. Daß man diese Tatsache bei den Politikern der Weltmacht USA übersah, war psychologisch verständlich. Daß man sie auch in Westdeutschland aus den Augen verlor, kaum daß man politisch auch nur etwas wieder bedeutete, hing damit zusammen, daß in der deutschen Öffentlichkeit das Bewußtsein der deutschen Kriegsschuld gegenüber dem Osten weitgehend verdrängt worden war. Undenkbar wäre sonst die Entstehung von Adenauers Ostkonzeption und die Tatsache gewesen, daß ihr gegenüber so wenig Kritik aufbrach. Furcht vor der östlichen Macht, Hoffnung auf westliche Stärke hätten nicht derart wuchern können, wie das Anfang 1952 geschah. Indem man 1950/51 Heinemanns Hinweis auf Gottes Weltregiment und auf die nötige Umkehr als geistliche Schwärmerei beiseitegeschoben hatte, hatte man, gerade in der Christlich-Demokratischen Union, sich selbst der Möglichkeit begeben, sich korrigieren zu lassen: man meinte, sich ausschließlich auf politische Tatsachen zu stützen, und wurde doch in übersteigerter Furcht und Hoffnung blind für die mit der EVG unlösbaren politischen Probleme und das Ausmaß der negativen Auswirkungen, die die öffentliche Verkündigung des ostpolitischen Konzepts der Regierung hatte.

4

Heinemanns »Notgemeinschaft für den Frieden Europas«

Für Gustav Heinemanns politische Entwicklung bedeutete der Herbst 1951 einen gewissen Einschnitt. In dem Grade, in dem die Westintegration der BRD näher rückte, gewann für ihn das Moment der politischen Aktion gegenüber dem der Reflexion an Gewicht. Zwar blieb für ihn die politische Aufklärung der eigentliche Ausgangspunkt für die politische Aktivität; aber er bemühte sich nun stärker als vorher, seine Anschauungen auf dem politischen Felde durchzusetzen.

Mit dieser Verlagerung des Akzentes ging eine Veränderung seiner Redeweise Hand in Hand. Hatte er in dem Jahr seit seinem Rücktritt, vor welchem Publikum er auch sprach, den Gesamtzusammenhang zwischen theologischem und politischem Denken aufgezeigt, so bemühte er sich nun darum, je mehr er politisch in Aktion trat, innerhalb des »politischen Raumes« auch »rein politisch« zu argumentieren.

Motiv für diese Änderung seiner Haltung war die Sorge, daß beide, »Kirche« und »Welt«, zu kurz kommen könnten, wenn sie sich nicht beide auf ihre wesentlichen Kernfragen besännen:

»Im Volk setzt man Hoffnungen auf diese Kirche, daß sie die Wiedervereinigung Deutschlands herbeiführen helfe. Ob diese Wiedervereinigung auf dem Weg über westdeutsche Aufrüstung und westdeutsche Eingliederung in westeuropäische und atlantische Gemeinschaften oder auf andere Weise gesucht werden soll, ist sehr umstritten. Deshalb werden Äußerungen kirchlicher Personen oder Organe zu diesen Fragen in der Öffentlichkeit stark beachtet. Es ist nicht gut, wenn eine Kirche so sehr in das politische Blickfeld kommt. Sie muß dann immer wieder Bedacht darauf nehmen, daß sie nicht von ihrem eigenen Auftrag abgedrängt wird.«[1]

Diesem »eigentlichen Auftrag« der Kirche suchte Heinemann zu dienen, als er im Oktober 1951 eine Vortragsreise durch die DDR unternahm und über »Das Wort Gottes als Ordnungsmacht in den Wirren der Zeit« sprach[2]. Unter Bezug auf die Barmer Erklärung führte er aus, inwiefern das Wort Gottes für den einzelnen, für die christliche Gemeinde und für die Welt eine Hilfe darstelle. Die Frage, ob Gottes Wort »auch die Welt in Ordnung brächte«, beantwortete er mit einem »Ja und Nein«: »Die Welt lebt von Gottes Wort, und wir alle sind bis zur Wiederkehr Christi zum gehorsamen Dienst in sie hineingestellt.« Aber »bis dahin bleibt sie trotz aller Veränderung, wie sie ist. Wir haben nicht die Verheißung ihrer grundsätzlichen Verbesserung«.

Den »Dienst an der Welt« suchte Heinemann zu leisten, indem er nach der Rückkehr aus der DDR auf Mittel sann, wie die Politik der Regierung zu stoppen und im Blick auf eine Wiedervereinigung Deutschlands zu verändern sei. Dieses Ziel trat bei ihm nun so sehr in den Vordergrund, daß die Zahl rein kirchlicher Vorträge, die selbst während seiner Amtszeit als Minister beträchtlich gewesen war, in der Folgezeit gegenüber den »politischen« Reden stark zurücktrat[3]. Auch an Heinemanns Auftreten in der Öffentlichkeit war, wenigstens für wohlwollende Beobachter, eine Veränderung zu erkennen. »Er scheint überhaupt ein ganz anderer geworden zu sein«, schrieb Fritz Brühl in der »Süddeutschen Zeitung«:

»Die Sprache ist farbiger, die politische Systematik folgerichtiger geworden. Zwar bleibt auch jetzt beim bissigsten Bonmot das Gesicht unbeweglich, fast abweisend. Aber der Kreuz-Fahrer, der seit vielen Monaten durchs kriegerische Land zieht, hat soviel Fährnis und Feindschaft bestehen müssen und bestanden, daß er härter geworden und zu größerem Elan gereift ist.«[4]

Einer Parteigründung, wie sie politische Freunde erwarteten und der Journalist Rudolf Augstein sie schon Monate zuvor gefordert

---

1. GH: Die evangelische Christenheit in Deutschland vor und hinter dem eisernen Vorhang. Vortrag in der Schweiz, November 1951 (AH, msl).
2. GH 74. Vgl. auch GH 68.
3. Vergleich der Themen und der Stichworte zu seinen Reden 1950/51 und 1951/52 (AH).
4. Süddeutsche Zeitung 23. 11. 51.

hatte[5], stand Heinemann, immer noch Mitglied der CDU, nach wie vor ablehnend gegenüber. Er hielt ein solches Ansinnen zwar für verständlich und »redlich«, aber doch auch für »weithin unrealistisch. Gegen eine jetzt zu entscheidende Aufrüstung nützt keine Partei, welche erst bei späteren Wahlen die Gelegenheit zur Mitbeteiligung an den Entscheidungen finden wird«. Auch die »Auflockerung unserer Parteidogmen und Parteimaschinen zu einem freieren und persönlicheren Verhalten der Politiker gegenüber der jeweiligen Sachfrage« schien ihm eine Sache zu sein, die »weniger durch eine neue Partei«, als vielmehr »durch eine wachsende allgemeine Bemühung um die Achtung vor der persönlichen Entscheidung und größere staatsbürgerliche Lebendigkeit insgemein zu fördern wäre«[6]. In diesem Sinne versuchte er auf die bestehenden Parteien durch ein überparteiliches Gremium einzuwirken.

Aktive Unterstützung fand Heinemann außer bei Posser besonders bei zwei Menschen, die er aus den Nachkriegsjahren kannte: Helene Wessel und Adolf Scheu. Beide blieben ihm in seiner politischen Arbeit auf Jahre hinaus eng verbunden.

Frau Wessel war eine alte Parlamentarierin: in der Weimarer Zeit war sie fünf Jahre lang preußische Landtagsabgeordnete des Zentrums gewesen, ehe sie in der NS-Zeit in ihren Beruf als Fürsorgerin zurückkehrte. Nach dem Kriege trat sie als Abgeordnete im Landtag von Nordrhein-Westfalen und im Parlamentarischen Rat hervor und wurde 1949 Vorsitzende des Zentrums und Abgeordnete im Bundestag. Dort hatte sie von Anfang an energisch gegen Aufrüstungstendenzen Partei ergriffen[7], und bald nach Heinemanns Rücktritt nahm er über die Frage des Wiesbadener Aufrufs, den sie begrüßte, Kontakt mit ihr auf[8].

Scheu war wie Heinemann vor 1933 im Christlichsozialen Volksdienst tätig gewesen und später von der Oxford-Bewegung zur Moralischen Aufrüstung (MRA) gekommen, in der er Heinemann begegnet war[9]. Die unkritisch-bejahende Haltung der Bewegung von

---

5. »Partei der Wiedervereinigung«, Der Spiegel, v. 27. 3. 51, (Jens Daniel, Deutschland – ein Rheinbund? Darmstadt 1953, S. 60f): »Es gilt also, eine politische Partei zu schaffen, die dem Kommunismus wie jeder anderen Form der Staatsversklavung schärfsten Kampf ansagt, das Recht der Deutschen proklamiert, außenpolitisch und handelspolitisch mit den benachbarten Sowjets zu verhandeln, eine Wiedervereinigung Deutschlands für vordringlicher hält als den Anschluß Westdeutschlands an Westeuropa im Rahmen des Atlantikpaktes.«
6. GH 67: StdG Okt. 51.
7. Erklärung im Bundestag am 16. 12. 49. Sten. Berichte, 24. Sitzung, S. 740f.
8. Schreiben vom 28. 12. 50, Antwort H. Wessels v. 2. 1. 51 (AH).
9. vgl. seine Ansprache auf der Tagung »Bergbau und soziale Verantwortung«, s. GH 11a.

Caux gegenüber der westdeutschen Aufrüstung veranlaßte jedoch Scheu wie Heinemann, sich allmählich von der MRA zu lösen[10]. Scheu hatte zwar keine parlamentarischen Erfahrungen, brachte aber als Industrieberater Beziehungen zur Wirtschaft und organisatorisches Geschick mit. Er hatte Heinemann mehrfach seinen Rat und seine Hilfe zur Verfügung gestellt, so 1949, als es um die Annahme des Ministeramts in Bonn und den Aufbau des Ministeriums ging, und 1950 während der Verhandlungen wegen Heinemanns Rücktritt.

Als Ausgangspunkt zu überparteilicher politischer Aktion bot sich Heinemann die »Stätte der Begegnung« an, eine im Vorjahr gegründete Organisation, die es sich zur Aufgabe gesetzt hatte, Menschen verschiedener Überzeugung zu Gesprächen und zur Bearbeitung von Sachfragen zusammenzuführen. Auf einer Tagung in Bielefeld im September 1951, auf der auch über die Frage westdeutscher Aufrüstung gesprochen wurde, bildete sich ein Arbeitskreis, in dem das Für und Wider der Aufrüstung weiter erörtert wurde[11]. Aus ihm ging die »Notgemeinschaft für den Frieden Europas« hervor, die am 21. November 1951 im Hause des Landtags von Nordrhein-Westfalen in Düsseldorf an die Öffentlichkeit trat.

Von den Gründungsmitgliedern gehörten nur drei einer Partei an, außer Heinemann und Helene Wessel nur noch Dr. Otto Koch, ein sozialdemokratischer Ministerialdirektor aus dem nordrhein-westfälischen Kultusministerium. Zwei Drittel der Gründungsmitglieder waren Protestanten: außer Heinemann, Scheu und Koch, der sich seit Jahrzehnten um die Verbesserung des Verhältnisses zwischen evangelischer Kirche und SPD bemühte, der Fabrikant Friedrich Karrenberg, der auf dem Essener Kirchentag zur sozialen Frage gesprochen hatte, der Theologe Professor Hammelsbeck, Direktor der Pädagogischen Akademie Wuppertal, stellvertretendes Mitglied der Synode der EKD, und Dr. Diether Posser, Heinemanns Sozius. Als Katholiken waren neben Frau Wessel Ludwig Stummel, Konteradmiral a. D., und dessen Schwager Dr. Nikolaus Ehlen vertreten, der sich um den Siedlungsbau verdient gemacht hatte. Er war wie Dr. Ottfried Rademacher Mitarbeiter der »Stätte der Begegnung«[12].

Die Notgemeinschaft trat auf verschiedene Weise an die Öffentlichkeit: einmal mit Reden, Vorträgen, Streitgesprächen, mit Zeitungsartikeln und Broschüren[13]; dann mit einem »Aufruf an das deutsche

10. Schreiben Scheus an O. Koch v. 21. 3. 52 (AH).
11. Akten Notgemeinschaft (AH und AS). – P. Molt, Die neutralistische Opposition, S. 68f.
12. Der Spiegel v. 16. 4. 52, S. 9f. – Molt, aaO. S. 69.
13. Wessel/Heinemann/Stummel, Aufruf zur Notgemeinschaft für den Frieden Europas, Essen 1951 (Reden auf der Düsseldorfer Kundgebung am 21. 11. 51). –

Volk«, unter den die Notgemeinschaft Unterschriften bekannter Persönlichkeiten aus allen politischen Lagern erbat[14]; und endlich durch eine Petition an den Präsidenten des Bundestages, die von möglichst vielen Bürgern unterschrieben werden sollte[15]. Während der Gedanke eines Aufrufs von Heinemann stammte[16], kam die Idee einer Petition aus dem Kreis um den Studentenpfarrer Mochalski[17].

Als organisatorische Basis zur Verbreitung des Aufrufs und der Petition erwies sich die »Stätte der Begegnung«, auf die Heinemann zunächst gehofft hatte, als ungeeignet; denn ihre hauptamtlichen Mitglieder sahen ihre primäre Aufgabe im Zusammenführen verschiedener Gesprächspartner, nicht in der politischen Aktion. Heinemann und Frau Wessel waren sich aber darin einig, daß es nun gerade darum ging: »Es kann ja nicht immer nur geflötet werden, sondern es muß nun auch marschiert werden.«[18] In die Bresche sprangen zunächst nichtkommunistische Friedensverbände, an die sich Heinemann mit der Bitte um Hilfe wandte[19]. In seinen Reden gab Heinemann den Anstoß zu Aktivitäten im Sinn der Notgemeinschaft; er sprach vor allem in Nordrhein-Westfalen, im Südwesten und in Hessen, seltener im Norden, in Bayern und Rheinland-Pfalz[20]. In vielen Städten bildeten sich, dem hessischen Beispiel folgend, »Aktionsgruppen«, die die Petition ihrerseits vervielfältigten und Unterschriften sammelten[21]. Heinemann war der Meinung, daß die Notgemeinschaft

---

GH 82: Deutsche Friedenspolitik, Verlag Stimme der Gemeinde, Darmstadt 1952 (enthält GH 40, 41, 50, 55, 61, 67, 68, 70, 75, 80). – H. Wessel, Unser Weg nach Europa. Rede in Berlin v. 6. 7. 52 (Broschüre). – H. Gollwitzer, Rüstung, Frieden und Krieg (Broschüre).

14. Text in: Nachrichten der Notgemeinschaft für den Frieden Europas Nr. 1, April 1952, S. 1.

15. Text: Der Spiegel 16. 4. 52, S. 10.

16. Der von Heinemann und Posser formulierte Entwurf war von den Gründungsmitgliedern der Notgemeinschaft »in veränderter Fassung einstimmig gebilligt« worden (Protokoll der Sitzung v. 4. 12. 51, AH).

17. Nachdem sich der Gedanke eines Volksbegehrens in Hessen als undurchführbar erwiesen hatte, schlug Albert Priebe, Offenbach, Heinemann vor, die Bevölkerung des Bundesgebiets unter Berufung auf Artikel 17 des Grundgesetzes, der jedem Bürger das Recht zubilligte, sich mit »Bitten und Beschwerden« an die Volksvertretung zu wenden, zur Einzeichnung in Petitionslisten aufzufordern (Schreiben an Heinemann v. 7. 12. 51; AH). – Der Text der Petition wurde in Zusammenarbeit mit Mochalski entworfen (vgl. Der Spiegel 16. 4. 52).

18. Schreiben Heinemanns an W. Rietz v. 22. 12. 51 (AH).

19. Schreiben v. 10. 1. 52 (AH).

20. Im ersten Vierteljahr 1952 sprach Heinemann 23mal in Nordrhein-Westfalen, je achtmal in Hessen, in Baden-Württemberg und im Norden, viermal in Bayern und dreimal in Berlin (AII).

21. Akten »Aktionsgruppen der Notgemeinschaft« (AH). – Nachrichten der Notgemeinschaft Nr. 1ff.

»nur nach dem Schneeballsystem arbeiten« könnte[22], nämlich in der Weise, daß bei den Unterschriftensammlungen neue Sammler gewonnen würden[23].

Die Notgemeinschaft sollte nach Heinemanns Absicht das »Sammelbecken aller gegen die Wiederbewaffnung auftretenden Kräfte unseres Volkes« werden[24]. Das war aber nur möglich, wenn sie zwar die Unterschriften aller sammelte, sich aber gegen den Einfluß jener Gruppen, die die Sache politisch diskreditieren konnten, sicherte – um sich so offenzuhalten für möglichst viele, die von den verschiedensten Voraussetzungen her zur Aufrüstung nein sagten und eine Wiedervereinigung Deutschlands für vordringlich hielten.

Diesem Ziel entsprechend war die Satzung der Notgemeinschaft entworfen. Mitglieder des eingetragenen Vereins waren zunächst nur die zehn Gründer der Organisation, von denen vier, Heinemann, Frau Wessel, Scheu und Stummel, den Vorstand bildeten. Nur durch einstimmigen Beschluß konnten politische Erklärungen abgegeben und neue Mitglieder aufgenommen werden; die Notgemeinschaft blieb jedoch auf den Kreis der Gründer beschränkt. Einzelpersonen oder juristische Personen konnten Förderer der Notgemeinschaft werden, »sofern sie in einer mit dem Vorstand zu vereinbarenden Weise die Notgemeinschaft unterstützen«. Die Förderer durften sich zwar zu »örtlichen Aktionsgruppen« zusammenschließen, waren aber »nur dann berechtigt, im Namen der Notgemeinschaft zu sprechen, wenn sie dazu vom Vorstand schriftlich ermächtigt« wurden[25].

Heinemann sah darauf, daß die Bestimmungen der Satzung streng eingehalten und daß dies in der Öffentlichkeit von Anfang an klargestellt wurde[26]. Im Grundsatzausschuß waren nur Personen vertreten, die weder zu rechts- noch zu linksradikalen Gruppen Beziehungen hatten; es fehlten auch Vertreter des »Deutschen Kongresses« und des »Nauheimer Kreises«. Die Gründer betonten mehrfach, daß sie weder zu Noack noch zum Reichskanzler a. D. Joseph Wirth, der durch seine Ostkontakte von sich reden machte, Beziehungen hätten[27]. Bewußt verzichteten sie auf die Hervorhebung von Namen be-

---

22. Schreiben an L. Ohnesorge 7. 2. 52 (AH), ähnlich an W. Koch 14. 1. 52 (AH) u. a.

23. Erstes Rundschreiben an die Aktionsgruppen v. 22. 2. 52, S. 1ff (hekt.).

24. Schreiben an H. Wicke, Braunschweig, 4. 1. 52 (AH).

25. Satzung v. 2. 1. 52. – Vgl. auch Der Spiegel 16. 4. 52.

26. Schreiben an W. Koch v. 3. 2. 52 (AH). – Selbst ein Heinemann so nahestehender Mann wie Prof. Iwand wurde darauf hingewiesen, daß er einen Vortrag nicht mit der Leitung der Notgemeinschaft abgesprochen hätte (Schreiben an H. Wessel v. 8. 2. 52. – AH).

27. Auf der Pressekonferenz im Bundeshaus in Bonn am 22. 11. 51 (Die Welt 23. 11.). – Heinemann im Internationalen Presseklub Heidelberg 7. 11. 52 (Mannheimer Morgen u. FAZ 8. 1. 52).

kannter Gegner Adenauers wie des Kirchenpräsidenten Niemöller, der der Notgemeinschaft voll zustimmte[28]. Bewußt wurde von den Unterzeichnern des Aufrufs ein repräsentativer Querschnitt durch alle Parteien, Verbände und Berufe herausgestellt[29]. Und bewußt bestand Heinemann darauf, daß als Organisatoren der Versammlungen der Notgemeinschaft nicht die Friedensverbände, die womöglich nationale Kreise und Mitglieder der Regierungsparteien abschrecken konnten, namentlich in Erscheinung traten, sondern nur »Förderkreise der Notgemeinschaft«[30]. Folgerichtig hielt sich die Notgemeinschaft auch »aus allen Erörterungen über Parteineugründungen . . . betont heraus, um ihren Charakter als Sammlungsbewegung quer durch alle Parteien, Organisationen usw. nicht zu beeinträchtigen«[31].

Der organisatorischen Schwierigkeit entsprach eine Schwierigkeit in der Sache: in den Auseinandersetzungen mußten bestimmte Themen ausgeklammert werden. Die pazifistische und die nationalistische Begründung gegen die Aufrüstung und für eine Wiederverinigung Deutschlands mußten schon deshalb unerörtert bleiben, weil sie einander widersprachen[32]. Die Notgemeinschaft argumentierte nicht grundsätzlich, sondern »pragmatisch«[33]. Strikt vermied sie es, über »Wirtschaftsprogramme oder Sozialsysteme« zu disputieren, »weil darüber der weite Spannungsbogen von Freunden der Notgemeinschaft zerbricht. Wir haben ebenso sozialistische Planwirtschaftler wie liberale Marktwirtschaftler als auch freisoziale Geldwirtschaftler in unseren Kreisen und können das nur fortsetzen, wenn diese besonderen Probleme außerhalb der Notgemeinschaft ausgetragen werden«[34]. Keinen Niederschlag in der Argumentation der Notgemein-

---

28. Der Spiegel 16. 4. 52, S. 10.
29. Nachrichten der Notgemeinschaft Nr. 1, April 1952, S. 1.
30. Schreiben 8. 1. 52 an Göckeritz. – Schreiben 15. 1. an Beyer. – Schreiben 17. 1. 52 an seinen Schwager C. Ordemann, Bremen: ». . . daß ein Vorstoß in die Wähler der Regierungsparteien nur dann gelingen kann, wenn nicht von der viel zu schmalen Grundlage der pazifistischen Organisationen aus gestartet wird. Alle diese Friedensengel werden bei dieser Gelegenheit etwas von realistischer Politik lernen müssen« (AH).
31. Schreiben 7. 2. 52 an Hertel, Freudenstadt (AH). – »Es muß jetzt alles beieinander gehalten werden, was in dem Minimum übereinstimmt, welches in der Petition der Notgemeinschaft ausgedrückt wird.« – Schreiben an E. Arp, 6. 2. 52.
32. Schreiben an Mochalski v. 5. 4. 52 (AH). – Gegenüber W. Koch zeigte sich Heinemann mit der Polemik der Berliner Zeitung SOS gegen das Militär »nicht absolut einverstanden«. »Wir haben . . . auch frühere Berufsoffiziere und dergl. unter den Freunden der Notgemeinschaft. Es wäre gut, wenn SOS das beherzigen würde« (Schreiben v. 26. 2. 52, AH).
33. So v. Schubert, aaO. S. 136f: »Der pragmatische Neutralismus der Notgemeinschaft«.
34. Schreiben Heinemanns an H. Schnepel, Lübeck, 16. 7. 52 (AH).

schaft fand sogar die Tatsache, daß fast alle Gründungsmitglieder bewußte Christen waren und daß das protestantische Element und innerhalb dessen die Tradition der Bekennenden Kirche überwog[35]. Heinemann achtete genau darauf, daß bei Ankündigung seiner Reden für die Notgemeinschaft seine kirchlichen Ämter nicht mit genannt wurden[36]. Bewußt traten in der Öffentlichkeit der Protestant Heinemann und die Katholikin Helene Wessel gemeinsam auf, um die Gleichgewichtigkeit und Gemeinsamkeit der beiden christlichen Konfessionen zu betonen.

Innerhalb dieser selbst gesteckten Grenzen entfaltete die Notgemeinschaft eine intensive Tätigkeit. Die Gedanken, zu denen sich Heinemann im Laufe des Jahres 1951 durchgerungen hatte, wurden nun, angefangen bei der großen Gründungskundgebung der Notgemeinschaft in Düsseldorf am 21. November 1951 über Aufruf und Petition bis zu den vielen Reden des Jahres 1952, prägnant und thesenhaft formuliert.

Ausgangspunkt war dabei jeweils die Auseinandersetzung mit Adenauers Zielsetzung. Aufrüstung sei für Adenauer offensichtlich »der Hebel für die Erlangung westdeutscher Souveränität«, diagnostizierte Heinemann schon in Düsseldorf. Wenn aber »der Weg Adenauers zu Ende gegangen« werde, sähe Heinemann »ein dreifaches Ergebnis voraus«: erstens, daß die Bundesrepublik zwar scheinbar souverän werde, in Wahrheit aber viele der vorhandenen Bindungen an die Westmächte in anderer Form weiterbestehen blieben; zweitens, daß die Spaltung Deutschlands sich vertiefte und die Kriegsgefahr sich vergrößerte; und drittens, daß die Deutschlandfrage dann von der internationalen Gesprächsbühne verschwände[37].

---

35. In dem 30köpfigen Programmausschuß, der am Gründungstage gewählt wurde, hatte fast die Hälfte der Mitglieder der Bekennenden Kirche angehört (Molt, aaO. S. 70). Zwar wurde dieser Ausschuß nie aktiv, allenfalls wirkten einige seiner Mitglieder beratend mit (msl. Bemerkungen Heinemanns zu Molt, aaO.). Aber die Zusammensetzung zeigt deutlich die Träger der Notgemeinschaft.

36. z. B. Heinemann an Klaar, Kassel, 5. 2. 52: »Keinesfalls darf mein Amt als Präses der Synode für die Werbung benutzt werden, weil ich einen politischen Vortrag halten werde und auf Sammlung von Unterschriften unter die Petition der Notgemeinschaft abziele« (AH). – Als in Wermelskirchen im Sept. 1952 der Präses-Titel doch auf einem Plakat erschien, drang Heinemann darauf, daß er überklebt wurde. Heinemann bezeichnete den Vorgang in W. als »die einzige Panne«, die er in dieser Beziehung seit dem Wahlkampf 1949 erlebt hätte, als die CDU in Wuppertal den Präses-Titel für ein Wahlplakat verwandte (Schreiben an Toussaint, Essen, 26. 9. 52).

37. GH 70: Rede auf der ersten öffentlichen Kundgebung der Notgemeinschaft in Düsseldorf am 21. 11. 51. – Die drei Punkte nannte Heinemann auch in Schwelm am 6. 10. (UP 6. 10.) und in der Paulskirche in Frankfurt am 7. 10. (FAZ 8. 10.; JK Heft 20/21, 25. 10.; DKadW 15. 10. 51).

Punkt zwei wurde besonders ausgeführt:

»Wenn eine westdeutsche Armee besteht, wird die Freigabe der russischen Zone für Rußland indiskutabel; für die Vereinigten Staaten aber kann sie die Versuchung werden, in der Auseinandersetzung mit Rußland auf Biegen und Brechen zu gehen« (Düsseldorfer Rede[38]).

»Westdeutschlands Aufrüstung bannt nicht die Kriegsgefahr, sondern vergrößert sie. Die Aufrüstung verschärft die internationalen Spannungen. Die Sowjetunion hat 20 Millionen Deutsche als Pfand in der Hand. Sie will eine westdeutsche Aufrüstung nicht untätig hinnehmen. Westdeutschlands Aufrüstung wird die deutsche Einheit nicht herstellen, sondern den Eisernen Vorhang dichter schließen ... Westdeutschlands Aufrüstung vertieft die Spaltung Europas und verhindert den Zusammenschluß seiner Völker« (Aufruf[39]).

»Wir sind der Überzeugung, daß eine westdeutsche Aufrüstung nicht der Sicherung des Friedens dient, sondern die Kriegsgefahr erhöht ... Wir glauben nicht daran, daß westdeutsche Aufrüstung zur friedlichen Befreiung der Sowjetzone und Wiederherstellung der deutschen Einheit führt. Aufrüstung wird vielmehr den Eisernen Vorhang dichter schließen und achtzehn Millionen Deutsche, vor allem die junge Generation, den Gegenmaßnahmen des Sowjetsystems preisgeben« (Petition[40]).

Demgegenüber verlangte die Notgemeinschaft, daß geklärt würde, ob eine Verständigung der vier Großmächte über eine Wiedervereinigung Deutschlands möglich wäre und sich damit eine Vergrößerung der Spannungen vermeiden ließe. In der Petition hieß es:

»Ohne einen Friedensvertrag mit allen vier Besatzungsmächten kann es völkerrechtlich überhaupt keine deutschen Soldaten geben. Wehrpflicht wäre ein staatlicher Zwang zu völkerrechtswidrigem Verhalten.

Wir fordern den Bundestag deshalb auf, die geplante Aufrüstung abzulehnen und die Bundesregierung zu veranlassen, eine Politik redlicher Verständigung und glaubhafter Bemühung um die Wiedervereinigung ... zu führen.«

Und der Aufruf gipfelte in dem Satz:

»Die Bundesregierung hat bisher nicht bewiesen, daß durch Verhandlungen eine friedliche Wiedervereinigung Deutschlands zu einem Staatswesen des Rechtes, der persönlichen Sicherheit und der Menschenwürde ausgeschlossen ist. Die Notgemeinschaft fordert daher: Jede Möglichkeit einer annehmbaren Verständigung muß wahrgenommen werden.«[41]

Als annehmbar erschien Heinemann eine Lösung, bei der der Westen »den Preis der Nichtaufrüstung« zahlte, »wenn wir dafür in ganz Deutschland die freie Verfügung über unser sonstiges politisches

---

38. GH 70.
39. Nachrichten der Notgemeinschaft Nr. 1, S. 1. – Dieser Passus findet sich schon im ersten Entwurf Heinemanns (AH).
40. Der Spiegel 16. 4. 52, S. 10.
41. Schon im Erstentwurf (AH).

Schicksal gewinnen und mit jeder Veränderung dieser Situation der dritte Weltkrieg riskiert wird, weil jede Veränderung dieser Situation unmittelbare Lebensinteressen anderer Völker berührt«. Gerade weil alle Großmächte dieses Interesse an Deutschland hätten, sei »die Wiedervereinigung Deutschlands für niemand eine Gefahr. So verstanden, ist ein unbewaffnetes Deutschland kein Vakuum, in das jeder Mutwille hineingreifen kann, sondern ein Gebiet von globalen Reaktionen bei jeder Antastung seiner Ordnung«[42].

Eine solche politische Verständigung der Großmächte über Deutschland und mit den Deutschen setzte voraus, daß zwischen den Großmächten und den Deutschen Verständnis für die jeweilige Situation wuchs, ohne daß man sich Illusionen hingab. Heinemann suchte dieses kritische Verstehen zu fördern, indem er in seinen Reden gegenüberstellte, wie die wechselseitigen Interessen der Beteiligten zu ihrem Recht kämen. So in Bezug auf die Sowjetunion und die Westdeutschen:

»Wir müssen verstehen, daß Rußland ein wiedervereinigtes Deutschland nicht eines Tages unter seinen Angreifern sehen will. Und Rußland muß verstehen, daß wir nicht eines Tages ein Opfer des Bolschewismus sein wollen.«[43]

Oder, in Bezug auf die Westmächte und die Sowjetunion:

»Wenn Rußland bereit ist, das kommunistische System in Deutschland zu opfern und eine gesamtdeutsche Regierung aus freien Wahlen entstehen zu lassen, sollte der Westen den Preis des Verzichtes auf westdeutsche Aufrüstung zahlen. Die Wiedergewinnung von 20 Millionen Deutschen für die Ordnungen freiheitlicher Demokratie für den Westen ist ein größerer Vorteil, als ihn die konträre Eingliederung von West- und Ostdeutschland in den Rüstungswettlauf der beiden Mächtegruppen bieten kann.«[44]

Angesichts der westdeutschen Voreingenommenheit für die USA und gegen die Sowjetunion war Heinemann bemüht, Gegengewichte zu setzen, ohne doch ins gegenteilige Extrem zu verfallen. Er betonte, daß die BRD den USA viel zu verdanken hätte[45]; aber er lehnte die Tendenz der USA ab, in der Bewaffnung anderer Völker und im Antikommunismus die allein richtige politische Methode zu erblikken. Dabei berief er sich gerade auf Stimmen aus den USA selbst, und zwar sowohl auf oppositionelle als auch auf solche der Regierung[46]. So deutlich Heinemann die Schäden der westlichen Welt

---

42. GH 70.
43. ebd.
44. GH 75.
45. lt. Hessische Nachrichten 29. 2. 52.
46. Die Nachrichten der Notgemeinschaft druckten mehrfach Zitate aus der amerikanischen Presse oder aus Reden amerikanischer Politiker wie des Präsidenten Truman ab.

nannte, z. B. die Massenhinrichtungen im von den USA gestützten Südkorea[47], so sehr hütete er sich doch davor, irgendeine Vokabel zu benutzen, die solche Mängel schlichtweg als typisch für die westliche Welt brandmarkte. Was die Sowjetunion anging, so warnte Heinemann einerseits vor der voreiligen Meinung, sie wolle den Frieden nicht; immerhin habe sie bisher ihr Potential nicht zu einem Angriff benutzt; ein Angriff sei möglich, jedoch unwahrscheinlich[48]. Andererseits dementierte er aber doch auch wieder die Meldung, er habe von einem »völligen Umschwung« der Politik des Ostens gegenüber Deutschland gesprochen[49]. An beide Seiten richtete Heinemann Warnungen; an den Westen: man könne von der Sowjetunion nicht verlangen, daß sie Polen opfere, um Deutschland die früheren deutschen Ostprovinzen herauszugeben, und daß sie sich »vor aller Welt durch UNO-Kommissionen die unleidlichen Zustände totalitärer Regierungsmethoden in der russischen Zone Deutschlands bescheinigen lassen« sollte; Warnungen aber auch an den Osten: »daß die allerletzten in Westdeutschland heute noch den Versuch einer Verständigung befürwortetenden Sprecher zum Verstummen kommen, wenn die östliche Konzessionsbereitschaft nicht stichhält«[50]. In einem Satz zusammengefaßt: »So sehr alle Westkonzeptionen der Bundesregierung ohne Grundlage bleiben werden, wenn eine gesamtdeutsche Lösung nicht eindrucksvoller versucht wird als bisher, so werden alle östlichen Bemühungen um die Verhinderung westlicher Aufrüstung zwecklos, wenn jetzt der Osten enttäuscht.«[51]

So stark in Heinemanns Denken die Wiedervereinigung Deutschlands betont wurde, lag doch der Hauptakzent auf dem Punkt »Friedenssicherung«. Als für den Titel seiner ersten Broschüre vorgeschlagen wurde: »Weder Ost noch West – Deutschland«, hielt Heinemann das für »unmöglich, und zwar stilistisch als auch sachlich«; es ginge in erster Linie »nicht um Deutschland, sondern um die Wahrung des Friedens«[52]. Die Broschüre erhielt dann auch den Titel »Deutsche Friedenspolitik«.

Grundtendenz der Reden Heinemanns war das Bemühen, Mut zu einer Lösung im Sinn der Notgemeinschaft zu machen. Um die Befürchtung abzubauen, wer Verhandlungen mit dem Osten fordere, sei

47. Darauf wies D. Posser in seinem Aufsatz hin: Die These vom westdeutschen Vakuum oder das Beispiel Korea, StdG Februar 52.
48. lt. Westfalen-Blatt 17. 12. 51; Hessische Nachrichten 29. 2. 52. – epd 8. 10. 51.
49. Süddeutsche Zeitung v. 27./28. 1. 52 (Leserbrief, abgedruckt im redaktionellen Teil).
50. GH 70.
51. ebd.
52. Schreiben an W. Koch, Anfang März 1952 (AH).

gegenüber den Künsten der östlichen Diplomatie naiv, wies Heinemann auf Bismarck hin, der Verhandlungen mit politischen Gegnern
auch dann befürwortet habe, wenn er selbst viel mehr Fußangeln als
seine besorgten Kritiker in den gegnerischen Angeboten erblickte[53].
Und die Sorge westdeutscher Demokraten, ein entmilitarisiertes Gesamtdeutschland zwischen den Machtblöcken sei politisch nicht exi-
stenzfähig, suchte er mit einer genaueren Darlegung der Zustände in
Deutschland und ihrer positiven Auspizien zu zerstreuen; dabei faßte
er auch die Möglichkeit einer gesamtdeutschen Armee ins Auge. In
einem Exposé, das er im Januar 1952 der Ökumenischen Kommission
für europäische Zusammenarbeit vortrug, führte er aus:

»Die weitere Entwicklung wird davon abhängen, wann und unter welchen Umständen die Besatzungsmächte Deutschland einmal räumen werden. Auch nach
Bildung einer gesamtdeutschen Regierung würde Deutschland zunächst noch
ein besetztes Land sein. So lange die Besatzung unter einer gesamtdeutschen
Regierung anhält, ist Deutschland kein Vakuum, sondern ein Raum, in dem
sich die Ost- und Westmächte unmittelbar gegenüberstehen, allerdings alsdann
ohne die Möglichkeit, deutsche Soldaten für ihre Zwecke aufstellen zu können.
Wenn es zum Friedensvertrag aller Siegermächte mit Gesamtdeutschland und
zur Räumung Deutschlands durch alle Besatzungsmächte kommt, kann die Ein-
ordnung Deutschlands in die Gemeinschaft freier Nationen auf Grund wechsel-
seitiger Garantierungen seines Gebietes und seiner Ordnung durch die Nachbarn oder durch Wiederherstellung einer defensiven deutschen Wehrmacht oder
durch eine Kombination solcher Regelungen erfolgen.«[54]

Mit diesem Passus suchte Heinemann auch Adenauer und den
Regierungsparteien Brücken zum Verständnis seiner Konzeption zu
bauen. Er betonte, daß Adenauer wohl eine unbewaffnete Neutralisierung Deutschlands abgelehnt, aber inzwischen zugestanden habe,
daß eine »echte, bewaffnete Neutralität«, »gestützt auf eine aus-
reichende Verteidigungsmacht«, für Deutschland »praktischen Wert
besitzen« könne[55]. Ausdrücklich bestätigte die Notgemeinschaft in
ihrem Aufruf der Regierung den ehrlichen Willen zum Frieden[56], und
Heinemann verteidigte in diesem Punkte in Diskussionen die Regierung gegenüber Angriffen aus dem Publikum[57]; absichtlich hatte die
Notgemeinschaft das Mittel der Petition als eine »legale Möglichkeit«
zur Willensbekundung benutzt und auch so eingeführt.

---

53. Rhein-Neckar-Zeitung 9. 1. 52.
54. GH 75.
55. Adenauer tat das in einer Rede in London im Dezember 1951 (Bulletin v. 8. 12.,
   Nr. 18, S. 123), die Heinemann immer wieder zitierte, ebenso wie einen ähnlichen
   Ausspruch J. Kaisers vom 14. 10. 51 (AH, Stichworte zu Reden).
56. Der Passus »Sie glaubt damit dem Frieden zu dienen« findet sich schon im ersten
   Entwurf Heinemanns (AH).
57. lt. Basler Nachrichten 13. 11. 51, Deutsche Zeitung 6. 2. 52, Der Spiegel 16. 4. 52.

So war die ganze Konzeption der Notgemeinschaft auf kritische Klärung der Lage, auf den Abbau von Vorurteilen, auf den Willen zu allseitiger Verständigung durch Ausgleich der Interessen abgestimmt[58].

5

Das Echo auf die Notgemeinschaft

Die Notgemeinschaft fand bei vielen Menschen in der Bundesrepublik ein zustimmendes Echo. Unter den Aufruf kamen Unterschriften von Persönlichkeiten verschiedener politischer Richtungen zusammen, so daß es möglich wurde, einen Querschnitt von Namen zu veröffentlichen, in dem nicht, wie bei früheren Aufrufen, bestimmte Kreise von Gegnern Adenauers das Übergewicht hatten[1]. Die Unterschriftensammlung für die Petition lief in vielen Städten der Bundesrepublik gut an; schon wenige Wochen nach Beginn der Aktion hatten sich in etwa 30 Städten örtliche Aktionsgruppen gebildet; sie hatten einige bemerkenswerte Beispiele erfolgreicher Tätigkeit aufzuweisen. So kamen in Freudenstadt/Schwarzwald innerhalb von drei Tagen 1000 Unterschriften zusammen; in Tübingen, wo der junge Studienreferendar Erhard Eppler die örtliche Gruppe leitete, unterschrieb etwa ein Drittel der Bevölkerung, in einigen kleineren Orten war es noch mehr. Täglich gingen Tausende von Unterschriften in Heinemanns Büro in Essen ein, das die Organisation kaum bewältigen konnte. Die Kundgebungen der Notgemeinschaft waren, obwohl man zur Deckung von Unkosten Eintrittsgeld erheben mußte, durchweg sehr gut besucht, ja »fast stets wegen Überfüllung polizeilich geschlossen«[2], und Heinemann wurde »mit Anträgen für Kundgebungen im ganzen Bundesgebiet unentwegt überschüttet«[3]. Einige Gruppen bejahten vorbehaltlos die Ziele der Notgemeinschaft, so die Friedensverbände[4], aber auch der Kreis um Noack; der Professor begrüßte

---

58. Schreiben 25. 2. 52 an H. Wessel: »Ich habe den Eindruck, daß gesamtdeutsche Lösungsversuche jetzt unausweichlich werden, und es sollte klar bleiben, wer sie fordert und wer dazu bündige Anregungen zu geben hat« (AH).
1. Nachrichten der Notgemeinschaft Nr. 1, S. 1.
2. Résumé Heinemanns im Schreiben an H. Wessel, Anfang Februar 52 (AH).
3. Schreiben an F. Lahusen, Bremen, 16. 2. 52: »Eigentlich könnte ich jeden Tag an wenigstens zehn Orten sprechen. Die Menschen verlangen einfach nach einem nichtkommunistischen Ausdruck ihres Widerspruchs gegen den Bonner Kurs« (AH).
4. z. B. Entschließung der Deutschen Friedensgesellschaft v. 27. 1. 52 (hektogr.).

die Notgemeinschaft »mit dankbarer Freude«[5], ohne es Heinemann zu verübeln, daß er sich ihm gegenüber reserviert verhalten hatte. In Stuttgart sprachen sich Studenten, in Hannover Betriebsräte im Sinn der Notgemeinschaft aus. Die Presse berichtete durchweg von der Düsseldorfer Gründungsversammlung, zum Teil an sichtbarer Stelle. Und einige Zeitungen bewerteten die Tätigkeit der Notgemeinschaft positiv, so die »Süddeutsche Zeitung«, die die Notgemeinschaft für »dringend« nötig hielt und es begrüßte, daß eine »echte Debatte« zu einem Zeitpunkt geführt werde, »da es noch Zweck hat, begründete Ansichten vorzutragen«[6].

Aber die Möglichkeiten der Notgemeinschaft, die westdeutsche Öffentlichkeit zu erreichen, waren doch insgesamt beschränkt. Von dem ohnehin kleinen Kreis der Gründungsmitglieder waren nicht alle gleichmäßig aktiv, so daß Heinemann, Posser und Frau Wessel den Hauptanteil der Arbeit zu leisten hatten. Veranstaltungen fanden fast nur in größeren Städten in vorwiegend protestantischen oder gemischt-konfessionellen Gegenden statt. Der Kreis der Hörer und Mitarbeiter der Notgemeinschaft setzte sich vornehmlich aus aktiven Protestanten, Pazifisten und Studenten zusammen[7].

Die bürgerliche Presse und die Regierungsparteien äußerten sich der Notgemeinschaft gegenüber durchweg ablehnend. In ihrer Argumentation tauchen zwei Punkte immer wieder auf.

Der eine war die Skepsis gegenüber einem angeblich zu großen Vertrauen Heinemanns gegenüber den Großmächten in Ost und West. Die Presse hielt das politische Kalkül der Notgemeinschaft, die die beiderseitigen Interessen der Großmächte an Mitteleuropa als einen politischen Faktor in Rechnung stellte, für einen Glauben an Gewaltlosigkeit oder für Vertrauensseligkeit dem Osten und naives Vertrauen dem Westen gegenüber. So kritisierte die »Kölnische Rundschau« am »neutralistischen Pazifisten Heinemann«, daß »seine politische Konzeption der Neutralität sich restlos auf das Vertrauen zum guten Willen der Sowjetpolitik stützt«[8]; das »Essener Tageblatt« hielt »den Glauben an den Nutzen einer gewaltlosen Politik« für »das Privileg einiger politischer Träumer«, die »unweigerlich an die Seite der waffenlosen Neutralisten und – der Kommunisten« geraten müßten[9]. Ohne weiteres nahm man an, daß eine militärische Ausklammerung Deutschlands aus den Machtblöcken bedeuten würde,

---

5. Weihnachtssendung 1951 des Nauheimer Kreises, S. 2.
6. Süddeutsche Zeitung 23. 11. 51.
7. Nachrichten der Notgemeinschaft Nr. 1–7. – Molt, aaO. S. 76f.
8. Kölnische Rundschau 1. 2. 52.
9. Essener Tageblatt 24. 11. 51.

daß die Amerikaner Europa ganz verlassen würden. »Sollte ihr Ziel, die Einigung Europas, scheitern, könnten sie sich leicht hinter den immer noch schützenden Wall ihres Isolationismus zurückziehen und es im übrigen bei der Rolle des Polizisten in einigen Vorposten belassen.«[10] Es leuchtete der Presse weithin nicht ein, daß den Amerikanern statt deutscher Soldaten auch ein Rückzug der Sowjets hinter die Oder und Neiße nützen würde, daß sie auch im Fall einer Ausklammerung Deutschlands ein Interesse an Europa behalten würden und daß es andere Möglichkeiten politischer Sicherung als die Anwesenheit amerikanischer Truppen geben könnte.

Das zweite Kennzeichen der Argumentation gegen die Notgemeinschaft war die Betonung von »Beweisen« für die ausschlaggebende Bedeutung des Machtfaktors im politischen Umgang mit der Sowjetunion. Jedes Ereignis der Nachkriegsgeschichte diente, ebenso wie der Hinweis auf Hitlers Annexionen, als stichhaltiger Beleg dafür, daß westliche Stärke unter Einschluß deutscher Soldaten erfolgreich gegenüber der Sowjetunion zu werden verspräche; entweder zog man negative Beispiele heran, wie die Tschechoslowakei oder Korea, oder positive, wie die Berliner Luftbrücke[11]. Frau Brauksiepe (CDU) faßte im Bundestag die Belege zusammen, als sie Frau Wessel vorwarf:

»Sie reden und reisen durch das Land, als seien seit 1946 – und damals sah noch manches nach Sanftmut aus, was längst demaskiert ist! – weder eine Luftbelagerung Berlins noch ein Bürgerkrieg in Griechenland noch die Putsche in Prag, in Warschau, in Bukarest und in Budapest gewesen, sei endlich und nicht zuletzt, was in Korea ist, nicht geschehen.«[12]

Im Lager der Regierung argumentierte man in dem Bewußtsein, aus eindeutigen historischen Beispielen logische Konsequenzen gezogen zu haben. »Wir versuchen, aus der Vergangenheit etwas zu lernen und in die Zukunft hinein zu bauen« (Frau Brauksiepe).

Es war deutlich, daß die Öffentlichkeit, soweit sie der Regierung zustimmte, von demselben Vertrauen auf Stärke getragen war wie der Bundeskanzler. Weil man den Einmarsch der Sowjetunion und den Rückzug der Amerikaner über die Maßen fürchtete, vertraute man auf die Stärke eines integrierten Westens, die beides hindern sollte; und umgekehrt: weil man auf die Stärke baute, fürchtete man sich so unmäßig. Der Zirkelschluß falscher Furcht und falscher Hoffnung konnte wie bei Adenauer deshalb nicht durchbrochen werden, weil in der Öffentlichkeit wie bei ihm das Bewußtsein deutscher

---

10. Rhein-Zeitung 8. 2. 52.
11. Rheinische Post 23. 11., Weser-Kurier 24. 11. 51, Bonner Rundschau 5. 1., Der Tag 14. 2., Badische Neueste Nachrichten 7. 3. 52.
12. Sten. Berichte, 191. Sitzung, 8. 2. 52, S. 8167.

Schuld gegenüber dem Osten und damit die Erkenntnis fehlte, daß die Sowjetunion wohl zu allem Möglichen, nicht aber zum bedingungslosen Rückzug aus Deutschland zu bewegen sei. Als Frau Wessel im Bundestag darlegte, wie 18 Millionen Ostdeutschen die westliche Freiheit zurückgegeben werden könnte, und ihre Befürchtung äußerte, daß bei westdeutscher Aufrüstung »diese Chance der Zukunft von vornherein ausgeschlossen« wäre, gab es bezeichnenderweise einen Zuruf aus dem Regierungslager: »Wie kommen Sie dazu?«[13] Ebenso verständnislos fragte z. B. die »Bonner Rundschau«:

»Und übrigens: Worauf gründet sich denn die Meinung, ein verteidigungsfähiges Westdeutschland müßte die Lage unserer Brüder und Schwestern in der Sowjetzone verschärfen? Mit gleichem Recht läßt sich das Gegenteil erwarten.«[14]

Die Rolle, die der Mangel an Schuldbewußtsein in der Argumentation gegen die Notgemeinschaft spielte, war exemplarisch an der Entgegnung von Bundestagspräsident Ehlers auf die Düsseldorfer rede Heinemanns abzulesen[15]. Ehlers kam auf die deutsche Geschichte vor 1945 überhaupt nicht zu sprechen und sah Rußland nur als aggressiven Machtfaktor; er behauptete:

»Es ist sicher nicht richtig, daß die Teilung Deutschlands durch eine Wiederbewaffnung Deutschlands verewigt wird. Wenn die großen Mächte zu einer ihre gesamten Streitigkeiten in der Welt regelnden Vereinbarung kommen, ist auch für Rußland die Teilung Deutschlands nicht unaufgebbar. Dann ist aber auch ein deutscher Verteidigungsbeitrag für West und Ost nicht mehr interessant genug, um daran politische Folgerungen zu knüpfen. Die Entscheidung fällt – ob mit oder ohne deutschen Soldaten – auf einer ganz anderen Ebene.«[16]

Die vier Besatzungsmächte würden sich »einig werden niemals im deutschen Interesse, sondern dann, wenn sie zu einer weltpolitischen Vereinbarung kommen, die auch eine Einbeziehung der deutschen Frage zweckmäßig erscheinen läßt«.

Im Zusammenhang mit dieser vagen Hoffnung auf eine zukünftige Gesamtregelung im westlichen Sinne waren alle Überlegungen Ehlers' logisch: daß Stärke grundsätzlich gegenüber der Sowjetunion positive Wirkung habe, daß sich der Staat BRD grundsätzlich in Bezug auf militärische Machtmittel in keiner anderen Lage als andere Staaten befinde[17], daß die moralische Unterstützung der Bundesregierung

---

13. ebd. S. 8172.
14. »Bonner Rundschau 5. 1. 52.
15. »Ist die Neutralität eine politische Möglichkeit?« in JK 15. 1. 52, Heft 1/2, S. 19ff.
16. ebd. S. 21.
17. »Wenn Heinemann eingangs seines Vortrages sagt, daß auch nach seiner Meinung Staaten Macht brauchen, so ist nicht einzusehen, warum er Deutschland dieses Kennzeichen der Macht verweigert« (ebd. S. 23).

durch die Einsetzung der UN-Kommission einen politischen Schritt vorwärts bedeute[18], daß die Einigung Westeuropas ein Schritt auf dem Weg zur Einigung Gesamteuropas und daß die Erlangung westdeutscher Souveränität ein Schritt auf dem Wege zur Wiedervereinigung Deutschlands sei[19]. Wer die Zusammenhänge zwischen historischer Schuld und politischer Lage nicht im Bewußtsein hatte, nahm eben den Punkt nicht wahr, an dem westliche Erstarkung negative Wirkung haben mußte[20].

Von seinem Vertrauen auf westliche Stärke aus mußte Ehlers die Schwierigkeiten auf dem von Heinemann vorgeschlagenen politischen Weg besonders hoch einschätzen: den Grad kommunistischer Untergrundtätigkeit in Deutschland und amerikanischen Desinteresses an Deutschland. Als »phantastisch« bezeichnete Ehlers »die Vorstellung, daß wir erhebliche Möglichkeiten hätten, zu einem Abkommen zwischen Ost und West zu helfen«, – ohne zu berücksichtigen, daß und wieweit Adenauer genau in der entgegengesetzten Richtung Einfluß nahm. Die ostpolitischen Forderungen der Bundesregierung waren für Ehlers Beweis genug für die Ernsthaftigkeit der Bonner Bemühungen um Wiedervereinigung[21].

---

18. »Immerhin hat dieser Vorschlag« (der Bundesregierung auf Einsetzung der UN-Kommission) »zum ersten Mal die deutsche Frage vor die Weltöffentlichkeit gebracht und genau das Gegenteil von dem erreicht, was Heinemann auch behauptet, daß die Deutschlandfrage von der internationalen Gesprächsbühne verschwindet« (ebd. S. 22).

19. »Zweifellos wird der so weit wie möglich von politischen Beschränkungen freie Status Westdeutschlands im Augenblick einer Wiedervereinigung dem ganzen Deutschland zugute kommen« (ebd. S. 21).

20. Dasselbe Phänomen ist in der Reaktion des Historikers Gerhard Ritter auf die Notgemeinschaft festzustellen. Ritter argumentierte: »Man müßte blind sein, um nicht zu sehen, daß der Eiserne Vorhang sich auch ohne Rüstung ständig weiter verdichtet. Ohne militärischen Druck des Westens wird er sich niemals lockern und ohne Furcht vor der Macht des Westens wäre schon jetzt die Lage unserer ostdeutschen Brüder viel elender als sie ist.«
   »Wie jemand nach 7 Jahren Erfahrung des Verhandelns mit den Bolschewisten und 275 vergeblichen Sitzungen über den österreichischen Friedensvertrag als praktischer Politiker heute noch an einen ›Friedensvertrag aller Siegermächte‹ ohne den Druck militärisch-gleichwertiger Macht glauben kann, ist mir unverständlich« (Brief an Heinemann v. 15. 1. 52, AH).

21. Unter Hinweis auf die Bundestagssitzung vom 27. 9. 51 wies Ehlers »mit Bestimmtheit« Heinemanns Bemerkung zurück, daß »Bonn gesamtdeutsche Lösungsversuche immer nur mit einem sehr verkniffenen Gesicht unternommen habe« (aaO. S. 20). Demgegenüber hob Heinemann »aus der Fülle hierher gehörender Einzelheiten« die Tatsache hervor, daß die Regierung den Entwurf für ein gesamtdeutsches Wahlgesetz »aus dem Bundestag zurückziehen mußte, weil dieser Entwurf noch nicht einmal in Bonn, geschweige denn auch in Berlin-Pankow eine Aussicht auf Annahme hatte«. – Was Ehlers' Befürchtungen wegen der Schutzlosigkeit eines waffenlosen Deutschland anbetraf, verwies Heinemann darauf, daß er die

Das politische Bekenntnis zur Politik der Stärke, das bei Ehlers immerhin mit rationalen Gründen durchsetzt war, nahm in der öffentlichen Auseinandersetzung um die Notgemeinschaft manchmal pathetische Formen an. Die »wahre Notgemeinschaft«, so erklärte Frau Brauksiepe im Bundestag unter »anhaltendem Beifall der Regierungsparteien«, bestünde aus den Männern und Frauen aller Länder, »in denen die moralische Kraft noch von dem unzähmbaren Drang nach Sicherung der Familie, der freien Persönlichkeit und des christlichen Menschenbildes überhaupt erfüllt ist«; und sie versicherte dem Kanzler:

»Es gibt noch eine Phalanx von Frauen, (Zurufe von der KPD: Ei, Ei!) denen die Sicherung dieser Werte heilig ist, eine Phalanx von Frauen, zusammengeschmiedet mit tapferen Herzen, und dahin gehören nicht zuletzt die Mütter derer, die in Korea kämpfen.«[22]

Von dieser Warte aus erschien die Notgemeinschaft schlechthin indiskutabel. Nur mit »brutalem Realismus« werde man weiterkommen, erklärte auf dem Parteitag der rheinischen CDU der Abgeordnete Schröder; die CDU »verwahre sich dagegen«, daß die Notgemeinschaft »Verwirrung in das Volk« trage[23]. Die Demokratie sei nicht verpflichtet, »Kritik zu dulden, deren zersetzender Charakter unzweifelhaft ist«, drohte der Pressedienst der FDP, der Frau Wessel und Heinemann als »politische Wanderprediger« apostrophierte[24], während der Pressedienst der CDU Heinemann in der »Rolle eines Tragikomikers« sah[25]. Für F. J. Strauß (CSU) waren die beiden ein »Reiseteam peripatetischer Politiker«[26], und der Abgeordnete Faßbender (FDP) hielt sie schlicht für »verblödete bürgerliche Intellektuelle«[27]. Die Charakteristika, die die regierungsfreundliche Presse für Heinemann und die Notgemeinschaft verwandte, hießen entsprechend: »unnützes Werk«, »schädliche Initiative von Einspännern« (Essener Tageblatt), »verschwommene und unklare Ziele« (Kölnische Rundschau), »neues Wettrennen um den deutschen Ohnemichel« (Rheinischer Merkur), »Flucht in die Illusion« (Westfälische Nachrichten), »illusionäres Wunschdenken« (Weser-Kurier), »Illusioni-

---

Wiederherstellung einer defensiven deutschen Wehrmacht für sinnvoll halte (Vorwort zu GH 75 in der JK 15. 2. 52, S. 79. Das Exposé ist dort mit dem Untertitel »Antwort an Hermann Ehlers« versehen).
22. Sten. Berichte, 191. Sitzung, 8. 2. 52, S. 8167.
23. lt. Aachener Volkszeitung 26. 11. 51.
24. Pressedienst der FDP lt. Tagesspiegel v. 30. 1. 52.
25. Union in Deutschland v. 9. 2. 52.
26. Sten. Berichte des Bundestages v. 7. 2. 52, S. 8125.
27. lt. Fuldaer Volkszeitung 12. 2. 52.

sten« (Westfälische Zeitung), »große Utopie« (Rheinische Post), »Naivitäten« (Badische Neueste Nachrichten), »Vabanquespiel« (Neue Tagespost)[28].
Was die Öffentlichkeit weithin von der Notgemeinschaft hielt, zeigte ein Vorgang im rheinischen Karneval. Durch Bonn wurde im Februar 1952 eine Figur gezogen, die Stalin mit einem Trojanischen Pferde darstellte, aus dem Heinemann, Frau Wessel und Niemöller herausschauten[29]. Niemöller, obwohl nicht Mitglied des Vorstandes der Notgemeinschaft, hatte sich so deutlich in ihrem Sinn ausgesprochen, daß er in einem Atemzuge mit Heinemann und Frau Wessel genannt wurde. Er erregte den Zorn der Öffentlichkeit besonders dadurch, daß er eine Einladung des Patriarchen der russisch-orthodoxen Kirche nach Moskau annahm[30]. Obwohl er erklärte, er fahre um der kirchlichen Beziehungen und um der deutschen Kriegsgefangenen willen, wogen die Bedenken, Niemöller könne etwas der westlichen Politik Entgegenstehendes tun oder sagen, schwerer als alle humanitären Überlegungen: vom Kanzler über die Parteien und politischen und kirchlichen Gruppen bis zu Theologieprofessoren erscholl der Chor der Proteste gegen diese Reise, eine Stimme immer noch schärfer als die andere[31].
Auch die Positionen Heinemanns und Frau Wessels in ihren Parteien wurden angegriffen. Frau Wessel, die noch im November 1951 einstimmig zur Vorsitzenden des Zentrums wiedergewählt worden war, mußte dieses Amt im Januar 1952 aufgeben[32]. Über Heinemann meldete die Presse, daß in der CDU ein Parteiausschlußverfahren gegen ihn erwogen werde[33]; es wurde allerdings nicht durchgeführt,

---

28. E. T. 24. 11. 51, K. R. 23. 11. 51, Rh. M. 30. 11. 51, W. N. 15. 2. 52, W. K. 24. 11. 51, W. Z. 6. 3. 52, Rh. P. 23. 11. 51, B. N. N. 7. 3. 52, N. T. 1. 12. 51.
29. Schreiben H. Wessels an Heinemann v. 28. 2. 52 (AH).
30. Dazu vgl. KJ 52, S. 6ff.
31. Adenauer fand es »tief bedauerlich, daß ein Deutscher in der Position Niemöllers seiner Regierung auf diese Weise und zu diesem Zeitpunkt in den Rücken fällt« (Blick in die Woche Nr. 2, 2. 1. 52). Der Bundesvorstand der Jungdemokraten telegraphierte: »Dienen Sie dem Frieden, bleiben Sie in Moskau. Vor Heimkehr des letzten Kriegsgefangenen ist Ihre eigene Heimkehr unerwünscht. Es lebe die Freiheit« (ebd.; Nürnberger Nachrichten 3. 1. 52). Das »Befreiungskomitee für die Opfer totalitärer Willkür« forderte »rücksichtslose Maßnahmen gegen Dr. Joseph Wirth, Martin Niemöller und alle nicht mehr gutgläubigen Handlanger Moskaus und ihre Ausweisung aus der Bundesrepublik« (Darmstädter Tageblatt 7. 1. 52). – Die scharf ablehnenden Stellungnahmen der Pressedienste der CDU, FDP und SPD im Bulletin Nr. 3 v. 8. 1. 52, S. 26f. – Ein Angriff Thielickes und eine Erwiderung von Dibelius im KJ 52, S. 7ff.
32. Die Welt 28. 1. 52.
33. Die Welt 10. 1. 52. – Dementi im DUD der CDU/CSU v. 10. 1. 52, S. 1.

weil man negative Rückwirkungen wegen der kirchlichen Position Heinemanns fürchtete[34].

Die Reaktion von Seiten der Regierungskoalition und der ihr nahestehenden Presse zeigte, daß die Notgemeinschaft ihr Maximalziel, innerhalb der Herrschenden den Anstoß zu einer Neubesinnung einzuleiten, nicht erreicht hatte. Um so wichtiger war es, ob es ihr gelang, unter den politischen Gegnern rechts und links von der Regierungskoalition Anhänger zu gewinnen.

Um die rechten Gruppen anzusprechen, hatte Heinemann bewußt an den Anfang seiner Düsseldorfer Rede eine Absage an den grundsätzlichen Pazifismus und die Versicherung gestellt, er habe »Respekt vor dem Soldatischen, vor den Männern, die sich mit ihrem Leben für ihr Vaterland eingesetzt haben und bereit wären, es wiederum zu tun«; man solle »Vergangenes vergangen sein lassen und zueinander treten«[35]. Absichtlich war auch in den Vorstand der Notgemeinschaft mit dem Admiral Ludwig Stummel ein ehemaliger Offizier gewählt worden, der gelegentlich auf seine Weise alte Soldaten ansprach[36].

Die Hoffnung auf Zustimmung gemäßigt konservativer Kreise, die dem Nationalsozialismus abgeschworen hatten, erfüllte sich jedoch nicht. Nach Gesprächen mit früheren Offizieren berichtete ein General a. D., der die Verbindung herstellen sollte:

»Alle stimmen mit den Grundgedanken des Heinemann-Aufrufs überein. Trotzdem versagen sie sich einer Beteiligung. Immer wieder wurde mir erklärt, daß man sich um jeglichen Kredit im eigenen Kreise bringen werde, wenn man seinen Namen neben den von Dr. Heinemann und Frau Wessel setze. Beide Persönlichkeiten seien derart verbunden mit der Entnazifizierungs- und Entmilitarisierungspolitik der Nachkriegszeit, daß es auch in sachlicher Hinsicht keine persönlichen Brücken gebe.«[37]

An dieser Haltung änderte sich auch später nichts, so daß in den Querschnitt von Unterschriften unter den Aufruf der Notgemein-

---

34. Baring, aaO. S. 438 Anm. 12. – Molt, aaO. S. 78.
35. GH 70.
36. Der ehemalige Konteradmiral, der nun eine soziale Aufgabe innerhalb eines Betriebes wahrnahm, verurteilte es als »Verirrung« und »gemeingefährliche Haltung, die Ideologie des Kommunismus mit Gewalt überwinden zu wollen«; »einer neuen Rüstung und damit der Vorbereitung eines Krieges« könnte er »gerade aus der Erkenntnis des ehemaligen Berufssoldaten, aus dem Geist selbstlosen Dienens« heraus nicht zustimmen. »Wir ... würden das Ende unseres Volkes heraufbeschwören, schlössen wir uns einer der beiden Machtgruppen an« (L. Stummel, Der Beitrag des Soldaten, in: Wessel/Heinemann/Stummel, Aufruf zur Notgemeinschaft für den Frieden Europas, Broschüre, 1951, S. 10f). – Stummel trat außer in Düsseldorf nur noch einmal als Redner in Schleswig-Holstein in Erscheinung.
37. P. H. an W. R. 16. 12. 51 (AH).

schaft kein zugkräftiger Name eines alten Militärs aufgenommen werden konnte[38]. Die Gegensätze in der Beurteilung der NS- und der Nachkriegszeit hatten sich als stärker erwiesen als die mögliche Gemeinsamkeit in der politischen Sicht der Gegenwart. Gegenüber den zersplitterten kleinen Gruppen der Rechten war die SPD natürlich von ungleich größerer Bedeutung für die Notgemeinschaft. Deshalb bemühte sich Heinemann von Anfang an um die Zustimmung der Parteispitze und um die Mitarbeit prominenter Sozialdemokraten. Noch vor der Proklamierung der Notgemeinschaft unterrichtete er mündlich Schumacher von dem Plan und bat ihn, einen Mann seines Vertrauens, z. B. den früheren Innenminister Severing, Dr. Menzel oder Dr. Arndt, in die Notgemeinschaft zu benennen; das hätte einen absoluten Einfluß der SPD innerhalb der Notgemeinschaft, die ja laut Satzung nur einstimmig Beschlüsse fassen konnte, bedeutet. Schumacher lehnte jedoch ab. Als bei der Notgemeinschaft der Gedanke eines Volksbegehrens in Nordrhein-Westfalen oder einer Petition auftauchte, fragte Heinemann brieflich bei Schumacher an, ob die SPD angesichts der Tatsache, daß wenigstens ein Volksbegehren nicht ohne große Organisation zu leisten sei, derartigen Plänen der Notgemeinschaft »die Unterstützung durch Parteipresse und dergleichen« geben würde. »Ich meine, daß es jetzt darauf ankommt, wirklich etwas zu unternehmen.«[39] Als Schumacher kurz darauf schwer erkrankte, drängte Heinemann seinen Stellvertreter Ollenhauer zu einer positiven Stellungnahme:

»Ich meine, daß es jetzt Zeit wird, auch im außerparlamentarischen Raum etwas Wirksames zu tun. Dafür hat sich die Notgemeinschaft gebildet. Sie findet einen breiten Widerhall. Für konkrete Aktionen möchten wir uns gern einer Übereinstimmung mit Ihnen vergewissern.«[40]

Aber die SPD hatte zu starke Vorbehalte. Bei der Begegnung mit Schumacher gewann Heinemann noch den Eindruck, daß er seinem Plan »durchaus nicht unsympathisch gegenüber stand«[41]. Aber schon die Hoffnung, Severing als Mitarbeiter oder wenigstens als Gesprächsleiter der zweiten Kundgebung der Notgemeinschaft zu gewinnen, schlug fehl; als Severing merkte, daß sich der Gründerkreis der Notgemeinschaft fast ausnahmslos aus Nichtparteimitgliedern zusammensetzte, fürchtete er um seinen Ruf innerhalb der Partei und ließ sich trotz allen Drängens nur zu einer schriftlichen Sympathiebekun-

---

38. Nachrichten der Notgemeinschaft Nr. 1, April 1952.
39. Schreiben v. 11. 12. 51 (AH).
40. Schreiben v. 27. 12. 51 (AH).
41. Schreiben an O. Koch v. 11. 3. 52 (AH).

dung für die Notgemeinschaft bewegen[42]. Die Parteispitze scheute auch das; der Vorstand lehnte die Aktion der Notgemeinschaft im Januar 1952 ab[43]. Für diese Entscheidung führte Ollenhauer drei Gründe an. Einmal sei die Frage westdeutscher Aufrüstung »ein Teil des internationalen Vertragssystems, zu dem auch der Schumanplan gehört«, den man folglich mit der Aufrüstung ablehnen müsse, wie es die SPD täte. Zum anderen könne »eine Änderung der politischen Macht- und Mehrheitsverhältnisse« »nur durch Neuwahlen erfolgen und nur durch Neuwahlen fundiert werden«; durch Unterschriftensammlungen »käme es bestenfalls zu Manifestationen, die keine Garantien für die praktische Durchführung in sich trügen«. Und drittens sei bei den Aktionen der Notgemeinschaft »auch die Abgrenzung gegenüber der Kommunistischen Partei praktisch nicht möglich«; die Notgemeinschaft werde »dieser Überfremdung zum Opfer fallen« und »damit – ungewollt – die Position der Bundesregierung stärken«[44].

Heinemann suchte sofort die Argumente durch genaue Darlegung der Struktur der Notgemeinschaft zu entkräften: eine kommunistische Unterwanderung sei »ausgeschlossen«; er, Heinemann, pflege in seinen Versammlungen auf den Passus von der »friedlichen Befreiung der Sowjetzone« und von den zu befürchtenden »Gegenmaßnahmen des Sowjetsystems« im Text der Petition hinzuweisen und damit »eine Hürde« zu errichten. »Bei aller Anerkennung der von Ihrer Fraktion im Bundestag gegen den westdeutschen Wehrbeitrag geleisteten und noch zu erwartenden Opposition erscheint es dennoch unerläßlich, auch im außerparlamentarischen Raum ›wirklich etwas zu unternehmen‹.« Gerade im Hinblick auf den »großen Widerhall« der Petition war Heinemann »fest davon überzeugt, daß eine Unterstützung durch Ihre Parteipresse ihr durchschlagenden Erfolg verschaffen würde«[45].

Aber die SPD ließ sich nicht umstimmen, im Gegenteil. Vergeblich bemühte sich der niedersächsische Ministerpräsident Kopf um eine Aussprache zwischen seinen leitenden Parteifreunden und den Leitern der Notgemeinschaft[46]. Im Februar veröffentlichte die SPD Teile des Briefwechsels, darunter ihre Gründe gegen die Notgemeinschaft, nicht aber Heinemanns Erwiderung. Damit legte sie sich vor der Öffentlichkeit endgültig fest und gab der Presse Gelegenheit zu neuer-

---

42. Schreiben Severings an Heinemann v. 28. 9. und 14. 12. 51 (AH). Nachrichten der Notgemeinschaft Nr. 1, S. 2.
43. Schreiben Ollenhauers v. 10. 1. 52 (AH).
44. ebd.
45. Schreiben vom 12. 1. 52 (AH).
46. lt. Schreiben Heinemanns an Kopf v. 25. 2. 52 (AH).

lichen Warnungen vor der Notgemeinschaft[47]. Es half nichts, daß Heinemann abermals in Schreiben an Ollenhauer und Schumacher seine Gegengründe darlegte[48] und Ollenhauer ihm versicherte, die Abschrift des Briefwechsels sei nur für die Vorstandsmitglieder und Bundestagsabgeordneten der SPD bestimmt gewesen und durch ein Versehen der Pressestelle an die SPD-Presse gelangt. Wenn Ollenhauer auch brieflich diese »Indiskretion« bedauerte, so war er doch zu einer nachträglichen Veröffentlichung des fehlenden Schreibens nicht bereit[49], und der Parteivorstand bekräftigte auf einer neuerlichen Sitzung, wie die Presse meldete, »in Übereinstimmung mit dem früheren Beschluß« seine Aufforderung an die Parteimitglieder, »sich an den Aktionen dieser Gemeinschaft nicht zu beteiligen«[50].

Die Reaktion der SPD auf die Notgemeinschaft macht Stärke und Grenzen der sozialdemokratischen Politik um die Wende 1951/52 deutlich. Ihre Stärke bestand in der Erkenntnis, daß die Montanunion und die »Europäische Verteidigungsgemeinschaft« zusammengehörten. Ihr Hinweis darauf war eine deutliche Spitze gegen Helene Wessel, die trotz Warnungen seitens anderer Mitglieder der Notgemeinschaft im Bundestag dem Schumanplan zugestimmt hatte[51]. Begrenzt war der Horizont der SPD dagegen in Bezug auf die Außenpolitik. Die SPD konnte ihr Mißtrauen grundsätzlicher Art gegen die Mitarbeit in überparteilichen Organisationen und ihre Furcht vor kommunistischer Aktivität auch in einem Augenblick nicht überwinden, als Heinemann mit der Notgemeinschaft eine gegen die Kommunisten immune politische Organisation aufbaute und als angesichts der bevorstehenden Ratifizierung der Westverträge die Zusammenfassung aller nichtkommunistischen Gegner notwendig gewesen wäre. Womöglich vertraute die SPD zu stark darauf, daß sie mit ihrer Normenkontrollklage Erfolg haben würde, die sie beim Bundesverfassungsgericht in Karlsruhe eingereicht hatte, um die Verfassungswidrigkeit der Westverträge feststellen zu lassen[52].

---

47. vgl. Essener Tageblatt 22. 2. 52: »SPD-Absage an Notgemeinschaft … Warnung vor KP-Überfremdung.«
48. Schreiben v. 23. und 25. 2. 52 (AH), Presseerklärung v. 21. 2. 52.
49. Schreiben Ollenhauers v. 29. 2. 52 (AH).
50. Rundschreiben des Parteivorstands der SPD Nr. 20/52 v. 29. 2. 52. – Neue Ruhr-Zeitung 29. 2. 52. – Ollenhauer stellte das SPD-Mitglied Koch vor die Alternative, ob er Mitglied der SPD oder der Notgemeinschaft sein wolle, mit dem Argument, ein Sozialdemokrat kämpfe nur in der SPD (Schreiben Kochs an Heinemann v. 14. 10. 53, AH).
51. Schreiben v. H. Krüger, Berlin, an H. Wessel v. 12. 1. 52 (AH). – Telegramm Scheus v. 11. 1. an H. Wessel: »Bitte dringend nochmalige Überlegung daß Schumanplan erster Schritt für Aufrüstung« (Archiv Scheu).
52. Baring, aaO. S. 221ff.

Angesichts dieser ablehnenden Haltung von Regierung und Opposition gegen die Notgemeinschaft war es für diese nur eine Belastung, daß die Kommunisten auf sie zunächst positiv reagierten. Die Presse der DDR, die schon im Herbst 1951 Heinemanns Gedankengänge ausführlich wiedergegeben hatte[53], beschäftigte sich in den nächsten Monaten mehrfach zustimmend mit der Notgemeinschaft[54]. Das Interesse der Sowjetunion ließ sich, vor allem, an den Erkundigungen ablesen, die Semjonow bei Pfarrer Werner Koch, der sich in West-Berlin aktiv für die Notgemeinschaft einsetzte, über sie einholte[55]. Am 16. Januar 1952 bat er den Pfarrer zu sich, der als Theologe der Bekennenden Kirche während seiner zweijährigen KZ-Haft die Bekanntschaft von Kommunisten gemacht und ihre Achtung erworben hatte, und fragte ihn nach Heinemann, den Zielen und der Wirkung der Notgemeinschaft aus. Koch, der den Botschafter eigentlich in einer anderen Angelegenheit hatte sprechen wollen, gab Auskunft und schilderte die Hoffnungen und Anfangserfolge der Notgemeinschaft, was Semjonow, ohne zu reagieren, zur Kenntnis nahm. Beim Durchlesen der Petition, deren Text ihm Koch vorlegte, stieß er sich an dem Begriff »friedliche Befreiung der Sowjetzone«; er ließ Kochs Erklärungen, anders könne man westdeutsche Bevölkerung für einen Weg außerhalb westdeutscher Aufrüstung nicht gewinnen, nicht gelten, sondern erklärte ein solches Verhalten für »Opportunismus«.

Auf den Text der Petition berief sich auch das Zentralorgan der westdeutschen KPD, »Freies Volk«, als es drei Wochen später »Ein Wort zur ›Notgemeinschaft‹ und ihrer Petition« veröffentlichte[56]: Es sei klar, daß jeder, der von der ›Befreiung der Ostzone‹ rede, »gewollt oder ungewollt sich in die Gesellschaft der Adenauer und Blank begibt und die geistige Kriegsvorbereitung durch Irreführung des Volkes fördert«. »Eine solche Formulierung ist und bleibt unannehmbar.« Die Zeitung griff außerdem den Hinweis der Notgemeinschaft auf die »Konsequenzen« an, denen im Fall einer westdeutschen Aufrüstung die Ostdeutschen ausgesetzt würden. Wenn das Blatt

53. ND 23. 9. 51: »Der frühere Bonner Innenminister Dr. Heinemann fordert Verständigung aller Deutschen« (vgl. NZZ 24. 9.: »Heinemann liefert Argumente«); Tägliche Rundschau 9. 10. 51: »Dr. Heinemann fordert gesamtdeutsche Wahlen.«
54. Tägl. Rundschau 23. 11., Die Union 24. 11., Tägl. Rundschau 29. 12., Neues Deutschland 30. 12. 51.
55. Schreiben von W. Koch an Heinemann v. 28. 1. 52 (AH). – Der Bericht im »Spiegel« vom 16. 4. 52 darüber geht auf einen Bericht des Osteuropa-Dienstes eines in Hamburg erscheinenden »Exclusiv Dienstes« vom 26. 1. 52 zurück, der nicht direkt von Pfarrer Koch stammte. Die zum Teil unrichtigen Angaben dieses Exclusivdiensts wurden von Pfarrer Koch in einem Gespräch mit dem Verfasser berichtigt.
56. Freies Volk Nr. 29 v. 4. 2. 52.

auch »in der Unterzeichnung der Petition durch Tausende friedlie-
bender Menschen einen bedeutsamen Beweis« für die Ablehnung des
Bonner Regierungskurses erblickte, so kritisierte es doch, daß »die
Petition einer Sammlung aller friedwilligen und patriotischen Kräfte
in Westdeutschland entgegenwirkt und die Zusammenarbeit aller
Deutschen für den Frieden stört«.

Die Haltung Semjonows und der KPD machte die Problematik der
politischen Beziehungen zwischen Ost und West und die Schwierigkeit deutlich, vor der die Notgemeinschaft stand. Unter Berufung auf
den Artikel im »Freien Volk« suchte sie in Westdeutschland ihre
demokratische Haltung zu beweisen[57] – unter Berufung auf die Mentalität der Westdeutschen suchte Pfarrer Koch dem Sowjetbotschafter
die Notwendigkeit des Begriffs »Befreiung« klarzumachen[58]. Was die
Notgemeinschaft den westdeutschen Bürgern akzeptabel machen sollte, rief schon das Mißtrauen der Sowjetunion hervor. Ob die Sowjetunion einer Lösung der Deutschlandfrage im Sinn der Notgemeinschaft zustimmen würde, blieb offen.

Ganz ohne Reaktion blieb die Notgemeinschaft, was die westlichen
Regierungen anbetraf. Das konnte nicht anders sein, weil die westlichen Alliierten gerade mit der westdeutschen Bundesregierung über
eine westdeutsche Aufrüstung einig wurden. Auch wo, wie in Frankreich, die Regierung nur zögernd westdeutschen Soldaten zustimmte,
bestand doch für eine Reaktion auf die Notgemeinschaft, solange die
westdeutsche Regierung fest im Sattel saß, kein Anlaß.

So sah in dem Augenblick, als im Februar 1952 Adenauer in Lissabon die Erlaubnis zur Aufstellung von 500 000 westdeutschen
Soldaten erhielt, die Situation der Notgemeinschaft alles andere als
günstig aus. Zwar fand die Notgemeinschaft in bestimmten Kreisen
der westdeutschen Bevölkerung Zustimmung, aber alle Parteien von
einiger Bedeutung und fast die gesamte Presse lehnten die Notgemeinschaft ab. Damit war das hauptsächlich angestrebte Ziel der Notgemeinschaft, politischen Kräften von Gewicht den Anstoß zur
Revision ihrer bisherigen politischen Haltung zu geben, fürs erste
gescheitert.

---

57. Der hektographierte Artikel lag dem ersten Rundschreiben der Notgemeinschaft
v. 22. 2. 52 bei.
58. Mitteilung von W. Koch.

6

Stellungnahmen in der evangelischen Kirche

Aus doppeltem Grunde war die evangelische Kirche der Raum, innerhalb dessen ein Gespräch über die Thesen der Notgemeinschaft zur Deutschlandfrage noch am ehesten entfacht werden konnte. Auf der einen Seite kamen ja viele Sympathisanten der Notgemeinschaft aus den Kreisen der Bekennenden Kirche; kirchliche Zeitschriften sorgten dafür, daß die Notgemeinschaft bekannt wurde[1]. Auf der anderen Seite war gerade die rein weltliche Argumentation der Notgemeinschaft geeignet, innerhalb der Kirche Fronten aufzubrechen; immerhin gab es ja Christen wie jenen lutherischen Theologieprofessor, der Heinemann Monate vorher versichert hatte, seine politische Argumentation leuchte ihm ein, nur nicht der theologische Kontext.

Der Reichsbruderrat unter der Leitung von Niemöller drängte auf die Einberufung einer Synode der EKD wegen der anstehenden politischen Probleme[2]. Er ließ keinen Zweifel darüber, in welcher Richtung er ein Votum erhoffte; er sprach davon, daß »die Regierungen unseres Volkes . . . wie noch selten zuvor der Gewissensschärfung für ihr Vorgehen unter dem Einfluß der Besatzungsmächte« bedürften und daß die Gefahr bestünde, »daß das Recht völlig zerbricht und zur Magd der Macht gemacht wird«. In dieser Lage dürfe der Rat »sich nicht von der Sorge leiten lassen«, wie die EKD »am besten ihr Leben erhält«, sondern er müsse »auf Gottes Erbarmen vertrauen und um Jesu Christi willen etwas Tapferes tun«.

Aber mit diesem Vorstoß, dem ein ähnlicher von Seiten der Rheinischen Kirchenleitung folgte[3], drang der Reichsbruderrat nicht durch. Im Rat der EKD gab es dafür keine Mehrheit, und Dibelius dachte nicht daran, das Ersuchen des Reichsbruderrates zu befürworten[4]. Für ihn war zwar die Wiedervereinigung Deutschlands ein echter Wunsch, vor allem deshalb, weil dann Reichtum und Armut in ganz Deutschland besser verteilt werden konnten. Aber daraus folgte für ihn nicht, daß die Kirche zur Klärung politischer Fragen beizutragen hätte: »Wie der Friede am besten gesichert wird, ob mit oder ohne deutschen Wehrbeitrag, ob in bewaffneter oder unbewaffneter Neutralität, das ist nicht Sache der Kirche zu entscheiden«. Den Wi-

---

1. z. B. StdG Dezember 51, S. 3ff. – BKadW 15. 1. 52, Sp. 11ff. – JK 15. 12. 51, S. 709ff; 15. 1. 52, S. 45f, 61; 15. 2. 52, S. 106f. – Vgl. KJ 1952, S. 21ff.
2. Text BKadW 15. 2. 52, Sp. 14. – JK 15. 3. 52, S. 151.
3. JK 15. 3. 52, S. 151. – KJ 52, S. 23f.
4. JK 15. 3. 52, S. 151.

derspruch zwischen solcher politischer Abstinenz und der Forderung
nach Wiedervereinigung überbrückte der Bischof mit der Formel, die
Wiedervereinigung sei »von uns nicht als außenpolitisches Problem
gedacht«, und mit dem Hinweis darauf, daß das Gelingen in Gottes
Hand stünde[5].

Mit dieser Meinung näherte sich der Bischof der lutherischen Seite,
auf der der Gegensatz zwischen weltlichen und kirchlichen Aufgaben
weiterhin mit unverminderter Stärke betont wurde. Bischof Meiser
legte »Verwahrung dagegen ein, daß eine rein politische Ermessens-
frage zum Gegenstande kirchlicher Verkündigung gemacht wird und
daß kirchliche Kreise gegen Entscheidungen mobilisiert werden, die
allein denen zukommen, die die letzte politische Verantwortung im
Staat zu tragen haben«[6]. Die Kirchenleitung der Vereinigten Lutherischen Kirche erklärte, die Kirche habe in erster Linie ihre geistliche
Vollmacht zu erhalten. Sie sei entschlossen, der drohenden Politisierung der evangelischen Kirche mit allen Mitteln zu widerstehen, »weil
die Kirche so am besten auch dem irdischen Frieden dient«[7].

Diese Äußerung wurde für Gustav Heinemann Anlaß zu einer
kritischen Betrachtung des Begriffs »Entpolitisierung«[8]. Für ihn
stand ja seit der Barmer Erklärung das Doppelte fest, daß die Kirche
einerseits »die Welt niemals aus dem Herrschaftsanspruch Christi
entlassen« und »ihre Sorge für den Menschen schlechthin niemals in
einer Art von Arbeitsteilung zwischen der christlichen und der bürgerlichen Gemeinde begrenzen lassen«, andererseits aber »der bürgerlichen Gemeinde und deren Regenten die Verantwortung für das
politische Tun und Lassen niemals abnehmen« könne. Mit einer solchen vorsichtig-differenzierten Abgrenzung der Bereiche habe aber
die Forderung nach »Entpolitisierung« nichts zu tun: »Was gegenwärtig an Forderungen nach Entpolitisierung der Kirche vorgetragen
wird, läuft bei Lichte besehen so ziemlich auf der ganzen Linie auf
das genaue Gegenteil« hinaus. Schweigegebote im Sinn von »Religion
ist Privatsache« oder Schweigegebote nur für die politische Opposition seien keine Lösung:

»Wer für den Kurs der Regierung oder der Parlamentsmehrheit ist, kann sich
freilich mit Stillschweigen begnügen. Seine politischen Meinungen kommen ja

---

5. »Die Kirche – eine Macht des Friedens.« Artikel zum Neujahr 1952 (»Die
Kirche«, Berlin; nachgedruckt: JK 15. 1. 52, S. 40f). Ähnlich ein Artikel Dibelius' im Sonntagsblatt v. 25. 5. 52, Text im KJ 1952, S. 41ff.
6. epd Nr. 287 v. 12. 12. 51.
7. epd 24. 1., FAZ 25. 1. 52.
8. GH 79. – Heinemann hatte im November 1951 vor dem Bruderrat über das Thema
referiert: »Die Gefährdung der Kirche durch ihre offenbaren und geheimen säkularen Bindungen.« Bericht in BKadW 15. 12. 51, Sp. 13f.

sozusagen von selbst zum Zuge. Nur soll man solches Stillschweigen nicht als ›unpolitische‹ Haltung anpreisen. Das wäre in Wahrheit die allersublimste Form von Politisierung!«

Damit hatte Heinemann die Selbsttäuschung jener Gruppe in der evangelischen Kirche durchschaut, die sich der politischen Argumentation durch einen scheinbaren Rückzug in außerpolitisches Gebiet verschloß. Für viele hatte jedoch die von Heinemann angegriffene Denkweise etwas Bestechendes; sie schien die Freiheit zu politischer Stellungnahme in einem politischen Raum erst zu ermöglichen, während ihre Verfechter in Wirklichkeit, quasi nebenbei, die politischen Voraussetzungen der Politik Adenauers als selbstverständlich voraussetzten, ohne sie zu diskutieren.

Das wurde besonders während und nach einer Konferenz Adenauers mit führenden Protestanten in Königswinter deutlich[9]. Die meisten von ihnen kamen mit der politischen Absicht, die Vordringlichkeit der Wiedervereinigung Deutschlands zu betonen, und einige kritisierten auch ausdrücklich die Regierungsthese, Verhandlungen mit nicht demokratisch gewählten Politikern in der DDR seien unmöglich. Aber dann gaben sich doch die meisten Teilnehmer mit dem Eindruck zufrieden, daß der Kanzler guten Willen zur Wiedervereinigung habe; ja sie verzichteten ausdrücklich auf eine Kritik der politischen Methoden der Regierung. Dabei hatte Adenauer mit der Darlegung des Konzepts der »Politik der Stärke« gerade den Punkt genannt, der die Protestanten kritischer hätte machen können. Aber ihr grundsätzliches Vertrauen in die politische Einsicht von Regierungen wurde gestützt durch die Gemeinsamkeit der Lagebeurteilung.

Von solcher unkritischen Hinnahme der Regierungspolitik bis zu ihrer Unterstützung war nur ein Schritt. Diesen Schritt tat Dr. Eberhard Müller, der Leiter der Evangelischen Akademie Bad Boll und Initiator der Tagung von Königswinter. Müller sah seine Aufgabe darin, »Brücken des Vertrauens zwischen dem Bundeskanzler und den führenden Männern der Kirche zu bauen« und »bewußt gegen die einseitige politische Beeinflussung der Kirche« durch Heinemann und Niemöller zu arbeiten[10]. Er hatte sich die Argumentation von Adenauers Staatssekretär Lenz zu eigen gemacht, der im Hinblick auf eine angeblich bevorstehende Aussprache zwischen Adenauer und Heinemann von einer Einladung Heinemanns nach Königswinter abgeraten hatte, und hatte auch Niemöller nicht eingeladen, angeblich weil in seiner Gegenwart Adenauer keine vertraulichen Auskünfte ge-

---

9. KJ 51, S. 175ff. – JK 1. 12. 51, S. 660ff. – Baring, aaO. S. 215f.
10. Schreiben Müllers an Heinemann v. 6. 12. 51 (AH).

ben würde[11]. So waren die beiden Hauptexponenten des gegen Adenauer kritischen Flügels in der evangelischen Kirche aus dem Gespräch ausgeschaltet. Nach der Tagung gab Müller entgegen einer Übereinkunft der Teilnehmer, daß keiner der Beteiligten eine Nachricht an die Presse geben sollte, ausführliche Berichte an die Öffentlichkeit[12]. Darin betonte er die Einsicht der Theologen, in Fragen politischer Methodik inkompetent zu sein, und gab vor, selbst auch das Urteil über Adenauers Politik »berufenen Politikern« zu überlassen[13]. In Wirklichkeit kam seine Darstellung einer geschickten Propaganda für Adenauers Zielsetzung gleich, die er ganz unkritisch in erlebter Rede widergab: ». . . Ein neutralisiertes Deutschland ist der Spielball der Mächte, ein Tummelplatz von Kontrollräten (Gott bewahre uns vor dem Schicksal Österreichs).«[14] Und von der Reaktion der Kirchenvertreter auf Adenauers Darlegungen in Königswinter berichtete Müller: »Daß der Weg einer Neutralisierung Deutschlands im gegenwärtigen Augenblick der Weg einer politischen Illusion wäre, wurde zwar nicht als eine kirchliche Wahrheit proklamiert, aber als eine Erkenntnis der politischen Vernunft anerkannt.«[15] Im Gewande objektiver und zurückhaltender Berichterstattung wurde hier dem christlichen Publikum suggeriert, daß Christen im Entscheidenden mit Adenauer einig seien und entschiedene Gegner Adenauers sich auf Abwegen befänden.

Heinemann durchschaute die taktischen Hintergründe[16] und die Schwächen der Position Müllers:

---

11. Schreiben Müllers an Heinemann v. 8. 11. 51 (AH).

12. So Präses Held, KJ 51, S. 179.

13. E. Müller in: Die Neue Furche, Dezember 1951, abgedruckt im KJ 51, S. 175ff (178).

14. ebd. S. 177.

15. E. Müller in der Frankfurter Neuen Presse v. 13. 11. 51, verbreitet durch epd ZA Nr. 265 v. 15. 11. 51, S. 5; JK 1. 12. 51, S. 661f.

16. Schreiben Heinemanns an Müller v. 23. 11. 51: »Staunen kann ich nur über die ahnungslose Gutgläubigkeit, mit der man das durch den Staatssekretär übermittelte Arrangement entgegennahm. Von ›persönlichen‹ Spannungen zwischen dem Bundeskanzler und mir kann füglich nicht die Rede sein. Wir haben sachliche Spannungen. Die Ankündigung einer Einladung durch den Bundeskanzler höre ich nun schon wochenlang, bald durch Dibelius, bald durch v. Thadden, bald durch Held, bald durch Jakob Kaiser und was weiß ich, wen sonst noch. Da ich aber beharrlich antworte, daß ich nicht gesonnen sei, mich durch ein noch so schönes Amt, wie etwa Gesandtschaft in der sonst so schätzenswerten Schweiz, ausschalten zu lassen, wird aus dieser Einladung wegen ständiger Überlastung des Bundeskanzlers nicht gar viel werden . . . Wenn die Konferenz in Königswinter wirklich ein Gespräch Kirche – Staat war, hätten meine lieben evangelischen Brüder trotz ihrer Beschwernis über meine politische Haltung aus kirchlichen Gründen auf meiner Beteiligung m. E. bestehen müssen. Königswinter ist aber politische Aktion gewesen, deshalb habe ich eine Einladung von vornherein gar nicht erwartet und

»Mögen Sie, lieber Bruder Müller, hundertmal sagen: die Kirche redet nicht wie Niemöller oder Mochalski oder Heinemann, – was ich alles zugebe –, so redet sie doch auch nicht, wie Ihr Bericht es ausdrückt, obwohl gerade darin nun wirklich dauernd ausdrücklich ›die Kirche‹ genannt wird, was bei uns anderen eben nicht geschieht. Wir werden dauernd angegriffen, weil wir überhaupt etwas sagen, und Sie proklamieren das Ergebnis von Königswinter als Meinung der evangelischen Kirche!!... Welchen Wert messen Sie eigentlich selber Ihrer Aussage bei, daß ein bestimmter politischer Weg ›von den Männern der Kirche nahezu ausschließlich‹ als eine Illusion ›anerkannt‹ worden sei, nachdem ›die Männer der Kirche‹ gerade mit Ihrem Einvernehmen vom Bundeskanzler so einseitig ausgesucht worden sind?«[17]

Gegenüber solcher Art, auf indirekte Weise Politik zu machen, hoffte Heinemann, mit seinem Artikel über die »Entpolitisierung« den Beginn zu einer Aussprache zu setzen: »Mir scheint, daß wir uns Stück für Stück an die Lösungen heranarbeiten müssen, und ich schlage vor, daß wir uns alle dieses Themas gründlich annehmen.«[18] Aber kurz darauf stellte es sich heraus, daß die Gegenseite mit diesem Thema bereits fertig war. Am 18. Februar 1952 wurde eine Erklärung »Wehrbeitrag und christliches Gewissen« veröffentlicht, die die Unterschrift zahlreicher bekannter evangelischer Laien und Theologen, darunter mehrerer lutherischer Landesbischöfe trug[19]. Mit ihren Titeln gaben sie der Erklärung das Gewicht einer diese Frage abschließenden Stellungnahme[20].

Auch die Verfasser der Erklärung behaupteten, wie Dibelius und Meiser, die Beurteilung der »Frage des deutschen Verteidigungsbeitrages« sei nicht eine Frage an die Kirche; auch sie gaben nichtsdestoweniger entscheidende politische Urteile ab. Das erste bestand

---

würde auch gar nichts darüber sagen oder schreiben, wenn Sie nun nicht ausdrücklich gefragt hätten« (AH).

17. Schreiben Heinemanns an Müller v. 2. 12. 51 (AH).

18. GH 79. – Vgl. BKadW 15. 5. 52, S. 1ff.

19. KJ 52, S. 14ff: Unterzeichnet hatten die lutherischen Bischöfe von Bayern (Meiser), Hamburg (Schöffel), Hannover (Lilje), Lübeck (Pautke), Oldenburg (Stählin), Schleswig-Holstein (Wester und Halfmann), die emeritierten lutherischen Landesbischöfe von Württemberg (Wurm) und Schleswig-Holstein (Rendtorff), der Bischof der vereinigten protestantischen Landeskirche Badens (Bender), mehrere andere führende Persönlichkeiten im kirchlichen Dienst (u. a. H. Bannach, Meinzolt, E. Müller, Puttfarcken, E. Schwarzhaupt), einige bekannte Professoren wie der Jurist Raiser und der Pädagoge Spranger und der Generaldirektor der Kohlenbergbauleitung in Essen, Kost u. a. – Die Erklärung ging aus einer kürzeren Denkschrift hervor, die am 21. 1. 52 dem Rat der EKD übergeben wurde (So P. Egen, Die Entstehung des Evangelischen Arbeitskreises der CDU/CSU, Bamberg o. J. S. 86; Text ebd. Anhang S. XXIX).

20. Molt hält diese Erklärung für eine »endgültige Abgrenzung der Standpunkte« (aaO. S. 66).

darin, daß sie sich zutrauten, auf die Frage eine Antwort zu geben, »soweit sie das christliche Gewissen betrifft« – als ob christliches Gewissen unabhängig von politischen Tatsachen bestünde. Die Verfasser sahen das Gewissen durch die Grundtatsache gebunden, daß »staatliche Ordnung das Recht schützt und den Frieden sichert«, wogegen sie Pazifismus grundsätzlich ablehnten. Ohne auf die Problematik moderner Staaten und Kriege einzugehen, erweckten sie damit den Anschein, als ob es das Problem des Pazifismus sei, um das es in der Deutschlandfrage ginge.

Ebenso sicher waren die Verfasser in der Beurteilung der weltpolitischen Spannungen. »Gemeinsam mit anderen Völkern diese und uns, den Frieden und das Recht vor einer erneuten Bedrohung durch die nackte Gewalt zu schützen« – das war eine Lageanalyse und Zielsetzung, deren simple Alternativ-Sicht von Ost und West sich in nichts von der Adenauers und der herrschenden Meinung unterschied. Schon oft habe die »Waffenlosigkeit derer, denen es mit Recht und Frieden ernst war, die Kriegsgefahr erhöht, sobald wehrlose Räume zum Zugriff verlockten«, lehrten die Verfasser, ohne ein einziges dieser angeblich zahlreichen Schulbeispiele für naiv-friedliche Gesinnung des Menschen anzuführen und zu prüfen, ob eine solche Charakterisierung auf Deutschlands Lage in der Mitte Europas zuträfe.

Der einzige Unterschied zur gängigen politischen Meinung der Regierungsseite war der, daß die Verfasser nicht schlankweg leugneten, daß es auf Adenauers Weg eine Problematik der Wiedervereinigung Deutschlands gab. Sie stellten Befürchtungen und Hoffnungen von Gegnern und Befürwortern einer westdeutschen Aufrüstung einander gegenüber, und eine Sorge der Gegner wurde sogar zutreffend wiedergegeben: »daß eine Teilnahme der Bundesrepublik an der europäischen Verteidigungsgemeinschaft unsere Brüder im Osten einem vermehrten Druck und einer endgültigen Abschließung vom Westen ausliefern würde«. Die Hoffnung der Aufrüstungsgegner brachten die Verfasser jedoch auf die Formel, daß »nach Ablehnung eines deutschen Wehrbeitrages die Sowjetunion zu Zugeständnissen in der Frage einer Wiedervereinigung Deutschlands bereit sein würde« – als ob die Aufrüstungsgegner auf die nachträgliche Honorierung braver pazifistischer Haltung durch die Sowjetunion und nicht auf ein politisches Aushandeln der Deutschlandfrage mit der Sowjetunion setzten. Wurden damit die Aufrüstungsgegner mit utopisch-naiven Zügen dargestellt, so die Befürworter mit Sinn für politische Wirklichkeit. Ihre Befürchtungen, hieß es, gingen dahin, »daß die Völker des Westens, vor allem die Vereinigten Staaten von Amerika, nicht daran denken, Deutschland auf die Dauer gegen einen sowjetischen Druck zu schützen, wenn es jetzt nicht bereit ist, an diesem Schutze mitzuwirken«. Nach dieser Reduzierung des komplizierten politischen Verhältnisses zwischen den USA und der Bundesrepublik auf ein einfaches Verhältnis von moralischer Verpflichtung »Deutschlands«, d. h. der Bundesrepublik, gaben die Verfasser die Kritik der Aufrüstungsbefürworter an den sowjetischen Absichten wieder, die ganz der gängigen Kritik entsprach; hingegen widmeten sie der Kritik der Aufrüstungsgegner an den amerikanischen und westdeutschen Zielsetzungen nicht eine Zeile.

Besonderes Gewicht erhielt die Erklärung dadurch, daß der Hinweis auf das Gericht Gottes, zu dem sich Heinemann und Niemöller bekannt hatten, aufgegriffen und scheinbar widerlegt wurde. »Gewiß war Gottes Gericht am Werk, als uns nach dem letzten Krieg die Waffen aus der Hand geschlagen wurden«. Die Verfasser zogen daraus die Konsequenz, daß Deutsche »sie nicht zu dem Zweck wieder aufnehmen dürften, um mit abermaligem Vertrauen auf die Gewalt unsere alte Machtstellung wiederzuerobern«. Außer dieser politisch völlig irrealen Möglichkeit zu abermaliger kriegerischer Aggression bekamen die Verfasser aber nur das ebenso irreale genaue Gegenteil in den Blick, die Verteidigung des Friedliebenden gegenüber dem Aggressor. Eine solche Verteidigung von christlicher Seite aus zu hindern »hieße aber den Weg einer selbstgewählten, nicht von Gott befohlenen Buße gehen«. Dieser Satz bedeutete die kräftigste Warnung, die an evangelische Aufrüstungsgegner überhaupt zu richten war; für Protestanten, deren theologische Lehre seit Luther als Hauptsache hervorgehoben hatte, daß der Mensch im Gericht Gottes allein auf seine Gnade zu hoffen habe, war keine schlimmere Gefahr als ein vom Menschen selbstgewählter Heilsweg denkbar. Weil in der Erklärung jeder Hinweis auf andersgeartete christliche Bedenken gegen westdeutsche Aufrüstung fehlte, bekam der Satz den Charakter eines theologischen Verdikts über alle, die wie Heinemann besorgt gefragt hatten, ob westdeutsche Aufrüstung zu diesem Zeitpunkt nicht Ungehorsam gegen Gott sei.

So stellte die Erklärung vom 18. Februar 1952 den I-Punkt in der negativen Reaktion der Öffentlichkeit auf die Versuche der Notgemeinschaft dar, die Diskussion über den politischen Weg Deutschlands in Gang zu bringen.

In der Öffentlichkeit wurde denn auch die Erklärung, die durch das Bulletin des Presseamts der Bundesregierung verbreitet wurde[21], so verstanden, wie sie angelegt war. »Evangelische Bischöfe warnen vor Waffenlosigkeit«, »Keine göttliche Weisung gegen Wehrbeitrag«, »Evangelische Kirche gegen Gewissenszwang in politischen Fragen«

---

21. Bulletin Nr. 22 v. 28. 2. 52, S. 209.

lauteten Überschriften in der Presse[22]. »Der erregte Disput, der innerhalb der kirchlichen Kreise durch die vehementen Vorstöße Niemöllers und Heinemanns ausgelöst wurde, hat schließlich weise und diplomatische Beschlüsse zur Folge gehabt«, lobten z. B. die »Bremer Nachrichten«[23].

Zwar traten auch Gegner der Erklärung vom 18. Februar auf den Plan[24]. Drei Kirchenpräsidenten unierter evangelischer Kirchen beklagten, daß die Entschließung, »sosehr sie über dem Ja oder Nein zu stehen versucht, doch ein Ja spricht, gegen das es keine ernsthaften Gründe gäbe«, und kritisierten die Form, die die Unterzeichner gewählt hatten: »Während etwa Dr. Heinemann und D. Niemöller immer wieder nur in ihrer persönlichen Sache und von ihrer eigenen Entscheidung her geredet haben, ist Ihre Entschließung mit dem ganzen Gewicht Ihres leitenden Amtes herausgegangen und haben Sie damit so oder so für Ihre Landeskirchen gesprochen.«[25]

Aber solche Stimmen blieben in der breiten Öffentlichkeit unbemerkt. Sie hatte nur zur Kenntnis genommen, daß prominente Protestanten Niemöller und Heinemann und der Notgemeinschaft eine Absage erteilt hatten. Und die kirchliche Öffentlichkeit wurde weithin durch eine Kundgebung der Bischofskonferenz der Vereinigten Evangelisch-Lutherischen Kirche Deutschlands beruhigt, die ausführlich die lutherische Zwei-Reiche-Lehre darlegte, ohne zur konkreten politischen Lage ein Wort zu sagen[26].

So glich die Situation auf dem kirchlichen Felde der auf dem »weltlichen«. Durch die Argumentation der Notgemeinschaft hatten sich die kirchenpolitischen Gegner Heinemanns so wenig wie die politischen zur Revision ihres Denkens herausfordern lassen. Noch nie in den Jahren vorher war der Gedanke einer militärischen Ausklammerung Deutschlands aus den Blöcken so vorsichtig, so undoktrinär, so deutlich gegen kommunistische Tendenzen abgegrenzt in der westdeutschen Öffentlichkeit vorgetragen – und doch war die Reaktion so eindeutig wie je.

---

22. Wiesbadener Kurier, Darmstädter Tageblatt, Darmstädter Echo, DNZ 19. 2. 52. Vgl. KJ 52, S. 17. Weitere Titel s. StdG März 52, S. 74.
23. Bremer Nachrichten v. 19. 2. 52.
24. Kritische Stellungnahmen: StdG März 52, S. 71ff. – BKadW 15. 2. 52, Sp. 11ff. – JK 15. 3. 52, S. 156. – Propst Herbert, Herborn, stellte in 12 Punkten die politisch-theologischen Vorstellungen in der Erklärung in Frage: StdG März 52, S. 74f. – JK15. 4. 52, S. 231ff. – KJ 52, S. 18ff. – Der Versöhnungsbund nahm im April gegen die Februar-Erklärung Stellung: BKadW 15. 7. 52, Sp. 7f.
25. KJ 52, S. 17f. Unterzeichnet hatten u. a. die Kirchenpräsidenten der unierten resp. vereinigten evangelischen Kirche von Rheinland (Held), Westfalen (Wilm), Pfalz (Stempel).
26. KJ 52, S. 27ff. – JK 15. 4. 52, S. 221ff.

7

Zur Beurteilung der Notgemeinschaft

Die geringe positive Resonanz auf die Notgemeinschaft legt die Frage nahe, ob diese Organisation überhaupt ein sinnvolles politisches Unternehmen gewesen ist.

Die politischen Faktoren, die der Notgemeinschaft entgegenstanden, waren gewichtig: Es war Tatsache, daß die Bundesrepublik im Machtbereich der USA lag und die USA westdeutsche Soldaten wollten und eine militärische Ausklammerung Gesamtdeutschlands aus den Blöcken ablehnten. Es war auch eine Tatsache, daß die westdeutsche Bevölkerung nach wirtschaftlicher und militärischer Sicherung im Gefolge des Westens strebte. Hinzu kamen weitere Fakten, die diese Haupttatsachen stützten: das wirtschaftliche Interesse der Engländer an westdeutscher Aufrüstung; das nationale Interesse der Franzosen an einer Fortdauer der deutschen Spaltung; die Suche der Westdeutschen nach einer neuen politischen »Identität« als Westeuropäer; der Mangel an Klarheit in der politischen Zielrichtung der westdeutschen Sozialdemokratie; die Ungewißheit über die Ehrlichkeit der diplomatischen Vorstöße aus dem Osten. Die Summe der Gegengründe hat in zahlreichen Kritikern damals und später die Überzeugung bestärkt, einen anderen Weg als den Adenauers habe es für Westdeutschland nicht gegeben.

Trotzdem ist ein negatives Urteil über die Notgemeinschaft falsch. Denn die Summe der Gegengründe ergibt noch nicht das ganze Bild der politischen Lage der beginnenden fünfziger Jahre. Es fehlt der Vergleich mit der westlichen Zielsetzung – es fehlt vor allem der Faktor »Geschichte« in der politischen Rechnung.

Angesichts der deutschen Kriegsschuld dem Osten gegenüber war das, was man im Westen politisch erstrebte, für den Osten unannehmbar – es mußte zu verstärkter Fortsetzung des Kalten Krieges führen; angesichts der Machtlage, die seit dem Untergang des Nationalsozialismus bestand, konnte niemand die Sowjetunion zwingen, die westlichen Forderungen dennoch anzunehmen. Weil Deutschland Vergangenheit und Gegenwart nicht auslöschen konnte, hatte Heinemann recht mit seinen Düsseldorfer Prognosen von der erhöhten Kriegsgefahr und der Verfestigung der deutschen Spaltung bis hin zu der kühnen These, daß die deutsche Frage von der internationalen Gesprächsbühne verschwinden werde, falls der Westen seine Zielsetzung nicht revidierte. Tatsächlich war der Vorschlag der Notgemeinschaft der einzige, der die Möglichkeit zu größeren Friedenschancen bot, weil nur er – ausgehend von der deutschen Verschuldung nach allen Seiten – die Interessen aller Beteiligten berücksichtigte. Den Sowjets und den deutschen Kommunisten bot er statt der unbeschränkten Herrschaft über einen kleinen Teil Deutschlands die Garantie, daß der größere Teil Deutschlands nicht einem gegen die Sowjetunion gerichteten Block beitrat; den USA und den nichtkommunistischen Deutschen bot er statt westdeutscher Divisionen die Chance, den kommunistischen Machtbereich bis an Oder und Neiße zurückzudrängen und die nichtkommunistischen Deutschen der Ostzone zu befreien; den Franzosen bot er statt eines von den USA protegierten, schnell erstarkenden Westdeutchlands die Aussicht auf ein durch die vier Großmächte in seiner Macht beschränktes Gesamtdeutschland. Deshalb konnte und mußte der Versuch gewagt werden.

Eine solche Beurteilung, die von der Schuldfrage ausgeht, bekommt alle die Faktoren in den Blick, die die Beteiligten in ihrer Fixierung auf kurzsichtige Interessen zu übersehen geneigt waren. Es ist ein Verdienst der Notgemeinschaft, daß sie mit anderen außerparlamentarischen Kräften die Alternative aufzeigte. Sie sah, daß sich womöglich Chancen für eine friedliche Regelung politischer Fragen in Mitteleuropa eröffneten, und mußte deshalb darauf drängen, nicht an ihnen vorbeizugehen. Denn ein Verzicht auf den Versuch hätte von vornherein bedeutet, daß eine eventuelle Chance nicht genutzt wurde. Hatte der Versuch, die Regierung zu beeinflussen, keinen Erfolg, so blieb immerhin ein Doppeltes: Die Notgemeinschaft trug dazu bei, daß die politischen Hauptkräfte in der Bundesrepublik in entscheidenden Fragen Farbe bekannten; und sie verhalf vielen einzelnen Menschen in einer Zeit freiwilliger Uniformität des Denkens zur Klärung ihres politischen Horizontes, bewahrte sie vor Resignation und ermutigte sie zu weiterer politischer Betätigung.

Es bleibt jedoch die Frage, ob der Versuch der Notgemeinschaft mit zureichenden Mitteln unternommen wurde. Den Großmächten gegenüber den Gedanken der Neutralisierung Deutschlands durchzusetzen, dazu bedurfte es großer Geschicklichkeit, Zähigkeit und Stetigkeit, also auch einer breiten Mehrheit in der westdeutschen Bevölkerung; einer Mehrheit, die sich von übersteigerten Befürchtungen und Hoffnungen freigemacht hatte und es wagte, das vorzuschlagen, was den kurzsichtigen Interessen der beteiligten Großmächte zuwiderlief, aber auf längere Sicht dem Frieden und den langfristigen Interessen der Beteiligten sehr wohl dienen konnte. Diese Mehrheit mußte zudem noch im Bewußtsein deutscher Schuld einig sein: denn inmitten der Hitze des Kalten Krieges konnten höchstens diejenigen unter den Deutschen hoffen, daß ihre Bemühungen um friedlichen Ausgleich zwischen den Siegermächten von den jeweiligen Besatzungsmächten nicht als egoistische Schaukelpolitik gerissener Besiegter mißinterpretiert wurden, die ausdrücklich auf die deutsche Schuld und Verpflichtung allen Siegermächten gegenüber Bezug nahmen und von daher ihre Schritte erklärten.

Diese Mehrheit suchte die Notgemeinschaft mittels einer Petition auf dem Wege über politische Aufklärung der Bevölkerung zu erreichen. Sie setzte darauf, daß rationale politische Überlegungen fähig seien, im Volk antimilitärische Instinkte zu einer entschlossenen politischen Haltung zu klären; sie setzte ferner darauf, daß der Bundestag und die Großmächte an den gesammelten Argumenten der widerstrebenden Bevölkerungsteile nicht vorübergehen würden. Sie hoffte also, daß die Ost-West-Ideologie in Volk und Parlament mit den Mitteln politischer Vernunft überwunden werden konnte. Gegenüber den Angriffen jener Europa-Enthusiasten, die die Idee einer Neutralisierung Deutschlands als Ideologie und Utopie abtaten, betonten die Vertreter der Notgemeinschaft immer wieder den rationalen Charakter dessen, was sie vertraten.

War das aber die ganze Wahrheit? War es Zufall, daß die Notgemeinschaft in unverhältnismäßig großer Zahl von Protestanten, von Mitgliedern der Bekennenden Kirche getragen wurde? Stand nicht bei vielen aktiven Vertretern der Notgemeinschaft der politische Gedankengang in einem bestimmten theologischen Sinnzusammenhang? Die Entdämonisierung des Kommunismus, die Entidealisierung des »freien Westens« hing mit ihrem Vertrauen zusammen, daß Jesus Christus Herr der ganzen Welt und jegliche menschliche Bemühung relativ sei. Daß diese Menschen sich trotz der ausweglos scheinenden außenpolitischen und innenpolitischen Umstände für einen politischen Ausgleich in Bewegung setzen, hing mit ihrem Bewußtsein zusammen, in der Nachfolge Jesu Christi auf die Hilfe Gottes hoffen zu dürfen und bei abermaligem schuldhaften Verhalten gegenüber politischen Nachbarn seinen Zorn fürchten zu müssen.

Wenn sie in diesem Vertrauen die Fragwürdigkeit anderer Hoffnungen und Befürchtungen erkannt hatten, war es problematisch, bei der Mitteilung politischer Vorstellungen auf die Darstellung dieser Grundüberzeugung zu verzichten. Die »Gefahr einer schwärmerischen Selbsttäuschung«, hatte Hilda Heinemann vier Jahre vorher im Blick auf die Moralische Aufrüstung geurteilt, sei »nur solange . . . gebannt«, solange die »Früchte, an denen wir nach den Worten unseres Herrn erkannt werden sollen, nicht losgelöst sind vom Baum des Lebens, solange ich also im Glauben an Christus lebe«[1]. Lag nicht

---

1. Unterwegs, Heft 2/1948, S. 34.

eine »schwärmerische Selbsttäuschung« vor, wenn die Notgemeinschaft einzig auf die Durchschlagskraft politischer Vernunft setzte? Sowie diese Frage deutlich wird, erhebt sich allerdings auch ein Einwand. Die Darstellung politischer Anschauungen innerhalb des theologischen Kontextes war ja jahrelang erfolgt, die deutsche Schuld war ja genannt worden. Nachdem das weithin erfolglos geblieben war, war es psychologisch und politisch verständlich, daß die Politiker der Notgemeinschaft nun »rein rational« argumentierten. Denn es ging nun darum, viele Unterschriften zu bekommen; und eine Argumentation, die den ärgerlichen Kontext vermied, war geeignet, gerade auch die Kreise anzusprechen, die christlichem Glauben zwar fernstanden, aber als kritisch engagierte Humanisten zu ähnlicher politischer Haltung gekommen waren wie Heinemann. Das Beispiel Rudolf Augsteins zeigte deutlich, wie weit die Übereinstimmung mit der Notgemeinschaft in der Beurteilung der politischen Lage gehen konnte, ohne daß damit dieselbe christliche Grundüberzeugung verbunden sein mußte[2].

Auch theologisch ist Heinemanns Verzicht auf den theologischen Kontext begründbar. Es gab im Alten wie im Neuen Testament berühmte Beispiele dafür, daß rechte Nachfolge nicht immer mit dem Bekenntnis verbunden zu sein brauchte, sondern manches Mal gerade allein in der Tat bestand[3]. Und Theologen wie Dietrich Bonhoeffer hatten die Ansicht vertreten, in einer säkularen Welt müsse auch neu von Gott gesprochen werden; möglicherweise sah Heinemann sich durch das gerade erschienene Buch »Widerstand und Ergebung« zum Verzicht auf den theologischen Kontext ermutigt[4].

Auf der anderen Seite war jedoch mit der Chance, daß Christen und Nichtchristen gemeinsam handelten, auch eine Gefahr verbunden: daß die christliche mit einer idealistischen Ausgangsposition verwechselt wurde. Als Heinemann früher formulierte, daß »einer mit Gott in der Majorität« sei, war das ebenso klar wie anstößig zu hören. Wenn er nun lediglich Argumente gegeneinander abwog, dann hatten diese Argumente doch in dem Rahmen der Weltsicht, die die Hörer mitbrachten, womöglich ganz anderes Gewicht als bei ihm selbst; und wenn er auf die Darstellung seiner Grundüberzeugung verzichtete, ersparte er den Zuhörern womöglich gerade die Ausein-

---

2. Augsteins Kommentare im Spiegel unter dem Pseudonym Jens Daniel, hg. unter dem Titel: »Deutschland – ein Rheinbund?« Darmstadt 1953, bes. S. 70ff (26. 9. 51), 80ff (17. 10. 51), 85ff (5. 12. 51), 101ff (2. 1. 52: »Ein Lebewohl den Brüdern im Osten«), 115ff (12. 3. 52) etc.
3. z. B. Amos 5,24. – Lukas 10, 29ff.
4. D. Bonhoeffer, Widerstand und Ergebung. Briefe und Aufzeichnungen aus der Haft, München 1951.

andersetzung mit den Voraussetzungen, die eine Revision ihrer vorgefaßten Meinungen erst ermöglicht hätten.

Doch dagegen ist wieder einzuwenden, daß es im Rahmen einer kurzfristigen Aktion kaum möglich sein konnte, zu den Voraussetzungen vorzustoßen. Wer von den Hörern der Notgemeinschaft zu weiterem Nachdenken angeregt wurde, hatte ja die Möglichkeit, sich über die Hintergründe des Denkens Heinemanns zu informieren; denn bei aller vordergründigen politischen Aktion blieb Heinemann, wie seine Auseinandersetzung um die Politisierung der Kirche zeigte, der aktive Christ, als der er bekannt war.

So gab es genügend Gründe für die Notgemeinschaft, »rein politisch« zu argumentieren. Freilich hatten Heinemann und seine Mitstreiter damit im Winter 1951/52 ebensowenig Erfolg wie die Bruderschaften um Niemöller, die weiter die politische Lage im theologischen Kontext darstellten. Damit ist jedoch noch kein abschließendes Wort über die Notgemeinschaft gesagt. Ihre sichtbare Wirkung war im Februaer 1952, dem Zeitpunkt, bis zu dem wir die Untersuchung bisher geführt haben, noch nicht abgeschlossen. Offen blieb, wieweit die Petition, die ja im Februar 1952 erst umlief, Erfolg haben würde; schließlich war die Aufrüstung in der Bevölkerung nach wie vor unbeliebt. Auch konnte eine Veränderung der außenpolitischen Konstellation die Wirkungsmöglichkeiten der Notgemeinschaft vergrößern.

V
Die Entscheidung über Wiedervereinigung oder Westintegration 1952-53

Nach den grundsätzlichen Auseinandersetzungen über die außenpolitischen Konzeptionen in Westdeutschland ging es während der Zeit vom März 1952 bis zum September 1953 um die eigentliche Entscheidung über den politischen Weg der Bundesrepublik. Durch die sowjetischen Noten vom 10. März und 9. April 1952 waren die Westdeutschen vor die Wahl gestellt, ob sie erst eine Prüfung dieser Noten auf diplomatischer Ebene oder ohne Verhandlungen mit der Sowjetunion die Unterzeichnung der Westverträge durch den Bundeskanzler und deren Ratifizierung durch das Parlament befürworteten. Als vor der dritten Lesung der Verträge im Bundestag Stalin am 5. März 1953 starb, wurde die Frage nach der Priorität und nach dem Weg der Bundesrepublik noch brennender. Mit dem eindeutigen Ergebnis der Wahl zum zweiten deutschen Bundestag am 6. September 1953 fand diese Periode der Entscheidung über die deutsche Frage ihren Abschluß.

Während dieser anderthalb Jahre wechselte Heinemann seine politische Methode: während er 1951/52 auf überparteilicher Ebene handelte, suchte er seit Ende 1952 seine Vorstellungen in einer neuen Partei zu verwirklichen. Für diesen zweiten Weg und für die von Heinemann vertretene Sache wurde die Wahl 1953 zum einschneidenden Ereignis.

1
Die sowjetischen Noten seit März 1952 und ihre Diskussion in der westdeutschen Öffentlichkeit

Mit der Note vom 10. März 1952 an die drei Westmächte schaltete sich die Sowjetunion direkt in die Diskussion über die deutsche Frage ein. Dieser Schritt kam nicht überraschend; denn Grotewohl hatte sich schon vier Wochen vorher, natürlich im Einvernehmen mit der Be-

satzungsmacht, mit der Bitte um einen Friedensvertrag an die Großmächte gewandt[1] und der Sowjetunion Gelegenheit zu einer positiven
Stellungnahme zu dem Problem gegeben[2]. Ihr folgte am 10. März
jene Note, die den monatelangen Austausch diplomatischer Papiere
zwischen den Siegermächten einleitete[3].

In der Note schlug die Sowjetunion vor, daß die vier Großmächte
einen Friedensvertragsentwurf für Deutschland vorbereiten und einer
internationalen Konferenz mit allen interessierten Staaten zur Prüfung vorlegen sollten. Da der Friedensvertrag »unter unmittelbarer
Beteiligung Deutschlands, vertreten durch eine gesamtdeutsche Regierung, ausgearbeitet werden« müsse, sollten die vier Besatzungsmächte die Bedingungen prüfen, »die die schleunigste Bildung einer
gesamtdeutschen, den Willen des deutschen Volkes ausdrückenden
Regierung fördern«. Die Sowjetunion legte den Entwurf eines Friedensvertrages für Deutschland zur Erörterung vor und erklärte »sich
gleichzeitig bereit, auch andere eventuelle Vorschläge zu dieser Frage
zu prüfen«.

In dem sowjetischen Entwurf hieß es einleitend, ein Friedensvertrag mit Deutschland sei zur »Besserung der internationalen Gesamtlage und damit zur Herstellung eines dauerhaften Friedens« nötig,
zumal »die Gefahr einer Wiederherstellung des deutschen Militarismus« drohe. Ein solcher Vertrag solle »ein Wiederaufleben des deutschen Militarismus und einer deutschen Aggression verhindern« und
»die Entwicklung Deutschlands als eines einheitlichen, unabhängigen,
demokratischen und friedliebenden Staates in Übereinstimmung mit
den Potsdamer Beschlüssen fördern«. Dieselbe Formulierung wurde
in Punkt 1 der politischen Leitsätze wiederholt, der die Wiederherstellung Deutschlands als eines einheitlichen Staates vorsah. In drei
Punkten wurden die Grundfreiheiten aufgeführt, die »den demokratischen Parteien und Organisationen« und allen Deutschen, auch »allen ehemaligen Angehörigen der deutschen Armee, einschließlich der
Offiziere und Generäle«, und allen nicht rechtskräftig verurteilten
»ehemaligen Nazis« zu gewährleisten seien; dagegen sollten »Organi-

---

1. Dokumente zur Außenpolitik der Regierung der Deutschen Demokratischen
   Republik I, Berlin(-Ost) 1954, S. 73ff.
2. ebd. S. 157f. – Dokumente zur Deutschlandpolitik der Sowjetunion I, Berlin(-Ost)
   1957, S. 288f.
3. Der Notenwechsel ist vollständig abgedruckt durch E. Jäckel, Die deutsche Frage
   1952–1956. Notenwechsel und Konferenzdokumente der vier Mächte, Frankfurt/
   Berlin 1957, S. 23ff. – Siegler, Dokumentation zur Deutschlandfrage I, S. 138ff. –
   Bemühungen I, S. 85ff. – Eine gründliche Analyse bietet G. Meyer, Die sowjetische Deutschland-Politik im Jahre 1952. Forschungsberichte und Untersuchungen
   zur Zeitgeschichte Nr. 24, hg. v. D. Geyer, Tübingen 1970, S. 48ff.

sationen, die der Demokratie und der Sache der Erhaltung des Friedens feindlich sind«, in Deutschland verboten sein. Alle alliierten Maßnahmen seien aufzuheben, die die Entwicklung einer deutschen Friedenswirtschaft, des Handels und der Seeschiffahrt hinderten. Es sollte Deutschland auch »gestattet sein, eigene nationale Streitkräfte (Land-, Luft- und Seestreitkräfte) zu besitzen, die für die Verteidigung des Landes notwendig sind«, und Kriegsmaterial und -ausrüstung dafür zu produzieren. Dagegen müßte Deutschland sich verpflichten, »keinerlei Koalitionen oder Militärbündnisse einzugehen, die sich gegen irgendeinen Staat richten, der mit seinen Streitkräften am Krieg gegen Deutschland teilgenommen hat«. Der Entwurf sah vor, daß die Besatzungsmächte spätestens ein Jahr nach Inkrafttreten des Friedensvertrages ihre Streitkräfte abzogen und ihre Militärstützpunkte in Deutschland räumten. Als Grenzen Deutschlands sollten diejenigen gelten, »die durch die Beschlüsse der Potsdamer Konferenz der Großmächte festgelegt wurden«.

Die Westmächte hielten der Sowjetunion am 25. März in ihren gleichlautenden Antwortnoten entgegen, daß in Potsdam keine endgültigen Entscheidungen über die Grenzen Deutschlands getroffen seien[4]. Ein Friedensvertrag mit Deutschland mache die Bildung einer gesamtdeutschen Regierung nötig, die nur aus freien Wahlen hervorgehen könne; diese könnten erst stattfinden, wenn die Voraussetzungen dafür durch die UN-Kommission für Deutschland geprüft seien. Vorher habe eine Diskussion über Friedensvertragsentwürfe keinen Sinn. Der frei gewählten gesamtdeutschen Regierung müsse es »vor wie nach Abschluß eines Friedensvertrages freistehen«, »Bündnisse einzugehen, die mit den Grundsätzen und Zielen der Vereinten Nationen in Einklang stehen«. Insbesondere gäben die Westmächte Plänen »ihre volle Unterstützung, die die Beteiligung Deutschlands an einer rein defensiven europäischen Gemeinschaft sichern, die Freiheit wahren, eine Aggression verhüten und das Wiederaufleben des deutschen Militarismus ausschließen sollen«, womit der sowjetische Entwurf »unvereinbar« sei.

Die weiteren Noten, die im Verlauf der nächsten Monate gewechselt wurden, brachten gegenüber den beiden ersten wenig Neues. Die Sowjetunion sprach am 9. April zweimal von der nötigen »Durchführung freier gesamtdeutscher Wahlen«, die »in kürzester Zeit« möglich sei. Anstelle einer UN-Kommission, die nach Artikel 107 der UN-Charta nicht für Deutschland zuständig sei, schlug die Sowjetunion die Bildung einer Kommission aus Mitgliedern der vier Besatzungsmächte vor. Sie erklärte die Festlegung der deutschen Grenzen in

---

4. Jäckel, aaO. S. 24f.

Potsdam für endgültig[5]. Dagegen hielten die Westmächte an ihren Vorschlägen fest[6].

Die Absicht der Sowjetunion war nicht leicht zu analysieren. In ihren Noten waren Ziele aufgegeben, die jahrelang die Hauptforderungen der Sowjets ausgemacht hatten: Reparationen aus Deutschland; die totale Entmilitarisierung Deutschlands; die Infragestellung des Atlantikpakts, den die Sowjetunion noch 1951 mit der Deutschlandfrage zusammen diskutiert sehen wollte. Im übrigen waren in den sowjetischen Noten einige Punkte klar, andere ließen verschiedene Auslegung zu. Deutlich war die Forderung an ein Gesamtdeutschland, die Oder-Neiße-Grenze anzuerkennen und sich nicht an militärischen Bündnissen zu beteiligen; dagegen bot die Sowjetunion eine deutsche Nationalarmee und »freie Wahlen«. Nicht eindeutig waren die Begriffe der »freien gesamtdeutschen Wahlen«, der friedens- und demokratiefeindlichen Organisationen und des angestrebten »friedlichen, demokratischen und unabhängigen« Deutschland. *Vor* der Note hatten die Kommunisten die im westlichen Sinne unfreien Wahlen im Ostblock als Muster »freier Wahlen« ausgegeben und lediglich kommunistische Staaten als »friedliebend, demokratisch und unabhängig« bezeichnet, dagegen die meisten Nichtkommunisten als Feinde des Friedens und der Demokratie gebrandmarkt. Entscheidend war, ob den Sowjets *nun* an der Herauslösung Westdeutschlands aus dem Westblock so viel lag, daß sie auch westliche Parteien als friedliebend und demokratisch anerkannten und bei Wahlen als wirkliche Alternativen zuließen. Ob sie dazu gewillt waren, war nicht an den kommunistischen Kommentaren der Ostnoten abzulesen[7]. Sie dienten innenpolitischen Zwecken. Weil nämlich die Sowjetunion mit den Noten frühere Zielsetzungen in Bezug auf Deutschland zurückgesteckt hatte, war Unruhe unter den Kommunisten in der DDR und in den östlichen Nachbarvölkern zu befürchten, wenn nicht die Kontinuität mit früherer sowjetischer Politik aufgezeigt, also die bisherige Auslegung der Begriffe fortgesetzt wurde. So hing alles an Verhandlungen: nur in ihnen konnte geklärt werden, was die Sowjets nun unter den fraglichen Begriffen verstanden wissen wollten, und die Reaktion auf solche Verhandlungen in den Kommentaren der Kommunisten

---

5. ebd. S. 25f.
6. Note v. 13. 5., ebd. S. 27ff.
7. Darauf verwenden die westlichen Skeptiker gegenüber der Echtheit der östlichen Noten viel Mühe: G. A. Bürger, Die Legende von 1952, Celle 1959, S. 29ff. – G. Wettig, Politik im Rampenlicht (Fischer-Bücherei Nr. 845) Frankfurt 1967, S. 141ff. – J. Weber, Das sowjetische Wiedervereinigungsangebot vom 10. März 1952, in: Aus Politik und Zeitgeschichte, Beilage zu »Das Parlament« v. 13. 12. 69, S. 11ff.

ließ dann auch weitere Schlüsse über die Haltung der Sowjets in den noch fraglichen Punkten zu. Aber gerade solche Verhandlungen lehnten die Westmächte, wie ihre Antworten zeigten, ab. Die Haltung der Westmächte im Notenwechsel war eindeutig. Die Sowjetunion sollte sich durch die UN-Kommission die undemokratischen Zustände in der DDR nachweisen lassen; sie sollte der Mehrheit der Bevölkerung der DDR Gelegenheit geben, sich in freien Wahlen für die westlichen Parteien auszusprechen; sie sollte endlich der aus diesen freien Wahlen hervorgehenden Regierung die Freiheit geben, sich den Westbündnissen anzuschließen, die kurz vor dem Abschluß standen. Dies alles wurde ohne die Andeutung einer Gegenleistung westlicherseits gefordert und stellte die seit 1949 bekannte westliche Maximalforderung dar, die auf die Vergrößerung des westlichen Gebiets um die DDR hinauslief.

Wenn die sowjetische Note auch an die Westmächte adressiert war, so zeigte ihre sofortige Veröffentlichung, daß sie auch an die westdeutsche Öffentlichkeit gerichtet war. Ohne eine positive westdeutsche Reaktion auf die Note war der sowjetische Vorstoß sinnlos. Die westdeutschen Vertreter einer militärischen Ausklammerung Deutschlands bekamen damit politischen Rückhalt. Was sie bisher im Blick auf die Interessen aller Großmächte und bezugnehmend auf Briefe aus Ostberlin kombiniert hatten, war dem ähnlich, was nun durch die Noten aus dem Osten als Vorschlag ins diplomatische Spiel kam. Um so wichtiger war die Frage, ob und wieweit sich die Forderung nach Prüfung der mehrdeutigen Punkte in den Sowjetnoten in der westdeutschen Öffentlichkeit erhob und durchsetzte.

Gustav Heinemann kam mit Helene Wessel gerade zur lange geplanten ersten Großveranstaltung der Notgemeinschaft nach West-Berlin, als die erste Sowjetnote veröffentlicht wurde. Er nahm auf einer Pressekonferenz am 12. und in Reden am 13. März dazu Stellung. Auf die Frage eines Journalisten erklärte er, daß er in der Note »eine Verhandlungsgrundlage sehe, die man ernst nehmen soll«[8].

Heinemann betonte, daß durch die Note zwei Einwände gegen eine Wiedervereinigung Deutschlands außerhalb der Machtblöcke an Gewicht verlören, Einwände, die er selbst für übertrieben gehalten hätte. Eine solche Wiedervereinigung Deutschlands führe nicht zu den Zuständen nach 1945 zurück, als in Deutschland der alliierte Kontrollrat regierte. »Denn wenn eine gesamtdeutsche Regierung käme,

---

8. Protokoll der Pressekonferenz der Notgemeinschaft in Berlin am 12. 3. 52, aufgenommen durch Verhandlungsstenograph F. Hoffmann, S. 2 (msl, AH).

kann doch der Kontrollrat nicht wieder regieren, sondern allenfalls diese gesamtdeutsche Regierung kontrollieren, und wenn dieser Kontrollrat handlungsunfähig wird, hat die gesamtdeutsche Regierung um so mehr freie Fahrt.« Die Note vom 10. 3. bestätige nun, daß die Sowjetunion nicht an die Wiederherstellung des Kontrollrats als Regierung denke, sondern »eine gesamtdeutsche Regierung haben will«[9].

Gegen den anderen Einwand, daß »bei einer gesamtdeutschen Regierung ein schutzloses und neutralisiertes Deutschland übrigbliebe«, stellte Heinemann sein altes Argument: daß eine gesamtdeutsche Regierung noch nicht ein besatzungsfreies Deutschland bedeute, sondern die Großmächte Deutschland erst dann räumten, »wenn eine gesamtdeutsche Regierung einen Friedensvertrag mit allen Siegermächten zustandebringt, wenn Washington und Moskau sich über eine gemeinsame Räumung Deutschlands verständigen«[10]. Das aber bedeute eine Veränderung der Weltlage: »Ich halte es nicht für möglich, daß man en bloc zu einer Weltbereinigung aller Konflikte kommen könnte. Wir werden das Schritt für Schritt angehen müssen, und ich bin der Meinung, daß dann, wenn etwa über die Deutschlandfrage eine Annäherung der Weltmächte Moskau-Washington sich ergeben könnte, damit eben ein Beitrag geleistet würde für weitergehende Bereinigung.«[11] In diesem Rahmen sei das Problem des Schutzes für Gesamtdeutschland zu sehen, und Heinemann begrüßte den »neuen Gesichtspunkt« in der Note als Fortschritt, daß »eine Wehrmacht für Verteidigungszwecke in Betracht« käme[12].

Heinemann hielt es für durchaus denkbar, daß die Sowjetunion mit diesem Vorschlag auf frühere westdeutsche Bedenken eingegangen sei: »War es nicht in Deutschland oft genug zu hören, daß ein entwaffnetes, neutralisiertes, schutzloses Deutschland a) nicht in Frage komme, b) Kriegsgefahr sei, weil der leere Raum ansaugt?«[13] Heinemann spielte damit einmal auf Adenauers Londoner Ausführungen vom Dezember 1951 an[14], aber auch auf das Exposé, das er selbst im gleichen Monat der Ökumenischen Kommission für europäische Zusammenarbeit erstattet und in die gerade erschienene Broschüre seiner Reden aufgenommen hatte[15]. Dieses Exposé, das an zwei Stellen die mögliche Aufstellung deutscher Soldaten in einem wieder-

---

9. GH 81.
10. ebd.
11. Protokoll S. 5 (AH).
12. GH 81.
13. Protokoll S. 17 (AH).
14. Bulletin Nr. 18 v. 8. 12. 51, S. 123.
15. GH 75 (Exposé); GH 82 (Broschüre).

hergestellten Gesamtdeutschland einkalkulierte, spielte in der Folgezeit in Heinemanns öffentlicher und privater Argumentation eine
Rolle[16]. Damit widerlegte Heinemann einmal den Verdacht, er, der
angebliche Pazifist, habe sich erst auf Grund der sowjetischen Note
für eine deutsche Nationalarmee ausgesprochen. Auf der anderen Seite trat Heinemann mit dem Hinweis auf das Exposé aber auch Vermutungen entgegen, die Tätigkeit der Notgemeinschaft, die in größerem Rahmen ja erst im Januar 1952 einsetzte, könne Anlaß für die
sowjetische Note gewesen sein[17]. Unverkennbar war Heinemanns
Bemühung, seine Unabhängigkeit vom sowjetischen Vorschlag nach-
zuweisen, gleichzeitig aber auch die Stärkung zu betonen, die die sowjetische Note für die Konzeption der Notgemeinschaft bedeutete.

Diplomatisch verhielt sich Heinemann auch in Bezug auf die sowjetische Forderung nach Anerkennung der Oder-Neiße-Grenze. Befragt, ob die Note vom 10. März den deutschen Verzicht auf die ehemaligen deutschen Ostgebiete fordere, antwortete er, »daß zu klären
sein wird, ob die Sowjetunion den Passus ihrer Note wirklich so verstanden wissen will. Eine Bezugnahme auf das Potsdamer Abkommen und die darin enthaltene Grenzumschreibung ist in der Tat
mehrfacher Auslegung fähig.«[18] Und befragt, wie er »persönlich zur
Oder-Neiße-Linie« stünde, wich Heinemann aus: »Ich habe sie nicht
anerkannt.«[19] Damit suchte Heinemann der Gefahr zu entgehen, von
den Teilnehmern der Pressekonferenz und von der Öffentlichkeit als
jemand abgestempelt zu werden, der sich für Verzichte im Osten aussprach.

Heinemann sah jedoch genau, auch ehe die zweite Sowjetnote über
diesen Punkt endgültig Klarheit schuf, daß die russischen Forderungen schon in der ersten Note nur eine Ausdeutung zuließen. Er erkannte, daß Wiedervereinigung *und* Rückgewinnung der Ostgebiete
außerhalb jeder politischen Möglichkeit lagen, und hielt es für richtig,
in die Abtrennung der ehemaligen deutschen Ostgebiete einzuwilli-
gen, wenn dieser Verzicht eine Wiedervereinigung Deutschlands und
damit die Wiedereinführung westlicher Freiheiten in der DDR er-

---

16. Protokoll S. 3 (Zitat) und S. 14; Schreiben an Jaene v. 29. 3., an W. Koch v.
    19. 4., an Casalis v. 16.6.52 (AH); Zuschrift an die FAZ, veröffentlicht am
    21. 3. 52.
17. Protokoll S. 16: Frage: »Sind Sie der Ansicht, daß diese sowjetische Aktion eine
    Bestätigung Ihrer bisherigen außenpolitischen Konzeption darstellt?« Antwort:
    »Ich schätze meine Bemühungen nicht so wesentlich, daß darauf die Sowjetregie-
    rung reagiert hat.«
18. Protokoll S. 7. Auf den Einwand eines Journalisten, die Grenzumschreibung sei
    »durch die Sowjetunion bereits ausgelegt worden«, antwortete Heinemann: »Aber
    sicherlich nicht in dieser Note.«
19. ebd. S. 8.

möglichen half. Wie Heinemann sich eine solche Koppelung von politischem Verzicht und politischen Forderungen vorstellte, machte er selbst in privatem Rahmen deutlich. In einem geheimen Gespräch, das er in Begleitung von Pfarrer Werner Koch am 12. März in Ost-Berlin mit Otto Nuschke, dem Vorsitzenden der Ost-CDU, und dessen Generalsekretär Gerald Götting führte[20], quittierte er auf der einen Seite die Feststellung der Politiker aus dem Osten, an der Oder-Neiße-Grenze sei nicht zu rütteln, mit dem Zugeständnis, ›daß es zwar für viele Deutsche eine schmerzliche Feststellung sein werde, aber diese Frage gegenüber der Erhaltung des Friedens doch zweitrangig sei‹, und gab ›zu erkennen‹, daß jede zukünftige gesamtdeutsche Regierung sich mit den Grenzen im Osten ›abfinden‹ müsse, zumal alle vier Großmächte keine Neigung zeigten, diese Grenzen zu verändern. Aber dieses Zugeständnis verband er sogleich mit der Forderung, ›daß in dem Vorschlag des Friedensvertrages eine Garantie-Erklärung der Signatarmächte einschließlich Deutschland über die Unantastbarkeit des im Friedensvertrag festgelegten Territoriums enthalten‹ sein müsse; er schnitt die Frage der UN-Kommission an und setzte sich für den Vorschlag der Bundesregierung ein, bei gesamtdeutschen Wahlen ganz Deutschland als einen Wahlkreis zu behandeln; vor allem kam er zum Mißvergnügen seiner Gesprächsteilnehmer eingehend auf die zahlreichen Fälle politischer Justiz in der DDR zu sprechen, die er mißbilligte und deren Ende er forderte[21].

Ein Gespräch wie dieses, um das die Ost-Berliner Teilnehmer Heinemann über Pfarrer Koch gebeten hatten, blieb aber eine Ausnahme. Auch nach der russischen Note dachte Heinemann nicht daran, seine politische Methode aufzugeben und etwa selbst, wie Reichskanzler a. D. Wirth es getan hatte, offizielle Kontakte zu Ost-Berliner Regierungsstellen aufzunehmen[22]. Nach wie vor der Note lag Heinemann daran, durch Vorträge das kritische Bewußtsein seiner Zuhörer zu erweitern; nach wie vor zählte er, wie in Berlin, die Gründe verschiedener Art auf, die gegen eine westdeutsche Aufrüstung im Rahmen des Westblocks sprachen, nach wie vor wies er auf

20. Eine Niederschrift über das Treffen, die Gerald Götting für den Außenminister Dertinger anfertigte, wurde im Westen bekannt, weil der persönliche Referent des Außenministers in den Westen flüchtete und das Dokument mitnahm. Teile davon wurden in der Zeitschrift: Entscheidung für Deutschland und Europa. Die Zeitschrift für Politik Freiheit und Menschenwürde, Heft 1, Mai 1952, unter der Überschrift »Heinemann: Nationalarmee ein guter Schachzug!« veröffentlicht. Daraus stammen die folgenden Zitate.
21. Mitteilung von W. Koch. – Die gegen den Osten kritischen Passagen der Niederschrift sind in der Zeitschrift Entscheidung durch zusammenfassende Sätze ersetzt.
22. Protokoll S. 16.

die Petition der Notgemeinschaft als die politische Willenserklärung der Aufrüstungsgegner hin, in der Hoffnung, dadurch die Bundesregierung zu einer aufgeschlosseneren Haltung gegenüber dem Osten zu bewegen. Nur betonte er nun im Blick auf die Sowjetnote noch stärker als früher den Entscheidungscharakter der Stunde:

»Jetzt kommen wir an die Wegscheide, wo es darum geht, ob man in der Bundesrepublik *unter allen Umständen* aufrüsten und die Bundesrepublik *unter allen Umständen* in den Westen eingliedern will oder ob dies alles zur Diskussion stehen kann, wenn sich auf andere Weise eine gesamtdeutsche Lösung anbietet? . . . Jetzt muß Farbe bekannt werden . . . Ich bin der Meinung, daß das, was mit dieser Note angeboten wird, ernst genommen werden sollte.«[23]

Auf die Frage eines Journalisten, ob er »in der jetzigen Situation für direkte Verhandlungen zwischen Vertretern der Bundesregierung und Vertretern der ostzonalen Regierung« einträte, antwortete Heinemann mit »Ja«[24].

Die in Bonn maßgeblichen Politiker reagierten anders. Zwar trat Jakob Kaiser, der Minister für Gesamtdeutsche Fragen, dafür ein, »sorgsam zu prüfen, ob sich wirklich im Verhältnis zwischen Ost und West ein Wendepunkt andeutet«; er hielt die Note vom 10. März für ein »gewichtiges politisches Ereignis«, wog positive und negative Punkte in ihr gegeneinander ab und warnte vor »allzu hastigen Meinungsäußerungen«[25]. Mit dieser Ansicht blieb Kaiser aber innerhalb der Bundesregierung allein. Adenauers Staatssekretär Hallstein, der gerade in die USA reiste und bei seiner Ankunft auf die Note hin angesprochen wurde, urteilte, ohne Rücksprache mit Bonn zu nehmen, sie enthalte »nichts Neues« und sei »unvollständig und bedeutungslos«[26]. Ein Regierungssprecher erklärte schon nach der ersten Durchsicht der Note, sie könne nicht als eine Verhandlungsgrundlage angesehen werden. Sie ziele darauf, »in Mitteleuropa ein Vakuum zu schaffen, in welchem die Sowjets jederzeit die Macht ausüben könnten«; der Vorschlag einer deutschen Nationalarmee sei nur »ein Scheinmanöver zur Täuschung der deutschen Öffentlichkeit«; auch könne Deutschland den Verzicht auf die ehemaligen deutschen Ostgebiete »niemals freiwillig leisten«[27]. Das Bulletin der Bundesregierung fügte noch hinzu, im deutschen Volk sei »der Wille zur europäischen Einheit so stark, daß er nicht gewaltsam unterdrückt werden

---

23. GH 81.
24. Protokoll S. 16.
25. Bulletin Nr. 30 v. 13. 3. 52, S. 305.
26. Nürnberger Nachrichten 15. 3. 52.
27. FAZ 12. 3. 52.

könnte«; demgegenüber bedeute die Note nur einen »Wink der Sowjets an die Rudimente des deutschen Nationalismus«[28].
Adenauer selbst ging öffentlich zuerst am 16. März in Siegen in einer Rede vor dem evangelischen Arbeitskreis der CDU auf die Note ein, gab einige Tage später dem Vizepräsidenten der United Press ein Interview, in dem er »als erster europäischer Staatsmann ... zu der sowjetischen Note ausführlich Stellung« nahm[29], und kam in den folgenden Tagen mehrfach auf den Notenwechsel zu sprechen[30].

Von Anfang an lehnte Adenauer ein Eingehen auf die sowjetischen Noten bedingungslos ab. Er begründete seine Haltung in drei Punkten, die er zuerst in Siegen skizzierte[31]. Erstens seien in dem sowjetischen Vorschlag freie und geheime Wahlen nicht garantiert. Zweitens hielt Adenauer entschieden an dem deutschen Rechtsanspruch auf die deutschen Gebiete jenseits der Oder-Neiße-Linie fest. Drittens erklärte er sich strikt gegen eine deutsche Nationalarmee. Sie sei »in Anbetracht der fortschreitenden Waffentechnik nicht möglich« und »aus finanziellen und materiellen Gründen« aus eigener Kraft nicht durchführbar[32]; der Gedanke bedeute »einen Rückschritt in der europäischen Entwicklung«, die auf einen defensiven Zusammenschluß gerichtet sei: »Diese unsere Überzeugung ist nicht abhängig von den Wechselfällen der Tagespolitik. Wir lassen uns auch nicht irremachen durch anachronistische Äußerungen, die an den Nationalismus erinnern oder an ihn appellieren.«[33] Der Gedanke an eine Nationalarmee gehöre zu einer »überwundenen Epoche«, in die zurückzukehren die Wiederholung nationalistischer Zerklüftung bedeute, »und dann wird dieses Europa entweder ein Anhängsel des sowjetisch-russischen Asiens, oder aber es wird einfach von der Höhe seiner Kultur, von der Höhe seiner Wirtschaft heruntersinken auf eine außerordentlich tiefe Stufe«[34].

Für Adenauer gab es »nur ein Vorwärts im Zusammenschluß und in der Überwindung dieses nationalstaatlichen Denkens«. Er blieb bei seiner oft ausgesprochenen Zielsetzung, die Gleichberechtigung

---

28. Bulletin Nr. 30 v. 13. 3. 52, S. 299.
29. Interview mit A. L. Bradford, dem Vizepräsidenten der UP in Europa am 23. 3., Bulletin Nr. 35 v. 25. 3. 52, S. 353.
30. Die folgende Darstellung stützt sich auf die Äußerungen, die Adenauer 1952 in der Öffentlichkeit tat. Seine Erinnerungen bringen dieselben Gesichtspunkte, die schon damals bekannt wurden (Erinnerungen II, S. 69ff, 87ff).
31. NZZ 18. 3. – Manchester Guardian 17. 3. 52: »Bringing Russia to Reason«.
32. NZZ 18. 3. 52.
33. Rede vor dem Verein der Ausländischen Presse am 25. 3., Bulletin Nr. 36 v. 27. 3. 52, S. 366.
34. Rede auf einer Kundgebung der CDU in Bonn am 28. 3., Bulletin Nr. 38 v. 1. 4. 52, S. 388. – Ähnlich Bulletin Nr. 36, S. 366; Tagesspiegel 6. 4. 52.

der Bundesrepublik innerhalb der Völker des Westens zu erstreben und gegenüber dem Osten freie Wahlen und die Entscheidungsfreiheit einer daraus hervorgegangenen Regierung zu fordern[35]. Die UN-Kommission, die gerade wegen der fehlenden Einreiseerlaubnis in die DDR unverrichteter Dinge nach Genf zurückgekehrt war[36], schien Adenauer das geeignete Mittel westlicher Ostpolitik[37]. In Siegen formulierte er: »Ziel der deutschen Politik ist nach wie vor, den Westen so stark zu machen, daß er mit der Sowjetunion in ein vernünftiges Gespräch kommen kann«. Er wertete die sowjetische Note als Beweis dafür, »daß, wenn wir auf diesem Wege fortfahren, der Zeitpunkt nicht mehr allzu fern ist, zu dem Sowjetrußland sich zu einem vernünftigen Gespräch bereit erklärt«[38]. Gegenwärtig sah Adenauer diesen Zeitpunkt nicht gekommen: »Die Wirkung des Notenwechsels wird zeigen, ob die Sowjetunion bereit ist, zu erkennen, daß die Weltlage, wie sie sich heute darstellt, für einseitige Lösungen, die dem Interesse der Sowjetunion dienen, keinen Raum mehr läßt.«[39] Als ein Vertreter der United Press die Meinung äußerte, »die Russen hätten durch ihre Note gezeigt, daß sie nun in der Defensive sind, stimmte Dr. Adenauer zu und sagte: ›Ja, aber sie müssen noch mehr hineingedrängt werden‹«[40]. In zwei Jahren, so äußerte er in einem Privatgespräch mit Paul Sethe, werde der Westen so sehr erstarkt sein, daß er dem Osten gegenüber diplomatisch offensiv werden könnte[41].

Zum Maßstab des »guten Willens« der Sowjetrussen machte Adenauer ihre Bereitschaft zum Verzicht auf das Gebiet des ganzen ehemaligen Deutschen Reiches: »Solange sie auf deutscher Neutralität und auf der Oder-Neiße-Linie bestehen, ist dieser gute Wille nicht ersichtlich.«[42] Den Inhalt der »Verständigung« mit dem Osten bezeichnete Adenauer, dem Deutschland-Union-Dienst der CDU zufolge, in Siegen so: »Sicherung des Friedens, Begrenzung unmöglicher Rüstungen, Wiedervereinigung Deutschlands, Neuordnung im Osten.«[43] Vor dem Bundestag erklärte Adenauer, er werde sich hüten, eine selbständige osteuropäische Politik zu betreiben; der Siegener Satz von der Neuordnung im Osten habe sich auf die ehemaligen

---

35. Bulletin Nr. 36, S. 366 und Nr. 38, S. 385ff.
36. Bemühungen I, S. 75ff und bes. S. 113f.
37. Bulletin Nr. 36, S. 366; Nr. 38, S. 386.
38. NZZ 18. 3. 52. – Vgl. Bulletin Nr. 38, S. 388.
39. Bulletin Nr. 35, S. 353.
40. ebd.
41. Baring, aaO. S. 149.
42. Interview mit E. Friedlaender am 22. 4. 52, Bulletin Nr. 47 v. 26. 4. 52, S. 488. – Vgl. Bulletin Nr. 35, S. 353; Nr. 36, S. 366; Nr. 38, S. 386.
43. DUD v. 20. 3. 52.

316 Entscheidung über Wiedervereinigung oder Westintegration

deutschen Ostgebiete bezogen[44]. Aber das war eine Abschwächung vor der Öffentlichkeit. Im Kabinett gab Adenauer seiner Hoffnung Ausdruck, daß die BRD gegenüber dem militärisch schwachen Frankreich nach Unterzeichnung der Westverträge bald ein Übergewicht in der EVG erhalten und zum beherrschenden Faktor in Europa werden würde[45]. Von der »Neuordnung Osteuropas« sprach er, wie die Öffentlichkeit erfuhr, auch vor seiner Fraktion[46]; wenn der Westen stärker werde, würde eine mittel- und osteuropäische Gesamtlösung vom Westen aus möglich. Staatssekretär Hallstein wich also nicht wesentlich von den Vorstellungen seines Kanzlers ab, als er auf die Frage eines Reporters, ob er mit der »Integration Europas« jenen geographischen Schulbegriff »Europa« meine, der das Gebiet bis zum Ural bezeichne, antwortete: »Ja, das ist das, was wir meinen.«[47]

Die Reaktion der Bundesregierung auf die sowjetische Note zeigte, daß Adenauer konsequent an dem ostpolitischen Konzept festhielt, das er in den Monaten zuvor entwickelt hatte: von gemeinsamer Erstarkung des Westens erhoffte er eine solche Veränderung der weltpolitischen Szene, daß Wiedervereinigung Deutschlands und Rückkehr der ehemaligen deutschen Ostgebiete davon nur Teile waren – so daß eine Bemühung um baldige Verhandlungen mit der Sowjetunion über die deutsche Frage nicht nur überflüssig, sondern schädlich war.

So tat Adenauer in jedem Punkte genau das Gegenteil von dem, was Heinemann sich von einer westdeutschen Regierung erhoffte. Für die Deutschlandfrage bedeutete Adenauers Stellungnahme viel. Denn er wirkte nicht nur auf die westliche Öffentlichkeit ein; er wurde auch durch die westlichen Alliierten bei der Abfassung der Antwortnoten herangezogen[48]. Daß gleich die erste Antwortnote so scharf ablehnend formuliert wurde, war zum mindesten mit Adenauers Werk; er erklärte, man sei seitens der westlichen Alliierten seinen Wünschen und Anregungen »bereitwillig gefolgt«[49]. Auch die zweite westliche Antwortnote fand die ungeteilte Zustimmung des Kanz-

44. Stenogr. Berichte, 204. Sitzung, 3. 4. 52, S. 8768.
45. Baring, aaO. S. 122.
46. FAZ 28. 3. 52. – H. Pünder, Von Preußen nach Europa, 1968, S. 488. – Pünders Aufzeichnungen entsprechen der Mitschrift H. Bodensteiners von der Sitzung am 25. 3. (Mitteilung von H. Bodensteiner). – Baring, aaO. S. 149f.
47. FAZ 17. 3. 52: »Hallstein auf Tonband«. Vgl. FAZ 14. u. 15. 3. 52.
48. Tagesspiegel 26. 3. 52. – Adenauer, Erinnerungen II, S. 73ff, 91ff. – Daß die westliche Ablehnung der Sowjetnote mitbeeinflußt habe, ist also nicht nur eine später ausgesprochene Vermutung, wie Binder meint, sondern war 1952 schon bekannt (G. Binder, Deutschland seit 1945, Stuttgart 1969, S. 328).
49. Bulletin Nr. 38, S. 386.

lers[50]. Mochte auch jener Schweizer Journalist übertreiben, dem die erste Westnote geradezu als Erfolg von Adenauers Konzeption erschien[51], so war doch dies deutlich, daß die westdeutsche Bundesregierung alles daran setzte, was in ihren Kräften stand, um eine Infragestellung der bisherigen westlichen Politik zu verhindern. So intensiv und geschickt, wie Adenauer anderthalb Jahre zuvor die Initiative zur westdeutschen Aufrüstung ergriffen hatte, taktierte er nun aus Überzeugung gegen eventuelle andere politische Möglichkeiten als die der bedingungslosen Westeingliederung – und seine Position war inzwischen ein gut Stück stärker geworden.

Unangefochten blieb sie jedoch nicht. Von der SPD über die Gewerkschaften und Vertriebenenorganisationen bis zur FDP und CDU/ CSU erhob sich im April und Mai 1952 Widerspruch gegen den Kanzler. Dabei spielte das Argument der Wiedervereinigung Deutschlands eine größere Rolle als bisher – Grund für die Notgemeinschaft, alle kritischen Stimmen aufmerksam zu registrieren in der Hoffnung, daß sich die Erkenntnis der außenpolitischen Alternative doch durchsetzen werde.

Die SPD nahm Anstoß daran, daß Adenauer ohne den Versuch von Verhandlungen die Westverträge unterzeichnen wollte und von der Neuordnung Osteuropas sprach. Sie sah die Verträge nun stärker unter dem Gesichtswinkel, daß sie die Spaltung Deutschlands zur Folge haben würden[52]. Mehrfach gaben maßgebliche SPD-Politiker wie Schumacher ihrer Meinung Ausdruck, daß »die deutsche Einheit bedeutsamer als die Integration eines Teils Deutschlands in ein internationales System« sei, daß die Wiedervereinigung auch zeitlich vor der westeuropäischen Integration rangiere[53], daß »die deutsche Einheit nicht auf militärische Drohungen« abgestellt werden könnte[54]. Sie beschworen die Bundesregierung, die Chance in Verhandlungen wenigstens zu prüfen[55]. Die Fraktion brachte im Bundestag einen Antrag ein, dem zufolge nur solche Abkommen unterzeichnet werden sollten, »die der Bundesregierung rechtlich und tatsächlich die Möglichkeit sichern, jederzeit und von sich aus auf die Einleitung von Verhandlungen der vier Besatzungsmächte über die friedliche Wiedervereinigung Deutschlands hinzuwirken«[56]. Und mit Schärfe lehnte die SPD jenen § 7 des Generalvertrages ab, der die automa-

---

50. FAZ 15. 5. 52. – Adenauer, aaO. S. 91ff.
51. NZZ 28. 3. 52: »Ein Erfolg Adenauers«. – Vgl. StZ 27. 3. 52.
52. Löwke, Für den Fall, daß . . ., S. 102f.
53. Schumacher in einem Aufruf zum 1. 5., Neuer Vorwärts 25. 4. 52.
54. Schumacher in einem Interview, Sopade Nr. 922, Juni 1952.
55. Schumacher in einem Brief an Adenauer, in: Adenauer, Erinnerungen II, S. 84.
56. Stenogr. Berichte, 204. Sitzung, 3./4. 4. 52, Drucksache 3210.

tische Einbeziehung eines wiedervereinigten Deutschlands in die Verpflichtungen des Vertrags vorsah[57].

Diese Bestimmung und die osteuropäischen Zielsetzungen Adenauers waren es auch, die sogar innerhalb der Koalition Widerspruch hervorriefen. CDU-Abgeordnete hielten Adenauer entgegen, er ginge in seinen ostpolitischen Vorstellungen zu weit, das könne Krieg bedeuten und müsse die Wiedervereinigung Deutschlands hinauszögern[58]. Die FDP forderte mit allem Nachdruck, daß die Bindungsklausel des Vertrages fallen müsse, und scheute sich nicht, ihre Wünsche im Auftrage der Kritiker im Kabinett sogar den amerikanischen Verhandlungspartnern direkt vorzutragen und auf einer Änderung zu bestehen[59].

Hinzu kam, daß in der Presse Stimmen laut wurden, die eine Prüfung der Sowjetnoten in Verhandlungen forderten und die Politik der Stärke anzweifelten[60]. Besonders trat Paul Sethe in der Frankfurter Allgemeinen Zeitung hervor; Sethe, der noch wenige Monate zuvor Heinemanns Vorschläge abgelehnt hatte[61], rang sich im März 1952 zu der Erkenntnis durch, daß die Oder-Neiße-Grenze anerkannt und eine militärische Ausklammerung Deutschlands als Möglichkeit erwogen werden müsse, wenn man nicht auf eine Wiedervereinigung Deutschlands verzichten wolle; Sethe warnte vor Adenauers ostpolitischen Fernzielen[62].

Gleichzeitig wurden die Vertriebenen und die Gewerkschaften unruhig: Die Vertriebenen innerhalb der CDU protestierten gegen den Entwurf eines Lastenausgleichsgesetzes und drohten mit dem Übertritt zum BHE[63]. Die Gewerkschaften demonstrierten gegen den Entwurf eines Betriebsverfassungsgesetzes und erwogen Streiks[64]. Es

---

57. C. Schmid und Schumacher in Interviews am 9. und 15. 5. 52 lt. Sopade Nr. 922, Juni 1952 (Löwke, aaO. S. 103).
58. FAZ 28. 3. 52: »Adenauer stößt auf Widerstand«, FAZ 31. 3. 52 (Sethe). StZ 2. 4. 52.
59. J. Ungeheuer, Gebunden an Bonn? Der Weg der FDP zur Wiedervereinigung, o. J. (1957), S. 13ff. – Baring, aaO. S. 155, 159f.
60. StZ 14., 20., 22., 27. 3., 16. 4. (H. Bechtoldt); Süddeutsche Zeitung 18. 3., Deutsche Zeitung 15. 3., Heilbronner Stimme 13. 3., Neue Presse Coburg 13. 3., Volkswirt 15. 3., Die Zeit 20. 3., 17. 4., Sonntagsblatt 30. 3., Deutsche Kommentare (K. Silex) 22., 29. 3., 5. 4., 17. 5., Sonntagsblatt 30. 3. 52 (B. Meissner), Christ und Welt 20. 3., 21. 5., Der Spiegel 7. und 21. 5. 52 (R. Augstein).
61. FAZ 12. 10. 51. Sethe stützte sich dabei auf die »furchtbare Lehre« des Koreakrieges, den er erst später kritisch betrachten lernte (FAZ 1. 9. 53). P. Sethe, In Wasser geschrieben. Porträts, Profile, Prognosen, Frankfurt 1968, S. 295f, 113ff.
62. FAZ 12., 14., 22., 25., 31. 3.; 3., 15., 18., 28., 29. 4. 1952. – P. Sethe, aaO. S. 299ff.
63. Baring, aaO. S. 155f.
64. Baring, aaO. S. 157f. – E. Schmidt, Die verhinderte Neuordnung 1945–1952, Frankfurt 1970, S. 209ff.

schien, als könnte Adenauer in demselben Augenblick, als im Mai 1952 die Westverträge nahezu unterschriftsreif vorlagen, durch politische Gegenkräfte gestoppt werden.

Aber eine genauere Betrachtung zeigt, daß den widerstrebenden Kräften die gemeinsame Idee fehlte, die sie hätte gegen Adenauer einigen können. Den Flüchtlingen ging es nur um ihre wirtschaftliche Besserstellung. Sie waren viel zu antikommunistisch eingestellt, als daß der Gedanke an die Menschen in der DDR sie zu anderer außenpolitischen Haltung als der bedingungslosen Unterstützung Adenauers hätte bringen können; durch die Zusage zusätzlicher Milliarden konnten sie leicht beschwichtigt werden[65]. Den Gewerkschaften ging es darum, innerhalb der BRD eine einigermaßen demokratische Betriebsverfassung unter ihrer Mitbeteiligung durchzusetzen und eine weitere Bevorzugung der Unternehmer durch die Regierung zu verhindern; keine Rolle spielte in ihren Überlegungen der politische Aspekt, ob womöglich innerhalb eines wiedervereinigten Deutschlands infolge der ostdeutschen Bevölkerungsstruktur ihre eigene Position gestärkt und auf diesem Umweg über außenpolitische Aktivitäten eine Änderung der Wirtschaftsstruktur in der BRD hätte erreicht werden können. Wohl herrschte in den unteren Rängen der Gewerkschaftsbürokratie Abneigung gegen Adenauers Aufrüstungspolitik, aber die Führung, die öffentlich Adenauers Kurs für richtig erklärte, scheute schon den bloßen Schein, ihre Opposition gegen Adenauer könnte mit kommunistischen Zielen gleichgesetzt werden; sie legte Wert auf die Feststellung, daß ein Zeitungsstreik nur zufällig zeitlich mit der Unterschrift unter die Verträge zusammenfiel, und war wenige Tage später bereit, ihre Aktionen gegen das Betriebsverfassungsgesetz ohne feste Zusicherung der Bundesregierung lediglich im Hinblick auf kommende Beratungen abzubrechen[66].

Aber auch die politischen Kräfte, die außenpolitisch argumentierten, stießen nicht zur wirklichen Alternative vor. Am nächsten kam ihr noch Carlo Schmid, der im Bundestag davor warnte, die russische »Angst vor einer Europaarmee zu überschätzen«:

»Man muß Verhältnisse schaffen, die ihnen erlauben, unter bestimmten Umständen den Nachteil oder scheinbaren Nachteil der Aufgabe Mitteldeutschlands durch allgemeine Vorteile für kompensierbar zu halten ... Nur wenn ein echter Verhandlungsstoff da ist, haben doch Viermächteverhandlungen Aussicht auf einen greifbaren Erfolg! ... Ist einmal unterschrieben, dann haben sie (die Russen) kein Interesse mehr!«[67]

65. Baring, aaO. S. 157.
66. Baring, aaO. S. 158. – Schmidt, aaO. S. 213.
67. Stenogr. Berichte, 204. Sitzung, 3./4. 4. 52, S. 8774.

Aber auch Schmid meinte, der rechtliche und politische Status Deutschlands könne »nicht schon vor Beginn der Verhandlungen bestimmt werden, nicht durch Vereinbarungen und nicht durch Schaffung unabänderlicher Tatsachen«; der Status Gesamtdeutschlands müsse »das Ergebnis von Verhandlungen sein«, Ost und West müßten bereit sein, »das Risiko der Unbestimmtheit des Verhandlungsergebnisses auf sich zu nehmen«[68]. Schmid erkannte nicht, daß die Sowjetunion, weil das Ergebnis freier Wahlen feststand, sich ohne Gegenleistungen nicht auf dieses Risiko einlassen konnte, das nur scheinbar für alle gleichermaßen bestand. Eine Neutralisierung Deutschlands erschien Schmid nach wie vor »schlechthin unmöglich – schon vom Technischen her«[69]. Auch Schumacher ließ bei aller scharfen Kritik an Adenauer weder öffentlich noch privat erkennen, daß er eine solche Möglichkeit für Deutschland in Betracht zöge[70]. Ebensowenig ließ die SPD durchblicken, daß man eventuell um der Wiedervereinigung willen die Oder-Neiße-Grenze anerkennen müsse. Ob nun die SPD die Zusammenhänge nicht sah oder nicht auszusprechen wagte: auch sie erwartete ostpolitisch mehr, als erreichbar war, wenn auch nicht soviel wie Adenauer. Unter diesen Umständen war klar, daß die SPD an eine Revision ihrer Haltung gegenüber der Notgemeinschaft nicht dachte. Unter dem Druck der Parteiführung mußte sich das einzige SPD-Mitglied im Gründungsausschuß von der Mitarbeit zurückziehen[71], und Ollenhauer stellte einen SPD-Abgeordneten im Bundestag schon deswegen zur Rede, weil er sich an einer Kundgebung der Notgemeinschaft beteiligt hatte[72].

Auch der Protest der FDP gegen Adenauer stellte sich als weniger grundsätzlich heraus, als es erst schien. Die Opposition der Partei gegen die Bindungsklausel entsprang nicht der Überlegung, daß eine solche Klausel die Wiedervereinigung für die Sowjets indiskutabel machen würde, sondern im Gegenteil der Sorge um zukünftige gesamtdeutsche Entscheidungsfreiheit[73]. Die FDP gab sich mit einer veränderten Fassung des § 7 zufrieden, nach dem die Rechte aus den Verträgen nur dann auf ganz Deutschland übertragen werden sollten, »wenn ein wiedervereinigtes Deutschland die Verpflichtungen der Bundesrepublik gegenüber den Drei Mächten oder einer von

---

68. ebd. S. 8775.
69. ebd.
70. Löwke, aaO. S. 104.
71. Schreiben von O. Koch v. 22. 3. 52 und 14. 10. 53 (AH).
72. Notiz im AH.
73. Freie Demokratische Korrespondenz 29. 4. 52. – KAG 1952, S. 3453. – Ungeheuer, aaO. S. 13ff.

ihnen auf Grund der genannten Verträge übernimmt«[74]. Damit war aber die absolute Handlungsfreiheit einer gesamtdeutschen Regierung gegenüber dem Osten wiederum, nur in etwas andrer Weise als in der ersten Fassung, als eigentliches Ziel aufgestellt. Den Gedanken einer militärischen Ausklammerung Deutschlands lehnte die FDP so entschieden ab, daß der Hauptausschuß der Partei am 17. Mai 1952 einstimmig »die Mitgliedschaft in der ›Notgemeinschaft für den Frieden Europas‹ und in allen Organisationen gleicher Zielsetzung sowie die Mitunterzeichnung von Aufrufen dieser Verbände« für unvereinbar mit der Mitgliedschaft in der FDP erklärte[75].

Am schwächsten erwies sich die Opposition gegen Adenauer in der CDU/CSU. Es fand sich niemand, der die Führung der widerstrebenden Politiker hätte übernehmen können und wollen[76]. Die evangelischen Christen der CDU/CSU, von denen Adenauer noch am ehesten Widerstand befürchtete[77], waren vielmehr die ersten, die sich nach der Märznote ohne Einschränkung für Adenauers Weg erklärten. Auf ihrer Tagung in Siegen erneuerten sie ihre Absage an Heinemann und die Notgemeinschaft. Sie erklärten, daß »ein anderer Weg« als der Adenauers »heute nicht möglich ist. Unmöglich ist insbesondere jede Form einer Neutralisierung«. Die Frage, ob durch einen »deutschen Verteidigungsbeitrag« die unheilvolle Trennung Deutschlands noch verstärkt« werde, wurde »mit Nein beantwortet«[78].

Auch innerhalb der Kirchen regte sich kein größerer Widerstand gegen Adenauer als vorher. Der Rat der EKD lehnte einen auch von Heinemann unterstützten Antrag, angesichts der sowjetischen Initiative in der Deutschlandfrage aktiv zu werden, wiederum ab[79], und katholische Vereinigungen votierten in der Öffentlichkeit im Sinn des Kanzlers[80].

So erfüllten sich die Erwartungen der Notgemeinschaft nirgends, daß einerseits die sowjetischen Noten und andererseits Adenauers Reden von der Neuordnung Osteuropas mehr Menschen als vorher zu kritischer Selbstbesinnung reizen würden. Die Furcht vor dem Einrücken der Sowjets und dem Abzug der Amerikaner war so groß,

---

74. Baring, aaO. S. 160. – Text ebd. S. 409f.
75. Flugblatt »Klare Fronten«, hg. von der Bundesgeschäftsstelle und dem Ostbüro der FDP (Mai 1952).
76. Baring, aaO. S. 150f.
77. Adenauer entschloß sich, am 16. 3. auf der Tagung des evangelischen Arbeitskreises in Siegen zu sprechen, wo er ursprünglich lt. Einladungsschreiben v. 22. 2. 52 nicht als Redner vorgesehen war.
78. Bulletin Nr. 32 v. 18. 3. 52, S. 326; KJ 52, S. 33f.
79. KJ 52, S. 24 und 39.
80. Der deutsche Soldat in der Armee von morgen. Wehrverfassung, Wehrsystem, Inneres Gefüge. München 1954, S. 64ff, 87ff, 127ff.

daß weithin die Entscheidung für die Westverträge bewußt nicht mehr in Zweifel gezogen wurde. Bezeichnend für die Weigerung, das sowjetische Denken einzukalkulieren, war ein Ausspruch von Brentanos (CDU) im Bundestag, der gegen Carlo Schmids Argumentation einwendete:

»Meine Damen und Herren, ich habe nicht soviel Verständnis für die russische Psychologie, und ich will es auch nicht haben; denn ich habe kein Verständnis dafür, daß man mit einem solchen Vorschlage dem deutschen Volke zumutet, nichts zu tun und sich nicht zu entscheiden.«[81]

Von dieser Position aus war es logisch, daß Brentano unter dem Beifall der Regierungsparteien den Vorschlag einer militärischen Ausklammerung Deutschlands aus den Machtblöcken gänzlich ablehnte:

»Meine Damen und Herren, daß wir eine solche Lösung nicht akzeptieren, ja nicht einmal diskutieren, halte ich persönlich für meine Freunde und für mich für eine Selbstverständlichkeit.«[82]

Die Koalition konnte eine solche Sicherheit an den Tag legen, weil sie mit Adenauer letztlich auch die Hoffnung auf ostpolitische Auswirkungen der westlichen Erstarkung teilte; darin lag der eigentliche Grund für das schnelle Abflauen des Widerstands in der Koalition. Z. B. hielt Kiesinger Adenauers Ansicht

»für vollkommen richtig, daß, wenn wir die Verhandlungen mit dem Westen weiterführen und wir mit ihm zu einer Verständigung kommen, dann erst Sowjetrußland gezwungen wird, (Abgeordneter Renner: Aha! Gezwungen!) echte Angebote zu machen ... Das, was Rußland uns und dem Westen anzubieten hat, ist sehr viel mehr als das, was Rußland bisher geboten hat.«[83]

Der Fraktionsführer der FDP, Euler, war überzeugt, daß »sich inzwischen die Stromrichtung im Kalten Krieg geändert hat: die Offensive ist auf die gesamte westliche Welt übergegangen«[84]. Von der Deutschen Partei, der dritten Koalitionspartei, forderte v. Merkatz, den »Prozeß der Zurückverlegung« der sowjetischen Westgrenze »zu beschleunigen«: »Rußland ist genötigt, eines Tages zurückzugehen; denn die gegenwärtige Position ist einfach nicht haltbar.«[85] v. Merkatz befand sich mit dieser Deutung der Lage in Übereinstimmung mit dem Pressedienst der CDU, der Hallsteins Bemerkung von der europäischen Integration bis zum Ural sogleich begrüßt hatte:

---

81. Stenogr. Berichte, 204. Sitzung, 3./4. 4. 52, S. 8780.
82. ebd. S. 8782.
83. ebd. S. 8794f.
84. ebd. S. 8769.
85. ebd. S. 8777.

»Das ist gewiß ein Ziel, das an Weiträumigkeit nichts mehr zu wünschen übrig läßt! Etappen auf dem Wege zur Erreichung dieses Zieles sind natürlicherweise die Integration des europäischen Westens, die Wiedervereinigung Deutschlands in Freiheit, der Zusammenschluß des freien Europa und endlich die Vereinigung mit dem von der bolschewistischen Tyrannei befreiten Osteuropa.«[86]

Daß die Presse solche Aussprüche nicht kritischer unter die Lupe nahm, lag nicht nur an wirtschaftlicher Abhängigkeit von Redaktionen; es lag auch daran, daß Redakteure und Journalisten weithin Adenauers Denkvoraussetzungen teilten. Selbst liberale Zeitungen wie die »Frankfurter Rundschau« erklärten einen Verzicht auf die ehemaligen deutschen Ostgebiete, die »Kornkammer« Deutschlands, für unmöglich.[87] Die »Welt« stimmte Hallsteins Ural-Hinweis vorbehaltlos zu[88]. Und der »Tagesspiegel« in West-Berlin erwartete bei einer Fortsetzung der westeuropäischen Integration sogar »Stalins Stalingrad«[89].

Symptomatisch für den Glauben, daß die Sowjets eines Tages bedingungslos abziehen würden, waren die Gründlichkeit und Naivität, mit denen Überlegungen geführt wurden, was am »Tag X« der Wiedervereinigung geschehen sollte. Die Presse berichtete ausführlich über die Arbeit des im März gegründeten »Forschungsbeirats für Fragen der Wiedervereinigung Deutschlands«, der die »Wiedervereinigung schon jetzt vorbereitet«[90]. Unternehmer machten Vorschläge, wie nach dem »Tag X« die ostdeutsche Wirtschaft am besten der westlichen angeglichen werden könne[91]. In allen Berichten über dieses Thema wurde als selbstverständlich vorausgesetzt, daß man eines Tages über die »Ostzone« gänzlich frei würde verfügen können.

In dieser Lage sah es Heinemann als seine Aufgabe an, vor der

86. DUD 13 .3. 52, S. 1f: »Fest steht das Endziel und fest steht der Weg, der unter den gegenwärtig gegebenen Verhältnissen als einziger zum Ziele führen kann: der unablässige Ausbau der Verteidigungskraft der freien Völker, um eine Stärke zu gewinnen, die jede bolschewistische Aggression im voraus zum Scheitern verurteilt und damit den Expansionsdrang des Bolschewismus im letzten in eine rückläufige Tendenz verwandeln muß.«

87. FR 12. 3. 52.

88. Die Welt 15. 3. 52.

89. Tagesspiegel 26. 3. 52: »Wenn wir sagen, wir nehmen die Spaltung Deutschlands als bewußtes Opfer auf uns, zum Besten der Erfolgsaussichten der westlichen Weltauffassung, geben wir der Not unserer Tage den großen geschichtlichen Sinn. Die Spaltung Deutschlands als Aufgabe erkennen, heißt verstärkt und pausenlos alles tun, um die innere Westentscheidung der Sowjetzone in praktische Befreiungspolitik des Westens umzusetzen. Die Leiden der Sowjetzone können ihren geschichtlichen Lohn nur finden, wenn es gelingt, Deutschland Stalins Stalingrad werden zu lassen.«

90. Hamburger Echo 18. 4. 52.

91. Die Zeit 3. 4. 52. – FAZ 17. 5. 52. – dpa 10. 5. 52.

westlichen Utopie der Stärke zu warnen und zur Prüfung des sowjetischen Angebots zu ermutigen. In seinen Reden und Schriften bezog er sich immer wieder auf Adenauers Heidelberger und Siegener Thesen[92]. Eindringlich wies er darauf hin, daß die westdeutsche Politik vor der Alternative stünde, ob sie eine »Befreiung der russischen Zone vom totalitären System« durch eine möglichst bald zu vollziehende Wiedervereinigung Deutschlands versuchen oder auf eine große »Generalbereinigung mit der Sowjetunion im Fahrwasser amerikanischer Rüstungspolitik« hinsteuern wolle[93]:

»Hat die Nation zur Kenntnis genommen, wohin der Bundeskanzler uns führt? Wollen wir uns zu der Aufgabe bekennen, anderen Völkern neue politische Ordnungen zu bringen? Wollen wir Westdeutsche solches unter Zurückstellung, ja sogar unter schwerster Gefährdung dessen, was unsere Landsleute in der russischen Zone erwarten und erhoffen?«[94]

Gegenüber der verbreiteten Tendenz, die Sowjetunion für das Ausbleiben einer Wiedervereinigung Deutschlands verantwortlich zu machen, stellte Heinemann fest:

»Der bisherige Notenwechsel zwischen Moskau und den drei Westmächten hat nicht erwiesen, daß der Abmarsch der Bundesrepublik in den Westen unausweichlich ist. Er hat nicht dazu geführt, daß die Sowjetunion Farbe bekennen mußte, was hinter ihren Vorschlägen steckt. Dieser einwandfreien Präzisierung blieb die Sowjetunion deshalb enthoben, weil die Westmächte ihrerseits gezwungen wurden, erkennen zu lassen, daß sie es sind, welche jedenfalls heute keine Wiedervereinigung Deutschlands erstreben, sondern westdeutsche Rekruten haben wollen.«[95]

Um so mehr Beachtung schenkte die Notgemeinschaft kritischen Überlegungen in Zeitungen des westlichen Auslands, in denen die Alternative, vor der die westdeutsche Politik stand, deutlicher gesehen wurde als in vielen Zeitungen des Inlands[96]. Zitate aus der westlichen Presse dienten Heinemann zum Beweis dessen, daß in der westlichen Welt keineswegs eine einheitliche politische Meinung herrschte, wie es der Großteil der westdeutschen Presse darstellte. Aufschlußreich war besonders eine deutsch-englische Konferenz in

---

92. GH 84, 87, 91 etc. – Stenogr. Berichte des Deutschen Bundestages, 3. Wahlperiode, 9. Sitzung, 23. 1. 58, S. 401f. – Der Spiegel Nr. 41 v. 9. 10. 63, S. 71.
93. GH 83.
94. GH 84.
95. GH 87.
96. Nachrichten der Notgemeinschaft Nr. 1, April 52, S. 4; Nr. 2, S. 4. – Vgl. Le Monde 12. 3., 25. 3., 15. 4., 6. 5., 14. 5., 15. 5., Times 12. 3., 18. 3., 26. 3., Manchester Guardian 23. 4., 2. 6., Saturday Evening Post 15. 3., Economist 14. 6., Wallstreet Journal 28. 3., 2. 4., New York Herald Tribune 21. 3. (Lippmann), New York Times 26. 3., 29. 3. (Middleton), 27. 4. 52.

Königswinter. Die Engländer, gleich welcher politischen Herkunft, fragten nach dem Preis, den die Westdeutschen für die Wiedervereinigung Deutschlands zu zahlen gedächten, und hielten die von den Deutschen aller politischen Richtungen vertretenen Vorstellungen, es sei möglich, die Wiedervereinigung *und* die Rückgabe der ehemaligen deutschen Ostgebiete ohne Preis zu erreichen, und beides zu fordern sei gerechtfertigt, für »akademisch und nicht realistisch«[97]. Heinemann war sich klar darüber, daß solche Stimmen aus dem westlichen Ausland noch keine Anzeichen für eine Änderung des Regierungskurses in Paris, London oder Washington waren. Trotzdem zitierte Heinemann die ausländischen Pressestimmen, um den Westdeutschen Mut zu eigenem Denken zu machen. Denn er sah deutlich, daß die erste Voraussetzung für eine Wandlung westalliierter und westdeutscher politischer Haltung die Einsicht in die Tatsache war, daß bestimmte Ziele mit dem bisherigen westlichen Konzept unerreichbar waren.

Je mehr nun aber der politische Kampf um die bevorstehende Unterzeichnung der Westverträge sich zuspitzte, desto deutlicher wurden die Grenzen der Wirksamkeit der Notgemeinschaft. Materielle Hilfe erhielt sie von keiner Seite. Schon die Reise- und Portokosten für die Versendung von Drucksachen waren ein Problem. Die verschiedenen Schriften, von denen keine kostenlos abgegeben werden konnte, kamen über eine Auflage von einigen Zehntausend nicht hinaus[98]. Direkte ideelle Unterstützung fand die Notgemeinschaft nur bei wenigen Tageszeitungen, die Heinemann in ihren Spalten zu Wort kommen ließen oder wohlwollend berichteten[99]. Am weitesten ging in dieser Richtung der »Spiegel«; er brachte im April 1952 nach gründlichen Recherchen bei Heinemann eine ausführliche Titelgeschichte, die über die Konzeption der Notgemeinschaft, den Text der Petition und den Umfang ihrer Tätigkeit zutreffend informierte[100]. Aber ein solcher Artikel blieb eine Ausnahme.

Die Regel war nach wie vor die Ablehnung in der Öffentlichkeit. Während der Diskussion um die Sowjetnoten sah sich die Notgemeinschaft immer stärkeren Angriffen ihrer übermächtigen Gegner aus-

---

97. Deutsche Zeitung 23. 4. 52.
98. Stand vom Juni 1952: Nachrichtenblatt 5000, Für und Wider die Aufrüstung 14000, Pressespiegel 50 000, Petitionslisten 80 000 (so Heinemann vor dem Bundeskongreß der Notgemeinschaft, hsl. AH).
99. Heinemann nannte die Aachener Nachrichten, das Westdeutsche Tageblatt, die Nürnberger Nachrichten, die Fuldaer Volkszeitung, die Stuttgarter Zeitung, die Frankfurter Allgemeine Zeitung, den Spiegel und andere Wochenblätter (ebd.). – Im Radio kam Heinemann 1952 gar nicht zu Wort (Rederegister).
100. Der Spiegel 16. 4. 52, S. 8ff.

gesetzt, die sie als Kommunisten verdächtigten und die Politik der Stärke priesen.

Plakate der Notgemeinschaft wurden mit »von Moskau bezahlt« überklebt, Presseorgane brachten Falschmeldungen über kommunistische Beziehungen von Vorstandsmitgliedern der Notgemeinschaft; der Präsident des West-Berliner Verfassungsschutzamtes bezichtigte Heinemann öffentlich solcher Verbindungen[101]. Die »Neue Zeitung«, »eine amerikanische Zeitung für Deutschland«, griff vierspaltig »Dr. Heinemanns unchristliche Träumereien« an[102]. Geldsammlungen für die Notgemeinschaft wurden in einigen Ländern unter Berufung auf ein nationalsozialistisches Sammlungsgesetz aus dem Jahr 1934 verboten[103].

Dramatische Formen nahm die Auseinandersetzung um die Notgemeinschaft bei ihrem ersten Auftreten in Berlin an. Als Heinemann seine Grundthese aussprach: »Wer die deutsche Wiedervereinigung will, muß auf die Westeingliederung verzichten, denn sie bedeutet zugleich die Ausgliederung der Ostzone«, brach »das halbe Haus in Beifall und die andere Hälfte in Pfuirufe aus«; Tumulte antikommunistischer Störer hinderten Heinemann minutenlang am Weiterreden[104]. Auch Frau Wessel wurde mit wütenden Zwischenrufen bedacht. Draußen empfingen die Politiker Stinkbomben und Steinwürfe. Auf einer Protestkundgebung warnte die »Vereinigung der Opfer des Stalinismus«: »Unser Leben wird unter sowjetischer Diktatur enden, wenn wir den verderblichen Einflüsterungen von Gustav Heinemann und Helene Wessel folgen.«[105] Und auf einer späteren Gegenkundgebung der »Jungen Union« urteilte der CSU-Generalsekretär F. J. Strauß, Berlin habe Heinemann und Helene Wessel »die richtige Antwort gegeben«[106].

Bei den Aktionen gegen die Notgemeinschaft gingen die FDP und die antikommunistischen Vereine voran. Die »Notgemeinschaft für den Frieden Europas der Niemöller-Heinemann-Wessel . . . besorgt die Geschäfte der Todfeinde von Freiheit und Demokratie«, schrieb die FDP, »wenn diese ›Notgemeinschaft‹ das deutsche Volk aufruft,

---

101. Nachrichten der Notgemeinschaft, Nr. 1, April 1952, S. 2f; Nr. 2, Mai 52, S. 1; Nr. 3, S. 2. – Bonner Rundschau 1. 3. 52.
102. DNZ 24. 4. 52. – Vgl. DNZ 18. 12. 51.
103. GH 90.
104. GH 81. – Steglitzer Anzeiger 14. 3. 52. – Vgl. die Berichte in: Der Kurier, Tagesspiegel, Telegraf, Der Tag, DNZ, Der Abend, Abendpost v. 14. 3., Aachener Nachrichten v.18. u. 20. 3. 52. Östliche Darstellungen ND, BZ am Abend, Nacht-Express, Der Morgen, Nationalzeitung, Neue Zeit v. 14. 3., Berliner Zeitung v. 15. 3. 52.
105. DNZ 14. 3. 52.
106. Telegraf 22. 3. 52.

wehrlos zu bleiben und sich nicht zu verteidigen«, wenn sie »die hundertfach überprüften Berichte über die Ausrüstung der roten Bürgerkriegsarmee der Sowjetzone mit Panzern und Schweren Waffen als unwahr hinstellt« und wenn sie »von östlicher Friedensliebe redet und darüber den ›Unpolitischen‹ vor allem die Augen vor den gewaltigsten Rüstungsanstrengungen der Welt zu verschließen versucht«. Zum Beweis dessen »zähle man nur die Kommunisten und Agenten Moskaus, die hinter dieser so friedliebenden Gesellschaft stehen« und »achte man auf die Sowjetpropaganda, die Tag für Tag die Niemöller, Heinemann und Wessel mit Lob überhäuft!« »Wer sich seinem Volk und dessen Freiheit verantwortlich fühlt, wird mit diesen Friedenskämpfern nichts gemein haben können!«[107]

Während sich die FDP mit dieser einen Grundsatzerklärung begnügte, gingen die antikommunistischen Vereine systematisch gegen die Notgemeinschaft vor. Der »Bund deutscher Jugend« und der »Stoßtrupp gegen bolschewistische Zersetzung«, »eine Organisation, die sich mit ihren Stützpunkten über die ganze Bundesrepublik erstreckt«[108], verteilten überall, wo die Notgemeinschaft auftrat, Flugblätter, in denen Heinemann und Frau Wessel als Kommunistenfreunde verdächtigt wurden. Die Reaktion der Notgemeinschaft auf die sowjetische Note wurde mit angeblichen Worten von Helene Wessel beschrieben: »Das ist genau das, was wir schon immer wollten«, und kommentiert:

»Wollten Sie und Ihre Gesinnungsfreunde auch, daß die Wegbereiter Stalins unter dem christlich-bürgerlichen Deckmantel Ihrer ›Notgemeinschaft‹ die Friedensliebe unseres Volkes mißbrauchen? Jedenfalls lassen Sie es zu! Die Kommunisten sind ja Ihre besten Bundesgenossen und eifrigsten Unterschriftensammler... Es ist genug, Frau Wessel und Herr Heinemann! Kein anständiger Mensch wird heute noch seinen guten Namen unter eine Petition setzen, die von den Kommunisten unterstützt wird, weil sie der kommunistischen ›Friedensoffensive‹ dient.«[109]

Von Westberlin aus versandten antikommunistische Vereinigungen, die sich als Sprecher der unterdrückten Deutschen in der DDR ausgaben, Rundschreiben, die ganz in ähnlichem Sinn gehalten waren. Die Notgemeinschaft sei »gegen ihren Willen – so hoffen wir – längst zu einem Instrument der Sowjets in ihrem Kampf um Westdeutschland geworden«[110]. Eine »Widerstandsgruppe Brandenburg«,

---

107. Flugblatt »Klare Fronten«.
108. Schreiben des »Stoßtrupps« an Helene Wessel v. 4. 2. 52 (AH).
109. Flugblatt des »Stoßtrupps« (AH). – Nachrichten der Notgemeinschaft Nr. 1, April 52, S. 3.
110. Hekt. Schreiben des »Arbeitskreises evangelischer Studenten« v. 15. 4. 52 (AH).

die Heinemann mit anderen als »Träumer« und »Phantasten« ein-
stufte, faßte ihre eigenen Hoffnungen ganz im Sinn von Adenauers
Reden in einem Appell an die Westdeutschen zusammen:

»Euer Beitritt in die Verteidigungsgemeinschaft der freien Völker bringt alle
Eroberungspläne der Sowjets auf Eure Heimat zum Scheitern und macht unsere
Heimat, die Sowjetzone, für den Kreml zu einem wertlosen und immer gefährlicher werdenden Ballast! Das wird der Tag sein, an dem Stalin seine Aggres-
sionspolitik in Europa endgültig aufgeben und sich aus all den Gebieten zurückziehen muß, in denen er niemals etwas zu suchen hatte!«[111]

Die Welle von Verdächtigungen wirkte sich auch auf die Petition
der Notgemeinschaft aus. Ohnehin war die Zahl derer groß, die sich
aus Furcht vor politischen Folgen nicht zu einer Unterschrift entschließen konnten. Nun wurden Heinemann Fälle bekannt, die zeigten, daß das subjektive Bewußtsein westlicher Freiheit weithin fehlte;
z. B. unterschrieben Menschen die Petition nur unter der Bedingung,
daß die Unterschriften nicht ausgehändigt und die Unterschriftslisten
durch Summenerklärungen ersetzt würden; manche zogen ihre Unterschrift zurück[112].

Die Erfahrungen, die die Notgemeinschaft machte, zeigte die
Macht der Regierung und ihrer Hilfstruppen auf ideellem wie auf
materiellem Gebiet. Deren Appell an die Ängste und Hoffnungen
der Westdeutschen war geeignet, viele Gegner Adenauers zu entmu-
tigen. Die finanziellen Mittel Bonns waren so bedeutend, daß sich
ihnen gegenüber die Möglichkeiten der Notgemeinschaft verschwindend gering ausnahmen. Die Notgemeinschaft ging wohl nicht fehl
in der Annahme, als Geldgeber der Vereine die Amerikaner zu vermuten, die auf diese Weise Adenauers Politik stützten[113].

In dieser Notlage wurden, je näher die Unterzeichnung unter die
Westverträge rückte, in der Notgemeinschaft Stimmen laut, die eine
Überprüfung der politischen Methode forderten. Wo die Unterschriftensammlung zu Ende gegangen war, wußten die Sympathisanten
ohnehin nicht recht, was sie weiter tun sollten. Aktive Kräfte, besonders unter den Jugendlichen, drängten nun auf sichtbare Aktionen.
Ihnen genügte Heinemanns Aufklärungsfeldzug nicht. »Sie reisen
wie ein fahrender Platzregen durch das Land und säen, und niemand
leitet an, wie man erntet«, klagte z. B. Manfred Humburg, der Sohn
eines bekannten Pastoren der Bekennenden Kirche; er brach sein

---

111. Hekt. Schreiben vom Februar 52 (AH).
112. GH 94.
113. Nachrichten der Notgemeinschaft Nr. 1, S. 3. – Aachener Nachrichten 18. 3. 52. –
    Vgl. E. Krippendorf, Die amerikanische Strategie. Entscheidungsprozeß und In-
    strumentarium der amerikanischen Außenpolitik, Frankfurt 1970, S. 312ff.

Theologiestudium ab und stellte sich Heinemann als Mitarbeiter zur Verfügung in der Hoffnung, die Notgemeinschaft werde in eine politische Partei umgewandelt[114]. Aber Heinemann wies nach wie vor diese Forderung ab, die bei den Wahlen zum ersten Landtag des vereinigten Landes Baden-Württemberg wieder laut geworden war. Ebensowenig konnte er sich damit befreunden, daß die hessischen Aktionsgruppen um Pastor Mochalski die außerparlamentarische Opposition zu großen Demonstrationen zusammenriefen. Einem solchen Treffen in Hessen wünschte Heinemann zwar guten Erfolg, lehnte aber eine Einladung zur Teilnahme ohne Angabe von Gründen ab[115]. Er sah sich in seiner Reserve bestätigt, als im Mai eine mit von Mochalski geplante »Jugendkarawane« nach Essen in einer Katastrophe endete; die Polizei, die das spät angemeldete Treffen kurzfristig verboten hatte, nahm von den trotzdem demonstrierenden Jugendlichen einige fest und erschoß einen jungen Kommunisten. Heinemann schloß aus den Essener Vorgängen, daß »derartige Veranstaltungen Schiffbruch« erlitten, »wobei ich dahingestellt lasse, ob Überfremdung durch FDJ oder das Verhalten der Behörden Schuld sind. Nur in geschlossenen Räumen kann man Herr der Situation bleiben«[116]. Er hielt daran fest, durch Wort und Schrift zu wirken.

Als Adenauer am 26. und 27. Mai 1952 in Paris und Bonn die Westverträge unterschrieb, war die Wirkungslosigkeit aller parlamentarischen und außerparlamentarischen Gegenkräfte bewiesen, die nicht einmal eine Verschiebung des Termins erreicht hatten. Symptomatisch für die Ohnmacht der Adenauer-Gegner war die Tatsache, daß Heinemann in diesen Tagen zum ersten Mal Bedenken kamen, ob er die Unterschriften unter die Petition überhaupt in Bonn überreichen konnte, ohne die Unterzeichner zu gefährden[117]. Daß einige Hunderttausend Unterschriften unter diesen Umständen eine politische Wirkung ausüben würden, war ohnehin nicht zu erwarten.

Für das »wichtigste Ergebnis« der Kampagne der Notgemeinschaft hielt Heinemann nun die Tatsache, daß die Notgemeinschaft eine »sachliche Erörterung erzwungen« habe; während 1951 noch jede entschiedene Opposition als »Dummheit oder Verrat« gegolten habe, hätten sich die Regierungsparteien nun »stellen müssen«[118]. Tatsächlich hatte die Notgemeinschaft dazu mitgeholfen, daß die Reak-

114. Schreiben v. 4. 4. 52 an Heinemann (AH).
115. Schreiben v. 29. 3. 52 (AH).
116. Schreiben an Priebe v. 12. 5. 52 (AH).
117. Schreiben an Scheu v. 30. 5. 52 (AH).
118. Heinemann vor dem Bundeskongreß der Notgemeinschaft im Juni 52 (hsl, AH).

tionen der Westdeutschen auf die sowjetischen Noten getestet wurden.

Das Ergebnis war jedoch eindeutig. Mochten die Argumente der Notgemeinschaft für eine Prüfung der Sowjetnoten mit dem Ziel einer eventuellen militärischen Ausklammerung Deutschlands aus den Machtblöcken noch so vielen einzelnen Westdeutschen einleuchten – die überwältigende Mehrheit war nach wie vor, von politischer Furcht und Hoffnung beherrscht, außerstande zu vorsichtig-kritischem Erwägen anderer politischer Möglichkeiten als solcher, die bei oberflächlicher Betrachtung am meisten Sicherheit vor dem Kommunismus versprachen. Der Glaube an die Politik der Stärke schirmte die Vertreter der Regierungskoalition gegen die unangenehme Alternative ab: Westintegration der BRD oder Versuch zu einer Wiedervereinigung Deutschlands; und die Sicht der politischen Opposition in Parteien und Verbänden war auf finanzielle, staatsrechtliche und gesellschaftspolitische Gesichtspunkte beschränkt, so daß auch sie nicht zur eigentlichen Alternative durchdrang.

Das war und ist für die Beurteilung des Notenwechsels der Großmächte über Deutschland, der seit 1952 die Beobachter beschäftigt, von großer Bedeutung. Die Frage, ob damals tatsächlich eine Wiederherstellung Gesamtdeutschlands möglich gewesen wäre und ob sich ein Deutschland zwischen den Blöcken hätte halten können, hat seitdem, entsprechend dem politischen Standort der Betrachter und seiner Beurteilung der Sowjetunion, die verschiedensten Antworten gefunden[119]. Dabei wurde bei der Betrachtung der außenpolitischen Umstände der entscheidende Punkt nicht immer deutlich genug gesehen: daß angesichts der westdeutschen Haltung kein Anlaß für die Großmächte bestand, ihrerseits dem Gedanken einer militärischen Ausklammerung Gesamtdeutschlands näherzutreten resp. ihn intensiv weiterzuverfolgen.

Die USA sahen sich durch den Tenor der Äußerungen Adenauers und der Koalition auf der ganzen Linie bestätigt. Alle politischen Kräfte von Gewicht in Westdeutschland hatten solche Gedankengänge wie die der Notgemeinschaft als indiskutabel abgelehnt. Wenn Adenauer in Verhandlungen mit den Westmächten auf die Männer der Notgemeinschaft zu sprechen gekommen war, dann nur in dem Zusammenhang, daß er zur Bekämpfung solch gefährlicher Gruppen mehr Zugeständnisse von den Alliierten in seinem Sinn verlangte[120]. Da war von den Amerikanern schlechterdings nicht zu erwarten, daß

---

119. vgl. G. Meyer, Anm. 3; G. A. Bürger, G. Wettig, J. Weber, Anm. 7. – K. Erdmenger, Das folgenschwere Mißverständnis, S. 143ff. – S. auch Kap. VII,1.
120. Baring, aaO. S. 117f.

sie von sich aus ein Projekt erwägen sollten, das ihrer bisherigen Planung nicht entsprach.

Weil Westdeutschland so reagierte, war auch Stalin der Frage überhoben, ob und wieweit er tatsächlich dem Westen entgegenkommen sollte. Nachdem sein verbaler Verzicht auf politische Maximalziele praktisch nichts bewirkt hatte, was zu einem weltpolitischen Kompromiß über Deutschland hätte führen können, brauchte er seinen Gefolgsleuten in der DDR nicht klarzumachen, daß sie womöglich im Zuge einer neuen Sowjetpolitik statt eine Herrschaftsschicht im Osten Deutschlands eine Minderheit in Gesamtdeutschland zu bilden hätten. Weil keine Aussicht bestand, daß sich nennenswerte politische Kräfte in Westdeutschland um Revision der westlichen Integrationspläne auch nur bemühten, blieben die Kommunisten in der DDR die einzigen Deutschen von politischem Gewicht, die, von Stalin aus gesehen, nicht gänzlich auf der Gegenseite standen. Unter diesen Umständen bestand für Stalin keinen Augenblick die Frage, ob er etwa kommunistischen Politikern und Journalisten untersagen sollte, die mehrdeutigen Begriffe in den Sowjetnoten weiter gänzlich in herkömmlichem kommunistischem Sinn auszulegen, wie sie es taten. Sie konnten fortfahren, sich selbst als die einzigen friedliebenden Demokraten und alle anderen als aggressive Imperialisten hinzustellen.

Nur konnte und kann die Fortsetzung westlicher und östlicher Deutschlandpolitik den Westdeutschen nicht als Beweis dafür gelten, daß eine andere Lösung von keiner Großmacht gewollt und infolgedessen nicht durchsetzbar gewesen wäre. Immerhin gab es Anzeichen dafür, daß Stalins Angebot echt war: Stalin hielt einen Weltkrieg zwischen dem kommunistischen und dem kapitalistischen Teil der Erde für vermeidbar und mochte also einen Rückzug aus der DDR bei gleichzeitigem Rückzug der Westmächte aus der BRD militärstrategisch für günstig halten; er war von der Unvermeidbarkeit von Konflikten innerhalb des kapitalistischen Lagers überzeugt und mochte also auf einen späteren Konflikt zwischen einem militärisch ausgeklammerten Gesamtdeutschland und den Westmächten hoffen[121].

Wie groß aber auch immer Stalins Bereitschaft zu einem Kompromiß eingeschätzt wird: am Anfang hätte die Erkenntnis der Westdeutschen stehen müssen, daß eine reine Westlösung für ganz Deutschland angesichts der deutschen Verschuldung nach Osten hin

---

121. Stalin, Ökonomische Probleme des Sozialismus in der UdSSR, Berlin-Ost 1952 (verfaßt 1. 2., veröffentlicht 2. 10. 52). – Dazu: B. Meissner, Die Sowjetunion und Deutschland 1941 bis 1967, EA 1967, S. 521; G. Meyer, aaO. S. 51ff; H. Marcuse, Die Gesellschaftslehre des sowjetischen Marxismus, Soziologische Texte Bd. 22, Neuwied 2. Aufl. 1969, S. 75ff, 156ff.

unmöglich war – der deutsche Eroberungskrieg, die planmäßige Ausrottung von Millionen, die bedingungslose Kapitulation, die Macht
der Sowjetunion sprachen dagegen. Wenn aber schon diese Erkenntnis ausblieb und es nicht einmal zu leidenschaftlicher Beunruhigung
und zu einer dringlichen Anfrage an die Großmächte kam, dann
konnte und kann man nicht in den Gegensätzen zwischen den Großmächten die eigentliche Ursache der verstärkten Spaltung Deutschlands erblicken und dagegen das moralische Recht der Deutschen auf
Wiedervereinigung stellen.

Ebensowenig ließ und läßt sich aus den Noten und den Umständen
in der Sowjetunion schließen, welches Risiko ein militärisch zwischen
den Machtblöcken stehendes Gesamtdeutschland eingegangen wäre.
Denn indem die Bundesregierung und die überwältigende Mehrheit
der Westdeutschen darauf verzichtete, auf eine Prüfung des sowjetischen Angebots zu dringen, kam es nicht einmal zur Erkundung der
Ausgangsposition, die die Sowjetunion einem solchen Gesamtdeutschland zuzubilligen bereit gewesen wäre.

Daß die Weigerung der Westdeutschen, sich im Frühjahr 1952 den
von der Notgemeinschaft erkannten Alternativen zu stellen, derartige
Wirkungen und Nachwirkungen haben würde, war allerdings im Mai
1952 noch nicht zu übersehen. Als Adenauer die Westverträge unterzeichnete, war das letzte Wort über die Westverträge und über die
Sowjetnoten noch nicht gesprochen. Die Verträge waren weder im
Ausland noch in der Bundesrepublik von den Parlamenten ratifiziert.
Das knappe Vierteljahr zwischen der ersten Sowjetnote und der
Unterzeichnung der Verträge war für eine kritische Neubesinnung
sehr kurz gewesen. Innerhalb des längeren Zeitraums während der
drei Lesungen im Bundestag war noch zu gründlicherer Diskussion
und kritischer Besinnung Gelegenheit.

2

*Die Diskussion über die Wiedervereinigung Deutschlands nach der
Unterzeichnung der Westverträge*

»Nun steht in verstärktem Maße die Sorge vor uns, wie es weitergehen wird ... Nun ist der Generalvertrag unterzeichnet, aber noch
nicht von den Parlamenten ratifiziert. Wird man vor diesem letzten
Schritt bereit sein, eine gesamtdeutsche Lösung zu versuchen?«[1] Der

---

1. GII 88.

Ton der Sorge, den Heinemann unmittelbar nach der Unterzeichnung der Verträge anschlug, wich alsbald optimistischer Beurteilung: »Das Gefecht ist doch noch keineswegs verloren. Der Weg des Bundeskanzlers kann immer noch aufgehalten werden, sei es in Karlsruhe, Paris oder in seiner eigenen Koalition.«[2]

Die beiden Zitate bezeichnen die Paradoxie, in der sich die deutsche Frage nach der Unterzeichnung der Westverträge befand. Auf der einen Seite war in der BRD die Entscheidung für Bewaffnung und Westintegration bereits gefallen. »Der Bundestag kann zu den Verträgen nur Ja oder Nein sagen. Er kann sie aber nicht ändern.«[3] Angesichts der Geschäftsordnung des Bundestages, die Änderungsanträge zu Ratifikationsgesetzen untersagte, und angesichts der Mehrheitsverhältnisse im Bundestag war eine Ablehnung kaum denkbar[4]. Auf der anderen Seite wurde im Juni in Frankreich und England von offizieller Seite eine Viererkonferenz über Deutschland vor der Ratifizierung der Verträge gefordert, und in der BRD kam es nach der deutschen Unterschrift unter die Westverträge doch noch zu einer breiteren Diskussion in der Öffentlichkeit über die Frage, ob und was man der Sowjetunion als Preis für einen Rückzug aus der DDR zahlen solle und könne. Widerstände gegen Adenauer brachen auf, so daß die 2. Lesung der Verträge, wie Heinemann schon im Juni voraussagte[5], erst im Dezember stattfand; die dritte wurde ins nächste Jahr verschoben.

Der Widerspruch gegen Adenauer ging von den politischen Gremien aus, die der Kanzler bei seiner bisherigen außenpolitischen Aktivität nicht genügend informiert und um ihre Meinung befragt hatte. Im Juni 1952 entschloß sich der Bundestag, der erst wenige Wochen zuvor die Texte der Verträge kennengelernt hatte, zu deren gründlicher Prüfung. Auf Initiative des Ältestenrats wurde dazu sogar eine besondere Kommission gebildet, die neben sieben Ausschüssen mit dieser Aufgabe betraut wurde und mit wochenlanger Vorplanung die Pläne Adenauers auf baldige Ratifizierung durchkreuzte[6]. Gleichzeitig beschloß auch der mangelhaft informierte Bundesrat, die Verträge bedürften seiner Zustimmung. Sowohl der bayrische Ministerpräsident Ehard (CSU), der Vorsitzende des außenpolitischen Ausschusses, als auch der Ministerpräsident des neugegründeten Staates Baden-Württemberg, Reinhold Maier (FDP), Präsident des Bundesrats,

2. Schreiben an Sperl, Nürnberg, 11. 6. 52 (AH).
3. GH 89.
4. GH 89. – Baring, aaO. S. 163f.
5. GH 91.
6. Baring, aaO. S. 173f.

waren zwar keine Gegner der Verträge, teilten aber auch keineswegs Adenauers Tendenz zur Eile, sondern wollten die Rechte des Bundesrats wahren[7]. Weil Maier seit März Chef einer Koalitionsregierung aus SPD und FDP war, deren Stimmen den Ausschlag bei Abstimmungen im Bundesrat gaben, lag ihm an einem Hinausschieben der Entscheidung, um seine Koalition bei der Abstimmung nicht zu gefährden. Der Bundesrat und besonders Maier begrüßten es, daß sich auch der Bundespräsident in die Sache einschaltete. Heuss erbat vom Bundesverfassungsgericht ein Gutachten über die Verfassungsgemäßheit der Verträge[8]. Dadurch erhielt die Entscheidung dieses Gremiums, das im Juli die Normenkontrollklage der SPD ablehnte, abermals große Bedeutung für die Außenpolitik. Nimmt man hinzu, daß im Oktober die Adenauer-freundliche Spitze des DGB abgewählt und durch eine der SPD genehmere ersetzt wurde[9], so kann man zu dem Urteil gelangen, daß im Sommer 1952 wesentliche politische Kräfte in der BRD ihre Eigenständigkeit gegenüber dem Kanzler auf Kosten der schnellen Verwirklichung seines Konzepts durchsetzten.

Auf diesem Hintergrund erhielten nun auch diejenigen Sozialdemokraten und politischen Einzelgänger größeres Gewicht, die Adenauers Politik widersprachen und die außenpolitische Alternativen für Deutschland aufzeigten.

Innerhalb der SPD gewann das Argument, daß die Westverträge einer Wiedervereinigung Deutschlands hinderlich seien, nun soviel Bedeutung, daß es an erste Stelle trat. Schumacher, Wehner, Erler und Schmid betonten, daß Bemühungen um die deutsche Wiedervereinigung vordringlich zu sein hätten, und forderten zu diesem Zweck Verhandlungen zwischen den Großmächten[10]. In diesem Sinne sprach sich Schumacher noch in seinem letzten Interview vor seinem Tode aus, und sein Nachfolger Ollenhauer dachte ebenso[11]. Das Aktionsprogramm, das die SPD auf ihrem Parteitag im September beschloß, nannte die Wiedervereinigung Deutschlands an erster Stelle und schlug vor, daß ein »europäisches Sicherheitssystem im Rahmen der Vereinten Nationen angestrebt« werden sollte[12]. Carlo Schmid zeigte als Ziel auf, »sich dem Westen in Formen zu verbinden, die der Osten nicht bedrohlich zu finden braucht, und mit dem Osten in ein Verhält-

7. ebd. S. 268ff. – R. Maier, Erinnerungen 1948–1953, Tübingen 1966, S. 461ff.
8. Baring, aaO. S. 224ff.
9. ebd. S. 203f.
10. Löwke, aaO. S. 105ff. – Stenogr. Berichte, 221. und 222. Sitzung, 9. u. 10. 7. 52, S. 9807ff, 9871ff, 9902ff. – StZ 25. 6. u. 19. 7. 52. – Fritz Baade, in: Außenpolitik, Sept. 52, S. 558ff.
11. Löwke, S. 113ff.
12. Aktionsprogramm der SPD v. 28. 9. 52 (Broschüre).

nis freien Austausches zu treten, das den Westen stärkt, statt ihn zu schwächen.« Schmid warnte vor der Vorstellung, »mit diesen Verträgen die Russen zur politischen Kapitulation zwingen zu können«, und forderte, ihnen »eine Chance« zu lassen, »durch die sie kompensiert finden könnten, was sie aufgeben!«[13]

Deutlicher noch als Schmid erkannten einzelne Abgeordnete aus der Regierungskoalition den springenden Punkt in der Problematik der deutschen Frage. Hans Bodensteiner (CSU) und Karl-Georg Pfleiderer (FDP) forderten, daß man überlegen müsse, welchen Preis man der Sowjetunion für die Herausgabe der DDR zahlen könne. Sie wiesen auf die Unmöglichkeit hin, die Sowjetunion anders als durch einen Verzicht der BRD auf Westintegration zur Gewährung freier Wahlen in der DDR bewegen zu können, und erwogen Lösungsvorschläge, durch die das Sicherheitsinteresse aller Beteiligten mit dem Wunsch nach deutscher Einheit in Übereinstimmung gebracht werden könnte.

Bodensteiner hoffte auf eine Zwischenlösung »zwischen einem neutralen Pufferstaat und einer Verschmelzung Deutschlands mit der amerikanischen Kriegsmaschine«. Er befürchtete besonders, daß bei Fortsetzung des bisherigen Weges »die beiden großen Gegner in einen Krieg hineintaumeln«, und hielt dem entgegen, »daß eine, wenn auch nicht neutrale, aber immerhin einigermaßen selbständige Macht zwischen Ost und West auf die beiden Weltmächte entspannend wirkt, weil sie gewissermaßen das Sicherheitsbedürfnis beider befriedigt«. Wenn Deutschland dem Westblock nicht eingegliedert werde, sei das »ohne Zweifel ein gefährlicher Weg«, aber immer noch weniger gefährlich als das Risiko eines russischen Präventivkrieges oder eines amerikanischen Krieges zur Befreiung unterdrückter Völker[14].

Pfleiderer sah die Lösung der deutschen Frage darin, daß die Sowjets sich hinter die Oder und Neiße, die Westmächte hingegen auf das linke Rheinufer zurückzögen und sich das zwischen diesen Strömen liegende Deutschland durch freie Wahlen vereinigte. Pfleiderer zielte auf eine Auflockerung der Blöcke ab; er wies auf die Tatsache hin, daß Frankreich und England, verglichen mit den USA, gegenüber der Sowjetunion eine »behutsame« Politik trieben und daß sich die politischen Interessen der Ostblockländer nicht mit denen der Sowjetunion deckten. Im Rahmen einer Auflockerung der politischen und militärischen Fronten hielt Pfleiderer das Entstehen eines zwischen Rhein und Oder-Neiße liegenden Deutschland, das zu West-

---

13. Stenogr. Berichte, 221. Sitzung, 9. 7. 52, S. 9816f.
14. H. Bodensteiner, Die deutsche Aufrüstung – ein Beitrag zum Krieg oder zum Frieden? Sonderdruck aus der Zeitschrift »Die Besinnung«, Nürnberg 1952, S. 5f.

europa, nicht aber zu einer sowjetfeindlichen Militärallianz unter amerikanischer Führung gehörte, für erstrebenswert[15].

Von ganz verschiedenen Voraussetzungen her waren damit zwei völlig verschiedene Politiker zu ähnlichen Folgerungen wie die Notgemeinschaft gelangt. Der Jurist Pfleiderer, der Jahrzehnte seines Lebens Diplomat im auswärtigen Dienst des Deutschen Reiches gewesen war, sprach aus seiner außenpolitischen Erfahrung. Er nahm die sowjetische Furcht vor einem kapitalistischen Angriff als Folge ihres marxistischen Denkens und ihrer historischen Erinnerung an den russischen Bürgerkrieg und an den Zweiten Weltkrieg ernst und knüpfte mit seinen politischen Vorstellungen an politische Lösungen der zwanziger Jahre an, die Deutschland, obzwar zum Westen gehörig, dem Osten gegenüber eine Sonderstellung einräumten.

Der Volkswirt Bodensteiner sah die militärische Lage auf dem Hintergrund der gesellschaftlichen und wirtschaftlichen Entwicklung in der Bundesrepublik. Vergeblich hatte er seit 1949 innerhalb der CDU/CSU der immer offensichtlicher werdenden Tendenz widersprochen, die Position der Unternehmer, z. B. durch Steuergesetze, zu stärken. Er sah das außenpolitische Auftrumpfen einer Politik der Stärke im Zusammenhang mit der Wiedererstarkung früher mächtiger gesellschaftlicher Kreise[16]. Der bewußte Katholik Bodensteiner, der wegen seines Widerspruchs schon in der NS-Zeit Anstoß erregt hatte, sah sich zum Protest gegen die gesamte Entwicklung der BRD aufgerufen.

Die Reden und Denkschriften Pfleiderers und Bodensteiners, ihre Artikel in Zeitungen und Zeitschriften fanden ein weites Echo[17]. Innerhalb der CDU erhoben Männer wie Gerstenmaier[18] und Müller-Hermann[19] die Forderung nach Prüfung des sowjetischen Angebots; Minister Kaiser forderte, die Regierung müsse ihre Anstrengungen auf die Deutschlandfrage konzentrieren[20]. Kritische Journalisten wie

---

15. Rede in Waiblingen 6. 6. 52 u. Denkschrift v. Sept. 52, abgedruckt in K. G. Pfleiderer, Politik für Deutschland. Reden und Aufsätze 1948–56, Stuttgart 1961, S. 95ff u. 102ff.
16. Bodensteiner, Thesen zum deutschen Wiederaufbau 1953. Theorie und Wege einer sozialen Reform zur friedlichen Überwindung des Bolschewismus, in: Die Besinnung, Nürnberg 1952. – Ders.: Offener Brief an Dr. Ehard v. 10. 11. 52 (hekt.).
17. Zu Pfleiderer: FAZ 7., 10., 11., 24. 6., 8., 16., 25. 9., 2., 8., 23., 24., 30. 10. – StZ 7., 10., 14. 6., 5. 9. – Deutsche Zeitung 21. 6., 29. 10. 52 u. a. – Zu Bodensteiner: FAZ 13., 24. 6., 2. 7., 24. 9., 5. 11. StZ 26. 6., 28. 11. – Hamburger Echo 27. 6. – Industrie-Kurier 28. 6. – Deutsche Tagespost 14., 21. 6. – Der neue Tag 14., 21., 24., 28. 6. 52.
18. NZZ 25. 6. 52.
19. Weser-Kurier 4. 6., Bremer Nachrichten 12. 9., FAZ 13. 9., DNZ 15. 9., StZ 7. 10. 52. – Baring, aaO. S. 416.
20. FAZ 9. 6., StZ 9. 6., NZZ 25. 6. 52.

Sethe und Silex sahen sich in ihren eigenen Vorstellungen bestätigt und unterstützten insbesondere Pfleiderer[21]. Andere kritische Stimmen kamen hinzu[22]. Wilhelm Wolfgang Schütz, ein politischer Berater im Ministerium für gesamtdeutsche Fragen, suchte in einer Broschüre die offensive und die defensive Seite der sowjetischen Politik rational zu analysieren[23], ähnlich Herbert von Borch in der Zeitschrift »Außenpolitik«[24]. Der ehemalige deutsche Botschafter in Moskau, v. Dirksen, beurteilte Pfleiderers Denkschrift als »ausgezeichnet«[25], der Politologe Prof. Eschenburg schloß sich der Meinung an, der »Preis der Wiedervereinigung« sei das eigentliche Problem, und trat für das »schmerzliche Opfer« ein, auf die ehemaligen deutschen Ostgebiete zugunsten der Wiedervereinigung Deutschlands zu verzichten[26]. Und »zahlreiche bürgerliche Blätter wünschen eine Konferenz mit der Sowjetunion, obwohl sie wissen, daß sie dann dem Bundeskanzler widersprechen«, faßte die »Neue Zürcher Zeitung« zusammen[27].

Für die Notgemeinschaft war der Chor dieser Stimmen »der erfreulichste und ermutigendste Vorgang« nach der Unterzeichnung[28]. In einem Privatbrief urteilte Heinemann:

»Die Zahl der bisher nach Essen abgelieferten Unterschriften unter die Petition ist allerdings nicht so, daß Bonn unter dieser zusammenbrechen wird. Viel **entscheidender** hat sich die Arbeit der Notgemeinschaft durch Mobilisierung von Diskussionen und öffentlicher Meinung als solcher ausgewirkt. Unsere Argumente sind heute weithin von anderen übernommen und das ist wesentlich.«[29]

Ein Treffen der Arbeitsgruppen der Notgemeinschaft in Frankfurt sollte den Zusammenhalt festigen[30]. Zum Abschluß dieses Bundeskongresses trat die Notgemeinschaft in der Paulskirche an die Öffentlichkeit. Helene Wessel forderte, daß die soziale Frage gelöst und eine neue Gesellschaftsordnung geschaffen würde[31]. Heinemann wieder-

---

21. Sethe: FAZ 19. 6., 15. 9. 52. – Silex: Deutsche Kommentare 14. 6. 52.
22. z. B. Ernst Lemmer: StZ, Die Welt, DNZ 22. 9. – v. Rohr: FAZ 23. 9. 52.
23. W. W. Schütz, Deutschland am Rande zweier Welten. Voraussetzung und Aufgabe unserer Außenpolitik, Stuttgart 1952. – Ders., Atlantikpakt – mit Einschränkungen, in: FAZ 4. 6. 52.
24. Außenpolitik, 3. Jg., Heft 7, Juli, S. 409ff, Heft 9, September, S. 545f.
25. FAZ 15. 9. 52.
26. Die Tat, Zürich, 8. 7. 52.
27. NZZ 16. 9. – Vgl. Die Zeit 4. 9. 52: »Rüsten und verhandeln.«
28. Nachrichten der Notgemeinschaft, Nr. 4, Juli 52, S. 2.
29. Schreiben an Sperl, Nürnberg, 11. 6. 52 (AH).
30. Bericht: Nachrichten der Notgemeinschaft, Nr. 4, Juli 52, S. 2.
31. DNZ 9. 6. 52. – Vgl. H. Wessel, Unser Weg nach Europa. Wortlaut einer Rede in Berlin v. 6. 7. 52 (Broschüre).

holte seine Absage an die Politik der Stärke: »Anstatt immer wieder
zu sagen, es gäbe nur diesen einen Westabmarsch«, sollte man »beherzt etwas phantasievoll« neue Möglichkeiten ins Auge fassen:

»Warum kann denn nicht das ernster angegangen werden, was soeben Frau
Wessel anführte, nämlich ein vereinigtes Deutschland außerhalb der Atlantikgemeinschaft? Warum nicht ein wiedervereinigtes Deutschland in Verbundenheit mit anderen neutralen Staaten in Europa und Asien? Warum nicht
wechselseitige Garantien eines wiedervereinigten Deutschlands seitens seiner
Nachbarn, die nach wie vor ein eigenes Lebensinteresse daran haben werden,
daß das wiedervereinigte Deutschland nicht in das eine oder andere Lager
fällt? Warum nicht Abmachungen in der UNO? Warum nicht letztenendes –
und das wäre sicherlich das allerbeste – eine allgemeine Abrüstung?«

Heinemann begrüßte Pfleiderers Vorschlag, den »man durchaus
ernst nehmen sollte«, und begegnete den Einwänden gegen Alternativen zu Adenauers Politik:

»Man kommt mit dem Schreckschuß sonderlich von der Neutralisierung. Meine
Damen und Herren, die schlimmste Form einer Neutralisierung Deutschlands
ist die, daß westdeutsche Truppen durch ostdeutsche Truppen ausgeglichen werden. Es wird je und dann als ein Satz der höchsten politischen Weisheit unter uns
verbreitet, daß man mit Rußland nicht verhandeln könne. Ich sage: Wir müssen
mit Rußland verhandeln. Wir müssen es deshalb, weil Rußland, ob uns das
gefällt oder nicht, unabänderlich unser Nachbar bleibt ... Man sagt, mit Rußland verhandeln, das hieße einen Weg endloser Verhandlungen betreten. Meine
Damen und Herren, ich antworte: das längste Verhandeln ist immer noch
besser als der kürzeste Atombombenkrieg. Man sagt, wenn wir den Generalvertrag nicht ratifizieren, wird man uns westlicherseits verhungern lassen. Ich
antworte: der Westen wird uns nicht in die Verelendung treiben, weil sie
Bolschewismus bedeutet, und gerade diesen Bazillus will sich ja der Westen
vom Leibe halten.«[32]

In einer Entschließung forderten die Tagungsteilnehmer, daß bei
der Abstimmung über die Westverträge jeder Bundestagsabgeordnete
»sich ohne Fraktionsbindung frei nach seinem Gewissen in seiner Verantwortung vor dem deutschen Volk in Ost und West« entscheiden
müsse und daß die Bundesregierung erwirken möchte, daß die Besatzungsmächte »anstelle des bisherigen Notenwechsels unverzüglich
verhandeln, um alle Möglichkeiten einer friedlichen und für Deutschland wie alle seine Nachbarn annehmbaren Lösung zu prüfen«. Die
Unterzeichner erinnerten an »unermüdliche« Hinweise der Notgemeinschaft, daß Adenauers Außenpolitik eine Wiedervereinigung
Deutschlands und einen Friedensvertrag »verhindert, entsprechende
östliche Gegenmaßnahmen hervorruft und die Kriegsgefahr erhöht«;
Verhandlungen zwischen den Großmächten hätten

---

32. GH 91.

»nur dann Aussicht auf Erfolg, wenn die Westmächte, insbesondere Frankreich, dabei die Sicherheit erhalten, daß ein wiedervereinigtes Deutschland sich nicht einem Ostblock eingliedert, und wenn die Sowjetunion die Sicherheit erhält, daß ein wiedervereinigtes Deutschland nicht einem westlichen Militärblock einverleibt wird.«

Freie Wahlen könnten die Deutschen nur dann erreichen, wenn sie durch eigene Bemühungen für alle vier Großmächte akzeptable Vorschläge förderten, so wie es die Notgemeinschaft zu tun gewillt sei[33].

Die internationale Lage, wie sie sich seit dem Sommer 1952 darstellte, gab jedoch nicht mehr so viel Anlaß zu Hoffnungen im Sinn der Notgemeinschaft wie im Juni 1952; allerdings schien eine Lösung der Deutschlandfrage auch noch nicht verbaut.

In den USA wurde im Wahlkampf von Seiten der Republikaner das Ziel ausgegeben, die bisherige Außenpolitik müsse offensiver gestaltet werden und zu einem »Roll back« der Sowjets führen[34]. Heinemann registrierte besorgt den Aufruf Eisenhowers zu einem Kreuzzug und die Übereinstimmung seiner Befreiungsparolen mit denen Adenauers[35]. Die ersten Reden des neugewählten Präsidenten und seines Staatssekretärs J. F. Dulles, die die zu befreienden Länder namentlich aufführten, gaben Heinemanns Sorge neue Nahrung[36].

In Frankreich regten sich je länger je mehr Widerstände gegen die EVG. Heinemann sah eine ihrer Ursachen darin, daß das kleine Europa der Montanunion-Staaten »ein ganz unzureichender Rahmen ist, um Frankreich mit seinem wichtigsten Partner darin, eben der Bundesrepublik, wirklich zu versöhnen«. Bemerkenswert erschien Heinemann die Tatsache, daß »Frankreich die Tür zu Verhandlungen mit Sowjetrußland offen« hielt. Das bedeute keineswegs eine französische Zustimmung zu einer Wiedervereinigung Deutschlands: »Wird Frankreich uns jemals zur deutschen Wiedervereinigung helfen oder diese auch nur ohne Veto vonstatten gehen lassen, wenn schon Westdeutschland allein als so bedrohlich empfunden wird?« Aber die Hauptsache schien ihm, daß Frankreich die »Möglichkeit einer Alternative« zur EVG-Politik nicht aus der Hand gegeben habe[37].

Noch sah Heinemann auch eine Alternative in der Sowjetpolitik. Die äußeren Anzeichen sprachen zwar nur für eine Verhärtung des kommunistischen Kurses. Die Regierung in Ostberlin machte gleich nach der Unterschrift unter die Westverträge ihre Drohung wahr und

---

33. Nachrichten der Notgemeinschaft, Nr. 4, Juli 52, S. 2.
34. KAG 52, S. 3625f.
35. Fuldaer Volkszeitung 10. 9. 52.
36. GH 110.
37. GH 103.

340 Entscheidung über Wiedervereinigung oder Westintegration

ließ in Berlin und an der Zonengrenze Grenzsperren errichten. Aber als Heinemann in seiner Funktion als Synodalpräses wegen des Tagungsorts der nächsten EKD-Synode bei Grotewohl vorstellig wurde, legte ihm der Ministerpräsident Gesetzesblätter vor, denen zufolge die Grenzmaßnahmen »bei einer Verständigung über die Durchführung gesamtdeutscher freier Wahlen zur Herbeiführung der Einheit Deutschlands auf demokratischer und friedlicher Grundlage sofort aufgehoben werden« konnten[38]. Nach Heinemann ließ solche Formulierung »trotz aller Gegenmaßnahmen des Ostens gegen die Unterzeichnung des Generalvertrages eine Verhandlungsbereitschaft erkennen, die auf jeden Fall ernsthaft geprüft werden sollte«[39].

Einige Tatsachen zeigten Heinemann jedoch, daß die Zeit drängte. Im Juli beschloß die Zweite Parteikonferenz der SED den »Aufbau des Sozialismus«[40]. Man ging daran, die noch privaten Wirtschaftsbereiche zu sozialisieren, die Verwaltung zu zentralisieren, innerhalb der Partei Säuberungsaktionen einzuleiten, den Kampf gegen die Kirchen zu verschärfen[41] und offiziell »bewaffnete Streitkräfte« aufzustellen. – Der italienische Linkssozialist Nenni gewann in einem Gespräch mit Stalin den Eindruck, daß die russische Note vom 10. März des Jahres ein ernstes Angebot gewesen war, daß Stalin nun aber nicht mehr mit einer Viererkonferenz rechnete, auf der ein Übereinkommen über Deutschland erzielt werden könnte. Nenni zufolge hatte Stalin den Gedanken einer Wiedervereinigung Deutschlands aufgegeben und zog seine Konsequenzen[42].

Die Notgemeinschaft bekam die allmähliche Verhärtung der außenpolitischen Lage von beiden Seiten zu spüren. Im Westen sah sie sich nach wie vor den Angriffen der Regierung und der amerikanischen »Neuen Zeitung« ausgesetzt, die von Verleumdungen zu Fälschungen überging; sie unterschob Heinemann, er habe in seiner Unterredung mit Nuschke die Aufstellung einer Armee in der DDR begrüßt[43], eine Anschuldigung, die sich der Pressedienst der CDU so-

38. Heinemann gegenüber der Fuldaer Volkszeitung 10. 9. 52.
39. ebd.
40. Protokoll der II. Parteikonferenz der SED, Berlin (-Ost) 1952. – Teilweise abgedruckt in H. Weber (Hg.), Der deutsche Kommunismus, Köln/Berlin (-West), 1963, S. 447ff.
41. KJ 52, S. 183ff. – KJ 53, S. 131ff.
42. Crossman in: New Statesman and Nation, 20. 9. 52. – JK 19/20, 15. 10. 52, S. 577ff. – GH 99.
43. Unter Bezug auf die in der »Entscheidung« abgedruckte Niederschrift gab DNZ 2. 9. 52 Heinemanns angeblichen Ausspruch wieder: »Die Aufstellung einer nationalen Armee innerhalb der DDR ist ein guter und kluger Schachzug.« Heinemann widersprach: »Dieser Ausspruch ist in dem angezogenen Protokoll überhaupt nicht enthalten und erst recht nicht jemals von mir getan worden. Meine Widerstände gegen deutsche Aufrüstung unter den vorliegenden Umständen haben

gleich zu eigen machte[44]. Im Osten richtete Ulbricht auf der Parteikonferenz der SED deutliche Worte an die Notgemeinschaft:

»Wenn die ›Notgemeinschaft‹ nicht die Rolle eines Auffanglagers spielen will,
um bürgerliche Friedensfreunde zu binden, damit sie sich der nationalen Volksbewegung fernhalten, dann müssen alle diese Gegner des Separatvertrages die
Schlußfolgerung ziehen und die patriotische Sammlung für einen Friedensvertrag fördern, dessen Grundsätze die Sowjetunion bereits vorgeschlagen hat.«[45]

Trotzdem gab Heinemann nicht auf. »In Paris wie in Moskau sitzen Meister der Alternativpolitik, d. h. Politiker, welche nicht nur
einen Weg, sondern auch andere Wege zu gehen vermögen. Weil das
so ist, haben wir ein Lebensinteresse daran, daß die Chance einer
gesamtdeutschen Lösung keinesfalls durch uns selbst verdorben
wird.«[46]

So bemühte sich die Notgemeinschaft darum, Ansatzpunkte für
eine deutsche Initiative auszumachen. Der Notenwechsel der Großmächte, der trotz schärferer Tonart der letzten Sowjetnoten in der
Sache aus Wiederholungen der bekannten Standpunkte bestand, zeigte insofern eine winzige Annäherung der Standpunkte, als die Westmächte nicht mehr unbedingt auf einer UN-Kommission und die Sowjetunion nicht auf einer Kommission aus Vertretern der vier Großmächte beharrten; die Westmächte waren mit einer Zusammensetzung aus Unparteiischen, die Sowjets mit einer aus Ost- und Westdeutschen einverstanden[47]. Hier setzte Heinemann mit Überlegungen an, wie das Einschlafen des Notenwechsels verhindert und eine
Lösung vorbereitet werden könnte.

Die Petition der Notgemeinschaft reichte dazu nicht aus; Heinemann verzichtete auf ihre Übergabe in Bonn. Mit Helene Wessel und
Adolf Scheu arbeitete er, unterstützt von dem West-Berliner Konsul
a. D. Respondek, eine Denkschrift aus, die als »Eingabe der Notgemeinschaft für den Frieden Europas« an alle Mitglieder des Bundestags, des Bundesrats, der Volkskammer und an die zuständigen Stellen der Besatzungsmächte gerichtet war[48]. Nach eingehender Darstel-

---

sich stets gegen die Aufrüstung in West- und Ostdeutschland gerichtet« (Schreiben vom 5. 9. 52, AH). Der Satz in der fraglichen Niederschrift, der sich auf das
sowjetische Angebot einer gesamtdeutschen Nationalarmee in der Note v. 10. 3. 52
bezog, lautete: »Die Frage der Nationalarmee scheint Heinemann ein kluger
und guter Schachzug« (Entscheidung für Deutschland und Europa, Nr. 1, Mai
1952, S. 9).
44. Union in Deutschland 6. 9. 52.
45. Neues Deutschland 18. 7. 52.
46. GH 99.
47. Jäckel, aaO. S. 33ff.
48. GH 97. – Respondek war vor 1933 Zentrumsabgeordneter im Reichstag gewesen und stand in Verbindung mit dem ehemaligen Reichskanzler Brüning.

lung der »Teillösung: Westdeutschland« und des Notenwechsels, wobei die Interessen aller Beteiligten sorgfältig gegeneinander abgewogen wurden, schlug die Notgemeinschaft »zur Überwindung des toten Punktes: freie Wahlen« unter Berufung auf die letzte Sowjetnote die Bildung einer Deutschland-Kommission vor, die sich aus je zwei Mitgliedern der vier Besatzungsmächte und je fünf vom Bundestag und der Volkskammer gewählten Mitgliedern zusammensetzen sollte, wobei Regierungsmitglieder, nichtdeutsche Staatsangehörige und Männer »mit finanzieller oder wirtschaftlicher Vormachtstellung« ausgeschlossen sein sollten. Dieses Gremium, in welchem Stimmrecht nur für die Deutschen vorgesehen war, sollte die Vollmacht erhalten, bei beiden deutschen Regierungen »jede Auskunft zu fordern und alle Unterlagen erschöpfend zur Verfügung zu erhalten, jede als notwendig erachtete Untersuchung durchzuführen« und »den beiden deutschen Regierungen Maßnahmen vorzuschlagen, die von jeder der beiden Regierungen durchzuführen sind, um festgestellte Mängel gleicher Voraussetzungen für freie Wahlen zu beseitigen«; ferner sollte diese Deutschland-Kommission »eine einheitliche Wahlordnung« für »allgemeine, freie, gleiche, geheime und direkte Wahlen für eine verfassunggebende Nationalversammlung in allen vier Besatzungszonen« auf Grund der ähnlichen Vorschläge der Volkskammer vom 9. 1. und des Bundestags vom 6. 2. 52 und »einen Vorschlag zur einheitlichen Kontrolle für die Durchführung der Wahl« ausarbeiten. In einem Zusatz schlugen die Verfasser zu diesem Zweck ein »Gesamtdeutsches Wahlkomitee« vor, das auf Verwaltungsebene in Analogie zur Deutschland-Kommission von den beiden Regierungen gebildet werden sollte.

Heinemann, Scheu und Helene Wessel unterbreiteten den Vorschlag vom 10. Oktober 1952, wie sie in der Einleitung schrieben, weil die »Wiedervereinigung von Ost- und Westdeutschland . . . im Mittelpunkt unseres politischen Denkens und Handelns steht«; die Verfasser beurteilten »die Taten oder Unterlassungen der zwei deutschen Regierungen und Parlamente sowie die Entscheidung der vier Besatzungsmächte . . . allein von diesem Gesichtspunkte aus«. Der Weg zur deutschen Einheit läge

»nicht nur in deutschem Interesse: Solange die Einigung der vier Mächte über die Kernstellung ihrer Gegensätze in Europa – und das ist Deutschland – nicht erfolgt, gibt es weder für uns, noch für sie selbst, den politischen Frieden und das unerläßliche Vertrauen für irgendeinen Aufbau in der ganzen Welt«.

An der Reaktion auf all die kritischen Stimmen mußte sich zeigen, ob in Westdeutschland in letzter Stunde doch noch politische Kräfte von Gewicht den Gedanken einer militärischen Ausklammerung

Deutschlands um der Wiedervereinigung willen für erwägenswert hielten. Die große Not, die durch die Maßnahmen der DDR die ostdeutschen Nichtkommunisten bedrückte, war in aller Munde. Die Notgemeinschaft fand mit ihren Aktionen ein sehr geringes Echo. Von den Adressaten der Denkschrift reagierte fast niemand[49]. Nur wenige Zeitungen informierten ihre Leser über den Bundeskongreß in der Paulskirche[50] und über die Denkschrift[51]. Kommentare waren sehr selten. In der FAZ wandte sich Baumgarten gegen Heinemanns Ausspruch, daß das längste Verhandeln mit den Russen besser sei als der kürzeste Atomkrieg. Baumgarten fürchtete, Heinemann wollte die Dauer solcher Besprechungen »in das Belieben der Sowjets legen«; wenn Deutschland außerhalb der Blöcke wiedervereinigt würde, »läge es als ein ungeschütztes Terrain zwischen den beiden Machtblöcken der Erde«. Dagegen setzte Baumgarten seine Hoffnung auf die westliche Stärke: Bei Abschluß der Westverträge würde auf längere Sicht »die russische Kriegsgefahr nachlassen und die russische Neigung zu einem Entgegenkommen in der gesamtdeutschen Frage vielleicht wachsen, sofern sich mit der Verwirklichung der Westverträge die europäische Kraft laufend verstärkte«[52].

Negativ waren auch die entscheidenden Antworten auf Pfleiderer. Staatssekretär Thedieck bezeichnete seinen Plan als »ungewöhnlich problematisch«, als »Utopie«, die lediglich Verwirrung stifte[53]; für Gerstenmaier war er eine »ideologische Kuckuckskonstruktion und politische Himmelsschreiberei«; er werde die Dreiteilung Deutschlands und den Verlust der westlichen Sicherheitsgarantie zur Folge haben[54]. Die FDP rückte von ihrem Abgeordneten ab; die Fraktion weigerte sich, den Plan zu diskutieren[55]; die Partei-Korrespondenz warnte vor einer »Konstruktion im luftleeren Raum«, vor einer »Schaffung eines unbesetzten Vichy-Deutschlands mit den in Ost und West als Faustpfänder okkupierten Teilgebieten«[56]. Auch Pfleiderers Denkschrift wurde in der eigenen Partei als »unrealistisch« »verworfen«[57].

Innerhalb der CDU/CSU blieb der Kreis der Nein-Sager auf wenige Personen beschränkt. Außer Bodensteiner und Müller-Hermann gehörten nur noch die Abgeordneten Mehs und Nellen dazu, eine

49. Im AH finden sich keine Antwortschreiben.
50. so DNZ 9. 6., FAZ 10. 6., Aachener Nachrichten 10. 6. 52.
51. so Süddeutsche Zeitung 22. u. 25. 10. 52.
52. FAZ 16. 6. 52.
53. StZ 10. 6. 52.
54. Die Welt 9. 6., Deutsche Kommentare 14. 6. 52.
55. Baring, aaO. S. 178. – dpa 13. 6. 52.
56. lt. NZZ 13. 6. 52.
57. DNZ 8. 10. 52.

Gruppe, die »auf die Meinungsbildung in der Fraktion keinen nennenswerten Einfluß ausübte«[58]. Ja es stellte sich heraus, daß ein Teil der Befürworter einer Viererkonferenz nur den Nachweis erbringen wollte, daß Verhandlungen mit den Sowjets doch zu keinem Ergebnis führen könnten. So erklärte Gerstenmaier, an einer solchen Konferenz müsse »den politischen Träumern in Deutschland, Frau Wessel, Heinemann, Niemöller und Pfleiderer, demonstriert werden, wer eine Einigung zwischen den Großmächten hintertreibe«[59].

Hinzu kam, daß die Kritiker selbst aus der politischen Entwicklung verschiedene Konsequenzen zogen. Mehs und Nellen meldeten sich öffentlich nicht zu Wort. Müller-Hermann ließ sich angesichts der zunehmenden politischen Reserve der Sowjetunion davon überzeugen, daß es am besten sei, die Verträge bald zu ratifizieren, um dann in ein Gespräch mit dem Osten einzutreten[60]. Pfleiderer wollte seinen Truppenrückzugsplan, der Adenauers Westeuropaidee stracks zuwiderlaufen mußte, als eine Ergänzung von Adenauers Politik verstanden wissen[61]. Er vertrat zwar weiter öffentlich seine Ideen, resignierte aber, als seine Vorschläge keine Wirkungen zeigten. Auch Bodensteiner schien zunächst nachzugeben. Von der Landesgruppe der CSU im Bundestag wegen seiner Angriffe auf Adenauer und den katholischen Klerus mit einem Ausschlußverfahren bedroht, gab er eine Erklärung ab, in der er versicherte, daß er »im Gegensatz zu allen bedingungslosen ›Neinsagern‹ insofern Adenauers Konzeption bejahte, als auch er politische Zusammenarbeit mit dem Westen« und »militärische Macht und notfalls auch eine deutsche Wiederbewaffnung« »zur Sicherung gegenüber einer bolschewistischen Aggression« für richtig halte. Er blieb jedoch dabei, solche militärische Sicherung »ohne gleichzeitige Reform unserer Gesellschafts- und Wirtschaftsordnung« als »ebenso untauglichen wie gefährlichen Versuch zu bezeichnen«. Aber er verpflichtete sich, seine Pläne zur sozialen Reform im Rahmen der CSU weiter zu verfolgen und eventuelle Mißverständnisse in einem Schreiben an den bayrischen Episkopat auszuräumen. Bodensteiner unterschrieb: »Ich bin bereit, in Zukunft schriftliche Verlautbarungen, welche eine Kritik an der Regierungspolitik darstellen, einigen noch zu bestimmenden Kollegen der Landesgruppe der CSU vor der Veröffentlichung vorzulegen und ihre Einwendungen gegen meine Kritik zu berücksichtigen.«[62]

---

58. StZ 25. 6. 52.
59. StZ 30. 6. 52.
60. StZ 7. 10. 52.
61. FAZ 10. 6. 52.
62. Industriekurier 28. 6., FAZ 2. 7., Archivdienst der Union in Deutschland 5. 7., Pressedienst der SPD 8. 7. 52.

Die SPD, so stark sie auch die Forderung nach einer Wiedervereinigung erhob, konnte sich mit dem Gedanken einer militärischen Ausklammerung Deutschlands nicht befreunden. Die Berliner SPD, in diesem Punkte noch schärfer als die Gesamtpartei, faßte sogar einen einstimmigen Beschluß, der »die Mitgliedschaft in der Notgemeinschaft« als unvereinbar mit der Mitgliedschaft in der SPD erklärte[63].

Auch die Widerstände von Bundesrat, Bundespräsident, Bundesverfassungsgericht und DGB stellten sich als nicht so schwerwiegend heraus, wie es die Notgemeinschaft gehofft hatte. Reinhold Maier, Schlüsselfigur im Bundesrat, obschon mit Pfleiderer befreundet, war doch keineswegs von dessen Argumentation so überzeugt, daß er im Bundesrat ein »Nein« zu den Verträgen hätte wagen und damit den Bruch mit der Bundes-FDP hätte riskieren wollen[64]. Heuss' Schritt, ein Gutachten anzufordern, war keineswegs eindeutig als Hemmschuh gegenüber der Politik Adenauers zu verstehen; im Gegenteil, man konnte ihn auch, wie die SPD, gerade umgekehrt auslegen als Versuch, die Normenkontrollklage der SPD vor dem Bundesverfassungsgericht in die zweite Linie zu rücken. Heuss ging es auch nicht darum, seine Position gegenüber der Adenauers auszubauen, geschweige denn dem Kanzler politisch entgegenzutreten. Das zeigte sich im Dezember, als das Bundesverfassungsgericht das von Heuss verlangte Gutachten als bindend für weitere Entscheidungen des Gerichts erklärte und Adenauer, besorgt um einen für ihn ungünstigen Ausgang, den Präsidenten zur Zurücknahme seines Antrages zu bewegen suchte; Heuss entsprach diesem Ansinnen, ohne sich über die Abwertung seiner Position gegenüber der des Kanzlers klarzuwerden[65]. Auch der Bundesrat war um seine Rechte nicht so besorgt, daß er nach diesem Schritt seinerseits beim Bundesverfassungsgericht ein neues Gutachten angefordert hätte[66]. Und die neue Spitze des DGB endlich dachte nicht daran, sich außenpolitisch zu engagieren, im Gegenteil, sie erklärte gerade zur Zeit der zweiten Lesung der Westverträge im Dezember ihre strikte Neutralität gegenüber dieser Frage und bedauerte sogar prinzipiell frühere Stellungnahmen dazu[67].

Unter diesen Umständen fiel es Adenauer nicht schwer, seinen

---

63. Berliner Stimme 5. 7. 52. Der Pazifist E. Lindig, vor die Wahl gestellt, trat daraufhin aus der SPD aus (Schreiben v. 1. 9. an Heinemann, Antwort Heinemanns v. 2. 9. 52. AH). Vgl. Baring, aaO. S. 438.
64. Baring, aaO. S. 271. – R. Maier, aaO. S. 455ff.
65. Baring, aaO. S. 225ff. – FAZ 13. 12. 52.
66. Baring, aaO. S. 243ff, 274ff.
67. ebd. S. 204.

Kurs, wenn auch mit zeitlichen Verzögerungen, unbeirrt weiterzuführen. Keine politische Kraft konnte ihn daran hindern, bei der
Vorbereitung der westlichen Julinote seine Kritik an den seiner Meinung nach zu konzilianten westlichen Vorschlägen vorzubringen und
auf »entschiedenere Formulierungen« zu dringen[68], d. h. darauf, daß
die Westmächte keinesfalls von ihren früheren Forderungen abwi-
chen und, wie es England und Frankreich im Juni ernstlich erwogen,
auf den Vorschlag einer Konferenz über die deutsche Frage ohne
große Vorbedingungen eingingen[69]. Klipp und klar wiederholte
Adenauer öffentlich seine Thesen: daß die westeuropäische Integration »eine Notwendigkeit an sich« sei, die zeitlich auch für die Dauer
von Vierergesprächen nicht ausgesetzt werden dürfe[70]; daß wachsende westliche Stärke die Sowjetunion, ihrer inneren Schwierigkeiten wegen, zu Einsicht und Rückzug bringen werde; daß es letztlich
nur ein Entweder/Oder zwischen Ost und West gäbe[71]. Eine Diskussion über einen Preis, den man der Sowjetunion für die Wiedervereinigung Deutschlands zahlen müsse, lehnte Adenauer unter dem
Beifall der Regierungsparteien ab[72], und sein Staatssekretär Hallstein erklärte: »Wir fordern prinzipiell unser Recht. Dafür gibt es
keinen Preis.«[73] Die »politische Achse Bonn-Washington«, wie es
eine Zeitung schon im Sommer 1952 nannte[74], wurde nach dem
Amtsantritt Eisenhowers und Dulles' noch verstärkt; sogleich griff
der Kanzler Dulles' Drohungen gegenüber nicht-integrationswilligen
Randvölkern auf und gab sie, aus Überzeugung und Taktik, an seine
innenpolitischen Gegner weiter[75].

Gleichzeitig verstärkte Adenauer die Ansprache an die Christen
beider Konfessionen. Von den Teilnehmern am evangelischen Kirchentag wünschte Adenauer »ein mutiges Bekenntnis zu den hohen
Werten des Christentums und Kampf zur siegreichen Überwindung
der uns vom Materialismus drohenden Gefahr«. Es gehe »in Wahrheit um den Bestand des christlichen Abendlandes«. Der Kirchentag

68. NZZ 5., 6., 8. 7. 52.
69. Adenauer schildert die schwierigen Verhandlungen in mehreren Kapiteln seiner
    Erinnerungen (II, S. 103–25).
70. Bulletin Nr. 86 v. 9. 7. 52, S. 863. – Vgl. auch Bulletin Nr. 82 v. 3. 7., S. 838; Gre-
    we ebd. S. 840; v. Eckardt, Bulletin Nr. 85 v. 8. 7., S. 858.
71. ebd. – Stenogr. Berichte, 221. u. 222. Sitzung, 9. u. 10. 7. 52, S. 9789ff, 9907ff. –
    Bulletin Nr. 160 v. 21. 10. 52, S. 1440ff. – Adenauer, Erinnerungen II, S. 103ff,
    bes. S. 124f, 131; 162ff.
72. Stenogr. Berichte, 222. Sitzung, 10. 7. 52, S. 9909.
73. FAZ 11. 10. 52 (Rede in Wiesbaden).
74. Die Tat, Zürich, 5. 7. 52.
75. Bulletin Nr. 22 v. 3. 2. 53, S. 173f.

werde »mithelfen, den Sieg der christlichen Sache zu erringen«[76]. Auf einer Tagung katholischer Männer in Bamberg gab Adenauer wieder seiner »tiefsten Überzeugung« Ausdruck, daß der »Untergang des christlichen Abendlandes greifbar nahe ist«, und prophezeite in Hinblick auf EVG und Wiedervereinigung: »Wenn sich so fast die gesamte Menschheit mit Ausnahme von Sowjetrußland und seinen Satellitenstaaten hinter uns, hinter diese Forderung stellt, wird auf die Dauer auch Sowjetrußland demgegenüber nicht hartnäckig seine Ohren verschließen können.«[77] Adenauer erlebte die Genugtuung, daß ihn die katholische Kirche sichtbar unterstützte. Sie lud zu der Bamberger Tagung als Redner nur CDU-Vertreter ein und ließ das katholische Zentrum wie die Bayernpartei unberücksichtigt[78]. Und Kardinal Frings pries in einer Rede vor Jugendlichen im Beisein Adenauers die Chance, daß »die Verwirklichung des Ideals, das Reich Karls des Großen in moderner Form neu zu errichten«, »nie so nahe gewesen« sei[79].

Von allem Widerspruch der Gremien und der Einzelgänger blieben zuletzt nur zwei augenfällige Tatsachen über. Bundestagspräsident Ehlers entschloß sich, eine Delegation der Volkskammer zu empfangen, und führte diesen Entschluß trotz Adenauers Einspruch auch durch. Ein Auftakt zu innerdeutschen Gesprächen konnte dieser Empfang allerdings nicht sein. Einmal begründete Ehlers selbst seinen Schritt mit dem taktischen Argument, er wolle den Eindruck vermeiden, als sei es dem Parlament mit seinem Bekenntnis zur Wiedervereinigung Deutschlands nicht ernst[80]. Zum andern stand Ehlers sogar mit dieser Argumentation allein. Protestierende Demonstranten in Bonn und scharfe Kritik von allen politischen Richtungen, von Adenauer bis zur SPD, zeigten, wie eine Schweizer Zeitung schrieb, daß es in Bonn »keinen aktiv wirkenden Willen« gab, »aus der Vertretung der besseren Sache auch einen Erfolg bei diesem Zusammentreffen werden zu lassen«[81]. Die Öffentlichkeit verzichtete weithin darauf, das aus Ost-Berlin überreichte politische Papier überhaupt zu analysieren[82].

Weniger spektakulär als Ehlers Entscheidung, aber in der Sache um so fester war der wachsende Widerstand des zunächst nachgiebi-

---

76. StdG, April 53.
77. Bulletin Nr. 95 v. 22. 7. 52, S. 935ff.
78. Schwäbische Landeszeitung 25. 7. 52. – GH 100b, 101.
79. GH 99.
80. Bremer Nachrichten 15. 9. 52. – Vgl. DNZ 13./14. 9. 52.
81. Basler Nationalzeitung lt. FAZ.
82. Analyse v. H. Bechtoldt in StZ 25. 9. 52.

gen Abgeordneten Bodensteiner. Er stand im Sommer 1952 vor der Tatsache, daß die CSU ihre mündliche Versicherung nicht hielt, er brauche kritische Veröffentlichungen nur vorzulegen, »soweit sie Vorwürfe gegen meine Kollegen enthalten«[83]. Ganz im Gegenteil meinte die CSU ihr Schweigegebot grundsätzlich-sachlich. Die CSU-Korrespondenz schrieb in Bezug auf Bodensteiner überdeutlich:

»Die Frage der westlichen Verteidigung ist über alle taktischen Alltagserwägungen hinaus zu einer echten Grundsatzfrage christlicher Gesinnung geworden. Diese Grundsatzfrage duldet auf keinen Fall ein privates Lavieren, sondern erfordert für einen christlichen Politiker ein eindeutiges Bekenntnis. Das Verlassen des gemeinsamen Kurses in einem entscheidungsvollen Augenblick kommt einem Verrat an der gemeinsamen Sache gleich. In echten Grundsatzfragen muß die CSU als Weltanschauungspartei mehr als jede andere politische Gruppierung auf einer sauberen Linie bestehen.«[84]

Bodensteiner dachte nicht daran, sich dem zu fügen. Dreierlei war ihm an der CDU/CSU unerträglich geworden: erstens der »Gesinnungsterror, welcher die freie Gewissentscheidung unmöglich macht«: »Ob ich eine nicht erwünschte Meinungsäußerung mit KZ bestrafe oder als Verrat am Christentum bezeichne, ist nur ein gradueller Unterschied.« Zweitens fand sich Bodensteiner nicht damit ab, daß die CDU/CSU in wirtschaftspolitischer Hinsicht »die versprochene grundsätzliche Reform überhaupt nicht will«. »Beobachtungen und sorgfältige Arbeit haben mich überzeugt, daß die CDU/CSU von einer kleinen Gruppe beherrscht wird, deren markanteste Vertreter die Herren Pferdmenges, Etzel, Scharnberg usw. sind. Diesen Leuten steht naturgemäß der amerikanische Großkapitalist näher als der deutsche Arbeiter oder Bauer in der Ostzone. Für sie ist Partei und Christentum nur ein Mittel, um die politische Macht zu behaupten.«[85] Drittens wandte sich Bodensteiner gegen Adenauers Politik der Stärke. »Ich habe den Kanzler gefragt, ob er glaubt, daß die Russen vor militärischer Übermacht des Westens zurückweichen würden. Der Kanzler hat die Frage mit ja beantwortet.«[86] Bodensteiner war dagegen fest überzeugt, daß »die gegenwärtige Politik der starken Faust aus ihrer eigenen Automatik heraus zwangsläufig zu einem 3. Weltkrieg führen wird«[87]. Er hielt um des Friedens und der Wiedervereinigung Deutschlands willen eine militärische Ausklammerung Deutschlands für erstrebenswert. Damit hatte er sich als einziger Kritiker Adenauers zu Heinemanns Ansicht durchgerungen,

---

83. Hekt. Schreiben an Ehard v. 10. 11. 52.
84. CSU-Korrespondenz v. 23. 9. 52.
85. Hekt. Schreiben an Ehard v. 10. 11. 52.
86. Abendpost 22. 10. 52.
87. Hekt. Schreiben an Ehard v. 10. 11. 52.

der schon im Juni mit ihm Kontakt aufgenommen hatte[88]. Bodensteiner veröffentlichte seine Überlegungen[89], wurde aus der CDU/CSU-Fraktion ausgeschlossen[90] und verließ die Partei[91].

Der Fall Bodensteiner und die Deutung des Christentums durch Adenauer und bestimmte CDU-Organe gaben in der Notgemeinschaft den Anstoß zu grundsätzlicher Überprüfung des Verhältnisses zur CDU. Noch auf dem Bundeskongreß der Notgemeinschaft im Juni hatte Heinemann an deren überparteilichem Charakter festgehalten; er hatte es begrüßt, daß ein Antrag angenommen wurde, in dem die Umwandlung in eine Partei verneint wurde. Wenn auch ein Ausschuß eingesetzt wurde, der die Frage einer Parteigründung zu prüfen hatte, so hatte Heinemann doch keinerlei Interesse dafür gehabt und Ansätze zur organisatorischen Vorbereitung sogar gehemmt[92]. Nun erkannte er am Fall Bodensteiner, daß man ihm persönlich als Synodalpräses der EKD in der CDU eine gewisse Sonderstellung einräumte, während man die von ihm vertretene Sache totschwieg oder bekämpfte. Ihm kamen Zweifel, ob die Arbeit auf überparteilicher Ebene und sein Verbleiben in der CDU noch sinnvoll waren. Die Essener CDU wollte ihn nur unter der Bedingung wieder als Kandidaten zur Essener Kommunalwahl aufstellen, daß er sich während des Wahlkampfs nicht zu außenpolitischen Themen äußerte. Heinemann lehnte das in Anbetracht der bevorstehenden zweiten Lesung der Verträge ab und drängte auf eine Klärung des Verhältnisses zu Adenauer durch eine Aussprache. Aber soviel Freunde in der CDU sich auch dafür einzusetzen versprachen, diese Aussprache kam nicht zustande. Heinemann wurde klar, daß Adenauer sich diese politische Unannehmlichkeit bis nach der Ratifizierung aufsparen wollte, damit die Entscheidung über den Fall Heinemann keine Auswirkung mehr in der Öffentlichkeit auf die Diskussion um die Verträge haben konnte. Dazu wollte Heinemann jedoch gerade nicht die Hand bieten[93].

Noch weniger konnte und wollte er sich mit der Ideologisierung

88. Schreiben v. 14. 6. 52 (AH).
89. Deutschlands Aufgabe in der heutigen Weltpolitik. Meine Meinung zu EVG- und Deutschlandvertrag, in: Die Besinnung, September 52 (Sonderdruck). – Interviews: Aachener Nachrichten 17. 9., Süddeutsche Zeitung 20. 9., Abendpost 22. 10. 52.
90. Süddeutsche Zeitung 18. u. 20. 9., DUD 17. 9. 52.
91. Hekt. Schreiben v. 10. 11. – Antwort Ehards in: Archivdienst der Union in Deutschland v. 26. 9. 52. – FAZ 14. 11., Die Welt 14. 11., StZ 28. 11. 52.
92. Akten der Notgemeinschaft (AH). – Schreiben Humburgs an Scheu v. 16. 6. 52 (Archiv Scheu).
93. Korrespondenz mit J. Kaiser, W. Simpfendörfer u. a. (AH). – Essener Tageblatt 5. 11., Essener Allgemeine Zeitung 5. 11., Aachener Nachrichten 15. 11. 52.

der CDU einverstanden erklären. Unverantwortlich schien ihm der »Zwang unter eine Einheitsmeinung, in der die Unterstützung der Politik des Bundeskanzlers zum entscheidenden Maßstab der Christlichkeit erhoben wird«. Die Union der Christen sei zum »Propagandainstrument einer autokratischen Führung« geworden, »deren politische Entscheidungen den christlichen Wählern durch ein christliches Einheitsgeschrei über den Kopf gestülpt werden«. Demgegenüber zitierte Heinemann das Darmstädter Wort des Bruderrats vom Irrweg der konservativen Christen. Er erinnerte daran, daß die CDU ursprünglich gerade Katholiken und Protestanten die Freiheit eingeräumt habe, »daß jeder Teil nach seiner persönlichen Gewissensentscheidung zu handeln vermöchte«. Es sei 1945 ihr Ziel gewesen, »auch und gerade im politischen Felde eine Umkehr zu Gott und eine Hinkehr zum Nächsten zu bereiten«.

»Haben die christlichen Verfechter westdeutscher Regierungspolitik und Aufrüstung einmal einen Augenblick an die Rückwirkung auf unsere christlichen Brüder hinter dem Eisernen Vorhang gedacht? ...
Nicht die Parole: Christentum und abendländische Kultur, sondern *Umkehr* zu Gott und Hinkehr zum Nächsten in der Kraft des Todes und der Auferstehung Jesu Christi ist das, was unserem Volk und inmitten unseres Volkes vor allem uns Christen selbst nottut.«[94]

Heinemann zog die Konsequenz und trat Ende Oktober 1952 aus der CDU aus[95]. Der Pressedienst der CDU konstatierte, daß »die CDU/CSU in der Frage der großen Vertragswerke ... geschlossen hinter der Politik des Bundeskanzlers steht – geschlossen nicht auf Grund irgendeines ›Diktats‹, sondern auf Grund einer durch sachliche Erwägungen und demokratische Methoden gebildeten erdrückenden Mehrheit«[96].

Die Geschlossenheit der CDU/CSU zeigte sich wenige Wochen später, als Adenauer und Hallstein die ostpolitischen und ideologischen Thesen weiter zuspitzten.

Hallstein stieß mit seinem grundsätzlichen Nein zu einer Preiszahlung an die Sowjetunion wohl bei einzelnen Kritikern wie Sethe[97] und Pfleiderer[98] auf Widerspruch, fand aber bei der Regierungs-

---

94. GH 100b.
95. GH 100a und 100b. – Union in Deutschland 12. 11., Rheinische Post 14. 11., FAZ 14. 11., Die Welt 15. 11. 52.
96. DUD 13. 11. 52.
97. FAZ 13. 10. 52.
98. Pfleiderer erklärte, er müsse »erschrecken über die Betrachtungen eines Unpolitischen, über diese juristische Weltferne gegenüber der Macht im Osten«. (Rede in Schorndorf, Oktober 52, abgedruckt in: K. G. Pfleiderer, Politik für Deutschland, S. 141.) – FAZ 30. 10. 52.

mehrheit im Bundestag Zustimmung. Als anläßlich der zweiten Lesung der Westverträge in einem Ausschuß darüber gesprochen wurde, ob die Westverträge die BRD nicht zu sehr bänden, und als Preis für das Sicherheitsbedürfnis der Sowjetunion ein »Sonderstatus für Deutschland im Verhältnis zu Rußland« erwogen wurde, bestimmte Hallstein »die Mehrheit des Ausschusses« dazu, »die vorerwähnten Bedenken als nicht stichhaltig anzusehen«: »Die Frage nach dem Preis, den der Westen an Rußland zu zahlen hätte, verbaue die richtige Einsicht in die durch das Unrecht der Sowjetunion entstandene Lage.«[99] Damit ersetzte die Koalition das politische Argument, die militärische Ausklammerung Deutschlands sei zu gefährlich, durch einen Standpunkt moralischer Unbedingtheit, der den Grundsätzen der amerikanischen Roll-back-Politik entsprach.

Eine Parallele zu dieser moralischen Absolutsetzung der Bonner Position bildete ihre Identifikation mit dem christlichen Glauben in Adenauers Weihnachtsansprache 1952[100]. Ausgehend von dem Wort der Weihnachtsgeschichte: »Ehre sei Gott in der Höhe und Friede den Menschen auf Erden«, legte der Kanzler dar, daß nur diejenigen den Frieden des Himmels erhalten könnten, die sich aktiv für die politische Freiheit einsetzten. »Gott streckt uns seine hilfreiche Hand entgegen bei diesem Ringen mit dem Bösen . . .« Dieses Böse, das Adenauer über die Ostvölker hereingebrochen sah, erfordere auf westlicher Seite die entschlossene Mitwirkung, »daß uns die Frucht der Menschwerdung und Erlösung zuteil werde«:

»Weihnachten 1952 steht die Welt, steht vor allem Deutschland vor einer Entscheidung. Soll es entschlossen und dem Guten vertrauend eintreten in den Bund zum Schutze des Friedens, dessen Tore sich ihm geöffnet haben, oder soll es zögernd und zaudernd, voll ewiger Unzufriedenheit, ohne innere Größe und Kraft in Untätigkeit und Passivität verharren? . . . Wählen wir den Weg, der zum Lichte führt, zum Frieden führt, oder wählen wir den Weg in das Dunkel einer friedlosen Zukunft? Denken wir an die Verheißung der Engel auf den Fluren von Bethlehem: Ehre sei Gott in der Höhe und Frieden den Menschen, die guten Willens sind!«

Was hier ausgesprochen wurde, waren mehr als pseudotheologische oder vulgär-katholische Randglossen irgendeines Politikers, der sich auf ein christliches oder pseudochristliches Publikum, wie er es verstand, einstellte. Die Grundüberzeugung, die Adenauer schon in den Jahren zuvor mehrfach vertreten hatte[101], wurde hier wiederholt und aufs äußerste verschärft. Niemand widersprach ihr.

99. so der Berichterstatter in: Stenogr. Berichte, 240. Sitzung, 3. 12. 52, S. 11 110 u. 11 175.
100. Bulletin Nr. 207 v. 30. 12. 52, S. 1802.
101. vgl. Kapitel III 5.

So war das Fazit der Diskussionen während der Lesungen der Westverträge im Bundestag eindeutig. Mochten England und Frankreich zur Revision ihrer Politik bereit sein, mochten die Anzeichen für eine Status-quo-Politik der Sowjetunion sich mehren, mochten in der Bundesrepublik Stimmen aus allen politischen Lagern vor einer Fortsetzung der bisherigen Politik warnen – die Bundesregierung nahm dies alles nur zum Anlaß, ihre Außenpolitik zu dogmatisieren, indem sie die Zustimmung zur Europa-Armee für einen christlichen Glaubenssatz erklärte, den moralischen Aspekt ihrer Außenpolitik verabsolutierte und jegliche Preiszahlung für eine Wiedervereinigung deshalb überhaupt ablehnte. Sie selbst war es, die freiwillig die für Dezember 1952 geplante dritte Lesung der Westverträge hinausschob, um sich erst in einem Gutachten des Bundesverfassungsgerichts die Verfassungsgemäßheit der Verträge bescheinigen zu lassen[102]. Die parlamentarische Opposition der SPD war machtlos und hatte keine klare Alternative entwickelt, und die wenigen Abgeordneten in den »bürgerlichen« Parteien, die es gewagt hatten, waren aus ihren Parteien hinausgedrängt oder zum Schweigen gebracht. Der »Tagesspiegel« hatte recht behalten mit seiner triumphierenden Feststellung, daß es in Deutschland nur »eine Minderheit an Heinemännern« gäbe[103].

3

Die Auseinandersetzung über die deutsche Frage in der evangelischen Kirche

In der evangelischen Kirche wurde der Prozeß der Polarisierung, der das politische Feld beherrschte, in den Monaten der Diskussion ebenfalls sichtbar. Aber hier lagen die Dinge von der Sache und von der Organisation her anders, komplizierter, als daß es zum Erdrücken einer Minderheit durch eine Mehrheit hätte kommen können. So wurde die evangelische Kirche Deutschlands, sozusagen in letzter Stunde, zu einem besonderen Ort der Auseinandersetzung über die Deutschlandfrage.

Die Polarisierung war in der Kirche eine Entscheidung für oder gegen die Europaidee, für oder gegen die Betonung der Konfessionen, für oder gegen die Personen Adenauers und Niemöllers. Nicht zufällig entzündeten sich wieder, wie 1950, an Niemöller, nicht so

---

102. Baring, aaO. S. 235ff.
103. Tagesspiegel 26. 10. 52: »Der Mythos der Nullen«.

sehr an Heinemann die Gegensätze. Niemöllers Haltung gegenüber dem Osten und Westen, auch wenn sie sich von der Heinemanns kaum unterschied, bot durch ihre Form mehr Angriffsflächen. Außerdem hatte das von Niemöller geleitete Kirchliche Außenamt der EKD als Organisation, besonders in der Ökumene, eine gewisse Bedeutung und konnte auch lutherischen Sonderbestrebungen Widerstand entgegensetzen; dagegen stellte Heinemann, obwohl er als Synodalpräses das höchste Laienamt in der evangelischen Kirche innehatte, keinen kirchlichen Machtfaktor dar.

Hauptvertreter der Niemöller-Gegner waren außer Thielicke besonders Asmussen und Gerstenmaier. Asmussen legte seine Tätigkeit in der Ökumene aus Protest gegen die »Lenkung und Deutung« der ökumenischen Arbeit durch das Kirchliche Außenamt nieder und erklärte, unter Niemöllers Leitung sei dort »die Gefahr der Politisierung und die Gefahr der Propagierung des Totalitarismus« größer als im Dritten Reich geworden; aus dem berechtigten Wunsch nach Einheit Deutschlands und Frieden werde »eine Pseudotheologie gemacht«; »das Sowjetsystem wird verharmlost«; »die Kirchen der ganzen Welt geraten in die tödliche Gefahr, sich durch die Leitung der ökumenischen Arbeit in Deutschland mit dem Kommunismus abzufinden«[1]. Auf Veranlassung Asmussens beschloß die Synode der Landeskirche Schleswig-Holsteins, den Rat der EKD um Überprüfung zu bitten, »ob der Präsident Niemöller, dem die Synode die persönliche Freiheit des Wortes im politischen Raum nicht bestritten, als Präsident des Kirchlichen Außenamtes noch weiterhin tragbar ist«[2]. – Gerstenmaier warf Niemöller »eine Vermischung von geistlichen Auslassungen, verwirrenden moralischen Appellen, politischer Ideologie und persönlicher Phantasie« vor. In seiner »Neutralisierungsideologie« befangen, begreife er »die Grundentscheidungen nicht wirklich«, »vor die das deutsche Volk gestellt ist«. Gerstenmaier konnte »keine Spur von einem echten politischen Auftrag« bei Niemöller entdecken; er war empört, daß Niemöller »den Gedanken der europäischen Einigung vollständig ignoriert«. Niemöller verkenne, daß Adenauer das Ziel der Wiedervereinigung Deutschlands »mit höchster Umsicht und Energie verfolgt«. Das »Rezept Niemöllers« hingegen hätte, wenn auch unbeabsichtigt, die Wirkung, das deutsche Volk

»einzulullen in seiner Wachsamkeit gegenüber einer Riesenmacht, die z. B. 18 Millionen Deutschen die einfachsten Grundrechte der menschlichen Freiheit verweigert, die bis zum heutigen Tage mindestens 50 000 politische Gefangene in

---

1. epd 9. 5. 52. JK 9/10, 15. 5. 52, S. 268. – Vgl. JK 11/12, 15. 6. 52, S. 347f.
2. KJ 52, S. 39f.

der Ostzone in den Klauen hat, die erwiesenermaßen noch 101 041 deutsche Kriegsgefangene widerrechtlich zurückhält, die eine Kornkammer Deutschlands sinnlos verwüstet hat und uns den Verzicht auf sie in Gestalt der Anerkennung der Oder-Neiße-Linie als ›Friedensgrenze‹ aufzwingen will.«[3]

Niemöller ging in seinen politischen Überlegungen davon aus, daß die »Christusbotschaft . . . besagt, daß in dem Menschen Jesus Gott sich mit uns vorbehaltlos identifiziert und solidarisch erklärt«. Bei der Zuwendung zum Mitmenschen sei es den Christen »verwehrt, eine eigenmächtige Auswahl zu treffen und uns etwa denen in erster Linie zuzuwenden, die unsere Sympathie genießen«. Die christliche Gemeinde dürfe sich von der »Welt des Ostens« nicht als das »christliche Abendland« absetzen: »Die Menschen da drüben haben doch wohl einen Anspruch an uns, an unsere christliche Solidarität: es sind doch wahrhaftig auch Menschen, für die Christus starb gleichwie für uns.« Deshalb hielt Niemöller die Christen im Westen für aufgerufen, »Wege zu suchen, wie wir ihnen gegenüber unsere Solidarität erkennbar machen und betätigen«. Im Westen bedürften besonders jene jungen Menschen des Beistands der Christen, die wegen der Frage des etwaigen Wehrdienstes in Not seien. Eine Grenze christlicher Solidarität sah Niemöller nur da gegeben, wo »unter christlichem Firmenschild irgend ein Zweck für wichtiger gehalten und erklärt werde als der Christusdienst am Menschen«: »da gilt es um der wahren christlichen Solidarität willen zu widerstehen, eben um des Bruders da draußen willen, für den Christus starb gleichwie für uns.«[4] Niemöllers Mitstreiter traten deshalb ebenso entschieden wie Heinemann gegen die Verabsolutierung des christlichen Abendlandes auf; sie hielten die politischen Vorstellungen der Notgemeinschaft für einen Weg christlicher Solidarität gegenüber den Menschen im Osten. Sie appellierten an die Jugendlichen, den womöglich auf sie zukommenden Wehrdienst als Gewissensfrage vor Gott und Menschen aufzufassen. Besonders der Kreis um Mochalski und eine Gruppe Duisburger Pfarrer scheuten kein Aufsehen, um die Öffentlichkeit aufzurütteln[5].

Wie scharf die Zuspitzung der Gegensätze, wie schwer eine Verständigung zwischen den kirchlichen Exponenten geworden war, zeigte eine Folge von Meinungsäußerungen von Barth, Wurm, Heinemann und Niemöller zur deutschen Frage.

Barth hielt den Antikommunismus für eine solche Gefährdung der Kirche, daß er es ablehnte, eine öffentliche detaillierte Stellungnahme

---

3. Hessische Rundschau 22. 6., Aachener Volkszeitung 3. 9. 52, JK 19/20, 15. 10. 52, S. 569ff.
4. StdG Juni 52, Sp. 161ff.
5. KJ 52, S. 43ff. – StdG Sept. 52, Sp. 271ff. – JK 15/16, 15. 8., S. 451f; 17/18, 15. 9., S. 476f; 19/20, 15. 10. 52, S. 571f.

zum Ost-West-Konflikt abzugeben; denn er fürchtete, durch Erfahrung belehrt, daß die dem Osten gegenüber kritischen Passagen darin sofort »als Schlager für den westlichen Papierkrieg gebraucht« würden. Aber er ließ keinen Zweifel daran, wo er stand:

»Ich kann mich irren, aber ich sehe es so: der ratifizierte ›Generalvertrag‹ mit Zubehör wird sich als der seit dem ›Frieden‹ von München (dessen genaues Gegenstück er bilden wird) schwerste politische Irrtum erweisen. Ich stehe darum hundertprozentig neben Niemöller und Heinemann, wobei es mir ganz uninteressant ist, ob ihnen gelegentlich die eine oder andere Redensart bzw. Argumentation unterlaufen mag, die ›unklar‹, ›zweideutig‹ etc. erscheinen oder auch wirklich sein mag.«

Barth war der Ansicht, daß zwischen Niemöller und Heinemann »auf der einen, den Gerstenmaier, Thielicke usw. auf der anderen Seite jeder Christ ohne Wenn oder Aber wählen sollte«. In einer Zuschrift an eine westdeutsche kirchliche Zeitschrift, die sich die Darstellung des Für und Wider zum Hauptziel setzte, fragte er: »Was hat ›Kirche und Mann‹ für einen Sinn, wenn jetzt nicht . . . ein klares Ja, Ja! Nein, Nein! gesprochen und, koste es, was es wolle – und wenn das ganze Männerwerk darüber zu Scherben ginge – zu Gehör gebracht wird?«[6]

In einer Entgegnung hielt Landesbischof i. R. Wurm Barth vor, daß der Fehler der Westmächte in München doch gerade die großen Zugeständnisse gegenüber einem Diktator gewesen seien. Die Ausdehnung einer Gewaltherrschaft wie der gegenwärtigen östlichen sei »das schlimmste und gefährlichste Übel«: »Wo steht der Leben, Freiheit und Recht bedrohende Feind? Im Lager von Adenauer oder von Stalin? Bitte, Farbe bekennen!« Das Argument Niemöllers und Heinemanns, die Wiedervereinigung Deutschlands werde durch den Abschluß der Westverträge gefährdet, sei »nicht durchschlagend, weil man es bei der Sowjetunion mit einem bösen Willen zu tun hat, der (es), wie auch bei der Sabotierung des österreichischen Friedensvertrages deutlich ist, überhaupt (nicht) zur Beseitigung von Unrecht kommen lassen will«. Wurm fragte, ob Barth, Niemöller und Heinemann womöglich auf dem Wege Adenauers eine deutsche Vormachtstellung in Europa fürchteten, und was dagegen »vom Standpunkt des Reiches Gottes aus einzuwenden« sei[7].

Heinemann konnte sich in seiner Erwiderung einer gewissen Ironie nicht enthalten: »Ich muß offen gestehen, daß mir die Probleme einer neuen deutschen Vorherrschaft über Europa und deren Gottwohlge-

---

6. Schreiben v. 31. 5. 52, BKadW 15. 7. 52, Sp. 5ff. – JK 15/16, 15. 8. 52, S. 449f.
7. Die Gemeinde. Evangelisches Kirchenblatt, Mannheim, 31. 8. 52, Nr. 18. – JK 19/20, 15.10. 52, S. 572ff.

fälligkeit noch nicht recht durch den Kopf gegangen sind.« Wurms diesbezüglicher Hinweis könne seinen »Widerstand gegen die westdeutsche Aufrüstung keinesfalls beseitigen«. Er faßte sie in dem Satz zusammen:

»Mir ging es in der Auseinandersetzung mit dem Generalvertrag bisher darum, ob westdeutsche Aufrüstung wirklich geboten ist, um die Rote Armee im Stillstand zu halten, ob sie wirklich der Erhaltung des Friedens dient oder entweder die Sowjetunion reize oder aggressive Pläne der Atlantikmächte fördert, ob sie wirklich ein Weg zur Wiedervereinigung unseres Volkes ist oder ob sie die Spaltung nicht nur verschärft, sondern geradezu unabsehbar verfestigt?«

Zu den übrigen Fragen Wurms bemerkte Heinemann nur lakonisch, daß ihm »jede Diktatur zuwider« sei, »aber auch wirklich jede«[8].

Niemöller sah die Parallele zwischen dem Münchener Abkommen und dem Generalvertrag darin, daß hier wie dort »ein Bundesgenosse, dem man verpflichtet war, geopfert wurde, um den Frieden zu retten«, damals die Tschechen, nun die Ostdeutschen. Der Generalvertrag beschere Deutschland keine spätere Vormachtstellung in Europa, »diesen törichten Gedanken« habe Niemöller »noch nie gedacht«, wohl aber erhöhe er die Kriegsgefahr. Niemöller sei nicht daran interessiert, »die Feindschaft zwischen Russen und Amerikanern noch zu verschärfen«, und hüte sich deshalb, von der Sowjetunion einfach als von dem verkörperten »bösen Willen« zu sprechen: »Und selbst wenn die Sowjetunion im Blick auf die deutsche Zukunft einen bösen Willen hätte, so sähe ich doch keinen anderen Weg, als alles zu tun, damit aus diesem bösen Willen ein weniger böser Wille würde.« Gegen die Ausbreitung des Kommunismus müsse allerdings, und zwar ernsthafter als mit bloßer Rüstung, etwas getan werden: »Ich bin also mit Heinemann und anderen durchaus davon überzeugt, daß wir unsere Anstrengungen entschlossen auf diesen Frontabschnitt des Geistigen und Sozialen verlegen sollten.« »Der Feind, der uns augenblicklich Leben und Freiheit und Recht bedroht, der steht nicht nur dort, wo ihn Herr Landesbischof D. Wurm sieht, sondern zugleich da, wo er Rettung sucht.«[9]

Die Voten Asmussens, Gerstenmaiers und Wurms auf der einen, Barths, Heinemanns und Niemöllers auf der anderen Seite lassen den Grad der Entfremdung erkennen, die die leitenden Köpfe der Bekennenden Kirche seit der Stuttgarter Erklärung auseinandergeführt hatte. An dieser Erklärung, an ihrer Auslegung schieden sich die Geister. Für die Gruppe Asmussen – Gerstenmaier – Wurm stand

8. GH 95.
9. JK 21/22, 15. 11. 52, S. 620ff.

fest, daß der Kommunismus dem Nationalsozialismus gleichzusetzen sei; die Stuttgarter Erklärung ernstnehmen hieß für sie, dem Kommunismus entgegentreten. Ausdrücklich warf Asmussen der Kirche vor, zum Kommunismus habe sie, trotz des Stuttgarter Bekenntnisses, »mehr geschwiegen als je im Dritten Reich«[10]. Von der Ost-West-Alternative eingenommen, übersah diese Gruppe nach wie vor dreierlei: das Problem, ob der Kommunismus dem Nationalsozialismus gleichzusetzen wäre; die Tatsache, daß der Kommunismus als Folge des Nationalsozialismus nach Deutschland gekommen war; und die Frage, ob man als Christ einer auswärtigen Macht auf dieselbe Weise entgegentreten müßte wie der eigenen Regierung. So lief der Bezug auf »Stuttgart« also auf eine Rechtfertigung des Westens, der westdeutschen Regierungspolitik hinaus[11].

Die Gruppe Barth – Heinemann – Niemöller hingegen ging von der »Solidarität der Schuld« aus, die die Deutschen in Stuttgart bekannt hatten[12]. Von daher fühlten sie sich den Deutschen im Osten verbunden und konnten keine Besatzungsmacht schlechthin als Gegner ansehen. Die in Stuttgart geforderte Umkehr verstanden sie als Umkehr des Sinns gegenüber *allen* fremden Völkern. Ihre Konsequenz sahen sie außenpolitisch im Versuch des Ausgleichs, innenpolitisch in der Notwendigkeit von Reformen. Für Barth war der Ausgangspunkt so klar, daß er ihn nicht besonders erwähnte. Niemöller und Heinemann hingegen und die ihnen nahestehenden Kreise bezogen sich, gerade in den politischen Entscheidungen des Jahres 1952, wiederholt auf die Stuttgarter Erklärung[13]. Heinemann bekannte sich vor Jugendlichen dazu, ›daß der Dreh- und Angelpunkt seiner politischen Anschauung die Stuttgarter Erklärung sei‹. Es sei ›Aufgabe der evangelischen Gemeinden, die Wichtigkeit dieser Erklärung immer wieder zu betonen‹[14].

---

10. JK 9/10, 15. 5. 52, S. 268.
11. Bei dem 83jährigen Wurm war diese Tendenz zur Rechtfertigung auch daran zu erkennen, daß er in einem Brief v. 23. 6. 52 an Churchill den Engländern Vorhaltungen wegen der englischen Politik vor dem Ersten Weltkrieg machte und alle Ereignisse vom Ausbruch des Ersten über den Zweiten Weltkrieg bis »Potsdam und Nürnberg« in eine Schuldlinie stellte, hingegen die Westverträge als »Anfang zu einer neuen, einer Friedenspolitik«, als ein Stück »Umkehr von der früheren Politik des Neides und des Hasses« sah (JK 15/16, 15. 8. 52, S. 454ff).
12. Niemöller, StdG Juni 52, Sp. 161ff.
13. JK 5/6, 15. 3., S. 145f (Ehrenberg); 7/8, 15. 4., S. 228 (M. Fischer); 15/16, 15. 8., S. 444 (M. Niemöller); 17/18, 15. 9., S. 473ff (W. Niemöller); 23/24, 15. 12., S. 701f (Groß, Wiedmann, Handrich); JK, Sonderheft Elbingerode, S. 38 (M. Niemöller), S. 40 (Kreyssig). KJ 52, S. 59 (Gollwitzer), S. 62 (Diskussion auf dem Kirchentag). StdG u. a. Nov. 52, Sp. 321ff (Wilm).
14. lt. Mitarbeiterbrief der Jugendkammern der ev. Kirchen im Rheinland und von Westfalen, Nr. 8, Juni 52, S. 3.

So hatte sich in den theologisch-politischen Anschauungen der Richtungen in der evangelischen Kirche seit den vierziger Jahren wenig verändert. Die intensive Diskussion über die Deutschlandfrage zwang aber jeden einzelnen, sich über das Fundament seines politischen Denkens Rechenschaft zu geben. Für die deutsche Frage war es entscheidend, ob in diesen Auseinandersetzungen die »Kirche« mehr Klarheit als die »Welt« schaffen konnte.

Zu einer Initiative, durch die die theologisch-politischen Ursprünge aufgedeckt und Gegensätze abgeklärt werden konnten, waren 1952 die eigentlichen Exekutivorgane der EKD und der Bekennenden Kirche, der Rat und der Bruderrat, nicht in der Lage. Beide waren vielmehr durch die Spaltung in ihren Reihen gelähmt. Der Rat der EKD, mit dem lutherischen Antrag auf Ablösung Niemöllers vom Außenamt konfrontiert, rang vergeblich in der Personalfrage um eine Lösung, die den Lutheranern entgegenkam und doch Niemöllers Ansehen in der Ökumene und seine Geltung im Osten berücksichtigte. Zu den Westverträgen bezog der Rat keine Stellung; Heinemanns Anregung, dem Bundestag gegenüber für Gewissensfreiheit der einzelnen Abgeordneten einzutreten, wurde so wenig aufgenommen wie ein Antrag aus dem Kreis der Göttinger Notgemeinschaft[15]. Dibelius als Ratsvorsitzender erklärte einerseits, die Kirche ließe sich »die Wiedervereinigung nicht zu einem Politikum machen«, die Aufteilung Deutschlands sei »wider alle Natur«, die Politiker seien »unserem Volk die Wiedervereinigung schuldig«; er schrieb auch energische Briefe an die deutsche Regierung im Osten und besorgte Briefe an die im Westen und an die Hohen Kommissare; aber er betonte gleichzeitig: »Wir von der Kirche wollen keine Politik machen ... Wir mischen uns nicht in die politischen Angelegenheiten.«[16]

Im Bruderrat der Bekennenden Kirche wiederum war ein Teil gewillt, ein deutlicheres politisches Wort zu sagen, wurde aber durch andere Mitglieder daran gehindert. Um wieder handlungsfähig zu werden, erwog man im Herbst 1952 den Ausweg, »die Brüder, die immer wieder eine klare Stellungnahme verhindern«, um das Opfer ihres freiwilligen Rücktritts zu bitten und damit »dem Bruderrat den Weg freizugeben zu dem, was er einmal war«: »Der Bruderrat soll doch gerade für diejenigen Gemeindemitglieder sprechen, die auf Grund ihrer Gewissensentscheidung in wesentlichen Gegenwartsfragen eine andere Stellung einnehmen als ihre Kirchenleitung und darum kein Organ haben, durch das sie sich vertreten wissen.«[17] Aber

---

15. JK 19/20, 15. 10. 52, S. 566ff. – KJ 52, S. 49f.
16. Sonntagsblatt 25. 5. 52, KJ 52, S. 41ff.
17. Hekt. Schreiben v. 2. 9. 52, Entwurf von E. Küppers.

es war klar, daß ein solches Ansinnen keine Aussicht auf Erfolg hatte; nicht nur, weil die derart Angesprochenen ihre Meinung für richtig hielten und nicht daran dachten, Plätze zu räumen. Auch unter den Kritikern selbst wurden Stimmen laut, die es ablehnten, »einen unserer Brüder fallen zu lassen und durch dieses ›Opfer‹ die mangelnde Einmütigkeit wieder herzustellen«. Das »traurige Bild« der Kirche sei entstanden, weil »wir nicht genug Geduld miteinander geübt und nicht genug Liebe zueinander bewiesen haben«. Es gelte, »mit geistlichen Gründen zu einem geistlichen Urteil zu kommen«: »Es ist in der Bekennenden Kirche eine gute Übung gewesen, daß wir unsere Entschlüsse unter dem Wort und mit der Bitte um den heiligen Geist gefaßt haben.«[18]

Die Auseinandersetzungen zeigten, daß es eine dritte Auslegungsmöglichkeit der Stuttgarter Erklärung, neben den beiden erwähnten, gab: die Betonung jenes Passus, in dem der Mangel an Glaube, Hoffnung und Liebe beklagt worden war. Sie war geeignet, christliche Brüderlichkeit zu stärken und solche Scheidungen zu verhindern, wie sie sich im politischen Raum, z. B. in der CDU, gerade vollzogen. Es fragte sich nur, ob diese Brüderlichkeit auch ein Weg zur Wahrheit war.

Auf zwei großen Zusammenkünften der evangelischen Kirche war im Herbst 1952 Gelegenheit zu brüderlicher Aussprache über Politik: auf dem Kirchentag in Stuttgart, auf dem unter dem Motto »Wählt das Leben« in einer Arbeitsgruppe über das Thema »Was geht den Christen die Politik an?« gesprochen wurde, und auf der Synode der EKD in Elbingerode, die sich die »öffentliche Verantwortung des Christen« zum Thema setzte.

In Stuttgart bemühte sich Helmut Gollwitzer in seinem Referat um eine ausgewogene Stellungnahme[19]. Ausgehend von den Sätzen, daß Gott das Recht liebhabe und daß Gott in Jesus Christus als ein Gott des Friedens und der Versöhnung sichtbar werde, warnte Gollwitzer vor Diffamierung und Haß in der Politik und vor der gefährlichen Auswirkung neuen Militärs auf die Mentalität des deutschen Volkes; er forderte, Christen müßten »Brückenbauer« sein; unter Bezug auf die Stuttgarter Erklärung fragte er eindringlich, ob sie »zu Herzen genommen sei«: »An der Stellung zur Schuldfrage entscheidet sich, ob wir als ein belehrtes oder als ein unbelehrtes Volk in die Zukunft gehen«; Christen sollten »vergessen die Greueltaten der anderen,

---

18. Hekt. Schreiben des westfälischen Bruderrats v. 17. 9. 52.
19. »Was geht den Christen die Politik an?«, abgedruckt in H. Gollwitzer, Forderungen der Freiheit. Aufsätze und Reden zur politischen Ethik, München 1962, S. 60ff.

aber nicht vergessen, was in unserem Namen und von Gliedern unseres Volkes an Furchtbarem getan worden ist.« Gollwitzer betonte aber auch die Mitverantwortung des Christen dafür, daß der Rechtsstaat »nicht einer Unrechtmacht, die ihn von außen angreift und anstelle des Rechtes die Willkür der Macht setzen will, zum Opfer fällt«; in dieser Verantwortung könne es »wohl geschehen, daß auch die bewaffnete Verteidigung, auch der Waffengebrauch zum Gehorsam gegen Gottes Gebot gehört«; wer den Satz ausspreche, »Gott habe uns Deutschen zweimal die Waffen aus der Hand geschlagen, und darum dürften wir sie nicht ein drittes Mal in die Hand nehmen«, verkenne vielleicht, »daß auch für unser deutsches Staatswesen eines Tages wieder die Notwendigkeit entstehen kann, zu seiner Sicherung militärische Verbände aufzustellen«, allerdings gewißlich nicht »in dem kurzschlüssigen Vertrauen auf die Gewalt«.

Hermann Ehlers hingegen ging davon aus, daß der Christ grundsätzlich die Macht im Staate bejahen und angesichts der Vorläufigkeit aller irdischen Ordnungen den Politikern die Freiheit zu vorläufigen Lösungen geben müsse. Er wollte die BRD in Bezug auf staatliche Macht genau so beurteilt sehen wie andere Länder und kam so logisch zu einer Bejahung der Westverträge. Der Gegenseite warf er »christlich-politische Spekulation« und die »unmittelbare Vermischung und Umsetzung biblischer Worte in militärische und politische Propaganda« vor[20]. In der Diskussion hielt ihm Notar Leikam entgegen, daß es zu Gottes gnädigem Gericht gehöre, ›daß wir unter die Gewalt von Ost und West gebracht sind, wie wir im Osten und im Westen schuldig geworden waren. Wir müssen unsere Niederlage tragen und dürfen nicht die doppelte Last in eine einseitige abzuwälzen suchen‹.[21] Präses Wilm von Westfalen, wie Leikam ehemaliger KZ-Insasse, sah mit einer Bejahung deutscher Aufrüstung die Stuttgarter Erklärung verlassen. »Da unsere Stimme sonst im öffentlichen Raum kaum mehr laut werden kann, und da unsere Stellungnahme im Bundesparlament von keinem evangelischen Christen vertreten worden ist und wohl auch kaum vertreten wird«, führte Wilm die Gründe gegen eine Wiederaufrüstung in Ost- und Westdeutschland an: sie führe »in den Krieg«, sie führe in die Gefahr, daß sich das deutsche Volk »aufs neue den nationalistischen und militaristischen Mächten« ausliefere. »Wir sind der Meinung, daß eine Wiedervereinigung unseres Volkes, wenn sie überhaupt zu erreichen ist, *nur* zu erreichen ist, ehe ein Generalvertrag oder ein europäischer Verteidigungsbeitrag beschlossen ist, und darum beschwören wir die Obrigkeit und das

---

20. BKadW 15. 9. 52, Sp. 6ff.
21. ebd. Sp. 9f.

Parlament in letzter Stunde, in ernsthafte Verhandlungen über die Wiedervereinigung einzutreten.«[22]

Auch Heinemann ging in seiner Schlußansprache von der Stuttgarter Schulderklärung aus: »Sie war nicht ein Schuldbekenntnis im Namen des deutschen Volkes, sondern wir sagten, daß wir als evangelische Christen in den Jahren vor dem Angriff auf andere Völker und während der Ausrottung politischer Gegner, der Juden und des sogenannten lebensunwerten Lebens, vieles schuldhaft versäumt haben. Jene Erklärung schloß aus Buße und Vergebung die Verbundenheit zu den Christen der anderen Nationen über alle Gräben hinweg neu auf.«[23] Heinemann bezog das damals Gesagte sogleich auf die Gegenwart: »Nehmen wir die Stuttgarter Erklärung von 1945 noch ernst? Oder geht es auch uns Christen heute um Aufrechnung gegenseitiger Schuld und Selbstrechtfertigung? Vor allem aber: versäumen wir heute nicht abermals, was uns aufgetragen ist?« Heinemann beantwortete die gestellte Frage so:

»Aufgetragen ist der Christenheit inmitten einer zerrissenen und wahrhaft bedrohlichen Welt, dem Frieden unter den Menschen zu dienen. Viele von uns sind zutiefst beunruhigt, daß wir uns wieder in falsche Wege verstricken lassen. Das wurde auch auf diesem Kirchentag laut, und zahllose Hörer im Lande warten jetzt darauf, ob dieser Kirchentag ein klares Wort zur Aufrüstung sagt. Er wird es nicht tun. Warum nicht? Sind wir zu feige? Nein! wir sind nicht zu feige, sondern er wird es nicht tun, weil unserer Bruderschaft eine einheitliche Erkenntnis des uns von Gott gebotenen Weges nicht geschenkt ist. Das aber darf niemanden mutlos machen oder gar verbittern. Es hält uns alle nur noch stärker in unserer persönlichen Verantwortung fest. Ich für meinen Teil sage aus mancherlei Gründen mit sehr vielen von uns ›nein‹ zur Aufrüstung in Deutschland.«

Diese Passage machte Möglichkeiten und Grenzen des Stuttgarter Kirchentags deutlich. Möglich war es, daß hier eine politische Entscheidung auf ihre eigentliche Wurzel zurückgeführt wurde; möglich war es, daß Heinemann in der im Radio übertragenen Schlußkundgebung »im Einvernehmen mit verantwortlichen Veranstaltern«[24] seine Konsequenzen in persönlicher Form aussprach, auch ohne daß einer der anderen Redner für seine Person das Gegenteil sagte. Nicht möglich war, daß der Kirchentag selbst in dieser Frage ein deutliches Wort sprach, nicht möglich auch, daß Heinemann im Rahmen seiner Stellungnahme die Zwischenglieder seiner Argumentation mit nannte, so daß die Beziehung seines persönlichen Bekenntnisses zur

---

22. StdG Sept. 52, Sp. 259f. – JK 17/18, 15. 9. 52, S. 477ff.
23. GH 92.
24. Schreiben Heinemanns an Schuon, 14. 10. 52 (AH).

Stuttgarter Erklärung auch Fernstehenden hätte einleuchtender gemacht werden können.

Die Frage, warum in Stuttgart 1952 »unserer Bruderschaft eine
einheitliche Erkenntnis des uns von Gott gebotenen Weges nicht geschenkt« wurde, ist eine Grenzfrage kritischer Besinnung. Zu beantworten ist sie nur insoweit, als Schwächen der Christen in Stuttgart
offensichtlich wurden. Es geschah dies an zwei entgegengesetzten
Punkten.

Die maßgeblichen Männer der Kirche unterließen es, an irgend
einer Stelle öffentlich auszusprechen, daß das Ausbleiben der Ostdeutschen mit Adenauers Unterzeichnung der Westverträge zusammenhing. Vor der Unterschrift hatte die DDR-Regierung 20 000 In-
terzonenpässe in Aussicht gestellt, falls in der politischen Lage keine
wesentliche Veränderung eintrete; nach der Unterschrift wurde die
Zusage bis auf einige Ausnahmen für aktiv Beteiligte zurückgezogen.
Auf dem Kirchentag kam die Trauer darüber zum Ausdruck; man
nahm zur Kenntnis, daß im vergangenen Jahr drüben die Lasten
»größer, die Anfechtungen schwerer geworden« waren; man bat darum, daß Gott seiner Kirche »die Kraft gebe, auch die zu lieben, die
uns schmähen und verfolgen«; man versicherte, daß die christliche
Gemeinschaft mit den Brüdern und Schwestern im Osten ... durch
nichts zerrissen werden kann«, und sammelte Geld »für die christliche
Unterweisung der getauften Jugend, die in der Auseinandersetzung
mit dem Materialismus steht«[25]. Aber man wich der Frage aus, wieweit das eigene Verhalten zu der Trennung beitrug. Die Maßnahme
des Ostens treffe die Kirche »wie ein betäubender Schlag«, hatte R.
v. Thadden erklärt. »Daß man unseren Brüdern aus dem Osten den
Weg nach Stuttgart verwehrt, reißt uns aus aller Illusion.«[26]

Gegen solche Selbsttäuschung protestierten einzelne; nicht zufällig
Sympathisanten der Notgemeinschaft. Frau Achelis-Bezzel warf v.
Thadden vor, wenn er, Präsident des Kirchentages, öffentlich Adenauers Politik im großen und ganzen für richtig erklärt habe, habe er
»doch bewußt eine Wahl getroffen«:

»Sie müssen gewußt haben, wohin dieser Weg zwangsläufig führen wird, und
können jetzt nicht von den ersten unmittelbaren Auswirkungen überrascht sein.
... Die ›Brüder und Schwestern im Osten‹ sind allein gelassen. Sie müssen ihren Weg suchen und werden ihn finden... In Bonn und Stuttgart aber muß
jeder zusehen, wie er eine Antwort auf die uralte ewige Kainsfrage finden
kann: Soll ich meines Bruders Hüter sein?«[27]

25. KJ 52, S. 54, 68f, 76.
26. Kirche in der Zeit, August 52, S. 198. – BKadW 15. 9. 52, Sp. 5.
27. BKadW 15. 9. 52, Sp. 5f.

Dozent Schrey erklärte, wenn die Kirche kein Nein zur Aufrüstung spräche, sondern »den Menschen in beiden Teilen Deutschlands das gute Gewissen zur Wiederbewaffnung« gäbe, werde sie kein »Einheitsfaktor« in Deutschland mehr sein.

»Ja noch mehr, sie wird mit ihrer falschen politischen Entscheidung nicht nur die Teilung Deutschlands sanktionieren, sondern die Zerreißung der Einheit des Leibes Christi in Deutschland. Es ist hier der Punkt, wo eine politische Entscheidung nicht nur eine Sache vernünftigen Ermessens ist, sondern auf die Kirche und den Glauben selbst zurückschlägt. Wie soll denn dann die Kirche noch eine Gemeinschaft von Brüdern sein können, wenn sie selbst Schritte gutheißt, die die Bruderschaft unmöglich machen?«[28]

Aber solche Erkenntnisse blieben auf Randfiguren des Kirchentages beschränkt. Von den leitenden Persönlichkeiten gab nur Niemöller insofern ein Zeichen, als er ostentativ dem Kirchentag fernblieb. Er hatte sich nach Kräften um die Reisemöglichkeit für die Ostdeutschen bemüht, war aber der Meinung, daß der Kirchentag sich selbst deren Teilnahme durch eine zu westliche Besetzung erschwert hatte[29]. Tatsächlich hatte der Kirchentag um der Ostdeutschen willen weder auf das Referat des Bundestagspräsidenten noch auf den Staatsakt mit Persönlichkeiten des öffentlichen Lebens der BRD verzichtet[30].

Heinemann konnte sich zu einer solchen Distanzierung, wie sie Niemöller vornahm, nicht verstehen. Er hielt es für richtiger, vom Kirchentag aus über dessen offizielle Worte hinaus etwas zu tun. So unterschrieb er mit 29 anderen Teilnehmern, meist Pfarrern, einen Aufruf, den Wilm verlas:

»Da der in Stuttgart versammelte Kirchentag als solcher zu der vor uns allen stehenden Frage der Wiederaufrüstung nicht Stellung nimmt, wir aber wissen, daß zahllose Männer und Frauen in Deutschland ein klares Wort zu dieser Frage erwarten, erklären wir:
Wir sehen in einer Wiederaufrüstung Deutschlands in Ost und West den Weg in den neuen Krieg. Deshalb warnen wir vor solchem Tun und rufen alle Gemeindeglieder, die mit uns diese Gefahr sehen, auf, ihre Stimme laut und öffentlich gegen die Wiederaufrüstung in Ost und West zu erheben.«[31]

Im Gegensatz zu früheren Erklärungen Heinemanns und der Notgemeinschaft verzichteten die Verfasser auf die Darstellung der verschiedenen Gründe gegen die Aufrüstung. Alles war auf das Stichwort »Weg in einen neuen Krieg« zugespitzt. Gerade damit war

---

28. ebd. Sp. 10.
29. KJ 52, S. 76f.
30. KJ 52, S. 56, 60.
31. StdG Sept. 52, S. 257f. – JK 17/18, 15. 9. 52, S. 479.

aber der Boden sicherer politischer Prognosen verlassen. Sicher war, so sicher wie der deutsche Überfall auf Rußland, daß die Sowjetunion keine Wiedervereinigung Deutschlands innerhalb des westlichen Militärbündnisses gestatten würde. Wenn man jedoch von der Einbeziehung von Teilen Deutschlands in Militärbündnisse mehr als die Teilung Deutschlands und eine Erhöhung der Kriegsgefahr befürchtete, wenn man diesen politischen Weg schlechterdings als »den Weg in einen neuen Krieg« kennzeichnete, ließ man die Möglichkeit außer acht, daß es trotz aller gefährlicher Reden und Tendenzen nicht zum Kriege käme, sei es, weil die Supermächte gegenseitig davor zurückschreckten oder weil sie beide den Frieden doch mehr liebten – nicht zu reden von der Fügung Gottes.

Die Unterlassung der Paßdiskussion und der Aufruf zeigten die verhängnisvolle Wirkung der Polarisierung in der Kirche. Die Mehrheit war so sehr in der Selbsttäuschung befangen, daß die Westverträge dem Frieden dienten und den Deutschen im Osten nicht schadeten, daß die heikle Frage nach der eigenen Mitverschuldung, die der Minderheit selbstverständlich war, unterblieb. Die Minderheit wiederum war so sehr vom Schaden der Verträge überzeugt, daß sie in ihrer Diagnose über das Feld des Unangreifbaren hinausging und so der Gegenseite die Ablehnung ihrer Gründe erleichterte. Heinemann selbst, sonst um umfassendes Abwägen der Gründe bemüht, hatte diesmal selbst an der Verhärtung der Fronten Anteil.

Auf der Synode der EKD, die sechs Wochen nach dem Kirchentag im Oktober 1952 stattfand, bot sich den evangelischen Christen in Deutschland noch einmal vor der zweiten Lesung der Verträge eine Chance zu theologisch-politischer Auseinandersetzung, eine bessere als auf dem Kirchentag. Wie es Heinemann als Präses geplant und im Gespräch mit Grotewohl erreicht hatte, kamen in Elbingerode am Harz, im Grenzbereich der DDR, die Synodalen aus Ost und West zusammen; ein überschaubares Gremium, das tagelang gemeinsam in einem Hause wohnte, konnte in Plenarsitzungen und in Ausschüssen schwierige Fragen behandeln[32]. Wenn auch ausgesprochene Vertreter östlicher Politik fehlten, so waren doch aus dem Westen Exponenten verschiedener politischer Richtungen anwesend, außer Ehlers und Heinemann auch der Nichtsynodale Pfleiderer[33]. Wenn die

---

32. Elbingerode 1952. Bericht über die vierte Tagung der ersten Synode der Evangelischen Kirche in Deutschland vom 6.–10. Oktober 1952, Hannover 1954, S. 282.
33. Pfleiderer suchte Heinemann einige Tage vor Beginn der Synode auf und fragte, ob er als Gast an der Synode teilnehmen könne. Heinemann hielt deshalb telefonische Rückfrage beim Ratsvorsitzenden Dibelius, der zustimmte (Schreiben Heinemanns an v. d. Gablentz, Berlin, Nov. 52, und an Pfleiderer, 27. 5. 54. AH).

evangelische Kirche überhaupt einen Schritt weiter kommen konnte, dann auf dieser Synode.

In den Hauptreferaten zweier Theologieprofessoren über die »öffentliche Verantwortung der Christen« traten die Gegensätze in wünschenswerter Klarheit hervor[34]. Nach Walter Künneth gründete sich die öffentliche Verantwortung des Christen sowohl darin, daß der Christ Christus zu bezeugen hätte, als auch in dem »Ordnungsgefüge der von Gott geschaffenen Welt«, die Künneth unter dem Gesichtspunkt der »Erhaltung« sah. Künneth sah einen »diametralen Unterschied« zwischen relativ gültigen und pervertierten Ordnungen. Für diesen letzteren, den Ausnahmefall, gestand Künneth dem Christen ein Widerstandsrecht gegen den Staat oder eine Haltung grundsätzlicher Distanzierung zu. Der Normalfall relativ gültiger Ordnungen war jedoch nach Künneth dadurch charakterisiert, daß der Christ diesem Staat als »Gottes Satzung . . . Anerkennung und Ehre« schuldete, Eid und Kriegsdienst leistete und im Rahmen seiner Sachkenntnis tätig wurde. Wegen Mangel an Sachkenntnis sei dem Christen »auf jeden Fall die Verantwortung für die Entscheidungen der sogenannten ›großen Politik‹, etwa über das bestmögliche Wirtschaftssystem, über Wehrdienst oder über Krieg und Frieden« abgenommen; in der Demokratie bliebe ihm »die Wahl bewußter christlicher Persönlichkeiten«[35].

Indem Künneth die öffentliche Verantwortung des Christen nicht allein vom Zeugendienst des Christen ableitete, sondern trotz dessen Erwähnung seine Darlegungen ganz auf die zu erhaltende Ordnung aufbaute, legte er ein konservatives Grundsatzprogramm mit christlichem Vorzeichen vor, in dem die Geschichte, die Schuld, die Sünde der Kirche in Deutschland keine Rolle spielten. Es war bezeichnend, daß er mit keinem Wort auf die Erklärungen von Barmen, Stuttgart und Darmstadt einging. Die Problematik der gegenwärtigen politischen Lage streifte er nur am Rande. Er sagte im Hinblick auf den Kriegsdienst, die »Abnormität unseres zerrissenen Volkes« sei »geeignet, die Gewissen zu verwirren. Aber gerade hier muß das Schwert- und Verteidigungsrecht einer Obrigkeit ohne jede Romantik von der biblischen Position die prinzipielle Anerkennung finden«[36]. Kein Wort von der Problematik des Staats-Provisoriums BRD, kein Wort von den Rückwirkungen westlicher Aufrüstung auf den Osten, kein Wort vom Friedensdienst des Christen im Kalten Krieg – nur

---

34. Elbingerode 1952, S. 70–90 (Künneth), S. 90–140 (M. Fischer). – Fischers Vortrag auch in: M. Fischer, Wegemarken. Beiträge zum Kampf um unseren Weg, Berlin (-West) 1959.
35. Elbingerode 1952, S. 72ff, 74, 76ff, 79ff, 86ff.
36. ebd. S. 81.

ungebeugte »natürliche Theologie« im Gewande lutherischer Orthodoxie.

Der Vortrag Martin Fischers entsprach den Auffassungen Heinemanns. Fischer zufolge war der Öffentlichkeitsauftrag des Christen im Amt der Liebe und Versöhnung gegründet, die ihm durch Christus aufgetragen war. Fischer untersuchte die Situation von Kirche und Welt grundsätzlich und in Bezug auf Deutschland speziell. Er erklärte die weltlichen Ideologien mit ihrer »pseudotheologischen Struktur« und ihrem Terror gegen Andersdenkende als logische Folge der Furcht von Menschen, die Gottes Liebe und Gericht nicht kennten. Die Kirche habe den Ideologien keine christliche Ideologie entgegenzusetzen, sondern sie habe ein Nein zu konkreten Unternehmungen ideologisierter Obrigkeit bei gleichzeitigem Ja zur Funktion der Obrigkeit zu sprechen und für den Menschen dazusein. Damit lehnte Fischer die Scheidung von rechtmäßiger und pervertierter Ordnung ab[37].

Das bedeutete für Fischer jedoch nicht eine Gleichsetzung des Ostens mit dem Westen. Er schilderte eindringlich und ausführlich die schweren Nöte, die die Menschen in der DDR bedrückten. Aber seine kritische Darstellung des kommunistischen Vorgehens war doch nicht antikommunistisch. Denn Fischer sah alles Geschehen im Osten unter dem Gesichtswinkel westdeutscher Verantwortung: »Ohne die Betätigung eines . . . Liebesdienstes wäre die Klage über Notstände Abfall zur Ideologie.« Fischer argumentierte im Hauptpunkt wie in Einzelpunkten genau wie Heinemann: »Niemand darf die Ratifizierung der Verträge vornehmen, ohne entschlossen die Verantwortung für das, was dann hinter dem Eisernen Vorhang, vom Westen aus gesehen, geschieht, zu übernehmen.« »Jeder, der den Kriegsdienst von Deutschen in der gegenwärtigen Situation« fordere, müsse »den Kriegsdienst der Menschen in der DDR mit verantworten«, wo es keinen Grundrechtsschutz für Kriegsdienstverweigerer gebe. »Das Einwilligen in die ständige Teilung Deutschlands bedeutete heute das Einwilligen in die ideologische Zerreißung der Welt.« »Die Aufgabe unseres Volkes aber wird sein, die Wunde unverheilt zu erhalten, um damit die Kommunikation zu ermöglichen.« Leidenschaftlich trat Fischer für die »Pflicht eines Volkes« ein, »sich an seinen Status zu halten« und damit einen Beitrag zum Ausgleich zwischen Osten und Westen zu leisten, statt um der relativen Verbesserung westdeutscher Souveränität willen ohne Volksbefragung Soldaten aufzustellen. Er warnte vor der Tendenz, das 1945 in Stuttgart formulierte Schuldbewußtsein zu verdrängen und durch einen Glauben an deutschen

---

37. ebd. S. 100, 109.

Fleiß und deutsche Lebensfähigkeit zu ersetzen. Statt im Osten »voreilige Hoffnungen« zu erwecken, die »den Zusammenbruch vieler Menschen nach sich gezogen« hätten, müsse der Westen, wenn er eine Aufrüstung für nötig halte, zumindest den Ostdeutschen ehrlich zugeben, »wieviel notvoller ihre Lage« würde. Fischer sagte eine unaufhaltsame Flüchtlingsbewegung voraus und folgerte, »daß – aller Voraussicht nach – die Flucht in den Westen eines Tages unmöglich gemacht werden dürfte«. Die vollzogene »langvorbereitete Abtrennung Berlins«, das bis zur Unterschrift unter die Westverträge noch ein »Zentrum zusammenhaltender Vernunft und Treue« habe sein können, war ihm eine Warnung. »Und das Schlimme ist, daß es viele gar nicht gemerkt haben.« Noch gebe es Chancen für Gesamtdeutschland: »Die Verschleppung der Entscheidung ist sozusagen die Erhaltung eines gewissen restlichen status deutscher Lebensmöglichkeit ... Monate der Verschleppung waren Monate der Besinnung. Sie gehen ihrem Ende entgegen.«[38]

In dieser Situation rief Fischer die Kirche zur Umkehr auf: »Wir haben uns von einem Wege abbringen lassen, auf dem die Kirche ihren Auftrag gegenüber Ost und West so erhalten könnte, daß sie der Realität unserer deutschen Lage nahe wäre.« Seit der Synode von Weißensee 1950 sei die Kirche der Ideologisierung des Ost-West-Machtkampfs nicht deutlich entgegengetreten. »Der östlichen Uniformierung der Gewissen ist die westliche schnell gefolgt.« »Die behauptete Teilung zwischen den zwei Reichen hat als klassische Lehre die Möglichkeit gegeben, politisch westlich zu sein und eine geistliche Orientierung daneben zu stellen, die als lehrmäßige Dauersicherung des eigentlichen Auftrags der Kirche gemeint war, aber dazu kaum stark genug sein dürfte. Man kann ein fälliges prophetisches Zeugnis nicht mit theologischer Doktrin ersetzen.« Niemöller habe in seinem Kampf gegen westliche Ideologie »ein im wesentlichen theologisches, priesterliches und geistliches« Anliegen vertreten.

»Man hat Martin Niemöller bezichtigt, in die Politik eingegriffen zu haben und in einer ständigen Vermischung der Reiche einer schwärmerischen Theorie verfallen zu sein. Meines Erachtens hat man dabei übersehen, daß jeder, der die Abwehr des Bolschewismus als kirchlichen westlichen Auftrag behauptet, damit, solange Deutschland besetzt ist, die Teile der EKD, die im Osten liegen, zur politischen Ausrottung anmeldet.«[39]

Durch Martin Fischer waren alle Synodalen der Evangelischen Kirche Deutschlands mit der Sachfrage konfrontiert, die Heinemann lange gestellt hatte, ohne doch jemals die Gelegenheit zu solch umfassender Ansprache an das »Parlament« der deutschen Protestanten

38. ebd. bes. S. 113ff, 125–36.   39. ebd. S. 118–22, 126.

zu haben. In der Diskussion mußte es sich zeigen, welche theologisch-politische Einsicht die evangelischen Christen Deutschlands in diesem weltgeschichtlichen Augenblick 1952 gewannen.

In der Diskussion im Plenum[40] und im Ausschuß[41] stellte es sich heraus, daß gerade über den Hauptpunkt keine Einigkeit zu erzielen war: ob die Verschärfung der östlichen Politik als Reaktion auf westliche Schritte zu werten sei und ob sie sich bei Ratifizierung der Verträge fortsetzen müsse. Ehlers erklärte, er »glaube das nicht«, von der Gablentz, man wisse es nicht; manche, wie Ehlers, sahen in der östlichen Handlungsweise die von äußeren Einflüssen unabhängige Verwirklichung eines bestimmten Programms, andere erklärten sich als nicht sachverständig. Aus dem Osten wurden verschiedene Meinungen laut; die einen sprachen sich besorgt im Sinn Fischers aus, andere berichteten von Hoffnungen ostdeutscher Christen auf westliche Erstarkung. Der westdeutsche Vertragsabschluß wurde von manchen als notwendiger Schutz gegen eine »Macht, die ohne das Recht leben will«, gewertet, so von dem Synodalen Bauer-Fulda, der eine wahrscheinliche stärkere Abriegelung der DDR ›in Kauf nehmen‹ wollte: ›wahrscheinlich ist das auf die Dauer zum Besten Ostdeutschlands‹. Ehlers stellte die westliche Entwicklung als unausweichlich hin, weil nach der totalen Kapitulation im Westen sonst 50 Millionen hätten hungern und ›sehr viele‹ hätten ›verhungern‹ müssen[42].

Der Verlauf der Diskussion veranlaßte Heinemann, der sich um seines Amts als Präses willen ganz zurückgehalten hatte, zu vorgerückter Stunde im Ausschuß doch einmal das Wort zu einer Erwiderung auf die Beiträge von Bauer und Ehlers zu ergreifen. Er führte, dem Bericht der »Jungen Kirche« zufolge, aus:

»Man sagt, das Vakuum im Westen könne die Russen veranlassen, vorzurükken. Ist damit die deutsche Situation ausreichend beschrieben? Sicher nicht! Wir wollen ja von den Russen etwas haben: Die DDR und die Gefangenen. Wir wollen die Zonentrennung beenden. Dafür müssen wir etwas geben. Die bloße Forderung hilft gar nichts. Die westlichen Pakte wollen bewirken, daß der Westen sich vorschiebt bis an die Oder-Neiße. Dazu sagt dann der Bundeskanzler: Es geht um die Neuordnung Osteuropas. Dazu nehme man die Rede Eisenhowers! So etwas nehmen die Russen sehr ernst, und das muß man doch sehen! Jetzt sagt man, es wird nur ein paar Jahre dauern. So lange wird sich die Verschärfung der Trennung nicht vermeiden lassen. Aber was geschieht, wenn der Russe nach drei Jahren wiederum nein sagt? Der Westen will nicht Krieg füh-

---

40. Elbingerode 1952, S. 141–79.
41. Elbingerode. Die Kirche im politischen Raum. Ein Bericht über Aussprachen und Entschließungen auf der Synode, Sonderheft der JK, S. 32–45.
42. Sonderheft JK, S. 32ff, bes. S. 33f. – Elbingerode 1952, S. 231.

ren. Das ist klar. Aber dann ist der tote Punkt erreicht. Wie soll es dann weitergehen? Solange wir Forderungen an den Russen haben, können wir uns nicht in den Westpakt eingliedern lassen ... Wir leben von Atempause zu Atempause. Wenn Ehlers fragt: wie soll es weitergehen, wenn nicht ratifiziert ist, so antworte ich: Wenn es bei dem jetzigen Status bleibt, so wäre das besser als das, was jetzt heraufzieht, zumal für den Osten.«[43]

Heinemanns Darlegungen fanden eine gewisse Stütze durch Pfleiderer, den die Synodalen im Ausschuß ausführlich zu Wort kommen ließen. Dreimal äußerte Pfleiderer seine große Sorge, es sei irreal, von den Sowjets die Herausgabe der DDR an die NATO zu erwarten, wie das in § 7 des Deutschlandvertrages vorgesehen sei. Er forderte Viermächte-Verhandlungen über den Preis einer Wiedervereinigung Deutschlands. Aber Pfleiderer verstand seine Vorschläge doch wieder nur als Ergänzungen der Politik der Bundesregierung, die sein Anliegen ›noch nicht aufgenommen‹ habe[44]. Von Ehlers und Bauer wurde ihm sogleich entgegengehalten, seine Auslegung des § 7 sei falsch, er bedeute ›eine Sicherung des Westens gegen ein Absinken eines wiedervereinigten Deutschlands in den östlichen Sektor‹. Ehlers hoffte, ganz im Sinn Adenauers, daß die Zusammenfassung westlicher Kraft ›noch ganz etwas anderes möglich‹ machen werde[45].

Der Verlauf der Diskussion zeigte, wie bei aller Sorge um die Ostdeutschen die politische Sicht verengt war, ob man nun an die Auswirkung der Politik der Stärke glaubte oder das Argument westlichen Hungerns ohne Widerspruch, und dies 1952, entgegennahm. Trotz aller Beschwörung christlicher Worte von »Stuttgart« bis »Weißensee« wurde die ostdeutsche Not nur von einem Teil der Synodalen zuerst im Lichte gesamtdeutscher Schuld gesehen und als eigentliches Problem westdeutscher Politik erkannt. In dem Grade, in dem viele Synodale bereit waren, östliche Aktionen schlechthin als Ausfluß unabänderlicher Ideologie hinzunehmen, waren sie selbst Opfer westlicher Gegenideologie geworden.

Die öffentlichen Erklärungen, die die Synode abgab, schienen an manchen Punkten den Rahmen frommer Ermahnungen zu überschreiten. »Ein falsches Trauen auf Verträge und Bündnisse hat viele unter uns ergriffen. Und nicht wenige starren auf scheinbar zwangsläufige Entwicklungen, weil sie den Herrn der Geschichte vergessen.«[46] Die Brüder im Westen seien in Gefahr, »im Namen christli-

43. Sonderheft JK, S. 35f.
44. Sonderheft JK, S. 36ff, 44. – Elbingerode 1952, S. 232.
45. Sonderheft JK, S. 44.
46. Wort an die Gemeinden in Elbingerode 1952, S. 235. – KJ 52, S. 86. – Kundgebungen, S. 142.

cher Weltanschauung und Kultur das Kreuz Christi zu verleugnen« und in ihrem »Eintreten für die Freiheit der Propagierung des Hasses und der unbarmherzigen Diffamierung des Gegners zu verfallen«[47]. Die Abgeordneten des Bundestages wurden aufgefordert, »ihre Entscheidung, die sie stellvertretend für das ganze deutsche Volk zu bedenken haben, nur nach reiflicher Prüfung ihres Gewissens zu treffen«[48]. Man appellierte an die Großmächte, »durch baldige Besprechung den Weg zu einer Wiedervereinigung Deutschlands« freizugeben[49]. Aber es unterblieb die bestimmte Forderung, die allen Ermahnungen erst ihre konkrete theologisch-politische Basis gegeben hätte: die Forderung zu kritischer Betrachtung der Westverträge im Hinblick auf die infolge der deutschen Gesamtschuld und der politischen Gesamtlage *sicheren* negativen Rückwirkungen auf die Ostdeutschen.

Es war kein Wunder, daß die Synode ein positives Echo bei denen fand, die eine mäßige politische Diskussion in der Kirche im Rahmen der Zwei-Reiche-Lehre für richtig hielten, z. B. bei dem Theologieprofessor Volkmar Herntrich. Er konstatierte mit Befriedigung, daß in Elbingerode diejenigen, »die ein ganz bestimmtes Ergebnis wollten«, nicht durchgedrungen seien. »Sie sahen die Synode als eine Möglichkeit an, die sich noch einmal – in letzter Stunde ergab ... Heinemann konnte die Synode nicht von seiner Politik überzeugen.«[50] Heinemann bestritt aber diese Absicht entschieden:

»Mir hat keinen Augenblick im Sinn gestanden, die Synode zu einem Votum über den Wehrbeitrag als solchen zu bewegen. Es gibt eine gewisse Meinungsgruppe in der EKD, die mir immer wieder gern unterstellt, daß ich kirchliche Organe für solche politischen Voten in Anspruch nähme ... Nein, ich bin mit Elbingerode genauso zufrieden wie Sie und die anderen Brüder.«[51]

Als Grund für dieses positive Urteil nannte Heinemann: »Mir ist die kirchliche Verbundenheit viel zu wichtig, als daß ich sie mit politischem Sprengpulver belasten möchte.«[52] Über solche Dinge wie das Für oder Wider zum Generalvertrag könne man sich »nur brüderlich einigen. Selbstverständlich wäre mir eine *Einigung* überaus erfreulich gewesen. Damit habe ich aber nicht gerechnet, trotz aller Hoffnungen.«[53] Diese Briefstellen bestätigen, daß Heinemann an der

---

47. Kundgebung der Synode in: Elbingerode 1952, S. 238. – KJ 52, S. 84. – Zitiert in GH 101.
48. Elbingerode 1952, S. 240. – KJ 52, S. 87.
49. Elbingerode 1952, S. 244. – KJ 52, S. 88.
50. Informationsblatt für die Gemeinden in den niederdeutschen lutherischen Landeskirchen, 1. Jg. Nr. 20, Hamburg 31. 10. 52, S. 381f.
51. Schreiben an Herntrich, Hamburg, 6. 11. 52 (AH).
52. Schreiben an v. d. Gablentz, Berlin, 22. 11. 52 (AH).
53. Schreiben an v. d. Gablentz, Ende November (AH).

Deutung der Synode, wie er sie in seinem Schlußwort gegeben hatte, festhielt; er wertete dort ein Doppeltes positiv: »wie ernst, wie brüderlich, wie bewegend es da hergegangen« sei, und die »Konfrontation mit unserer Lage«[54].

Als Grund dafür, daß trotzdem keine Übereinstimmung unter den Protestanten Deutschlands zustandegekommen war, nannte Heinemann:

>»Wir lassen uns bei entgegengesetzten politischen Meinungen noch viel zu voreilig gegenseitig frei, mit der Begründung, daß es nur um Ermessensdinge gehe, während wir uns doch alle gleichzeitig gegenseitig unter den Gehorsamsanspruch Jesu Christi rufen.«[55]

»Haben wir nicht so lange aufeinander zu hören, bis wir aus der Verheißung des Heiligen Geistes einig geworden sind?«[56] Heinemann bezog sich dabei wiederholt auf Karl Barths neueste Publikation, »Politische Entscheidung in der Einheit des Glaubens«[57], der er voll zustimmte[58].

Ein Vergleich dieser Schrift mit Heinemanns Verhalten im Herbst 1952 macht nun aber außer den Gemeinsamkeiten zwischen Heinemann und Barth auch feine Unterschiede deutlich. Heinemann betonte mit Barth, daß es um der Wahrheit willen in der Christenheit Scheidungen gebe:

>»Das steht nun allerdings in der Bibel: daß der Christ im kleinen wie im großen Zeitgeschehen mit dem Walten von Geistern, und zwar von verschiedenen, guten und bösen Geistern zu rechnen, daß er sie, geleitet durch den heiligen Geist des Wortes Gottes und an dessen Maß sie messend, zu unterscheiden, und daß er sich in seiner eigenen Haltung, dieser Unterscheidung entsprechend, einzurichten habe: nicht so oder auch anders also, sondern so und nicht anders!«[59]

Damit werde, schrieb Barth, »die Einheit des Glaubens und seines Bekenntnisses, die Einheit der Kirche« in Frage gestellt: »Viel bisher bestehende und bewährte Gemeinschaft kann dann – vielleicht unwiderruflich, weil ihre besondere Zeit um ist – in Scherben gehen.« Die Einheit der Kirche werde dann erst später »neu und besser wiedergefunden«[60]. »Indem diese Einheit sich erneuert, ist sie geistlich wahr und wirklich, nicht sonst. Sie kann sich aber nur erneuern, indem die Christen solche Krise ihrer Gemeinschaft nicht scheuen, son-

---

54. Elbingerode 1952, S. 279. – Vgl. auch GH 98 u. 101.
55. Schreiben an Herntrich, 6. 11. 52 (AH).
56. Schreiben an Jentsch, Kassel, 18. 11. 52 (AH).
57. Heft 34 der Schriftenreihe Theologische Existenz heute, Neue Folge, München 1952.
58. Schreiben an Herntrich, 6. 11. u. 2. 12., an Jentsch 18. 11. 52 (AH).
59. Barth, aaO. S. 8, zitiert in GH 101.
60. Barth, aaO. S. 9ff.

dern, was auch der Ausgang sei, durchschreiten wollen.«[61] Es sei in der Kirche immer schon so gewesen, daß »während die Vielen, die Offiziellen zauderten, schwiegen, diskutierten«, die Kirche »zunächst durch den wagenden Dienst des Wortes und der Tat vorauseilender Einzelner« geredet und gehandelt habe.

»Eben mit einer solchen persönlichen christlichen Verantwortung haben wir es heute in der Aktion von Heinemann, Niemöller, Mochalski und ihren näheren und ferneren Freunden zu tun. Sie meinten, nicht auf die Entscheidungen der einem neuen 1945 entgegenzaudernden, vorläufig teils schweigenden, teils diskutierenden Mehrheiten in der evangelischen Kirche Deutschlands, nicht auf die Stellungnahme ihrer amtlichen Vertretungen warten zu dürfen. Sie meinten, sie zunächst in ihren eigenen Worten und Taten vollziehen und sichtbar machen zu sollen.«[62]

Heinemann entsprach insofern Barths Vorstellung von einem Christen, der als Einzelgänger den anderen voraus ist, als Heinemann sich »mitten im Feld der Verstandes- und Ermessensfragen« sah, der er, wie Barth es darstellte[63], »nur in einer ganz bestimmten Richtung genügen, sie so, wie sie ihm heute und hier gestellt ist, nur so und nicht anders beantworten« konnte. Auch Barths Folgesatz traf in seiner ersten Hälfte noch auf Heinemann zu: daß er sich genötigt und berufen sah, sich zu einer konkreten »Entscheidung zu bekennen, sie öffentlich zu vertreten«; aber das folgende: »andere Christen (und Nicht-Christen!) im Blick auf dieselbe auch für sie gültige Voraussetzung (weil Gott, ob erkannt oder unerkannt, ihrer aller Gott ist) *rücksichtslos* zu derselben Entscheidung aufzurufen« –, das paßte nicht zu Heinemann, wie überhaupt die Radikalität der Formulierungen Barths bei ihm keine Entsprechung fand. Heinemann hatte auf dem Kirchentag sehr wohl Rücksicht genommen, indem er seine Worte mit der Leitung absprach; er hatte auch in Elbingerode Rücksicht auf die Mehrheit genommen, indem er nicht etwa ein Votum einer Minderheit gegen deutsche Aufrüstung herbeiführte. Ihm bedeutete die Brüderlichkeit mit den gewählten Synodalen mehr, als daß er sie aufs Spiel gesetzt hätte. Eher enttäuschte er jene Menschen in und neben der Kirche, die sich von der Synode ein deutliches Wort zu der außen- und innenpolitischen Entwicklung in Deutschland versprochen hatten[64].

An *einer* Stelle war er radikal: wo es um die Bezeichnung westlicher als christlicher Politik ging. Da scheute er keine Schärfe und wieder-

61. ebd. S. 14.
62. ebd. S. 5f.
63. ebd. S. 8.
64. z. B. Druckschrift des Pfarrers L. Rodenberg, Cartlow/Pommern, v. 12. 11. 52 (AH).

holte Fischers Satz, »daß jeder, der die Abwehr des Bolschewismus
als kirchlichen westlichen Auftrag behauptet, damit, solange Deutschland besetzt ist, die Teile der EKD, die im Osten liegen, zur politischen Ausrottung anmeldet«[65]. Aber er ging nicht so weit, aus den
kirchlichen Gremien heraus die Bonner Politik in der *Sache* als für
Christen unverantwortlich zu bezeichnen. Dazu lag ihm zuviel an
einem *gemeinsamen* Durchdenken christlicher Grundfragen, die zwar
prinzipiell zu Scheidungen und »Scherben« führen konnten, aber
doch seines Erachtens noch nicht geführt hatten und es möglichst auch
nicht tun sollten. Er beschied sich damit, daß die Synode »ihren Ausgangspunkt für eine Reihe von Erklärungen und Beschlüssen dort
genommen (habe), wo sie unausweichlich gefordert war, nämlich bei
der Not der Menschen in unserem zerteilten Volk«:

»Möchte nur gehört werden, was sie in Einmütigkeit gesagt hat! Den Gemeinden im Lande aber bleibt die Verpflichtung, nun erst recht um die Einmütigkeit
der Erkenntnis gerade in den Fragen zu ringen, in denen sie uns bisher aus
Gottes Geist nicht geschenkt ist!«[66]

Heinemanns Position ist von seiner Ausdeutung der Stuttgarter
Schulderklärung her zu erklären. Während andre sie einseitig ausleg-
ten, zog er alle drei Linien aus: Er trat gegen die Diktatur im Osten
für die unter dem Kommunismus leidenden Ostdeutschen ein; er bemühte sich gleichzeitig wegen des weltpolitischen Friedens um einen
außenpolitischen Ausgleich mit den Kommunisten; er hielt ebenso an
der Bruderschaft mit andersdenkenden Mitchristen fest. So entging
er den Einseitigkeiten der Antikommunisten, der prinzipiellen Neutralisten und der unpolitischen Pietisten. So geriet er jedoch in neue
Schwierigkeiten, sowie sich Widersprüche zwischen den drei Ausle-
gungen auftaten. Wenn um Gottes Willen Ausgleichsversuche mit
dem Osten wegen des Friedens und der Menschennot schlechthin nötig waren, dann lief die Innehaltung brüderlicher Formen innerhalb
der Kirche auf die Abschwächung dessen hinaus, was sachlich zu tun
nötig war, – während die Zuspitzung der Aussagen zur Lage in der
Erklärung der 30 Teilnehmer des Stuttgarter Kirchentags eine Erschwerung des brüderlichen Gesprächs bedeutete.

So war sich Heinemanns Verhalten in Politik und Kirche seit 1950
im Entscheidenden gleich geblieben: Wie er 1950 in Sorge um den
vor Gott nicht zu verantwortenden *politischen* Weg die Konsequenzen zog und aus der Regierung austrat, während er innerhalb der
Kirche auch dann bei den Brüdern blieb, als die ihr bisheriges Nein

---

65. Elbingerode 1952, S. 121, zitiert in GH 98, 100b, 101, 112.
66. GH 101.

gegenüber deutscher Aufrüstung abschwächten – so zog er auch jetzt auf *politischem* Gebiet wegen der vor Gott und Menschen nicht zu verantwortenden Ideologisierung des Christentums die Konsequenzen und trat aus der CDU aus, während er innerhalb der *Kirche* auch dann brüderlich blieb, als die Synode die letzte Chance zu klarem Widerspruch gegen die Westintegration der Bundesrepublik versäumte und damit selbst Mitursache ostdeutschen Leidens und ihrer eigenen späteren Trennung wurde.

4

Die Gründung der Gesamtdeutschen Volkspartei

Sein Austritt aus der CDU und seine relative Zurückhaltung in der evangelischen Kirche bedeuteten für Heinemann keine Resignation im Blick auf die Deutschlandfrage. Im Gegenteil, in den letzten Monaten des Jahres 1952 entwickelte Heinemann neue politische Aktivität: er setzte sich nun für die baldige Gründung einer Partei ein.

Zurückgreifen konnte Heinemann auf die monatelange Vorarbeit, die Scheu im Sommer 1952 geleistet hatte. Scheu, der schon im Frühjahr die Umwandlung der Notgemeinschaft in eine Partei erwogen hatte, versandte im Juli an Interessenten Briefe, in denen er sie zu einer Stellungnahme zum Problem einer Parteigründung aufforderte, und lud im Oktober sechzig Personen zu einer zweitägigen Tagung nach Mülheim/Ruhr ein, wo die Gründung einer Partei grundsätzlich bejaht wurde[1]. Auf zwei großen Kundgebungen in Köln und Frankfurt suchte Scheu der Öffentlichkeit die politischen Persönlichkeiten vorzustellen, die mit der neuen Gruppe sympathisierten[2]. In Frankfurt wurde dann am 29./30. November 1952 die »Gesamtdeutsche Volkspartei« (GVP) offiziell gegründet[3].

Auf der Gründungsversammlung dominierte Heinemann als Persönlichkeit[4]. Aber er lehnte es ab, den Vorsitz allein zu übernehmen. So wurde ein vierköpfiges Präsidium gebildet, dem außer Heinemann

---

1. Diverse Akten GVP im AH und Archiv Scheu zur Vorgeschichte und Geschichte der GVP. – Molt, Die neutralistische Opposition, S. 85ff.
2. FAZ 27. 10. 52. In Köln sprachen Heinemann und die Bundestagsabgeordneten Frau Wessel, H. Etzel, H. Bodensteiner, Frau Arnold; in Frankfurt Niemöller, Bodensteiner und Prof. Domenach, der Chefredakteur der katholischen Pariser Zeitschrift »Esprit«.
3. Gesamtdeutsche Volkspartei. Manifest und Gründungskundgebung mit Beiträgen von Heinemann, Helene Wessel, Bodensteiner, Krämer, Christel Küpper, Schelz, Scheu, Scholl. Essen 1953 (im folgenden zitiert als »Manifest«).
4. StZ 2. 12. 52.

Frau Wessel, Adolf Scheu und der Oberbürgermeister a. D. Robert Scholl, der Vater der 1943 hingerichteten Geschwister Scholl, angehörten und dem Hans Bodensteiner als Generalsekretär beigeordnet wurde. Damit waren bis auf den Admiral Stummel alle Vorstandsmitglieder der Notgemeinschaft auch im Präsidium der neuen Partei. Auch der fast dreißigköpfige Vorstand setzte sich weitgehend aus Sympathisanten der Notgemeinschaft zusammen. Er bestand hauptsächlich aus Angehörigen freier Berufe, Kaufleuten, höheren Beamten und Angestellten; gegenüber den Katholiken waren die Protestanten in der Überzahl; fast ein Drittel des Vorstands hatte zur Bekennenden Kirche gehört[5].

Den Haupt-Programmpunkt der neuen Partei bildete ihre außenpolitische Zielsetzung, die mit der der Notgemeinschaft identisch war. Zum Motto des »Manifests« der GVP wählte man die Aufforderung aus dem Vorspruch des Grundgesetzes an das deutsche Volk, »in freier Selbstbestimmung die Einheit und Freiheit Deutschlands zu vollenden«. Im ersten Teil des Manifests wurde auf die Spaltung Deutschlands Bezug genommen, die sich durch die Aufrüstung von Deutschen verschärfe:

»Da keine der Besatzungsmächte den von ihr besetzten Teil Deutschlands räumen wird, solange sie befürchten muß, das geräumte Gebiet werde die militärische Macht ihres Gegners vergrößern, zeigt sich bei Fortsetzung dieser Politik kein Weg, unser Volk auf friedliche Weise wiederzuvereinigen; denn nicht nur die Regierung in Berlin-Ost, sondern auch die Regierung in Bonn beteiligt sich entgegen dem Volkswillen an dem Machtkampf der Besatzungsmächte. Beide machen so den eisernen Vorhang dichter, anstatt ihn zu durchbrechen.«

Die GVP postulierte:

»Die zentrale Aufgabe deutscher Außenpolitik sehen wir in der Erhaltung des Friedens und der Wiedervereinigung unseres Volkes in einem einheitlichen Staatswesen, welches Freiheit, Gerechtigkeit und Menschenwürde zur Grundlage seiner Ordnung hat. Deutschland als Land der Mitte und ohne koloniale Bindungen muß aus dem militärischen Aufmarsch Nordamerikas und der Sowjetunion herausbleiben. Wenn wir keiner Seite zur militärischen Gefahr werden, können wir dem Frieden besser dienen, als wenn Deutschland zum Aufmarschplatz zweier Heerlager wird, in denen Deutsche gegen Deutsche bewaffnet werden. Wir fordern daher die sofortige Beseitigung der Aufrüstung zweier deutscher Armeen in West- und Ostdeutschland. Wo immer solche Aufrüstung von Deutschen betrieben wird, haben sie zugleich die Gegenaufrüstung in dem anderen Teil unseres Vaterlandes mitzuverantworten.«

Die GVP rief »beiden Teilen« des deutschen Volkes zu, »sich nicht gegeneinander verfeinden und bewaffnen zu lassen«, und forderte von den Besatzungsmächten und »den Regierungen in Bonn und

---

5. Liste im AH. – Molt, aaO. S. 90. – StZ 2. 12. 52.

Berlin-Ost« Fühlungnahme »zur Verbesserung der Lebensbeziehun-
gen zwischen den Menschen in Ost und West« und Schritte zur »vollständigen Wiedervereinigung«. Ein Friedensvertrag solle die völkerrechtliche Stellung des wiedervereinigten Deutschlands garantieren:
»Wenn wir gewährleisten, daß wir keinem unserer Nachbarn mehr
zur Gefahr werden, können wir damit rechnen, daß alle Nachbarn aus
ihrem eigenen Lebensinteresse unseren Bestand garantieren.« Die
GVP wollte mit dieser Zielsetzung »helfen, ein freies und unabhängiges Europa auf der Grundlage föderativer Gleichberechtigung als
politische Macht zwischen USA und UdSSR zu schaffen«, das »keiner
fremden Weltmacht eine Aufmarschbasis bietet« und damit »dem
Frieden und dem Sicherheitsbedürfnis aller« dient[6].

Die innen- und wirtschaftspolitische Zielsetzung war in Analogie
zur außenpolitischen formuliert. Im Vordergrund stand die Bemühung, Gegensätze auszugleichen und den Freiheitsraum des einzelnen
gegenüber den Mächtigen zu schützen. Das Manifest stellte diese Notwendigkeit sogar vor die außenpolitischen Überlegungen an die erste
Stelle[7]. Es kritisierte, daß die Parteien nach 1945 »nach hoffnungs-
vollen Ansätzen« in »die alten Wege und Gegensätze der Vergangenheit zurückgefallen« und »die sozialen Spannungen größer« geworden seien als zuvor:

»Man kennt untereinander keine Solidarität, verkoppelt Gruppeninteressen mit
Weltanschauungen, versucht, den Bolschewismus durch einen Kreuzzug zu überwinden, stellt Partei- und Fraktionszwang über Gewissensfreiheit und ist wieder
auf dem Wege, in totalitäre Regierungsformen zurückzufallen.«

Sowohl im Manifest als auch in Heinemanns Rede[8] wurden als
Ziele der neuen Partei herausgestellt, daß »die Verfälschung des
Christentums in ein politisches Zweckinstrument« zu bekämpfen, jeglicher Fraktionszwang zu verbieten und wirksame Maßnahmen »zur
Erhaltung der verfassungsmäßig gewährleisteten Presse- und Versammlungsfreiheit, des Rechtes der freien Meinungsäußerung und
der Wahrung des Postgeheimnisses« zu ergreifen seien; »staatsbür-
gerliches Selbstbewußtsein« und Selbstverwaltung seien zu fördern,
»Volksbegehren und Volksentscheid sind wieder einzuführen«. Auf
wirtschaftlichem Gebiet postulierte man den »Ausgleich der widerstrebenden Interessen durch eine neue Wirtschafts- und Sozialordnung«. Das Sozialprodukt solle gerecht verteilt, eine »Beteiligung an
der volkswirtschaftlichen Vermögensbildung gewährleistet« werden[9].

---

6. Manifest S. 3ff.
7. ebd. S. 3.
8. ebd. S. 21ff (GH 102).
9. ebd. S. 5ff, 21ff.

Bodensteiner griff in seinem Referat die ungehemmte wirtschaftliche Freiheit an: »Freiheit ist heute weithin identisch mit dem Recht des Stärkeren«. Die Geschichte habe bewiesen, daß die Abgrenzung der menschlichen Rechte »nicht von der Mechanik eines ungehemmten Wettbewerbs zu erwarten« sei. Aber Bodensteiner mißtraute doch auch dem »Kommando einer staatlichen Bürokratie«. Der private Besitz an Produktionsmitteln gebe eine »gefährliche Macht«, aber »ohne individuelles privates Eigentum« gebe es auch keine Freiheit[10]. Den rechten »Weg der goldenen Mitte«[11], den die GVP anstrebte, brachte Heinemann auf die Formel,

»daß wir den Arbeiter auch in der Wirtschaft als Menschen von gleicher Würde zu achten haben wie den Unternehmer. Ich meine, daß auf der anderen Seite aus einer staatlichen Befehlswirtschaft oder aus einer Vereinigung von Staatsmacht mit industrieller Unternehmerfunktion ebenfalls kein Glaubensartikel mehr gemacht werden sollte. Jedenfalls erscheinen mir alle nicht wirtschaftlich, sondern weltanschaulich begründeten Experimente im Bereich der Wirtschaft ungut. Wir sind der Meinung, daß Partnerschaft zwischen Kapital und Arbeit den Klassengegensatz überwinden kann.«

Aber Heinemann fügte selbst hinzu, daß damit »nichts Abschließendes« gesagt, sondern nur eine »Wegrichtung sichtbar« geworden sei[12]. In den folgenden Monaten wurde um eine Klärung und Präzision der wirtschafts- und gesellschaftspolitischen Vorstellungen gerungen. Auf dem Bundesparteitag im Juni 1953 stimmte die Mehrheit einem Konzept zu, das bewußt auch in der Wirtschaft eine Mittelstellung zwischen Kapitalismus und Sozialismus einnahm[13]. Die Marktwirtschaft sollte durch Planung ergänzt werden; der Anspruch des Arbeiters auf Mitbestimmung sei so legitim wie der des Unternehmers auf Bewegungsfreiheit. Eine zielbewußte Geld- und Kreditpolitik solle für die Stabilisierung der Währung sorgen, den Arbeitnehmern müsse Anteil an Kapitalbesitz und Gewinnbeteiligung gewährleistet werden. Gefordert wurden gerechte Boden- und Baugesetze, die öffentliche Kontrolle der Grundstoffindustrien und das Verbot von Kartellen und Monopolen.

Die lange Auseinandersetzung um Wirtschaftsfragen macht exem-

---

10. ebd. S. 16ff.
11. so Bodensteiner ebd. S. 18.
12. ebd. S. 22, GH 102.
13. Gesamtdeutsche Rundschau Nr. 31 v. 28. 8. 53. – Molt, aaO. S. 106. – Eine Ausschußmehrheit entschied sich in der entscheidenden Nachtsitzung am 6./7. 6. 53 für einen dem Kapitalismus gegenüber kritischen Entwurf; ein Unternehmer, der im Ausschuß überstimmt worden war, schrieb am 7. 6. an Posser, er müsse »leider aus sachlichen Gründen hoffen, daß niemals Bundestagsabgeordnete mit einer solchen Konzeption ausgestattet Wirtschaftsgeschichte machen. Aber auch diesen Preis ist der Friede wert . . .«

plarisch die Vergrößerung der Schwierigkeiten deutlich, denen sich die Partei im Vergleich zur Notgemeinschaft gegenübersah. Die überparteiliche Notgemeinschaft hatte sich bewußt auf die Erörterung der einen außenpolitischen Hauptfrage beschränken können. Die neue Partei mußte aber zu allen wichtigen Sachfragen Stellung nehmen. Da jedoch der Schwerpunkt auf der Außenpolitik lag, mußte man im übrigen auf schärfere Umrisse verzichten, um niemanden vor den Kopf zu stoßen. In diesem Punkte bestand, wie in der außenpolitischen Zielsetzung, zwischen den Vorstandsmitgliedern Einigkeit[14].

Die Abgrenzung der neuen Partei gegenüber den bestehenden Parteien war nur zur CDU/CSU hin leicht, weil der außen- und innenpolitische Gegensatz auf der Hand lag. Die GVP verstand sich als Auffangbecken aller Kräfte aus beiden Konfessionen, die für eine aktive Ostpolitik in Heinemanns Sinn und für Gewissensfreiheit im politischen Raum eintraten.

Was die FDP anbetraf, so betonte Heinemann auf der Gründungsversammlung, daß »eine weitestgehende Übereinstimmung« der Vorstellungen der GVP mit den Plänen Pfleiderers vorläge[15]. Man hoffte seitens der GVP darauf, daß es infolge der Spannungen zwischen dem rechten und linken Flügel der Liberalen womöglich zu einer Zusammenarbeit mit der Demokratischen Volkspartei in Baden-Württemberg käme. Im Mai 1953 suchte Heinemann R. Maier auf, doch kam es nicht zu näheren Kontakten[16].

Gegenüber der SPD war die neue Partei auf Abgrenzung und auf Annäherung bedacht: auf Abgrenzung, um sich zu profilieren, auf Annäherung, um sich für den Fall eines Wahlerfolgs als Koalitionspartei zu empfehlen. Heinemann kritisierte, wie 1949, den Fraktionszwang in der Partei. Sein Haupteinwand gegen sie bestand jedoch auf außenpolitischem Gebiet: »Wir vermissen an der Sozialdemokratie die Bereitschaft, das Sicherungsbedürfnis, von dem auch eine revolutionäre Sowjetunion erfüllt ist, als den Ansatzpunkt zu nehmen, der sich für die Wiedervereinigung Deutschlands bietet.«[17] Heinemann bemängelte, daß die SPD Adenauers Politik nicht konsequenter ablehne:

»Die Sozialdemokratie opponiert zwar gegen die Adenauersche Deutschlandpolitik, was sie statt dessen will, ist aber wiederum eine zweigeteilte deutsche Aufrüstung und zwar in Gestalt einer westdeutschen Nationalarmee neben den Nationalarmeen der Westländer und neben einer Nationalarmee in der Ostzone.

14. Bericht von der Bundesvorstandssitzung vom 4. 6. 53 (msl, AH).
15. StZ 2. 12. 52.
16. Schreiben Scheus v. 27. 5. 53.
17. StZ 2. 12. 52. – Manifest S. 23, GH 102.

Sie will, um es bündig zu sagen, an die Stelle der Adenauerschen Aufrüstung lediglich eine Ollenhauersche Aufrüstung setzen.«[18]

Gelegentlich beklagte Heinemann die Reserve der SPD gegenüber der Notgemeinschaft; die Partei habe »manchen Dolchstoß in unseren Rücken geführt«[19]. Die Grundlinie war jedoch die einer vorsichtigen Zurückhaltung. Sie wurde dadurch nahegelegt, daß es in der GVP Kräfte gab, die aus der Enttäuschung über die mangelnde Konsequenz der SPD zur GVP gekommen waren, daß aber andere von vornherein auf eine enge Verbindung mit der SPD hinarbeiteten. Allen war klar, daß für den Fall eines Wahlerfolgs die GVP im Bundestag nur mit der SPD zusammenwirken könne. Gleichwohl wartete man noch damit, Kontakte zur SPD aufzunehmen, weil man erst die genauen Bedingungen des Wahlgesetzes kennen, die wirtschaftspolitische Diskussion innerhalb der Partei zu einem gewissen Abschluß führen und den Aufbau der Partei-Organisation so weit vorantreiben wollte, daß man für die SPD überhaupt eine nennenswerte politische Größe darstellte.

Der Aufbau der Partei war schwierig. Auf die Wirkung des Schneeballsystems konnte man nicht mehr, wie zuzeiten der Notgemeinschaft, vertrauen. Aber man konnte an die Gruppen der Notgemeinschaft anknüpfen. Es gelang bis zum Bundesparteitag im Juni, die Landesverbände in allen Bundesländern aufzubauen. Das war viel in Anbetracht der Tatsache, daß es in mehreren Ländern nur wenige Gruppen der Notgemeinschaft gegeben hatte. Auf der Kreisebene blieb denn auch die Organisation in Ländern wie Bayern, Rheinland-Pfalz, Niedersachsen und Schleswig-Holstein sehr bruchstückhaft. Stärker konnte die Organisation in Baden-Württemberg, Hessen und Nordrhein-Westfalen ausgebaut werden. Nicht zufällig waren die letzten beiden gerade Länder mit gemischt-konfessioneller Bevölkerung, in denen weder die katholische noch die evangelisch-lutherische Kirche vorherrschte, sondern wo an manchen Orten eine evangelischunierte Kirchentradition bestand. In allen Ländern blieb die Organisation der Partei weitgehend auf die Städte beschränkt[20].

Gegen eine Unterwanderung durch Radikale von rechts und links suchte sich die GVP durch Bestimmungen ihrer Satzung zu schützen. Danach hatte jeder Bewerber »eine Erklärung darüber abzugeben, ob er Mitglied einer nach 1949 als verfassungswidrig verbotenen Organisation gewesen« war. Wer bei der Anmeldung »wahrheitswidrige Angaben« machte oder »wer an Bestrebungen teilnimmt,

---

18. Süddeutsche Zeitung 16. 5. 53 (Rede im Bayrischen Rundfunk am 15. 5. 53).
19. Süddeutsche Zeitung 4. 11. 52.
20. Akten GVP (AH und AScheu).

deren Ziel die Beseitigung des demokratischen Staates ist«, wurde aus der Partei ausgeschlossen[21].

Das Projekt einer eigenen Presse, schon zuzeiten der Notgemeinschaft intensiv erwogen, aber nicht verwirklicht, gewann erst ganz allmählich Umrisse. An Stelle der »Nachrichten der Notgemeinschaft«, die in ihrer letzten, neunten Ausgabe die neue Partei ankündigten, traten »GVP-Nachrichten«, die zunächst hektographiert, seit Mai gedruckt erschienen und seit Ende Juni in die »Gesamtdeutsche Rundschau«, eine Wochenzeitung, verwandelt wurden. Ihr Umfang und die Auflage blieben jedoch klein, da zu wenig Abonnenten und kein Geld für die Anstellung hauptamtlicher Mitarbeiter vorhanden waren[22]; diesen Mangel konnte auch die intensive Mitarbeit von Hilberath-Aachen und Godde-Essen, die die Herausgabe überhaupt erst möglich machten, nicht ausgleichen.

Der finanzielle Engpaß, der das Zeitungsprojekt hinderte, blieb bestehen. Nur wenige Unternehmer aus Nordrhein-Westfalen halfen laufend mit kleineren Beträgen. Einem von ihnen klagte Heinemann im Frühjahr, »daß wir mit unseren Geldmitteln völlig festsitzen. Aus den Mitgliedsbeiträgen kommt nicht auf, was die laufende Arbeit in Bonn und hier verbraucht. Wir können die wenigen Gehälter für insgesamt vier Mitarbeiter und manche Rechnungen nicht mehr bestreiten. Die Arbeit aber wächst unaufhörlich«[23]. Scheu brachte auf einer Bettelreise zu Unternehmern seiner südwestdeutschen Heimat »nur wenige Tausender« zusammen, »die gerade über die akuteste Krise ein wenig weghelfen«[24]. Die wenigen gebewilligen Unternehmer hatten es zudem noch schwer, sich dem Druck der sogenannten »Fördergesellschaften« zu entziehen, die ausschließlich für die Regierungsparteien Gelder sammelten[25]. Scheu wandte sich an schweizerische, Heinemann an amerikanische Gesinnungsfreunde mit der Bitte um Hilfe, jedoch ohne Erfolg. Auch der Kontakt zum amerikanischen Bankier James P. Warburg, der seit Jahren, ähnlich wie Heinemann, Lösungsmöglichkeiten für die deutsche Frage erwog, blieb auf rein ideeller Ebene[26].

---

21. Satzung § 4, §6,1 und 6,4.
22. Diverse Akten im AH.
23. Heinemann 30. 3. 52 (AH).
24. Scheu 21. 4. 52 (AS).
25. Scheu 21. 4. 52 an O. Eisenberg, Hanau. – Ein Unternehmer schrieb 25. 4. 52 an Posser, es lägen »in seiner Firma einwandfreie Unterlagen vor, denen zufolge Tarnungsvereine als vorgeschobene Spähtrupps für die Regierungsparteien zu einem Spendenfeldzug größeren Ausmaßes im Hinblick auf die Neuwahlen in Tätigkeit sind ... Der Schlüssel für diese Spenden lautet: 50% CDU, 25% FDP, 25% DP.« (AH). Vgl. DNZ 13. 2. 53.
26. Korrespondenz im AH. – Vgl. J. P. Warburg, Deutschland – Brücke oder

Auch die personelle Entwicklung der Partei entsprach nicht den Erwartungen auf Bildung einer breiten politischen Kraft gegen die Regierung in Bonn. Nur wenige aktive Politiker erklärten ihren Übertritt zur GVP, so die Zentrumsabgeordnete im Bundestag Thea Arnold, der Landtagsabgeordnete Reinecke, der in Niedersachsen von der SPD zur GVP kam, der Landesvorsitzende der Jungen Union in Württemberg-Baden, Rasmussen, und der frühere Präsident der Europa-Union und Generalsekretär der FDP in der britischen Zone, Wilhelm Hermes[27].

Mannigfache Gründe hinderten Kritiker der Regierung Adenauer am Übertritt zur GVP. Pfleiderer dachte trotz der Wirkungslosigkeit seiner Vorschläge nicht daran, die FDP zu verlassen. Mehs blieb innerhalb der CDU-Fraktion als einziger Abgeordneter bei seinem Nein gegenüber den Westverträgen, hielt es aber »nicht für richtig«, seiner »Partei den Rücken zu kehren. Wenn sie demokratisch ist, muß sie einen so harten Knochen wie mich verdauen können. Ich sehe nicht ein, daß ich ihr die Verdauung durch meine Abtrennung erleichtern soll«[28]. Hermann Etzel, Mitglied der Bayernpartei im Bundestag, sprach zwar auf der vorbereitenden Kölner Kundgebung neben den GVP-Gründern, blieb aber, obwohl er wegen dieser Rede von seiner Partei gerügt wurde, noch monatelang seiner Partei treu, einmal in der Hoffnung, sie zu einem Nein zu den Westverträgen zu bewegen, dann aber auch, weil er aus Gesundheitsgründen Aufregungen scheute[29]. Ein Landesvorsitzender der FDP, der wegen seiner Unterschrift unter die Petition der Notgemeinschaft mit einem Parteiausschlußverfahren bedroht worden war, erklärte, daß er in seiner leitenden Position mehr im Sinn Heinemanns tun könne als durch Mitarbeit in einer kleinen Partei mit ungewissen Chancen[30].

Journalisten, die mit Heinemann sympathisierten, wollten und konnten das nur bis zu einem gewissen Grade zu erkennen geben. Einige machten Heinemann auf die Besonderheit ihrer Berufsstellung aufmerksam, die parteiliche Bindung als unangemessen erscheinen ließ[31]. Paul Sethe bedauerte,

»daß ich mich an der Gründung und Vorbereitung einer Dritten Kraft nicht beteiligen kann. Ich bin nicht feige. Aber die Haltung, die ich gegenwärtig in der Frankfurter Allgemeinen Zeitung gegen erhebliche Bedenken innerhalb der Re-

Schlachtfeld, Stuttgart 1949; ders., Germany, Key to Peace, Cambridge 1953; ders., Frankreich, Deutschland und die NATO, 1954.
27. Heinemanns Schreiben v. 15. 12. 52 an Dr. Meinicke-Pusch (AH).
28. Schreiben v. 25. 6. 53 an Heinemann (AH).
29. Schreiben v. 26. 6. 53 an Heinemann (AH). – Vgl. FAZ 5. 11., 10. 11. 52.
30. Schreiben v. E. Engelhard, Hamburg, v. 9. 12. 52 (AH).
31. Schreiben v. F. Brühl v. 15. 9., D. Cycon v. 2. 12. 52 (AH).

daktion einnehme, trifft bereits die äußerste Grenze meiner Möglichkeiten. Vielleicht habe ich sie sogar schon überschritten. Mich in der Öffentlichkeit an einer Partei, wie der von Ihnen geplanten, zu beteiligen, würde eine Illoyalität gegenüber der Zeitung bedeuten.«[32]

Der Hauptschriftleiter und Verlagsleiter der »Aachener Nachrichten«, Hermann Schaefer, der Heinemann mehrfach in dieser Zeitung hatte zu Wort kommen lassen, mußte seine Position räumen, weil er sich weigerte, auf die politische Linie Adenauers einzuschwenken[33]. Grundsätzliche Bedenken gegen eine parteiliche Bindung wurden auch von Theologen vorgebracht. Die Präside Niemöller, Held und Wilm machten zwar aus ihrer Sympathie für die neue Partei kein Hehl, traten aber mit Rücksicht auf ihr Amt der Partei nicht bei[34]. Helmut Gollwitzer schrieb, er habe sich seit seiner Rückkehr aus der Gefangenschaft »allzu viel . . . in andere Verpflichtungen« hineinziehen lassen und hielte es für unumgänglich nötig, sich »jetzt eine Zeit lang *ganz* auf die theologische Arbeit zu konzentrieren«, da er dort seine »eigentliche Aufgabe« sah[35] – ein Standpunkt, den, wenn irgendjemand, Heinemann gelten lassen mußte.

So war die GVP überwiegend auf Menschen angewiesen, die das politische Handwerk erst auf unterer oder mittlerer politischer Ebene kennengelernt oder sich bisher noch nicht politisch betätigt hatten. Eine Reihe kritischer Intellektueller machte sich mit Leidenschaft und Zähigkeit an die Arbeit, wie Diether Posser, Heinemanns Sozius, der sich in Reden und Schriften immer stärker profilierte und als rechte Hand Heinemanns besondere Aufgaben wahrnahm, Johannes Rau, der eine Jugendorganisation der GVP aufzog, Adolf Scheu, ohne den es schwerlich zur Gründung der GVP gekommen wäre, Erhard Eppler und Gerhard Hertel, die die GVP im Südwesten aufbauten. Aber die Zahl der interessierten und aktiven Könner war im Verhältnis zur Größe der Bundesrepublik zu klein. Die Notwendigkeit aber, trotzdem überall die GVP aufzubauen, wenn man nicht von vornherein vor den einengenden Paragraphen des Wahlgesetzes kapitulieren wollte, führte mancherorts zu organisatorischen und personellen Notlösungen, die gerade in einigen Großstädten wie Hamburg

32. Schreiben v. 4. 9. 52 an Scheu (AScheu).
33. »Man legte mir im Dezember eine Erklärung zur Unterschrift vor, daß ich auf die Regierungslinie einzuschwenken hätte und jede Kritik an der Remilitarisierung zu unterlassen hätte . . .« Schaefer sollte keinen Leitartikel mehr in den »Aachener Nachrichten« veröffentlichen, ohne ihn »einem katholischen Zensor vorzulegen« (Schreiben an Heinemann v. 27. 3. 53, AH).
34. Wilm sandte zustimmendes Telegramm zur Gründung.
35. Schreiben v. 8. 11. 52 (AH).

und München den Ausbau der Partei hinderten und ihrem Ruf schadeten.

Da die Verschärfung der 5%-Klausel drohte[35a], mußte die GVP von vornherein auf die Sammlung kleiner Parteien und außerparlamentarischer Gruppen bedacht sein. Schon im Vorstadium der Gründung bemühte man sich um Kontakte zu nationalen Gruppen, um die Frage zu klären, ob die neue Partei nicht gemäßigte nationale Kreise einbeziehen könnte. Auf zwei Treffen im November 1952 stellte es sich jedoch, wie ein Jahr zuvor bei der Gründung der Notgemeinschaft, heraus, daß die Gegensätze in grundsätzlichen und taktischen Fragen zu groß waren[36]. Heinemann, Bodensteiner und Mochalski waren zu keinen Konzessionen bereit, was die Frage der Kriegsschuld anbetraf, die die Nationalen entweder ganz auf England abschieben oder zumindest auf alle Mächte verteilen wollten; ebensowenig nahmen die Männer der GVP Begriffe wie die »zeitlosen Werte des soldatischen Geistes« unkritisch hin, eine Tatsache, die einem Vertreter der Rechten ›gerade volkszerstörend‹ erschien. Fraglich erschien den Vertretern der GVP außerdem, ob die Nationalen dem Antisemitismus klar genug abgesagt hätten und was sie unter der »Rückgabe geraubter Gebiete« verständen. Von Seiten der Rechten bestanden wiederum Reserven gegenüber Heinemanns Kontakten zu pazifistischen Kreisen und gegen ein eventuelles Zusammengehen der neuen Partei mit den Sozialdemokraten. Zwar gelang es Scheu, zwischen den Gruppen soweit zu vermitteln, daß man ohne einen Bruch voneinander schied. Aber zu einer Kooperation kam es nicht. Die Gründer der GVP dachten nicht daran, die Rechtsgruppen, die sich schon in einer »Arbeitsgemeinschaft« gesammelt hatten, etwa zu einem bestimmten Prozentsatz an der Zusammensetzung des Bundesvorstands zu beteiligen, solange die Rechten nicht umzudenken willens waren. Auf dem Gründungsparteitag warb Heinemann trotzdem um das Vertrauen rechter Kreise, indem er die »allgemeine Bereitschaft« forderte, sich »gegenseitig auch in dem zu tragen, was wir in der Vergangenheit getan haben«; die GVP sei »grundsätzlich für alle offen«; es ginge nicht an, daß »wir über unseren nationalsozialistischen, soldatischen, antifaschistischen oder pazifistischen Haltungen in vergangenen Jahren, über Gehorsam und Widerstand, eine ständige Fehde gegen-

---

35a. Nach dem Bundestagswahlgesetz 1949 wurde in jedem Bundesland die 5%-Klausel getrennt angewandt, so daß regional starke Parteien wie die Bayernpartei in den Bundestag einziehen konnten. Die Pläne für das neue Bundestagswahlgesetz sahen vor, daß bei der Verteilung der Landeslistenmandate nur die Parteien berücksichtigt wurden, die im ganzen Bundesgebiet mehr als 5% der Stimmen auf sich gezogen hatten.
36. Protokolle der Treffen (AH).

einander führen«[37]. Aber angesichts der unüberwindlichen Gegensätze im Grundsätzlichen blieb dieser Appell wirkungslos. Weder fanden prominente Konservative oder alte Soldaten in nennenswerter Zahl zur GVP, noch kam es zu Wahlabsprachen mit rechten Kreisen, abgesehen von einer kleinen gemäßigten Gruppe in Hessen.

Nur zögernd faßte Heinemann auch den Plan eines Zusammengehens mit anderen neutralistischen Kräften ins Auge. Ablehnend stand er Wirth und Elfes gegenüber[38], die ihre direkten Kontakte zu der Ostberliner Regierung fortsetzten. Reserven hatte er auch gegenüber Noack, der inzwischen mit seiner »Freien Mitte« ein Wahlbündnis mit der Freisozialen Union geschlossen hatte. Noack, der in der Öffentlichkeit durch eine Pressefehde und gerichtliche Auseinandersetzungen mit Rudolf Pechel über seine Tätigkeit als Emigrant in Norwegen politisch und finanziell bedrängt wurde, hatte besonders im Südwesten Anhänger. Da es auf der Hand lag, daß die GVP und der »Block der Mitte/FSU« nicht getrennt zur Bundestagswahl antreten konnten, übernahm es Scheu, die Verbindung zu Noack neu zu knüpfen[39]. Es gelang ihm, die persönlichen Reserven zu überwinden, die Heinemann und Noack seit dem Wiesbadener Aufruf voneinander trennten. Im April 1953 wurde zwischen dem Block der Mitte/FSU und der GVP ein Wahlabkommen geschlossen, das die Einigung auf alle wichtigen Programmpunkte der GVP vorsah[40]. Vom Geldreformprogramm der freisozialen Partner blieb nur die Andeutung über, daß eine »wirtschaftliche und soziale Neuordnung« nötig, das heutige Geldwesen reformbedürftig und die Erhaltung der Kaufkraft der DM anzustreben sei. Aber dies Wahlbündnis erwies sich als brüchig. Es kam zu Reibungen zwischen Noack und der Spitze der FSU, Noack löste die Verbindung der »Freien Mitte« zur FSU und trat mit seiner Gruppe auf dem ersten Bundesparteitag der GVP zu dieser Partei über[41]. Das Wahlbündnis zwischen der GVP und der FSU blieb jedoch, obwohl es vom Parteivorstand der FSU nicht offiziell genehmigt wurde, de facto bestehen.

Die Sammlung anderer Gruppen, die nicht wie Noacks Anhänger außenpolitisch ohnehin ähnliche Vorstellungen wie die GVP hatten, erwies sich als schwierig, zeitraubend und unergiebig. Kleinere, unbekannte Gruppen, die zur GVP stoßen wollten, mußten daraufhin überprüft werden, ob sie womöglich nationalistisch oder kommunistisch waren. Monatelange Verhandlungen Scheus mit dem »Christ-

---

37. Manifest S. 22, GH 102.
38. GH 114 u. 115.
39. Akten AH u. AScheu.
40. GVP-Nachrichten Jg. I, Nr. 15 v. 8. 5. 53, S. 2.
41. GVP-Nachrichten Jg. I, Nr. 20 v. 12. 6. 53, S. 5.

lichen Volksdienst«, der in Hessen und Bayern in verschiedenen Gruppen bestand, führten im Juni 1953 zu einer Vereinbarung mit der bayrischen Gruppe[42]. Heinemann bemühte sich um näheren Kontakt zum Zentrum, das in Nordrhein-Westfalen bei der Landtagswahl noch 2,1% der Stimmen hatte auf sich ziehen können, kam aber zu keinem positiven Ergebnis[43].

So stellten sich in den ersten Monaten des Jahres 1953 eine Fülle von sachlichen, personellen, finanziellen und organisatorischen Schwierigkeiten für die neue Partei heraus. Hinzu kam, daß die Reaktion der westdeutschen Öffentlichkeit und des östlichen Auslands genau so ungünstig wie bei der Gründung der Notgemeinschaft war.

Vom Osten her erklangen im Vorstadium der Gründung ermutigende Töne[44]; als aber die neue Partei entstand, sprach Grotewohl Wirth gegenüber sein Befremden aus; man protegierte vom Osten aus Wirths »Deutsche Sammlung«. Das »Neue Deutschland« hielt die Gründung der GVP für eine indirekte »Schwächung der nationalen Sammlungsbewegung«, die, »gewollt oder ungewollt, den Kriegshetzern vom Schlage eines Adenauers Vorschub leistet«; es sei eine »Illusion, daß mit parlamentarischen Mitteln die Adenauer-Clique beseitigt werden« könne[45]. Die SED-KPD forderte dagegen mit revolutionären Parolen zu außerparlamentarischen Aktionen auf[46].

Obwohl damit die Unabhängigkeit der neuen Partei vom Osten bewiesen wurde, nahm in der Bundesrepublik wieder fast die gesamte Presse mit denselben Argumenten wie 1951 gegen die Neugründung Stellung[47]. Ganz selten waren Stimmen wie die des »Westdeutschen

42. Akten im AH u. AScheu.
43. Während der Parteivorsitzende Brockmann, den Heinemann in Düsseldorf aufsuchte, eine Haltung freundlicher Reserve Heinemann gegenüber einnahm, gab der Bundestagsabgeordnete Reismann in Bonn sogleich eine ablehnende Stellungnahme an die Presse. Schreiben Brockmanns v. 16. 4. 52 (AH), Bremer Nachrichten 15. u. 16. 4., Bonner Rundschau 17. 4. 53.
44. Neues Deutschland 25. 10., Tribüne 25. 10., Neue Zeit 25. 10., Der Morgen (Berlin-Ost) 26. 10., Freiheit (Halle) 27. 10., Die Union (Dresden) 31. 10. 52, upd (Ost-CDU) Nr. 18/19, S. 22.
45. ND 4. 12. 52.
46. Im kommunistischen »Programm der nationalen Wiedervereinigung Deutschlands« hieß es: »Nur der unversöhnliche und revolutionäre Kampf aller deutscher Patrioten kann und wird zum Sturz des Adenauer-Regimes und damit zur Beseitigung der entscheidenden Stütze der Herrschaft der amerikanischen Imperialisten in Westdeutschland führen ... Unzweifelhaft wird unser Kampf Opfer fordern. Aber für jeden im Kampf gefallenen oder aus dem Kampf herausgerissenen Patrioten werden Tausende neu aufstehen.« (Freies Volk 12. 11. 52).
47. Die Zeit 30. 10. 52, 26. 3. 53, Christ und Welt 27.11. 52, 14. 5. 53, Rheinischer Merkur 5. 12. 52; Lindauer Zeitung 29. 10., Kasseler Post 4. 11., Bonner Rundschau 14. 11., Rheinpfalz 17. 11., Kieler Nachrichten Nr. 267, Essener Tageblatt 23. 11., Der Tag 23. 11., Frankfurter Neue Presse 1. 12., Kölnische Rundschau 16. 12., We-

Tageblatts«, das die Partei als »in der gegenwärtigen deutschen politischen Situation absolut notwendig« erachtete und aus grundsätzlichen Erwägungen (»Schlag gegen den Parteimonopolismus«) als auch um der Wiedervereinigung Deutschlands willen die Parteigründung begrüßte[48]. Derartige Stimmen ließen sich an den Fingern abzählen[49]. Und auch sie verhehlten von Anfang an die Bedenken gegenüber der neuen Partei nicht. Beispielsweise erblickte Dieter Cycon, der in der Stuttgarter Zeitung die außen- und innenpolitische Zielsetzung der GVP positiv bewertete, doch eine Einseitigkeit in der Zusammensetzung der Gründerversammlung, »in der überwiegend Akademiker, höhere und mittlere Beamte und kleine Unternehmer gab«, und hielt das Manifest für »vage und nicht zu Ende gedacht«, »wie es eben dem Fühlen und Denken vieler fortschrittlicher Bürger entspricht«[50]. Die Partei sei im Gegensatz zu älteren Parteien nicht aus einer homogenen wirtschaftlichen Interessenvertretung hervorgegangen, so daß die »Assimilierung und Ausrichtung« der Parteimitglieder auf mittlerer Ebene und die »Ausschaltung von Sektierern und Utopisten« schwierig sei. Cycon hoffte auf die Person Heinemanns:

»Wenn es einen Grund gibt, dieser Gründung wohlmeinender Geistesarbeiter Zukunftschancen einzuräumen, dann ist es in erster Linie seine imponierende Persönlichkeit mit ihrer moralischen Sauberkeit, intellektuellen Schärfe, Schlagfertigkeit und organisatorischen Begabung.«

Auch der Korrespondent der Züricher »Tat«, Fritz René Allemann, würdigte die Zielsetzung und die führenden Personen der GVP positiv. Aber er gab in seinem Artikel »›Neutralismus‹ mit Spätzündung« dem wichtigsten Einwand, den auch Mitarbeiter Heinemanns brieflich und mündlich in vorsichtiger Form anklingen ließen, Ausdruck:

»Vor zwei Jahren, als das deutsche Volk von der Wiederbewaffnungsdiskussion aufgewühlt wurde, als der Schock des Wortes ›Remilitarisierung‹ ihm in den Knochen saß – da wäre der Moment gewesen, um eine große Volksbewegung ins Leben zu stampfen; inzwischen hätte sie Zeit gehabt, aus den organisatorischen und ideologischen Kinderschuhen herauszuwachsen.

Was damals versäumt wurde, läßt sich nun, nachdem die Stimmung umgeschlagen und die Mehrheit des Volkes sich mit den zukünftigen deutschen Di-

---

ser-Kurier 17. 12., Flensburger Tageblatt 28. 12. 52, Schwäbische Zeitung 9. 1., Deutsche Tagespost 4. 2., Ruhrwacht 17. u. 20. 4. 53 u. a.
48. Westdeutsches Tageblatt 2. 12. 52.
49. Wohlwollend berichteten z. B.: Neue Presse, Coburg, 28. 10. 52, 20. 4. 53, Nordsee-Zeitung 28. 10. 52.
50. StZ 2. 12. 52.

visionen als einem doch unentrinnbaren Schicksal abgefunden hat, nicht mehr nachholen.

Heute kann die Gesamtdeutsche Volkspartei nicht mehr werden als eine weitere politische Sekte.«[51]

In einer Zuschrift an die Zeitung wandte Heinemann dagegen ein, daß die Verfassung der Bundesrepublik die Einflußnahme des Volkes auf Bundestagswahlen beschränke; die Erfahrungen der Notgemeinschaft hätten ergeben, »daß die innenpolitischen Zustände und Wirkungsmöglichkeiten in Westdeutschland viel trauriger sind, als es Ihnen nach Ihren Verhältnissen geläufig ist«. Heinemann gestand zu, »daß die Bundesregierung und andere Kräfte die Wiederaufrüstung inzwischen für das Empfinden weiter Kreise zu jener Zwangsläufigkeit gemacht haben, die zum Geschick des politischen Handelns gehört«. Trotzdem hoffte Heinemann:

»Auf der anderen Seite suchen aber gerade jetzt zahllose Menschen nach einem Ausdruck ihres politischen Willens, den die bestehenden Parteien nicht zu bieten bereit sind. Alle bisherigen Wähler einer Regierungspartei, welche mit dem Bundeskanzler nicht einverstanden sind und nicht sozialistisch wählen wollen, finden in der neuen Partei einen Weg. Auch bisher sozialdemokratische Wähler, welche die Opposition der SPD für zwielichtig halten, interessieren sich lebhaft.«

Bestehende kleine Parteien würden durch das Wahlgesetz zum Zusammengehen mit der GVP genötigt.

»Und nicht zuletzt stoßen viele zumal aus der jungen Generation zu uns, welche in den alten Parteien keinen Fuß zu fassen vermochten. Alle unsere Versammlungen sind nicht nur überhaupt stark besucht, sondern auffallend stark, gerade von jungen Menschen, die bei allen Wahlen in der Bundesrepublik bisher unverhältnismäßig viele Nichtwähler aufwiesen! Wir haben deshalb keineswegs den Eindruck, eine Sekte zu bilden.«[52]

Heinemann setzte also, wie aus seiner Zuschrift und aus seinen Voten zur Zeit der Parteigründung hervorgeht, auf die zwischen den großen Parteien stehenden Wähler, auf jene Schicht, deren politische Entscheidung noch offen schien und deren politische Bewegung und Aufgeschlossenheit er überall erlebte, wo er sprach. Er hoffte, daß diese Schicht, deren Größe im Anfangsstadium der Meinungsumfragen nicht exakt zu erfassen war, dazu ausreichte, um eine politische Bewegung in der Bundesrepublik hervorzurufen, die zu einer Ablösung der Regierung führte. Da Adenauer nur mit knapper Mehrheit regierte, erschien eine solche Wendung tatsächlich möglich. Aus diesem Grunde gaben denn auch einige Zeitungen anfangs der GVP,

---

51. Die Tat 13. 12. 52.
52. Schreiben v. 16. 12. 52 an Die Tat (AH).

zumal unter evangelischen Wählern, gewisse Chancen[53]. Denn einmal war ja unter Protestanten die Beunruhigung über die Außenpolitik des Kanzlers größer als unter den Katholiken, und zum anderen gab es evangelische Gebiete, in denen die Aversion gegen den Katholiken Adenauer und den katholischen Einfluß in der CDU groß war.

Aber diese Aversion ließ sich für die neue Partei nicht nutzbar machen, nicht nur deshalb, weil Heinemann mit den Katholiken Helene Wessel und Bodensteiner im Präsidium der GVP zusammenarbeitete und unter den Vorstandsmitgliedern auch Katholiken waren. Heinemann konnte und wollte keine konfessionellen Gegensätze aufreißen, so sehr er die katholischen Tendenzen in der CDU-Konzeption Adenauers bekämpfte. Im Gegenteil, seine politische Zielsetzung nach außen und innen hing ja gerade zusammen mit einer überkonfessionellen christlichen Position.

Es war kein Zufall, daß gleichzeitig mit der Gründung der GVP eine »Kundgebung evangelischer und katholischer Christen« herauskam, deren zweiter Teil von Heinemann, Helene Wessel und Bodensteiner mit unterschrieben war[54]. Diese Erklärung, die der Essener Katholik Ludwig Zimmerer in seinem Blatt »Glaube und Vernunft« veröffentlichte, beleuchtet die geistigen Hintergründe der neuen Parteigründung. Obwohl die Partei bewußt nicht auf diese Erklärung Bezug nahm und Heinemann in seinen Reden und Artikeln ebenfalls davon absah, wäre ohne eine genauere Betrachtung dieser Erklärung die Analyse der neuen Partei unvollständig.

Im ersten, längeren Teil, der nur von Geistlichen unterschrieben war, wurde auf die Unvereinbarkeit des Glaubens an den Dreieinigen Gott mit politischen Systemen und Theorien hingewiesen und insbesondere Adenauers Forderungen an den Kirchentag zurückgewiesen: »Die Gegenwart fordert von uns ein Bekenntnis zu Christus als dem menschgewordenen und gekreuzigten Sohne Gottes, dem wir nachzufolgen haben und von dem allein wir das Heil erwarten können.« Die »von Christus zwischen Seinem Frieden, d. h. dem Frieden, der Er ist und den Er gibt, und dem Frieden dieser Welt gesetzte Unterscheidung« sei eindeutig; aber der Christ sei »in die Lage gesetzt, die Welthändel als Welthändel zu durchschauen« und »Frieden zu stiften«, indem er Haß, Angst, Überheblichkeit und Verurteilung des Gegners überwände.

Der politische Teil der Erklärung, der von denselben Pfarrern gemeinsam mit Laien verfaßt war, wurde unter dem biblischen Hin-

---

53. z. B. Allgemeine Wochenzeitung der Juden in Deutschland 14. 11. 52.
54. Flugblatt der Zeitschrift »Glaube und Vernunft«. Text auch in JK Heft 1/2, 15. 1. 1953, S. 24ff.

weis »Prüfet alles, das Gute behaltet« vorgelegt; denn wenn auch die Verfasser die politischen Überlegungen »nach eingehender Untersuchung der gegebenen politischen Umstände« als »Folgerungen aus der ihnen verkündeten Gotteswahrheit« gezogen hatten, so hielten sie doch jedes politische Argument für »soviel wert, als politische Weisheit in ihm enthalten ist«. Die Verfasser verlangten, für die Erhaltung des Friedens hätte sich jeder Christ in Westdeutschland »vor allem . . . gemäß seinem Gewissen« zu entscheiden. Er habe in jeder Situation nach seiner eigenen Schuld vor Gott zu fragen:

> »Wir haben uns nicht nur unserer eigenen Schuld bewußt zu sein, sondern auch der Schuld, welche die Klasse, das Volk, denen wir angehören, auf sich geladen haben. Aus dem Bewußtsein der Schuld entsteht die Bereitschaft zur Buße. Büßen aber heißt, sich Gott stellen.
> Viele Christen wollen heute das deutsche Volk zum Hüter der abendländischen Kultur ernennen, nachdem es noch vor kurzem durch die Bejahung oder Duldung des nationalsozialistischen Faschismus dieses Abendland verraten hat. Das Schuldbewußtsein im Hinblick auf das, was wir in den zwölf Jahren des Hitlerreiches angerichtet haben, ist auch unter den Christen kein Gemeingut geworden. Zu dieser Buße hat sich der Christ zu bekennen, auch wenn den Mächten unserer Welt die Buße – im Gegensatz zu den ersten Jahren nach 1945 – als ausgesprochen inopportun erscheint.«

Da Christen »nicht ausschließlich einem Volk oder einer Klasse« angehören könnten, müßten sie »alles dransetzen«, um Kriege, wie den Koreakrieg, zu beenden. Es grenze an Blasphemie, wenn ein drohender Krieg »als Kreuzzug bezeichnet und die Teilnahme an ihm als Christenpflicht dargestellt« werde. »Einer Politik, die systematisch den Haß sät, hat der Christ Gefolgschaft und Kriegsdienst zu verweigern.«

»Gegenüber der herrschenden Politik« hatten die Verfasser grundsätzlich einzuwenden, daß durch »Unversöhnlichkeit« und »beschleunigte Vorbereitung auf den heißen Krieg« der Kalte Krieg »immer mehr erwärmt werde«. Der »Friedenswille einer Regierung, die die Gelegenheit nicht wahrnimmt, eine solche Entwicklung zu verhindern«, werde »zumindest fragwürdig«. In diesem Zusammenhang kamen die Verfasser auf den möglichen Wandel in der Haltung der Sowjetunion zu sprechen; Anzeichen deuteten »darauf hin, daß die Sowjetunion zu einem Kompromiß, aber nicht zu einer bedingungslosen Kapitulation bereit« sei. Die Verfasser fragten die Politiker: »Warum wollt ihr nicht verhandeln, sondern statt dessen durch die Ratifizierung der Verträge eine Situation schaffen, in der Verhandlungen mit dem Osten kaum mehr möglich sind?« Sie fürchteten, »daß durch unsere Schuld keine Verhandlungen zustande kommen und daß dann ein dritter Weltkrieg nicht zuletzt unsere Sünde sein wird«.

Und nun folgte eine geradezu klassische Darstellung der theologisch-politischen Position Heinemanns und seiner politischen Mitstreiter:

»Wir halten es nicht für einen Zufall, daß dem deutschen Volk zweimal die Waffen aus der Hand geschlagen wurden. In der durch den zweiten Weltkrieg verursachten Zertrümmerung und Spaltung Deutschlands sehen wir nicht nur eine Strafe, sondern auch eine Aufgabe, die wir nur als Büßende und Friedliebende erfüllen können. Wir Deutsche haben die anderen Völker häufig durch unser hochmütiges ›Sendungsbewußtsein‹ erschreckt und verärgert. Wir haben unser Selbstgefühl nicht mehr an einer erfundenen Sendung zu entzünden; wir haben uns vielmehr bescheiden an unsere Aufgabe zu machen, aus dem zerteilten Volk wieder eine Einheit zu bilden. Damit intendieren wir nicht eine weltgeschichtliche Mission; aber die Erfüllung unserer Aufgabe könnte für alle Völker große Bedeutung gewinnen, weil ein wiedervereinigtes, weder in den Ostblock noch in den Westblock integriertes Deutschland entschärfend auf den gegebenen Weltkonflikt wirken würde. Nachdem wir Deutschen die ganze Welt in einen Krieg gezerrt haben, könnten wir sie vielleicht dadurch, daß wir uns friedfertig und nüchtern verhalten, vor einem neuen Weltkrieg bewahren.«

Abschließend nahmen die Verfasser kritisch zu der Behauptung Stellung, »die Ratifizierung der Verträge würde uns der Wiedervereinigung näherbringen«. Da »kein ernstzunehmender Politiker« eine pfandlose Herausgabe der DDR durch die Sowjetunion annehmen könnte, müsse die »angebliche Überzeugung« der Regierung begründet und dürfe keineswegs einfach »Vertrauen und Glauben« dafür gefordert werden. »Der mündige Christ glaubt an den Dreieinigen Gott und bekennt sich zu ihm. Er vergeudet seinen Glauben nicht an die Mächte der Welt, sondern prüft, ob ihr Handeln vernünftig ist, zum allgemeinen Wohle beiträgt, und ob er es als Christ bejahen kann.«

Die christliche Position, die in dieser Erklärung dargestellt wurde, ließ sich in die traditionelle Unterscheidung von »evangelisch« und »katholisch« nicht einordnen. Das evangelische Element darin war unverkennbar; aber der eine Ausgangspunkt, das Weltgericht Jesu Christi, und der andere, die von allen Deutschen zu leistende Buße, war den Unterzeichnern beider Konfessionen gemeinsam. Was die offiziellen Gremien der evangelischen Kirche nach 1945 versäumt hatten, eine Entfaltung und Konkretisierung des Stuttgarter Schuldbekenntnisses, wurde hier als gemeinsame Aufgabe beider Konfessionen ein Stück weitergetrieben. Das rational-kritische Element in der Erklärung machte es zudem möglich, daß man in der Praxis auch mit Menschen zusammenging, die ohne Vertrauen auf das Weltregiment Gottes auf Grund historisch-politischer Besinnung zu ähnlichen Überlegungen gekommen waren.

Nur konnte man sich auf diese Weise keinen Wählerstamm in einer sozialen Schicht schaffen. Damit fehlte der GVP das wesentliche Charakteristikum moderner Parteien. Die »Interessen«, die die GVP vertrat, ließen sich nicht bestimmten sozialen Gruppen in der BRD einfach zuordnen: die GVP wollte sozusagen stellvertretend für die nichtkommunistischen Deutschen in der DDR deren Interessen in der BRD wahrnehmen; sie wollte gegen die kurzsichtigen Interessen aller Deutschen, Sicherheit zu erlangen, ihre längerfristigen Interessen an einem weltpolitischen Ausgleich setzen, im Bewußtsein deutscher Gesamtschuld nach allen Seiten.

So war die Gesamtdeutsche Volkspartei ein spezifisches Phänomen der deutschen Situation nach dem Zweiten Weltkrieg. Ihre Wirkung hing davon ab, wie viele einzelne es in der Bundesrepublik gab, die zu demselben Urteil über die deutsche Frage gekommen waren, und ob diese einzelnen im politischen Raum eine Kraft zu formieren in der Lage waren[55]. Den Versuch dazu wollten Heinemann und die GVP jedenfalls unternehmen – trotz des Fehlens einer bestimmten Anhängerschicht[56], trotz des Mangels an Organisation und Finanzen, trotz der Zurückhaltung prominenter Sympathisanten, trotz der Unbeweglichkeit anderer regierungsfeindlicher Gruppen, trotz des Desinteresses und der Gegnerschaft fast der gesamten Presse und trotz der Übermacht der Regierung.

---

55. Der katholische Publizist Walter Dirks urteilte: »Es gibt eine Gruppe, die den Weg, den Europa nicht gegangen ist, immer noch für gangbar hält. Sie hält an jener Vision des erneuerten Deutschland oder an einer ähnlichen fest. Ich denke an Heinemann, an Helene Wessel, an Reinhold Schneider, an Niemöller, an die Opponierenden im Bund Katholischer Jugend, an sehr respektable evangelische Persönlichkeiten und Kreise. Ich möchte wünschen können, daß sie recht hätten, und ich wünschte, daß sie Erfolg hätten, das heißt: daß sie die Kräfte zusammenbringen könnten, mit denen man ihre Vision durchsetzen könnte. Aber ich sehe die Kräfte nicht ... Sie sind schwach nicht, weil sie bisher wenige Anhänger und Stimmen haben, sondern weil ihre Politik ein Volk voraussetzt, das es leider nicht oder noch nicht gibt. Selbst wenn sie durch Mißverständnis plötzlich eine große Fraktion würden, müßte ihre Politik daran scheitern, daß das deutsche Volk sich nicht erneuert hat« (Frankfurter Hefte, 7. Jg., Heft 11, Nov. 52, S. 822f).
56. Bei einer Umfrage im Dez. 1952: »Haben Sie schon einmal etwas von der Gesamtdeutschen Volkspartei gehört?« antworteten 69% der Befragten mit Nein, 31% mit Ja. 13% wußten die beiden leitenden Persönlichkeiten der Partei, Heinemann und Helene Wessel, mit Namen zu nennen. (E. Noelle/P. Neumann, Jahrbuch der öffentlichen Meinung 1947–1955, S. 271.)

5

Die deutsche Frage nach Stalins Tod

Am 5. März 1953 starb Stalin. Malenkow, Molotow und Berija übernahmen die Regierung. Die jahrzehntelange Herrschaft eines einzelnen wurde durch die eines Führungskollektivs abgelöst. In der westlichen Welt wurden diese Ereignisse kritisch daraufhin beobachtet, ob diese Änderung des Herrschaftsstils von Dauer sein und Auswirkungen auf die Zielsetzung der sowjetischen Politik haben würde. Verschiedene Anzeichen deuteten darauf hin, daß den neuen Männern an einer Koexistenz mit anderen Mächten gelegen war[1]. Auf dem Gebiet der Innen- und Wirtschaftspolitik begann die neue Regierung mit Reformen; sie hatten eine erhöhte Produktion von Verbrauchsgütern und eine Milderung der Strafgesetzgebung zum Ziel. Der »Neue Kurs« wurde alsbald von der Sowjetunion auf die Ostblockstaaten übertragen.

Die Vorgänge in der Sowjetunion hatten bei den Westmächten unterschiedliche Reaktionen zur Folge. Dulles vertrat die Meinung, im Grundsätzlichen habe sich im Osten nichts geändert, Eisenhower erklärte Anfang April, er werde einen »ehrenhaften Schritt« der Russen begrüßen und sei zu einem Treffen mit Malenkow bereit, nannte jedoch wenig später eine Reihe von Vorbedingungen, die die Sowjetunion zum Beweis ihres guten Willens zu erfüllen hätte, darunter das Zugeständnis eines wiedervereinigten Deutschlands innerhalb der EVG[2]. Hingegen sahen sich die Franzosen dazu ermutigt, zusätzliche Forderungen im Hinblick auf den EVG-Vertrag zu erheben und damit dessen Ratifizierung hinauszuschieben[3]. In England ergriff der Premier Churchill in einer vielbeachteten Unterhausrede am 11. Mai die diplomatische Initiative. Er setzte sich für eine Dreierkonferenz der Regierungschefs der USA, der Sowjetunion und Großbritanniens

---

1. J. Weber zählt als Beweise des Verständigungswillens der Sowjetunion auf: »Sie nahm einen britisch-sowjetischen Luftzwischenfall im Luftkorridor nach Berlin zum Anlaß, in versöhnlichem Ton eine Dreimächtekonferenz über Probleme der Luftsicherheit in Deutschland vorzuschlagen; der Druck auf die Türkei hörte auf; die diplomatischen Beziehungen mit Jugoslawien und Israel wurden wiederhergestellt; schließlich ließ die Sowjetführung ihre Einwände gegen den neuen UN-Generalsekretär Hammarskjöld fallen und trug zum Waffenstillstand in Korea bei.« (J. Weber, Das sowjetische Wiedervereinigungsangebot vom 10. März 1952, in: Aus Politik und Zeitgeschichte, Beilage zur Wochenzeitung »Das Parlament«, 13. 12. 69, S. 28).
2. Eugène Hinterhoff, Disengagement, London 1959, S. 160f. – G. Wettig, Politik im Rampenlicht, S. 33ff.
3. Wettig, aaO. S. 63ff.

ein mit dem Ziel, durch ein Gipfelgespräch die Weltlage zu entspannen und zu einer Vereinbarung in Europa zu kommen. Churchill wollte den Gedanken einer wechselseitigen Garantie der Staatsgebiete, der dem Vertrag von Locarno (1925) zugrundegelegen hatte, auf das Verhältnis zwischen Deutschland und Rußland übertragen.

»Rußland hat ein Recht darauf, sich sicher zu fühlen, daß, soweit menschliche Vereinbarungen reichen, die schrecklichen Ereignisse der Invasion durch Hitler sich niemals wiederholen werden, daß Polen eine befreundete Macht und ein Pufferstaat, obwohl nicht, so hoffe ich, ein Puppenstaat bleiben wird.«

Churchill warnte davor, in der Hoffnung auf eine politische Generallösung mit dem Versuch zu diplomatischen Einzelschritten zu warten und damit womöglich »irgendeine spontane und gesunde Entwicklung, die innerhalb Rußlands sich ereignen mag«, zu hindern: »Es würde gewiß kein Schade sein, wenn eine Zeitlang jeder Staat nach Dingen Ausschau hielte, die dem anderen angenehm anstatt unangenehm sind.«[4]

Die Veränderungen auf der weltpolitischen Bühne wurden von Heinemann und der Gesamtdeutschen Volkspartei sofort positiv aufgenommen. Heinemann charakterisierte das Neue in der Situation nach Stalins Tod so:

»Es ist die Chance zu einem völlig neuen Ansatz unserer Außenpolitik. Es ist die Chance zu einer gerade noch rechtzeitigen Abkehr von einer Verfestigung der deutschen Spaltung durch westdeutsche Weltmachtpolitik und Hinkehr zu einer gesamtdeutschen Entspannungspolitik ... Jetzt gilt es, zuzufassen, um über eine Bereinigung der deutschen Frage etwas Entscheidendes für den Frieden zu tun.«[5]

Acht Tage nach Stalins Tod schickte das Präsidium der GVP gleichlautende Briefe an die vier Hohen Kommissare, in denen die Unterzeichner einen Vorschlag zur Lösung der Deutschlandfrage unterbreiteten:

»1. Die vier Besatzungsmächte treten zu einer Konferenz zusammen, um sich zunächst über die völkerrechtliche Stellung eines wiedervereinigten Deutschlands zu verständigen. Dabei ist dem Sicherheitsbedürfnis des deutschen Volkes und seiner Nachbarn in gleicher Weise Rechnung zu tragen.

2. Der Inhalt dieser Verständigung wird dem deutschen Volk in allen vier Besatzungszonen zur Abstimmung vorgelegt.

3. Die Volksabstimmung in allen vier Besatzungszonen erfolgt in einer freien und geheimen Weise unter gemeinsamer Kontrolle durch die Besatzungsmächte. Für ihre Vorbereitung ist allseitig die Freiheit der Rede, der Versammlungen und der Presse zu gewährleisten.

---

4. FAZ 16. 5. 53.
5. Heinemann, Die neue Lage (Artikel, hekt., 10. 4. 53, AH).

4. Bei einer Bejahung der von den Besatzungsmächten unterbreiteten Vereinbarung über die völkerrechtliche Stellung eines wiedervereinigten Deutschland durch die Mehrheit der wahlberechtigten Männer und Frauen wird diese Vereinbarung als Bestandteil des von einer künftigen gesamtdeutschen Regierung mit allen Siegermächten abzuschließenden Friedensvertrages verbindlich.

5. Alles, was nicht die völkerrechtliche Stellung eines wiedervereinigten Deutschland betrifft, also z. B. auch die Grenzfragen, bleibt dem mit einer gesamtdeutschen Regierung abzuschließenden Friedensvertrag vorbehalten.

6. Die Gesamtdeutsche Regierung ist nach einer Annahme der Vereinbarung durch das Volk alsbald aus einer ebenso kontrollierten freien und geheimen Wahl zur Nationalversammlung zu bilden.«[6]

Gleichzeitig bat das Präsidium in gleichlautenden Schreiben Adenauer und Grotewohl, sich diesen Vorschlag »zu eigen zu machen«. Denn die Wiedervereinigung Deutschlands, die »von beiden Regierungen in Deutschland« gefordert werde, sei auf friedlichem Wege »weder durch Erstreckung der Gewalt« der BRD auf das Gebiet der DDR noch umgekehrt zu erreichen: »Nur der Übergang der bestehenden Gewalten an eine frei gewählte Nationalversammlung und eine von ihr zu bildende gesamtdeutsche Regierung kann Grundlage einer friedlichen Wiedervereinigung sein«. An beiden Regierungen übten die Unterzeichner Kritik:

»Eine Durchführung der von der Bundesregierung unterzeichneten Verträge von Bonn und Paris und die Maßnahmen seitens der Deutschen Demokratischen Republik drohen Deutschland endgültig zu spalten und machen unser Land vollends zum Aufmarschgebiet zweier verfeindeter Weltmächte ...

In Übereinstimmung mit weitesten Bevölkerungskreisen bedauern wir aufs Tiefste, daß sich die Bundesregierung gegen die bisherigen Verhandlungsmöglichkeiten ausgesprochen hat.

Wir bedauern ebensosehr, daß die Regierung der Deutschen Demokratischen Republik durch ihre Maßnahmen die Annäherung erschwert.

Wir erwarten von der Bundesregierung die Aussetzung der Ratifizierung der Verträge.

Wir erwarten von der Regierung der Deutschen Demokratischen Republik, daß sie von der Errichtung einer Nationalarmee und allen sonstigen von ihr als Gegenmaßnahmen bezeichneten Handlungen Abstand nimmt.«

Das deutsche Volk erwarte »von beiden Regierungen in Deutschland, daß sie auch die letzte Möglichkeit zu einer anderen Lösung ernsthaft und restlos ausschöpfen«[7].

Den Ruf Churchills nach einem Ost-Locarno begrüßte die GVP

---

6. GVP-Nachrichten I, Nr. 7 v. 17. 3. 53, S. 2f. – JK Heft 7/8 v. 15. 4. 53, S. 197f. – Der Text war vom Deutschlandausschuß der Partei vorbereitet und am 3. 3. 53 vom Präsidium durchberaten worden, die Briefe wurden am 13. 3. abgeschickt (Protokoll der Sitzung vom 3. 3., AH).

7. GVP-Nachrichten I,7, S. 3f. – JK Heft 7/8 v. 15. 4. 53, S. 198f.

sofort uneingeschränkt[8]. »Dieser erste wirklichkeitsnahe Vorschlag eines westlichen Staatsmannes für die Lösung des europäischen Streites«, erklärte Heinemann, berühre sich mit der Zielsetzung der GVP, die »den beiderseitigen Sicherheitsausgleich als die Kernfrage aller Deutschlandpolitik betrachte«[9]. In den folgenden Monaten bezog sich Heinemann in seinen Reden und Schriften immer wieder auf Churchills Vorschlag[10] und stellte eindringlich die »Kernfrage« für die deutsche Außenpolitik vor seine Leser und Hörer:

> »Ich frage noch einmal: Wieso glaubt man, daß Rußland seine Zone jemals friedlich herausgeben wird, wenn sie alsdann gegen Rußland aufgerüstet werden soll? Mit solcher Zielsetzung wird die friedliche Wiedervereinigung unseres Volkes schlechthin verraten und preisgegeben.«[11]

Der erste Bundesparteitag der GVP richtete öffentliche Appelle an die bevorstehende Konferenz der drei westlichen Regierungschefs und an die Regierung der Sowjetunion, in denen als Ziel eine Lösung der deutschen Frage aufgezeigt wurde, die dem Sicherheitsbedürfnis der Großmächte und der Deutschen und dem Selbstbestimmungsrecht Rechnung trüge. Den Drei- und Viermächtekonferenzen wurde vorgeschlagen:

> »Die Integrität des wiedervereinigten Deutschlands wird garantiert bis zu einem Zeitpunkt einer allgemeinen Abrüstung oder bis zu dem Zustandekommen eines Systems kollektiver Sicherheit in dem von allen Mächten unterzeichneten Friedensvertrag.«

»Als den ersten Schritt, dies Ziel zu erreichen«, empfahl die GVP abermals die Vorschläge, die sie im März den Alliierten und den deutschen Regierungen hatte zugehen lassen[12].

Die Reaktion der Bundesregierung auf die Ereignisse im Osten und derartige Appelle deutscherseits bestand darin, daß sie ihre bisherige Politik nur um so kompromißloser fortsetzte. Sie konnte das, weil zwei Tage nach Stalins Tod das letzte innenpolitische Hindernis gegen die Westverträge gefallen war: Das Bundesverfassungsgericht entschied, sie bedürften nur einfacher Mehrheit im Bundestag[13]. Dar-

---

8. GVP-Nachrichten I, 16, S. 2.
9. GH 118.
10. GH 117, 119, 122, 126. – Rede vor dem Bundesparteitag der GVP in Essen 7. 6., Rede in Godesberg 25. 6. 53 (Stichworte, AH).
11. Rede im Bayrischen Rundfunk am 15. 5. 53 (msl, AH), ähnlich Rede in Godesberg 25. 6. (AH) u. a.
12. GVP-Nachrichten I, 20, S. 2.
13. Baring, aaO. S. 258.

aufhin verabschiedete die Regierungsmehrheit, ohne angesichts der neuen weltpolitischen Ereignisse eine Verschiebung in Erwägung zu ziehen, 14 Tage nach Stalins Tod in dritter Lesung die Verträge. Adenauer vertrat die Meinung, der Tod Stalins habe »die Labilität der Weltlage noch gesteigert, die Gefahr, in der wir alle schweben, noch vermehrt«. Es gebe »keinen anderen Weg« zu Verhandlungen mit der Sowjetunion und zur Wiedervereinigung »als den, den Westen so stark wie möglich zu machen«[14].

In der Folgezeit nahm Adenauer jede Möglichkeit wahr, auf die Fortsetzung der bisherigen Politik des Westens zu dringen. Auf einer Amerikareise versicherte er, »Deutschland werde sich nie aus der EVG zurückziehen, selbst wenn die Russen eine Wiedervereinigung des Landes zulassen würden«. Er forderte als Beweis für die Echtheit sowjetischer Friedensbereitschaft die Gewährung freier Wahlen und der Wiedervereinigung Deutschlands und die Freilassung der deutschen Kriegsgefangenen[15]. Der Kanzler erlebte die Genugtuung, daß nach seinem Besuch seine Forderungen von Eisenhower unter den Vorbedingungen für einen weltpolitischen Ausgleich genannt wurden[16]. Unter dem starken Eindruck seiner Amerikareise maß Adenauer der Entscheidung der Bundesrepublik für die Westverträge auf dem Bundesparteitag der CDU in Hamburg nun weltgeschichtliche Bedeutung zu:

»Ich sage Ihnen, in unserer Hand, in der Hand der CDU und der CSU, zusammen mit den beiden anderen Koalitionsparteien liegt bei der zukünftigen Wahl in Wahrheit das Schicksal der Welt. Wir tragen eine ganz ungeheure Verantwortung ... Die Nachwelt wird einmal darüber das Urteil fällen, ob in der **Bundesrepublik Deutschland** sich in diesem historischen Jahr 1953 Männer und Frauen zusammengefunden haben, die erkannt haben, was die Uhr geschlagen hat, die erkannt haben, daß Deutschland jetzt tatsächlich im Mittelpunkt des Weltgeschehens steht und daß es von uns abhängig ist, ob die Welt Frieden bekommt, ob wir Freiheit bekommen, ob wir eine Wiedervereinigung Deutschlands in Frieden und Freiheit bekommen oder ob wir sie nicht bekommen. Sternstunden der Menschheit sind nur einmal da. Wenn man sie ungenutzt verstreichen läßt, kehren sie nicht wieder.«[17]

---

14. Stenogr. Berichte, 255. Sitzung, 19. 3. 53, S. 12302 und 12305f. (»Ich darf Sie weiter darauf hinweisen, daß in der ersten sowjetrussischen Note vom Herbst 1952 ein Diktatfrieden für Deutschland auf Grund des Potsdamer Abkommens verlangt worden war, das uns dadurch ein niedriger Lebensstandard auferlegt werden sollte und eine ständige bis in die kleinsten Einzelheiten gehende Kontrolle.«)
15. NZZ 9. 4., 13. 4., 14. 4. 53. – Adenauers Bericht: Erinnerungen I, S. 564ff.
16. Die Welt 17. 4. 53. – Wettig, Rampenlicht, S. 35.
17. Bulletin Nr. 75 v. 22. 4. 53. – Union in Deutschland, Informationsdienst der CDU v. 29. 4. 53, S. 5.

Jakob Kaiser, sonst manchmal zurückhaltender als der Kanzler, teilte diesmal sichtlich seinen Optimismus: er forderte die Befreiung auch der an Polen und Tschechen gefallenen Gebiete[18].

Churchills Rede, die möglicherweise mit auf die besorgte Reaktion der englischen Presse[19] auf Kaisers Forderungen zurückzuführen war, veranlaßte den Kanzler wenige Tage später auf einer Englandreise zu diplomatischen Gegenzügen. Zwar hütete er sich, öffentlich und direkt dem angesehenen britischen Staatsmann zu widersprechen. Aber er wandte sich entschieden gegen die Meinung, daß die Furcht der Sowjetunion vor einem Angriff ein wesentliches Motiv sowjetischer Handlungsweise sei. Der Kanzler gab zu verstehen, daß er weder zu einer Politik einzelner Schritte noch zu einer Anerkennung des kommunistischen Polen bereit war. Er betonte, »wenn die Spannungen einmal im Osten beseitigt« seien, müsse zwischen einem »freien Polen« und einem »wiedervereinigten Deutschland« ein »Modus vivendi, ein Kompromiß« zustandekommen[20].

Als die Sowjetunion Churchills Vorschlag als »konstruktiv« begrüßte und im Westen die Spekulationen über eine Viererkonferenz nicht abrissen, entschloß sich Adenauer zu einer intensiven diplomatischen Kampagne. Er entsandte Staatssekretär Hallstein und Ministerialdirektor Blankenhorn, um den Westmächten Botschaften zu überbringen[21]. Das Memorandum an Eisenhower enthielt alle früheren Forderungen der Bundesrepublik an die Sowjetunion, aber nicht einen einzigen Anhaltspunkt dafür, daß man der Sowjetunion irgendeine Gegenleistung bieten wollte[22]. Damit behielten die Zeitungen recht, die Adenauers Gespräche und Missionen von Anfang an als Fortsetzung seiner »Politik der Stärke« gedeutet hatten[23].

Innerhalb der Bundesrepublik gelang es dem Kanzler gleichzeitig, die letzten Widerstände gegen die Westverträge zu überwinden. Reinhold Maier verzichtete im Bundesrat auf ein Nein gegen die Verträge. Der Bundesrat, der über die Verfassungsmäßigkeit wenigstens der Zusatzverträge ein Gutachten beim Bundesverfassungsgericht einholen wollte, sah davon ab und stimmte den Verträgen im Mai zu[24].

Die Vorschläge der GVP, deren Empfang die westlichen Hohen Kommissare wenigstens formell bestätigten, führten von Seiten der

---

18. lt. Die Welt 9. 5. 53.
19. Manchester Guardian lt. Die Welt 9. 5. 53.
20. NZZ 16. 5., 18. 5., 20. 5. 53. – Die Tat 16. 5. 53. – Zu Adenauers Taktik siehe auch Baring, aaO. S. 313ff. – Adenauer, Erinnerungen II, S. 205ff.
21. FAZ 29. 5., NYT 30. 5., 2. 6., DNZ 1. 6., NZZ 9. 6. 53.
22. Bemühungen I, S. 119. – Adenauer, Erinnerungen II, S. 217f.
23. NZZ 14. 4. 53.
24. Baring, aaO. S. 280ff, bes. S. 290. – Maier, aaO. S. 491.

Bundesregierung und der Regierungsparteien zu keiner Reaktion[25]. Es war offensichtlich, daß die Bundesregierung derartige Ideen gänzlich ablehnte und ihre politische Stärke dadurch demonstrierte, daß sie gar nicht reagierte.

Wie die Bundesregierung, so setzte auch die Regierung in Ostberlin nach dem Tode Stalins ihre Politik zunächst unbeirrt fort. Die auf dem Parteitag beschlossenen harten Maßnahmen zur Durchsetzung des Sozialismus wurden konsequent durchgeführt, ja trotz großer wirtschaftlicher Schwierigkeiten noch verschärft[26]. Besonders die evangelische Kirche und in ihr die »Junge Gemeinde« waren weiter das Angriffsziel der herrschenden Partei[27]. Die Einschränkung der persönlichen Freiheit und die wirtschaftliche Notlage führten zur Vergrößerung des Flüchtlingsstroms nach Westen.

In den Rahmen dieser Politik gehörte der Kommentar, den die SED im »Neuen Deutschland« drei Tage nach der dritten Lesung der Westverträge im Bundestag zu den Vorschlägen der GVP zur Überwindung der Spaltung Deutschlands gab: »Eine notwendige Bemerkung zur Politik Dr. Heinemanns und seiner Gesinnungsfreunde.«[28] Darin hieß es, die GVP versuche, »die klaren Fronten zu verwischen und den klaren Konsequenzen auszuweichen«:

»Für sie gibt es nicht eine Regierung Adenauer, die die Kriegsverträge unterzeichnete und damit nationalen Verrat beging, sowie die Regierung der Deutschen Demokratischen Republik, die aufs entschiedenste die Kriegsverträge bekämpft und damit die Fahne des Friedens in Deutschland hochhält, sondern für sie gibt es zwei Regierungen in Deutschland, die gleichermaßen der Kritik bedürfen. Es ist klar, daß derjenige, der so die Frage stellt, in Wahrheit schützend vor die Adenauer-Regierung und ihre Kriegsverträge tritt.«

Die GVP treibe »eine Politik der Halbheiten, der Ausflüchte und der Vorbehalte, die letzten Endes nur Adenauer zugute« käme:

»Sie nennen sich zwar ›Gesamtdeutsche Volkspartei‹ – aber so weit gespannt dieses Wort ist, so eng ist ihre Politik. Wie kann von ›gesamtdeutsch‹ die Rede sein, wenn sie im gleichen Zuge erklären, mit diesen und jenen Teilen der Widerstandsbewegung in Westdeutschland nicht zusammenarbeiten zu wollen, zum Beispiel mit dem entschlossensten Teil der Arbeiterschaft, den Kommunisten? Wie kann von ›Volkspartei‹ die Rede sein, wenn sie sich bewußt auf die bürgerlichen Kreise orientieren, deren Kräfte – die Geschichte hat es mehr als

---

25. Akte AH. – GVP-Nachrichten I, 10, S. 7.
26. M. Jänicke, Der dritte Weg. Antistalinistische Opposition gegen Ulbricht seit 1953, Köln 1964, S. 25ff. – A. Baring, Der 17. Juni 1953, Köln/Berlin 1965, S. 36ff. – C. Stern, Ulbricht. Eine politische Biographie, Ullstein Nr. 574/75, S. 149ff.
27. JK Heft 9/10 v. 15. 5. 53, S. 202ff, Heft 11/12 v. 15. 6. 53, S. 290ff.
28. Neues Deutschland 22. 3. 53.

einmal bewiesen – bei weitem nicht ausreichen, um die deutsche Nation zu führen? Nein, die ›Gesamtdeutsche Volkspartei‹ Dr. Heinemanns ist leider, wie ihr bisheriges Auftreten zeigt, keine Partei zur Verteidigung, sondern eine Partei zur Spaltung der deutschen Patrioten.«

Während die SED »die Partei Dr. Heinemanns« als »ein totgeborenes Kind« bezeichnete, setzte sie sich abermals energisch für die »Deutsche Sammlung« von Wirth und Elfes ein, »welche allen Patrioten ihre Tore öffnet und welche die Rolle und Bedeutung der DDR im Kampf um die Einheit und um den Frieden begreift und anerkennt« und deshalb »der Sympathie, Unterstützung und Gefolgschaft der Patrioten in Ost und West unseres Vaterlandes sicher sein kann«.

Dieselbe Kritik wurde alsbald in westdeutschen kommunistischen Zeitungen ausgebreitet. »Die Rolle der ›Gesamtdeutschen Volkspartei‹ Dr. Heinemanns« wurde in zwei Punkten zusammengefaßt; sie habe »die Aufgabe, die quer durch alle Parteien gehende Sammlung aller patriotischen Kräfte zu verhindern und die Opposition gegen die Adenauer-Regierung zu zersplittern«, und »die Aufgabe, durch die Förderung parlamentarischer Illusionen die Massen von außerparlamentarischen Aktionen« gegen die Regierung abzuhalten[29]. Gleichzeitig appellierten auf der Hauptvorstandssitzung der Ost-CDU Nuschke und Götting an »die Menschen um Heinemann«, »sich der Deutschen Sammlung anzuschließen und nichts ohne Fühlungnahme mit der Deutschen Sammlung zu tun«. Götting warf Heinemann vor, er habe sich zwar nach der Märznote 1952 als »ein Fürsprecher der nationalen Wiedervereinigung, der nationalen Verständigung« ausgewiesen, sei aber nun auf dem »Weg der Spaltung der patriotischen Kräfte und des Verrats an seiner eigenen Politik von 1950«, wenn er nicht noch »bald« »an die Seite der deutschen Patrioten in der Deutschen Sammlung« fände[30]. Heinemanns Antrag vom Februar, ihn in der DDR als Rechtsanwalt zur Verteidigung der dort verhafteten Pfarrer zuzulassen, wurde im April von Justizminister Fechner mit der Begründung abgelehnt, daß nur in der DDR zugelassene Rechtsanwälte eine solche Aufgabe übernehmen könnten[31].

Die Reaktion aus Ost-Berlin auf Heinemann und die GVP zeigte, daß sich die SED und die Ost-CDU ihrer Sache nicht ebenso sicher wie die West-CDU waren. Wenn die »Deutsche Sammlung« wirklich

---

29. Walter Poth, Mitglied des Sekretariats des Parteivorstandes, in: Volksstimme 28./29. 3., Neue Volks-Zeitung, Essen, 31. 3. 53.
30. Nuschke in: Neue Zeit 26. 3. – Götting in: Neue Zeit 28. 3., Die Union 28. 3. 53. – upd Nr. 5/6, S. 10.
31. StZ 20. 4. 53.

die »Millionenbewegung aller Patrioten Westdeutschlands« war, wie es in der Ostpresse hieß[32], hätte man auf die GVP ja nicht zu achten brauchen. Aber die SED schien zu fürchten, daß eine unabhängige Neutralistenbewegung in Westdeutschland der von ihnen protegierten »Deutschen Sammlung« den Rang ablaufen könnte. Das aber konnte, wenn die GVP einen Erfolg bei den Wahlen erzielte, dazu führen, daß die Sowjetunion womöglich den Märzvorschlag der GVP in Erwägung zog, einen Vorschlag, dessen Durchführung – freie Wahlen in einem militärisch ausgeklammerten Gesamtdeutschland – die Entmachtung der SED in der DDR zur Folge haben konnte. Demgegenüber war die SED darauf bedacht, ihre harte außen- und innenpolitische Linie weiterzuverfolgen, solange ihr die Sowjetunion nicht eine konziliantere Politik nach Westen hin auferlegte; deshalb stützte die SED in der Bundesrepublik die Kräfte, die sie eher zu beeinflussen hoffen konnte als die GVP.

In der GVP wurden die Ost-Berliner Verlautbarungen zunächst kommentarlos registriert[33], dann negativ kommentiert; die SED und die CDU seien sich »darin wie zwei Brüder einig, daß der wirkliche Vertreter einer friedlichen gesamtdeutschen Verständigungspolitik, nämlich die GVP, verleumdet und beim Volke verdächtig gemacht werden muß«[34]. Heinemann selbst erklärte einem Journalisten gegenüber: »Wenn die Machthaber von Pankow merken, daß man nicht mit ihnen geht, daß sie unsere Partei nicht für ihre politischen Zielsetzungen einspannen können, dann sind wir ihre Feinde.« Was die »Deutsche Sammlung« beträfe, so sei die Sachlage »völlig klar, diese Leute sind ostzonal gesteuert. Sie sind das Instrument der Pankower in Westdeutschland.«[35] Das Ost-Berliner Vorgehen gegen die Kirche hielt Heinemann für einen »überaus besorgniserregenden Tatbestand«[36].

Für die GVP entstand eine neue Lage, als sich die »Deutsche Sammlung«, die noch kurz vorher eine Beteiligung an der Wahl strikt abgelehnt hatte, am 10. Mai 1953 doch in eine Partei verwandelte. Auf der Gründungsversammlung des »Bundes der Deutschen« bezeichnete es Elfes als schmerzlich, daß es nicht gelungen sei, mit Heinemann, den er persönlich sehr schätze, zu einer Einigung zu gelangen[37]. Er spielte damit auf einen Besuch bei Heinemann an, bei dem er der GVP die öffentliche Unterstützung durch die Deutsche Samm-

32. Freiheit, Halle, 20. 3. 53.
33. Text in GVP-Nachrichten I, 10, S. 4f.
34. ebd. I, 11, S. 3.
35. Neue Presse, Coburg, 21. 4. 53.
36. Weser-Kurier 9. 5. 53.
37. Offene Worte zum Zeitgeschehen, Köln, 1. Mai-Ausgabe 1953.

lung angeboten hatte, ja förmlich hatte aufdrängen wollen, jedoch bei Heinemann auf Ablehnung gestoßen war[38]. Zu der neuen Partei erklärte Heinemann auf Anfrage der Presse sogleich, es bestehe keinerlei Verbindung zwischen der GVP und dem BdD wie zwischen GVP und Ost-Berlin:

>»Glaubt man, ich sei aus der Bundesregierung ausgetreten, um mich an die Ost-Berliner Strippe legen zu lassen? Beide, sowohl die Amerikaner als auch die Russen, sind die Gegner unserer Partei, weil wir gegen die Aufrüstung beider sind.«[39]

Noch schärfere Töne schlugen die GVP-Nachrichten an, in denen die beiden deutschen Regierungen als »Satelliten« und »Separatisten« bezeichnet und die politischen Bestrebungen Adenauers und Ulbrichts als Hindernisse gegenüber einer Wiedervereinigung Deutschlands gedeutet wurden. Scharf wandte sich das Blatt gegen die politischen Organisationen von Wirth und Elfes; sie wurden als Instrumente Ulbrichts, die »alle echten Wiedervereinigungsbestrebungen im Westen torpedieren und zersplittern« sollten, charakterisiert[40]. Solche Meinung blieb jedoch nicht unwidersprochen. Dem Präsidium der Partei mißfielen Polemiken dieser Art[41]. In Zuschriften an die GVP-Nachrichten machten GVP-Mitglieder darauf aufmerksam, daß Wirth und Elfes als Nichtkommunisten dieselben außenpolitischen Ziele wie Heinemann verträten, und Zimmerer ging in einem gründlichen Artikel auf die Vorwürfe der SED und KPD ein[42]. Er tat das einmal deshalb, weil er dem östlichen Vorwurf, die GVP möchte sich »allzu ausschließlich auf die parlamentarische Aktion beschränken«, eine sachliche Berechtigung nicht absprechen wollte; schließlich habe der Widerstand gegen die Aufrüstung bei der Notgemeinschaft in der Sammlung von Unterschriften für eine Petition bestanden, die dann doch nicht abgeschickt worden sei. Zum anderen aber sah Zimmerer auch die taktische Bedeutung solcher Auseinandersetzung: »Die Kommunisten, mit denen die Politiker der GVP nichts zu tun haben wollen, können dieser Partei mehr schaden, als die GVP-Politiker ahnen.«

Damit hatte Zimmerer das Dilemma angesprochen, in dem sich die GVP wie ehedem die Notgemeinschaft befand: die Distanzierung gegenüber den Kommunisten und ihren Protegés war nötig, wenn man überhaupt Einfluß in der BRD erringen wollte – aber sie gefährdete damit zugleich das Ziel eines außenpolitischen Ausgleichs, um

---

38. Mdl. Mitteilung Heinemanns an den Verfasser.
39. Der Mittag 12. 5., FAZ 12. 5. 53.
40. GVP-Nachrichten I, 15 und 16.
41. Protokoll der Sitzung des Präsidiums vom 26. 5. und 17. 6. 53 (AH).
42. GVP-Nachrichten I, 17 und 18.

dessentwillen man diese Macht überhaupt wollte. Weil nach dem Tode Stalins die beiden deutschen Regierungen noch stärker als vorher
darauf bedacht waren, ihren Kurs weiterzusteuern, war es um
so schwerer, zwischen Annäherungsversuchen der einen und Verdächtigungen der anderen Seite hindurch einen Kurs zu halten, der
der westdeutschen Bevölkerung und den Großmächten samt den Parteigängern des Ostens als noch annehmbar erschien. Die Lockerung
der weltpolitischen Spannung wirkte sich also im Gegensatz zu Österreich, wo die Regierung alsbald außenpolitische Schritte ganz in Analogie zur Zielsetzung der GVP unternahm[43], in der Bundesrepublik
nicht als Begünstigung der entspannungswilligen Kräfte aus; dazu waren die beiden deutschen Regierungen schon zu mächtig und die politischen Gegensätze zu groß.

Für die weiteren Aussichten auf eine Lösung der Deutschlandfrage
wurde die Reaktion der Ost- und Westdeutschen auf die Änderung
der sowjetischen Deutschlandpolitik bedeutungsvoll, die sich im Juni
1953 abzeichnete. Nach der Auflösung der sowjetischen Kontrollkommission am 28. Mai veranlaßte der neu ernannte sowjetische Botschafter Semjonow am 9. Juni eine Revision der SED-Beschlüsse. Am
10. Juni wurde die Verfolgung der evangelischen Kirche eingestellt,
am 11. verkündete die Regierung offiziell einen »Neuen Kurs«: die
Bevölkerung sollte besser mit Konsumgütern versorgt, die Privatwirt-
schaft wieder gefördert und Gerichtsurteile überprüft werden. Infolge
der Unsicherheit der SED über die Frage der Normen kam es am 16.
Juni in Ostberlin zu Demonstrationen und zum Aufruf eines Generalstreiks, der dann am folgenden Tage in den Städten der DDR einen
Aufstand der Arbeiter zur Folge hatte[44].
    Während dieser Tage und Wochen stand die westdeutsche Bevölke-
rung, ein Vierteljahr vor den Bundestagswahlen, vor dem Problem,
in welchem Sinn sie die überraschenden Ereignisse in Berlin und in
der DDR aufnehmen und kommentieren und damit ihrerseits den
Fortgang beeinflussen würde.
    Die Situation Anfang Juni erschien vielen Politikern dafür günstig,
den Forderungen an den Osten Nachdruck zu verleihen. So erlebte
Adenauer die Genugtuung, daß am 10. Juni der ganze Bundestag bei
Stimmenthaltung der Kommunisten eine Entschließung annahm, die
eine Wiedervereinigung ohne Konzession vorsah[45]. Die SPD kriti-

43. H. Siegler, Österreichs Weg zur Souveränität, Neutralität, Prosperität, Bonn/Wien/
    Zürich 1959, S. 32ff, 61ff.
44. Baring, Der 17. Juni 1953, S. 41ff.
45. Stenogr. Berichte, 269. Sitzung v. 10. 6. 53, S. 13258f, 13264. – Bemühungen I,
    S. 120. – Bulletin Nr. 107 v. 11. 6. 53, S. 909ff.

sierte zwar die Ostpolitik Adenauers, konnte sich aber zu einer deutlichen Trennung von seinem Programm der Maximalforderungen nicht entschließen. Verschiedene Politiker meldeten territoriale Forderungen an den Osten an, die über die Wiederherstellung der Grenzen von 1937 hinausgingen[46]. Adenauer selbst wertete den Neuen Kurs als »Folge der von der Bundesregierung verfolgten Politik« und wiederholte mehrfach seine Forderungen vom Frühjahr[47].

Die Generalstreikdrohung vom 16. Juni wurde in der westdeutschen Öffentlichkeit weithin als Bestätigung der Stärkepolitik aufgefaßt. Zwar waren die Stimmen selten, die vom Westen aus öffentlich zum Generalstreik aufriefen[48]; aber noch seltener waren direkte Warnungen, wie sie Jakob Kaiser an die Ostdeutschen richtete[49]. Eine bängliche Erwartung des Kommenden war mit einer unbestimmten Hoffnung verquickt, eine Befreiung von der kommunistischen Herrschaft könne möglich werden[50]. Befangen in der jahrelang genährten Hoffnung auf eine preislose Herausgabe der Ostzone und fasziniert vom Anblick kommunistischer Schwächeerscheinungen, achtete man plötzlich die Tatsache gering, die vorher als allein ausschlaggebend angesehen worden war: die Stärke der sowjetischen Besatzung.

Nach dem Scheitern des Aufstandes herrschte das Gefühl der Empörung über den sowjetischen Eingriff und das der Befriedigung über die moralische Disqualifikation der Kommunisten vor. In der Trauerfeier für die Opfer des Aufstandes gab Adenauer dem allgemeinen Fühlen Ausdruck, als er ausrief:

»Wie ein Fanal wird dieser Aufstand wirken bei uns in Deutschland und in der ganzen Welt, wie ein Fanal, das zeigt, daß Gewalt unseren Willen zur Freiheit nicht zu brechen vermag.

Neben die Trauer, neben das Mitleid tritt der Stolz auf diese Helden der

---

46. Waldemar Kraft im BHE-Nachrichtendienst lt. FAZ 5. 6. 53. – Minister Seebohm (DP) im Bulletin Nr. 107 v. 11. 6. 53, S. 915. – Dr. Rudolf Lodgman v. Auen in der Sudetendeutschen Zeitung v. 30. 5. 53. – Vgl. auch DNZ 13. 7. und 28. 7., Die Welt 18. 7. 53.
47. NZZ 17. 6. 53. – Bulletin Nr. 110 v. 16. 6. 53, S. 933f.
48. Der RIAS sendete am 16. 6. den Appell zum Generalstreik aus dem Munde einer Ost-Berliner Arbeiter-Delegation und einen entsprechenden Kommentar des Hauptkommentators E. Schulz und am 17. 6. den Aufruf des Westberliner Gewerkschaftsvorsitzenden E. Scharnowski zur Solidarität mit den Ost-Berliner Bauarbeitern. – M. Boveri, Verrat als Epidemie. Amerika, Reinbek 1960, S. 79. – A. Baring, Der 17. Juni 1953, S. 99f.
49. Baring, aaO. S. 99f.
50. z. B. stimmte K. Gerold (FR 17. 6. 53) der Meinung zu, im Fall eines Generalstreiks der gesamten Arbeiterschaft in der DDR würde das SED-Regime in »einer halben Stunde weggefegt«.

Freiheit, der Stolz auf alle, die sich auflehnten gegen diese seit nunmehr acht Jahren währende Sklaverei.

Das ganze deutsche Volk hinter dem Eisernen Vorhang ruft uns zu, seiner nicht zu vergessen, und wir schwören ihm in dieser feierlichen Stunde: Wir werden seiner nicht vergessen. Wir werden nicht ruhen und wir werden nicht rasten – diesen Schwur lege ich ab für das gesamte deutsche Volk – bis auch sie wieder Freiheit haben, bis ganz Deutschland wieder vereint ist in Frieden und Freiheit.«[51]

Schon am 17. Juni machte die Bundesregierung deutlich, daß sie bedingungslos an den Forderungen vom 10. Juni festhielt[52]. In den folgenden Wochen entwickelte sie Pläne für die Öffnung der Zonengrenzen und die Wiedervereinigung und sandte Botschaften darüber unter Aufzählung aller Forderungen in die westliche Welt[53] – ohne auch nur einmal den Gedanken einer Gegenleistung an die Sowjetunion zu erwägen. Zwar wurde auch das russische Sicherheitsbedürfnis erwähnt. Aber es sollte befriedigt werden, *nachdem* die Sowjetunion ganz Deutschland politische Handlungsfreiheit gewährt, d. h. der Einbeziehung der DDR in die EVG zugestimmt hatte[54]. Auf die Frage nach einer Gegenleistung für eine deutsche Wiedervereinigung antwortete Adenauer, die Länder der westeuropäischen Montanunion unter Einschluß ganz Deutschlands seien für die Sowjetunion ein beachtlicher Handelspartner[55].

Gustav Heinemann kommentierte den Neuen Kurs der SED vor den Unruhen einem Vertreter von UP gegenüber so:

»Es ist erschütternd, wie wenig Dankbarkeit man in den Bonner Regierungsparteien über die Veränderungen in der russischen Zone Deutschlands zu äußern vermag. Schon um der Menschen willen sollte diese Dankbarkeit an erster Stelle stehen.

Wenn man statt dessen mit dreistem Gesicht von Erfolgen der Bonner Politik redet, so verbirgt man damit schlecht eine große Verlegenheit ...

Bonn täte gut daran, zu erkennen, daß die Deutschlandpolitik neu in Fluß gekommen ist. Wenn man die so oft proklamierte baldmögliche Wiedervereinigung unseres Volkes jemals ernst meint, dann kommt es jetzt darauf an, die neuen Ansätze der russischen Politik in einer umfassenden Regelung aufzufangen, auszuweiten und festzuhalten.«[56]

---

51. Bulletin Nr. 116 v. 24. 6. 53, S. 985.
52. Stenogr. Berichte, 272. Sitzung v. 17. 6. 53, S. 13449. – Bemühungen I, S. 120f.
53. Stenogr. Berichte, 278. Sitzung, 1. 7. 53, S. 12870ff. – Bemühungen I, S. 120ff, 125f, 133f. – Adenauer, Erinnerungen II, S. 222ff.
54. Brief an Dulles v. 8. 7. 53, Bemühungen I, S. 126. – Ähnlich Hallstein lt. DNZ 7. 7. 53.
55. FAZ 7. 7. 53.
56. UP 14. 6. 53.

Nach dem 17. Juni zog Heinemann die »Lehre von Berlin«[57]. Er sah in den Vorgängen eine Bestätigung der Meinung, »wie wahrhaft dringlich die Wiedervereinigung unseres Volkes ist«. Deutlich setzte sich Heinemann von der allgemeinen Empörung ab:

> »Man sollte bei aller Trauer um die Toten der russischen Seite zugute halten, daß sie in dem Einsatz ihrer militärischen Machtmittel Gott sei Dank nicht so weit ging, als man angesichts der doch sehr drastischen Attacken der Volksmassen befürchten mußte. Darin lag eine politische Weisheit, die jedenfalls größer ist als manche unverhohlene Freude im Westen darüber, daß es zu jenen tumultuarischen Aufständen gekommen ist.«

Der Aufstand im Osten habe gezeigt, daß die wechselseitige Furcht der Großmächte, ein wiedervereinigtes Deutschland könnte sich auf die Gegenseite schlagen, in Ost und West sehr unterschiedliche Berechtigung habe. Im Westen werde man

> »anerkennen müssen, daß ein Gesamtdeutschland nicht daran denkt, einen Weg in den Osten zu gehen. Daraus sollten die Westmächte ihre Folgerungen ziehen und die Wiedervereinigung unseres Volkes weniger zurückhaltend betreiben als bisher! Der Osten aber wird sich hinsichtlich einer Wiedervereinigung unseres Volkes nach den Vorgängen der letzten Woche mehr Zurückhaltung auferlegen. Er wird nun erst recht wissen wollen, was wir Deutschen tun werden, wenn er seine Zone preisgibt und uns wieder zusammenkommen läßt.«

»Sind wir bereit, diese Frage anzuerkennen und ihr Rechnung zu tragen?« Diese Frage war für Heinemann identisch mit der anderen: »Sind wir bereit, unsere Wiedervereinigung außerhalb militärischer Bindungen an Amerika zu wollen?« Während die Sowjetunion die Erwartung einer Bolschewisierung ganz Deutschlands von der DDR aus nun »vollends fahren lassen« müsse, möchte die Hoffnung der Amerikaner und Westdeutschen auf eine Neuordnung Osteuropas größer geworden sein. Wenn aber die Westdeutschen den Beitritt zur westlichen Militärallianz nicht von sich aus ablehnten, würden sie »die Amerikaner nicht dazu führen, daß sie auf eine alsbaldige Wiedervereinigung unseres Volkes zugehen«[58].

Ein größerer Gegensatz zwischen dieser Analyse und den Äußerungen Adenauers und seiner Regierung war nicht vorstellbar. Während Adenauer, um die Idee einer westeuropäischen Union nicht in Zweifel ziehen zu müssen, lieber die politischen Gegebenheiten auf den Kopf stellte, die Einbeziehung der DDR ins westliche Militär- und Wirtschaftssystem als Vorteil auch für die Sowjetunion ausgab und in der deutschen Frage in Übereinstimmung mit den Gefühlen der westdeutschen Bevölkerung eine Scheinaktivität entwickelte,

---

57. GH 120.
58. ebd.

drang Heinemann nur um so stärker auf den Versuch zu einer gesamtdeutschen Lösung. Er hatte erkannt, daß durch den 17. Juni die westliche Sog- und Magnettheorie widerlegt und eine östliche Politik des Ausgleichs in der deutschen Frage erschwert worden war.

Inzwischen hat sich herausgestellt, daß Heinemanns Beurteilung der Situation nach Stalins Tod und nach dem 17. Juni zutreffend war. Mit Berija war im Frühjahr 1953 ein Mann im Kreml zur Macht gekommen, der tatsächlich eine Revision der sowjetischen Außenpolitik wollte, und Malenkow unterstützte ihn[59]. Selbst Skeptiker gegenüber der Möglichkeit einer Lösung der Deutschlandfrage geben zu, daß nach Stalins Tod die relativ größte Chance dazu aufgetaucht ist[60]. Daß der Verlauf der Ereignisse in der DDR die Position der ausgleichswilligen Kräfte in der Sowjetunion schwächte, war an dem Sturz Berijas im Juli 1953 und der späteren Entmachtung Malenkows abzulesen und ist inzwischen unbestritten. Daß die Bundesregierung in jeder Phase der Ereignisse durch ihre intransigente Haltung jeden Ansatz zu einem politischen Ausgleich im Keim erstickte und weder Opposition noch Presse dem Widerstand leisteten, ist bisher nicht scharf genug gesehen und bleibt das Fazit eines kritischen Vergleichs der Regierungspolitik mit den Vorschlägen und Kommentaren Heinemanns und der Gesamtdeutschen Volkspartei.

---

59. Chruschtschow sagte in seiner Rede vom 8. 3. 1963 (Prawda v. 10. 3. 63): »Bereits in den ersten Tagen nach dem Tod Stalins begann Berija Schritte zu unternehmen, die die Arbeit der Partei desorganisierten und auf die Untergrabung der freundschaftlichen Beziehungen der Sowjetunion zu den Bruderländern des sozialistischen Lagers gerichtet waren. Gemeinsam mit Malenkow schlugen sie beispielsweise provokatorisch vor, die Deutsche Demokratische Republik als sozialistischen Staat zu liquidieren, und empfahlen der Sozialistischen Einheitspartei Deutschlands, auf die Losung des Kampfes für den Aufbau des Sozialismus zu verzichten. Das Zentralkomitee der Partei hat damals empört die verräterischen Vorschläge abgelehnt und den Provokateuren eine vernichtende Abfuhr erteilt.« Der Vorwurf, daß Berija mit seiner »kompromißlerischen« Deutschlandpolitik eine Aufgabe der DDR bezweckt habe, war schon 1956 in einem Rundschreiben der sowjetischen Parteiführung an die Parteiführungen benachbarter Länder behandelt worden (Boris Meissner, Die Sowjetunion und Deutschland 1941 bis 1967, EA 25. 7. 1967, S. 522f).
60. J. Weber spricht von einer »Phase, in der es ... wirklich eine kurzfristige Chance zur Wiederherstellung der deutschen Einheit gegeben hatte, die jedoch in starkem Maße mit der Person Berijas verbunden war« (Weber, aaO. S. 28).

6
Die Gesamtdeutsche Volkspartei im Bundestagswahlkampf 1953

Die Chancen der GVP, das Ohr der Wähler zu erreichen und in den Bundestag einzuziehen, waren schon infolge ihrer organisatorischen und finanziellen Schwäche von Anfang an gering gewesen und verringerten sich im Sommer 1953 noch mehr[1]. Die GVP sah sich dem doppelten Handikap gegenüber, daß ihr Gedanke eines außenpolitischen Ausgleichs mit der Sowjetunion der verbreiteten öffentlichen Empörung über die Kommunisten nach dem 17. Juni stracks zuwiderlief und daß durch das Wahlgesetz eine weitere psychologische Schranke gegen die Partei aufgerichtet wurde. Die Regierungsparteien machten die Ankündigung des Innenministers Lehr, es gelte mit Hilfe eines Wahlgesetzes Hürden gegen neue Parteien zu errichten, wahr und beschlossen nach monatelangen Vorbereitungen endlich im Juli, zwei Monate vor der Wahl, ein Wahlgesetz, das zwei Hindernisse für die GVP enthielt[2]. Das eine war die Klausel, daß nur die Partei, die im Bundesgebiet 5% der Wählerstimmen oder ein Direktmandat erreichte, in den Bundestag einziehen konnte. Man begründete diese Bestimmung mit dem Hinweis darauf, daß die Weimarer Republik durch Parteizersplitterung ohnmächtig geworden sei, eine Deutung, die die peinliche Hauptursache für das Scheitern der Weimarer Republik, die Hinwendung bürgerlicher Wähler zu rechtsradikalen Parteien, unterschlug. Die GVP-Nachrichten analysierten zutreffend, daß sich das Wahlgesetz in Wirklichkeit gegen alle Parteien richtete,

»die sich gegen die zweigeteilte deutsche Aufrüstung und für die friedliche Wiedervereinigung aussprechen. Es zielt darauf ab, die alten Parteien zu konservieren, ja zu privilegieren, neue Parteien praktisch von der Bundestagswahl auszusperren und damit neuaufkommende politische Bewegungen zu blockieren.«[3]

Tatsächlich war die 5%-Klausel geeignet, mit einem Schlage die nationalistischen, kommunistischen und neutralistischen Kräfte politisch abzuwürgen.

---

1. Nur 5% der Bevölkerung wußten bei einer Umfrage im Juli 1953 den Namen der Partei zu nennen, »die vor einiger Zeit von dem ehemaligen Innenminister Heinemann und von Helene Wessel gegründet worden ist«. 10% machten vage oder falsche, 85% keine Angaben. E. Noelle/E. P. Neumann, Jahrbuch der öffentlichen Meinung 1947–1955, S. 271.
2. Lehr: FAZ 7. 11. 52. – 3. Lesung am 25. 6. 53 (Stenogr. Berichte, 276. Sitzung). – Bundesgesetzblatt, Jg. 1953, T. I, S. 470ff. – W. Hirsch-Weber u. K. Schütz, Wähler und Gewählte. Eine Untersuchung der Bundestagswahlen 1953, Berlin/Frankfurt 1957, S. 100ff.
3. GVP-Nachrichten I, 20, S. 4.

Speziell gegen die GVP richtete sich obendrein die zweite Hürde im Wahlgesetz, eine Bestimmung, die für alle neuen Parteien in jedem Wahlkreis die Unterschrift von 500 Personen verlangte. Das bedeutete, daß »in 242 Wahlkreisen unter Berücksichtigung eines Sicherungszuschlages gegen Fehlerquellen beim Einsammeln der Unterschriften also rund 150 000 Unterschriften vorab« beizubringen waren[4]. Nach den Erfahrungen der Notgemeinschaft konnte eine solche öffentliche Stimmabgabe nur unter größten Schwierigkeiten erreicht werden. Heinemann erhob sogleich für die GVP dagegen Klage beim Bundesverfassungsgericht, da eine solche Bestimmung gegen den Grundsatz der Rechtsgleichheit verstieße und das Wahlgeheimnis damit weitgehend aufgehoben würde[5].

Daß die 5%-Klausel zu beseitigen sei, erwartete Heinemann nicht. Er selbst hielt sie für eine legitime demokratische Möglichkeit, da sie alle Parteien gleichmäßig treffe und einer Zersplitterung entgegenwirke, und verzichtete deshalb darauf, sie in seine Verfassungsklage einzubeziehen[6]. Seine Bemühungen waren vielmehr darauf gerichtet, diese Klippe zu überspringen. Die erhoffte Wahlabsprache mit dem Zentrum kam jedoch nicht zustande, weil diese Partei sich lieber mit der CDU in der Weise einigte, daß diese in einem sicheren Wahlkreis zugunsten des Zentrums auf die Aufstellung eines Kandidaten und dafür das Zentrum außerhalb Nordrhein-Westfalens auf das Einreichen von Landeslisten verzichtete[7]. Die GVP erhoffte sich von der SPD ein ähnliches Abkommen. Zu diesem Zweck bevollmächtigte der Parteitag einstimmig den Vorstand, »alle Maßnahmen zu treffen«, die ihm richtig erschienen, um die GVP »allen rechtlichen und politischen Erfordernissen« in Bezug auf das zu dem Zeitpunkt noch nicht vorliegende Wahlgesetz anzupassen[8]. Eine seit Mai verabredete Besprechung Heinemanns und Frau Wessels mit Ollenhauer am 9. Juni führte jedoch zu keinem Ergebnis. Ollenhauer versprach zwar, mit dem SPD-Vorstand darüber zu beraten, ob die SPD in einigen Wahlkreisen zugunsten von GVP-Kandidaten verzichten könne. Aber er ließ keinen Zweifel daran, daß das in der SPD kaum durchzusetzen und daß auf eine Hilfe der SPD bei der eventuell nötigen Sammlung von Unterschriften für die Kandidatenaufstellung kaum zu rechnen sei. »Herr Ollenhauer vertritt grundsätzlich eine völlige Selbständig-

---

4. GH 125: Unfaires Wahlgesetz.
5. FAZ, FR, DNZ, Die Welt 13. 7. 53.
6. Rhein-Neckar-Zeitung 26. 7. 53.
7. Hirsch-Weber/Schütz, aaO. S. 42, 48f. – Th. von der Vring, Reform oder Manipulation? Zur Diskussion eines neuen Wahlrechts, Frankfurt 1968, S. 71.
8. Akte Bundesparteitag (AH).

keit der SPD im bevorstehenden Wahlkampf«, lautete Heinemanns Fazit[9].

Durch die Absage der SPD sah sich die GVP vor die schwerwiegende Entscheidung gestellt, ob sie im Alleingang oder zusammen mit nationalen Gruppen oder mit dem Bund der Deutschen zur Bundestagswahl antreten sollte. Heinemann sah die Ausgangslage für Verhandlungen mit anderen Gruppen als nicht ungünstig an:

>»Die GVP ist nun als Partei da und im Aufmarsch zur Bundestagswahl begriffen. Abreden mit anderen Parteien über ein gemeinsames Auftreten in der Bundestagswahl scheitern am Wahlgesetz. Listenverbindungen gibt es nicht. Folglich kann allenfalls von einem Einschwenken anderer Gruppen in die GVP gesprochen werden, wobei man sich über das Mindestprogramm und Personalien verständigen müßte. Da es politisch eine Konzentration nur in der Mitte, nicht aber auf den Flügeln geben kann, bietet sich die GVP für eine Konzentration sicherlich mit besserer Aussicht auf Erfolg als jede andere Partei an.«[10]

Da die Rechten an ein Einschwenken auf die GVP nicht dachten, sondern sich in der »Deutschen Reichspartei« sammelten, blieb die Frage übrig, ob die GVP mit dem Bund der Deutschen zusammengehen sollte. Man rechnete zwar in der GVP fest damit, daß alle »Neutralisten« in der Bundesrepublik zusammen über 5% der Wähler ausmachten, war sich aber im Unklaren über die positiven und negativen Wirkungsmöglichkeiten des Bundes der Deutschen: ob die großen Propaganda-Möglichkeiten dieser Partei mehr Wähler erreichen oder ob der Verdacht der Abhängigkeit des BdD vom Osten mehr Wähler abschrecken würde. Die GVP stand vor der Wahl, entweder neben dem BdD zu kandidieren auf die Gefahr hin, allein die 5% nicht zu erreichen, oder ein Wahlbündnis mit dieser Partei abzuschließen auf die Gefahr hin, als Kommunistenfreund verdächtigt zu werden.

Die Meinungen im Vorstand waren geteilt. Heinemann und Bodensteiner verhielten sich zunächst ablehnend. Auch Scheu war der Ansicht, die GVP könne solange nicht mit dem BdD zusammengehen, wie der mit den Kommunisten zusammenarbeite; Scheu hoffte, die GVP könne den BdD »zur Besinnung« bringen[11]. Mochalski, der auf dem Bundesparteitag neu in den Vorstand gewählt worden war, drängte darauf, auf eine Anfrage des BdD positiv zu reagieren. Er wurde dabei durch die hessische GVP und durch seinen Freund Niemöller unterstützt, der in einer öffentlichen Erklärung dafür eintrat, daß sich »die verschiedenen politischen Gruppen zusammen-

9. Schreiben an Meyer zu Schwabedissen, 10. 6. 53 (AH).
10. Schreiben an W. Schenke, 2. 7. 53 (AH).
11. Die Tat 3. 7. 52 (Interview mit Scheu).

finden, die ohne einseitige – wirtschaftliche oder militärische – Bindung nach West oder Ost eine deutsche Politik der Wiedervereinigung und des Friedens« treiben wollten[12].

Der Vorstand der GVP einigte sich darauf, die Möglichkeit eines Zusammengehens mit dem BdD wenigstens zu prüfen. Die Forderungen des BdD, der zunächst die Fusion beider Parteien zu einer »Gesamtdeutschen Aktion« auf der Basis paritätischer Besetzung der Entscheidungsgremien und der Landeswahllisten zu erreichen suchte, stieß allerdings auf starken Widerspruch. Ihm gab Posser Ausdruck:

»Heinemann ist neben Frau Wessel m. E. im Augenblick der einzige deutsche Politiker, dem man die Unabhängigkeit von Ost und West glaubt ... Die Heinemann-Partei gibt sehr, sehr vielen Wählern die Überzeugung, daß man die Verhandlungen mit dem Osten in zwar fairer Weise führen wird, aber auch nicht als Instrument des Ostens sich gebrauchen läßt. Die GVP als Heinemann-Partei hat doch weithin in unserem Volk den Eindruck erweckt, daß sie eine Politik betreiben will, die aus unserer gegenwärtigen Situation den Schluß zieht, daß eine deutsche Politik nur in der militärischen Unabhängigkeit von Ost und West sich vollziehen kann. Diesen Eindruck hat die Wirth-Elfes-Partei – ob zu Recht oder zu Unrecht spielt keine Rolle – nicht erweckt.«[13]

Posser fürchtete, daß »ein Zusammengehen mit dem ›Bund‹ – in welcher Form auch immer – unsere Basis erheblich verkleinern würde. Wenn überhaupt, dann nur so, daß die GVP Vertreter des ›Bunds‹ bei sich kandidieren läßt«.

Der Vorstand der GVP entschloß sich dazu, in Verhandlungen mit dem BdD die Zurücknahme der Bedingungen des BdD zu fordern. Als der BdD darauf einging, stimmte der Vorstand der GVP nun doch einer Wahlabsprache zu. Heinemann brachte die Ergebnisse des Mannheimer Wahlbündnisses vom 19. Juli, die er im Vergleich zu den Forderungen des BdD für »zweifellos lobenswert« hielt, in einem Briefe auf die Kurzformel:

»Wesentlich ist:

1. Nur GVP und ohne Namensänderung.

2. Keine Hereinnahme von BdD-Personen in unsere Organe (etwa Bundesvorstand oder Präsidium).

3. Entscheidender Einfluß unsererseits auf alle Kandidaten.

4. Unter Berücksichtigung von FSU – Noack und etwaigen weiteren Partnern nur eine Minderheit von BdD-Abgeordneten auch in der Fraktion.«[14]

In einer öffentlichen Erklärung des Präsidiums wurde die Vereinbarung genauer mitgeteilt:

---

12. KJ 53, S. 41.
13. Schreiben v. 11. 7. 53 an Mochalski (AH).
14. Schreiben v. 20. 7. 53 an W. Schenke (AII).

»Sie besagt, daß die GVP in ihrem Charakter und in ihrem Wollen unverändert bleibt. Es findet keine Verschmelzung beider Parteien statt. Es gibt nicht die geringste Veränderung in den Organen der GVP. Präsidium, Bundesvorstand, Landes- und Kreisvorstände der GVP bleiben in alter Zusammensetzung bestehen. Die GVP wird lediglich Kandidaten aus dem BdD mit auf ihre Wahlvorschläge nehmen, wofür der BdD auf eigene Wahlvorschläge verzichtet. Alle Kandidaten, einschließlich der vom BdD vorzuschlagenden, werden ausschließlich von den Organen der GVP (Kreis- und Landesparteitage) aufgestellt, wodurch der Einfluß auf deren Auswahl gewahrt bleibt. Der BdD bleibt bestehen und wird seine Wahlarbeit auf die Wahl der GVP-Vorschläge ausrichten.«[15]

Der BdD stelle »keineswegs die kommunistische Partei« dar, »wie in der Öffentlichkeit behauptet wird. Es kam darauf an, sich mit den Kräften im BdD zu finden, die bereit sind, die Deutschlandpolitik der GVP auf dem Boden einer einwandfreien Unabhängigkeit noch weiter zu verstärken«. Doppelmitgliedschaften in mehreren Parteien wurden für unmöglich erklärt. Jeder Bundestagskandidat mußte eine Erklärung unterzeichnen, in der es u. a. hieß:

»Ich trete für eine freiheitliche demokratische Ordnung und für staatsbürgerliche Rechtssicherheit in ganz Deutschland ein. – Ich widersetze mich jeder Diktatur in Deutschland, sei sie faschistischer, sei sie polizeilich-bürokratischer Art. Ich widersetze mich ebenso jedem kommunistischen System für Deutschland. – Ich erstrebe ein gutes Verhältnis unseres Volkes zu allen Völkern, gleich unter welchem System sie leben, und widersetze mich darum auch jeder antisowjetischen Hetze.«[16]

Die Mannheimer Vereinbarung stieß innerhalb der GVP auf mannigfache Kritik. Viele Mitglieder sahen darin ein Überhandnehmen taktischer Gesichtspunkte und fürchteten, daß das Wahlbündnis mehr schaden als nützen würde[17]. Auf dem Parteitag widerstrebten besonders die GVP-Vertreter aus Baden-Württemberg, wurden allerdings überstimmt. Einzelne Kreisverbände wie die von Marburg und Köln lehnten das Bündnis öffentlich ab, mehrere Vorstandsmitglieder in den Ländern, darunter der aktive Dr. Göckeritz in Stuttgart, stellten ihre Ämter zur Verfügung[18]. Noack zog seine Kandidatur zurück,

---

15. GH 125a.
16. Erklärung vom 3. 8. 53, GR 7. 8. 53, zitiert in GH 128.
17. Dieser Meinung gab z. B. Dr. W. Bornemann, Bremen, Ausdruck: »Ich glaube, daß diese opportunistische Anwandlung die so unerläßliche Widerstandskraft gegenüber den Mächten schwächen wird, von denen er (Heinemann) sich bisher mit guten Gründen so deutlich distanziert hatte. Sie wird auch mit dem Verlust des unersetzlichen Kreditwertes in urteilsfähigen Kreisen, dessen Reichweite er offenbar unterschätzt, viel zu teuer bezahlt« (Schreiben an C. Ordemann, Ende Juli 1953).
18. Neue Presse, Coburg, 20. 7., Weser-Kurier 27. 7., StZ u. Schwäbisches Tagblatt 27. 7., Nürnberger Nachrichten 29. 7., Kölner Stadtanzeiger u. Kölnische Rund-

nachdem die GVP in Baden-Württemberg ihn nicht auf den ersten Platz der Landesliste gesetzt hatte; der von Noack geprägte Kreisverband Würzburg erklärte seinen Rücktritt, und Noack empfahl in einem Rundschreiben »allen wahren Anhängern der GVP«, SPD zu wählen. Auch der Zentralvorstand der FSU und der Christliche Volksdienst in Bayern mißbilligten das Wahlbündnis[19].

Diese Verluste wurden nicht durch Gewinne aufgewogen, die das Wahlabkommen einbrachte. An neuen Kräften wurden dadurch nur der Bundestagsabgeordnete Etzel von der Bayernpartei und ein niedersächsischer SPD-Abgeordneter zum Übertritt veranlaßt. Zwar konnten nun in allen Wahlkreisen Kreisverbände der GVP gegründet und nach langem Hin und Her Kandidaten aufgestellt werden; aber das bedeutete zugleich, daß in Gebieten, in denen die GVP bisher nicht Fuß gefaßt hatte, ihre Kreisverbände stärker BdD-Charakter annahmen, als der GVP lieb war. Weder die organisatorische noch die finanzielle Hilfe des BdD entsprach den Erwartungen seitens der GVP. Während es in einigen Ländern, wie in Hessen, zu einer Zusammenarbeit kam, verhielt sich der BdD in anderen, wie in Bayern, passiv[20]. »Aus dem ganzen Land kommen Klagen, daß der BdD fast nirgends bereit ist, die Kosten hälftig zu übernehmen, und alles der GVP aufzuhalsen versucht«, urteilte Bodensteiner intern über »das renitente, dem Geist und Sinn unseres Abkommens widersprechende Verhalten des BdD«[21]. Die GVP war darauf angewiesen, zur Deckung der Unkosten auf selbstschuldnerische Bürgschaften ihrer Mitglieder zurückzugreifen[22]. Auf Bundesebene trug der BdD einen großen Teil der Wahlkosten, verletzte aber das Wahlabkommen dadurch, daß er Wahlplakate unter eigener Verantwortung herausgab[23].

In der Öffentlichkeit wirkte sich das Wahlabkommen verheerend aus. Wie es Posser vorausgesagt hatte, gab es Enthüllungen über die angeblich kommunistische Herkunft der Gelder des BdD. Sie erfolgten genau in Augenblicken, in denen sie der GVP besonders schadeten: einmal durch abgesprungene Funktionäre des BdD gleichzeitig mit der Mannheimer Vereinbarung, so daß diese in der Presse sogleich in ungünstigem Licht erschien[24]; und dann noch einmal acht

---

schau 8. 8. 53. – Sehr kritisch äußerte sich E. Eppler in einem Schreiben v. 14. 8. 53 (AH).

19. DNZ 28. 7., 10. 8., FR 10. 8., 20. 8., FAZ, Kölnische Rundschau, Flensburger Tageblatt 20. 8. 53.
20. Akten GVP – BdD (AH). – Molt, aaO. S. 126ff.
21. Schreiben v. 18. 8. 53 (AH).
22. FAZ, Frankfurter Neue Presse u. Kasseler Post 30. 7., Der Spiegel 5. 8. 53, S. 5ff.
23. so Heinemann lt. Allgemeiner Zeitung, Mainz, 28. 8. 53.
24. z. B. Stuttgarter Nachrichten, Rhein-Neckar-Zeitung, Frankfurter Neue Presse, Westdeutsche Allgemeine, Essener Tageblatt, Rheinische Post 22. 7. 53.

Tage vor der Wahl durch den CDU-Innenminister von Rheinland-Pfalz, unmittelbar vor einer Pressekonferenz Heinemanns, so daß dieser die Angaben nicht prüfen konnte[25]. Bundesinnenminister Lehr gab den Verdächtigungen dadurch Nahrung, daß er versicherte, er habe »mit eigenen Augen eine Quittung gesehen, daß Wirth Geld von kommunistischer Seite erhalten hat«; er ließ Flugblätter des BdD beschlagnahmen und suchte die Innenminister der Länder zu einheitlichem Vorgehen gegen ›radikale Elemente und Parteien, die die Staatssicherheit‹ gefährdeten, zu veranlassen, woraufhin in Rheinland-Pfalz der BdD als verfassungsfeindliche Organisation verboten wurde[26].

Heinemann reagierte auf all diese Vorkommnisse so gelassen, wie es ihm noch möglich war. Er versuchte, trotzdem eine mittlere Linie innezuhalten. Auf der einen Seite scheute er sich nicht, öffentlich einzugestehen, daß »schwere Bedenken« gegen Teile des BdD vorlägen, daß möglicherweise Mitglieder des BdD ihre kommunistische Parteizugehörigkeit verschwiegen, daß der BdD das Wahlabkommen durch den Druck eigener Plakate verletze[27]. Aber er wies auf der anderen Seite immer wieder auf die im großen ganzen günstigen Bedingungen des Wahlabkommens hin und erwähnte auch, daß im Falle eines Wahlerfolgs Mitglieder des BdD, die von der GVP ausgewählt und auf die Landeslisten übernommen waren, gegenüber den alten GVP-Mitgliedern in der Minderheit bleiben würden[28]. Den ständigen Vorhaltungen, die die angeblich kommunistische Herkunft der Wahlgelder des BdD betrafen, setzte er endlich die These entgegen: »Mir ist es gleichgültig, wo die Gelder für den Wahlkampf herkommen, wenn keine politischen Bedingungen daran geknüpft sind.« Er verwies darauf, daß der BdD sich zur Offenlegung seiner Finanzquellen bereit erklärt hatte für den Fall, daß die anderen Parteien dasselbe täten[29].

Heinemann hielt eine Lösung des Wahlbündnisses nicht für möglich und richtig. Zwar versicherte er den GVP-Mitgliedern, »daß nötigenfalls uns nichts davon abhalten wird, ruhig und entschlossen etwa gebotene Konsequenzen zu ziehen«. Aber seine Tendenz ging dahin, die Mitglieder zum Durchhalten aufzufordern: »Es macht wirklich wenig Unterschied aus, ob man uns als gutwillige Narren,

---

25. z. B. Allgemeine Zeitung, Mainz, Westdeutsche Allgemeine Zeitung, Essener Tageblatt, Die Welt, Bremer Nachrichten, Der Tag 28. 8. 53.
26. FAZ 31. 7., Westdeutsche Rundschau 31. 7., Die Welt 3. 8. 53.
27. Mittelbayrische Zeitung, Nürnberger Nachrichten, Rhein-Neckar-Zeitung 22. 7. 53.
28. Auf einer Pressekonferenz lt. Allgemeine Zeitung, Mainz, 28. 8. 53.
29. lt. Münchner Merkur, Westdeutsche Allg. Zeitung, DNZ 28. 8. 53. – Hirsch-Weber/Schütz, aaO. S. 52.

Verräter oder verkappte Kommunisten bezeichnet. Wir wissen, daß wir weder das eine noch das andere sind, und die Mehrheit der Bevölkerung weiß dies auch.«[30]

Das aber war bloßer Zweckoptimismus in einer Lage, in der Heinemanns Gegner die Öffentlichkeit beherrschten. Die wenigen Zeitungen, die mit Heinemann sympathisiert hatten, verhielten sich nun reservierter[31]. Wer ihn schon immer bekämpft hatte, fuhr nun gröberes Geschütz gegen ihn auf[32]. Wer vorher die GVP totgeschwiegen hatte, brachte nun zwar Nachrichten über sie, aber meist negative. Während man früher Heinemann, die Notgemeinschaft und die GVP, wenn überhaupt, dann im Zusammenhang mit Gefährdung durch kommunistische Unterwanderung erwähnt hatte, betonte man nun die frühere politische Integrität Heinemanns und seiner Organisationen, um desto stärker seinen gegenwärtigen Irrweg anprangern zu können[33]. Die »Welt« war sogar geneigt, Heinemann in der Sache nachträglich »Trümpfe« zuzubilligen, um sie nun als »verdorben« deklarieren zu können[34]. Die »Zeit« wartete drei Tage vor der Wahl mit Einzeltatsachen über die angeblichen kommunistischen Verbindungen des »Genossen Heinemann« auf, wogegen Heinemann eine einstweilige Verfügung erwirkte[35]. Geradezu methodisch ging die amerikanische »Neue Zeitung« vor, die in den sieben Wochen zwischen der Mannheimer Wahlabsprache und der Wahl durchschnittlich jeden zweiten Tag über Heinemann und die GVP ungünstige Meldungen brachte, von denen drei Viertel schon im Titel negative Assoziationen weckten[36]. Positive Meldungen gingen nur einmal

---

30. GH 128.
31. Neue Presse, Coburg, 18. u. 21. 7., Süddeutsche Zeitung 29. 7. 53.
32. Rheinischer Merkur 14. 8., Der Tagesspiegel 26. 8. 53.
33. z.B. Hamburger Anzeiger 27. 7. 53.
34. Die Welt 21. 8. – Vgl. Die Welt 15. 7. 53.
35. Die Zeit gab Heinemanns angebliche Erklärung wieder, er werde vom Wahlbündnis »nicht zurücktreten, auch wenn eine kommunistische Lenkung und Finanzierung des BdD eindeutig erwiesen werden sollte«; eine Abordnung der GVP sei zu Semjonow gewandert, »der den Zusammenschluß nach besten Kräften protegierte«; in internen Zusammenkünften der GVP werde »stolz erklärt«, die Geldmittel aus der Ostzone würden so vorsichtig eingeschleust, daß ein Nachweis über die eigentliche geldgebende Stelle sehr schwer zu erbringen sei (Die Zeit 3. 9. 53). – Heinemann und Posser erklärten an Eides statt, die Behauptungen seien unzutreffend (Schreiben v. 3. 9. 53, AH; Westdeutsche Allg. Zeitung 6. 9. 53).
36. »Politik der Ehemaligen«, 18. 7. – »Im Zwielicht«, 18/19. 7. – »Heinemann bestätigt Verhandlungen mit kommunistisch gelenkter Partei Wirths«, 19. 7. – »Gegen Niemöller und Heinemann«, 23. 7. – »Politische Reden Niemöllers und Heinemanns nicht erwünscht«, 24. 7. – »Ferngelenkte Neutralisten. Wirth-Partei und GVP sind von den Kommunisten unterwandert«, 26. 7. – »GVP identifiziert sich mit der kommunistisch gelenkten Wirth-Partei«, 27. 7. – »FSU löst Verbindung zur Heinemann- und Wirth-Partei«, 28. 7. – »Noack lehnt Wahlabsprache mit der

durch die Presse, als das Bundesverfassungsgericht die Forderung des Wahlgesetzes nach je 500 Unterschriften pro Wahlkreis für verfassungswidrig erklärte[37]. Daß ein Funktionär des inzwischen als rechtsradikal verbotenen »Stoßtrupps gegen bolschewistische Zersetzung« wegen Beleidigung Heinemanns zu einer Geldstrafe verurteilt wurde, registrierten nur wenige Zeitungen[38].

Symptomatisch für die sinkenden Chancen des Politikers Heinemann waren zwei politische Porträts, die Walter Henkels von ihm zeichnete. Im Juni 1953 formulierte er vorsichtig, ob ihn, Heinemann, »die Geschichte, die so gründlich mit Überraschungen, Spielarten, Launen und Widersprüchen ist, anerkennen wird, muß sich erst noch erweisen«[39]. Einige Wochen später ersetzte Henkels diesen Satz durch die Prognose, die Geschichte werde

»wahrscheinlich einmal über Heinemanns politisches Bemühen zur Tagesordnung übergehen, sein Wirken als Episode registrieren und ihn selber nur als tragische Figur sehen. Echte Chancen, in der Politik noch einmal entscheidend mitzureden, geben ihm die Horcher am Puls der Gegenwartsgeschichte nicht mehr«[40].

So nahmen Journalisten weitgehend der CDU die Auseinandersetzung mit der neuen Partei ab. Adenauer selbst war ohnehin auf Grund einer Meinungsumfrage zu der Überzeugung gekommen, daß die GVP, für die sich nur 2% der Wähler ausgesprochen hatten, in der Bevölkerung nahezu unbekannt war und durch öffentliche Auseinandersetzung mit ihren Zielen nur an Wirkung gewinnen konnte[41]. Demnach vermied die CDU solche politischen Veranstaltungen, in denen Heinemann seine Ansichten hätte darlegen können. Nur ganz selten kam es zu öffentlichen Streitgesprächen zwischen Heinemann und Vertretern der CDU[42].

Wirth-Partei ab«, 29. 7. – »Südwestdeutsche CDU wirft Heinemann Illusionspolitik vor«, 14. 8. – »Kommunisten schützen Wahlkundgebung der GVP«, 19. 8. – »GVP-Kreisvorstand zurückgetreten«, 20. 8. – »GVP-Generalsekretär schreibt für SED-Zeitung«, 21. 8. – »Ehemalige SED-Funktionäre erläutern Ost-Verbindungen der GVP und des BdD«, 28. 8. – »Würzburger GVP-Kandidat ein ›unabhängiger Kommunist‹«, 28. 8. – »Dokumente beweisen Ost-Finanzierung«, 28. 8. – »Weiter abgerutscht«, 30. 8. 53.

37. FAZ, StZ, Die Welt 3. 8. 53.
38. z. B. Nürnberger Nachrichten 16. 7. 53.
39. FAZ 16. 6. 53.
40. W. Henkels, Zeitgenossen. Fünfzig Bonner Köpfe, Hamburg 1953, S. 96.
41. Baring, aaO. S. 438, Anm. 12.
42. Er sprach am 28. 4. in Bremen gegen Müller-Hermann (Bremer Nachrichten, Weser-Kurier 29. 4.), am 9. 6. in Bonn gegen Tillmanns (Bonner Rundschau 10. 6., Süddeutsche Zeitung, Der Tagesspiegel 11. 6.), am 13. 7. in Göttingen gegen Fratzscher (Redegister, AH).

Der eigentliche Kampf der CDU galt der Sozialdemokratie. Dabei verlor die CDU jedoch die kleine GVP nicht aus den Augen. Der Rednerdienst der Partei, der sich in vielen Ausgaben mit der SPD beschäftigte, widmete zwei seiner Ausgaben Heinemann und Niemöller[43]. Prominente Sprecher der CDU griffen Heinemann überall dort an, wo sie seine Resonanz in der Bevölkerung fürchteten.

Das war der Fall im Rheinland und im Ruhrgebiet, wo Heinemann aus seiner Oberbürgermeister-Zeit bekannt war, und im Siegerland, wo er sich als Direktkandidat der Bevölkerung vorstellte[43a]. Adenauer ordnete auf dem Landesparteitag der rheinischen CDU neben der KPD auch den BdD als Partei ein, die den Anschluß Deutschlands an die Sowjetunion wolle, und äußerte über Heinemanns Wahlabsprache »Entsetzen«[44]. Kurz vor der Wahl ließ Adenauer auf einer Großkundgebung in Essen, die gemeinsame Ablehnung Heinemanns voraussetzend, die beiläufige Bemerkung fallen, er trete den Essenern doch wohl nicht zu nahe, wenn er Heinemann als ihren Mitbürger bezeichne. Innenminister Meyers von Nordrhein-Westfalen äußerte, Heinemann habe nach seinem Wahlabkommen »sein Gesicht verloren«, die Essener Kandidatin Helene Weber vertrat die Ansicht, kein christlicher Wähler könne es mit seinem Gewissen vereinbaren, einer solchen Wahlkoalition wie der Heinemanns zum Erfolg zu verhelfen, und Ernst Bach, Oberbürgermeister von Siegen, urteilte über den »tragischen Weg eines einst angesehenen Politikers«, daß er »in seiner Gegnerschaft zum Kanzler unbewußt zum bezahlten Sprecher Sowjetrußlands geworden« sei: »Armer Herr Dr. Heinemann!!«[45]

Vor allem aber suchte die CDU eine Wirkung Heinemanns und Niemöllers auf protestantische Teile des Volkes zu verhindern. Auf einer Tagung des Evangelischen Arbeitskreises der CDU zu Beginn des Wahlkampfes war eigens eine Arbeitsgruppe gebildet worden, die sich mit der Frage des Neutralismus und der GVP beschäftigte; eine Erklärung wiederholte die Siegener Thesen vom Vorjahr[46]. Sie wurde in Flugblättern verbreitet[47]. Gerstenmaier griff vor dem evangelischen Männerwerk Münchens Heinemann an, weil die Idee der Neutralisierung die fast überwundene Idee des Nationalstaates wie-

---

43. Hirsch-Weber/Schütz, aaO. S. 84.
43a. GH 130a.
44. FAZ 31. 7. 53.
45. Aachener Volkszeitung 25. 8., Westdeutsche Allgemeine Zeitung 27./28. 8., Westfälische Post 22. 8., Essener Tageblatt, Ruhr Nachrichten 29. 8. 53.
46. FAZ 7. 6. 53. – KJ 53, S. 38ff.
47. »Wir Evangelischen« und »Unser Wort an die evangelischen Christen Deutschlands zur Wahl.«

der zur Geltung bringen würde; er bestritt, daß die Einigung West-europas und die Wiedervereinigung Deutschlands sich gegenseitig ausschlössen[48]. Bundestagspräsident Ehlers wandte sich »mit aller Schärfe« gegen den Wahlaufruf Niemöllers, der damit ›die partei-politische Neutralität der Kirche endgültig durchbrochen‹ habe; das bedeute ›eine starke Belastung für den Willen der hinter der Bundes-regierung stehenden Evangelischen, die Kirche aus dem politischen Meinungsstreit herauszuhalten‹[49]. Ehlers, Gerstenmaier und Kunze forderten von der Leitung des Kirchentags die Garantie, daß Heine-mann und Niemöller auf dem Kirchentag in Hamburg im August nicht zu politischen Fragen das Wort nähmen, andernfalls sie, die an sich auch darauf verzichten wollten, dagegen in aller Öffentlichkeit protestieren wollten[50]. Ehlers benutzte gleich seine erste Wahlrede in Heidelberg zu einer scharfen Kampfansage gegen Heinemann. »Mit allem Nachdruck« verwahrte er sich gegen die »Brunnenvergiftung« Heinemanns, die er darin erblickte, daß Heinemann der CDU die Degradierung des Christentums zur politischen Waffe und dem Kanz-ler die Zielsetzung eines katholischen Westeuropa bei Desinteresse für die Wiedervereinigung Deutschlands vorgeworfen hätte[51]. Em-pört zeigten sich der CDU-Abgeordnete Tillmanns und andere Poli-tiker der CDU über ein regional verbreitetes Flugblatt der GVP, in dem evangelische Wähler vor der Stimmabgabe für die »katholische CDU« gewarnt wurden[52].

Die Intensität und Schärfe, mit der Protestanten wie Ehlers, Ger-stenmaier und Tillmanns ihre Sache vertraten, machte deutlich, daß hier der neuralgische Punkt der CDU war: Sie fürchtete, es könne über der Frage der Wiedervereinigung zu Spaltungstendenzen zwi-schen Protestanten und Katholiken in der CDU und zu einer Schwächung der »europäischen« Tendenz kommen. Es war auch kein Zufall, daß gerade Gerstenmaier mit seinem christlich gedeuteten Engagement für Westeuropa, und Ehlers, dessen Aversion gegen das östliche System immer krasser hervortrat[53], zu Vorreitern des Kampfes der CDU gegen Heinemann wurden. Daß sie als Grund ihrer Empörung über Heinemann die Bemühung um konfessionellen Frieden ausgaben, war jedoch wenn nicht Irreführung, so doch Selbst-

48. Lindauer Zeitung 11. 7., DNZ 12. 7. 53.
49. epd ZA 18. 7., JK Heft 15/16 v. 15. 8. 53, S. 377, KJ 53, S. 48.
50. DNZ 23. 7., Der Tagesspiegel 23. 7. 53.
51. Aachener Volkszeitung, Westfälische Nachrichten, Kasseler Post 28. 7. 53.
52. Westdeutsche Allgemeine Zeitung 28. 8. – Offener Brief an Dr. Heinemann, DUD 28. 8. 53, S. 1.
53. vgl. seinen Artikel »Schluß mit der Verharmlosung!« im Oldenburger Sonntags-blatt v. 12. 4. 53, JK Heft 9/10 v. 15. 5. 53, S. 242.

täuschung. Denn sie verschonten mit ihrer Kritik den Propst Asmussen, der als christliches Wahlverhalten 14 Punkte aufzählte, die eine Wahl der GVP als unmöglich erscheinen und nur eine Wahl der CDU offen ließen[54]; Asmussens Wahlaufruf wurde vom Evangelischen Arbeitskreis der CDU vertrieben. Auch die scheinbare Entpolitisierung des Kirchentags lief auf eine Begünstigung der CDU hinaus; denn er stellte das letzte Forum dar, auf dem noch am ehesten eine sachliche Auseinandersetzung mit den politischen Argumenten Heinemanns möglich gewesen wäre.

Heinemann selbst suchte auch auf dem Höhepunkt des Wahlkampfes noch Kampf und Ausgleich miteinander zu verbinden. Er unterschrieb einerseits in der Erklärung des GVP-Präsidiums zur Vereinbarung mit dem BdD Sätze von größter Schärfe:

»Vorspann der Adenauerschen Rüstungspolitik ist wieder einmal eine Mobilisierung des Antikommunismus mit weltanschaulicher, und zwar christlicher, Verbrämung, bis hinein in eine Kreuzzugs- und Erlösungsstimmung, die sich schon längst nicht mehr scheut, jeden des Kommunismus zu verdächtigen, der vor diesem Wege warnt. Nun wird die Hetze der pro-kommunistischen Verdächtigung verstärkt werden ... Aber es muß einmal eine Bresche in diese so kriegsträchtige Mentalität bürgerlicher Selbstgerechtigkeit geschlagen werden, deren eigentliche Weltanschauung nur aus einem Drei-Punkte-Programm besteht, das da lautet: Viel verdienen, – Soldaten, die es verteidigen – und Kirchen, die beides segnen.«[55]

Andererseits reagierte er auf die persönlichen Angriffe seiner protestantischen Mitchristen bewußt nicht öffentlich. Als er von dem antikatholischen Flugblatt erfuhr, zog er es aus dem Verkehr[56]. An dem Tage, an dem das Wort seines Duzfreunds Hermann Ehlers von Heinemanns »Brunnenvergiftung« den Weg durch die Presse machte, erfüllte er die Bitte der »Jungen Kirche« »um ein Wort zur Ethik des Wahlkampfes«[57]. Ausgehend von der gemeinsamen evangelischen Erkenntnis, daß politisches Handeln »als eine diakonische Aufgabe zu verstehen« sei, die im Gehorsam und »unter der Zucht Jesu Christi geschehen« solle, rief er zur Selbstbesinnung auf:

»Wir alle sagen immer wieder, daß wir es so halten wollen. Wir alle stehen – sonderlich in einem Wahlkampf – dennoch in der Gefahr, uns immer wieder aus dem guten Vorhaben zu einer Tücke gegen den politischen Gegner verleiten zu lassen. Im politischen Felde waltet viel Leidenschaft. Der Gehorsam soll alle Leidenschaft bändigen und lenken.

---

54. Kieler Nachrichten 24. 7. 53. – KJ 53, S. 42f.
55. GH 125a.
56. Schreiben v. 4. 9. 53 an Tillmanns (AH).
57. GH 129: JK Heft 15/16, 15. 8. 53, S. 376f.

Die Leidenschaft kann uns einflüstern, daß unsere Person zu etwas Besonderem berufen sei, – zu einer Verantwortung oder zu einem Dienst, den niemand außer uns zu versehen vermöchte. Hier gilt es wachsam zu bleiben.«

Welche Rolle Heinemann der Politik im Weltgeschehen nach wie vor beimaß, sagte er im folgenden:

»Vergessen wir doch nicht, daß Gott im Regimente bleibt und unser durchaus nicht bedarf, so sehr er auch fordert, daß wir Hand anlegen. Die Geborgenheit in seiner Herrschaft darf uns nicht verlorengehen.

Der politische Kampf kann Glieder der Gemeinde gegeneinander führen. Das ist heute offensichtlich der Fall. Die daraus entstehende Spannung darf zu keiner Zeit die Verbundenheit aufheben, welche höher ist als alle politische Gegensätzlichkeit. Hier können die Brüder einen Dienst tun, welche nicht am politischen Kampfe beteiligt sind, sie können denen, die sich in die politische Arena begeben, nahe bleiben, ihnen raten und helfen, daß sie nicht einsam werden. Sie können die Verbundenheit unter ihnen unter dem einen Herrn Jesus Christus lebendig halten, sie gegeneinander in Schutz nehmen und sie in dem Gehorsam festigen, aus dem heraus sie handeln sollen.«

Von dieser Position aus kam ein Versuch Heinemanns, von der Kirchentagsleitung doch Sprecherlaubnis zu erwirken, nicht in Frage. Er nahm keinen Einfluß auf die Entscheidung, ob die Kirche, trotz allen Mangels an geistlich-politischer Gemeinsamkeit unter den protestantischen Politikern, in Erkenntnis der Bedeutung der Wahl für die Deutschlandfrage, in der Hoffnung auf Klärung durch den Heiligen Geist, auf dem Kirchentag ein Forum der Auseinandersetzung unter Christen bieten würde. Die Leitung entschloß sich zu dem vermeintlich klugen Ausweg, weder Ehlers noch Heinemann reden zu lassen, wohl aber Niemöller, dessen Ausschluß die Ausreise der Teilnehmer aus der DDR gefährdet hätte[58]. Aber die Kirchentagsleitung fand an dem Bundeskanzler ihren Meister. Er erschien als Gast mit einer Spende der Regierung für die Bruderhilfe, mahnte, daß »wir in dieser Zeit in den beiden christlichen Kirchen nur eine Rivalität haben dürfen, das ist die Rivalität der Nächstenliebe«, und äußerte seine »tiefe Überzeugung, daß wir alle in einen Kampf zwischen Materialismus und Christentum, zwischen Gut und Böse, mitten hineingestellt sind, und daß jeder von uns in diesem Kampfe sein Letztes hergeben muß, damit das Gute obsiegt und damit Gott obsiegt«[59]. Diese Kurzfassung seines seit Jahren geäußerten Glaubensbekenntnisses machte abermals den Unterschied deutlich zwischen dem Gott Adenauers, jenem unterstützungsbedürftigen Garanten einer guten Lebensordnung, und dem Gott der Bibel, dem souveränen Herrn der

---

58. KJ 53, S. 15ff. – Badische Neueste Nachrichten 29. 7., Die Zeit 30. 7. 53.
59. Hirsch-Weber/Schütz, aaO. S. 144f.

Geschichte, dessen Sohn Jesus Christus, dem Evangelium zufolge, zur Rechtfertigung der erlösungsbedürftigen Menschen starb. Für eine Kirchentagsleitung, die den ideologischen Weg der CDU kritisch verfolgt und eine Abgrenzung der christlichen Position ersehnt hätte, wäre zu einer wahrhaft protestantischen Erwiderung Gelegenheit gewesen. Die Leitung versäumte sie. Adenauers Erklärung, die ›breit publiziert und auch in den Wochenschauen fast in voller Länge wiedergegeben‹ wurde[60], konnte ungehindert auf alle die evangelischen Bürger wirken, deren Mentalität der Adenauers ähnlich war. Die Katholiken waren ohnehin schon durch Kanzelabkündigungen auf die CDU verwiesen worden[61].

So sorgten alle, Presse, Parteien und Kirchen, dafür, daß Heinemanns Argumente den allermeisten Westdeutschen überhaupt nicht bekannt wurden. Das war für Deutschland tragisch. Denn in denselben Wochen, in denen die GVP durch Wahlgesetz und Übermacht der Propagandamittel der CDU einfach »erdrückt« wurde[62], traten vier politische Ereignisse ein, die die Thesen der GVP über Wiedervereinigung und Spaltung Deutschlands erhärteten.

Erstens wurde am 20. 8. bekannt, daß die Sowjetunion eine Wasserstoffbombe gezündet hatte, ein knappes Jahr nach den Vereinigten Staaten[63]. Dieser Machtbeweis des Kremls verwies die Hoffnung auf die preislose Räumung der DDR durch die Sowjets endgültig in den Bereich der politischen Utopie. Zweitens schilderte Paul Sethe in der FAZ die aggressiven Tendenzen Südkoreas vor Ausbruch des Krieges[64], wie sie Heinemann in seinen Reden schon jahrelang nachgewiesen hatte. Eine breitere Öffentlichkeit war damit vor die Tatsache gestellt, daß der Koreakrieg nicht länger als Hauptbeweis für die militärische Aggressivität des Weltkommunismus dienen konnte. Drittens beschuldigte Ulbricht die SED-Mitglieder Zaisser und Herrnstadt, sie hätten »den ›kapitulantenhaften‹ Standpunkt vertreten, die DDR werde sich in eine bürgerliche Republik verwandeln lassen«, und deutete an, daß der im Juli abgesetzte Berija zur Zeit des Neuen Kurses den Versuch gemacht hatte, Ulbricht abzusetzen[65]. So lag der Schluß nahe, daß Berija in der Deutschlandfrage zu einem

---

60. so Hirsch-Weber/Schütz, S. 144.
61. ebd. S. 70ff.
62. so Hirsch-Weber/Schütz, S. 90.
63. FAZ 21. 8. 53.
64. FAZ 1. 9. 53: »Es war alles ganz anders.« Wieder abgedruckt in Sethe, Ins Wasser geschrieben, S. 113ff. – Sethe bezog sich u. a. auf Äußerungen, die der südkoreanische Außenminister Dr. Pyun vor der UN getan hatte (NYT 4. 12. 52).
65. Bremer Nachrichten 24. 8. 53. – Vgl. Baring, Der 17. Juni 1953, S. 120f. – Jänicke, aaO. S. 33ff.

politischen Handel mit dem Westen bereit gewesen war, ehe der Aufstand vom 17. Juni den politisch härteren Kräften in der Sowjetunion wieder Auftrieb gab. Und viertens betonte die Sowjetunion in einer Note an die Westmächte noch einmal beides, ihre Stärke und ihren Verhandlungswillen; sie ließ keinen Zweifel daran, daß sie eine Wiedervereinigung Deutschlands innerhalb des westlichen Militärblocks unmöglich zugestehen würde, legte aber andererseits noch einmal im Wortlaut den Friedensvertragsentwurf vom 10. März 1952 vor[66]. Damit gaben die neuen Herren im Kreml deutlich zu verstehen, daß sie an Stalins Grundlinie des Vorjahres, dem Ziel einer militärischen Ausklammerung Deutschlands, trotz aller inzwischen geschehenen Aufwertung der DDR festhielten.

Die CDU ordnete die neuen Tatsachen sogleich in ihr Wahlkampf-Konzept ein. Die russische Note, schrieb der Pressedienst, sei »kaum noch für Wahlpolemik der Heinemann-Wirth-Gruppe verwendbar«, sondern bestätige im Gegenteil »die Politik der Bundesregierung in vollem Umfange«[67]. Der Sicherheitsbeauftragte Blank erklärte kurz nach der Explosion der sowjetischen Wasserstoffbombe, »Deutschland müsse so stark werden, daß gesamtdeutsche freie Wahlen möglicherweise erzwungen werden könnten«[68]. Nur in bezug auf die Rückgewinnung der ehemaligen deutschen Ostgebiete äußerte Adenauer nun in einem Privatgespräch Bedenken[69].

Dagegen rangen sich in der SPD acht Tage vor der Wahl zwei Vorstandsmitglieder, Erler und Eichler, zu der Erkenntnis durch, man müsse, um die Wiedervereinigung zu erreichen, in Kauf nehmen, daß der künftigen gesamtdeutschen Regierung Bedingungen auferlegt würden[70]. Diese Einsicht, auf die die GVP lange gehofft hatte, kam jedoch zu spät, als daß sie noch zu einer deutlichen Alternative der parlamentarischen Opposition hätte ausgebaut werden können. Sie bot in diesem Augenblick nur Angriffsflächen für die CDU, die der SPD Widersprüche zu früheren Erklärungen nachwies und den Verzicht auf unveräußerliche Rechte des deutschen Volkes vorwarf[71]. Die Gegenerklärungen der SPD ließen keine sicheren Schlüsse darauf zu, welcher außenpolitischen These die Partei denn nun folgen wollte.

---

66. Jäckel, aaO. S. 43ff. – Bemühungen I, S. 137ff.
67. Union in Deutschland 22. 8. 53.
68. Bremer Nachrichten 24. 8. 53.
69. Er tat das kurz vor dem 30. 8. 53 Ollenhauer gegenüber: »Oder-Neiße, Ostgebiete usw. Die sind weg, die gibt es nicht mehr.« So Ollenhauers Wiedergabe gegenüber F. Sänger am 30. 8. 53 (Leserbrief Sängers, FR 12. 12. 1970).
70. Auf einer Pressekonferenz am 28. 8. 53 (DNZ 29./30. 8. 53). Erler im Pressedienst der SPD v. 1. 9. 53. – Löwke, aaO. S. 154f. – Hirsch-Weber/Schütz, aaO. S. 122ff. – Tudyka, aaO. S. 85f.
71. FR, Bremer Nachrichten 2. 9. 53.

So blieb die GVP die einzige Partei mit einer klaren außenpolitischen Initiative. In den fünf Minuten Redezeit, die die westdeutschen Rundfunkanstalten der GVP zugebilligt hatten, beschwor Heinemann noch einmal seine Mitbürger:

»Wiedervereinigen kann sich nur ein Deutschland, das militärisch außerhalb der Machtblöcke bleibt ... Es ist eine Utopie, ein Gesamtdeutschland zu erwarten, das militärisch in den Westblock eingegliedert werden könnte. Die Russen werden ihre Zone nicht räumen, wenn sie gegen sie aufgerüstet werden soll. Die Westmächte würden ebensowenig das Umgekehrte tun. Wollen wir eine Wiedervereinigung unseres Volkes unter Absage an militärische Eingliederungen suchen? Das ist die Entscheidungsfrage des 6. September.«[72]

---

72. GH 135.

VI

Die Frage einer Revision der gefällten Entscheidungen über Deutschland 1953–57

1

Heinemanns Initiativen vor dem Scheitern der Europäischen Verteidigungsgemeinschaft

Das Ergebnis der Wahl vom 6. September 1953 ließ an Deutlichkeit nichts zu wünschen übrig. Die CDU/CSU konnte ihren Stimmenanteil von 31% auf 45,2% steigern. Die vier Parteien, die die Außenpolitik des Bundeskanzlers stützten: CDU/CSU, FDP, DP und BHE, gewannen mit insgesamt 333 Sitzen die Zweidrittelmehrheit im Bundestag. Während der CDU/CSU nur 5% an der absoluten Mehrheit der Stimmen fehlten, blieb die SPD (28,8%) noch um 5% unter der Sperrminorität im Bundestag. Und die GVP kam nur auf 1,16%[1].

Für die Deutschlandfrage war das Ergebnis dieser Wahl 1953 das eigentlich entscheidende Ereignis. Adenauer konnte nun, gestützt auf eine breite Regierungsmehrheit (CDU-FDP-DP-BHE), vier Jahre lang die wirtschaftliche, politische und militärische Westeingliederung der BRD weitertreiben und mit Hilfe der qualifizierten Mehrheit im Bundestag die Verfassung in seinem Sinn ändern. Nach menschlichem Ermessen war damit eine außenpolitische Lösung der Deutschlandfrage ebenso unwahrscheinlich geworden wie eine Umgestaltung der Wirtschaft und Gesellschaft im Sinne der SPD, und zwar über den Ablauf der zweiten Legislaturperiode hinaus. Denn daß es hinterher noch Möglichkeiten geben würde, die bis dahin auf dem Gebiet der Außen- und Wirtschaftspolitik gefallenen Entscheidungen zu revidieren, war kaum denkbar.

Umfragen zeigten, daß das Wahlergebnis in erster Linie als Vertrauensbeweis für die Person Adenauers und als Zustimmung zu einer »christlichen« Partei und zu einer liberalen Wirtschaftspolitik zu werten war. Die Mehrheit der Wähler erhoffte sich von Adenauer und Erhard eine weitere Aufwärtsentwicklung und Sicherung der wirtschaftlichen Verhältnisse. Außenpolitische Aspekte spielten eine

---

1. KAG 1953, S. 4150.

geringere Rolle; Überlegungen zur Wiedervereinigung wurden nur von wenigen der befragten Wähler als entscheidend angesehen[2].

Die einseitige Ansprechbarkeit der westdeutschen Bevölkerung auf wirtschaftliche Überlegungen machte das eigentliche Problem der Wahl 1953 aus. Denn gleichgültig, ob Adenauers Zweidrittelmehrheit nun mehr auf militärisches oder auf wirtschaftliches Anlehnungsbedürfnis der Wähler an den Westen zurückging: fest stand, daß von je drei Wählern mindestens zwei die Unmöglichkeit, auf Adenauers Wege einen Ausgleich der Spannungen zwischen Ost und West zu bewirken und zu einer Wiedervereinigung Deutschlands zu kommen, entweder nicht erkannt oder bei ihrer Wahlentscheidung nicht für wesentlich gehalten hatten. Wie weit es die SPD-Wähler getan hatten, blieb fraglich.

Die verschwindend kleine Anzahl von GVP-Wählern, 318 000 von 27,5 Millionen, machte jedenfalls klar, daß in der Bundesrepublik die Zahl derer gänzlich unbedeutend war, die um der Wiedervereinigung willen bittere außenpolitische Notwendigkeiten ins Auge fassen wollten. Nur in 31 von 242 Wahlkreisen konnte die GVP mehr als 2% der Stimmen erreichen, nur in acht Wahlkreisen errang sie über 4%; der höchste Stimmenanteil, 11%, wurde im Wahlkreis Siegen-Land/Wittgenstein erreicht, wo Heinemann kandidiert hatte. Die überwiegende Mehrheit dieser Wahlkreise hatte einen starken Anteil evangelischer, oft reformierter Bevölkerung, ein Zeichen dafür, daß die Konfession der Wähler eine gewisse Rolle bei der Wahlentscheidung gespielt hatte[3] – ohne daß diese Tatsache jedoch eine durchschlagende Wirkung gehabt hätte. Gewiß hatte das Zweckbündnis mit dem Bund der Deutschen, das vereinbarungsgemäß am Wahltage wieder gelöst wurde, die GVP Stimmen gekostet; doch war sicher, daß die GVP die 5%-Grenze im Alleingang auch nicht übersprungen hätte. Eine Partei, die die Interessen der Ostdeutschen in Westdeutschland wahrnehmen wollte und darauf verzichtete, kurzsichtige Interessen der Westdeutschen anzusprechen, konnte sich eben in der Wirklichkeit der Bundesrepublik nicht durchsetzen.

Innerhalb der GVP herrschte nach dem 6. September weithin Nie-

---

2. Von den CDU-Wählern nannten auf die Frage nach dem Hauptmotiv ihrer Wahl 40% den christlichen Charakter der Partei, 18% das durch Adenauer gewonnene deutsche Prestige, 16% die Führerpersönlichkeit Adenauers, 11% den erreichten Wohlstand. Daß die CDU die Wiedervereinigung am besten verträte, nannten nur 7% an erster, 15% an zweiter und 12% an dritter Stelle. Noch viel kleiner waren allerdings die Voten für die militärische und politische Westintegration der BRD (Hirsch-Weber/Schütz, aaO. S. 340ff).

3. Zwischen 4 und 6% erhielt die GVP in den Wahlkreisen Marburg, Oberbergischer Kreis, Essen I–III und Calw (–Freudenstadt), über 6% außer in Siegen nur in Wetzlar. Molt, aaO. S. 131 u. A 15.

dergeschlagenheit und Resignation. Nicht jeder war für den Trost empfänglich, den Karl Barth, privat auf den Wahlausgang angesprochen, prägnant und anstoßerregend so formulierte: »Was habt Ihr anderes erwartet? Daß es mehr als ein Prozent vernünftige Leute gibt? Durch Gottes Gnade waren es dann sogar 1,2 Prozent.«[4]

In dieser politisch aussichtslosen Lage suchten einige durch Radikalisierung der Forderungen an Bonn die tatsächliche Ohnmacht zu überspielen[5]. Andere gaben auf. Zu ihnen gehörte Bodensteiner. Er hielt den Versuch zu einer wirtschaftlichen Reform und zu einer Neutralisierung Deutschlands für »endgültig gescheitert«. Während des Wahlkampfs hatte er die Überzeugung gewonnen: »Die überwältigende Mehrheit des deutschen Volkes, einschließlich die SPD-Wähler, bejaht die Politik der Stärke von Grund auf ... Darüber hinaus leugnen sie die Berechtigung eines russischen Sicherheitsbedürfnisses und haben nicht das geringste Bewußtsein einer Schuld aus dem zweiten Weltkrieg.« Eine selbstgerechte und überhebliche, nur auf das materielle Wohl bedachte Grundhaltung sei unter der Oberfläche die »geistige Gesamtströmung der westlichen Welt«; sie führe »früher oder später zwangsläufig zum Krieg«. Bodensteiner sah keine Chancen, »das große Unheil zu verhindern«:

»Wie im Leben des einzelnen, so ist im Leben der Völker das Bewußtsein, etwas falsch gemacht zu haben, die unabdingbare Voraussetzung einer Reform. Dieses Bewußtsein fehlt der westlichen Welt. Im Gegenteil! Sie fühlen sich als die Vertreter des Guten. Gegen eine solche Verhärtung sind wir im Moment machtlos. Da muß und wird ein Stärkerer erst einmal die Kruste brechen.«[6]

Bodensteiner ließ sich in dieser Meinung nicht beirren. Der ehemalige Landrat, zum Neuaufbau seiner Existenz gezwungen, zog sich, um unabhängig zu bleiben, als Landwirt in ein Rheinstädtchen unweit von Bonn zurück, von wo aus er seitdem die Vorgänge in der Hauptstadt kritisch verfolgt.

Heinemann zog so weitgehende Schlüsse nicht, so groß auch seine Sorge über die Entwicklung in Politik und Kirche war: »Der Weg der Eingliederung der Bundesrepublik in den westeuropäisch-atlantischen Militärpakt wird nun von Bonn weitergegangen werden.«[7] Was sich die Sprecher der »Christlichen Einheitsfront« im Wahl-

---

4. Im Protokoll des Pfarrkonvents in Niederkirchen bei Kaiserslautern am 23. 9. 53 (nach Prof. Dr. Hans Köhler, Christentum – Kommunismus – Neutralismus, Broschüre, herausgegeben vom Volksbund für Frieden und Freiheit, o. J. [etwa 1954], S. 25).

5. so H. Großhammer in einem hekt. Aufsatz: »Die Überwindung der Entschlußlosigkeit in der GVP« vom Mai 1954.

6. Schreiben an Scheu v. 5. 4. 54 (AScheu).

7. GH 148.

kampf »an Schmähungen und Verleumdungen geleistet« hätten, sei
»unvorstellbar« und ließe »für den Fortgang allerlei befürchten. Die
christliche Botschaft wird darunter leiden, daß ausgerechnet die
christliche Partei der Bundesrepublik an der Spitze einer Aufrüstung
marschiert . . .«[8] Wie Bodensteiner sah Heinemann einen Zusammenhang zwischen dem Wahlausgang und dem Mangel an Selbstbesinnung. Er zitierte aus der Stuttgarter Schulderklärung und kommentierte:

»Dieses Bekenntnis ist, aufs Ganze gesehen, von unseren Gemeinden und
unserem Volke nicht aufgenommen worden. Man begann alsbald, die eigene
Schuld gegen die Schuld der anderen . . . aufzurechnen. Aus einer Schnelltech-
nik des Vergessens erwuchs neue Selbstrechtfertigung, die an der Wahlentscheidung des westdeutschen Volksteiles vom 6. September 1953 ihren wesentlichen
Anteil hat.«[9]

Aber solche Betrachtung trieb Heinemann nicht in Resignation
oder Verbitterung. »Unentrinnbare Entwicklungen bejahen, heißt
Gottes Gnade verneinen. Gott hat Möglichkeiten die Fülle.«[10] Heinemann sah seine Aufgabe in den ersten Monaten nach der Wahl
allerdings nicht in direkter Arbeit für die Partei. Er bemühte sich
zunächst um eine umfassende Lageanalyse, die sich in erster Linie
nicht auf die GVP, sondern auf die Kirche und die SPD bezog.
»Entscheidende Fragen sind der Weg der Evangelischen Kirche in
Deutschland und die Bildung einer politischen Linken in Deutschland. Die Sozialdemokratische Partei wird endlich auf neue Grundlagen kommen müssen, wenn sie jemals Aussichten haben will, etwas
zu bedeuten. Dazu muß ihr geholfen werden.«[11] In einer Abhand-
lung ging Heinemann der Frage nach, warum die SPD seit ihrer
Entstehung »auf dem Weg in die Macht niemals recht eigentlich zum
Ziel gekommen« war[12].

Heinemann sah die Ursache dafür »in dem unrealistischen Verhältnis zwischen den Zielen, die von der SPD verfolgt worden sind,
und dem Weg, den sie zu diesen Zielen eingeschlagen hat«. Man
habe revolutionäre Ziele verfolgt, wie die Aufhebung des privaten
Eigentums an Produktionsmitteln: »Aber der Weg zu diesen Zielen
sollte nicht Revolution, sondern gesetzliche Eroberung der politischen

---

8. GH 136.
9. GH 148.
10. GH 146.
11. Schreiben an Burri, Bern, v. 18. 9. 53 (AH). – Schreiben an O. Koch (SPD): »Wenn
    die SPD es nicht endlich fertig bringt, ihren Bereich zu erweitern und Bundes-
    genossen zu entwickeln, wird sie noch weitere 80 Jahre lang hinter dem Wagen her-
    laufen müssen« (17. 10. 53, AH).
12. GH 153 (vgl. auch GH 170).

Macht mit Hilfe des allgemeinen Wahlrechtes der Proletarier sein.« Das aber sei nicht möglich gewesen, da die Zahl der Arbeiter nicht, wie erwartet, unaufhaltsam angeschwollen sei, da zudem die »unablässige Verbesserung der realen Lebensverhältnisse« der Arbeitnehmer »zum Abbau der revolutionären Gesinnung beigetragen« habe. So energisch die SPD nach 1918 in der Praxis die Weimarer Republik bejaht und verteidigt habe, so wenig habe sie sich dazu entschließen können, sich »in ihrer gesamten Programmatik auf neue Grundlagen zu stellen«. Eine Rückkehr in den »Revolutionarismus« stünde »heute weniger denn je in Betracht. Das hieße, sich in einer Zeit in eine KPD oder SED verwandeln, in der Ziele und Methoden dieses Zweiges am marxistischen Baum sehr diskreditiert dastehen. Die SPD kann nur den Weg des Revisionismus weitergehen«.

> »Man sollte endlich gelten lassen, daß es schon lange töricht ist, das ertragsreichere Produktionssystem, nämlich die Marktwirtschaft, den politischen Gegnern zu überlassen und über alle Zweckmäßigkeitsfragen hinaus immer wieder mit dem Glaubenssatz zu Felde zu ziehen, daß aus einem sozialistischen ›Planen‹ und ›Lenken‹ das Heil der Menschheit anbreche. Hier geht es um Ergänzungen und gerechte Verteilung des Ertrages, aber nicht um Revolutionen.«

Unter Berufung auf den Hamburger Wirtschaftssenator Karl Schiller forderte Heinemann statt wirtschaftspolitischer Utopien praktische Verbesserungen. Wenn eine solche »Haltung zum Gemeingut der SPD« werde, wäre das »ein entscheidender Schritt auf dem Wege zur großen Volkspartei der Arbeitnehmer, des Mittelstandes und der Verbraucher mit kleinem Einkommen oder ohne Einkommen«. Eine solche Partei, die dem Marxismus als Ersatzreligion abgesagt habe, könne auch ein neues Verhältnis zu einer Kirche finden, die sich von einseitigen Bindungen an den Staat und die konservative Gesellschaft freigemacht habe.

Heinemanns Analyse zeigte, daß sich sein Verhältnis zur SPD seit den vierziger Jahren trotz der Ablehnung seiner Politik durch die SPD eher zum Positiven gewendet hatte. Der Abgeordnete Fritz Erler schrieb ihm, es sei »wirklich selten, daß ein außerhalb unserer Reihen stehender Mann mit so viel Sachkunde, Duldsamkeit, ja fast Freundschaft an die Probleme unserer Partei herangeht«[13]. Dabei hielt Heinemann an den wesentlichsten Vorstellungen fest, die er schon in den ersten Nachkriegsjahren vertreten hatte. Er betrachtete die Wirtschaft unter dem Gesichtspunkt der Effektivität und hielt Marktwirtschaft für vorteilhafter als sozialistische Planwirtschaft; er strebte eine »linke Modellierung« dieser Markwirtschaft an, und er hielt trotz des Wahlausgangs die repräsentative Demokratie für die

---

13. Schreiben v. 26. 2. 54 (AH).

richtige Staatsform. Je mehr die CDU sich zur Rechtspartei entwik-
kelte, d. h. der Demokratie autoritäre Züge verlieh und eine Marktwirtschaft im Sinn der Arbeitgeber vertrat, um so mehr verfolgte
Heinemann die Entwicklung der SPD in der Hoffnung, daß sich die
SPD zu der Mitte hin entwickelte, in der er seit 1945 seinen politischen Standort beibehalten hatte.

An einen Übertritt zur SPD dachte Heinemann jedoch nicht. Als
Erler ihm zu verstehen gab, daß »ein wirklicher Einfluß in der von
Ihnen zutreffend gekennzeichneten Richtung« nicht von außen be-
wirkt werden könnte, sondern nur »von innen her«[14], antwortete
ihm Heinemann, er sei »bezüglich dieser Entwicklungen sehr skep-
tisch« und hielte eine Betätigung außerhalb der SPD für »sinnvoller«.
Auch verwies er darauf, daß sich bei der Bundestagswahl und der be-
vorstehenden nordrhein-westfälischen Landtagswahl »maßgebende
SPD-Vertreter für Anregungen einiger GVP-Mitglieder zu einem
Zusammengehen völlig abweisend« gezeigt hätten[15].

Für Heinemann war nach wie vor die Hauptfrage, wie eine friedliche
Lösung der Deutschlandfrage zu bewerkstelligen war. Gegen die SPD
hatte er den Vorbehalt, daß sie im Wahlkampf »in der Außenpolitik
keine klare Alternative gegenüber dem Adenauerschen Kurse deutlich« gemacht habe. »Was drei ihrer Sprecher – Erler, Eichler,
Birkelbach – im letzten Augenblick als Programm einer sozialdemokratischen Deutschlandpolitik vorlegten, hätte seit drei Jahren längst
ausgesprochen werden müssen, um in das Bewußtsein der Menschen
zu dringen.«[16] Heinemanns Bemühungen in den Monaten und Jahren nach der Wahl waren darauf gerichtet, Wege zu finden, auf denen
diese Bewußtseinsänderung doch noch zu erreichen war.

Wieweit die Gesamtdeutsche Volkspartei dazu ein Mittel sein
konnte, war fraglich. Die Öffentlichkeit nahm nach einigen abfälligen
Bemerkungen über ihren Mißerfolg[17] kaum noch Notiz von ihr. Aber
die Mitglieder forderten doch »in überraschendem Ausmaß«, daß
man beieinanderblieb[18]. Anläßlich einer Tagung der Gesellschaft für
evangelische Theologie in Bielefeld, bei der auch Barth anwesend
war[19], sprachen sich die anwesenden Freunde der GVP in diesem
Sinn aus, und im November faßte die Bundesvorstandssitzung ein-

14. ebd.
15. Schreiben v. 28. 4. 54 (AH).
16. GH 136.
17. DNZ 8. 9., Die Zeit 10. 9., Welt der Arbeit 18. 9., Mann in der Zeit 19. 10. 53.
18. so Heinemann schon im Schreiben an Burri v. 18. .9 53, ähnlich im Schreiben v.
    25. 9. an Niemöller (AH).
19. JK 19/20 v. 15. 10. 53, S. 457ff.

stimmig einen entsprechenden Beschluß[20]. Die organisatorische Situation war allerdings bedrückend. Die Wahlschulden, die eine sechsstellige Zahl erreichten, konnten nur in der Weise getilgt werden, daß die Bürgschaften der Mitglieder in voller Höhe in Anspruch genommen wurden. Scheu übernahm die undankbare Aufgabe, in monatelanger Arbeit die finanziellen Verhältnisse zu regeln[21]. Als jedoch der »Spiegel« aus der Bundesvorstandssitzung angebliche Äußerungen Heinemanns kolportierte, der Weg der GVP sei ein »Stolpern von Panne zu Panne gewesen«, »wenn man die Dinge nüchtern und real beurteilt, muß man Schluß machen«[22], protestierte Heinemann[23]: die GVP habe »nicht aus Mandatsgründen, sondern um einer Aufgabe willen« angefangen:

> »Die Aufgabe heißt: Ein wiedervereinigtes Deutschland, unabhängig von Ost und West, aber verbunden mit West und Ost. Warum sollten wir wohl just in dem Augenblick die Segel streichen, wo die allgemeine Entwicklung in unsere Kerbe haut? Dr. Adenauer hat zwar am 6. September gesiegt, ist aber mit seiner Deutschlandpolitik in Verlegenheit. Wir haben zwar am 6. September verloren, sehen aber unsere Deutschlandpolitik gerechtfertiger als je.«

Heinemann schöpfte Hoffnung aus der Tatsache , daß die Hauptargumente der GVP »weithin Gemeingut geworden« seien: »Als wir schon vor mehr als Jahresfrist immer wieder darauf hinwiesen, daß es auch ein russisches Sicherheitsbedürfnis gäbe, wurden wir diffamiert. Heute spricht die ganze westliche Welt davon, daß man der Sowjetunion eine Gewähr gegen Angriffe geben müsse, wenn man zu einer Entspannung kommen will.« Heinemann mußte allerdings zugeben, daß das Handeln der Westmächte und der Bundesregierung dieser Erkenntnis nicht entsprach[24]. Als um so dringlicher empfand er die Aufgabe, in der Öffentlichkeit für die Verbreitung dieser Erkenntnis zu wirken.

Als ein positives Zeichen erschien Heinemann die Tatsache, daß sich die Großmächte, durch die Vorgänge am 17. 6. 53 beunruhigt, nach monatelangem Notenwechsel auf eine Konferenz über die deutsche Frage einigten, die im Januar und Februar 1954 in Berlin stattfand[25]. Das Präsidium der GVP bot in einer Erklärung vor der Konferenz ihren Vorschlag vom März des Vorjahres als Lösungs-

20. Rundschreiben v. 17. 11. 53 (hekt.).
21. Akten im AScheu.
22. Der Spiegel Nr. 50 v. 9. 12. 53, S. 8f.
23. Schreiben an Augstein v. 14. 12. 53 (AH).
24. Rundschreiben des Präsidiums v. 17. 11. 53 (hekt.).
25. Jäckel, aaO. S. 41ff. – Siegler, Dokumentation zur Deutschlandfrage I, S. 171ff, 179ff. – Bemühungen I, S. 129f, 134ff, II, S. 11ff.

möglichkeit an[26]. Heinemann sprach, ebenso wie Niemöller, anläßlich des Konferenzbeginns mehrfach in Berlin[27]. Er bezeichnete es als »die Kernfrage des Friedens in unserer Zeit«, ob die Weltmächte aus der »Übersteigerung eigener Sicherheitsansprüche«, die zur fortgesetzten Rüstung und damit gerade zur Bedrohung des Friedens führe, heraus und zu einer Ordnung der politischen Sicherheit, zu einem Nebeneinander fänden. Die sogenannte Politik der Stärke sei »schlechthin an ihre Grenzen gekommen«: »Beide Weltmächte sind im Besitz der Atom- und Wasserstoffbombe. Beide können sich und uns alle so schauerlich vernichten, daß der Krieg keine Lösung irgendwelcher Fragen mehr erhoffen läßt.« Angesichts beginnender Neuorientierung in der strategischen Planung der USA empfahl Heinemann, die 1945 vollzogene deutsche Abrüstung als Ansatz zu friedlicher Überwindung der deutschen Spaltung zu nehmen, statt Westdeutschland aufzurüsten[28].

Die Haltung der Großmächte entsprach jedoch nur teilweise den Wünschen der GVP. Zwar erklärte die Sowjetunion nach wie vor als ihr Ziel die Bildung eines militärisch außerhalb der Blöcke liegenden Deutschland. Sie legte in Berlin zum dritten und letzten Mal ihren Friedensvertragsentwurf vom 10. März 1952 (in ergänzter Fassung) vor und betonte bei jeder Gelegenheit vor und während der Konferenz ihre entschiedene Weigerung, Gesamtdeutschland die Freiheit zu Militärallianzen zu geben[29]. In Molotows Konzept waren jedoch Einzelheiten, wie im März 1952, klärungsbedürftig[30]. Die Westmächte griffen aber die kritischen Punkte gar nicht auf, sondern blie-

---

26. GH 147.
27. Am 20. 1. am Funkturm, am 21. 1. in Spandau u. Neukölln, am 10. 2. in der Technischen Hochschule u. in Moabit (AH). – GH 150 u. 151. – Tägliche Rundschau 23. 1., Neue Zeit 12. 2. 54.
28. GH 151, S. 5 u. 9. – Ähnlich GH 148: »Der Frieden ist der Ernstfall geworden, weil es jenseits des Friedens keine Existenz mehr gibt! ... Frieden kann nur aus einer Ordnung der Gleichgewichte bestehen. Der Drang nach dem Übergewicht, um gegen Aggression sicher zu sein, verhindert das Gleichgewicht und ist Quelle der unablässigen Unruhe und wechselseitigen Übersteigerung ... Aus dieser Entwicklung gibt es nur einen Ausweg: Zurückführung aller militärischen Sicherheitsbedürfnisse in eine Ordnung der politischen Sicherheit ...«
29. Noten v. 23. 9. u. 3. 11. 53 (Jäckel, aaO. S. 49, 54); »Entwurf eines Friedensvertrages mit Deutschland«, bes. Grundlagen Abs. 8, am 1. 2. 54, und »Vorschlag über eine Provisorische Gesamtdeutsche Regierung und die Abhaltung freier gesamtdeutscher Wahlen« am 4. 2. 54 (ebd. S. 68); Molotow am 30. 1., 3. u. 9. 2. 54 (ebd. S. 61ff).
30. »Die Größe dieser Streitkräfte wird ... beschränkt sein« (1. 2. 54, Jäckel S. 68); »Teilnahme aller demokratischen Organisationen an den Wahlen und die Durchführung von Wahlen unter den Verhältnissen wirklicher Freiheit, die den Druck auf die Wähler seitens der Großmonopole ausschließt« (4. 2. 54, ebd.) etc.

ben bei den seit 1949 vorgebrachten Maximalforderungen. Der britische Außenminister Eden wurde in diesem Punkte durch seine Kollegen Dulles und Bidault bedingungslos unterstützt[31]. Der »Edenplan« fand die uneingeschränkte Zustimmung Adenauers, der vor und während der Konferenz seine alte Konzeption ohne jede Modifizierung vertrat[32]. Er ließ an allen Plakatsäulen der Bundesrepublik während der Konferenz drei Thesen anschlagen:

»Freie gesamtdeutsche Wahlen –
Verfassunggebende Nationalversammlung –
Gesamtdeutsche Regierung mit völliger Handlungsfreiheit.«

Diese Plakate veranlaßten Heinemann zu einem Offenen Brief an den Kanzler, in dem er die Verschleierung der »gefährlichen Tragweite« jener Thesen angriff:

»Die Sowjetunion wird ihre Zone in Deutschland nicht räumen, um sie einer sich an den Westblock bindenden deutschen Regierung zu überlassen. Das Ergebnis Ihrer Forderung kann deshalb nur sein, daß die deutsche Wiedervereinigung nicht zustandekommt. Das wissen Sie, Herr Bundeskanzler. Warum sagen Sie es nicht dem deutschen Volk? Soll es nicht beizeiten erfahren, wohin Ihre Politik führt?«[33]

Heinemann stellte als »lebensentscheidende Leitsätze friedlicher deutscher Außenpolitik« die Forderungen auf, daß Deutschland sich »um des Friedens und des eigenen Lebens willen« nicht einseitig an den Westen oder Osten anschließen, mit seinen Nachbarvölkern in ein friedliches Verhältnis kommen und in der Rüstung, »die errechenbar die Gefahren herbeiführt, vor denen sie schützen soll«, auf die Tatsache bauen sollte, »daß die USA uns nicht der Sowjetunion und die Sowjetunion uns nicht den USA überlassen können«. Wenn Adenauer noch länger »diese elementarsten Gebote, die sich zwingend aus unserer Lage ergeben«, mißachtete, verdürbe er die deutschen Beziehungen »nicht nur zu den östlichen, sondern auch zu den westlichen Nachbarn«; denn eines Tages werde sichtbar werden, daß

31. Note v. 15. 7. 53 (Jäckel S. 41); Eden-Plan v. 29. 1. 54 (ebd. S. 65ff); Dulles, Bidault u. Eden am 30. 1., 1. bis 4. 2. (ebd. S. 61ff).
32. Interview (aus: Stars and Stripes), Bulletin Nr. 218 v. 13. 11. 53, S. 1809f. – Aufruf zu Beginn der Konferenz, Bulletin Nr. 15 v. 23. 1. 54, S. 113. – Interview mit der Straßburger Zeitung Les dernières Nouvelles d'Alsace lt. FAZ 26. 1. 54. – Interview mit E. Friedlaender im NWDR am 22. 2., Bulletin Nr. 37 v. 24. 2. 54, S. 297ff. – Regierungserklärung v. 22. 2., Siegler, Dokumentation zur Deutschlandfrage I, S. 209. – Rede in Berlin am 23. 2., Bulletin Nr. 38 v. 25. 2. 54, S. 305ff. – Regierungserklärung im Bundestag, Stenogr. Berichte, 16. Sitzung, 25. 2. 54, S. 518ff, Bulletin Nr. 39 v. 26. 2. 54, S. 313ff; Bemühungen II, S. 80ff. – Adenauers Darstellung: Erinnerungen II, S. 239ff, bes. S. 244, 248.
33. GH 152.

das deutsche Volk zuletzt doch Adenauer »nicht in die letzten Auswirkungen« seiner Politik folgen könnte.

Heinemann und die GVP blieben jedoch mit derartigen Aufrufen zur Berliner Konferenz ohne Widerhall. Die Parteien und die Öffentlichkeit hielten weitgehend die Bonner Forderungen für richtig, die Westberliner Gewerkschaften riefen sogar zu einem Schweigemarsch als Protest »gegen Molotows Weigerung, die konstruktiven Vorschläge der Westmächte zu diskutieren«, auf[34]. Stärker als solches Engagement war jedoch die allgemeine Passivität. Daß »Delegierte der Westmächte ihr Erstaunen über die Teilnahmslosigkeit der deutschen Öffentlichkeit« gegenüber der Konferenz zum Ausdruck brachten, gehörte für Heinemann zu den »erschütterndsten Begleiterscheinungen der Konferenz«[35]. Als ein englisches Delegationsmitglied Bischof Dibelius zu verstehen gab, daß den Engländern in Indien ein Volkswille entgegengetreten, in Deutschland aber kein Volkswille zu spüren sei, gab Dibelius dieses Votum dem Rat der EKD weiter, der daraufhin noch kurz vor dem Ende der Konferenz an die vier Außenminister der Großmächte einen dringlichen Appell zur Wiedervereinigung Deutschlands richtete[36]. Sosehr Heinemann ihn begrüßte, hielt er ihn doch nur für einen »kümmerlichen Ersatz für alle die Versäumnisse der Minister, Abgeordneten, Parteien und Zeitungen«[37]. Als nach dem für Deutschland erfolglosen Ende der Konferenz Jakob Kaiser zu einer »Volksbewegung für die Wiedervereinigung« aufrief, fragte Heinemann skeptisch, welche konkreten Vorstellungen Kaiser habe, und erinnerte daran, daß ein ähnlicher Aufruf des Ministers für gesamtdeutsche Fragen 20 Monate zuvor auch schon erfolglos geblieben war[38].

Tatsächlich hatten sich nach der Berliner Konferenz die Aussichten für eine Wiedervereinigung Deutschlands weiter verringert. Beide deutsche Regierungen nahmen nach der Konferenz weitere staatliche Rechte in Anspruch. Die Regierung in Ostberlin wurde von der Sowjetunion für souverän erklärt[39]. Die Regierung in Bonn erreichte am Tage darauf mit Hilfe ihrer qualifizierten Mehrheit im Bundestag

---

34. Hans Fleig, Der deutsche Teig, in: Die Tat, Zürich, 21. 2. 54.
35. GH 155.
36. Telegramm des Rates v. 11. 2., Wort des Rates und der Kirchenkonferenz für die Wiedervereinigung Deutschlands v. 12. 2. 54, in: Kundgebungen, S. 170f.
37. Schreiben an E. Lange v. 5. 7. 55 (AH). – Schreiben an J. Kaiser (2. 3. 54, AH): »Es hat weithin schockiert, daß während der Berliner Konferenz so gar kein lebendiger Ausdruck eines Willens zur Wiedervereinigung spürbar geworden ist.«
38. Schreiben an Kaiser v. 2. 3. 54 (AH). Bezug: FAZ 1. 3. 54 u. 9. 6. 52.
39. Erklärung der Regierung der UdSSR v. 25. 3. 54, Dokumente zur Deutschlandpolitik der Sowjetunion I, S. 501ff. – Bemühungen II, S. 89ff.

eine Ergänzung des Grundgesetzes[40]. In einem Zusatz zum Artikel 79 wurde einfach festgestellt, daß in Zukunft völkerrechtliche Verträge immer dann verfassungsmäßig seien, wenn das Grundgesetz um einen entsprechenden Paragraphen ergänzt werde; und eben diese Ergänzung nahm für den gegebenen Fall der Westverträge der Artikel 142a vor. Gleichzeitig wurde vorsorglich die Möglichkeit, eine allgemeine Wehrpflicht einzuführen, in Artikel 73,1 geschaffen.

Nach dem totalen Mißerfolg der Konferenz und ihren beklemmenden Begleitumständen und Folgen hatte sogar Heinemann, so gelassen er sonst Rückschläge hingenommen hatte, Mühe, Enttäuschungen sachlicher und persönlicher Art zu überwinden. Über die deutsche Passivität angesichts der Berliner Konferenz kam er nicht hinweg[41]. Der Widerspruch zwischen der Macht der Untätigen in Bonn und der Ohnmacht der zu Initiativen bereiten GVP war zu groß. Als ein Vorstandsmitglied der GVP Differenzen mit seinem Ortsverband als Anlaß zum Austritt aus der Partei nahm, hielt ihm Heinemann die Situation der GVP entgegen:

»Ein Büro von zwei Anwälten mit zwei Schreibhilfen hier in Essen, oder eine jetzt beim DGB angestellte Frau Wessel oder ein Industrieberater mit großer Familie in schwerstem Existenzkampf wie Herr Scheu sind doch einfach überfordert, wenn sie mit Wahlschulden aus dem 6. September und einer ›Gesamtdeutschen Rundschau‹, die sich wegen zu geringer Bezieherzahl von Nummer zu Nummer armselig fortschleppt, die GVP zu dem machen sollen, was auch Sie – mit Recht – erwarten. Wir alle stehen doch ständig vor der Frage, ob wir überhaupt noch durchhalten sollen?! Wo ist denn die Hilfe derer, die helfen könnten?«[42]

Heinemann hatte die Tatsache gleichmütig hinzunehmen versucht, daß er von Essener Kommunalpolitikern, mit denen er die ersten schweren Nachkriegsjahre gemeinsam durchgestanden hatte, geschnitten wurde und daß er von der Essener Lokalpresse im Wahlkampf besonders heftig attackiert worden war. Aber es verletzte ihn, als er feststellte, daß er nun auch innerhalb der evangelischen Kirche gelegentlich durch Menschen, mit denen er eng zusammengearbeitet hatte, von menschlichen Begegnungen ausgeschlossen wurde. Daß man ihn gleichzeitig über das Thema »Im Reiche dieses Königs hat man das Recht lieb« um einen Vortrag bat, wollte ihm zunächst geradezu als Hohn erscheinen[43].

---

40. Gesetz zur Ergänzung des Grundgesetzes, Stenogr. Berichte, 17. Sitzung, 26. 2. 54, S. 551ff.
41. Schreiben an J. Kaiser v. 2. 3. 54, an E. Lange v. 5. 7. 55 (AH). – GH 303.
42. Schreiben an Frau Achelis-Bezzel v. 24. 3. 54 (AH).
43. Schreiben an H. Gollwitzer v. 18. 5. 54 (AH).

Aber gerade die Kirche war es, in der er neue Aufgaben auf sich zukommen sah, die ihn im Sommer und Herbst 1954 ausfüllten. Auf Reisen und Tagungen erlebte er die Christenheit als eine weltweite Gemeinschaft und arbeitete an den ihr gestellten Aufgaben mit. Überall suchte und fand er auch Gelegenheit, aus dem Bereich der Kirche in den im engeren Sinn politischen Raum hineinzuwirken und damit, weil direkte Bemühungen um die Lösung der Deutschlandfrage bis auf weiteres wenig Sinn hatten, indirekt zur Auflockerung der weltpolitischen Fronten und zur Hilfe für bedrängte Menschen etwas zu tun.

Auf einer fast dreiwöchigen Reise durch die Sowjetunion, zu der Heinemann und fünf andere evangelische Deutsche vom Patriarchen der russisch-orthodoxen Kirche eingeladen waren, lernte er die Ostkirche kennen. In Moskau, Sagorsk, Leningrad, Kiew und Odessa besuchte die Gruppe viele Gottesdienste, und es kam zu »zahlreichen Begegnungen mit maßgeblichen Geistlichen«, mit dem Patriarchen und mit mehreren Metropoliten, und zu mehreren Unterredungen mit dem vom Ministerrat der Sowjetunion bestellten Beauftragten für die Kirche. Heinemann stellte die ersten direkten Kontakte zum Sowjetischen Roten Kreuz her; mit dessen Leiter besprach er Fragen der Zivilinternierten, der Zusammenführung getrennter Familien und der deutschen Facharbeiter in der Sowjetunion. In einem Gespräch mit dem Dekan der juristischen Fakultät in Moskau kam die Frage der Amnestie zur Sprache, in einer Aussprache mit dem stellvertretenden sowjetischen Außenminister Zorin bat Heinemann um weitere Amnestierung von Kriegsgefangenen. Nach Deutschland zurückgekehrt, gab Heinemann in vielen Aufsätzen und Reden seine Eindrücke aus der Sowjetunion wieder[44].

Er wies darauf hin, daß das Sowjetische Rote Kreuz »zu einem Such- und Auskunftsdienst in Zusammenarbeit mit dem Deutschen Roten Kreuz bereit« sei und erklärt habe, »daß das westdeutsche Rote Kreuz bisher keine Einzelfälle« direkt an das sowjetische herangetragen habe. Für Heinemann war diese Aussage ein Beweis dafür, »welche Möglichkeiten der Einflußnahme auf deutsche Anliegen der Bundesrepublik offenstehen würden, wenn wir auch zu der östlichen Besatzungsmacht in ein ordentliches Verhältnis kämen«[44a]. Das könne sich auch positiv auf die Anwendung des sowjetischen Amnestiegesetzes und die Ausweitung des wirtschaftlichen Warenaustausches auswirken. Nachdem Heinemann sich bei dem Präsidenten des Deutschen Roten Kreuzes, Weitz, versichert hatte, daß die sowjetischen

---

44. GH 161, 162, 164–66, 180.
44a. GH 161.

Angaben stimmten, drang er in einem energischen Brief an Adenauer darauf, die Bundesregierung sollte endlich dem DRK Freiheit zu eigener Initiative geben und es unterstützen – ohne jedoch, ebenso wie Weitz, auf Resonanz zu stoßen[45].

Von der russisch-orthodoxen Kirche berichtete Heinemann, daß der Reisegruppe in zahlreichen Gottesdiensten »singende und betende Gemeinden, deren Glaubensverbundenheit und Opferwilligkeit weiten Gebieten des sogenannten christlichen Abendlandes ein Vorbild sein könnten«, begegnet seien[46]; die Kirche, der jeglicher Unterricht an der Jugend, karitative Arbeit und religiöse ›Propaganda‹ untersagt sei, werde durch neue Formen ihres Gottesdienstes sogar zu einer verkündigenden Kirche[47]. Mit solchen Schilderungen seiner Erfahrungen wollte Heinemann der verbreiteten Meinung entgegentreten, als gäbe es in der Sowjetunion nur eine scheinbare oder eine unterirdische, keine wirkliche sichtbare Kirche. »Nach unserer Rückkehr können wir nur einmütig sagen, daß sie in einer eindrucksvollen Weise da ist«. Heinemann gab die Einladung der orthodoxen Kirche in Rußland zu einer Begegnung mit der Evangelischen Kirche Deutschlands mit dem Hinweis weiter: »So wie die Kirche 1945 in Stuttgart die erste Brücke zu einer neuen Begegnung mit unseren westlichen Nachbarn geschlagen hat, scheint sie nun gerufen zu sein, auch gegenüber den östlichen Nachbarn einen ähnlichen Schritt neuer Begegnung zu vollziehen.«[48]

---

45. Schreiben an Adenauer v. 27. 9. 54: »Ich habe klare Beweise dafür vorliegen, daß es das Auswärtige Amt in Bonn unter Ihrer Leitung ist, welches das westdeutsche Rote Kreuz seit Jahren in seiner Absicht der Zusammenarbeit mit dem sowjetischen Roten Kreuz behindert hat. Ich fordere Sie, Herr Bundeskanzler, hiermit auf, dem westdeutschen Roten Kreuz endlich volle Handlungsfreiheit und volle Unterstützung seiner Arbeit zu geben, damit dem großen menschlichen Leid begegnet werden kann, das der Krieg für zahllose Familien hinterlassen hat.« (AH, veröffentlicht in Heinemann: Das Rote Kreuz im Spannungsfeld des Kalten Krieges, Frankfurter Hefte 1. 2. 64, abgedr. in: GH, Deutschlandpolitik, S. 105ff.) Das Auswärtige Amt, dem Adenauer Heinemanns Schreiben übergab, zeigte sich jedoch nur daran interessiert, worauf Heinemann seinen Vorwurf stützte. Im Bulletin des Presse- und Informationsamts der Bundesregierung wurde aus einer Rede von Weitz die Passage gekürzt, in der Weitz das deutsche Volk und die Bundesregierung aufforderte, für die baldige Lösung der Gefangenenfrage »jedes zumutbare Opfer zu bringen«, ehemalige Gefangene und Internierte vom Wehrdienst zu befreien und »für die Heimschaffung der Deutschen den Rotkreuzgesellschaften der Gewahrsamsländer rotkreuzmäßige Einrichtungen zu stiften . . .« (ebd; vgl. Bulletin Nr. 205 v. 29. 10. 54). Durch Heinemanns Vermittlung kam es im März 1955 zu einer ersten Unterredung zwischen Weitz und Puschkin, dem sowjetischen Botschafter in Berlin.
46. GH 161.
47. GH 165.
48. GH 162.

Während Heinemann den Westdeutschen Mut zum Brückenschlag nach Osten zu machen suchte, war er bemüht, den Ostdeutschen zur Klärung ihrer Situation zu verhelfen. Anläßlich einer Ratssitzung in Halle nahm er die Gelegenheit wahr, in der Universität vor über 1000 Zuhörern über Demokratie und christliche Kirche in historischer Sicht, sein altes Thema der ersten Nachkriegsjahre, zu sprechen. Dabei ergab sich in seinem Schlußwort nach der Diskussion Gelegenheit zu der Feststellung, daß »jegliche religiöse oder weltanschauliche Erziehung unter Anwendung von Zwangsmitteln überall in gleicher Weise unheilvoll« sei[49]. Auf dem Kirchentag in Leipzig suchte er in seinem großen Referat »Im Reiche dieses Königs hat man das Recht lieb« die Beziehung zwischen der politischen Wirklichkeit und der christlichen Verheißung aufzudecken[50]. Mit Beispielen aus der jüdischen und deutschen Geschichte und unter Hinweis auf »die Auflehnung asiatischer und afrikanischer Völker gegen fremde Herrschaft« unterstrich der Präses, daß das Recht stets »umstritten und fragwürdig« sei, daß »Recht haben und Recht bekommen zweierlei« sei, weil der Machthabende die Rechtsordnung »nur zu oft im Interesse des ökonomischen Vorteils seiner politischen Gruppe oder seiner Klasse oder zur Durchsetzung seiner Weltverbesserungsideen« gestalte; in dem »Schrei nach dem Recht«, wie er im Alten Testament erklinge, werde manch einer »den eigenen Schrei nach Recht« wiederfinden. Aber Heinemann benutzte solche Anspielungen, die Ostdeutsche auf ihre Situation beziehen konnten, nicht zu einer unterschwelligen Empfehlung westlichen Rechtssystems. Vielmehr verkündete er die biblische Aussage, daß »das Recht unverbrüchlich in Geltung« stünde: »Gott ist es, der über dem rechtlos Gemachten die Wache hält.« Seine Geduld gegenüber den mehr oder weniger ungerechten menschlichen Rechtsordnungen erschiene zwar »wie ein Verrat am Recht« und sei »doch nur ein Ausfluß der Rechtstat Gottes«. Diese Tat bestünde darin, daß Gott »den Zorn und das Gericht über unser aller Ungehorsam in das Todesurteil über einen einzigen Menschen« zusammengefaßt habe. Indem Jesus Christus für die Menschen das Todesurteil auf sich genommen habe, sei die Rechtsordnung »abgeschlossen und vollendet«. Das »Wesen des Christenstandes« bestünde darin, daß man das »eine heilsame Recht lieb hat, das in Jesus Christus geschah«. Aus dieser Liebe erwüchse die Aufgabe, »unser Recht jeden Tag besser zu machen«, wenn auch »ein reines, richtiges und volles Recht nie« zu schaffen sei, sondern Recht und Frieden »brüchig bleiben, weil wir alle, Christen und Nichtchristen, unseren Aufruhr

---

49. Schreiben an Augstein v. 10. 5. 54 (AH).
50. GH 169.

gegen Gott und seine Gebote nicht zu beenden vermögen«. Aber aus der Kraft, »mit der Gott uns durch seine Rechtstat zu Hilfe gekommen ist und Frieden zwischen sich und uns stiftet«, könnten »Christenleute freudig und beharrlich und ungeteilten Herzens für das Stück Recht und den Aufschub von Katastrophen eintreten, die es jeden Tag mühselig zu erkennen und zu erstreiten gilt.«

Mit diesen Worten an die Teilnehmer des Kirchentags gab Heinemann zugleich die Erklärung dafür, weshalb er in seinen politischen Bemühungen trotz aller Rückschläge nicht aufgegeben hatte. Das Thema der bevorstehenden Weltkirchenkonferenz in Evanston, an der Heinemann als Vertreter der EKD teilnehmen sollte[51], veranlaßte ihn weiter zu theologisch-politischer Reflexion. »Christus, die Hoffnung der Welt« – das faßte er in eine konkrete Frage: »Wie stellt sie sich für indochinesische Kriegsgefangene, amerikanische Neger, ägyptische Fellachen, deutsche Heimatvertriebene, für Arme und Reiche, für Kapitalisten und Kommunisten dar?« Heinemann erwartete, daß die Kirchenversammlung etwas über die »Bindeglieder« zwischen der Hoffnung auf Christi Wiederkehr und den gegenwärtigen Pflichten in der Welt sagte; er sah das Verhältnis so:

»Die Erwartung des wiederkommenden Christus darf uns nicht von den unmittelbaren Aufgaben wegführen. Andererseits dürfen wir uns in diesen Aufgaben nicht so verlieren, daß wir ihre Vorläufigkeit vergessen und anfangen, in ihrer Erfüllung einen Ersatz für die abschließende Erlösungstat Christi zu sehen.«[51a]

Auf Grund seiner Erfahrungen in den USA und auf der Kirchenversammlung kam Heinemann jedoch zu dem Urteil, daß dort »noch weithin eben dieser Optimismus der Weltveränderung, der auch den Marxismus auszeichnet«, herrsche. »Die drei Glaubensstücke menschlicher Religion, Vernunft, Wissenschaft und Fortschritt, finden sich in merkwürdiger Nähe sowohl beim marxistischen Bolschewismus als auch im Bereich des westlichen Idealismus.«[52] Auf diesen ungebrochenen Optimismus führte Heinemann es zurück, daß das zentrale Thema auf der Konferenz »nur in einer recht blassen Weise zum Ausdruck« kam. Als die Mehrheit sogar beschloß, über Christus als Hoffnung für das Volk Israel aus Rücksicht auf arabische Empfindlichkeit nichts zu sagen, sah Heinemann damit »biblische Wahrheit (Römer 9–11) in einer untragbaren Weise verleugnet«. Mit einer Gruppe von Delegierten unterzeichnete er eine besondere Erklärung, »daß wir weder in Christus eins sein noch die Verheißung Gottes verkündigen

---

51. Nach seiner Moskaureise bekam Heinemann allerdings zunächst keine Einreiseerlaubnis in die USA; sie wurde dann doch gewährt, aber mit der Maßgabe: »Only to attend Church Meeting – Church World Conference« (Reisepaß, AH).
51a. GH 167.
52. GH 171.

können, wenn wir sie nicht auch für das Volk Israel in Kraft sein lassen«[53]. Uneingeschränkt begrüßte es Heinemann hingegen, daß die Vollversammlung sich das Arbeitsergebnis der Sektion für internationale Angelegenheiten, zu deren 150 Mitgliedern er gehörte, zu eigen machte: sie warnte die Menschheit eindringlich vor den Gefahren eines Krieges mit ABC-Waffen, rief zu ihrer Ächtung auf, forderte, die Kriegsdienstverweigerung aus Gewissensgründen überall zu einem Bestandteil der allgemeinen Menschenrechte zu machen, und ermutigte die Christenheit, den abgrundtiefen Graben des Mißtrauens zwischen den verfeindeten Mächten zu überbrücken[54].

Dieser Aufgabe suchte Heinemann nachzukommen, indem er auf der Hin- und Rückfahrt zur Weltkirchenkonferenz Kontakte zu amerikanischen Politikern aufnahm. Er folgte einer Einladung des Bankiers Warburg, der alsbald anläßlich einer Deutschlandreise seinen Besuch erwiderte, und führte bei einem mehrtägigen Besuch in Washington Gespräche mit leitenden Beamten der Deutschlandabteilung des amerikanischen Auswärtigen Amts und Senatoren beider Parteien, darunter dem späteren Präsidenten Johnson[55]. Bei Senator Flanders, einem Mitglied der regierenden republikanischen Partei, stieß Heinemann auf soviel Verständnis, daß Flanders wenige Tage später in einer Rede empfahl, die militärischen Fragen in Mitteleuropa zurückzustellen, Deutschland zunächst ohne Soldaten wiederzuvereinigen und seine Neutralität von West und Ost zu garantieren[56]. Nach seiner Rückkehr in die Bundesrepublik gab Heinemann seine Beobachtungen und Überlegungen zu den weltweiten Fragen von Kirche und Politik dem In- und Ausland in mehreren Veröffentlichungen weiter[57].

2
Heinemanns Rolle in der Paulskirchen-Aktion
und auf der Synode von Espelkamp

Heinemanns Gespräche in Washington standen schon ganz im Zeichen jenes Ereignisses, das die politische Szenerie in Europa mit einem Schlage verändert hatte: am 30. August 1954 sprach sich die

53. GH 172.
54. GH 175.
55. Westdeutsche Allgemeine Zeitung 10. 9., Der Spiegel 29. 9. 54.
56. FAZ 22. 9., Der Spiegel 29. 9., FR 2./3. 10. 54.
57. Zu Evanston: GH 172, 175, 179, 180. – Zur politischen Lage: GH 173, 174, 176 bis 178, 181, 183.

Mehrheit der französischen Nationalversammlung gegen die Europäische Verteidigungsgemeinschaft aus. Damit brach das Produkt jahrelanger politischer Bemühungen von Washington und Bonn zusammen. Vergeblich hatte sich Adenauer bemüht, unter abermaligen Hinweisen auf die angestrebte Integration Gesamtdeutschlands in den Westen die französischen Befürchtungen gegen deutsche Soldaten zu zerstreuen[1]. Nun war die Kardinalfrage wieder offen, wie das Deutschlandproblem gelöst werden sollte.

Heinemann sah eine letzte Chance auftauchen, daß es womöglich doch noch zur Wiedervereinigung Deutschlands kommen könnte. »Nach dem Scheitern der EVG ist der Zeitpunkt gekommen, wo die politischen Konzeptionen der letzten Jahre neu geprüft werden sollten!«[2] Eine neue Möglichkeit für eine europäische Lösung sah Heinemann durch die Genfer Ostasienkonferenz eröffnet, die im Juli mit ihrer Regelung über Indochina »einen Modellfall für die deutsche Lösung gesetzt« habe: »Zum ersten Mal haben die Blockmächte nach den Jahren der sich wechselseitig steigernden Bedrohungen einen Schritt der Begegnung und des Ausgleichs vollzogen.«[3] Im Krieg in Vietnam hätten die Kommunisten der Versuchung widerstanden, die »unaufhaltsamen militärischen Erfolge Ho Chi Minhs«, der »ja längst ... der legale Sprecher seines Volkes« sei[4], »bis zur letzten Konsequenz zu treiben und dadurch das Risiko des 3. Weltkrieges auszulösen«. Dagegen habe der französische Ministerpräsident Mendès-France für den Westen eine große Konzession gemacht, indem er »für ganz Indochina freie Wahlen für 1956 zugestanden habe«, obwohl er damit den Kommunisten Aussicht auf Einigung des ganzen Landes unter Führung Ho Chi Minhs gemacht habe. Der Osten wiederum habe als Gegenleistung die Bündnisfreiheit von Laos und Kambodscha anerkannt[5].

Als ersten Schritt für eine ähnliche Regelung der europäischen Fragen empfahl Heinemann die Revision zweier Voraussetzungen der amerikanischen Politik. Die erste sei das Rechnen mit einer militärischen Aggression der Sowjetunion. Diese Annahme ginge fehl, weil »der Bolschewismus mindestens primär nicht militärisch denkt, son-

---

1. Rundfunkerklärung v. 6. 8. 54. Das Bulletin wiederholte Adenauers Erklärungen vom Februar und unterstrich, daß in § 7 des Deutschlandvertrages ausdrücklich als Ziel der Verträge die Westintegration Gesamtdeutschlands formuliert sei (Bulletin Nr. 149 v. 12. 8. 54, S. 1331). Dem entspricht Adenauers Darstellung in seinen Erinnerungen II, S. 283ff.
2. GH 177.
3. GH 163.
4. GH 160.
5. GH 163.

dern revolutionär«. »Der entscheidende Wettlauf . . . des Lebensstandards, der sozialen Gerechtigkeit und der fairen Chancen für alle« sei für den Westen bedrohlicher als militärische Aggression[6]. »Schlüssel für den Weltfrieden« sei, »daß Nahrung geschaffen werde für alle, daß die reichen Nationen endlich den armen Nationen mit einem Weltmarshallplan zu Hilfe kämen«[7]. Die zweite irrige Voraussetzung schien Heinemann die Annahme zu sein, daß ein künftiger Krieg »immer noch ein Krieg ohne die modernen Massenvernichtungsmittel sein könne«, wogegen Heinemann, gestützt auf den Bericht von Evanston, fürchtete, daß die verlierende Kriegspartei zuletzt doch auch Massenvernichtungsmittel verwenden würde. Heinemann zog den Schluß:

»So kommt es darauf an, den Wettlauf der wirtschaftlichen und sozialen Entwicklung mit dem Elend besonders in den zurückgebliebenen Gebieten dieser Erde aufzunehmen und im übrigen das militärische Gleichgewicht gegenüber der Sowjetunion in den neuen Waffen so lange zu halten, bis sich der Weg zu einer internationalen Ordnung und Abrüstung öffnet.«

Ein Wille zur Koexistenz erfordere »konkrete Folgerungen«, die »Wachsamkeit und Gelassenheit verbinden«. Fernziel sollte ein unabhängiges Europa zwischen Ost und West, Nahziel die Bemühung um Wiedervereinigung des aus den Militärblöcken ausgeklammerten Gesamtdeutschland sein[8].

Die maßgeblichen Politiker des Westens waren jedoch einer Revision ihrer bisherigen Vorstellungen abgeneigt. Sie dachten nicht daran, die Genfer Vereinbarungen über Südostasien, die nur gegen den Widerstand der USA zustandegekommen waren, in irgendeiner Weise als Denkmodell für deutsche und europäische Fragen auch nur zu erwägen, geschweige denn wie Heinemann die Frage deutscher Aufrüstung schon im globalen Zusammenhang der Bekämpfung des Hungers in der Welt zu sehen. Auf die neue Situation in Europa reagierten sie ebenso wie in den vergangenen Jahren, nur schneller. Noch im September reisten die Außenminister der USA und Englands von Hauptstadt zu Hauptstadt, um den Boden für neue Verträge zu bereiten, die auf der Londoner Neun-Mächte-Konferenz (September/ Oktober) besprochen wurden[9]. Die USA, Großbritannien, Kanada und die sechs EVG-Staaten kamen überein, daß die BRD und Italien dem 1948 gegründeten Brüsseler Pakt und der NATO beitreten und

---

6. GH 177.
7. GH 182.
8. GH 177.
9. Darstellung Adenauers, Erinnerungen II, S. 295ff. – Besson, Die Außenpolitik der Bundesrepublik, S. 154ff.

daß die BRD souverän werden solle; das Londoner Abkommen begrenzte die westdeutsche Heeres- und Flottenstärke und verbot der BRD die Herstellung von Bombenflugzeugen, schweren und ABC-Waffen[10]. In Paris wurden im Oktober binnen vierzehn Tagen die Einzelheiten durchberaten und am 23. Oktober die »Pariser Verträge« unterzeichnet, die außer den in London vereinbarten Punkten die Europäisierung des Saargebiets vorsahen[11].

Die Sowjetunion antwortete inzwischen mit Gegenzügen. Sie brachte in der UN einen Abrüstungsvorschlag ein[12], griff ihren Plan eines gesamteuropäischen Sicherheitssystems wieder auf, das an Stelle der beiden Militärblöcke treten sollte[13], bekundete ihre Bereitschaft zu Verhandlungen über die deutsche Frage[14] und wiederholte ihre Warnungen, Deutschland könne nach Abschluß von Westverträgen der BRD nicht mehr vereinigt werden[15]. Sie lud alle europäischen Staaten zu einer Konferenz über ihren Vorschlag eines gesamteuropäischen Sicherheitssystems ein, und nach der Absage der westlichen Staaten kamen die Vertreter der Ostblockstaaten in Moskau (November/Dezember) überein, ihrerseits offiziell einen Militärpakt, den Warschauer Pakt, abzuschließen[16].

Heinemann war sich bewußt, daß in dieser Lage alles darauf ankam, die Ratifizierung der neuen Verträge durch den Bundestag aufzuhalten, wenn man in der deutschen Frage »überhaupt noch Bewegungsfreiheit« behalten wollte[17]. Es war klar, daß weder die GVP noch die einzelnen opponierenden Politiker, mit denen er seit der Wahl Verbindung gesucht hatte, dazu auch nur annähernd einflußreich genug sein würden. Wenn überhaupt, dann konnte nur eine Aktion helfen, die die politische Linke, die SPD und die Gewerkschaften, opponierende Politiker aus dem bürgerlichen Lager und

---

10. Siegler, Dokumentation zur Deutschlandfrage I, S. 221ff. – Bemühungen II, S. 115ff.
11. Siegler, Dokumentation zur Deutschlandfrage I, S. 252ff. – Texte ebd. Bd. III, S. 149ff.
12. Siegler, aaO. I, S. 220f.
13. Molotow am 6. 10. 54 in Berlin (-Ost), Siegler, aaO. I, S. 240f.
14. In einer Note v. 23. 10. 54 an die Westmächte erklärte sie sich bereit, den bis dahin von ihr abgelehnten ersten Edenplan (Berliner Konferenz) zu diskutieren. Siegler, aaO. I, S. 250ff. – Bemühungen II, S. 159ff.
15. Molotow am 6. 10. 54, Siegler, aaO. I, S. 240f. – Note v. 23. 10. 54 an die Westmächte, ebd. S. 252, Bemühungen II, S. 162. – Note v. 13. 11. 54 an die Regierungen der europäischen Länder, Bemühungen II, S. 166. – Deklaration der Konferenz in Moskau v. 2. 12. 54, Siegler aaO. I, S. 260, 265, Bemühungen II, S. 173, 176. – Note an die Westmächte v. 9. 12. 54, S. 179f.
16. Siegler, aaO. S. 257ff. – Bemühungen II, S. 165ff.
17. Schreiben an H. Gollwitzer v. 3. 12. 54 (AH).

Männer der Kirche umfaßte. Eine »positive Aktion« dieser Kräfte erschien Heinemann um so nötiger, als sonst »die radikalen Kräfte wieder allein zum Zuge« kämen[18]. So griff er sofort eine Anregung Scheus auf, sich an den früheren Reichskanzler Brüning zu wenden, der einige Monate zuvor aus seiner Reserve herausgetreten und öffentlich die »rein dogmatische Außenpolitik« der Regierung kritisiert hatte[19]. Heinemann legte ihm den Aufruf zu einer gesamtdeutschen Aktion vor:

»Eine solche ›Gesamtdeutsche Aktion‹ müßte sich oberhalb von allen Parteien, Konfessionen und wirtschafts- oder sozialpolitischen Differenzen auf breitester Grundlage, jedoch unter Ausschluß von KPD und BdD, sammeln und das Volk in Bewegung bringen. Da es für die nächsten drei Jahre keine Möglichkeit gibt, die regierungstreue Mehrheit in Bonn auf parlamentarischem Weg zu stoppen, ist die einzige Chance, auf die bedrohliche Entwicklung positiv einzuwirken, die eines wirklichen Volksplebiszits in Form einer Petition an den Bundestag, für die Millionen Unterschriften heute zu sammeln sind.«

Als Ziel nannte Heinemann die Wiedervereinigung Deutschlands durch freie geheime Wahlen, Deutschlands Sicherung »durch gleichberechtigte Teilnahme Deutschlands an einem kollektiven Sicherheitspakt für Europa im Rahmen der Vereinten Nationen« und Beteiligung ganz Deutschlands an der politischen und wirtschaftlichen Einigung Europas. Aktionsmittel sollten »intensive Propaganda« (so Scheus Vorschlag) – »intensive, jedoch faire Propaganda« (so Heinemanns Fassung) »in der Öffentlichkeit, den Parteien, Gewerkschaften, Verbänden, Kirchen« sein, die »die beiden teildeutschen Regierungen sowie die vier Besatzungsmächte« zu Verhandlungen drängen sollten. Heinemann stellte Brüning »gern anheim, die Leitung der Aktion selbst zu übernehmen«[20]. Ein ähnliches Schreiben richtete er an den Vorsitzenden der Gewerkschaftsjugend[21], nachdem sich am 16. November 1954 in einem Gespräch mit den SPD-Abgeordneten Erler, Metzger und Wehner deren »absolut positives Interesse an dem Plan« ergeben hatte; die Gesprächspartner wollten sich dafür einsetzen, auch Ollenhauer dafür zu gewinnen[22]. Gemeinsam mit

---

18. Schreiben an H. Gollwitzer v. 18. 11. 54 (AH).
19. H. Brüning, Die Vereinigten Staaten und Europa. Ein Vortrag, gehalten im Rhein-Ruhr-Club in Düsseldorf, Stuttgart 1954, S. 12. – FAZ 4. 6. 54. – Posser hatte Brüning schon in der Gründungsphase der GVP am 14. 1. 53 in Köln im Auftrag Heinemanns zu einer mehrstündigen Unterredung aufgesucht. Dabei äußerte sich Brüning lobend und zustimmend über Heinemann und H. Wessel, heftig gegen Adenauer, war aber zu aktiver Mitarbeit nicht bereit (Mitteilung v. Dr. Posser v. 15. 7. 71).
20. Schreiben v. 12. 11. 54 (AH).
21. Schreiben v. 23. 11. 54 (AH).
22. Schreiben Heinemanns an Gollwitzer v. 18. 11. 54 (AH).

Gollwitzer drängte Heinemann in einem weiteren Gespräch mit SPD-Abgeordneten zu einem positiven Entschluß[23].

Tatsächlich wirkte diesmal die Opposition gegen Adenauers eilige Schritte kräftiger und umfassender als in den Jahren vorher. Alle alten Gegner Adenauers waren auf dem Plan: die SPD, die sich energisch gegen eine schnelle Ersatzlösung für die EVG durch Eintritt der BRD in die NATO wandte und als erstes Verhandlungen über eine Wiedervereinigung Deutschlands und ein europäisches Sicherheitssystem aufgenommen wissen wollte[24]; Teile der Gewerkschaften, deren Jugendorganisation sich gegen westdeutsche Aufrüstung aussprach[25]; vor allem die kritischen Kreise der evangelischen Kirche, die in einer Vielzahl von Erklärungen im Blick auf die Spaltung Deutschlands, den Frieden in der Welt und die Gewissens-Belastung der zukünftigen Soldaten westdeutsche Aufrüstung ablehnten[26]. Karl Barth warnte in einem Vortrag zum Volkstrauertag 1954 leidenschaftlich vor »Unternehmungen, die zu einem dritten Weltkrieg führen müssen«, nämlich der »Wiederaufrichtung eines deutschen Obrigkeitsstaates«, der Wiederbewaffnung und Aufspaltung Deutschlands: »Deutsche Männer wie Martin Niemöller, Ulrich Noack, Gustav Heinemann, Heinrich Grüber und manche andere haben das Nötige dazu längst gesagt.«[27] In Düsseldorf erklärten 27 bekannte Theologen, daß die »politischen, rechtlichen und sittlichen Voraussetzungen« für eine westdeutsche Bewaffnung und die Einführung der allgemeinen Wehrpflicht nicht so weit geklärt seien, »daß der Staat von Gott her das Recht in Anspruch nehmen dürfte, solche Gesetze zu beschließen«[28]. Darüber hinaus wurde innerhalb der Koalition Kritik laut, und diesmal kam sie nicht von einem Außenseiter wie Pfleiderer, sondern vom FDP-Fraktionsvorsitzenden Dehler selbst. Er forderte in einer Rede, die auf die CDU »wie ein Erdbeben« wirkte, Ver-

---

23. Schreiben an Gollwitzer v. 3. 12. 54 (AH). – S. auch GH 181 und den Aufruf des Präsidiums und des Landesvorstands NRW der GVP: »Gebot der Stunde: Vorparlamentarische Aktion. Ein Aufruf an die Männer und Frauen der SPD« (GR 7. 1. 55).

24. Löwke, aaO. S. 184ff. – Erler hatte sich im Juli 54 für eine Lösung ausgesprochen, die den Vorschlägen Heinemanns ähnlich war (Sopade Nr. 947, Juli 1954, S. 7f). – Stenogr. Berichte, 47. Sitzung, 7. 10. 54, S. 2241, 2278, 2289, 2308, 2315ff. – Erler, Neuer Vorwärts 15. 10. 54, Löwke, aaO. S. 253f. – Stenogr. Berichte, 62. Sitzung, 16. 12. 54, S. 3252. – Interview mit Ollenhauer in der »Welt« 18. 2. 55. – Stenogr. Berichte, 69. Sitzung, 24. 2., S. 3512, 3566; 70. Sitzung, 25. 2., S. 3725, 3731, 3737. – FR 19. 11., Die Welt 27. 11., Süddeutsche Zeitung 27. 11. 54, FR 1. 2. 55.

25. FAZ 27. 11. 54.

26. KJ 54, S 75ff, KJ 55, S. 5. – StdG, Sonderheft Febr. 55, S. 17ff.

27. JK Heft 23/24 v. 15. 12. 54, S. 565ff, bes. 571f. – K. Barth, Der Götze wackelt, S. 165ff. – KJ 54, S. 80ff (Teile).

28. KJ 54, S. 87f. – JK Heft 1/2 v. 15. 1. 55, S. 35. – StdG, Sonderheft Febr. 55, S. 17.

handlungen mit Moskau und verteidigte seinen Vorschlag, als der keine ungeteilte Zustimmung fand[29]. An Heinemann schrieb er: »Ich bin mit Ihnen der Meinung, daß die Chance, die in der Note vom 10. März 1952 lag, nicht genützt worden ist.«[30]

Aber auf so breiter Basis, wie Heinemann es hoffte, ließ sich die »Gesamtdeutsche Aktion« doch nicht verwirklichen. Brüning äußerte sich erst wochenlang nicht und konnte sich dann nicht positiv entscheiden: »Er versichert mir ein um das andere Mal sein positives Verständnis und seine Hochachtung vor meiner Person und meinem Anliegen, kommt aber nicht zu Rande«, schrieb Heinemann an Erler[31]. Die SPD zögerte zunächst auch, so daß Heinemann gegenüber Gollwitzer klagte: »Die Partner tummeln sich offenbar so intensiv in den Wahlkämpfen, daß es zu keiner Entscheidung kommt.«[32] Endlich erklärte die Partei im Dezember durch den stellvertretenden Vorsitzenden Mellies, der schon seit Monaten Verbindungen zu Gollwitzer hatte, ihr Einverständnis zu den geplanten außerparlamentarischen Aktionen. Heinemann hoffte, daß nun auch führende Kräfte des DGB mittun würden. Dagegen mußte er die Hoffnung auf ein Ausscheren Dehlers aus der Koalition alsbald aufgeben: Wie die FDP, trat Dehler mit der Begründung, daß »Europa die Verpflichtung hat, für seine Sicherheit zu sorgen«, doch für die Verträge ein[33].

Damit stand im Bundestag eine Mehrheit für die Verträge außer Frage. Denn die CDU/CSU dachte nicht daran, neue Argumente zu erwägen, schon gar nicht solche aus der Gruppe Heinemann – Niemöller. Als während der ersten Lesung der neuen Verträge im Bundestag im Dezember 1954 Erler auf die »Düsseldorfer Erklärung« an den Bundestag zu sprechen kam, hielten ihm CDU-Abgeordnete in Zwischenfragen entgegen, daß es sich nicht um die Stellungnahme »der« evangelischen Kirche handle, daß nur einige hundert Pfarrer unterschrieben hätten, daß man an der Gegnerschaft dieser Pfarrer gegen eine Aufrüstung in der DDR zweifle, daß Bischof Lilje Bewaffnung als politisch unvermeidlich und unter Umständen als Christenpflicht bezeichnet habe; eine Pastorenfrau fragte, ob die Theologen

---

29. Die Welt 2. 10. – Vgl. FR 2. 10., FAZ 4. 10. 54.
30. Schreiben v. 2. 12. 54 (AH).
31. Schreiben v. 27. 12. 54 (AH). – Vgl. die Darstellung, die C. von der Horst gab: Heinrich Brüning – aus persönlicher Sicht (II). Adenauer witterte Gefahr einer Ostpolitik, in: Neue Politik Nr. 13, 27. 3. 71, S. 8.
32. Schreiben an Gollwitzer v. 3. 12. 54 (AH).
33. Stenogr. Berichte, 47. Sitzung, 7. 10. 54, S. 2252. – Vgl. auch 61. Sitzung, 15. 12., S. 3157ff. – Dehler erklärte seine Haltung damit, die Weltgeschichte sähe 1954 »anders aus als 1952« (ebd. S. 3162).

»über die nötigen Sachkenntnisse verfügen« oder nicht vielmehr »völlig risikolose Stellungnahmen« abgäben, ein Pfarrer erhob prinzipiell Einspruch gegen eine politische Stellungnahme von Kirchen, und als letztes »Argument« wurde gleich zweimal vorgebracht, daß die kritischen Protestanten ja »Parteigänger des Herrn Heinemann« seien, dem »vom deutschen Volke bei der Bundestagswahl vom 6. September 1953 eine wahrhaft vernichtende Absage erteilt worden ist.« Erler konnte als Fazit nur sein »tiefstes Bedauern« darüber ausdrücken, daß es im Bundestag »bei vielen Angehörigen einer Partei, die das Wort ›christlich‹ in ihrem Namen hat, nicht möglich ist, ernste Gewissensgründe einer Reihe wesentlicher Männer des kirchlichen Raumes vorzutragen«[34].

Heinemann war durch dieses Ergebnis keineswegs entmutigt. Ihm schien »dieser Vorgang weit über seinen engeren Inhalt hinaus von grundsätzlicher Bedeutung« zu sein »insofern, als damit die CDU-Parole von der christlichen Einheitsfront durch die CDU-Zwischenrufe selbst demaskiert worden ist«, wogegen die SPD die Theologen in Schutz genommen habe; damit zeichne sich eine Chance für die SPD ab, zu der »notwendigen Verbreitung, sei es unmittelbar oder sei es mit Hilfe von mindestens zunächst selbständig bleibenden anderen Gruppen zu kommen, die sie endlich einmal über das fatale rd. 1/3 der Wählerstimmen hinausführt«[35]. Heinemann sah die gesamtdeutsche Aktion, die mit einer Versammlung in der Paulskirche demonstrativ an die Öffentlichkeit treten sollte, unter außen- und innenpolitischem Aspekt: »Die SPD sollte erkennen, daß die Frankfurter Veranstaltung auf das deutlichste zugleich als Auftakt zu neuer politischer Gemeinschaft wirken muß.« Deshalb trat er dafür ein, einen prominenten Katholiken hinzuzuziehen, und plädierte, als für das Zentrum dessen Vorsitzender Brockmann ins Gespräch kam, dafür, daß dann auch er selbst als Vorsitzender der GVP als Redner vorgesehen würde[36]. Damit erklärte sich die SPD nach Überwindung innerparteilicher Widerstände bereit.

So kam es am 29. Januar 1955 in der Paulskirche zu einer Kundgebung vor etwa tausend geladenen Gästen, auf der der Soziologe Prof. Alfred Weber, der katholische Theologe Prof. Johannes Hessen, die protestantischen Theologen Prof. Helmut Gollwitzer und Ernst Lange, der Gewerkschaftsvorsitzende Georg Reuter, Erich Ollenhauer

---

34. Stenogr. Berichte, 62. Sitzung, 16. 12. 54, S. 3208ff. – StdG 1. 1. 55, S. 13f. – JK Heft 1/2, 15. 1. 55, S. 36ff. – KJ 54, S. 88ff. – Die Zwischenfragen der CDU stammten von Wacher, Dr. Friedensburg, Kunze, Frau Dr. Rehling und Pfarrer Gontrum.
35. Schreiben an Erler v. 27. 12. 54 (AH).
36. Schreiben an Gollwitzer v. 18. 1. 55 (AH).

und Gustav Heinemann sprachen[37]. Heinemann ging in seiner kurzen Rede auf die grundsätzliche und die aktuelle Problematik ein. »Rechte Demokratie erfordert ein Zusammenspiel von Parlament und öffentlicher Meinung.« Der Widerspruch gegen die Regierungspolitik griffe immer weiter um sich. Heinemann spräche zwar »nicht in kirchlichem Namen«, bezeugte aber »die Gewissensnot« vieler Protestanten »angesichts der drohenden Verfestigung der Spaltung zwischen Ost und West und ihre Sorge um unsere Brüder und Schwestern in der anderen Zone«:

»Wer militärische Blockbildung durch westdeutsche Eingliederung in den Atlantikpakt betreibt, kann dabei die Wiedervereinigung wohl vielfältig im Munde führen, aber er verhindert sie zugleich. Wer die Deutschlandfrage lösen und damit auch Europa helfen will, muß der Tatsache Rechnung tragen, daß kein Nachbar, also auch der östliche nicht, erneut eine militärische Gefahr von Deutschland her erleben will. Nur solche Bereitschaft schließt den Weg zur Einbeziehung aller Glieder unseres Volkes in eine Gemeinschaft und zur Befriedung Europas auf.«[38]

Das »Deutsche Manifest«, das die Versammlung annahm, forderte entsprechend:

»Die Verständigung über eine Viermächtevereinbarung zur Wiedervereinigung muß vor der militärischen Blockbildung den Vorrang haben. Es können und müssen die Bedingungen gefunden werden, die für Deutschland und seine Nachbarn annehmbar sind, um durch Deutschlands Wiedervereinigung das friedliche Zusammenleben der Nationen Europas zu sichern.«[39]

Die Veranstaltung in der Paulskirche stellte in der deutschen Nachkriegsgeschichte in mehrfacher Hinsicht ein Novum dar: zum ersten Mal hatten sich Männer der Gewerkschaft, der SPD und der Kirchen zusammengefunden; zum ersten Mal wagte die SPD einen Schritt ins Plebiszitäre; und zum ersten Mal erhielt eine Kundgebung, auf der auch entschiedene Gegner der Regierungspolitik wie Heinemann sprachen, durch Radioübertragung über alle Sender weite Publizität[40]. Das Manifest wurde von vielen Vertretern der SPD, Gewerkschaften, Kirchen und Universitäten unterschrieben[41], und die

---

37. Broschüre »Rettet Einheit, Freiheit, Frieden! Gegen Kommunismus und Nationalismus!« Frankfurt o. J. (1955).
38. ebd. S. 10f, GH 187.
39. ebd. S. 13. – KJ 55, S. 14f. – Siegler, Wiedervereinigung und Sicherheit Deutschlands, 1. Auflage 1956, S. 67f.
40. Allerdings wurde eine ungünstige Sendezeit (15^{00} bis 16^{30}) dafür gewählt, während Minister Tillmanns für die Regierung zu günstiger Stunde (19^{15}) darauf antworten konnte (Bremer Nachrichten 29. 1. 55).
41. Broschüre S. 14ff.

»Paulskirchenbewegung« führte zu einer Welle von Versammlungen im Bundesgebiet.

Mit der »Paulskirche« wurden gerade in dem Augenblick deutsche Warnungen gegen die Westverträge laut, in dem die Sowjetunion aufs neue wichtige Verlautbarungen zur deutschen Frage veröffentlichte. In einer TASS-Erklärung vom 15. 1. 55 wies die Sowjetunion darauf hin, daß es »noch ungenutzte Möglichkeiten zur Erreichung eines Abkommens in der Frage der Wiedervereinigung Deutschlands« gebe und daß »gesamtdeutsche freie Wahlen« im Jahr 1955 möglich seien. Die Sowjetunion, die bis dahin nur die Aufsicht der vier Besatzungsmächte oder der Deutschen selbst über deutsche Wahlen hatte gelten lassen wollen, erklärte sich nun mit einer »internationalen Aufsicht über die Durchführung der gesamtdeutschen Wahlen« einverstanden. Gleichzeitig wiederholte die Sowjetunion ihre Feststellung, daß die Pariser Verträge »die Spaltung Deutschlands auf lange Jahre festlegen und zu einem Hindernis auf dem Wege der friedlichen Wiederherstellung der Einheit Deutschlands werden« würden[42], eine Warnung, die Molotow ein paar Wochen später wiederholte[43].

Der Aufruf der Paulskirche, diese Verlautbarungen nicht einfach zu übergehen, erfuhr jedoch seitens der Regierung nur höhnische Abweisung. Die Regierung wandte sich gegen den »Druck der Straße«, und Adenauer zieh die Redner und Teilnehmer kommunistischer Tendenzen. Ihm erschien die Versammlung »wie ein rotes Gericht mit grünen Salatblättern verziert«[44], und die Vertreter der Regierungsparteien, auch Dehler, und die bürgerliche Presse reagierten entsprechend. Der Kanzler stellte gegen alle Warnungen seiner innen- und außenpolitischen Gegner ein über das andere Mal, in Briefen, Reden und Interviews, die These, daß nach Abschluß der Pariser Verträge die Sowjetunion weiter zu Verhandlungen bereit sein, ja durch die Verträge erst zu wirklichen Verhandlungen willig gemacht werden würde[45].

---

42. Siegler, aaO. S. 269ff; Bemühungen II, S. 185ff; Adenauer, Erinnerungen II, S. 399ff.

43. Siegler, aaO. S. 282ff.

44. Göttinger Tageblatt 7. 2. 55. – Dieselbe Formulierung in: Adenauer, Erinnerungen II, S. 421.

45. Stenogr. Berichte, 61. Sitzung, 15. 12. 54, S. 3132ff. – Radiorede zur TASS-Erklärung, 23. 1. 55, Siegler, Dokumentation zur Deutschlandfrage I, S. 274. – Brief an Ollenhauer v. 25. 1. 55, ebd. S. 279; Adenauer, Erinnerungen II, S. 413ff. – Rede in Bonn am 6. 2. 55, Bulletin Nr. 26, S. 211. – Rede in Frankfurt am 8. 2. 55, Bulletin Nr. 28, S. 225f. – Interview mit der Welt v. 17. 2. 55, Bulletin Nr. 34 v. 18. 2., S. 273f, Siegler, aaO. S. 284. – Interview mit Dagens Nyheter v. 6. 3., Bulletin Nr. 47 v. 10. 3., S. 385. – Rede am 14. 4. in Lüneburg, Bulletin Nr. 72 v. 19. 4. 55.

Damit stand die Paulskirchenbewegung vor der Frage, ob sie außerparlamentarische Machtmittel einsetzen konnte und wollte, um den Abschluß der Verträge zu hindern. Das hätte nur noch der politische Generalstreik bewirken können, der in einigen Großbetrieben und Einzelgewerkschaften erwogen wurde. Doch bejahte weder der DGB-Vorstand noch die SPD-Führung einen solchen Streik[46]. So blieb die Paulskirchenbewegung ohne Erfolg. Die Pariser Verträge wurden Ende Februar 1955 vom Bundestag mit Zwei-Drittel-Mehrheit verabschiedet, ohne daß der Versuch zur Überprüfung der letzten Vorschläge der Sowjetunion unternommen worden wäre[47].

Damit waren Fakten geschaffen. Gleichwohl waren die Auseinandersetzungen keineswegs zu Ende. Sie fanden ein Nachspiel in der evangelischen Kirche.

Die Initiatoren der Paulskirchenbewegung, besonders Heinemann, sahen sich schärfster Kritik von seiten der Protestanten in der CDU ausgesetzt. Der Evangelische Arbeitskreis der CDU/CSU warf den evangelischen Kritikern vor, den »expansiven Drang der sowjetischen Politik«, »eine der Grundtatsachen der politischen Weltlage seit 1945«, zu übersehen: »Wir müssen ... ernsthaft fragen, ob diejenigen gewissenhaft handeln, die heute behaupten, Verteidigung bedeute Krieg und Wiedervereinigung sei nach Abschluß der Pariser Verträge nicht mehr möglich, und damit dasselbe aussagen wie die sowjetische Propaganda.«[48] Die »Arbeitsgemeinschaft demokratischer Kreise« verbreitete einen Artikel von Propst Asmussen, in dem er die »Paulskirche« als Symptom für eine »offene Krise in der Evangelischen Kirche« bezeichnete; die »kirchlichen Feinde der Pariser Verträge« bedrohten die evangelische Freiheit, indem sie mit ihrer Berufung auf ihr Gewissen nicht »ein einzelner vor Gott« blieben, sondern daraus »eine Volksbewegung« machten; damit zerstörten sie nicht nur ihr Gewissen, sondern auch die Demokratie. »Daß namhafte Theologen und daß der Präsident der Synode der Evangelischen Kirche in Deutschland das Unechte der Situation nicht merken, ist ein ernstes Problem.«[49] Ein Bundestagsabgeordneter der CDU versandte an alle Mitglieder der Synode der EKD einen Brief, in dem er den Synodalen Mager aus der DDR aufforderte, bei der bevorstehenden Wahl des Präses der Synode gegen Heinemann zu kandidieren[50].

---

46. E. Richert, Die radikale Linke von 1945 bis zur Gegenwart, Berlin 1969, S. 70f. – W. Besson, aaO. S. 163ff.
47. Stenogr. Berichte, 72. Sitzung, 27. 2. 55, S. 3947.
48. Offener Brief v. 26. 2. 55, KJ 55, S. 17ff. – Ähnlich Erklärung der Jahrestagung, ebd. S. 24ff. – Entgegnung der kirchlichen Bruderschaft im Rheinland, ebd. S. 20f.
49. aus »Christ und Welt« 10. 2. 55.
50. H. Voß an R. Mager, 2. 3. 55, KJ 55, S. 26f.

Und der lutherische Oberkirchenrat Herntrich, Schwager des CDU-Ministerpräsidenten v. Hassel in Schleswig-Holstein, forderte in Liljes »Sonntagsblatt«, zum Präses müsse ein Mann berufen werden,

»dessen Wort von der gesamten evangelischen Christenheit in Ost und West zuerst gehört wird als das Wort des Sprechers der evangelischen Christenheit. Es wäre nicht nur Versäumnis, sondern Schuld, wenn die Synode dieses Gesamtdeutschland dienende Amt dadurch vakant ließe, daß sie es mit einem Parteipolitiker besetzte.«[51]

Dieser Angriff veranlaßte Heinemann auf der Synode zu Espelkamp[52] zu einem Gegenangriff:

»Verehrte Synodale, und das bitte ich nun in aller Freundlichkeit mir jetzt abnehmen zu wollen: so geht es keinesfalls! (Beifall) Die erste Synode besetzte dieses Amt 1949 wissentlich mit einem Mann, der zugleich in der Parteipolitik stand, und sie ließ es unbeanstandet, ja sie begrüßte es in der Fülle ihrer Mitglieder, daß sich mit diesem kirchlichen Amt alsbald darauf ein regierendes Amt im politischen Feld verband. Darf nun solche Verkoppelung nicht mehr sein, wenn die politische Betätigung in die Opposition führt? Darf sie nicht mehr sein, so frage ich weiter, wenn sich der politische Wahlerfolg in die Wahlniederlage verwandelt?«[53]

Wer konkrete Einwände hinsichtlich der Art und Weise seiner politischen Tätigkeit habe, möge das aussprechen und sich nicht hinter einem »abwegigen Grundsatz verstecken«.

»Eine Verquickung von kirchlichem Amt und politischer Betätigung etwa in dem Sinne, daß ich mich auf politischen Plakaten oder dergleichen mit dem kirchlichen Amt hätte bezeichnen lassen, kann mir niemand vorwerfen. Wohl haben es andere getan und tun es noch. Auch eine Verquickung der Argumentation der Art, daß ich meine politische Entscheidung als kirchliche Entscheidung vertreten oder sie zum Maßstab der Christlichkeit anderer gemacht hätte, kann mir niemand vorwerfen. Wenn ich auch kein Lutheraner bin, so verstehe ich doch ein Minimum vom doppelten Regiment Gottes in und mit dieser Welt.«

Wenn es bei der Argumentation Herntrichs oder einer ähnlichen bliebe, habe Heinemann »nicht die Freiheit«, durch einen Verzicht auf seine Kandidatur der Synode »die Entscheidung zu ersparen«,

---

51. Sonntagsblatt v. 6. 3. 55, abgedruckt im KJ 55, S. 27. – Dagegen protestierte ein gesamtdeutscher Pfarrertag in Frankfurt: »Wir stellen fest: Präses Dr. Dr. Heinemann hat seine politische Stellung in der Sorge um die gesamtdeutsche Verantwortung der EKiD eingenommen. Wird die Synode die Wiederwahl Dr. Dr. Heinemanns aus diesem Grunde ablehnen, dann gibt sie sich als kirchlich legitime Synode preis« (hekt. Schreiben v. 3. 3. 55).
52. Espelkamp 1955, Bericht über die erste Tagung der zweiten Synode der Evangelischen Kirche in Deutschland vom 6. bis 11. März 1955, Hannover o. J. (1955).
53. ebd. S. 68ff, GH 194.

wie es ihm von einigen Synodalen, die eine Änderung wünschten, nahegelegt worden war:

»Das hieße für mich, eine Fülle von Gemeindegliedern im Stiche lassen, die ebenfalls politisch tätig sind. Dann muß es durchgestanden werden, ob es mit dem Ruf zur politischen Betätigung eine doppelte Bewandtnis hat, je nachdem, ob sie in die Regierung oder in die Opposition führt. Nur zu lange schon ist ja ohnehin die Klärung vieler Fragen, die mit der politischen Betätigung aus christlicher Verantwortung aufbrechen, unterlassen worden. Der Mangel dieser Klärung kann nun nicht, nachdem voraussehbare Verwicklungen und Fehlbeurteilungen nicht zuletzt durch ungute Berichterstattungen eingetreten sind, auf die billige Weise eines Appells an den persönlichen Rückzug ausgeglichen werden.«

Solange keine Einwände gegen seine Amtsführung in der Synode beständen, gäbe es für ihn »nur den einen Maßstab des Votums der Brüder aus der DDR«:

»Wenn sie sagen würden, daß es ihnen wichtig wäre, den künftigen Präses aus ihrer Mitte zu wissen, so würde ich einer solchen Erklärung jeden Weg freigeben und meine Freunde bitten, mich nicht mehr vorzuschlagen. Den Brüdern in der DDR habe ich mich in allen Jahren verpflichtet gewußt und bleibe es. Darum mögen sie sagen, was sie von mir erwarten.«

Die Synodalen der DDR wollten jedoch ein solches Votum nicht abgeben[54], und Heinemanns Kritiker konnten seine Argumente nicht widerlegen. Herntrich versicherte: »Mit der Frage: ›Politik in der Reihe der Opposition oder der Regierung‹ hat unsere Sorge nicht das geringste zu tun.«[55] Weder gegen Heinemanns Parteitätigkeit noch gegen seine Amtsführung als Präses wurden konkrete Bedenken geltend gemacht[56]. Trotzdem konnte sich die Synode weder dazu entschließen, Heinemann wiederzuwählen, noch dazu, anstelle der Debatte über Personen und Verfahrensfragen eine offene Auseinandersetzung über die sachlichen theologisch-politischen Hintergründe zu führen. Die Synode wählte, nachdem sich lange kein Gegenkandidat gegen Heinemann finden wollte, endlich im zweiten Wahlgang anstelle Heinemanns, für den 40 Stimmen abgegeben wurden, mit 77 Stimmen den Freiburger Universitätsprofessor von Dietze zum Prä-

---

54. Espelkamp 1955, S. 119f.
55. ebd. S. 84.
56. ebd. S. 84ff. – Kritik, die Tagungen der Synode müßten sachlich besser vorbereitet werden, richtete sich nicht gegen die Person Heinemanns, sondern gegen die organisatorische Stellung des Präses, der »kein eigenes Büro« und »sehr beschränkte Wirkungsmöglichkeiten« habe. Dibelius begrüßte die Anregung, »daß der Präses der Synode mit etwas größeren Möglichkeiten ausgestattet wird, als er sie bisher hatte. Er stand bisher nackt und bloß in der Welt« (aaO. S. 94, 97f).

ses[57]. Nach dieser Demonstration war man um Brüderlichkeit bemüht: Die Synode nahm mit Beifall auf, daß die persönliche Spannung zwischen Heinemann und Herntrich »in brüderlichen Gesprächen beseitigt« wurde, und wählte Heinemann mit 136 von 141 Stimmen in den Rat der EKD, eine Entscheidung, die durch den als »christliche und brüderliche Tat« gewerteten Verzicht der Reformierten auf einen ihnen zustehenden Ratssitz ermöglicht wurde[58]. Und der Ratsvorsitzende Dibelius gab Heinemann sogleich Gelegenheit, sich an einer Reise einer kirchlichen Delegation in die Tschechoslowakei zu beteiligen, wo Heinemann, ähnlich wie im Vorjahr in der Sowjetunion, mit Vertretern des Roten Kreuzes verhandelte[59].

Die Wahl Heinemanns in den zwölfköpfigen Rat konnte jedoch das Politikum nicht aus der Welt schaffen, daß das singuläre Amt des Präses der Synode nun nicht mehr von einem entschiedenen Gegner des einseitigen politischen Westkurses besetzt war.

Wenige Wochen später wurde auch ein Angriff gegen Niemöller gestartet, der im Kirchlichen Außenamt die bedeutendste kirchliche Position innehatte, die nun noch in den Händen eines politischen »Neutralisten« lag: Herntrich erhob auf einer lutherischen Generalsynode gegen das kirchliche Außenamt den Vorwurf, daß darin »der seelsorgerliche, geistliche und kirchliche Dienst ... nicht so ausgerichtet wird, wie das von der Evangelischen Kirche in Deutschland gefordert werden müßte«[60]. Die jahrelangen internen Auseinandersetzungen zwischen dem Außenamt und den Lutheranern um die konfessionelle Zugehörigkeit deutscher evangelischer Auslandsgemeinden wurden damit gerade in dem Augenblick an die Öffentlichkeit verlegt, in dem die politische Konzeption Adenauers verwirklicht wurde. Das primär konfessionelle Ziel der Lutheraner lief in diesem wie in früheren Fällen auf eine Schwächung der politischen Gegner Adenauers hinaus. Zwar dachte Niemöller nicht daran, kampflos zu weichen; er stellte demonstrativ seine Arbeit im Rat der EKD ein, bis Herntrichs Vorwurf »in aller Öffentlichkeit und in vollem Umfange zurückgenommen« sei, und blieb bei dieser Entscheidung[61]. Aber der Rat der EKD, aus Lutheranern, Unierten und Reformierten zusammengesetzt, konnte die Lutheraner weder zur Begründung ihrer Vorwürfe noch zur Zurücknahme ihrer Forderungen bewegen und war monatelang dazu genötigt, eine ständige erfolglose Personaldebatte über Niemöller zu führen. Sie verschlang eine Menge kostbarer Zeit,

57. Espelkamp 1955, S. 119ff, bes. S. 140. – KJ 55, S. 39.
58. Espelkamp 1955, S. 262, 267, 255.
59. GH 198 u. 199.
60. JK Heft 17/18 v. 15. 9. 55, S. 389.
61. Brief an Dibelius v. 6. 5. 55, StdG 1. 6. 55, Sp. 269.

die der Klärung der theologisch-politischen Grundfragen, an die Heinemann in Espelkamp erinnert hatte, verloren ging. Heinemann wurde im Mai 1955 neben Landesbischof Haug mit der Aufgabe einer Vermittlung betraut[62], die sich bis 1956 ergebnislos hinzog.

So war im Mai 1955, als die Pariser Verträge in Kraft traten, die Situation für Heinemann eindeutiger denn je: seine Bemühungen in der Paulskirchenaktion hatten die Westintegration der BRD nicht hindern können, und er selbst hatte sein Präses-Amt verloren, während Niemöller um seine Position noch kämpfte. Und doch war Heinemanns Tätigkeit nicht vergeblich gewesen. Sie hatte dazu geholfen, daß zum ersten Mal kirchliche Kräfte mit der SPD zusammen an die Öffentlichkeit traten und hiermit deutlich wurde, daß die CDU nicht mit dem Christentum gleichzusetzen war. Seine Tätigkeit hatte ferner in Kirche und Politik dazu beigetragen, daß Standpunkte geklärt wurden: Die Mehrheit der Synode hatte sich dafür entschieden, Sachfragen auszuweichen und das Amt des Präses mit einem Mann, der nicht wie Heinemann auf unbequemen Fragen beharrte, zu besetzen; und die Regierungsparteien hatten sich trotz aller Drohungen seitens der Sowjetunion dafür entschieden, die Warnungen der parlamentarischen und außerparlamentarischen Opposition zu übergehen und den Bundeskanzler in seinem unbedingten Festhalten an der Westintegration zu stützen, in der Hoffnung darauf, daß militärische Stärke politische Lösungen im Gefolge haben würde.

3

Die Deutschlandfrage nach dem Abschluß der Pariser Verträge

Nach Abschluß der Pariser Verträge war eine Lösung der Deutschlandfrage nur noch auf der Basis der Teilung Deutschlands oder durch eine Revision der Verträge möglich[1]. Das Problem einer Revision der Verträge konnte aber erst dann brennend werden, wenn ihre

---

62. FAZ 21. 5. 55. – Akte (AH).
1. Artikel 10 des Deutschlandvertrages enthielt eine Revisionsklausel: »Die Unterzeichnerstaaten überprüfen die Bestimmungen dieses Vertrages und der Zusatzverträge: a) auf Ersuchen eines von ihnen im Falle der Wiedervereinigung Deutschlands oder einer unter Beteiligung oder mit Zustimmung der Staaten, die Mitglieder dieses Vertrags sind, erzielten internationalen Verständigung über Maßnahmen zur Herbeiführung der Wiedervereinigung Deutschlands oder der Bildung einer europäischen Föderation . . .« – Siegler, Dokumentation zur Deutschlandfrage III, S. 121.

Bedeutung für die Spaltung Deutschlands klar erkannt wurde. Eine solche realistische Einschätzung der Lage setzte die Erinnerung an die Alternativen des Winters 1954/55 und einen kritischen Vergleich mit den späteren Tatsachen voraus: Wenn Adenauers Sicht sich als richtig erwies, waren damit nachträglich alle jahrelangen Bedenken gegen seine Politik widerlegt. Wenn hingegen die Sowjets ihre Drohung wahrmachten, war damit Adenauers Ostpolitik ad absurdum geführt, und die Westdeutschen standen vor der Wahl, entweder eine Revision der Westverträge und der Ostpolitik anzustreben oder die Teilung Deutschlands in dem Bewußtsein hinzunehmen, daß sie im entscheidenden von ihnen selbst verschuldet und nun nicht mehr zu ändern war.

Die Weltlage stand im Frühjahr und Sommer 1955 im Zeichen politischen »Tauwetters«. Die Großmächte in Ost und West, im Wissen darum, daß sie sich gegenseitig militärisch nicht mehr überwältigen konnten, bemühten sich um die Lösung strittiger Fragen. Mitte Mai 1955 schlossen sie nach jahrelangen vergeblichen Verhandlungen den Staatsvertrag über Österreich ab und zogen ihre Truppen zurück, nachdem sich Österreich zu immerwährender Neutralität verpflichtet hatte[2]. Präsident Eisenhower gestand auf einer Pressekonferenz zu, daß er Länder mit bewaffneter Neutralität nicht (wie bisher) verurteile[3]. Im Juli 1955 trafen sich die großen Vier in Genf zu einer Gipfelkonferenz und verhandelten in einer besseren Atmosphäre, als sie seit Jahren zu verzeichnen gewesen war. Eden legte einen neuen Plan vor, der die Errichtung einer militärisch verdünnten Zone »auf jeder Seite der Linie, die jetzt Ost- und Westeuropa teilt«, vorsah[4]. Zum ersten Mal wurde damit von westlicher Seite ein Vorschlag gemacht, der die beiderseitigen Machtinteressen der Großmächte in Bezug auf Mitteleuropa in Rechnung stellte. Zum ersten Mal nach Jahren fand man auch eine gemeinsame Formulierung über Deutschland, indem man in einem Satz sowohl die westliche Forderung nach freien Wahlen als auch die östliche nach Berücksichtigung des Sicherheitsinteresses der Nachbarn aufnahm[5].

Zu einer konkreten Vereinbarung über die Deutschlandfrage und über die militärischen Verhältnisse in Mitteleuropa kam es jedoch nicht. Die Westmächte zogen eine Revision der Pariser Verträge nicht in Erwägung, und die Sowjetunion ging nun von der Tatsache aus, daß es zwei deutsche Staaten gebe, von denen keiner den anderen sich

---

2. Siegler, aaO. III, S. 300ff.
3. P. Sethe, Zwischen Bonn und Moskau, Frankfurt 1956, S. 114f. – GH 207.
4. Siegler, Dokumentation I, S. 306ff, bes. S. 338.
5. Siegler, aaO. S. 346. – Bemühungen II, S. 208. – Jäckel, aaO. S. 13, 116.

eingliedern könnte. Die Sowjetunion lud im Juni 1955 Adenauer als Kanzler des einen deutschen Staates zu einem Besuch nach Moskau ein, ließ aber keinen Zweifel daran, daß Gespräche über eine Wiedervereinigung Deutschlands sinnlos geworden seien[6]. Chruschtschow erklärte in Ost-Berlin, eine »mechanische Wiedervereinigung beider Teile Deutschlands« sei eine »unreale Sache«; wenn man überhaupt noch von einer Wiedervereinigung sprechen wolle, dann nur auf der Basis, daß beide deutsche Staaten sich miteinander arrangierten, wobei die »politischen und sozialen Errungenschaften« der DDR keinesfalls aufgegeben werden dürften[7]. Ein Vertrag zwischen der Sowjetunion und der DDR, unmittelbar nach Adenauers Moskau-Besuch abgeschlossen, bestätigte abermals die Souveränität des ostdeutschen Staates[8]. In den folgenden Jahren forderte die Sowjetunion die beiderseitige Abrüstung auf dem Boden der bestehenden Machtverhältnisse, d. h. unter Einbeziehung beider deutscher Staaten[9]. Von diesem Standpunkt wich sie auch nicht ab, als 1956 drei weltgeschichtliche Ereignisse Wandlungen in der Sowjetunion anzeigten: der XX. Parteitag der KPdSU, der die Verurteilung Stalins und die Revision der These Lenins von der Unvermeidbarkeit kriegerischer Zusammenstöße zwischen der Sowjetunion und westlichen Staaten brachte, die Veränderungen in Polen und der Aufstand in Ungarn. In Übereinstimmung mit der sowjetischen Deutschlandpolitik legte die DDR mehrfach Pläne zu einer Konföderation beider deutscher Staaten vor[10].

Auf westlicher Seite wurden dagegen immer wieder freie Wahlen für ganz Deutschland und, mehr oder weniger deutlich, die Entscheidungsfreiheit Gesamtdeutschlands über Bündnisse gefordert; erst mit oder nach der Wiedervereinigung sollte ein Abkommen über beiderseitige Abrüstung möglich sein[11]. Als Mittelachse einer militärisch verdünnten Zone wurde von westlicher Seite auf der Genfer Außenministerkonferenz im Herbst 1955 die Oder-Neiße-Linie genannt, so daß der Sowjetunion wieder wie in den Plänen vor der Genfer Gipfelkonferenz einseitige Verzichte zugemutet wurden[12].

Gustav Heinemann nahm 1955 die ermutigenden Anzeichen der Tauwetterperiode sofort auf. An dem »Probefall Österreich« sah er den

6. Einladung v. 7. 6. 55, TASS-Erklärung v. 12. 7. 55, Siegler, aaO. S. 354ff, 304ff. –
   Bemühungen II, S. 201ff. – Erklärung Bulganins v. 4. 8. 55, Bemühungen II, S. 213.
7. Siegler, aaO. S. 352ff.
8. Siegler, aaO. S. 393f; Bd. III, S. 330ff.
9. Siegler, aaO. I, S. 415ff, 420ff, 427ff, 517ff, 520, 521f, 544ff, 571ff, 580ff etc.
10. Siegler, aaO. S. 583, 668f, 672ff, 679f.
11. Siegler, aaO. S. 396ff, 534f, 653f.
12. Siegler, aaO. S. 398. – Zu Genf: GH 214.

Beweis erbracht, daß die »Reihenfolge des Geschehens« den Kernpunkt auch der deutschen Frage bildete: »Österreich hat an die erste Stelle die Regelung seines militärischen Status gestellt und von dort her und danach den Weg in die Besatzungsfreiheit und seine übrige Handlungsfreiheit aufgeschlossen.« Heinemann fühlte sich durch den Abschluß des österreichischen Staatsvertrags ermutigt, den Vorschlag der GVP vom März 1953 wieder vorzutragen, der geeignet war, Deutschland unter Berücksichtigung der Sieger-Interessen auf einen ähnlichen Weg wie Österreich zu bringen[13]. Denselben Vorschlag griff auch der Bundesparteitag der GVP wieder auf, der kurz vor der Genfer Gipfelkonferenz in Recklinghausen tagte. In einer Entschließung wurde die Hoffnung ausgesprochen, daß der Genfer Eden-Plan den Anstoß zu einer Revision der Pariser Verträge gäbe und doch noch eine Übereinkunft in der deutschen Frage zustandekäme. »Es erscheint besonders sinnlos, in einem Zeitpunkt beginnender allgemeiner Abrüstungsverhandlungen bei uns eine unbrauchbare, im Blick auf die Wiedervereinigung aber hinderliche und die Demokratie gefährdende Aufrüstung zu betreiben.«[14] Heinemann trat für die Reaktivierung des Paulskirchenkreises ein, der eine Adresse an die Großmächte über die deutsche Frage richtete[15], und reiste nach Genf, wo Scheu, Mochalski und Dipl. Ing. Krämer sich im Auftrag des Bundesparteitags darum bemühten, für Heinemann und Niemöller Kontakte zu Bevollmächtigten der Großmächte herzustellen. Die Vorschläge der GVP wurden auf einer Pressekonferenz durch Scheu und Mochalski der Öffentlichkeit erläutert. Neu war der Vorschlag einer vorläufigen gesamtdeutschen Nationalversammlung, den der Parteitag für den Fall ausgearbeitet hatte, daß die vier Großmächte sich nicht über Deutschland einigten. Er sah vor, daß die Deutschen in der BRD und in der DDR »als einen ersten praktischen Schritt zur Anbahnung und Vorbereitung der Wiedervereinigung ... in geheimer und kontrollierter Wahl eine gemeinsame provisorische Nationalversammlung wählen« sollten, die die Aufgabe hätte, »durch Empfehlungen an den Bundestag und die Volkskammer das weitere Auseinanderbrechen unserer Lebensordnungen aufzuhalten, vielmehr in Wirtschaft, Kultur, Justiz und Polizei eine Angleichung zu bewirken und die Wahl einer gesamtdeutschen Regierung vorzubereiten«[16].

---

13. GH 201. – Vgl. GH 207, 213.
14. GR Nr. 28/29 v. 8. 7. 55. – StdG Nr. 14 v. 15. 7. 55, S. 335.
15. Schreiben an E. Lange v. 5. 7. 55 (AH).
16. GH 208. – A. Scheu, »Die ›APO‹ 1955 in Genf. Am Rande der großen Weltpolitik.« Auszüge aus einem Reise-Tagebuch (unveröff.). – GR 22. 7. 55. – Heinemann griff diesen Vorschlag 1956 noch einmal wieder auf: GH 235.

Wie vorauszusehen war, fanden die Vorschläge jedoch bei den Staatsmännern kein Echo und in der Presse nur schwache Resonanz[17].

Heinemann war sich dessen bewußt, daß die Sowjetunion an einer Revision der im Westen gefällten Entscheidung kein Lebensinteresse hatte. Der Verlauf der Genfer Gipfelkonferenz veranlaßte ihn zu dem Kommentar, die Sowjets hätten nach den Pariser Verträgen »die deutsche Frage einer Verständigung mit den USA untergeordnet«:

> »Die Adenauersche Aufrüstung ist für sie nichts anderes mehr als ein Bestandteil der amerikanischen Politik. Mit Eisenhower aber sind die Sowjets über Entspannung und Abbau des kalten Krieges einig geworden. Sie überspielen damit nicht nur die westdeutsche Aufrüstung, noch ehe sie steht, sondern sie lassen zugleich erkennen, daß die Bundesrepublik für sie keine Größe von Bedeutung mehr ist. Dr. Adenauer kann in Moskau die deutsche Spaltung nur noch ›normalisieren‹.«[18]

Nach der Genfer Außenminister-Konferenz beurteilte er die Lage so:

> »Heute hat die Sowjetunion nicht mehr wie 1952 zu befürchten, daß sie um Chinas willen in Asien in einen Krieg mit den USA verstrickt werden könnte. Heute hat auch sie die Wasserstoffbombe, die ihr damals noch nicht zu Gebote stand. Heute weiß sie, daß der so viel gerühmte ›stärkste Bundesgenosse‹ der Bundesrepublik, nämlich der Amerikaner, nicht stärker ist als sie selbst. Heute kann sie dem damals von ihr gesuchten Gespräch über die deutsche Wiedervereinigung ausweichen.«[19]

Um so dringlicher erschien ihm eine Revision der Bonner Außenpolitik. In seinen Artikeln und Reden wies er unablässig auf den Widerspruch zwischen den 1952 von Adenauer genannten Zielen einer Wiedervereinigung Deutschlands im Zuge einer Neuordnung Europas und der Tatsache hin, daß sich die Spaltung Deutschlands vertieft hatte[20]. Als Adenauer in Moskau ableugnete, jemals eine Politik der Stärke gegenüber der Sowjetunion vertreten zu haben[21], bezog Heinemann diese Ausführungen als Beweis für das Scheitern der westlichen Ostpolitik in seine Argumentation ein und forderte die öffentliche Auseinandersetzung um die »längst fällige Revision unserer Politik gegenüber den Besatzungsmächten«[22]. Kritische englische

---

17. Scheu, aaO. – FAZ, StZ, Bonner Rundschau 23. 7., Essener Tageblatt 26. 7. 55.
18. GH 208.
19. GH 235.
20. GH 208, 210–14, 216, 235, 243, 244, 246, 250–252, 254, 257, 267, 268, 285, 290 usw.
21. Adenauer zu Bulganin: »Sie haben davon gesprochen, daß in Deutschland von der ›Position der Stärke‹ geredet werde. Ich glaube, daß da ein sehr großes Mißverständnis vorliegt. Kein Mensch in Deutschland bildet sich etwa ein, mit der Sowjetunion aus der Position der Stärke heraus verhandeln zu können.« (Siegler, aaO. Bd. I, S. 370; Bemühungen II, S. 229; Adenauer, Erinnerungen II, S. 508.) – Vgl. GH 287.
22. GH 216, ähnlich GII 213, 244, 250.

Stimmen über deutsche Wege zur Wiedervereinigung, wie sie in Königswinter abermals wie 1952 laut wurden, bestärkten Heinemann in der Forderung, die »Stunde der Wahrheit« nicht zu versäumen[23], den »völligen Fehlschlag der gesamten Bonner Deutschlandpolitik« einzusehen, »die Politik der letzten fünf Jahre zu liquidieren« und sich »zu dem Wollen durchzuringen, das nach dem Irrweg der vergangenen Jahre übrigbleibt«:

»Liquidation heißt: Abschied nehmen von der Vorstellung, daß eine gesamtdeutsche Gemeinschaft einfach durch Einbeziehung der DDR in die Bundesrepublik zu verwirklichen sei.

Liquidation heißt: Abschied nehmen von der ideologischen Überhöhung westlicher Positionen zur ›christlichen Einheitsfront‹ des Abendlandes gegen östliche ›Unterwelt‹.

Liquidation heißt: Schluß machen mit dem kalten Krieg zwischen den deutschen Teilstaaten! Normalisierten Beziehungen zur Sowjetunion müssen normalisierte Beziehungen unter den deutschen Teilstaaten entsprechen.

Durchdringen zu neuem politischen Wollen heißt: In der Bundesrepublik und in der DDR ein gesamtdeutsches Wollen der Unabhängigkeit und des Ausgleichs der beiderseitigen Ordnungen wecken und fördern.«[24]

Eine Wirkung auf die Regierungsparteien war solchen Aufrufen jedoch nicht beschieden. Die Bundesregierung dachte nicht daran, ihre Politik durch die Vorschläge und Forderungen eines politisch erfolglosen Außenseiters wie Heinemann in Frage stellen zu lassen. Sie setzte ihre ost- und westpolitische Linie konsequent fort. Dem Osten gegenüber hielt sie über Jahre hinweg die unentwegte Forderung nach freien Wahlen und nach gesamtdeutscher Entscheidungsfreiheit über Bündnisse aufrecht[25]. Die These, daß die Bundesregierung allein das deutsche Volk repräsentiere, wurde durch die Hallstein-Doktrin untermauert, die den Abbruch der diplomatischen Beziehungen mit allen Ländern vorsah, die die DDR als Staat anerkannten[26]. Die Doktrin konnte nur auf die Sowjetunion nicht angewandt werden, weil Adenauer als Gegenleistung gegen die Heimkehr der letzten Kriegs-

---

23. GH 235.
24. GH 211.
25. Adenauer in Moskau am 9. 9. 55 (Siegler, aaO. Bd. I, S. 365; Bemühungen II, S. 224). – Erklärung der Bundesregierung zum Abschluß der Genfer Außenministerkonferenz vom 1. 12. 55, Siegler S. 505, Bemühungen S. 275 u. 286. – Interview des Außenministers v. Brentano mit US News and World Report am 10. 2. 56, Siegler S. 519f. – Stellungnahme des Auswärtigen Amts v. 6. 4. 56, ebd. S. 532. – Interview v. Brentanos am 15. 6. 56, ebd. S. 543. – Regierungserklärung v. 29. 6. 56, ebd. S. 546f. – Deutsches Memorandum an die Sowjetunion v. 7. 9. 56, ebd. S. 563. – Regierungserklärung v. 31. 1. 57, ebd. S. 592ff.
26. KAG 9. 12. 55, S. 5514.

gefangenen den Austausch von Botschaftern zugestehen mußte[27]. Die Beziehungen blieben jedoch jahrelang frostig. Adenauer vertrat öffentlich die Auffassung, die Sowjetunion sei Deutschlands »Todfeind«[28]. Derweil wurde der Anschluß an den Westen vorangetrieben. Die wirtschaftliche Integration wurde durch die Errichtung einer Europäischen Wirtschaftsgemeinschaft (EWG) zwischen den Mitgliedstaaten der Montanunion gefördert, die im Juni 1955 beschlossen und am 27. März 1957 in Rom vertraglich festgelegt wurde[29]. Die Aufrüstung innerhalb der NATO wurde seit 1956/57 Wirklichkeit. Dafür wurden die rechtlichen Grundlagen durch eine zweite »Wehrergänzung« des Grundgesetzes, das Soldatengesetz und das Gesetz über die Einführung der allgemeinen Wehrpflicht vom 7. Juli 1956 geschaffen[30]. Als sich in den USA Tendenzen zu einer Umrüstung von konventionellen auf nukleare Waffen verstärkten, reagierte die BRD, d. h. sowohl Kanzler Adenauer als auch der neue Verteidigungsminister Strauß (CSU), seit Ende 1956 mit der Forderung, auch die Bundeswehr mit Atomwaffen auszurüsten[31]. Der Eingriff sowjetischer Truppen in Ungarn wurde als Beweis für die Aggressivität der Sowjetunion herangezogen, der gegenüber für die BRD ein Höchstmaß an Sicherheit nur mit Atomwaffen gewährleistet sei.

Diese Radikalisierung westdeutscher Aufrüstungspläne konnte natürlich am allerwenigsten die Zustimmung Heinemanns finden. Er sah die gleichzeitigen Ereignisse im Ostblock und in Ägypten, wo Engländer und Franzosen wegen des Suezkanals militärisch intervenierten, in eins und warnte vor der Rechtfertigung irgendeiner Stärkepolitik:

»Jeder kann, wenn er so will, an irgendeinem Stück der Vorgänge seine eigene Rechtfertigung ablesen. Gewaltpolitik westlicher Länder steht neben sowjetischer Gewalt. Selbstbestimmung der Völker wird hüben und drüben mißachtet.«[32]

Heinemann hielt die einhellige Empörung über das sowjetische Vorgehen in Ungarn für fehl am Platz. Die Weltöffentlichkeit habe vielmehr »ihre Entrüstung zugleich auf England und Frankreich zu

---

27. Adenauer, Erinnerungen II, S. 496ff. – Dazu GH 210.
28. Rede am 23. 5. 56 vor der Jahresversammlung des Bundesvorstands der deutschen Industrie, zitiert bei Sethe, Zwischen Bonn und Moskau, S. 54f, und in GH 278, 285, 286.
29. EA 1957, S. 9897ff, 9900ff, 10357ff. – KAG 1957, S. 6338ff.
30. Stenogr. Berichte, 2. Wahlperiode, Sitzungen v. 4. 5., 4. u. 7. 7. 56, S. 7480, 8574, 8766, 8880.
31. Strauß am 14. 12. 56, Bulletin Nr. 4 v. 8. 1. 57. – Adenauer am 5. 4. 57, GH 271. – J. L. Richardson, Deutschland und die NATO, Köln/Opladen 1967, S. 42ff, 49f.
32. GH 256.

verteilen«[33]. Denn in Ägypten habe sich die westliche Welt »demaskiert« und ihre Proklamationen von Freiheit Lügen gestraft. In den Ostblockländern hätte der Westen durch sein Reden von Stärke und Befreiung »trügerische Hoffnungen« erweckt[34]. Daß die Ungarn »in dem Sturm der ersten Tage den Warschauer Pakt eigenmächtig glaubten aufsagen zu können«, beurteilte Heinemann als »töricht«; er lehnte den ungarischen »weißen Terror gegen den voraufgegangenen roten Terror« ab[35]. »Es war schwerlich zu erwarten, daß die Sowjets ihre bisherigen Helfershelfer in Ungarn tatenlos einer Lynchjustiz preisgaben.«[36] Die westdeutsche Reaktion auf Ungarn, den Ruf nach Atomrüstung, hielt Heinemann für den Ausdruck einer »törichten Panik und Angstmacherei«: Trotz der Krisen bliebe die weltpolitische Grundtendenz bestehen, daß sich die beiden Supermächte »immer mehr und immer deutlicher und immer beharrlicher suchen, um zu einem Ausgleich zu kommen«. In dieser Lage plädierte Heinemann abermals für sein altes Ziel: »Klare Absage an totalitäre Systeme, auch der östlichen Art, bei gleichzeitiger Bereitschaft, mit diesen östlichen Völkern zu einer guten Nachbarschaft zu kommen.« Den Weg dahin sah Heinemann für die noch nicht aufgerüstete BRD gerade im Festhalten dieses Status:

> »Wir sind abgerüstet. Warum sollen wir bei diesem Beispiel nicht stehenbleiben, zumal da wir uns mit einer eigenen Aufrüstung gar nichts Zusätzliches an Sicherheit verschaffen können und den Weg zur deutschen Wiedervereinigung nur versperren? Was wir an Rüstungsaufwand sparen, sollten wir gern zu einem angemessenen Teil einem Welthilfsfonds für notleidende Völker zur Verfügung stellen und es im übrigen den größeren Mächten überlassen, den Frieden in der Welt und in Europa zu sichern.«[37]

Außer auf die Revolution der Waffentechnik richtete Heinemann seinen Blick auf den Aufbruch der farbigen Völker, die »die Abschüttelung der imperialistischen Herrschaft europäischer Länder, ... zugleich aber auch die Abschüttelung überkommener Feudalsysteme« wollten. Als Symptom der weltgeschichtlichen Entwicklung erschien ihm die Konferenz von Bandung 1955, die erste große Konferenz asiatischer und afrikanischer Staaten. Besondere Beachtung schenkte er Indien: »Nehru vertritt ein um das andere Mal den Satz, daß die größte Gefahr für den Frieden bestünde, wenn alle Nationen sich entweder in den Ost- oder in den Westblock eingliederten.« Ge-

---

33. GH 261.
34. GH 256, ähnlich GH 257: »... die ewig Gestrigen haben nur noch einmal das Spiel ermuntert, das verloren gehen mußte. Das ist ihr Verbrechen an Ungarn.«
35. GH 261.
36. GH 256.
37. GH 261, ähnlich 258.

rade weil man deutscherseits nicht davon ausgehen könne, daß die immer in erster Linie auf ihre Sicherheit bedachten Großmächte ein intensives Interesse an der deutschen Wiedervereinigung hätten,

»muß unser Blick sich endlich mehr und mehr auf die blockfreien Mächte richten, die ja allein ein unbedingtes Interesse für die deutsche Wiedervereinigung zu entfalten vermögen. Sie haben nicht die Gleichgewichtssorgen der anderen. Sie sind unbefangen, sie haben sogar eine positive Hoffnung im Hinblick auf ein blockfreies Europa, weil sie sich davon eine Stärkung ihres eigenen Weges der Blockfreiheit versprechen.«[38]

So kam Heinemann auf dem Umweg über die weltpolitischen Probleme in den Entwicklungsländern wieder auf das europäische und deutsche Problem zurück. In einer Auseinandersetzung mit der ersten Biographie Adenauers[39] stellte er angesichts der fortgeschrittenen Spaltung Deutschlands die Frage, ob die Deutschen an einer Grenze ihrer bisherigen gemeinsamen Existenz stünden. »Völker haben nicht die Verheißung, daß sie bestehen werden und ungeteilt bleiben.« 1918 sei das deutsche Reich vor der Auflösung bewahrt worden, aber dieses »Davonkommen« der Nation sei nicht von dem nötigen »Gesinnungswandel erfüllt« gewesen, so daß die Deutschen 1945 ernteten, was sie gesät hatten. »Werden wir auch diesmal wieder davonkommen?«[40]

Trotz der geringen Aussichten hielt Heinemann daran fest, daß eine Wiedervereinigung Deutschlands versucht werden müsse:

»Die Solidarität mit allen Gliedern unseres Volkes in Ost und West und die Selbstachtung gebieten uns, den Weg zueinander zu suchen. Das ist so wenig nationalistisch, wie es eine Mißachtung fremder Lebensrechte wäre, wenn andere Völker in vergleichbarer Lage ähnlich handelten. Von entscheidender Bedeutung wird es sein, auf welche Weise wir uns unserer Geschichte und der daraus erwachsenen Lage stellen. Wir stehen auf einem tiefen Untergrund von Schuld, den wir nicht dadurch ausräumen, daß wir ihn vergessen. Von ihm aus haben wir uns zu fragen, ob wir unser Vertrauen schon wieder auf Waffen setzen dürfen, nachdem sie uns um deswillen, was wir mit den Waffen angerichtet haben, zum zweiten Male aus der Hand geschlagen wurden.«[41]

Heinemann hielt die Warnung vor westdeutscher Aufrüstung nun für dringlicher denn je. Denn es war vorauszusehen, daß nach Einführung der allgemeinen Wehrpflicht in der BRD ein um so stärkerer Druck auf die ostdeutschen Jugendlichen zum Eintritt in die »Nationale Volksarmee« ausgeübt werden würde. Und für die westdeutschen Jugendlichen schränkte das Wehrpflichtgesetz, das Kriegs-

---

38. GH 236, S. 86.
39. P. Weymar, Konrad Adenauer. Die autorisierte Biographie, München 1955.
40. GH 244: Was Dr. Adenauer vergißt. – S. auch GH 228, 235, 251.
41. GH 244.

dienstverweigerung nur für Pazifisten aus Prinzip vorsah, die Gewissensfreiheit ein, weil es für alle diejenigen keinen Raum ließ, die bei ihrer Gewissensprüfung nicht auf politische und militärische Erwägungen verzichteten[42]. Bei westdeutscher Atomrüstung gaben im Ernstfall die Deutschen in der DDR die ersten Ziele für westdeutsche Atomgranaten ab[43]. Und für die westliche Hälfte Europas bedeutete die Atombewaffnung »nichts anderes, als Westeuropa zum Blitzableiter der atomaren Gegenschläge des Ostblocks zu machen«[44]. Nach Heinemanns Ansicht hatten die 18 deutschen Atomwissenschaftler »nur zu recht« mit ihrer gegen Adenauer gerichteten Erklärung, daß ein kleines Land wie die Bundesrepublik »sich heute noch am besten schützt und den Weltfrieden noch am ehesten fördert, wenn es ausdrücklich und freiwillig auf den Besitz von Atomwaffen jeder Art verzichtet«[45].

Wenn irgendwelche Bedenken geeignet gewesen wären, eine christliche Partei zum kritischen Infragestellen ihrer politischen Zielsetzung zu veranlassen, dann solche. Aber sie erschienen in der CDU-Fraktion nur einem Abgeordneten, Peter Nellen, so gewichtig, daß er sich bei der Abstimmung über das Wehrpflichtgesetz wenigstens der Stimme enthielt[46]. Alle anderen ließen letztlich weder gegen Wehrpflicht noch gegen Atomrüstung Gründe gelten. Hinweise auf die bedrängte Lage der Ostdeutschen vermochten daran ebensowenig zu ändern wie solche auf bedrängte Gewissen von Jugendlichen im Westen. Die Ursache für die Einigkeit der Regierungs-Koalition war einfach: das Denken in Ost-West-Alternativen beherrschte nach wie vor alle Überlegungen. Gegenüber der östlichen Aggressivität, dem Ausgangspunkt allen westlichen politischen Denkens, erschienen alle Mittel zur »Verteidigung der freien Welt« moralisch vertretbar und militärisch notwendig, auch wenn das mit äußerer Bedrängnis von Ostdeutschen und innerer Bedrängnis von Westdeutschen verbunden war. Innerhalb dieses Denkschemas war für eine Selbstbesinnung über die vergangene Politik, für eine »Revision« oder gar »Liquidation«, wie Heinemann sie forderte, schlechterdings kein Raum. Vielmehr mußte umgekehrt jedes außenpolitische Ereignis als Beleg für die Notwendigkeit westlicher Integration und Erstarkung dienen. Als sich die

42. GH 246. – Vgl. auch GH 209.
43. GH 270.
44. GH 271.
45. GH 270. – Text der Erklärung der Göttinger Achtzehn und deren Wirkung: H. K. Rupp, Außerparlamentarische Opposition in der Ära Adenauer. Der Kampf gegen die Atombewaffnung in den fünfziger Jahren, Köln 1970, S. 73ff.
46. Stenogr. Berichte, 2. Wahlperiode, 159. Sitzung v. 6. 7. 56, S. 8841ff. – P. Nellen, Die Pflicht des Gewissens, Darmstadt o. J. (1956), S. 48ff.

Sowjetunion vor Abschluß der Pariser Verträge verhandlungswillig gezeigt hatte, war das als Erfolg westlicher Stärke hingestellt und als Argument für weitere Erstarkung verwandt worden, damit man noch mehr Zugeständnisse aus der Sowjetunion herausholte. Nun, da sich die Haltung der Sowjetunion verhärtete, baute man auf das Mittel der Stärke, um die sowjetische Haltung aufweichen zu können. Dieser Denkschematismus vollzog sich so selbstverständlich, daß der Widerspruch zu den Prophezeiungen Adenauers vom Winter 1954/55 weder der Regierungsmehrheit noch dem Gros der Presse auffiel. Man war vielmehr geneigt, die Versteifung der sowjetischen Haltung als Beweis dafür anzuführen, daß die Sowjetunion nie etwas anderes als die totale Bolschewisierung der von ihr besetzten Zone Deutschlands angestrebt habe.

So war und blieb die Argumentation Heinemanns und seiner Mitstreiter in der BRD trotz aller Wandlungen der Weltpolitik und trotz der Tatsache, daß Adenauers Prognose in Bezug auf die Sowjetunion sich als falsch erwies, ohne Widerhall in der Regierungskoalition. Die Spaltung Deutschlands und die Ostkonzeption der Regierung verfestigten sich, ohne daß die Regierungsmehrheit die Zusammenhänge neu überdacht hätte.

4

Die Auseinandersetzungen in der evangelischen Kirche um
Wehrpflicht und Atombewaffnung

Durch die fortschreitende Spaltung Deutschlands war die evangelische Kirche in besonderem Maße betroffen: die Einheit der EKD stand auf dem Spiel, und die Nötigung zum Militärdienst bedrängte viele ihrer Glieder in beiden Teilen Deutschlands. Deshalb kam es nach dem Abschluß der Pariser Verträge zu intensiven Auseinandersetzungen über Kirche und Politik. Dabei spielten die Auswirkungen westdeutscher Politik auf die gesamtdeutschen Bindungen und die Not der Ostdeutschen eine größere Rolle als vorher.

Zwar wurde von den Parteigängern Adenauers innerhalb der Kirche die Hauptschuld an der Spaltung Deutschlands der Sowjetunion angelastet; sie sei »durch keine Gründe und Nachgiebigkeit zum Frieden zu bewegen«, behauptete Eberhard Müller[1], und der Westber-

---

1. Espelkamp 1955. Bericht über die erste Tagung der zweiten Synode der Evangelischen Kirche in Deutschland vom 6. bis 11. März 1955, S. 405.

liner von der Gablentz stellte dem »absolut Bösen des totalen Staates« die »läßlichen Sünden« der westlichen Staaten gegenüber[2]. Aber die Stimmen der östlichen Repräsentanten des Protestantismus, die auf die westliche Politik setzten, nahmen doch angesichts der Tatsache, daß Adenauers Politik offensichtlich die Wiedervereinigung nicht bewirkte, ab; so konnten die westlichen Anhänger der Bundesregierung nicht mehr, wie Anfang der fünfziger Jahre, gegen Niemöller und Heinemann ostdeutsche Befürworter Adenauers anführen. Offen wurden vielmehr von ostdeutschen Protestanten auf Synoden Bedenken vorgetragen, besonders wegen der Wehrpflicht im Westen, deren Rückwirkungen auf die Ostdeutschen einfach nicht übersehen werden konnten[3]. Während noch 1952 Dibelius eine Ratsinitiative wegen der drohenden Spaltung Deutschlands erfolgreich hatte ablehnen können, wurde 1956 wegen der bedrängten Lage eine außerordentliche Synode der EKD einberufen, die den »Raum für das Evangelium in Ost und West« zum offiziellen Thema hatte, aber damit die ganze Deutschlandfrage behandelte; das »geheime Thema«[4] der Wiedervereinigung schwang bei allen Auseinandersetzungen mit.

Die Synode entschloß sich zu einer kritischen Intervention bei beiden deutschen Regierungen. Fast einstimmig entschied man sich dafür, eine Kommision mit dem Ziel zu entsenden,

»Bundesregierung und Bundestag der Bundesrepublik Deutschland von den Gesichtspunkten und Besorgnissen in Kenntnis zu setzen, die von Synodalen über Auswirkungen einer Wehrpflicht geäußert worden sind«,

und

»bei der Regierung der Deutschen Demokratischen Republik dafür einzutreten, daß nicht, wie vielfach berichtet worden ist, Zwang zum Eintritt in die Nationalen Streitkräfte und zur Teilnahme an vormilitärischer Ausbildung ausgeübt wird.«[5]

Zwar war die Synode nicht dem Antrag eines Synodalen gefolgt, der ein direktes Votum gegen die allgemeine Wehrpflicht gefordert hatte[6]; und gemessen an der Forderung nach Widerstand gegen Aufrüstung an sich, wie Heinemann und Niemöller sie 1950 erhoben hatten, waren Bedenken gegen die Wehrpflicht nur ein Minimum. Aber

---

2. Berlin 1956. Bericht über die außerordentliche Tagung der zweiten Synode der Evangelischen Kirche in Deutschland vom 27. bis 29. Juni 1956, S. 156.
3. so im Plenum der Synode Krummacher, Berlin 1956, S. 75; Grünbaum, ebd. S. 114.
4. Niemöller nannte es das »sogenannte ›geheime‹ Thema«, Gerstenmaier das »wirkliche Thema« der Synode (Berlin 1956, S. 70 u. 79).
5. Berlin 1956, S. 178f. – KJ 56, S. 21, 110f.
6. Antrag des Synodalen Locher, Berlin 1956, S. 161; Diskussion ebd. S. 165ff.

die Synode hatte sich mit dem Auftrag an die Delegation immerhin zu einem Schritt entschlossen, der der erklärten politischen Zielsetzung Adenauers zuwiderlief. Über die Hälfte der Synodalen setzte obendrein ihre Unterschrift unter eine Erklärung, die Heinemann in Absprache mit Gollwitzer und Vogel formuliert hatte und die den Auftrag der Delegation besonders betonte:

»Die Unterzeichneten schließen sich den Bedenken gegen die Einführung der allgemeinen Wehrpflicht bzw. gegen Zwangsmethoden bei der Werbung für Wehrdienst an, die durch die von der Synode beauftragte Delegation in Bonn und Ostberlin vorgetragen werden.«[7]

Heinemann kommentierte diese Tatsache so: »Für den, der die verschiedenen Synoden seit 1949 mitgemacht hat, war es auffällig, in welch starkem Maße sich die Überzeugung von der Richtigkeit der Adenauerschen Rüstungspolitik gelockert, ja geradezu ins Gegenteil verkehrt hat.«[8]

Die Unterschriftensammlung sollte der Delegation einen Beweis dafür an die Hand geben, daß die »Bedenken nicht nur von diesem und jenem geäußert worden sind, sondern auch von einem erheblichen Teil der Synode geteilt« wurden[9]. Wie begründet die Sorge Heinemanns und seiner Freunde war, die Besorgnisse der Delegation möchten verharmlost werden, zeigte eine Meldung des evangelischen Pressedienstes, wonach die Delegation die Bedenken »einiger« Synodaler vortragen solle, und die Reaktion verschiedener CDU-Abgeordneter in Bonn[10].

Nachträglich schwächten jedoch auch einige Unterzeichner den Sinn ihrer Unterschrift ab: sie hätten damit lediglich Bedenken wegen der »Rückwirkung der allgemeinen Wehrpflicht auf die Verhältnisse der DDR«, wie es in dem Auftrag der Delegation zunächst geheißen hatte, nicht aber Bedenken umfassenderer Art gegen die Wehrpflicht un-

---

7. KJ 56, S. 74, 111. – »Diese Erklärung wurde am letzten Tag von 62, also von mehr als der Hälfte der Synodalmitglieder sowie zusätzlich von 12 nicht zur Synode gehörenden Amtsträgern evangelischer Kirchen unterschrieben, wobei zu beachten ist, daß nicht sämtliche 120 Synodale anwesend waren und außerdem keine Gelegenheit bestand, alle Teilnehmer an der Synode zu befragen.« (GH 245)
8. GH 245, ähnlich GH 249.
9. GH 247.
10. epd v. 29. 6. 56. – Oberkirchenrat Cillien (CDU) kommentierte das Wort der Delegation im Bundestag am 6. 7. 56: »Kein Wort, wie groß die Zahl der Synodalen gewesen ist!« (KJ 56, S. 51). Müller-Hermann (CDU) meinte, es handle sich »nicht um Bedenken ›der Synode‹, sondern um Bedenken von Synodalen« (KJ 56, S. 50). – Cillien verlas am 6. 7. im Bundestag einen Teil der Niederschrift über das Gespräch des Bundestagspräsidenten mit der Delegation, ohne dem Parlament zu sagen, daß es sich nur um einen Teil handelte (so Nellen, Stenogr. Berichte, 159. Sitzung, S. 8820). – S. StdG, 1. 8. 56, S. 475f.

terstützen und nicht auschließen wollen, daß die Bedenken durch noch gewichtigere Gründe für die Aufrüstung überwunden werden würden; und sie mißbilligten die Tatsache, daß der Präses der Synode von der Unterschriftensammlung nichts gewußt und die Öffentlichkeit die Zahl der Unterschriften erfahren hätte[11].

Diesen Umstand benutzten die Parteigänger der CDU zu einer großen Kampagne gegen die Wehrpflichtgegner. Dahinter stand die Furcht, unter Berufung auf ein kirchliches Votum gegen die Wehrpflicht könnten »geradezu revolutionäre Akte gegen bevorstehende Einberufungen« entstehen[12]. E. Müller trat, durch die CDU unterstützt, mit einer Serie von Anschuldigungen gegen Heinemann, dem er »Verfälschung der Synode«, »Machenschaften« und »Wortbruch« vorwarf, an die Öffentlichkeit: er habe die Unterschriftensammlung geheim durchgeführt, deren Geheimhaltung zugesichert und dann doch den Text und die Anzahl der Unterzeichner publik gemacht, usw.[13]. Heinemann setzte sich zur Wehr: die Unterschriftensammlung sei »keine Geheimaktion« gewesen, die Geheimhaltung der Namen sei zugesichert und gehalten, die Publizierung der Zahlen nicht durch ihn erfolgt[14]. Müller antwortete mit einer Flut von Vorwürfen (»Mißbrauch der Synode zu einer weittragenden politischen Täuschung«, Erschleichung von »Unterschriften unter Vorspiegelung falscher Tatsachen«, »mißbräuchliche Verwendung« der Unterschriftensammlung, Verstoß gegen das 8. Gebot und »Täuschung der ganzen Öffentlichkeit«), die im Wechselspiel mit Gegenerklärungen von Präses Held und anderen monatelang die kirchliche Öffentlichkeit beschäftigten und alle Ergebnisse der Synode in den Schatten stellten[15]. Der öffentliche Streit wurde erst nach Monaten beigelegt, flammte im Wahljahr 1957 wieder auf und fand erst 1958 ein Ende, als sich nach dem Tode von Held, der die Zahl der Unterschriften der Presse mitgeteilt hatte, die Grundlosigkeit dieses Vorwurfs gegen Heinemann herausgestellt hatte[16].

In dieser Konfliktsituation war die Haltung des Rats und des Präsidiums der Synode der EKD aufschlußreich. Beide bemühten sich zu dämpfen: die Synode habe über die allgemeine Wehrpflicht nicht abgestimmt, auch die Unterschriftensammlung sei keine solche Abstimmung gewesen, die Initiatoren hätten die Folgen ihres Vorgehens bes-

---

11. KJ 56, S. 75f, 111f.
12. E. Müller: »Die Verfälschung der Synode«, KJ 56, S. 79.
13. Darstellung und Dokumentation im KJ 56, S. 77ff.
14. GH 248 u. 249.
15. KJ 56, S. 96ff.
16. KJ 57, S. 67ff. – GH 289.

ser bedenken und Müller hätte sich besser über die Tatbestände unterrichten sollen[17].

Der Rückzug einiger Synodaler und die Haltung der Leitungsgremien zeigten, daß die Wandlung innerhalb der EKD denn doch nicht so groß und ihre Bedenken wegen der Ostdeutschen denn doch nicht so gewichtig waren, wie Heinemann auf Grund der Zahl der Unterschriften zunächst angenommen hatte. Synode und Rat der EKD ließen sich die Gelegenheit entgehen, anläßlich des Konflikts zwischen Eberhard Müller und Heinemann ihre gesamtdeutschen Sorgen in der Öffentlichkeit laut werden zu lassen. Wenn sie sich die Intervention in Bonn ebenso unauffällig dachten, wie dort frühere Vorstellungen schon abgelaufen und ohne Ergebnis geblieben waren, dann war natürlich nicht zu erwarten, daß ihre Einwendungen gegen den eindeutigen Bonner Regierungskurs irgend etwas erreichten. Tatsächlich ging die Regierungsmehrheit über die Bedenken der Synodalen wegen der Wehrpflicht ebenso hinweg wie über den Vorschlag des Rats der EKD, die Kriegsdienstverweigerung nicht auf prinzipielle Waffengegner zu beschränken[18] – ohne daß Rat oder Synode sich dadurch zu energischerem Vorgehen veranlaßt gesehen hätten.

Unter diesen Umständen bestand erst recht keine Aussicht darauf, daß von Seiten des Rats oder der Synode ein deutliches Votum gegen das Attribut »christlich« im Namen der Regierungspartei laut wurde. Ein entsprechender Antrag wurde auf der Synode von Espelkamp mit der Begründung, er sei in der politischen Wirklichkeit doch nicht durchzusetzen, beiseitegeschoben[19]. Vergeblich wies Heinemann immer wieder darauf hin, daß der christliche Name nicht in den Namen von politischen Kampfverbänden gehöre[20]. Nur gegen die Neugründung christlicher Gewerkschaften sprachen sich Christen verschiedener politischer Richtungen aus[21].

Die Ursache für die Zurückhaltung der kirchlichen Mehrheit im Streit um Wehrpflicht und CDU war, daß trotz aller gemeinsamen Besorgnisse um die Deutschen im Osten die theologisch-politischen Grundkonzeptionen letzten Endes nicht revidiert worden waren. Nach wie vor scheuten Lutheraner, besorgt um die Gültigkeit der Zwei-Reiche-Lehre, davor zurück, überhaupt vom Evangelium her Linien bis in das politische Gebiet auszuziehen; nicht zufällig ging der Protest gegen die Unterschriftensammlung gerade von lutherischen Synodalen

17. KJ 56, S. 107f, 114ff.
18. GH 246.
19. Eingabe des Lic. Sauer, Espelkamp 1955, S. 344.
20. GH 186, 204, 215, 217, 218 (S. 22), 220, 233, 243 etc.
21. KJ 55, S. 78ff. – GH 215.

aus[22]. Nach wie vor sahen sich hingegen Protestanten reformierter und unierter Prägung gerade vom Evangelium her zu politischem Engagement in ganz bestimmter Richtung verpflichtet. Fürchteten die einen, daß weltlicher und kirchlicher Bereich vermischt würden, so mahnten die anderen, um des Friedens und der Nächstenliebe willen in die theologische Reflexion politische Rückwirkungen einzubeziehen.

In dieser Spannung neigten kirchliche Gremien immer wieder dazu, die Gemeinsamkeit dadurch herzustellen und zu bewahren, daß sie radikale Formen und entschiedene Inhalte ablehnten. So verfuhr schon die Synode von Espelkamp 1955. Sie mahnte, nachdem sie die große Not der divergierenden Meinungen über den Weg zu einer Wiedervereinigung Deutschlands angesprochen hatte:

»Vor allem aber können wir nicht eine politische Erkenntnis, und sei sie noch so richtig, in der Autorität des Wortes Gottes geltend machen. Wir müssen euch vielmehr davor warnen, eine politische Meinung als Gottes Wahrheit ausgeben zu wollen.«[23]

Aber diese Formel war keine Lösung. Indem die Synode den Grundsatz vertrat, daß niemand seine Meinung als die vor Gott allein richtige vertreten dürfe, ersetzte sie nur ein »Gesetz« durch ein anderes. Daß eine politische Erkenntnis grundsätzlich nicht die Autorität des Wortes Gottes für sich geltend machen konnte, hieß das politische Leben insgesamt zu einer Sache minderer Bedeutung und größerer Entfernung von Gott machen. Demgegenüber war es Barths und seiner Anhänger Überzeugung, daß »die politische Entscheidung in der Einheit des Glaubens ... auf der haarscharfen Grenze zwischen der Welt und dem Gottesreich Ereignis werden kann: nur eben dort, wo der gesunde Menschenverstand die Sprache des Heiligen Geistes und der Heilige Geist die Sprache des gesunden Menschenverstandes redet«[24]. Diese Grenze ließ sich jedoch nicht durch Grundsätze festlegen, sondern nur in der Betrachtung der konkreten Lage. Gollwitzer gab der Synode in Espelkamp zu bedenken, daß »die Umstände, die Zeit, die ganzen Verhältnisse« angesehen werden müßten, ehe ein Urteil darüber gefällt werden könnte, was »von Gott her« dem jeweiligen Staat recht sei[25]. Und Vogel wies darauf hin, daß neben der einen Gefahr, Menschenwort als Gotteswort auszuge-

22. Superintendent Schulze, Hannover; Prof. Künneth, Dekan Putz, Bankdirektor i. R. Krauß, Freiherr Truchseß zu Bundorf, Bayern (KJ 56, S. 75f).
23. Espelkamp 1955, S. 350; KJ 55, S. 47. – Ähnlich die Erklärung des Rats v. 2./3. 2. 55, KJ 55, S. 15.
24. K. Barth, Politische Entscheidung in der Einheit des Glaubens, München 1952, S. 15.
25. Espelkamp 1955, S. 368.

ben, die andere stünde, daß man die Pflicht der Verantwortung für den Nächsten vernachlässige. Wenn eine Menge aufs brüchige Eis hinausginge, habe derjenige, der eine Gefahr erkannt zu haben meine, unabhängig von seiner Position zu warnen, denn sonst werde er »im Jüngsten Gericht gefragt werden, warum er geschwiegen hat«. »Ich habe unsere Brüder Heinemann und Niemöller als SOS-Rufer verstanden, die meinen, sie müßten sich einer Menge auf einem brüchigen Eis entgegenwerfen.«[26] Die Synode aber warnte generell und entschieden nur vor der Verabsolutierung des Menschenworts als Wortes Gottes, während sie es versäumte, ebenso entschieden darauf hinzuweisen, daß die Nachfolge Christi womöglich in bestimmter Situation nur einen Weg offenließ. Statt beides zu sagen und die Spannung, was denn nun vor Gott bestehen könnte, in der Hoffnung auf den Heiligen Geist auszuhalten, zog man sich auf den vermeintlich sicheren Grund christlicher Brüderlichkeit zurück. Man übersah, daß das eine nur neben dem anderen galt: die Verheißung, daß die Einheit in Christus Unterschiede in Meinungen überbrückte, und die Warnung, daß nicht jeder, der Christus seinen Herrn nannte, damit auch tatsächlich zur christlichen Gemeinde gehörte.

Heinemann nahm in den Auseinandersetzungen zwischen der entschiedenen Minderheit und der konservativen Mehrheit immer noch einen vermittelnden Standpunkt ein. Er betonte die kirchliche Gemeinschaft: »Was wir, die wir uns nicht in eine konservative Volkskirche und in reformfreudige Freikirchen auseinandersetzen wollen, zu lernen haben, ist die Vereinbarung einer großen Spannweite von politischen Meinungen mit unverbrüchlicher kirchlicher Gemeinschaft.«[27] Jedoch schien es ihm »mit der bisherigen Art von Ermahnungen kirchlicher Amtsträger zur Zurückhaltung in politischen Fragen allein nicht getan«[28]. Keine Lösung erschien ihm eine kirchliche »Ethik der ›Ordnungen‹«, wie sie der Lutheraner Künneth vertrat, weil diese Ordnungen »eine fatale politische Vorentscheidung in konservativem Sinne« enthielten und »den handelnden Menschen genau dort im Stich« ließen, wo seine Fragen anfingen; denn die Ordnungen setzten nur »Grenzmarken, zwischen denen Ermessensentscheidungen offen« blieben. »Was an Stelle einer Ethik der Ordnungen notwendig ist, ist eine ›Situationsethik‹, wie sie von Barth, Gollwitzer, Diem und anderen entwickelt wird.« Heinemann forderte eine »Fundierung unserer politischen Entscheidungen als Gehorsamsentscheidungen«. Entschieden wandte er sich gegen Künneths Behauptung,

---

26. ebd. S. 394.
27. GH 233. – Vgl. GH 215, 220, 284.
28. GH 215.

die Forderung einer kirchlichen Übereinstimmung in politischen Tagesfragen sei ›eine praktische Illusion und theoretisch ein Mißbrauch des Amts‹. Dem stellte Heinemann entgegen: »Wir haben einander nicht in der Unterschiedlichkeit unserer politischen Entscheidungen stehen zu lassen, sondern einander darin zu suchen, auf daß wir uns auch darin zu dem einen Gehorsam helfen, zu dem wir gemeinsam gerufen sind.«[29]

Weil aber die theologischen Meinungen über den Stellenwert des Politischen innerhalb der Kirche und über die Dringlichkeit einer Verständigung über gemeinsame Ziele auseinandergingen, artete immer wieder die nötige Sachdiskussion in heftige Auseinandersetzungen über Form- und Personalfragen aus und erwiesen sich scheinbare Gemeinsamkeiten in der Sache als geringer, als man zuerst angenommen hatte.

Das galt auch für die 1956 auf der Synode in Berlin so oft beschworene christliche Pflicht zur Überwindung der Spaltung Deutschlands. Man traf sich in der Erkenntnis, daß solche Bemühungen angesichts der Not der Menschen in der DDR ein Teil christlicher Nächstenliebe seien[30]. Aber die Begründung zeigte verschiedene Akzente: die einen leiteten die Notwendigkeit der Wiedervereinigung aus naturrechtlichen Grundüberzeugungen ab; da war wie Jahre vorher vom natürlichen und geschichtlichen Recht die Rede, das man gegenüber dem widernatürlichen Zustand »historischer Unordnung« durchsetzen müsse[31]. Die anderen erblickten die Pflicht der Mitmenschlichkeit gerade darin, daß man politische Wege suchte, die für alle annehmbar waren; Gollwitzer trug Heinemanns Gesichtspunkt vor, daß die ständige Mahnung an die Großmächte, Deutschland wiederzuvereinigen, allein nichts nutze; weil die Großmächte von beiden Seiten die Garantie forderten, »daß nicht Gesamtdeutschland in das eine oder andere Lager abmarschiert und gegen uns steht, ist die Frage der Wiedervereinigung auf uns zurückgefallen«. Solange die Deutschen die Garantie nicht geben wollten,

»daß wir, wenn wir vereinigt sind, nicht in das eine Lager oder in das andere Lager abmarschieren, scheint es mir ein Unrecht zu sein, den Mächten ständig

---

29. GH 233.
30. »Das Evangelium schenkt die Wiedervereinigung mit Gott, die uns willig macht auch zu aller menschlichen Wiedervereinigung, indem es uns von Selbstsucht, Haß und Angst zur Liebe Christi befreit. Das Evangelium ist nicht dazu da, um uns Deutschen die politische Wiedervereinigung zu schaffen; es öffnet uns aber das Ohr für den Notschrei der Opfer der Trennung und gibt uns die Freiheit, ihre Überwindung von Gottes Gnade zu erbitten, für sie zu arbeiten und alles zu unterlassen, was sie hindert.« Aus der theologischen Erklärung, in: Berlin 1956, S. 224; KJ 56, S. 18.
31. Dietzfelbinger, Berlin 1956, S. 39; Bauer, ebd. S. 49; Künneth, ebd. S. 69.

zu predigen, sie täten unrecht, wenn wir nicht bereit sind oder meinen, nicht in der Lage zu sein, ihnen ein anderes Verhalten zu ermöglichen.«[32]

Im Endeffekt kam auf der Synode gerade so viel gemeinsames Bekenntnis zur Wiedervereinigung Deutschlands heraus, daß der Weg der Bundesregierung nicht kritisch unter die Lupe genommen wurde[33]. Damit verblieb aber die Synodalerklärung in demselben Umkreis der formelhaften Beschwörung des Ziels der Wiedervereinigung Deutschlands, in dem sich auch die Erklärungen der Regierungsparteien bewegten. Synode und Rat drangen nicht zur Erkenntnis vor, daß eine Revision politischer Vorstellungen nötig war, wenn man überhaupt noch auf sinnvolle Initiativen zur Wiedervereinigung Deutschlands hinauswollte.

Sie konnten diese Erkenntnis nicht gewinnen, weil die Frage der deutschen Schuld am und im Kriege und das Bewußtsein, daß infolge der deutschen Untaten ein negatives Deutschlandbild bei den Völkern des Ostens entstehen mußte, nicht lebendig war. Wohl wurde von allen Seiten erklärt, daß die Teilung Deutschlands nach dem Zweiten Weltkrieg eine Folge der Schuld sei, die die Deutschen vor Gott und Menschen auf sich geladen hätten[34]. Die Mehrheit, die die Aufrüstung befürwortete, zog aber keine Folgerungen, sondern stellte die These dagegen, trotzdem hätten die Deutschen »ein natürliches Recht auf ... Einheit, die auch in staatlicher Zugehörigkeit ihren Ausdruck finden muß«[35]; man müsse sich Gedanken darüber machen, »wie unser armes, so in seinem Inneren gequältes Volk wieder seine eigene Geschichtswertung bekommt«[36]. Sichtbare Konsequenzen forderte die Minderheit: im Innern z. B. die Stellungnahme gegen Neonazis und gegen die Restauration früherer Verhältnisse, nach außen eine Haltung des Ausgleichs nach allen Seiten. Die Einführung der allgemeinen Wehrpflicht erschien der Minderheit als ein Abschnitt auf dem Wege, der »alle unsere Bestrebungen zu einer Einkehr, einer Bußbesinnung des deutschen Volkes hinsichtlich seines Weges in der Vergangenheit völlig illusorisch machen« würde[37]. Prof. Iwand prägte im Blick auf die allgemeine Wehrpflicht das Wort von der »organisierten Unbußfertigkeit«, das Heinemann übernahm[38]. Die Besorgnisse galten für die innere Entwicklung der BRD

---

32. Berlin 1956, S. 151.
33. Verlautbarung »Einheit des Volkes«, ebd. S. 233f; KJ 56, S. 21f.
34. Jacob, Berlin 1956, S. 26; Kreyssig, ebd. S. 56; Bauer, ebd. S. 49; Vogel, ebd. S. 104ff; Raiser, ebd. S. 129; Gollwitzer, ebd. S. 152f.
35. Bauer, ebd. S. 49.
36. Putz, ebd. S. 186.
37. Gollwitzer, ebd. S. 152.
38. GH 244. – S. auch Hammelsbeck, StdG 15. 9. 56, S. 553.

so gut wie für die Möglichkeit einer äußeren Entspannung – aber gerade darüber konnte man sich nicht mit der Gegenseite einigen.

So waren 1956 denkbar schlechte theologisch-politische Voraussetzungen dafür gegeben, daß die evangelische Kirche in Deutschland den größer werdenden Belastungen, die nach den Ereignissen in Ungarn und Ägypten mit dem Plan westdeutscher Atomaufrüstung auf sie zukamen, gewachsen sein würde. Ein Streit zwischen Lilje und Heinemann beleuchtete die Situation.

Lilje zog aus den Vorgängen in Ungarn die Schlußfolgerung, daß die »Theologie der Abrüstung«, wie sie von bestimmten kirchlichen Gruppen immer wieder vertreten werde, einen ziemlichen Stoß erhalten habe; ihre Vertreter könnten sich angesichts des russischen Verhaltens nicht gerade ermutigt fühlen. Die oft gehörte Theorie, Macht sei schlechthin böse, ließe sich nicht halten, sondern man müsse mit Luther sagen: Es muß auch Macht geben, um dem Bösen zu wehren; die Macht könne auch eine ethische Funktion haben. Dabei verwies Lilje auf die besondere westdeutsche Situation[39].

Dieses Votum rief Heinemann auf den Plan: er legte dar, daß man das sowjetische Vorgehen nicht isoliert betrachten dürfe, sondern das der ungarischen Revolutionäre und der westlichen Welt mit in die Analyse einbeziehen müsse, und verwahrte sich gegen den Vorwurf, den er auf sich bezog, er habe für die Machtlosigkeit der BRD plädiert. Heinemann konterte:

»Wenn christlichen Kritikern der Adenauer-Politik ›Theologie der Abrüstung‹ vorgehalten wird, so antworten wir, daß wir sie für besser halten als eine Theologie, welche durch ihre Unterstützung einer ebenso wertlosen wie verhängnisvollen Aufrüstung im gespaltenen Deutschland den Weg zur Lösung unserer Aufgabe verbaut und durch ihr Gewährenlassen einer leichtfertigen Befreiungspropaganda ihren Beitrag zu dem schrecklichen Geschehen in Ungarn geliefert hat.«[40]

Lilje wandte sich in einer Replik gegen die »verhängnisvolle Mischung von politischer Stellungnahme und theologischer Beurteilung, die uns bei Heinemanns Freunden begegnet«. Als solche nannte er den Theologieprofessor Hromadka in Prag, drei ungarische Bischöfe, junge deutsche Pfarrer und die Herausgeber der »Stimme der Gemeinde«[41]. Heinemann lehnte die Verantwortung für die Aussagen anderer ab. »Zumal mit Aussagen junger Rufer im Streit können wir

---

39. vor der hannoverschen Synode lt. epd Nr. 264 v. 15. 11. 56.
40. GH 259.
41. Informationsblatt der Vereinigten Evangelisch-Lutherischen Kirche Deutschlands, 1956, S. 353.

uns durchaus beiderseits auf eine sehr billige Weise jeden wünschenswerten Kummer machen.« Solange die »christliche Bemäntelung« westlicher Politik anhielte, werde »ihre Demaskierung eine notwendige Aufgabe um der Kirche und ihrer Verkündigung willen bleiben«. »In der durch Revolution der Waffentechnik veränderten Welt und in der durch unsere Spaltung verursachten Fragwürdigkeit der deutschen Staatlichkeiten ist eine Überprüfung der bisher üblichen kirchlichen Aussagen über Krieg und Kriegsdienst unausweichlich.«[42]

Die Kontroverse war in mehrfacher Hinsicht typisch: der Lutheraner sah sich, ohne die Gesamtlage kritisch zu betrachten, in seinen Grundsätzen bestätigt und wähnte, bei ihm handele es sich nicht um eine »Vermischung« geistlicher und weltlicher Argumentation. Dabei zeigten gerade seine Ausführungen, in welch starkem Maß das der Fall war. Was Lilje vor der Synode abgestritten hatte, daß »Furcht plus Zwei-Reiche-Lehre« die Grundlage des politischen Denkens der lutherischen Gruppe ausmachte[43], war durch ihn selbst bewiesen. Bezeichnend war aber auch, daß Lilje weniger Heinemann direkt, als vielmehr seine Freunde angriff, die mehr Ansatzpunkte zur Kritik boten – und daß Heinemann für eine Gruppe in die Arena der kirchenpolitischen Auseinandersetzung stieg, deren einzelne Aussagen er nicht unbedingt deckte.

Dieselben Spannungen ergaben sich bei der Diskussion über die Militärseelsorge, die die evangelische Kirche 1957 in Atem hielt[44]. Wer wie Heinemann mit den Kritikern der Aufrüstung das Militär für eine äußere und innere Gefährdung hielt, war aufs äußerste bemüht, die Seelsorge an Soldaten der Bundeswehr nicht zu einem derart in die Armee integrierten Bestandteil zu machen, daß Militärseelsorge durch staatlich besoldete Militärpfarrer als Teil moralischer Aufrüstung aufgefaßt werden konnte; so traten Heinemann und seine Freunde dafür ein, die Militärseelsorge, die sie grundsätzlich bejahten, soweit wie möglich den Landeskirchen zu überlassen. Die Gegenseite hielt dagegen grundsätzlich die Seelsorge für Soldaten in einer Verteidigungsarmee für eine Selbstverständlichkeit und war damit zufrieden, daß die Rechtsstellung der Pfarrer gegenüber kaiserlichen und nationalsozialistischen Zeiten verbessert wurde. Auch über die Art, wie der Militärseelsorge-Vertrag abgeschlossen wurde, kam es zu typischen Differenzen. Die Mehrheit der Synodalen war letztlich damit einverstanden, daß zwischen Vertretern der EKD und der

---

42. GH 262.
43. Espelkamp 1955, S. 384.
44. Berlin-Spandau 1957. Bericht über die zweite Tagung der zweiten Synode der Evangelischen Kirche in Deutschland vom 3. bis 8. März 1957, S. 231ff. – KJ 57, S. 21ff.

Bundesregierung ein Vertrag ausgearbeitet und paraphiert war, so daß der Synode 1957 lediglich ein Ja oder Nein dazu zu sprechen übrigblieb. Die Minderheit verwies dagegen auf die Tatsache, daß auf der Synodaltagung des Vorjahres beschlossen war, es dürften »keine neuen Tatsachen geschaffen werden, die die evangelische Kirche in dieser Sache binden«, und daß »nachdrücklich« betont worden war, die Synode sei »an der Entscheidung über diese Angelegenheit ... in ihrer Gesamtheit zu beteiligen«[45]. Bei der Abstimmung blieb jedoch Heinemann mit 18 anderen Synodalen gegenüber 91 Befürwortern des Vertrages weit in der Minderheit[46].

Unter diesen Umständen führte auch das Problem einer Atomrüstung der Bundeswehr nicht zu einer gemeinsamen Erklärung von Rat und Synode der EKD. Die Repräsentanten der Minderheit sandten den Göttinger Atomwissenschaftlern ein Danktelegramm »für den Dienst, den Sie dem deutschen Volk und der Menschheit mit der Warnung vor der atomaren Bewaffnung solcher Streitkräfte geleistet« hätten[47]. Vergeblich bemühte sich jedoch Heinemann, den Rat der EKD zu einer entsprechenden Stellungnahme zu bewegen. Und in der Synode erwies sich das Problem der Atombewaffnung nun, nachdem eine rechtzeitige Abklärung der theologisch-politischen Positionen und eine kritische Prüfung der Vergangenheit nicht erfolgt war, als der Sprengstoff, der sogar die christliche Brüderlichkeit in Frage stellte: die Lutheraner sahen in westdeutschen Atomwaffen ein Mittel, das der Staat legitimerweise um des Friedens willen zur Erhaltung seiner Ordnung vor einem drohenden Angriff anzuschaffen berechtigt war – die Gegenseite sah im Streben nach Atomwaffen den I-Punkt in der westdeutschen Neigung zur Unbußfertigkeit, hielt westdeutsche Atomwaffen angesichts der Entwicklung der letzten Jahre für eine Gefährdung des Friedens und schon die Ausbildung an Atomwaffen für eine nicht zu verantwortende Vorbereitung zum Massenmord[48].

So wurde die kirchliche Entwicklung in der BRD in den Jahren nach dem Abschluß der Pariser Verträge von demselben Phänomen beherrscht wie die politische: die Mehrheit zog immer weitere Konse-

---

45. Berlin 1956, S. 128, 177f. – KJ 57, S. 21ff.
46. Berlin-Spandau 1957, S. 321ff. – KJ 57, S. 40.
47. KJ 57, S. 86. Es war unterzeichnet von Niemöller, Stempel, Grüber, Heinemann, Gollwitzer, Iwand, Vogel, Fischer, Scharf. – Heinemann hatte kurz vorher zur Atombewaffnung Stellung genommen (GH 268).
48. Berlin-Spandau 1957, S. 66f, 181f, 640. – Berlin 1958. Bericht über die dritte Tagung der zweiten Synode der Evangelischen Kirche in Deutschland vom 26. bis 30. April 1958, S. 50ff, 211ff. – KJ 57, S. 48f, 72ff. – KJ 58, S. 17ff. – H. K. Rupp, Außerparlamentarische Opposition in der Ära Adenauer, S. 83ff, 143ff, 202ff.

quenzen aus der einmal eingenommenen Grundhaltung, weil eben diese Grundhaltung eine ganz bestimmte Beurteilung der Situation nahelegte. Wer in den groben Kategorien der Ost-West-Alternative und der Zwei-Reiche-Lehre dachte, für den galt jedes politische Ereignis als Beleg für die Richtigkeit der bisherigen westlichen Politik. Eine Nötigung zur Revision theologischer Lehren und historisch-politischer Urteile war von dieser Grundlage her nicht gegeben. Auch auf der anderen Seite zog man weitere Folgerungen vom Ausgangspunkt her. Weil dieser Ausgangspunkt aber weniger in theologischen oder politischen Grundsätzen als vielmehr in der Bereitschaft zur Revision überkommener Vorstellungen bestand, wurde hier die Neigung zur Opposition um so stärker, je mehr die Bundesregierung auf politischem Gebiet und die Mehrheit der Kirchenvertreter auf kirchlichem Felde an dem eingeschlagenen Kurse festhielten.

Woher die Bereitschaft zur Revision letztlich kam, wurde exemplarisch in »Gedanken zur politischen Ethik« deutlich, die Heinemann im Wahljahr 1957 veröffentlichte[49]. Darin setzte er sich kritisch mit Luthers Zwei-Reiche-Lehre auseinander, die er in ihrem historischen Zusammenhang sah. Luther habe mit dieser Lehre in der Auseinandersetzung mit dem Papst und den Schwärmern »klerikale Machtansprüche der Kirche über den Staat« ebenso abgewehrt »wie die Utopie einer Weltverbesserung durch das Evangelium«. Heinemann stimmte Luther insoweit zu, als er den Staat nicht für einen »Wegbereiter zu einem Paradies der Gerechtigkeit oder des ewigen Friedens« hielt, sondern für eine »Notordnung Gottes«. Weil es aber zu verhindern gelte, »daß eine Resignation des Sich-Abfindens mit der Welt entsteht«, »darum fragen wir stärker als Luther nach dem Zusammentreffen der beiden Reiche in Gott«. Heinemann zitierte den Artikel 2 der Barmer Erklärung von 1934:

»Wie Jesus Christus Gottes Zuspruch der Vergebung aller unserer Sünden ist, so und mit gleichem Ernst ist er auch Gottes kräftiger Anspruch auf unser ganzes Leben; durch ihn widerfährt uns frohe Befreiung aus den gottlosen Bindungen dieser Welt zu freiem, dankbarem Dienst an seinen Geschöpfen.«

Damit sei »abgetan, daß Politik ein Feld eigener Gesetze oder selbstherrlicher Interessen wäre«. Auch in den Entscheidungen der Politik ginge es »um ihre größtmögliche Geladenheit mit Gehorsam gegenüber Jesus Christus«. Wenn die gegenwärtigen Entscheidungen der Christen »einander entgegengesetzt« seien, so sei das »nicht gottgewollt«, sondern die Christen hätten »einander darin zu suchen, auf daß wir uns zu dem einen Gehorsam helfen, zu dem wir alle gerufen sind«. Weil die Kirche im Glauben an Jesus Christus gegründet sei

---

49. GH 284.

und sich alle seiner Vergebung »getrösten« dürften, dürfe die kirchliche Gemeinschaft über einer Unterschiedlichkeit der politischen Entscheidung nicht zerbrechen.

Gerade dieses Verständnis Jesu Christi war jedoch nicht allen deutschen Protestanten gemeinsam, sondern verband nur diejenigen, die auf dem Boden der Barmer und Stuttgarter Erklärung standen. Weil das so war, konnte die evangelische Kirche als ganze nichts Entscheidendes tun, das den immer stärkeren Tendenzen zur Zementierung der außenpolitischen wie der gesellschaftspolitischen Verhältnisse in Deutschland entgegenwirkte.

5

Heinemanns Weg in die SPD

Während es sich als aussichtslos herausstellte, die Mehrheit in politischen und kirchlichen Gremien zur Revision ihrer Vorstellungen zur Deutschlandfrage zu veranlassen, gab es für Heinemann und seine Anhänger bei der politischen Minderheit hoffnungsvolle Zeichen: in der SPD hatte sich während der Auseinandersetzungen um die Pariser Verträge die Meinung durchgesetzt, daß man von westlicher Seite den Sowjets Zugeständnisse auf militärischem Gebiet machen müsse, wenn man sie überhaupt noch zu einer Wiedervereinigung Deutschlands bewegen wollte. Was in den Jahren vorher innerhalb der SPD nur hin und wieder geäußert worden war, wurde nun, d. h. seit Beginn des Jahres 1955, zum außenpolitischen Programm erhoben: die SPD verfocht den Gedanken eines gesamteuropäischen Sicherheitssystems, das die Machtblöcke im Osten und Westen überwölben und in dessen Mitte Gesamtdeutschland, weder nach Westen noch nach Osten integriert, zusammengefügt werden sollte[1]. Das gesamteuropäische kollektive Sicherheitssystem enthielt also jene Forderung eines militärischen Sonderstatus für Deutschland, die die GVP vertreten hatte. Gleichzeitig verstärkten sich innerhalb der SPD die Tendenzen, die »eine Ordnung der Wirtschaft nach den Spielregeln der Marktwirtschaft bejahen« wollten, wie Heinemann zustimmend feststellte[2].

Damit stellte sich für Heinemann und die GVP die Frage neu, in welcher Weise und wieweit man mit der SPD zusammengehen resp.

---

1. Löwke, aaO. S. 192ff, 253f.
2. GH 222, ähnlich GH 226, 232.

auf sie zugehen wollte. Die Diskussion darüber riß seit dem gemeinsamen Vorgehen in der Paulskirchenbewegung nicht ab und wurde
um so stärker, je näher der Termin der Bundestagswahlen 1957 her-
anrückte[2a].

Mehrere andere politische Möglichkeiten schieden für die GVP
nach den in den Vorjahren gemachten Erfahrungen ohnehin aus.
Heinemann beantwortete Anfragen des Bunds der Deutschen wegen
eines erneuten Zusammengehens abschlägig[3]. Er stand auch dem Gedanken eines neuen Versuchs, mit gemäßigten Rechten ins Gespräch
zu kommen, sehr skeptisch gegenüber. Auch lehnte er eine Reaktivierung der Notgemeinschaft oder die Neugründung einer anderen überparteilichen Sammlung ab:

»Aus jahrelanger Erfahrung halte ich nichts von übergreifenden Bemühungen
und schon gar nichts von Vorträgen und Diskussionen in Gremien ohne bündigen Standort. Alle politischen Bemühungen müssen auf Scheidung der Geister
hinzielen und Vorträge müssen den Hörern einen bündigen Weg des Einsatzes
weisen.«[4]

Das Idealziel, das Heinemann und die GVP nun anstrebten, war
ein Wahlbündnis mit der SPD, das der GVP dazu half, Behinderungen des Wahlgesetzes zu überwinden, und das auf dem Wege über die
GVP der SPD nichtmarxistische, insbesondere evangelische Kreise
als mögliche spätere Koalitionspartner zuführte. Ansätze zu einem
solchen Wahlbündnis wurden in der Landtagswahl in Rheinland-
Pfalz im Mai 1955 verwirklicht, wo in zwei von sieben Bezirken in
der Pfalz die SPD und die GVP gemeinsam den Wahlkampf führten.
Dieses Wahlbündnis war von Seiten der SPD als Testfall für weitere
Zusammenarbeit gedacht.

Der Ausgang dieser Wahl war jedoch für die GVP negativ. Die
Aktivität der GVP, die auf eine Zunahme der SPD gerade in den
evangelischen Städten gehofft hatte, zahlte sich nicht aus[5]. Imanuel
Geiss, der die Organisation der GVP-Redner geleitet hatte, mußte
Heinemann berichten, daß »der Zweck des Wahlbündnisses, die bürgerlichen Wähler anzusprechen, schon bei den Wahlversammlungen
nur stellenweise erreicht« war[6]. Der Vorsitzende der SPD im Bezirk

---

2a. Begonnen wurde der öffentliche Disput zwischen Heinemann und der SPD schon
    kurz vor der Paulskirche im Sept. 54 damit, daß die von Sozialdemokraten heraus-
    gegebene Zeitschrift »Die Neue Gesellschaft« Heinemanns Artikel über die SPD
    (GH 153) in veränderter Fassung herausbrachte (GH 170).
3. Westdeutsches Tageblatt 26. 4., FAZ 5. 5. 55.
4. Schreiben an v. Bonin v. 18. 10. 55.
5. D. Posser, Politik ohne Solidarität. Lehren aus dem Wahlkampf in Rheinland-
    Pfalz, GR Nr. 24/25 v. 10. 6. 55.
6. Tätigkeitsbericht v. 16. 5. 55 (AH).

Pfalz, Boegler, konstatierte, daß die kirchlichen Kreise, die hinter Heinemann stünden, »zum jetzigen Zeitpunkt« noch nicht den Partner darstellten, den sich die SPD in ihrem Kampf gegen die restaurativen Tendenzen der Regierung wünsche[7]. Während Boegler die persönliche Integrität Heinemanns herausstellte und die Tätigkeit der GVP im Wahlkampf positiv bewertete, sahen sich andere Politiker der SPD durch diesen Wahlausgang in ihrer Abneigung gegenüber Heinemanns Person und gegen Wahlbündnisse überhaupt bestätigt.

Heinemann bemühte sich, diesen Rückschlag zu überwinden und die Ursachen für den Mißerfolg zu beseitigen. Die CDU des Landes Rheinland-Pfalz hatte den Wahlkampf gegen ihn weitgehend mit dem Hinweis auf das Wahlbündnis der GVP mit dem Bund der Deutschen in der Bundestagswahl 1953 geführt, hatte abermals die kommunistische Herkunft von Wahlgeldern der GVP behauptet und das Gerücht verbreitet, Heinemann selbst habe wöchentlich 50 000 DM von kommunistischer Seite erhalten[8]. Heinemann sah sich, um der dauernden politischen Abstempelung als Kommunistenfreund zu entgehen, dazu genötigt, gegen verschiedene CDU-Politiker in Rheinland-Pfalz und gegen den Direktor des dortigen Verfassungsschutzamts Klage zu erheben[9]. »Auch der Zwang zu kostspieligen Rechtsstreiten gehört ja zu den Methoden, um politische Gegner kaputt zu machen.«[10] Die drei Zivilprozesse und acht Strafanträge endeten 1956 in zweiter Instanz mit einem Vergleich, in dem zwar die Mitfinanzierung der GVP durch den BdD, die nie von Seiten der GVP abgestritten war, festgestellt, die Herkunft der Gelder aus kommunistischer Quelle aber von Seiten der CDU nicht nachgewiesen werden konnte, so daß sich die CDU verpflichten mußte, diesen Vorwurf nicht zu wiederholen[11].

Die Prozesse in Frankenthal und Mainz stellten nur einen Teil jener Bemühungen Heinemanns dar, auf dem Rechtswege die Möglichkeit zu erstreiten, daß politische Minderheiten wie die GVP nicht durch Verleumdungen der großen politischen Gegner, durch Verordnungen und durch Wahlgesetze mundtot gemacht wurden. In dieser Richtung war das Anwaltsbüro Heinemanns gerade in den Jahren 1955/56, als eine Lösung der Deutschlandfrage nicht in Sicht war und die GVP keine Chance des Zusammengehens mit der SPD sah, besonders aktiv.

---

7. lt. Allgemeine Zeitung, Mainz, 13. 6. 55.
8. Rheinischer Merkur 22. 4., FAZ 27. 5. 55.
9. FAZ 7. 6., 12. 10. 55.
10. Schreiben an Leitz, Ludwigshafen, v. 31. 5. 55 (AH).
11. FAZ, Süddeutsche Zeitung, Mannheimer Morgen 15. 6. 55. – FAZ 6. 2., 7. 2. 56. – FAZ 10. 2. 56 (Zuschrift Heinemanns).

In Karlsruhe legte Heinemann Verfassungsbeschwerde gegen das baden-württembergische Landtags-Wahlgesetz ein, das für jeden der 70 Kandidaten 150 Unterschriften forderte und die Geltung der 5%-Klausel für das ganze Land festlegte, während die Stimmen gesondert in den einzelnen Regierungsbezirken ausgezählt werden sollten[12]. Heinemann, der ja die 5%-Klausel nicht grundsätzlich ablehnte, drang jedoch mit seinem Antrag, sie auf die Regierungsbezirke anzuwenden, nicht durch, und auch die Zahl der Unterschriften wurde vom Bundesverfassungsgericht als gerade noch vertretbar bezeichnet[13]. Als der Landtag von Nordrhein-Westfalen sogar für die Kommunalwahl die 5%-Klausel für richtig hielt, wandte sich Heinemann erneut nach Karlsruhe, wiederum vergeblich; er fürchtete »eine Beeinträchtigung des Interesses an der eigenen Gemeinde«. »Die kommunale Ebene sollte weitgehend das klassische Feld nicht parteigebundener Bürger und möglichst undogmatischer Zusammenschlüsse von Wählern sein.«[14]

Das Hervortreten Heinemanns als Anwalt in politischen Prozessen führte dazu, daß ihm Übergriffe der Behörden und Behinderungen der kleinen politischen Gruppen aus dem ganzen Bundesgebiet bekannt wurden. Er konnte vor dem Bundesverfassungsgericht eine ganze Reihe von Beispielen ausbreiten: daß das Bundesfinanzministerium in einer Bestimmung zum Einkommensteuergesetz Spenden für alte, nicht aber für neue Parteien als steuerfrei erklärte; daß Sammlungen für neue Parteien in mehreren Bundesländern immer noch auf Grund eines NS-Gesetzes beschlagnahmt wurden, wie z. B. die Kasse der GVP in Calw; daß in einem Bundesland die Polizei die Wahlvorschlagslisten einer kleinen Splittergruppe und die Unterschriften überprüfte und Vernehmungen bei den Unterzeichnern anstellte[15], daß »die alten Parteien sich des Rundfunks in einer Weise bemächtigt haben, welche neue Parteien kaum oder gar nicht zu Worte kommen läßt« usw.[16]

Gegen die »Manipulation des Wahlrechts«, die ständige Änderung der Wahlgesetze, durch die die jeweils regierende Gruppe sich »die Wiederkehr in die Macht erleichtern will«, stellte Heinemann folgenden Vorschlag:

»1. Volksbegehren und Volksentscheid sind wieder in die Verfassung aufzunehmen.

---

12. StZ 25. 1. 56.
13. StZ 7. 2. 56.
14. FAZ 20. 9. 56 (Leserbrief Heinemanns). – GH 255.
15. Deutsche Zeitung 28. 1., StZ 17. 2. 56. – Schreiben an die Deutsche Zeitung v. 30. 1. 56 (AH). – GH 233.
16. GH 223.

2. Wahlgesetze sollen nur mit Zweidrittel-Mehrheit beschlossen werden. Änderungen mit einfacher Mehrheit dürfen erst bei der übernächsten Wahl wirksam werden.

3. Hinsichtlich der Aufstellung von Kandidaten sind alle Parteien gleich zu behandeln.

4. Die Geldausgaben jeder Partei je Wahlkreis sind auf bestimmte Höchstbeträge zu begrenzen. Bei Überschreitung des Höchstbetrages bleibt die schuldige Partei ohne Mandat im Wahlkreis.

5. Jede Partei erhält nach der Wahl je Wählerstimme einen Betrag vom Staat, der im Wahlgesetz festzusetzen ist.

6. Sperrklauseln dürfen 3 Prozent nicht überschreiten und entfallen, wenn eine Partei sich zum zweitenmal an der Wahl zum gleichen Parlament beteiligt.«[17]

Solche Forderungen hatten jedoch 1956 weniger Aussicht auf Verwirklichung als je zuvor. Denn bei den Auseinandersetzungen um das Wahlgesetz für die Bundestagswahl 1957 ließ die CDU/CSU so klar ihre Absicht erkennen, sogar Parteien mittlerer Größe wie die FDP und den BHE entweder zu erdrücken oder zum Zusammengehen mit der CDU zu zwingen, daß für die kleinen erst recht keine Chance übrig blieb. Nach erbitterten Auseinandersetzungen wurde im Wahlgesetz die Zahl der Direktmandate, die eine Partei erwerben mußte, um die 5%-Klausel zu umgehen, auf drei heraufgesetzt. Dieses Hindernis konnten weder Zentrum noch GVP überwinden; es brachte auch Parteien mit lokalen Schwerpunkten wie die Deutsche Partei und die Bayernpartei in Gefahr[18]. Bayernpartei und GVP riefen daraufhin das Bundesverfassungsgericht an, um die Rückkehr zum Wahlgesetz von 1949 durchzusetzen, das entweder 5% der Stimmen in einem Land oder ein Direktmandat von den Parteien gefordert hatte. Die Abweisung der Klage quittierte Heinemann mit der bitteren Bemerkung, die CDU habe ein »Zwei-Klassen-Wahlrecht« geschaffen, das die politischen Parteien, je nachdem ob sie »aus der Lizenzzeit den Vorsprung der Macht haben oder nicht«, in »privilegierte und in schikanierte« einteilte[19].

Trotz der Niederlagen vor Gericht blieben die Auseinandersetzungen um das Wahlrecht nicht ohne Folgen: die FDP trat 1956 erst aus der Landesregierung von Nordrhein-Westfalen und dann auch aus der Bundesregierung aus. Heinemann maß der Krise in Düsseldorf große Bedeutung bei[20]; mit der Umgruppierung der FDP zur SPD

---

17. ebd.

18. Th. von der Vring, Reform oder Manipulation? S. 82ff.

19. GH 264a und 264b.

20. GH 225: »Die Stunde, da die CDU der Macht entkleidet wird, wird kommen. Sie hat bereits begonnen.«

hin könne »eine Entwicklung von großer Tragweite anheben«. Nun sei die FDP zur Entscheidung gezwungen, ob sie eine Vertretung der Großindustrie bleiben wolle oder nicht[21]. Im Hinblick auf die nächste Bundestagswahl wandte sich Heinemann an alle Gegner der CDU:

> »Sie alle, die sie eine Ablösung und einen Kurswechsel zum Sozialen, zum Nicht-Klerikalen, zum Ausgleich nach West und Ost und zur endlich einmal fühlbaren Besinnung auf das deutsche Schicksal wollen, werden zueinander rücken müssen, um sich durchzusetzen. Sind sie dazu bereit, die SPD, der BHE, das Zentrum, die Bayernpartei, die GVP und nicht zuletzt die FDP? Es geht ganz bündig um die Mehrheit im nächsten Wahlgang.«[22]

Heinemanns Frage an die SPD, die er im Frühjahr 1956 in Gesprächen mit Erler und Mellies vortrug und in einem Exposé zusammenfaßte, ging dahin, ob die SPD bereit sei, die drei kleineren Parteien, Zentrum, Bayernpartei und GVP, so zu fördern, daß sie ihrerseits der SPD bei der Regierungsbildung helfen könnten. Als Auftakt zu einem gemeinsamen Wahlkampf gegen die CDU schwebte Heinemann der Gedanke einer Großkundgebung von Sprechern dieser vier Parteien, des BHE und der FDP vor[23].

Aber der Gedanke des Zusammengehens mehrerer Parteien ließ sich nicht verwirklichen. Die FDP entschied sich auf ihrem Parteitag im April 1956 dafür, sich »bis zum Morgen nach der Wahl« die Entscheidung darüber vorzubehalten, »ob und an welcher Art von Bundesregierung sie sich beteiligen werde«. Heinemann beklagte diese »groteske Parole der Unklarheit«, denn es ginge in der Bundestagswahl »sehr präzise um die Frage, ob Dr. Adenauer und die CDU abgelöst werden oder nicht«[24]. Verhandlungen Heinemanns mit Vertretern der FDP und des BHE blieben jedoch ohne Ergebnis. Erfolglos war auch eine Anfrage beim Zentrum, das wegen seiner SPD-freundlichen Haltung während der Düsseldorfer Regierungskrise nicht wieder mit einer Wahlhilfe von Seiten der CDU rechnen konnte[25]. Gespräche mit dem Zentrum bestätigten Frau Wessels Bedenken, daß es zu einem Zusammengehen mit GVP und SPD nicht zu bewegen sein werde; es neigte eher zu einer Wahlabsprache mit der Christlichen Volkspartei der Saar oder der Bayernpartei, zu der

---

21. GH 226: »Was die Freien Demokraten anlangt, so werden sie gezwungen, aus allem Zick-Zack-Kurs endlich deutlich zu machen, wes Geistes Kind sie eigentlich sein wollen. Wollen sie Hugenbergs oder Friedrich Naumanns Spuren folgen?«
22. GH 232.
23. Exposé v. 5. 4. 56 u. a. Akten (AH).
24. GH 240: »Welche Regierung wollen Sie, Herr Dr. Dehler, nach der Bundeswahl bilden? Wählen ist etwas anderes als Rätselraten!«
25. GH 242: »Eine Frage an Herrn Brockmann.« – Joh. Brockmann, Eine Antwort an Dr. Dr. Gustav W. Heinemann, Kurier am Sonntag 22. 7. 56.

wiederum von Seiten der GVP zu wenig Beziehung in der Sache bestand.

So spitzte sich das Problem doch auf die Frage zu, ob es zwischen SPD und GVP eine Form des Zusammengehens geben könnte. Der Kontakt mit der SPD wurde intensiviert, und seit Herbst 1956 wurde nur noch über ein zweiseitiges Wahlabkommen verhandelt[26]. Es kam nach vorbereitenden persönlichen Gesprächen von Präsidiumsmitgliedern der GVP mit SPD-Politikern wie Mellies und Eichler im Januar 1957 zu zwei offiziellen Gesprächen des Präsidiums der GVP mit Bundesvorstandsmitgliedern der SPD, darunter Ollenhauer, Mellies und Wehner. Heinemann argumentierte dabei von der Psychologie der Wähler und von den Bestimmungen des Wahlgesetzes aus. Viele bürgerliche Wähler seien noch nicht bereit, SPD zu wählen, könnten aber, falls die GVP durch die SPD eine Chance erhielte, zur Stimmabgabe für einen Partner der SPD bewogen werden, während sie vor der bloßen Alternative CDU:SPD wieder zur CDU zurückfallen würden. Das Wahlgesetz böte für eine Hilfestellung der SPD für die GVP zwei Möglichkeiten an: in Hessen, wo die SPD mit fast allen Direktmandaten rechne, könnte die SPD die Zweitstimmen ihrer Wähler, die sonst keine Wirkung hätten, auf eine Landesliste der GVP lenken; und in Bremen, wo der SPD alle drei Direktmandate sicher seien, könnte die SPD zugunsten der GVP auf die Direktmandate verzichten und auf dem Wege über die Zweitstimmen auf der Landesliste trotzdem ihre Vertreter in den Bundestag bekommen.

Die SPD-Vertreter waren zwar nicht mehr grundsätzlich abgeneigt, der GVP behilflich zu sein. Aber sie hielten es nicht für möglich, von der Parteispitze her die Parteiorganisation von Ländern zu solch ungewohntem Verhalten zu veranlassen, und sie zweifelten, ob die Wähler mittun würden. In zweiter Linie wurden auch Bedenken vorgebracht, ob die Übereinstimmungen zwischen den beiden Parteien auf innenpolitischem Gebiet so weit gingen, daß eine Hilfe für die GVP seitens der SPD richtig sei. Als einzigen Weg sahen die Bundespolitiker der SPD Vereinbarungen zwischen SPD und GVP in den Wahlkreisen, wo die GVP relativ stark war.

Das betraf die Kreise Moers, Wuppertal, Dortmund, Oberhausen und Essen, wo die GVP bei der Bundestagswahl 1953 über dem Bundesdurchschnitt gelegen hatte, vor allem aber den Wahlkreis Freudenstadt-Calw, wo die GVP bei der Landtagswahl in Baden-Württemberg im März 1956 ihren Stimmenanteil gegenüber der Bun-

---

26. Die folgende Darstellung stützt sich auf eine unveröffentlichte Arbeit von A. Scheu: »Von der GVP zur SPD 1956/1957 – Versuch einer Dokumentation« und auf Akten im Archiv Scheu und im AH.

destagswahl von 3,5 auf 11,9% steigern konnte[27], und den Kreis
Siegen, wo Heinemann 1953 kandidiert hatte und wo bei der nordrhein-westfälischen Kommunalwahl 1956 eine Reihe von Vertretern
der GVP in die Selbstverwaltungskörperschaften eingezogen waren[28].

Verhandlungen, die daraufhin auf mittlerer Ebene zwischen SPD-
und GVP-Politikern aufgenommen wurden, führten jedoch aus verschiedenen Gründen zu keinem Erfolg. Es gab SPD-Funktionäre, die
Anhänger des außenpolitischen Kurses der Regierung waren und
Heinemanns ostpolitische Vorstellungen strikt ablehnten; andere
fürchteten schädliche Nachwirkungen des Wahlbündnisses mit dem
BdD; wieder andere waren grundsätzlich gegen Wahlabkommen eingestellt. Wenn auch andererseits viele dem Gedanken aufgeschlossen
gegenüberstanden, daß Heinemann und andere prominente Gegner
Adenauers in den Bundestag einzogen, so war doch kein Landesverband und kein Kreisverband bereit, zugunsten der GVP auf die Aufstellung eigener Kandidaten zu verzichten. Im Februar 1957 teilte
Mellies Heinemann mit, daß sich bei Verhandlungen in den zuständigen Gremien der SPD auch keine Bereitschaft gezeigt hätte, GVP-
Leute auf SPD-Landeslisten zu setzen.

Damit war der Versuch, von Partei zu Partei zu einer Absprache zu
kommen, endgültig gescheitert. Es blieb nur die Alternative übrig,
daß die GVP sich in aussichtsloser Position doch allein am Wahlkampf beteiligte oder ihre Auflösung und den Übertritt in die SPD
beschloß. Den Eintritt in die SPD hatten einzelne GVP-Mitglieder
schon vorher als die einzige noch mögliche Lösung angesehen, so
Imanuel Geiss, Erhard Eppler und Roland Ostertag, die schon 1955
diesen Schritt getan hatten; seit Sommer 1956 hatte auch Scheu keinen anderen Weg mehr für gangbar gehalten. Scheu war die treibende
Kraft der Verhandlungen mit der SPD gewesen und blieb auch, als
die Gespräche auf dem toten Punkt angelangt waren, derjenige, der
unermüdlich neue Fäden zur SPD zu knüpfen und die GVP-Politiker
zum Übertritt in die SPD bereit zu machen suchte.

Innerhalb der GVP war die Meinung uneinheitlich. Wohl hatte im
Herbst 1956 der Bundesvorstand fast einstimmig Verhandlungen mit
anderen Parteien gutgeheißen und beschloß nun in Anbetracht der
Umstände, daß die GVP sich nicht selbständig an der Bundestagswahl beteiligen solle[29]. Aber gegen ein Aufgehen in der SPD bestanden doch manche Bedenken: ob das außenpolitische Ziel der GVP

---

27. s. dazu GH 238.
28. vgl. A. Haumann, Die ersten 78 Mandate für die GVP. Die GVP bei den
    Kommunalwahlen in Nordrhein-Westfalen, GR 2. 11. 56.
29. Protokolle v. 29./30. 9. 56 u. 22./23. 2. 57 (AII).

von der SPD wirklich energisch genug vertreten werde, ob GVP-Mitglieder innerhalb der alten sozialdemokratischen Partei genügend Raum zur Mitarbeit eröffnet werde, ob genügend Wähler diesen Weg mitgingen; für manche GVP-Mitglieder hatte die SPD des Jahres 1957 noch zuviel an Tradition einer Arbeiterpartei, während die Leitung der GVP-Landesverbände Hessen und Nordrhein-Westfalen umgekehrt die Verbürgerlichung der SPD fürchtete und in der SPD die marxistische Tradition nicht genügend gewahrt sah. Außerdem sprach bei vielen politischen Einzelgängern das Bedürfnis mit, sich ein Refugium enger politischer Gemeinschaft, das sich in Jahren politischer Isolierung bewährt hatte, zu bewahren.

Heinemann selbst zögerte aus verschiedenen persönlichen und sachlichen Gründen. Er fürchtete, es möchte der Eindruck entstehen, daß es ihm und anderen Politikern der GVP um Ministersessel ginge. Wenn er in die SPD eintreten würde, dann nur unter breiter Zustimmung jener aktiven GVP-Mitglieder, mit denen er jahrelang zusammengearbeitet hatte. Deshalb legte er größten Wert auf Diskussionen innerhalb der Partei. Sie wurden auf zwei Bundesvorstandssitzungen in Köln im Februar 1957 geführt. Dabei hielt sich Heinemann selbst derart zurück, daß z. B. eine Abordnung Württemberger Freunde, die eigens zur Erkundung seiner Meinung nach Essen kam, lediglich mit den Meinungen der Siegener konfrontiert wurde, während sie von Heinemann selbst nur einen indirekten Hinweis auf seinen SPD-Artikel von 1954[30] erhielt. Es war offensichtlich, daß Heinemann seine Meinung nicht als ein Argument innerhalb der Diskussion verwertet sehen, sondern die innerparteiliche Diskussion allein nach Sachgesichtspunkten geführt wissen wollte. Er ließ Scheu bei seinen Verhandlungen mit der SPD weitgehend freie Hand, bremste ihn aber gelegentlich auch. Zwar verzichtete er darauf, einen Brief an Mellies abzusenden, in dem er Scheus Bemühungen als die GVP nicht bindend desavouierte und von dem er eine Abschrift bereits an Scheu gesandt hatte; aber er sorgte dafür, daß das Präsidium der GVP in einem Schreiben an Ollenhauer noch einmal das eigentliche Ziel Heinemanns herausstellte:

»Das inzwischen von Herrn Scheu mit Herrn Mellies geführte persönliche Gespräch hatte, wie wir mit Betonung feststellen, nicht zum Ziel, für irgendwen von uns zu einem Bundestagsmandat durch Ihre Partei zu gelangen. Herr Scheu wollte vielmehr klären, ob Sie ein Interesse daran hätten, daß ein wesentlicher Teil unserer Mitglieder und unserer zahlreichen Freunde, insbesondere in kirchlichen Kreisen, den Weg zu Ihnen finden und dafür Ihrerseits eine Basis für eine aktive Mitarbeit erwarten dürfen.«[31]

---

30. s. GH 153 u. 170.
31. Schreiben des Präsidiums der GVP v. 14. 3. 57, Scheu, aaO.

Scheu stand vor der Aufgabe, nach allen Seiten hin zu taktieren: er mußte einerseits der SPD klarmachen, daß eine Selbstauflösung der GVP und ein Übertritt der GVP-Mitglieder in die SPD möglich, aber nur dann zu bewirken war, wenn daraus ein »politisches Ereignis« gemacht wurde[32]. Er mußte andererseits innerhalb der GVP verhindern, daß ein radikaler Flügel eine Rest-GVP weiterführte und damit die Wirkung des Übertritts auf die SPD und auf die Öffentlichkeit schmälerte. Und er mußte Heinemann, der sich sogar der Diskussion für kurze Zeit durch eine Urlaubsreise entzog, zu einer klaren Entscheidung drängen.

Unterstützung fand Scheu besonders bei Posser, der, seit 1955 Präsidiumsmitglied der GVP, seine Sicht der Lage teilte, ferner bei einer zunehmenden Zahl von Landesverbänden der GVP, vornehmlich in Süd- und Norddeutschland, und endlich bei einer Reihe von Vertretern der evangelischen Kirche, deren Meinungsäußerung Heinemann im März 1957 erbeten hatte. Auf seiten der SPD stieß er bei Erler und Mellies auf besonderes Verständnis. Der Parteivorstand der SPD sprach sich Ende März 1957 im Sinn der Vorschläge Scheus aus, vertrat »einmütig« die Auffassung, Heinemann müsse im Fall einer Auflösung der GVP ein sicheres Bundestagsmandat erhalten, und versprach, sich bei einer neuen Sitzung der Mandatskommissionen für die Aufstellung von ehemaligen GVP-Mitgliedern auf SPD-Landeslisten einzusetzen[33].

Von diesem Zeitpunkt an verliefen die Dinge im Sinne Scheus positiv. Wenn auch die hessische GVP noch versuchte, die Entwicklung zu torpedieren[34], so brachte doch der Bundesparteitag der GVP am 18./19. Mai 1957 eine große Mehrheit für die Auflösung (43 gegen 9 Stimmen bei einer Enthaltung)[35]. Heinemann und Frau Wessel,

---

32. Er versicherte Erler am 16. 3. 57, »daß Dr. Heinemann schon lange auf dem Weg zu Ihrer Partei ist. Ich verweise dazu noch einmal auf seinen alten Artikel. Ich weiß aber ebenso genau aus der jahrelangen engen Zusammenarbeit mit ihm, daß er den letzten Schritt nur dann tut, wenn damit in hinlänglicher Breite die Entwicklung gefördert wird, um die es hier geht. Es wird kein noch so schönes Bundestagsmandat geben, mit dem Heinemann von dieser Vorstellung – mögen Sie darüber denken, wie Sie wollen – abzubringen wäre« (Scheu, aaO.).

33. Schreiben Mellies' an Scheu v. 29. 3. 57, Scheu, aaO.

34. Sie schickte am 10. 5. 57 ein Telegramm an Ollenhauer: »Fusionsverhandlungen mit Scheu gegenstandslos. GVP Hessen gegen Übertritt und Auflösung. Falls keine Wahlabsprache Alleingang und Kampfansage an SPD. Köckritz.« Einige GVP-Kreisverbände legten auf dem Bundesparteitag Parteiausschluß-Anträge gegen Scheu wegen seiner Verhandlungen mit der SPD-Führung vor. Ein persönlicher Vorwurf konnte jedoch nicht erhoben werden, weil Scheu für seine Person ausdrücklich keine Position in der SPD anstrebte (Scheu, aaO.).

35. Scheu, aaO. – J. Rau, Dies geschah in Essen, GR Nr. 22 v. 7. 6. 57. – Die Welt 20. 5. 57.

von denen »selbst eine Stunde vor dem Beginn« eine eindeutige Stellungnahme »nicht zu erhalten« war[36], sprachen sich während der Diskussion für die Auflösung aus. Eine Erklärung an die Presse faßte zusammen:

»Die Gesamtdeutsche Volkspartei hat heute auf einem außerordentlichen Bundesparteitag in Essen ihre Auflösung beschlossen und ihren bisherigen Mitgliedern empfohlen, sich der SPD anzuschließen oder sie in der Bundestagswahl 1957 zu unterstützen. Dieser Beschluß ist aus der weitgehenden Annäherung beider Parteien in ihren Auffassungen zur Deutschlandpolitik erwachsen. Er soll der Überwindung alter weltanschaulicher Gräben und einer Zusammenfassung derjenigen Kräfte dienen, welche eine Änderung der Bonner Politik für geboten halten.«[37]

Das »politische Ereignis«, das nach Scheus Absicht die Öffentlichkeit auf den politischen Vorgang aufmerksam machen sollte, fand am 28. Mai 1957 in Bonn statt. Im Sitzungssaal der SPD-Fraktion im Bundeshaus stellten sich unter dem Bildnis Schumachers von der SPD Ollenhauer, Mellies, Wehner, Menzel, von der ehemaligen GVP Heinemann, Frau Wessel, Scheu und Posser der Presse. Heinemann ging besonders auf die beiden Punkte ein, die seinen Entschluß begründet hatten. Einmal hob er die Übereinstimmung zwischen GVP und SPD in den breiten Grundlagen ihrer politischen Auffassung, insbesondere in der Deutschlandpolitik, hervor. Zum anderen kam er ausführlich auf das Problem Kirche und Parteien zu sprechen: der Anspruch der CDU, die christliche Einheitsfront zu sein, sei endgültig zu Ende gekommen; der Übertritt in die SPD werde von mindestens drei leitenden Amtsträgern der evangelischen Gliedkirchen, 15 Professoren theologischer Fakultäten der Universitäten, Hunderten von Pfarrern, einer nicht zu ermessenden Zahl von Studenten und zahlreichen kirchlichen Mitarbeitern begrüßt. Entfremdungen zwischen SPD und Kirche, die noch bestünden, müßten von beiden Seiten überwunden werden.

»Die SPD ist ... nicht antichristlich, und wenn sie uns jetzt in dieser betonten Weise aufnimmt, weiß sie, was sie damit tut und daß sie damit Männer und Frauen zu sich nimmt, die in diesen weltanschaulichen Dingen ihre Standhaftigkeit bekundet haben.«[38]

Wie Scheu gehofft hatte, wurde in der Öffentlichkeit, die die Verhandlungen zwischen SPD und GVP nur am Rande bemerkt hatte, die Aufnahme Heinemanns und seiner Mitstreiter in die SPD stärker be-

---

36. So Scheu aaO.
37. GR Nr. 20 v. 24. 5. 57.
38. dpa v. 28. 5., ähnlich up v. 28. 5. 57. – S. auch GH 273, 274, 277.

achtet[39]. Unabhängige Kritiker wie Paul Sethe und Dolf Sternberger begrüßten die Tendenz, daß das Parteileben »entideologisiert« werde[40]: »Das christliche Bekenntnis kann kaum noch ein politisches Unterscheidungsmerkmal sein.«[41] Daneben wurden aber auch Zweifel laut, ob Ollenhauer und Heinemann in politischen Sachfragen übereinstimmten. Mehrere Zeitungen stellten die Tatsache heraus, daß auf der Pressekonferenz Heinemann gezielte Verhandlungen mit Ost-Berlin, z. B. über Rüstungsstop, befürwortete, während Ollenhauer ausweichend antwortete, es habe sich am bisherigen Standpunkt der SPD nichts geändert, bei neuen politischen Situationen in der Welt könnten sich allerdings auch neue Möglichkeiten eröffnen[42]. Diese Differenz veranlaßte Kritiker der SPD sogleich zu der skeptischen Prognose, »ein Zusammengehen mit Leuten, die bisher neutralistischen Vorstellungen und der Idee eines Gesprächs mit Pankow gehuldigt hatten«, könnte der SPD »vielleicht mehr schaden als nützen«[43].

Die politischen und kirchenpolitischen Gegner Heinemanns taten alles, um eine solche negative Wirkung zu erzielen. Zum Beispiel meldete die der CDU nahestehende »Rheinische Post«, Heinemann habe »den von allen Parteien des Bundestages bisher einmütig vertretenen Grundsatz freier Wahlen als Voraussetzung für die Wiedervereinigung das ›größte Trickspiel der Bonner Nachkriegspolitik‹ genannt«[44]. Die Zeitung unterschlug einfach das Wort »zuerst«, das in Heinemanns Artikel sogar gesperrt gedruckt war[45]. Propst Asmussen malte das Gespenst eines »ausgesprochenen Linksdralls« in der Kirche an die Wand; er hielt es für einen »Dolchstoß« für die ostdeutschen Kirchen, wenn jetzt »unter unmittelbarer Assistenz« von Geistlichen »die Heinemannsche Ostpolitik auf den Schild erhoben und mit kirchlicher Glorie umgeben wird«[46]. Geistliche warfen Heine-

---

39. Die Welt 18., 20., 24., 29. 5., Generalanzeiger 20. 5., Kölner Stadt-Anzeiger 23. 5., Welt am Sonntag 26. 5., StZ, Hamburger Echo etc. 29. 5. 57.
40. so P. Sethe in der Welt v. 8. 6. 57.
41. so D. Sternberger in der Gegenwart v. 15. 6. 57. – GH 282.
42. Die Welt, Münchner Merkur, Allgemeine Zeitung, Mainz, FR (»Heinemann im Gegensatz zur SPD«), Times 29. 5., Christ und Welt 6. 6. 57.
43. NZZ 30. 5. 57.
44. Rheinische Post 5. 6. 57.
45. GH 276: »Das größte Trickspiel der Bonner Nachkriegspolitik war – und ist? – die Parole ›*zuerst* freie Wahl!‹ Natürlich: freie Wahl! Aber warum ›*zuerst*‹ freie Wahl? Mit dieser Forderung war der Sowjetunion eine Bedingung gestellt, welche sie niemals annehmen konnte, wenn sie nicht erleben wollte, daß auch ihre Besatzungszone in den atlantischen Aufmarsch einbezogen wird, der gegen sie gerichtet ist. Freie Wahl kann es erst dann geben, wenn auch die Sowjetunion davor gesichert ist, daß wir sie nicht wieder militärisch bedrängen.«
46. Hekt. Schreiben v. 30. 5. 57.

mann in einem offenen Brief vor, er habe mit der Nennung von Zahlen aus dem kirchlichen Raum begonnen, »verantwortliche Männer der Kirche nach ihrer politischen Stellungnahme anonym zu sortieren«; das beschwöre die Gefahr einer »Politisierung der Kirche« herauf[47].

Heinemann wies demgegenüber darauf hin, daß die CDU fortwährend mit dem Titel »Oberkirchenrat« bei ihren Politikern Cillien, Gerstenmaier und Frau Schwarzhaupt geworben, daß Asmussen sogar im Wahlkampf 1953 in CDU-Versammlungen als Redner aufgetreten war.

»Politisierung der Kirche fand statt, als sie sich jahrzehntelang einseitig an Thron und Besitzbürgertum binden ließ. Daraus erwuchs die beklagenswerte Entfremdung vieler gegenüber ihrer Botschaft ... Politisierung der Kirche betreibt heute, wer es mitmacht oder zuläßt, daß eine Partei unter christlichem Namen sich als ›Einheitsfront der Christen‹ aufführt und eine Politik verfolgt, welche bis tief in die Gemeinden hinein abgelehnt wird.«[48]

Es sei klar, daß die EKD sich nun nicht etwa auf die SPD festlege; »es ist aber auch klar, daß die CDU nicht mehr behaupten kann, die christliche Partei zu sein!«[49]

In aller Schärfe ging Heinemann zum Gegenangriff auf die CDU über. Als »Alarmzeichen höchsten Grades« wertete er Adenauers Äußerung, eine SPD-Regierung bedeute den Untergang Deutschlands: »Diese Diffamierungen ... charakterisieren die CDU als eine Partei, welche für sich den Vorrang einer Staatspartei in Anspruch nimmt.« Ebenso griff er die »Inanspruchnahme der CDU als der alleinigen Kirchenpartei« an, wie sie durch Bischof Keller von Münster erfolgte, der öffentlich die Wahl der SPD durch Katholiken für nicht möglich erklärte[50]. Im einzelnen bekämpfte Heinemann besonders zweierlei in der CDU: ihre Auffassung vom Gewissen, die dem Wehrpflichtgesetz zugrundegelegt war – »was die CDU unter Gewissen versteht, hat mit christlicher Lehre nichts mehr zu tun« – und die Tatsache, daß die CDU der Bundesrepublik den Weg zur Anschaffung von Atombomben offenhalten wollte: »Das ist mit christlicher Verantwortung unvereinbar.«[51] Heinemann stellte unter Berufung auf Gollwitzers neueste Schrift[52] fest: »Es gibt keinen Zweck, der die

47. Westfalenpost 30. 5. 57; JK Heft 13/14 v. 10. 7. 57, S. 426; KJ 57, S. 65f. – Dazu J. Rau, Wer politisiert eigentlich? GR Nr. 23 v. 14. 6. 57. – JK Heft 15/16 v. 10. 8. 57, S. 485, 489ff, JK Heft 19/20 v. 10. 10. 57, S. 575.
48. GH 281.
49. GH 277.
50. GH 286. – Vgl. GH 266, 279.
51. GH 288.
52. H. Gollwitzer, »Die Christen und die Atomwaffen.« Theologische Existenz heute, NF, Heft 61, München 1957.

Anwendung von Massenvernichtungsmitteln zu rechtfertigen vermöchte.«[53] »Die Politik der Gegenwart muß eine Politik der Verständigung sein.«[54]

Dieses Ziel sah er in der SPD gewährleistet: »Die Sozialdemokratie ist entschlossen, den Rüstungswettlauf zu beenden und einen gesamteuropäischen Ausgleich nach beiden Seiten zu betreiben! Darum sollte die Regierungsverantwortung am 15. September von der CDU auf die Sozialdemokraten übergehen.«[55] Heinemann prophezeite: »Die Stunde rückt unweigerlich heran, wo Bilanz der Adenauer-Politik gemacht wird. Die Bilanz der Hitler-Politik wird dabei mit auf den Tisch kommen.«[56]

53. GH 290.
54. GH 285. – Übereinstimmend damit schrieb Hilda Heinemann, die an der Gedenkfeier am 15. Jahrestag der Zerstörung von Lidice teilgenommen hatte: »Die Menschen wollen Frieden. Es darf nicht wieder geschehen, was sich in Lidice vor 15 Jahren ereignete … Durch Systeme und Ideologien hindurch gilt es, den Menschen zu suchen.« (GR 5. 7. 57).
55. GH 288.
56. GH 278.

VII

Schluß

1

Rückblick und Ausblick 1958

Der Ausgang der Bundestagswahl 1957 zerschlug alle Hoffnungen auf einen Regierungswechsel. Die CDU konnte vielmehr ihren Stimmenanteil von 45,2% auf 50,2% erhöhen und erhielt im Bundestag die absolute Mehrheit der Sitze (270 von 497). Gegenüber dem Wahlslogan »Keine Experimente« hatten sich alle differenzierteren Überlegungen als wirkungslos herausgestellt. Die SPD erhielt nur 31,8% der Stimmen, 3% mehr als 1953. Heinemann, wie Helene Wessel über eine Landesliste der SPD in den Bundestag gewählt, kommentierte: »Das große Experiment kann beginnen. Es lautet: volle Verantwortung einer einzigen Partei, – volle Verantwortung einer rein ›christlichen‹ Politik!«[1]

Das Wahlergebnis war der Schlußstrich unter dem Problem der Wiedervereinigung Deutschlands. Wenn sie schon seit der Wahl 1953 sehr erschwert und nach Abschluß der Pariser Verträge 1955 kaum noch denkbar war, so bedeutete der Ausgang der Wahl 1957 das Ende jeglicher Möglichkeit, Deutschland als einheitlichen Staat wiederherzustellen. Die deutsche Frage bestand hinfort nur noch aus dem Problem, wie die beiden deutschen Nachfolgestaaten in Ost und West nebeneinander existieren würden.

Aber diese einfache Tatsache war für das Bewußtsein der Westdeutschen alles andere als selbstverständlich. Sie zu erkennen setzte voraus, daß man den Weg der BRD kritisch analysierte und sich über die Eindeutigkeit des eingeschlagenen und gradlinig fortgesetzten Weges klarwurde. Gerade das war aber, wie das Wahlergebnis zeigte, bisher nicht geschehen. Die Illusion über mögliche spätere Veränderungen im Osten wurde aufrechterhalten und von der Regierungsmehrheit weiterhin in ungebrochener Sicherheit vertreten. Wenn fünf Jahre zuvor ein kritischer Blick auf den Zweiten Weltkrieg nötig gewesen war, um gegenwärtige Möglichkeiten einer Wiedervereinigung

---

1. GH 291.

ins Auge zu fassen, so war nun ein kritischer Blick auf die zurücklie-
genden Jahre des Kalten Krieges nötig, wenn man überhaupt nur die
gegenwärtige Situation, die keine Wiedervereinigung mehr zuließ,
klar erkennen wollte.

In einer außenpolitischen Debatte am 23. Januar 1958 leitete Thomas Dehler eine solche kritische Besinnung ein. Der ehemalige Minister in Adenauers erstem Kabinett, seit dem Austritt der FDP aus
der Koalition 1956 in der Opposition, richtete zu später Abendstunde
schwere Vorwürfe gegen den Kanzler, er habe 1952 Möglichkeiten
für eine Wiedervereinigung Deutschlands außer acht gelassen, als er
die Note Stalins nicht diskutierte. Dehler breitete vor dem Bundestag in einer anderthalbstündigen, leidenschaftlichen Rede eine Kette
von Einzelbelegen dafür aus, daß die Regierung in den fünfziger Jahren kein Übereinkommen mit den Sowjets gesucht, sondern es im
Gegenteil hintertrieben hatte. Durch Zwischenrufe darauf hingewiesen, daß er trotzdem in der Regierung geblieben sei, bekannte Dehler: »Ich schäme mich, ja! Ich beneide den Heinemann wegen seines
Mutes.«[2]

Heinemann setzte als übernächster Redner die Anklage fort[3]. Das
Wort Adenauers, es habe noch nie so ernst um Deutschland gestan-
den, diente ihm als Anknüpfungspunkt dafür, »daß wir alle miteinan-
der gerufen sind, die Richtigkeit des Weges zu überprüfen, der in den
letzten Jahren verfolgt wurde«. Heinemann nannte die Stationen der
Westpolitik Adenauers: den Mangel an Hilfe für die Ost-CDU Jakob
Kaisers 1947, den von Adenauer veränderten Eintrittsbeschluß der
Bundesregierung in den Europarat 1950, die verzerrte Deutung des
Koreakrieges, Adenauers eigenmächtiges Angebot westdeutscher
Aufrüstung, seine Rede in Heidelberg 1952 über die Neuordnung
Osteuropas, die Ablehnung der Sowjetnoten, Adenauers Überschät-
zung der westdeutschen Position als »Mittelpunkt des Weltgeschehens« 1953, die Ablehnung sowjetischer Vorschläge vor der Unterzeichnung der Pariser Verträge 1954. Heinemann kennzeichnete die
jahrelang ausgegebene Parole »Zuerst freie Wahlen« als »verheerend«, da sie »in einer tückischen Weise das Richtige und das Falsche
miteinander vermengte«, indem sie verhinderte, daß ein Preis für
freie Wahlen, die alle wollten, gezahlt wurde. Auf einen Zwischenruf
der CDU, alle hätten das damals für richtig gehalten, konnte Heine-

---

2. Stenogr. Berichte, 3. Wahlperiode, 9. Sitzung, 23. 1. 58, S. 384ff. – Th. Dehler, Reden und Aufsätze, Köln/Opladen 1969, S. 144ff.
3. GH 301. – »Hinzuzufügen ist nur noch, daß nichts, gar nichts verabredet war.
   Weder Dr. Dehler noch ich wußten voneinander, was wir sagen würden.« (GH
   306). – FAZ 18. 2. 58.

mann als einer von ganz wenigen Abgeordneten antworten, er »jedenfalls nicht«.

Im zweiten Teil seiner Rede ging Heinemann auf das Problem Christentum und Politik ein: »Erachten Sie es für gut, daß der Westen unter dem Schild und der Parole einer christlichen Front aufmarschiert?« Heinemann erinnerte an Martin Fischers Warnung in Elbingerode, daß Christen im Osten als fünfte Kolonne des Westens angesehen würden, wenn der politische Kampf vom Westen aus unter der christlichen Parole geschähe, und bat die CDU-Abgeordneten dringlich, den Osten nicht länger als »Untier« und »Antichrist« zu bezeichnen[4]: »Sorgen Sie doch dafür, daß solche Klänge endlich verschwinden. Es geht nicht um Christentum gegen Marxismus.« Auf Zurufe von der CDU: »Sondern?« antwortete Heinemann: »Es geht um die Erkenntnis, daß Christus nicht gegen Karl Marx gestorben ist, sondern für uns alle.«

Heinemann stellte an die CDU die »ganz besonders ernste Frage«, wie christliche Politik und atomare Bewaffnung zu vereinbaren seien. Mit »welcher Selbstverständlichkeit« die Regierung sie bejahe, mache ihn »bis ins tiefste betroffen«. Massenvernichtungsmittel seien einfach keine Waffen mehr, und Heinemann zählte eine ganze Reihe kirchlicher Verlautbarungen auf, die alle die Verwendung solcher Mittel als für Christen nicht erlaubt erklärten. Insbesondere wandte er sich gegen die These, »daß eine solche atomare Bewaffnung zwangsläufig sei, weil die Sowjetunion solche Massenvernichtungsmittel besitze«. Zwangsläufig – das sei »eine atheistische Denkkategorie«: »Von Zwangsläufigkeit kann nur derjenige sprechen, für den Gott nicht mehr im Weltregimente sitzt.«

Heinemann rief dazu auf, statt des Kriegsrisikos, das durch das Wettrüsten immer größer werde, das »Risiko friedlicher Begegnungen und Auseinandersetzungen einzugehen«. Die politische Aufgabe der Westdeutschen sei nach dem Krieg eine doppelte gewesen, »nämlich das harte, das unerschütterliche Nein zum totalitären System zu verbinden mit dem Ja zur Nachbarschaft der totalitär regierten Ostvölker«. Rüstung löse die Doppelheit der Aufgabe nicht. Wenn man den Weg des Wettlaufs in neuen und alten Waffen und in der Wirtschaftshilfe gegenüber den Völkern in aller Welt »trotz dieser Erkenntnis heute immer noch fortsetzen« wolle, dann müsse auch Heinemann (wie Dehler) sagen: »Wer Deutschland immer noch tiefer spalten will, kann es nicht besser machen als in Fortsetzung immer noch dieses Weges.« Heinemanns Rede gipfelte in der Aufforderung

---

4. vgl. dazu: Dr. Vogelsanger, Die Verantwortung der Kirche in der Atomfrage, Evangelische Verantwortung, August 1957. – GH 290.

an Adenauer, als Kanzler zurückzutreten und »den Weg freizugeben für andere Kräfte«[5].

Die Reden Dehlers und Heinemanns fanden in der Öffentlichkeit ein gewaltiges Echo[6]. Heinemann, jahrelang nur ein belächelter politischer Außenseiter, war mit einem Schlage ein Politiker, mit dem man rechnete[7]. Sowohl seine Sicht der letzten Jahre als auch seine theologischen Ausführungen wurden auf lange Zeit hinaus zum Gegenstand leidenschaftlicher Diskussionen.

Die CDU, durch die Angriffe Dehlers und Heinemanns überrascht, scheute die weitere Auseinandersetzung im Bundestag, wo sie Widerspruch und Widerlegung erwarten mußte, und wandte sich statt dessen im Radio oder auf Parteitagen in Monologen an die Öffentlichkeit. Ihr Ziel war dabei, die SPD in ihrer Mitverantwortung für die Ostpolitik Adenauers zu behaften und sie von Heinemann, der seit einem Vierteljahr Mitglied ihres Fraktionsvorstands war, zu trennen, im übrigen aber alle Schuld an der Spaltung Deutschlands auf die Sowjetunion zu schieben. Die Regierungspartei konnte nachweisen, daß die SPD jahrelang ostpolitische Forderungen mit gestützt hatte. Die CDU zitierte als Beleg kritische Stellungnahmen der SPD und FDP gegen die sowjetischen Noten, unterschlug jedoch die zahlreichen Aufforderungen der SPD zu Verhandlungen, die Adenauer stets mißachtet hatte. Dessen Äußerungen zur Politik der Stärke wurden von den Apologeten der CDU übergangen oder als nicht besonders geglückte Formulierungen bagatellisiert. Die sowjetischen Verlautbarungen wurden in düstersten Farben geschildert, wobei die CDU-Politiker sich nicht scheuten, Forderungen aus dem Jahre 1950, die schon 1951 fallengelassen waren, mit in die Märznote 1952 hineinzuinterpretieren und die Märznote selbst so darzustellen, als ob die niemals erfolgte Prüfung sichere negative Ergebnisse gehabt hätte. Adenauer faßte zusammen: »Was damals verlangt wurde von der Sowjetunion: Keine freien Wahlen zur Bildung einer freien gesamtdeutschen Regierung. Keine Kontrolle durch die UN, dagegen Neutralisierung und – durch Ausmerzung aller der Sowjetunion nicht genehmen Parteien – die Bolschewisierung Deutschlands.«[8]

---

5. GH 301.
6. s. Berichte und Kommentare der Presse am 25., 27. u. 28. 1. 58. – Titelgeschichte des Spiegel: Heinemann. Reden in der Nacht, Der Spiegel Nr. 6 v. 5. 2. 58. – Hunderte von Briefen und Telegrammen im AH.
7. z. B. urteilte die Frankfurter Rundschau, Heinemanns Rede sei »für spätere Generationen eine wichtige Quelle zum Verständnis unserer politischen Entwicklung in der Mitte des 20. Jahrhunderts ... Sie kann auch in ihren unmittelbaren politischen Auswirkungen kaum überschätzt werden« (FR 6. 2. 58).
8. Rede Adenauers im Rundfunk am 29. 1. 58, Bulletin Nr. 20 v. 30. 1. 58, S. 177ff;

Gerstenmaier pries die Politik Adenauers als »größte konstruktive politische Leistung Deutschlands in diesem Jahrhundert« und wies empört den »unerhörten Versuch« Dehlers und Heinemanns zurück, die Schuld für das Mißlingen der Wiedervereinigung bei Adenauer zu sehen. Der Bundestagspräsident griff Heinemann massiv an, indem er seinen politischen Weg verzerrte: er sei 1950 zurückgetreten, weil er damals christlich-pazifistischen Gedanken gehuldigt hätte, habe dann aber nach der Märznote Stalins eine deutsche Nationalarmee befürwortet[9]. Scheinbar besorgt um die SPD fragten die CDU und die ihr nahestehende Presse, ob die SPD sich in Zukunft von Heinemanns neutralistischen Ideen führen lassen wollte[10].

Als Schlüsselbegriff für den Kampf gegen Heinemann diente der CDU das Wort von der neuen »Dolchstoßlegende«, die durch Dehler und Heinemann gegenüber der Bundesregierung in die Welt gesetzt worden sei. Der Begriff, zuerst von den CDU-Abgeordneten Kiesinger und Kliesing in der Debatte am 23. Januar verwandt[11], wurde seitdem immer wieder von Seiten der CDU, der Deutschen Partei und der ihr nahestehenden Presse aufgegriffen, um in der Bevölkerung den Eindruck hervorzurufen, daß die beiden Redner in infamer

---

auch in: Dokumente zur Deutschlandpolitik, hg. v. E. Deuerlein, Bd. III/4 (1958), 1. Drittelband, S. 445ff. – Rede Gerstenmaiers vor dem Landesparteitag der CDU Württembergs in Stuttgart am 1. 2. 58, hg. v. d. Bundesgeschäftsstelle der CDU, Bonn, unter dem Titel: Deutschland in der weltpolitischen Situation der Gegenwart. Antwort auf die Herren Dehler und Heinemann; auch in: Deuerlein, Dokumente, S. 478ff. – Stellungnahme eines Sprechers des Auswärtigen Amts am 24. 1., s. Süddeutsche Zeitung u. Die Welt 25. 1. 58. – Erklärung des Leiters der politischen Abteilung des Auswärtigen Amts, Prof. Grewe, am 27. 1., s. Süddeutsche Zeitung 28. 1. 58. – Spiegel-Gespräch mit Gerstenmaier, Der Spiegel Nr. 11/58 v. 12. 3., Deuerlein, Dokumente, S. 630ff.
9. Gerstenmaier, Broschüre S. 6f, 14f, Deuerlein, Dokumente S. 480, 486.
10. Gerstenmaier: »Will sie Dr. Heinemann eine neue Phase in ihrer Politik einleiten lassen mit dem nächsten Ziel der Anerkennung Pankows?« (Broschüre S. 21, Deuerlein aaO. S. 491). – Ruhr-Nachrichten: »Dr. Heinemann hat sich nämlich mit seinem gesamten alten Gepäck bei der SPD einmöbliert. Er hat sich nicht gemausert ... Auch seine Bundestagsrede war voll von Argumenten aus seiner neutralistischen Glanzzeit ... Zur Zeit ist keine andere Schlußfolgerung möglich, als daß Dr. Heinemann und sein neutralistischer Kurs in der SPD auf der ganzen Linie gesiegt haben. Alle Deutschen wären froh, wenn die Sozialdemokraten das Gegenteil beweisen könnten« (15. 2., ähnlich 29. 1. 58). – Vgl. auch Rheinischer Merkur 7. 2.
11. Kiesinger: »Ich weiß, es gibt schon eine Legende – die insbesondere Herr Paul Sethe erzeugt hat –, wonach im Jahre 1952 eine Chance für die deutsche Wiedervereinigung in Freiheit verpaßt worden sei.« (Stenogr. Berichte, 9. Sitzung, S. 331). Zwischenrufe Kliesings in der Rede Dehlers: »Das ist nicht Geschichte, das ist Geschichtsklitterung, was Sie machen! ... Ihr Ziel ist hier heute abend eine neue Dolchstoßlegende!« (ebd., S. 393).

Weise die geschichtliche Wahrheit verfälschten[12]: »die Dolchstoßlegende Nr. 2 – eine Legende von gespenstischer Gefahr für die Nation« (Gerstenmaier)[13] – »eine Legendenbildung, die die Geister verwirrt und ein ganzes Volk ins Unglück stürzen kann« (Adenauer)[14].

Der Begriff »Dolchstoßlegende« als Anklage gegen Dehler und Heinemann war allerdings verwirrend, denn zwischen der Dolchstoßlegende nach 1918 und Heinemanns geschichtlichem Rückblick 1958 bestand keine Spur von Ähnlichkeit. Vierzig Jahre früher hatten weite Kreise des politisch rechtsstehenden Bürgertums die Demokratie bekämpft, indem sie, der Wahrheit zuwider, die These vom im Weltkrieg unbesiegten deutschen Heer aufgestellt hatten, das von Demokraten hinterrücks erdolcht worden sei. Nun erklärten Dehler und Heinemann, Demokraten der politischen Mitte, der historischen Wahrheit entsprechend, daß das Ziel eines demokratischen Gesamtdeutschland nicht hatte erreicht werden können, weil Maximalforderungen aller Parteien, insbesondere aber der politischen Rechten, jahrelang ein Aushandeln der Wiedervereinigung Deutschlands von vornherein unmöglich gemacht hatten. Wenn etwas vergleichbar war, dann nur die Psyche des Bürgertums, das nach 1914 wie nach 1950 aus maßloser Furcht und Hoffnung das politisch Unmögliche für möglich gehalten, das politisch allenfalls Mögliche jedoch zu prüfen versäumt und jahrelang Ausgleichsbemühungen verketzert hatte. Daß die CDU als politische Sprecherin dieses Bürgertums ausgerechnet die kritischen Demokraten Dehler und Heinemann des Dolchstoßes zieh, bewies nur, wie tief sie sich in ihrem selbstgerechten antiöstlichen Selbstverständnis getroffen fühlte[15].

Die Reaktion der Öffentlichkeit auf den theologischen Teil der Nachtrede Heinemanns war ebenso aufschlußreich. Dieselben Politiker, die sich den Wählern als christliche Kandidaten empfohlen hatten, traten nun für eine Trennung von Theologie und Politik ein und erklärten es für ungehörig, daß Heinemann im Bundestag aus Voten

---

12. Höcherl (CSU) im Bundestag 23. 1. 58, Stenogr. Berichte S. 410. – Erklärung der CDU/CSU zu den Ausführungen Grewes, Süddeutsche Zeitung 28. 1. 58. – Gerstenmaier, Broschüre S. 4 (Kliesings Zwischenruf als Motto der Rede). – Dombrowski, »Der vorbeigegangene Dolchstoß«, FAZ 31. 1. 58. – H. Schneider (DP), Radiorede, Süddeutsche Zeitung 3. 2. 58. – P. W. Wenger, »Heinemanns ›tückische Weise‹«, Rheinischer Merkur 7. 3. 58.
13. Broschüre S. 9, Deuerlein, aaO. S. 481.
14. Radiorede, Deuerlein aaO. S. 447.
15. Die Süddeutsche Zeitung kommentierte: »Wenn heute überhaupt eine Dolchstoßlegende droht, dann von jenen, die den politischen Gegner, der seine Stimme beschwörend zur Kritik erhebt, als Volksbeleidiger und Feindbegünstiger hinzustellen belieben« (30. 1. 58).

christlicher Gremien zitiert hatte[16]. Der CDU nahestehende Theologen und kirchliche Publikationsorgane hielten die Annahme militärisch-expansiver Absichten der Sowjetunion für so sicher, daß sie, darauf theologisch aufbauend, ohne weiteres eine »Verteidigung« der freien Welt mit Atomwaffen für christlich erlaubt, ja geboten erklärten. Besonders stieß man sich an Heinemanns Wort, Christus sei nicht gegen Karl Marx gestorben. Katholiken wie Lutheraner gaben sich viel Mühe um den Nachweis, daß dieses Wort zwar für die einzelnen Menschen gelte, aber nur die halbe Wahrheit enthalte; die andere Hälfte bestünde darin, daß Christus der totalitären Ideologie des Ostens gegenüber ein Nein spräche[17].

Aus dem Rahmen fiel nur das Votum von Bischof Lilje, der der Bundestagsrede Heinemanns »Sachlichkeit«, »hohes geistiges und ethisches Niveau« und »christliche Ausrichtung« bescheinigte, ja behauptete, der Bundestag habe »eine so unmittelbare und substantielle christliche Redeweise noch nicht gehört«[18] – ohne allerdings in eine kritische Selbstprüfung angesichts der von Heinemann genannten historischen Tatsachen einzutreten. So blieb es dabei, daß Heinemann vornehmlich von denen Beifall erhielt, die ihm schon jahrelang zugestimmt hatten[19]. Die Bruderschaften der evangelischen Kirche gaben ihrer Ablehnung der Atombewaffnung in zehn Thesen Ausdruck, von denen die letzte das Nein des Christen so unbedingt formulierte[20], daß die anderen kirchenpolitischen Richtungen diesen neuen Stein des Anstoßes aufgriffen und der weiteren Auseinandersetzung mit den historischen Ausführungen Heinemanns aus dem Wege gingen[21].

Heinemann suchte in Artikeln und Reden, besonders in einer Bundestagsrede am 25. März 1958, den Anstoß zur Selbstbesinnung fortzuführen[22]. Er nannte weitere Belege für die einseitige Politik der

---

16. Cillien, Stenogr. Berichte, 9. Sitzung, 23. 1. 1958, S. 413f. – E. Schwarzhaupt, »›Christliche‹ Reden«, Christ und Welt 30. 1. 58. – L. Rehling, zitiert in FR 6. 2. 58.
17. Cillien, aaO. – Schwarzhaupt, aaO. – Christ und Welt, 30. 1. u. 6. 2. 58. – Junge Stimme Nr. 3/58, teils in FAZ 12. 2. 58. – Asmussen, Offener Brief v. 14. 3. 58, KJ 58, S. 34. – Kommentar der Pressestelle der Vereinigten Lutherischen Kirche Deutschlands, teilweise abgedruckt im Rheinischen Merkur 14. 2. 58. – S. auch Vorwärts u. Rheinischer Merkur 7. 2. 58.
18. Sonntagsblatt 2. 2. 58, teilweise Die Welt 30. 1., Hannoversche Presse 1. 2. 58.
19. z. B. JK Heft 3/4 v. 10. 2. 58, S. 114ff.
20. StdG 15. 3. 58, S. 167. – KJ 58, S. 32.
21. KJ 58, S. 37ff. – Informationsblatt der Vereinigten Evang.-Lutherischen Kirche Deutschlands, 2. Ausgabe, April 1958.
22. GH 303ff. – Presseberichte seiner Reden: Süddeutsche Zeitung, FR 12. 2., Neue Ruhr Zeitung 27. 2., Generalanzeiger 27. 2. u. 1. 3., Hannoversche Presse 28. 3., Hamburger Echo 29. 3. 58.

Bundesregierung[23], präzisierte seinen Standpunkt zu Bundeswehr und Atombewaffnung[24], erläuterte seinen Ausspruch über Christus und Marx[25] und zitierte aufs neue kirchliche Aufrufe[26]. Der 25. März 1958 wurde jedoch so wenig wie der 23. Januar zum Markierungspunkt politischer Umkehr der Mächtigen in der Bundesrepublik Deutschland. Heinemann selbst gab sich keinen Illusionen darüber hin, daß die CDU »ihre Selbsttäuschungen fortsetzen würde«[27].

Heinemann sah richtig voraus. Auf Jahre hinaus führte die Regierung, noch zweimal durch Wahlen bestätigt, ihre Politik weiter. Daß es trotzdem nicht zur offiziellen Atombewaffnung Westdeutschlands kam, lag lediglich an den Großmächten: die Sowjetunion spielte seit Ende 1958 ihre Machtposition in Berlin als Trumpfkarte aus, und den Westmächten war in Anbetracht dieser Tatsache und der sich verändernden Lage in der Welt an einer atomgerüsteten Bundeswehr nicht mehr so viel gelegen, daß sie die Bundesregierung in ihrer Absicht bestärkt hätten. Doch schlug die Bundesregierung noch jahrelang alle Pläne eines militärischen Disengagements in Mitteleuropa in den Wind[28]. Auch die endgültige Abriegelung der Deutschen in der DDR durch den Bau der Mauer in Berlin 1961, der die Absurdität der Politik der Stärke schlagend bewies, führte vielfach zu bloßer Empörung über die deutschen Politiker im Osten, aber bei einem Großteil der westdeutschen Bevölkerung immer noch nicht zu kritischer Besinnung über den seit Jahren verfolgten außenpolitischen Kurs im Westen Deutschlands.

---

23. Adenauers Interview vom Oktober 1945, seinen Ausspruch, die Sowjetunion müsse noch mehr in die Defensive gedrängt werden (März 52), Kardinal Frings' Wort von der Wiederaufrichtung des Reichs Karls des Großen (Sept. 52) – (GH 312).
24. »Hier haben wir die Bundeswehr. Ich bejahe sie mit der Maßgabe, daß sie ohne Wehrzwang und ohne Atomwaffen bestehen soll« (GH 312).
25. Er erklärte, »daß es zum Marxismus überall dort, wo er sich als Erlösungsglaube versteht, in der Tat auch im Namen Christi nur ein Nein gibt... Etwas anderes aber ist es, das Christentum zur Kampfparole in einem Machtkampf zu machen, und das heißt letztlich doch nichts anderes, als in Christus selbst eine politische Waffe gegen andere Menschen oder ihre uns fremde oder gar feindselige Gemeinschaft zu sehen... Das Nein zur Gottesleugnung und ihren Methoden des Angriffs auf Glaube und Gewissen ist nur stark, wenn es ein Ja zu Christus allein und seiner Verheißung bleibt« (GH 309). Vgl. dazu auch GH 260, 284, 312.
26. Prof. H. Vogel: »Was uns betrifft, so hätten wir, die wir aus der großen Schuld des letzten Krieges herkommen, allen Anlaß, gerade auf unserem Boden das zu sagen, was den Stromkreis der Angst unterbrechen könnte, und das heißt, um des Friedens der Welt willen auf jede atomare Bewaffnung zu verzichten« (GH 312).
27. GH 306.
28. Siegler, Dokumentation zur Deutschlandfrage Bd. I, S. 748ff (Dokumente Februar bis Oktober 1958), Bd. II, S. 1ff (Dokumente November 1958 bis September 1961).

Nur eines war seit den Reden Dehlers und Heinemanns am Abend des 23. Januar 1958 nicht mehr möglich: daß die CDU ihren Weg »ohne Widerspruch bis in das Fundament hinein« ging[29]. Es war nur noch eine Frage der Zeit, bis die Bilanz der Politik Adenauers[30] gezogen wurde.

Während dieser Periode verlagerten sich bei Heinemann allmählich die Akzente seiner politischen Tätigkeit.

Ende der fünfziger Jahre stand dabei die Deutschlandfrage im engeren Sinne noch im Vordergrund: Heinemann beteiligte sich seit Frühjahr 1958 führend an der Bewegung »Kampf dem Atomtod«, die die Atombewaffnung der Bundeswehr bekämpfte[31]; er arbeitete am Deutschlandplan der SPD von 1959 mit, der auf eine Zone militärischer Entspannung in Mitteleuropa und eine stufenweise Zusammenführung der deutschen Staaten abzielte[32]. Er vertrat in der SPD und vor der Öffentlichkeit den Vorschlag eines Amts für innerdeutsche Regelungen; das Amt sollte Lösungsmöglichkeiten für zwischen BRD und DDR strittige Fragen erarbeiten[33]. Mit Posser zusammen bemühte sich Heinemann um die Freilassung von Gefangenen in der DDR[34].

Je unmöglicher jedoch eine Lösung der Deutschlandfrage im Sinne einer Wiedervereinigung Deutschlands wurde, desto stärker traten andere Fragen in den Vordergrund, die sich auf die BRD bezogen. Heinemann widmete sich dem grundsätzlichen Problem der Öffnung der Sozialdemokratie gegenüber der Kirche, wie sie 1959 im Godesberger Programm der SPD ihren Ausdruck fand[35], und bekämpfte weiter den »christlichen« Totalitätsanspruch der CDU/CSU[36]. Vor allem trat er für den Ausbau des demokratischen Rechtsstaates ein,

---

29. GH 306.
30. s. GH 278, auch 225.
31. Genaue Darstellung bei H. K. Rupp, Außerparlamentarische Opposition in der Ära Adenauer, S. 123f, 129ff, 153, 201, 205, 212, 222, 234, 236, 273. – GH 316, 317, 324.
32. Text: Siegler, aaO. S. 169ff.
33. Stenogr. Berichte, 3. Wahlperiode, Drucksache 549. GH 327, 328, 331. – FAZ 3., 7., 9. 10., Die Welt 9. 10. 58.
34. Da in der DDR nur Rechtsanwälte, die dort wohnen, vor Gericht zugelassen sind, konnte Heinemann in politischen Strafprozessen in der DDR nicht als Anwalt wirken. »So blieb nur die indirekte Hilfe, die oft erstaunlich wirksam war« (D. Posser, Gustav Heinemann als Rechtsanwalt, in: Gustav W. Heinemann. Bundespräsident [Aufsätze von H. Gollwitzer/D. Posser/H. Ehmke/ E. Eppler/ E. Wilm] Bonn 1971, S. 35).
35. vgl. GH: Sozialdemokratie und Kirche, Hamburger Echo 16. 12. 59. – GH: Kirche und Demokratie, Vorwärts 3. 6. 60.
36. vgl. GH: Haben die Deutschen eine göttliche Mission? Westdeutsche Rundschau 20. 2. 60.

in dem die Grundrechte der Bürger ernstgenommen wurden. Als Bundestagsabgeordneter und als Rechtsanwalt kämpfte er für den Schutz der politischen und religiösen Minderheiten in der BRD; z. B. vertrat er vor dem Bundesverfassungsgericht Funktionäre der KPD, die wegen ihrer Tätigkeit vor dem Verbot der Partei verurteilt worden waren, und Jehovas Zeugen, die wegen der Verweigerung des Kriegs- *und* Ersatzdienstes doppelt und dreifach bestraft worden waren[37].

Heinemanns Mitgliedschaft im Parteivorstand der SPD, in den er am 20. Mai 1958 mit hoher Stimmenzahl gewählt und in den Folgejahren wiedergewählt wurde, sicherte ihm weiteren Einfluß in der Partei. Seit 1966 konnte er als Justizminister in der Großen Koalition darangehen, seine Rechtsvorstellungen zu verwirklichen, insbesondere die Reform des Strafrechts und des Familienrechts in Angriff zu nehmen[38].

Trotz aller vielfältigen neuen Aufgaben aber blieb die Deutschlandfrage der ersten zwölf Nachkriegsjahre für Heinemann das eigentliche Problem. Denn die Frage, ob der politische Weg Westdeutschlands unvermeidlich war, »läßt auch dann keine Ruhe, wenn Vergangenes nicht wiederkehrt, – wenn getroffene Entscheidungen nicht mehr aufgehoben oder gar in ihr Gegenteil verkehrt werden können« – schrieb Heinemann 1965[39]. Zum Bundespräsidenten gewählt, konnte er vollendete Tatsachen nicht ändern – wohl aber dazu beitragen, daß Schritte zur Versöhnung der Bundesrepublik Deutschland mit ihren Nachbarn getan wurden.

2
Folgen und Folgerungen heute

Es läge nahe, mit der Feststellung zu schließen, daß manche politischen Zielsetzungen Heinemanns zwar spät, aber endlich doch noch zum Zuge gekommen sind. Doch würde eine solche harmonisierende Sicht wesentliche Ergebnisse der Untersuchung über Heinemann und die Deutschlandfrage in den vierziger und fünfziger Jahren unberücksichtigt lassen. Deshalb soll zum Abschluß der Versuch unternommen werden, nach einer Gegenüberstellung der Probleme und

37. vgl. Posser, aaO. S. 27ff.
38. vgl. H. Ehmke, Heinemann – Reformer des Rechts, aaO. S. 36ff.
39. im Vorwort zu seiner Aufsatzsammlung: Verfehlte Deutschlandpolitik. Irreführung und Selbsttäuschung. Frankfurt 1965, S. 7.

Verhältnisse der vierziger und fünfziger Jahre mit den heutigen deutlicher herauszustellen, inwiefern Heinemanns Haltung von damals exemplarisch war, so daß sie auch noch für heute Bedeutung hat, und wo ihre Grenzen lagen. Das soll nacheinander auf der politischen und der theologischen Ebene geschehen.

Vergleicht man die Lage in Deutschland vor fünfzehn bis fünfundzwanzig Jahren mit der von heute, so fallen zuerst die Unterschiede ins Auge. Die Wiedervereinigung Deutschlands, lange Jahre beschworenes Hauptziel westdeutscher und auch ostdeutscher Politik, ist, wie Heinemann es 1951 voraussah, von der internationalen Gesprächsbühne verschwunden. Beide deutschen Staaten haben sich weiter konsolidiert und in die Mächtegruppen in Ost und West integriert. Die evangelische Kirche Deutschlands ist, wie es eine Minderheit schon vor zwanzig Jahren kommen sah, in zwei Teile gespalten worden, die sich immer weniger aneinander orientieren.

Vorüber sind die langen Jahre, in denen die Bundesregierung, unterstützt von der fast einstimmigen Zustimmung des Bundestages und der Massenmedien, freie Wahlen in der DDR, außenpolitische Entscheidungsfreiheit eines wiederzuvereinigenden Deutschlands und dazu die Rückkehr der ehemals deutschen Ostprovinzen zu Deutschland forderte. An die Stelle einer westdeutschen Außenpolitik der Stärke, die, gestützt auf große westliche Bündnispartner, militärischen Druck als Mittel zu Einsicht, Umkehr und Rückzug der Sowjetunion gebrauchen wollte, ist eine Ostpolitik der Entspannung getreten, die, unterstützt von den westlichen Bündnispartnern, in Verträgen und Abmachungen mit der Sowjetunion, Polen und der DDR schrittweise die Tatsachen anerkennt, die im Gefolge des Zweiten Weltkrieges und des Kalten Krieges entstanden sind. Innerhalb der evangelischen Kirche hat die Mehrheit von ihren Forderungen nach Wiedervereinigung Deutschlands Abschied genommen, hat die stillschweigende oder ausdrückliche Unterstützung westdeutscher Rüstungspolitik aufgegeben und begrüßt die westdeutschen Entspannungsbemühungen nach Osten hin. Drei Symptome des Wandels seien genannt. Die Ost-Denkschrift der EKD, die 1965 einen Anstoß zur Revision ostpolitischer Vorstellungen gab, wurde im Gegensatz zu früheren derartigen Äußerungen von offizieller Seite der EKD erarbeitet und von einer Großzahl von Protestanten getragen; eine vertragliche Regelung über West-Berlin, die langjährige »Frontstadt« im Kalten Krieg, wurde von den Großmächten und den beiden deutschen Regierungen in Angriff genommen und scheint Wirklichkeit zu werden; die Ostpolitik des Bundeskanzlers Brandt, Adenauers Vorstellungen entgegengesetzt und eher Heinemanns Auffassung der fünfziger Jahre neu aufnehmend, fand außerhalb Deutschlands eine so breite Zustimmung, daß Brandt dafür 1971 den Friedens-Nobelpreis erhielt.

Andere Probleme sind ins Blickfeld der Öffentlichkeit gerückt, wie Fragen der Mitbestimmung, der Bildung, des Verkehrs; neue Probleme sind erkannt worden, wie das der Umweltverschmutzung; Weltprobleme wie die anhaltende Verelendung der Völker in den Entwicklungsländern, die Ursachen von Kriegen, vornehmlich in der Dritten Welt, und der Aufstieg Chinas bewegen viele Menschen. In den Kirchen sind Hunger, Armut und Krieg stärker als früher als Zustände erkannt worden, die beseitigt und deren Ursachen bekämpft werden müssen.

Und doch ist unter der Oberfläche vieles gleich geblieben. Die CDU, die CSU und weiter rechts stehende Kreise vertreten immer noch die These, daß der Kommunismus als Ursache der Weltspannung anzusehen sei. Große Teile der politischen Rechten halten immer noch allein die Sowjetunion für die Macht, die die Teilung Deutschlands bewirkt habe. Von vielen wird auch unverändert der Sowjetunion die Schuld am Verlust der deutschen Ostgebiete angelastet, werden deutsche Ansprüche auf diese Gebiete geltend gemacht und entspannungswillige Politiker als Verzichtler und Verräter verunglimpft. Wohl ist die Hoffnung auf die Durchsetzbarkeit des ostpolitischen Ziels von einst, des Anschlusses ganz Deutschlands an den Westen, erschüttert, nicht aber die Überzeugung, daß jene Forderungen, die von Mitgliedern der Rechtsparteien und einem Teil der Massenmedien ungebrochen vertreten werden, moralisch berechtigt seien.

In den osteuropäischen Staaten ist die Furcht nicht verschwunden, die neue Bonner Ostpolitik möchte womöglich nicht dauerhaft und entschieden genug sein und eines Tages wieder durch eine »revisionistische« ersetzt werden. Die radikale Linke in der Bundesrepublik kritisiert, daß die Bonner Koalitionsregierung aus SPD und FDP zu gesellschaftlichen Veränderungen nicht imstande oder nicht gewillt sei. Diese Veränderungen aber werden von den heutigen Marxisten in Deutschland wie von ihren Vorgängern der vierziger und fünfziger Jahre als Grundbedingung jedes friedlichen Staates angesehen.

Tatsächlich stecken die Reformen der sozialliberalen Koalition so sehr in Anfängen, daß damit nicht einmal die Programme der CDU aus dem Jahre 1945 erfüllt sind, geschweige denn das Ahlener Programm der CDU Nordrhein-Westfalens von 1947. Tatsächlich wird auch bei der Regierung, um von der Opposition zu schweigen, der Stellenwert von Entwicklungshilfe für so gering erachtet, daß nur ein kleiner Bruchteil des Bundeshaushalts dafür zur Verfügung steht; vollends schreckt man davor zurück, den Zustand der armen Länder so ernst zu nehmen, daß man bei uns wirtschafts- und gesellschaftspolitische Strukturen ändert, um diesen Ländern wirksam helfen zu können.

Auch in der evangelischen Kirche sind die Kräfte stark geblieben, die das Beharren auf früheren Besitz- und Wertvorstellungen für christlich halten, die Gewalt verurteilen, wenn sie auf Veränderung zielt, nicht aber dann, wenn sie der Erhaltung von Machtverhältnissen dient. Weite Kreise vertreten nach wie vor ein »unpolitisches« Christentum und wollen die politischen Konsequenzen einer solchen Haltung nicht wahrnehmen.

Welche Bedeutung hat in dieser Situation Heinemanns Reden und Tun in den vierziger und fünfziger Jahren?

Wer Heinemanns Argumente und seinen Weg seit seinem Rücktritt kennt, weiß, wie brüchig das moralische Fundament ist, auf dem die CDU/CSU und die NPD immer noch bauen. Die Forderung nach dem Selbstbestimmungsrecht der Völker, soweit sie von Westdeutschland aus in Bezug auf die Ostdeutschen erhoben wird, hätte allenfalls, wenn man einmal von allen anderen politischen Faktoren absieht, soviel Berechtigung für sich, wie die Westdeutschen selbst in den entscheidenden Jahren an Phantasie und Energie aufgebracht haben, um einer für alle Seiten annehmbaren Lösung den Weg bereiten zu helfen; diese Phantasie und Energie waren jedoch gerade nicht bei der damaligen Regierung zu finden, auch nur in Grenzen bei der Opposition, sondern bei einzelnen Kritikern wie z. B. Heinemann und Helene Wessel. Heinemann war es, der mit wenigen anderen in jeder Phase des Kalten Kriegs seit dem Ausbruch des Koreakrieges warnte: der mit seinem Rücktritt ein Zeichen setzte und von einem Anbieten deutscher Soldaten abriet und der dann seit 1951 unablässig dazu aufforderte, den Versuch einer militärischen Herauslösung eines wiedervereinigten Deutschlands aus den Machtblöcken zu unternehmen. Die Regierungsparteien jedoch, vornehmlich die CDU/CSU und die Deutsche Partei, aber auch die damalige FDP, waren es, die ständig das genaue Gegenteil dessen taten, was allenfalls zu einer Wiedervereinigung Deutschlands hätte führen können. Der Einwand, man habe unter dem Druck der westlichen Alliierten nicht anders gekonnt, zieht nicht, denn die westdeutsche Regierung *wollte* ja nichts anderes; sie tat alles, um ihren außenpolitischen Spielraum in westlicher Richtung zu erweitern: sie ergriff im Sommer 1950 die Initiative zur westdeutschen Aufrüstung, noch bevor die Westmächte sich darauf geeinigt hatten und womöglich einen Druck ausüben konnten; sie lehnte die östlichen Angebote, ob 1951 die aus Ost-Berlin oder 1952–55 die aus Moskau selbst, eilig und bedingungslos ab und setzte dagegen das ausdrückliche und öffentlich verkündete Vertrauen auf die westliche Politik der Stärke. So hat die CDU/CSU am allerwenigsten Berechtigung, sich als Hüter gesamtdeutscher Interessen darzustellen. Sie war es vielmehr, deren Politik, was immer sie damit beabsichtigte, zum heutigen Zustand führen *mußte*. Wenn heute einer westdeutschen Regierung weder auf außen- noch auf gesellschaftspolitischem Gebiet eine *prinzipielle* Alternative mehr möglich ist, so ist das die Folge zwanzigjähriger CDU-Herrschaft. Der Anspruch dieser Partei, den Weg zu Freiheit und Selbstbestimmung in Gesamtdeutschland zu weisen, ist historisch falsch und moralisch grundlos. Daß dies nicht erst nachträglich einzusehen ist, sondern damals schon erkennbar war und festgestellt wurde, lehrt Heinemanns Weg.

Dieser Weg war um so bemerkenswerter, als Heinemann gerade nicht zum Kritiker der CDU prädestiniert schien. Er hatte die CDU mit gegründet und ging jahrelang seinen Weg in und mit der CDU weiter; er bejahte in den vierziger Jahren die freie Marktwirtschaft, wenn auch mit Einschränkungen, bejahte die westdeutsche Staatsgründung und die europäische Einigung. Und doch trat er gegen Adenauer auf, als dieser 1950 die Initiative zur westdeutschen Aufrüstung ergriff; denn er erkannte, was andere nicht sahen, wie sich während des Kalten Krieges die politischen Vorstellungen verschoben, wie die Begriffe »Deutschland«, »Europa«, »soziale Marktwirtschaft«, »christliche Politik« einen eindeutig antikommunistischen Akzent bekamen. Heinemann dagegen hielt daran fest, ja betonte immer stärker, daß Deutschland in Gesamteuropa die Aufgabe habe, zwischen Ost und West zu vermitteln. So ist Heinemanns Entwicklung eine Frage an die politischen Doktrinäre von rechts und links. Die außenpolitischen Notwendigkeiten führten eben keineswegs *zwangsläufig,* wie die Rechte meint, zur Aufrüstung; ebensowenig war es zwingend, daß ein Bergwerksdirektor und Vertreter der Marktwirtschaft für eine antikommunistische Aufrüstung eintreten *mußte,* wie Linke anzunehmen geneigt sind. Wer wie Heinemann politisch Schritt für Schritt vorging, konnte von einem Ja zum Nein kommen. Damit aber wird die Rechte mit der Tatsache konfrontiert, daß wichtige Ansätze der CDU des Jahres 1945 besser als in der Partei von dem 1950 zurückgetretenen Minister und 1952 aus der Partei ausgetretenen Mitglied Heinemann bewahrt wurden; und die äußerste Linke muß zur Kenntnis nehmen, daß die klassenmäßige Gebundenheit von Standpunkten Grenzen hat.

Die scheinbare Zwangsläufigkeit historischer Prozesse wird da durchbrochen, wo Menschen wie Heinemann *verschiedene* politische Tatsachen im Blick behalten und immer neu danach fragen, was als das jeweils Notwendige zu tun ist. Heinemann arbeitete in den vierziger Jahren in erster Linie für den praktischen *Wieder*aufbau, um die Not der näheren Umgebung zu mindern, trat aber gleichzeitig für eine *Neu*ordnung der gesellschaftlichen Verhältnisse ein und sorgte sich um die notleidenden Deutschen in der Ferne der sowjetisch besetzten Zone. Nach 1950 sah er die Aufrüstungspolitik der Bundesregierung primär unter dem Gesichtspunkt der Gefährdung des Friedens und der Möglichkeit einer Wiedervereinigung Deutschlands; er wollte den Menschen in der DDR zu ihren demokratischen Grundrechten verhelfen und strebte einen Ausgleich zwischen Ost und West an; bei aller praktischen Propagierung eines Versuchs militärischer Neutralisierung Deutschlands wurde er jedoch nicht zu einem *prinzipiellen* Vertreter des Neutralismus. Seit der Mitte der fünfziger Jahre sah er immer stärker die Aufgabe, *in* der BRD für Rechtssicherheit, Bewahrung und Ausbau demokratischer Freiheiten einzutreten, behielt jedoch gleichzeitig den *außen*politischen Aspekt einer Verständigung mit dem Osten unter den Bedingungen, die jeweils möglich erschienen, im Auge; dabei erweiterte sich sein Blick auf die Freiheitsbewegungen der Dritten Welt und erfaßte am Rande auch schon ein Zukunftsproblem wie das der Umweltverschmutzung[1].

Dieser differenzierten Sicht der Lage entsprach eine differenzierte Sicht der politischen Kontrahenten. Heinemann nahm seine Gegner ernst, ohne sie moralisch oder als Exponenten bestimmter Interessen abzustempeln. Er lehnte die marxistische Weltanschauung und den kommunistischen Staatsaufbau ab, aber er forderte unablässig zu dem Versuch auf, mit der Sowjetunion und der Regierung in Ostberlin zu verhandeln. Er bekämpfte die Identifizierung des christlichen Glaubens mit der CDU-Politik der fünfziger Jahre und die Ostpolitik der CDU, aber er unterstellte der CDU nicht Unehrlichkeit ihrer Absichten, auch dem Bundeskanzler Adenauer nicht. Indem er die Motive des Gegners verstand und sie in sein Denken einbezog, erwies er sich als der bessere Politiker.

Heinemanns demokratische Fairneß, die Basis politischen Verhandelns überhaupt, fällt gerade im Vergleich zu den jahrelangen Versuchen der Regierungsparteien in Bonn und Ostberlin auf, die Heinemann verdächtigten: die westlichen als Kommunistenfreund oder politischen Utopisten, die östlichen als verkappten Bürger oder Spalter

---

1. Heinemann zu den Kommunalwahlen in Nordrhein-Westfalen 1956: »Es gibt viele Dinge, welche uns alle angehen. Als Beispiel nenne ich nur die in vielen Industriestädten nachgerade unerträgliche Verunreinigung von Luft und Wasser durch Flugasche, Abgase, Gifte und andere Fremdstoffe oder auch der Lärm allerorten. Wann endlich wehren wir uns dagegen? Wer Demokratie will, muß sie auch praktizieren. Wer Demokratie verteidigen will, muß sie auch riskieren. Dazu ist im kommunalen Bereich der beste Ansatz« (UKW/West, 25. 10. 56; GH 255: Gesamtdeutsche Rundschau 26. 10. 56).

der linken Aktionsfront. Wenn SED und CDU endlich an eine selbst-
kritische Untersuchung ihrer Vergangenheit gehen, wird am Maßstab
dessen, wie sie ihr Verhalten gegenüber Heinemann, der Notgemeinschaft für den Frieden Europas und der Gesamtdeutschen Volkspartei beurteilen, deutlich werden, wieviel politische Existenzberechti-
gung sie in Zukunft politischen Menschen und Gruppierungen zubilli-
gen, die anders sind als sie; und diejenigen politischen Anhänger aller
Richtungen, die ohne das Mittel der »Entlarvung« ihrer Gegner nicht
auszukommen glauben, haben an dem verfemten Heinemann der
fünfziger Jahre ein Beispiel dafür, daß Fairneß gegenüber dem politischen Gegner Entschiedenheit und Stetigkeit politischen Handelns
und letztlich auch ein beachtliches Stück Erfolg nicht ausschließt.

Daß Heinemann gerade in einer Zeit, als fast alle seine Partei-
freunde und Angehörigen seiner Klasse immer stärker in Alternativ-
Denkschemata verfielen, seinerseits zu einer stärker differenzierenden
Sicht von Sachen und Personen durchstieß, hing damit zusammen,
daß er in der Politik nichts absolut nahm und die Politik selbst auch
nicht absolut setzte. Er verabsolutierte weder den politischen Konflikt noch die politische Partnerschaft noch irgendeinen Grundsatz
politischen Handelns. Er scheute keine Konflikte, Ende der vierziger
Jahre mit der SPD und FDP, 1950 bis 1957 mit *allen* Parteien und
später mit CDU und SED – aber er sah immer im politischen Gegner
auch den politischen Partner. Er setzte sich für Demokratisierung ein
– man denke nur an sein Eintreten für eine Volksbefragung über die
Aufrüstung 1951 und über die Atomaufrüstung 1958 und an seine
Haltung in den Studentenunruhen 1968; er kämpfte als Anwalt, Abgeordneter und Justizminister für die Rechte derer, die ungerecht be-
handelt wurden. So leistete er einen Beitrag zur »Emanzipation« von
Menschen aus dem Verhaftetsein in Vorurteilen und in ungünstigen
Bedingungen – ohne jedoch die politische Welt unter *einem* solchen
Leitbegriff zu sehen.

Heinemanns Grenze bestand darin, daß er weniger kritischen Sinn
für den gesellschaftspolitischen Aspekt der deutschen Frage hatte als
für die außenpolitische Problematik. Er tat manche Schritte spät.

Er wurde erst 1950 angesichts der Europa- und Aufrüstungsfrage
gegen den Kurs Adenauers und der CDU so kritisch, daß er Konsequenzen zog. Tendenzen zur Westintegration der BRD bestanden jedoch schon vorher. Auch hatte sich die CDU auf gesellschaftspoliti-
scher Ebene längst gegen ihre Reformpläne der ersten Nachkriegsjahre entschieden. – Heinemann verließ die CDU erst im Herbst 1952,
um die Gesamtdeutsche Volkspartei zu gründen. Damals hatten sich
aber die Chancen zur Neugründung einer Partei im Vergleich zu

1950 schon verringert. Die Kritik der neuen Partei an der Bonner Gesellschaftspolitik blieb im Vergleich zu ihrer außenpolitischen Klarheit blaß. – Heinemann entschloß sich erst wenige Monate vor der Bundestagswahl 1957 zur Auflösung der GVP und zum Übertritt in die SPD. Die GVP hatte aber damals schon lange keine Aussichten mehr; doch erst dann überwand er Bedenken gegen die außen- und gesellschaftspolitischen Vorstellungen der Sozialdemokratie.

Als Erklärung liegt der Schluß nahe, daß hier eben ein Stück Klassenbindung des Bürgers Heinemann sichtbar wird. Tatsächlich sahen Marxisten die gesellschaftspolitische Entwicklung früher und deutlicher als er. Und es gab Bürgerliche, die auch die außenpolitische Problematik früher durchschauten, allen voran Ulrich Noack. Es ist fraglich, ob Heinemann diesen Gruppen und einzelnen damals und später im Rückblick gerecht geworden ist. Er war geneigt, den Zeitpunkt des Adenauerschen Militärangebots im Herbst 1950, der Anlaß zu seinem Rücktritt wurde, als Wendepunkt westdeutscher Entwicklung zu sehen. Daran ist richtig, daß Adenauers Initiative von entscheidender Bedeutung für die Folgezeit war; aber es muß auch festgehalten werden, daß Adenauers Vorstoß auf einer Linie lag, die sich schon in den Jahren davor abzeichnete. Damals jedoch hatte Heinemann wohl gegen den *Namen,* weniger jedoch gegen die *Sache* der CDU Einwendungen erhoben.

Aber die Tatsache, daß Heinemann den gesellschaftspolitischen Aspekt der deutschen Frage weniger deutlich sah als den außenpolitischen, hatte seine Ursache doch nicht *nur* in einem negativ zu beurteilenden Verhaftetsein Heinemanns in Vorstellungen seiner Gruppe. Die Tatsache, daß die GVP keine scharfen gesellschaftskritischen Thesen formulierte, war *auch* darauf zurückzuführen, daß die aus heterogenen Kräften zusammengesetzte Partei vor der Notwendigkeit stand, um des außenpolitischen Kernpunkts willen Differenzpunkte zurückzustellen. Heinemanns Zögern, in die SPD einzutreten, hing *auch* mit der Tatsache zusammen, daß die SPD erst auf dem Wege war, der planwirtschaftlichen Doktrin abzusagen und ihre Kirchenfeindlichkeit aufzugeben. Endlich hatten die Bindungen Heinemanns an die Menschen, mit denen er politisch zusammenarbeitete, *auch* eine positive Seite: er nahm sie bewußt gerade in der Weise ernst, daß er zuerst innerhalb seiner Gruppe das Neue, das er erkannt hatte, einsichtig zu machen versuchte, ehe er Konsequenzen zog – die CDU verließ oder sich für die Auflösung der GVP aussprach; er wartete bewußt ab, bis sich Auswirkungen zeigten, ehe er den nächsten Schritt tat.

So können die »Schwächen« Heinemanns zum Teil als Folge, als Kehrseite seiner Stärken gedeutet werden: weil er differenzierte, tat er manche Schritte spät. Als Hauptpunkt der Kritik bleibt bestehen, daß er Ende der vierziger Jahre das Ausmaß der Restauration der Gesellschaftsordnung und des Drangs nach Westen noch nicht überschaute.

Heinemanns bedächtiges Vorgehen Schritt für Schritt, seine differenzierte Sicht der Lage, seine Weigerung, Politik als etwas Absolutes zu sehen, könnten als Besonderheiten seines Charakters und seiner Entwicklung verstanden werden. Diese Deutung liegt auf der »weltlichen« Ebene nahe und ist gewiß nicht falsch; aber sie dringt nicht in die Tiefe. Volles Verständnis für Heinemanns Person und Wirken ist nur von der zweiten Ebene her zu gewinnen.

Heinemann sah – und sieht – alle Politik in einem Spannungsbogen, der über Politik hinausgeht. Wir versuchen, diesen Bogen mit Sätzen zu bezeichnen, die Heinemann verwandte.

Heinemann ging aus von dem »Weltregiment Gottes«:
»Unrealistisch nennt man das Übersehen wesentlicher Tatsachen. Es ist nun aber eben die Frage, wer etwas übersieht! ... Überseht ihr nicht zu allererst, daß Gott der Herr der Welt ist?« (Heinemann nach seinem Rücktritt 1950)[2]
Er vertraute auf die Tat Gottes in Jesus Christus:
»Gottes Reich lebt in dieser Zeit nur von *einer* Sensation: der Auferstehung Jesu Christi.« (Heinemann in einem Rückblick auf das Jahr 1955)[3]
Daraus folgerte er:
»Laßt uns der Welt antworten, wenn sie uns furchtsam machen will: Eure Herren gehen, unser Herr aber kommt!« (Heinemann auf dem Kirchentag in Essen 1950)[4]

Er forderte als Konsequenz das ganze politische Engagement des Christen:
»Ein halber Christ ist ein ganzer Unsinn! ... Laßt uns aufhören, alle brenzeligen Dinge immer an sogenannte führende Persönlichkeiten nach oben zu tragen. Laßt uns anfangen, sie an Ort und Stelle selber anzufassen, im Betrieb und Betriebsrat, in der Gewerkschaft und den Parteien, im öffentlichen Dienst und Amt.« (Heinemann auf dem Kirchentag in Essen 1950)[5]
Er wußte, daß Politik Kampf um Macht ist:
»Wer in die Politik geschickt wird, wird in den Kampf um den Einfluß auf die öffentliche Meinung und auf die Gestaltung von Entscheidungen geschickt oder man sollte ihn von vornherein ruhig und besser zu Hause lassen!« (Heinemann vor der Synode in Espelkamp 1955)[6]

---

2. GH 45, s. Anhang B.
3. GH 217.
4. GH 35.
5. GH 34.
6. GII 194.

Aber er wehrte die Meinung ab, daß die Kirche Jesu Christi politischen Zielen, ob reaktionären oder revolutionären, dienen dürfte:
»Die Kirche ist kein Beruhigungsinstitut ... Die Kirche ist kein Revolutionsinstitut.« (Heinemann auf dem Kirchentag in Berlin 1951)[7]

Er sah die Verpflichtung, im Rahmen der gegebenen Möglichkeiten für den notleidenden Teil des eigenen Volkes zu handeln:
»Die Solidarität mit allen Gliedern unseres Volkes in Ost und West und die Selbstachtung gebieten uns, den Weg zueinander zu suchen.« (Kommentar zur Biographie Adenauers 1956)[8]

Aber er wußte doch:
»Völker haben nicht die Verheißung, daß sie bestehen werden und ungeteilt bleiben.« (ebd.)

Er griff die bestehende gesellschaftliche Ordnung und die herrschende Denkweise massiv an:
»Sieht man wirklich nicht, daß die dominierende Weltanschauung unter uns nur aus den drei Sätzen besteht: Viel verdienen, – Soldaten, die das verteidigen, – und Kirchen, die beides segnen?!« (Heinemann in der Paulskirche 1955)[9]

Aber er blieb sich der Grenze jedes politischen Angriffs bewußt:
»Christus starb für uns alle, auch für Kapitalisten und Bolschewisten in gleicher Weise.« (Heinemann nach den Ereignissen in Ungarn und Ägypten Weihnachten 1956)[10]

Von diesem Fundament aus wird die Haltung verständlich, die Heinemann durch die Jahrzehnte hindurch einnahm. Weil er nur *einen* absoluten Punkt kannte, das Handeln Gottes, konnten ihm weder die Politik noch bestimmte Vorstellungen in ihr als etwas Absolutes gelten. Weil er auf das Weltregiment Jesu Christi baute, behielt er Raum zur ständigen Prüfung der Lage und Mut, neue Wege zu suchen. Weil er darauf vertraute, daß Christus für *alle* Menschen starb, mußte er auch die Gegner ernstnehmen. Weil er sich darauf gründete, daß Gott sich in Leben, Sterben und in der Auferstehung Jesu Christi den Menschen zugewandt hatte, wußte er alle Menschen zu rechtem Tun befreit, sah er die »Emanzipation« des Menschen Wirklichkeit geworden.

Läßt man dieses alles gelten, dann ergeben sich neue kritische Fragen an Heinemann. Hat nicht bei ihm die »Brüderlichkeit« eine zu große Rolle im Verhältnis zu der Frage nach dem rechten Weg gespielt, sowohl in der Christlich-Demokratischen Union als auch in der Kirche? Gewiß, diese Solidarität war ihm nicht Selbstzweck; er hoffte darauf, daß man sich in gemeinsamer Bemühung gegenseitig

---

7. GH 56.
8. GH 244.
9. GH 187.
10. GH 260.

dazu verhalf, den *einen* rechten Weg der Nachfolge zu finden. Und
doch: Hat er nicht mit der These, politische Fragen dürften die Einheit der Kirche nicht sprengen, das Gewicht der von ihm selbst gestellten Frage verringert, ob Aufrüstung 1950 und Atombewaffnung
1958 mit Gottes Willen zu vereinbaren sei?

Wenn man solche kritischen Fragen an Gustav Heinemann stellt,
dann müssen allerdings erst recht diejenigen gefragt werden, die
aus der Solidarität ein Prinzip machten oder eine Idee absolutsetzten
– ob sie nun den deutschen Staat oder die europäische Einigung, ob
sie den Pazifismus, den Neutralismus oder die Aufrüstung, ob sie
das Prinzip der freien Wahlen oder das Prinzip der Vergesellschaf-
tung von Produktionsmitteln für *das* politische Heilmittel hielten oder
halten. Besonders müssen die verschiedenen Gruppen in der evangelischen Kirche, die ja Heinemanns Glaubensvoraussetzungen teilten,
seinen Weg als Stachel empfinden. Denn hier sprach einer, der bei
aller Einzelkritik, die man nachträglich gegen ihn vorbringen muß,
doch auch theologisch mehr erkannte als viele andere.

Er erkannte schon im Kirchenkampf der NS-Zeit, daß ein soge-
nanntes »unpolitisches Christentum« in Wirklichkeit die sublimste
Form von Politisierung darstellt, weil es sich zugunsten der Herrschenden auswirkt. Er durchschaute die Selbsttäuschung der konservativen Vertreter der Kirche, die ihre überlieferten Vorstellungen für
reine christliche Lehre hielten und Aufrüstung, Atombewaffnung und
Militärseelsorge durch staatlich bezahlte Pfarrer für christlich erlaubt,
ja geboten erklärten. Die Mehrheit der Konservativen und Unpolitischen, die Heinemann 1955 in Espelkamp nicht länger als Synodalpräses ertrugen, müssen sich durch ihn daraufhin anreden lassen,
wann sie ihre geistige und gesellschaftliche Bindung endlich kritisch
betrachten.

Aber auch die kritische Minderheit innerhalb der Kirche muß sich
durch ihn in Frage stellen lassen; denn so eindringlich und ausdau-
ernd er die Mehrheit ansprach, so wenig beteiligte er sich an einem
Stil der Auseinandersetzung, der, von persönlicher Schärfe getragen,
keinen anderen Standpunkt gelten ließ, wie es bei manchen Äußerungen kirchlicher Opponenten gegen den Kurs der Bundesregierung
der Fall war. Er kann dieser kirchlichen Gruppe Anstoß zu der Frage sein, ob ihre Art zu sprechen und zu handeln der Wirkung des
Evangeliums nicht abträglich war und ob nicht auch ihre Haltung
einen Mangel an theologischer und politischer Erkenntnis zur Ursache hatte.

Solche Selbstkritik innerhalb der evangelischen Kirche wäre mehr
als nur die Bemühung darum, einer Person und bestimmten Sachfragen gerecht zu werden. Sie ist für Kirche und Welt eine Notwen-

digkeit: für die Kirche, weil sie ihr helfen könnte, ihren eigentlichen Auftrag zu sehen. Solange die »Konservativen« den »Progressiven« Verrat am Bekenntnis der Väter und die »Progressiven« den »Konservativen« Mißachtung ihrer politischen Aufgabe als Christen vorhalten, sehen sich ja doch nur beide Seiten in ihrem Selbstverständnis bestätigt. In Heinemann begegnen sie einem Mann, der, wie die oben angeführten Zitate zeigen, das Bekenntnis der Reformatoren mitsprach, der auch, mit Luther, wußte, daß *Kirche* und *Welt* nicht zu identifizieren sind, und der doch, gerade vom Bekenntnis Jesu Christi her, das in der Barmer Erklärung wieder neu ausgesprochen war, in die Politik ging und in der Politik handelte.

Noch wichtiger aber als solche Klärung in der Kirche selbst ist die Hilfe, die die Kirche der Welt geben könnte. Denn noch sind die Irrwege der Vergangenheit des Kalten Krieges nicht in ihrem ganzen Ausmaß erkannt. Unbeglichen ist die Schuld der Westdeutschen gegenüber den Deutschen im Osten, die jahrelang von Politikern und Kirchenmännern mit politisch unerfüllbaren Versprechungen in falschen Hoffnungen gewiegt und als Vortrupp westlicher Politik in Anspruch genommen worden sind. Noch ist das Bewußtsein nicht verbreitet, daß wir auch im Kalten Krieg wieder, wie vorher, »*nicht mutiger bekannt, nicht treuer gebetet, nicht fröhlicher geglaubt und nicht brennender geliebt*« – *und nicht kritischer gedacht* haben. Wenn diese Erkenntnis aber durchbricht, kann sie aus dem Raum der Kirche heraus lösend wirken. Aus ihrem Geist wird es dann möglich sein, im Blick auf den Kalten Krieg und seine Folgen, die wir heute und morgen zu tragen haben, dasselbe zu sagen, was im Rückblick auf die Zeit des Nationalsozialismus und seine Folgen Gustav Heinemann Ostern 1949 vor evangelischen Jugendlichen in Bayern in einem Vortrag über »Gottes Gabe – unsere Aufgabe« aussprach[11]; mit seinen Worten, die »modernen« Menschen damals schon genau so befremdlich klangen wie heute, soll diese Betrachtung abgeschlossen werden:

»Es vollzieht sich jetzt trotz aller Unbegreiflichkeiten ein Stück göttlicher Gerechtigkeit. Das vermag freilich nur die Gemeinde zu erkennen. Die Welt schaut nicht hindurch. Im Glauben hindurch zu schauen vermag nur jene Schar, bei welcher der ›andere Tröster‹, der ›Geist der Wahrheit‹ Wohnung gemacht hat.

Dieser Geist der Wahrheit hat etwas Unerbittliches an sich. Er schürft bis auf den Grund, und wir wollen nicht aufschreien, wollen uns hüten, seinem Schürfen auszuweichen. Denn es ist heilsam und nötig, der Wahrheit auf den Grund zu gehen. Der Geist der Wahrheit

---

11. In Fürth auf dem Landestreffen des Evangelischen Jungmännerwerkes Bayern am 17. 4. 49 (msl, AH).

deckt ohne Ansehen der Person auf, was zu unseren Ungunsten spricht. Die Welt schreit: Deine Schuld, deine übergroße Schuld, die Schuld der bösen anderen Menschen, die Schuld des bösen Gottes! Die Gemeinde aber sagt: Unsere Schuld, meine Schuld! Dieses Wort hat die Evangelische Christenheit in Deutschland durch die *Stuttgarter Erklärung* des Rates der EKD vom Oktober 1945 gesprochen ... Dieses Wort hat der Bruderrat der EKD in seiner *Darmstädter Erklärung* im August 1947 gesprochen, worin es unter anderem heißt:

›Wir sind in die Irre gegangen, als wir begannen, eine »christliche Front« aufzurichten gegenüber notwendig gewordenen Neuordnungen im gesellschaftlichen Leben der Menschen. Das Bündnis der Kirche mit den das Alte und Herkömmliche konservierenden Mächten hat sich schwer an uns gerächt. Wir haben die christliche Freiheit verraten, die uns erlaubt und gebietet, Lebensformen abzuändern, wo das Zusammenleben der Menschen solche Wandlung erfordert. Wir haben das Recht zur Revolution verneint, aber die Entwicklung zur absoluten Diktatur geduldet und gutgeheißen.

Wir sind in die Irre gegangen, als wir meinten, eine Front der Guten gegen die Bösen, des Lichtes gegen die Finsternis, der Gerechten gegen die Ungerechten im politischen Leben und mit politischen Mitteln bilden zu müssen. Damit haben wir das freie Angebot der Gnade Gottes an alle durch eine politische, soziale und weltanschauliche Frontenbildung verfehlt und die Welt ihrer Selbstrechtfertigung überlassen.‹

Dieses Wort von der eigenen Schuld ist von manchem Pfarrer und von mancher Gemeinde so oder anders gesagt worden. Lebt es aber wirklich in uns? Lebt der Geist der Wahrheit so heiß und alle Winkel der Selbstrechtfertigung ausbrennend in uns, daß wir wirklich zur Umkehr geführt werden? ... Wissen wir selbst uns als Hauptschuldige dafür, daß Unfrieden, Machtkampf, Neid und Ungerechtigkeit unter den Menschen und unter den Völkern umgehen? Wissen wir, daß wir als die Hauptschuldigen für Vieles von dem vor Gottes Thron stehen werden, was die Menschheit vergiftet? Die Welt wird niemals den wahren Zusammenhang erkennen. Sie kann immer nur beweisen, daß die anderen, die anderen und nochmals die anderen schuld sind und daß man selber unschuldig ist wie ein Lamm. Die Welt hat nicht den Geist der Wahrheit und sie verträgt ihn nicht, weil er gegen sie spricht.

Die Gemeinde aber hat hier den Tröster als Rechtsbeistand vor Gottes Thron nötig. Wir sind hier hilflos wie Waisenkinder. Wir sind hier dem Verkläger ausgeliefert. Da gibt es nur einen Verteidiger, und das ist der, der gesagt hat: ›Ich lebe, und ihr sollt auch leben.‹

Buße und Umkehr wären die Voraussetzung für eine bessere Welt. Wir können diesen Weg beschreiten, weil uns in Gottes Gabe des Heiligen Geistes zugleich der Geist der Wahrheit über unsere Schuld als auch der Trost unserer Rettung bereitet sind.«

ANHANG

Dokumente

A

Den folgenden Brief schrieb Heinemann in der letzten Phase der Auseinander-
setzung im ersten Kabinett Adenauer. Der Bundesinnenminister übergab ihn
am 9. 10. 1950 bei der letzten Besprechung dem Kanzler, der daraufhin sein
Rücktrittsgesuch annahm, und stellte wenige Tage später eine überarbeitete
Fassung als Erklärung für seinen Rücktritt der Presse zur Verfügung.
  Der Brief bezieht sich am Anfang auf einen Brief Adenauers an Heinemann
v. 28. 9. 50, in dem er die Meinungsverschiedenheiten so charakterisiert hatte:
»Sie wollen den Frieden. Ich will den Frieden und will alles tun, damit der
Frieden Deutschland und der Welt erhalten bleibt. Während Sie aber der Auf-
fassung sind und für sich das Recht beanspruchen, diese Auffassung öffentlich
zu vertreten, daß man, nachdem uns Gott das Schwert zweimal aus der Hand
genommen hat, es nicht zum dritten Mal in die Hand nehmen dürfe, sondern
geduldig abwarten müsse, was über uns verhängt werde, bin ich der Auffas-
sung, daß der Frieden nur dadurch erhalten werden kann, daß man durch
Aufbau und Bereitstellung einer entsprechenden Streitmacht dem allein als
Angreifer in Betracht kommenden Staate, Sowjetrußland, vor Augen führt,
daß ein Bruch des Friedens auch für ihn selbst ein sehr großes Risiko bedeu-
tet.«

Sehr geehrter Herr Bundeskanzler!

Die sachliche Differenz zwischen uns scheint mir in Ihrem Brief vom 28. September nicht richtig gesehen zu sein. Ich stehe keineswegs auf dem Standpunkt,
dass wir fatalistisch abzuwarten hätten, was über uns verhängt wird, wenn ich
zum Ausdruck bringe, dass es nicht unsere Sache ist, eine deutsche Beteiligung
an militärischen Maßnahmen nachzusuchen oder anzubieten. Ich bin vielmehr
der Meinung, dass gerade uns Deutschen eine besondere aktive Funktion für
die Erhaltung des Friedens zukommt.
  Mit Ihnen stehe ich auf dem Standpunkt, dass es Sache der Westmächte ist,
uns gegen Angriffe von Aussen zu schützen. Inzwischen haben sich die Westmächte durch die Garantieerklärung vom 19. September zu dieser Verpflichtung
bekannt. »Wenn die Alliierten« – so schrieb ich in meinem pro memoria vom
11. September mit Bezug auf eine deutsche Beteiligung an militärischen Maßnahmen – »unserer Mitwirkung zu bedürfen glauben, so mögen sie an uns
herantreten und dabei verbindlich sagen, welches die Voraussetzungen einer
etwa von ihnen gewünschten deutschen Mitwirkung sein sollen. Erst wenn eine
solche Aufforderung von den Regierungen der Alliierten vorliegen sollte, ist

der Zeitpunkt für unsere Entscheidung gegeben. Wir würden die Aufforderung alsdann unter Berücksichtigung der gesamten Situation und zumal unserer eigenen Anliegen einschl. des Zieles der Wiederherstellung deutscher Einheit, der Wahrung des vorläufigen Charakters der Oder-Neisse-Linie und des deutschen Charakters des Saargebietes zu prüfen haben. Alles selbstverständliche Streben nach Befreiung von alliierten Beschränkungen darf nicht durch neue Verstrickungen erkauft werden, die nicht einer freien Entschlussfassung aus deutschem Interesse entspringen oder in ihrer Tragweite undurchsichtig sind.« Damit ist für mich die Entscheidung über die militärische Einbeziehung der Bundesrepublik in eine westeuropäische Verteidigungsgemeinschaft als eine noch offene bezeichnet. Es wird auf die Umstände ankommen, die dieser Einbeziehung zu gegebener Zeit zugrunde liegen werden. Ich verhehle nicht, dass ich nur mit den größten Bedenken zu einer positiven Entscheidung kommen könnte. Der Gründe dafür sind viele. Ich fasse sie wie folgt zusammen:

II. 1.) Es ist Sache der Westmächte, uns gegen Angriffe von aussen zu schützen. Wir dürfen uns völlig darüber klar sein, dass die Westmächte um ihres eigenen Schutzes willen eine etwaige Auseinandersetzung mit dem Osten lieber auf deutschem Boden als in ihren Heimatländern vollziehen. Wir fordern also garnichts Unbilliges, wenn wir einen Schutz in Anspruch nehmen, der zugleich der Schutz der Westmächte selbst ist. Inzwischen haben die Westmächte durch das Garantieversprechen vom 19. September diesen Schutz zugesagt. Die Interpretation des französischen Verteidigungsministers Moch über Radio London am 22. September dazu war: »Meine Aufgabe ist es, mit einer französischen Armee, die in Deutschland aufgebaut werden muss, die Russen im Falle eines Angriffs im Osten aufzuhalten« (Presseamt der Bundesregierung 22. September). Wie das gemeint ist, erläuterte Moch nach einer anderen Quelle wenige Wochen früher: »Wir müssen den Schutz des Glacis sicherstellen, das der Sieg von 1945 uns zu besetzen erlaubt hat. Es ist die Schaffung eines Manövrierfeldes Elbe-Rhein, die ständig (!) unsere oberste Sorge zu sein hat.« Die anderen Westmächte sehen diese Situation ebenso.

2.) Bisher liegt von den Westmächten keine einheitliche Stellungnahme zu einer Einbeziehung der Bundesrepublik in eine militärische Verteidigungsgemeinschaft vor. Erst recht liegt noch keine amtliche Aufforderung vor. Das Kommuniqué der Aussenminister vom 19. September besagt lediglich:

> »Die Minister haben zur Kenntnis genommen, dass in jüngster Zeit in Deutschland . . . . Stimmen laut geworden sind, die eine deutsche Beteiligung an einer gemeinsamen Streitmacht zum Schutze der europäischen Freiheit befürworten. Die Fragen, die sich aus dem Problem der Beteiligung der Deutschen Bundesrepublik an der gemeinsamen Verteidigung Europas ergeben, sind jetzt Gegenstand einer Prüfung und eines Meinungsaustausches.«

Die Aussenminister nehmen somit ausdrücklich auf die deutschen Stimmen Bezug, welche unsere Beteiligung an der Aufrüstung befürwortet haben. Dass den Aussenministern die Möglichkeit zu dieser Bezugnahme gegeben worden ist, halte ich für eine Schwächung unserer künftigen Verhandlungsposition.

In Ihrem Brief vom 28. September an mich schreiben Sie, dass ein Anbieten auch von Ihnen abgelehnt werde. Ich nehme gern davon Kenntnis, dass wir also in diesem Punkt einig geworden sind. Dem müsste folgerichtigerweise entsprechen, dass zur Zeit auch noch keinerlei faktische Vorbereitungen zur Aufstellung deutscher Soldaten getroffen werden. Die Entscheidung über unsere militärische Mitwirkung muss vielmehr in echter Weise eine wirklich offene bleiben, bis eine amtliche und konkrete Aufforderung der Westmächte vorliegt.

3.) Im Zeitpunkt der Aufforderung werden wir zu prüfen haben, welche Grundlagen die Westmächte anbieten. Es wird von dem Grundsatz der Gleichberechtigung gesprochen. Uns fehlt die Souveränität. Wir haben also einen schwachen Stand bei der Aushandlung der Voraussetzungen. Angesichts dessen, was uns in den Augen der Welt noch wesentlich stärker als im Bewusstsein unseres eigenen Volkes aus der Hitlerzeit belastet (siehe z. B. Osloer Beschluss vom 2. Okt. über unsere Nichteinladung zur Winter-Olympiade), haben wir auch nur schwache moralische Grundlagen für eine Forderung nach Gleichberechtigung. Man wird uns brauchen und ächten wollen zugleich. Man wird die alte Rechnung wieder präsentieren, wenn die Not vorüber ist. Damit mache ich den Westmächten keinen Vorwurf. Ich stelle diese Situation lediglich fest. Sie besagt, dass es ganz und gar freier Entschluss der Westmächte sein wird, ob sie Gleichberechtigung gewähren. Sie müsste echte Solidarität mit uns bedeuten und praktische Folgen haben, die hinsichtlich des Militärischen beispielsweise darin zu sehen wären, dass deutsche Menschen nicht als Kanonenfutter behandelt werden, und hinsichtlich des Politischen beispielsweise darin, dass die Bundesregierung nicht nur in etwas platonischer Weise als Sprecherin auch für die russische und polnische Zone anerkannt wird, sondern auch darin, dass das Saargebiet als deutsches Gebiet, d. h. als Bestandteil der Deutschen Bundesrepublik behandelt wird.

Eine Reihe weiterer Voraussetzungen (z. B. Bereinigung einiger Gerichtsverfahren) möchte ich im Augenblick nicht entfalten.

4.) Nachdem es eines der vornehmsten Kriegsziele der Alliierten gewesen ist, uns zu entwaffnen und auch für die Zukunft waffenlos zu halten, nachdem die Alliierten in fünfjähriger Besatzungszeit alles darauf angelegt haben, das deutsche Militär verächtlich zu machen, unsere Wehrmöglichkeiten unter Einschluss sogar von Luftschutzbunkern zu zerstören und das deutsche Volk zu einer jedem Militärwesen abholden Geisteshaltung zu erziehen, haben wir allen Anlass, auf eine gegenteilige Aufforderung so zurückhaltend wie nur möglich zu reagieren. Dies wird für die Welt und insbesondere unsere Nachbarvölker im Westen wie im Osten der eindrücklichste Beweis für die doch unleugbare vorhandene Gesinnungsänderung des deutschen Volkes sein. Ein allzu bereitwilliges Eingehen auf diese Aufforderung würde dagegen den alten Verdacht gegen unseren Militarismus und die aus ihm folgende Mißachtung des deutschen Volkes verhängnisvoll beleben.

5.) Die Aufstellung deutscher Truppenkontingente wenn auch im Rahmen einer internationalen Gemeinschaft bedeutet aus zwei Gründen eine schwere Belastung unserer jungen Demokratie.

a) Unser Staatsapparat ist, wie viele Beispiele zeigen, noch so wenig eingespielt und gefestigt, dass die militärische Macht nahezu unvermeidlich wieder eine eigene politische Willensbildung entfalten wird. Wenn wir diese Gefahr dadurch für gebannt halten, dass die deutschen Kontingente in einer internationalen Armee stehen, so ist abzuwägen, ob die Abhängigkeit von einem internationalen Generalstab geringer oder erträglicher sein wird.

b) Wir können noch nicht von einem gefestigten demokratischen Staatsbewusstsein sprechen. Es wird deshalb nicht abzuwenden sein, dass die antidemokratischen Neigungen gestärkt und die Remilitarisierung die Renazifizierung nach sich ziehen wird.

6.) Für besonders bedeutungsvoll halte ich die Frage, ob eine westdeutsche Beteiligung auf den Russen provozierend wirken würde, so dass er gerade dadurch zum Losschlagen veranlaßt werden könnte. Ich teile die Meinung, dass Russland gegenwärtig keinen Krieg führen möchte. Auf der anderen Seite ist aus russischer Sicht, d. h. unter Beiseitelassung unserer Meinungen zu den Dingen, an folgendes zu denken:

a) Russland hat eine aus dem marxistischen Dogma stammende ständige Angst vor der kapitalistischen Einkreisung.

b) Russland sieht diese kapitalistische Einkreisung im Atlantikpakt konkretisiert.

c) Russland fühlt sich durch den im Atlantikpakt dominierenden Willen der USA. bedroht, den es als einen Willen zum Kriege empfindet.

d) Eine Einbeziehung der Bundesrepublik in die westliche Verteidigungsgemeinschaft kann in Russland eine Schockwirkung auslösen, da man weiss, dass das deutsche Volk von den kontinentalen westeuropäischen Völkern das am meisten antikommunistische Volk ist.

e) Das Wiedererstehen des deutschen Soldaten wird die Furcht der Russen vor dem furor teutonicus wachrufen, den sie von 1940 bis 1945 am eigenen Leibe erlebt und nicht vergessen haben.

f) Der Russe wird bedenken, dass viele Ostvertriebene revanchelüstern sind ob dessen, was ihnen angetan wurde. Er wird bedenken, dass eine Tendenz zur Wiedereroberung der deutschen Ostgebiete ins Spiel kommt, was er als eine Verstärkung der nach seiner Ansicht ohnehin bestehenden westlichen Angriffsabsichten empfinden wird.

g) In Polen und in der Tschechei wird die Angst vor der deutschen Revanche die Volksmassen in die Arme ihrer kommunistischen Regierungen treiben.

h) Diese Angst wird bei Russen, Polen und Tschechen besonders dadurch lebendig werden, dass sie aus dem letzten Weltkrieg die militärischen Qualitäten des deutschen Soldaten kennen. Sie werden den künftigen deutschen Soldaten ähnlich einschätzen.

Es ist nötig, sich diese vermutlichen psychologischen Rückwirkungen auf den Gegner klarzumachen, um abschätzen zu können, in welche Lage sich der Osten durch eine deutsche Beteiligung an der westlichen Aufrüstung gestellt und zu welchen Handlungen er sich möglicherweise veranlasst sehen wird. Nach meiner Meinung wird die Gefahr russischer Angriffshandlungen in Reaktion auf eine westdeutsche Aufrüstung bei uns unterschätzt, indem die derzeitige

Abgeneigtheit Russlands vor einem Krieg einfach auf weitere ein bis zwei Jahre prolongiert wird.

7.) Auf der anderen Seite ist für den Westen das Aufkommen der Neigung, sich die russische Gefahr durch eine Präventivaktion vom Halse zu schaffen, nicht mehr ausgeschlossen, wenn der deutsche Soldat dafür mit zur Verfügung steht. Das deutsche Kanonenfutter könnte m. a. W. für den Westen eine Versuchung werden, zumal dann, wenn deutsche Revanchegedanken gegen den Osten belebend hinzukommen oder eine Befreiung der Deutschen in der russischen Zone und/oder eine Wiedereroberung der Ostgebiete zu deutschen Zielgedanken werden.

8.) Zu unserer besonderen Situation gehört die Zweiteilung Deutschlands. Was für alle anderen ein nationaler Krieg sein würde, wäre für uns zugleich ein Krieg Deutscher gegen Deutsche. Es sollten zumindest die psychologischen Hemmungen aus dieser Situation nicht übersehen werden.

Unser deutsches Ziel muß sein, daß sich zwischen den beiderseitigen Weltmächten ein Gespräch über Deutschland und die friedliche Wiederherstellung unserer Einheit und Freiheit, sei es durch die von uns geforderten gesamtdeutschen Wahlen, oder sei es auf einer Uno-Basis, ergibt. Wir haben ein Lebensinteresse daran, daß eine friedliche Lösung gefunden wird. Was für Rußland und seine Satelliten auf der einen Seite und für die Westmächte auf der anderen Seite zwar ein Spiel um die Existenz ist, aber immerhin noch Chancen des Gewinnens oder doch des Überlebens in sich schließt, ist für uns in jedem Falle der Tod, weil Deutschland das Schlachtfeld ist. Natürlich kann Deutschland jederzeit von den anderen zum Schlachtfeld gemacht werden. Aber wir legitimieren unser Deutschland selbst als Schlachtfeld, wenn wir uns in die Aufrüstung einbeziehen. Ich weiss, dass es z. Zt. irreal ist, an eine Verständigung unter den Weltmächten über Deutschland oder an eine Uno-Lösung für Deutschland zu denken. Wer aber vermöchte zu sagen, dass es auch morgen irreal sein wird? Es kommt darauf an, dass die *Chance* für eine friedliche Lösung nicht verlorengeht. Unsere Beteiligung an der Aufrüstung würde das Aufkommen einer solchen Chance kaum mehr offen lassen.

9.) Wenn das Wort von der Politik aus christlicher Verantwortung unter uns nicht eine Phrase sein soll, dann werden wir gerade in dieser entscheidenden Frage bedenken müssen, was in unserer Situation Gottes Wille ist. Wir sind in zwei blutige Kriege und zwei nationale Katastrophen hineingeraten, weil wir allzu sehr bereit waren, unser Vertrauen auf die Kraft der Waffen zu setzen. Gott hat uns gezeigt, dass diese Rechnung eine Fehlrechnung ist. Haben wir, wenn wir jetzt schon wieder zu den Waffen greifen wollen, gelernt, dass Gott uns die Geduld und den Mut beibringen will, in gefahrvollster Situation im Vertrauen auf seine Hilfe die von uns nicht vorher zu sehenden Möglichkeiten seines Weltregimentes real in Rechnung zu stellen? Ich kann mich des Gedankens nicht erwehren, dass der Ruf nach einer deutschen Remilitarisierung ebenso sehr Ausdruck einer ungläubigen Angst ist, wie die fatalistische Apathie, von der ein anderer Teil unseres Volkes befallen ist. Jeder Form des Unglaubens droht aber nach unserer besonderen deutschen Erfahrung die Strafe Gottes, auch im nationalen Leben.

10.) Wenn die Bundesrepublik eine Aufforderung der Westmächte zur Rüstungsbeteiligung vorliegen haben wird, wird auch zu prüfen sein, ob der Bundestag legitimiert wäre, dieser Aufforderung zu folgen. Er ist in keiner Weise unter den heutigen Aspekten gewählt worden. Trotz der Gefahr kommunistischer Verfälschung einer breiten demokratischen Entscheidung der Rüstungsfrage durch Volksbefragung oder Neuwahl muß gesehen werden, dass wir unsere Demokratie aufs Schwerste unglaubwürdig machen, wenn das deutsche Volk in dieser wahrhaft schicksalsvollen und bedeutsamsten Entscheidung der Nachkriegszeit ungefragt übergangen würde.

III. Sie haben die Entscheidung über unsere Rüstungsbeteiligung, von der Sie sagen, dass sie in einigen Wochen, vielleicht aber auch schon sehr bald von uns gefordert werden wird, für sich selbst vorerst dahin getroffen, dass die Bundesregierung und Deutschland bereit sein wird, seine Menschenreserven und seine Materialreserven zum Schutze der westlichen Freiheit einer internationalen Armee zur Verfügung zu stellen. Sie wollen Bundesregierung, Bundestag und das deutsche Volk nach Ihrer derzeitigen Erkenntnis dahin führen, dass sie diese Ihre Entscheidung teilen und verwirklichen. Demgegenüber muß ich erklären, dass mir eine Entscheidung erst dann möglich zu sein scheint, wenn sie von uns wirklich gefordert ist und alle Bedingungen und Umstände bekannt sind. Ich werde dann alle Gesichtspunkte geltend machen, die gegen eine deutsche Aufrüstung sprechen – ohne damit heute schon meine endgültige Entscheidung für jenen Zeitpunkt festzulegen.

Ich überlasse es Ihnen zu beurteilen, ob Sie unter diesen Umständen eine weitere Zusammenarbeit mit mir in der Bundesregierung für möglich halten einschließlich der Freiheit, meine Gesichtspunkte auch öffentlich zu vertreten, solange es andere Kabinettsmitglieder mit den ihrigen tun.

Mit verbindlichem Gruß bin ich
Ihr
(gez.) Heinemann

B

Den folgenden Vortrag hielt Heinemann zwei Monate nach seinem Rücktritt als Bundesinnenminister am 1. 12. 1950 in Bern und in ähnlicher Form am 30. 11. in Zürich und am 2. 12. in Basel, jeweils vor kirchlichem Publikum. Der Text wurde in verschiedenen Schweizer Zeitungen im Dezember 1950 teilweise nachgedruckt und vollständig in der Februar-Ausgabe des Johannes-Markus-Gemeindeblatts, Bern, veröffentlicht (GH 45), blieb aber in der Bundesrepublik fast unbekannt.

EVANGELISCHE KIRCHE IN DEUTSCHLAND HEUTE UND DIE WIEDERAUFRÜSTUNG

Das gegenwärtige Geschehen in der Evangelischen Kirche Deutschlands ist durch das Handeln Gottes an unserer Kirche in den letzten drei Jahrzehnten sowie durch die Aufgaben bestimmt, die uns heute gestellt sind.

I.

Aus dem Handeln Gottes an unserer Kirche sind drei Vorgänge hervorzuheben.

Der erste Vorgang, einsetzend nach dem ersten Weltkrieg, ist die

Zurückdrängung des geistigen Liberalismus in der Theologie

durch ein immer breiter werdendes Aufbrechen des Evangeliums in seinem alten, echten Verständnis. Während uns die liberale Theologie Jesus als ein menschliches Vorbild und eine optimistische Beurteilung unserer menschlichen Fähigkeiten zu ständig höherer Entwicklung lehrte (A. v. Harnack), lernten wir wieder verstehen, daß die Welt im Argen bleibt, weil der Mensch in die Fessel der Sünde und Ohnmacht geschlagen ist, daß aber Jesus Christus die von Gott zu uns herabgestreckte Hand ist, die uns erlösen will, so wir uns ihm anvertrauen (K. Barth).

Auf dieser Grundlage (und nur auf ihr) konnte sich als zweiter Vorgang der

Kampf der Bekennenden Kirche mit dem Nationalsozialismus

abspielen. Der Zeitgeist einer nationalsozialistischen Weltanschauung brach in den Raum der Kirche ein, indem er mit politischen Mitteln (Wahlrede des ehemals katholischen Reichskanzlers Hitler zu den evangelischen Kirchenwahlen) die Fülle der Kirchensteuerzahler als Wähler mobilisierte und weithin die kirchlichen Körperschaften überschwemmte. Zur Abwehr erstanden die Kerngemeinden der Bekennenden Kirche, in der wir lernten, Gott mehr zu gehorchen als den Menschen. Die von der ersten deutschen Synode der Bekennenden Kirche im Mai 1934 abgegebene »Barmer Erklärung« stellte alte biblische Wahrheiten gegen den Zeitgeist neu heraus. Sie war unsere Orientierung für den Kirchenkampf und ist es heute noch.

Die wechselvolle Geschichte des Kirchenkampfes, in dem es viel Aufbruch und neues Werden in unseren Gemeinden, aber auch viel Schwachheit und Versagen gab, konnte nur mit einem dritten Vorgang, nämlich einem

Bekenntnis eben dieses Versagens

abschließen. Als der nach dem Kriege eingesetzte Rat der Evangelischen Kirche in Deutschland (EKD) im Oktober 1945 in Stuttgart erstmalig zusammentrat, stießen zu unserer Überraschung eine Reihe von Vertretern der ausländischen Christenheit zu uns, darunter Kirchenpräsident Koechlin, Basel. Sie waren gekommen, um zu sehen, ob über die Gräben des Krieges hinweg eine neue Gemeinschaft der Christenheit möglich sei. Aus dem Gespräch mit ihnen entstand die

Stuttgarter Erklärung des Rates der EKD,

in der wir u. a. sagten: ». . . wir wissen uns mit unserem Volke nicht nur in einer großen Gemeinschaft der Leiden, sondern auch in einer Solidarität der Schuld. Mit großem Schmerz sagen wir: Durch uns ist unendliches Leid über viele Völker und Länder gebracht worden. Was wir unseren Gemeinden oft bezeugt haben, das sprechen wir jetzt im Namen der ganzen Kirche aus: Wohl haben wir lange Jahre hindurch im Namen Jesu Christi gegen den Geist gekämpft, der im nationalsozialistischen Gewaltregiment seinen furchtbaren Ausdruck gefunden hat; aber wir klagen uns an, daß wir nicht mutiger bekannt, nicht treuer gebetet, nicht fröhlicher geglaubt und nicht brennender geliebt haben. . . . Wir hoffen zu Gott, daß durch den gemeinsamen Dienst der Kirchen dem Geist der Gewalt und der Vergeltung, der heute von neuem mächtig werden will, in aller Welt gesteuert werden und der Geist des Friedens und der Liebe zur Herrschaft komme, in dem allein die gequälte Menschheit Genesung finden kann.«

Diese Erklärung sollte die Grundlage sowohl für die Neuordnung unserer Kirchen nach der nationalsozialistischen Zerstörung und eine neue ökumenische Gemeinschaft als auch eine Hilfe für die Besinnung unseres Volkes über seinen Weg in den vorausgegangenen 12 Jahren und damit eine Grundlage für eine neue nationale Gemeinschaft sein.

Unser Volk hat uns diese Erklärung nicht abgenommen.

Der Mann, der sie besonders vor unserem Volke vertrat, Martin Niemöller, erfuhr darüber viel Anfeindung. Unsere Kirchen zeigten neben viel Aufgeschlossenheit ebenfalls manche Ablehnung oder Verständnislosigkeit. So wurde uns das in Hybris und Katastrophe, in Gericht und Gnade Erlebte aufs ganze gesehen nicht ein Anlaß zur Umkehr und neuer Besinnung. Deshalb stehen wir im Grunde genommen auch heute noch zentral vor der Aufgabe, unseren Weg durch die vergangenen Jahre und unsere Lage heute erst einmal im Lichte des Wortes Gottes zu sehen und zu begreifen, ehe wir weitergehen können. Hier liegt das besondere Hindernis vor allem gegenüber neuer Militarisierung in Deutschland.

Ehe ich darauf näher eingehe, möchte ich noch

einiges über andere kirchliche Entwicklungen nach dem Kriege sagen.

Wenngleich schon 1918 mit den deutschen Landesherren die summi episcopi unserer Landeskirchen weggefallen waren, so sind doch unsere Landeskirchen nach 400jähriger staatlicher Gebundenheit recht eigentlich erstmalig nach dem Zusammenbruch des Nationalsozialismus zu staatsfreien eigenständigen Kirchen geworden. Sehr radikal wurde die Trennung des Staates von der Kirche in der russischen Zone vollzogen, etwas differenzierter im Westen.

Sowohl dieser Vorgang als auch die vom Nationalsozialismus hinterlassenen Zerstörungen erforderten eine Neuordnung unserer Kirchen. Wir brachen dabei aus den bitteren Erfahrungen von 1933 mit dem Wahlrecht sämtlicher Kirchensteuerzahler. Im Jahre 1948 konnten wir auf der Kirchenversammlung von Eisenach den Zusammenschluß unserer 27 Landeskirchen zur Evangelischen Kirche in Deutschland vollziehen. Wenngleich die 27 Landeskirchen fortbestehen und nach wie vor in Lehre, Kultus und Ordnung selbständig sind, so ist die EKD in der 400jährigen Geschichte des deutschen Protestantismus dennoch der erste aus freier Entscheidung gewonnene Zusammenschluß unserer lutherischen, reformierten und unierten Kirchen zu einer sichtbaren Gemeinschaft der evangelischen Christenheit in Deutschland. Leider erstreckt sich diese Gemeinschaft nicht auf eine volle Abendmahlsgemeinschaft, weil einige lutherische Kirchen sich ihr entziehen.

Mit der Befreiung aus der staatskirchlichen Gebundenheit gewinnen unsere Kirchen endlich auch eine Befreiung aus politischer und sozialer Gebundenheit.

Wenn weite Teile unseres Volkes dem Evangelium entfremdeten, so waren diese Gebundenheiten dafür eine wesentliche Ursache. Als im 19. Jahrhundert das liberale Bürgertum um seine politischen Rechte zu kämpfen begann, stieß es nicht nur auf die Landesherren, sondern auch auf die mit ihnen verbundenen Kirchen. Und als im 19. Jahrhundert die Arbeiterschaft um ihre sozialen Rechte zu kämpfen begann, stieß sie nicht nur auf die konservativen Kräfte, sondern auch auf die von ihnen getragenen Kirchen. In beiden Fällen ist daraus viel Entfremdung entstanden. Im Unterschied zu England standen bei uns keine Führungskräfte aus Freikirchen zur Verfügung, welche den politischen oder sozialen Dissent aufgefangen hätten. Die Führungskräfte unserer politischen und sozialen Oppositionen verfielen deshalb in besonderem Maße dem Liberalismus sowie dem Marxismus, und weite Volksschichten folgten ihnen. Nun ist es eine Aufgabe unserer Kirchen, aus der im Kirchenkampf gewonnenen neuen Glaubwürdigkeit und in Wahrnehmung der jetzt erreichten Eigenständigkeit die alten Gräben zu überwinden.

Wir gehen in dieser Bemühung auch neue Wege. Weil wir immer noch sogenannte Volkskirchen sind, gilt es, die uns im Kirchenkampf vielerorten geschenkten lebendigen Gemeinden zu bewahren und auszubreiten. Insbesondere suchen wir in unseren

Evangelischen Wochen und in den Evangelischen Akademien

allenthalben mit den Menschen aller Berufe ein neues Gespräch über der Bibel in die Fragen ihres Alltages und ihrer beruflichen Verantwortung hinein. Im Evangelischen Kirchentag versuchen wir alljährlich eine Begegnung aller kirchlichen Laienarbeit. So waren wir im August 1950 in Essen unter der Parole »Rettet den Menschen« (Rettet seinen Glauben – seine Familie – seine Heimat – seine Freiheit) beieinander. Die Schlußkundgebung versammelte an die 200 000 Menschen in dem aus Trümmern der Stadt Essen errichteten Stadion. Sie war keine Demonstration, sondern eine echte Gemeindeversammlung, in der jeder auf seine persönliche Gewissensentscheidung hingeführt wurde.

Ein besonderer Aufruf unserer Kirchen gilt der

öffentlichen Verantwortung der Gemeindeglieder.

Eine nicht mehr vom Staat getragene sondern eigenständige Kirche und ein nicht mehr obrigkeitliches sondern demokratisches Staatswesen erfordern die Mitarbeit und Mitverantwortung der Gemeindeglieder sowohl in der christlichen als auch in der bürgerlichen Gemeinde. Die Zweiteilung unseres Lebens in eine sonntägliche Christlichkeit und eine werktägliche Unchristlichkeit muß zu Ende kommen. In der These 2 der Barmer Erklärung von 1934 sagten wir: »Wie Jesus Christus Gottes Zuspruch der Vergebung aller unserer Sünden ist, so und mit gleichem Ernst ist er auch Gottes kräftiger Anspruch auf unser ganzes Leben«.

Dieser Ruf zur öffentlichen Verantwortung verdichtet sich insbesondere zu einem

Ruf auch in die politische Verantwortung des Christen,

d.h., zur Mitarbeit in Betriebsräten, Gewerkschaften, Parteien, Parlamenten und Regierungen. Ihm entspricht, daß sich auch die Kirche selbst einer ihrem eigenen Auftrag entsprechenden Verantwortung gegenüber Volk und Staat bewußt wird. In der These 5 der Barmer Erklärung von 1934 hören wir: »Fürchtet Gott, ehret den König. – Die Schrift sagt uns, daß der Staat nach göttlicher Anordnung die Aufgabe hat, in der noch nicht erlösten Welt, in der auch die Kirche steht, nach dem Maß menschlicher Einsicht und menschlichen Vermögens unter Androhung und Ausübung von Gewalt für Recht und Frieden zu sorgen. Die Kirche erkennt in Dank und Ehrfurcht gegen Gott die Wohltat dieser seiner Anordnungen an. Sie erinnert an Gottes Reich, an Gottes Gebot und Gerechtigkeit und damit an die Verantwortung der Regierenden und Regierten . . .«

Dies alles kann auch so gesagt werden:

Christus ist der Herr der ganzen Welt, nicht nur seiner Gemeinde.

Er ist König aller Könige und Herr aller Obrigkeiten. Seine Gemeinde aber und wir als ihre Glieder sind sein Leib und darum seine Werkzeuge in dieser Welt zum freien, dankbaren Dienst an allen Geschöpfen. Deshalb haben wir als Einzelne nach dem Maß unserer Gaben und als Gemeinde oder Kirche nach dem Maß ihrer Sendung einen Auftrag gegenüber der Welt einschließlich auch der politischen Wege unserer Völker. Weil die Christenheit um das echte Heil des Menschen weiß, weiß sie auch besser als die Welt um das wahre Wohl der Menschen. Es gehört darum zur evangelischen Verantwortung, dem Menschen eine Klärung und Beurteilung seiner wirklichen Lage in der Welt zu geben und ihm den Willen Gottes zu bezeugen. Solche Verantwortung kann immer nur als ein Dienst, d.h., ohne Herrschaftsanspruch betätigt werden. Sie soll Handreichung und Hilfestellung geben, damit die aus der konkreten Lage geforderten Entscheidungen richtig vollzogen werden von denen, die zum Handeln berufen sind.

II.

Auf der Grundlage dieses Verantwortungsbewußtseins ist die evangelische Christenheit in Deutschland heute insbesondere an dem Ost-West-Konflikt und dem Streit um die Wiederaufrüstung beteiligt.

Es ist darüber in den letzten Wochen zu großen Spannungen unter uns gekommen.

Um diese Spannungen recht zu verstehen, muß man sich vor Augen halten, daß die EKD heute die einzige Körperschaft ist, welche ganz Deutschland in allen seinen drei Teilen (Saar, westdeutscher Staat und ostdeutscher Staat) umfaßt.

Überall versucht die Welt, unsere Kirchen zu ihrem Werkzeug zu machen oder aus dem Wege zu räumen.

Sie sollen im Osten dem kommunistischen Regime, insbesondere seiner Friedenspropaganda dienen. Sie werden im Westen von den einander widerstreitenden politischen oder sozialen Gruppen bald so und bald anders in Anspruch genommen. Überall bedient sich die Welt der gleichen Mittel. Sie versucht im Osten die Spaltung der Kirche, indem man einige wenige kommunistische Pfarrer protegiert oder indem man sich wieder wie zu Hitlers Zeit für Wahlaktionen unter Beteiligung aller Kirchensteuerzahler zu interessieren beginnt. Sie versucht im Westen die kirchlichen Kräfte gegeneinander auszuspielen. Hier geht es vornehmlich um *Niemöller*, gegen den sich der Angriff der verschiedenartigsten Kräfte, der liberalen wie der katholischen sowie der alten Nazis und der Reaktionäre konzentriert. Im Osten ist *Dibelius* ein amerikanischer Söldling, im Westen Niemöller ein sowjetischer. Für den Osten ist Dibelius ein Atombombenbischof, weil er sich der östlichen Art von Friedenspropaganda entzieht, für den Westen ist Niemöller ein blinder Pazifist, weil er der Aufrüstung nicht zustimmt. Für den Osten war ich als Innenminister eine Verkörperung westdeutschen Polizeiterrors, heute werde ich im Westen als Ghandi-Apostel oder als sowjetischer Handlanger bezeichnet. So oder so sind wir alle, die wir uns nicht einfach mit politischen Deklarationen kirchlicher Färbung in das Schema des Ost-West-Konfliktes einfügen, nichts anderes als Verräter, nationale Selbstmörder, Rückversicherer, Saboteure und dergleichen. Vollends wird die Entstellung der Tatbestände im Osten wie im Westen in gleicher Weise geübt, dort brutal, hier versteckter und doch sehr wirkungsvoll. Ich nenne nur ein Beispiel. Im Osten machte man mit dem

offenen Brief Niemöllers an Adenauer vom 4. Oktober

eine große Propaganda zu den Wahlen vom 15. Oktober. Aber man ließ dabei aus dem Brief alles fort, was gegen den Osten gesagt war. Im Westen beschimpfte man Niemöller, dem Osten Propagandamaterial geliefert zu haben. Aber man verschwieg dabei, daß man den Niemöller-Brief im Osten verfälscht hatte. Ich kann zu alledem nur sagen: Weshalb regen wir uns im Westen eigentlich mit so viel Erhabenheit über den Osten auf, wenn wir hier gleiche Methoden aufkommen lassen? Wir sollten endlich lernen, daß auch unsere Zeitungen uns die Kirche selten zeigen, wie sie ist oder wirklich handelt, sondern überwiegend so, wie man sie haben will. Kein Wunder, daß in der Öffentlichkeit viel Verwirrung und Aufgeregtheit bis in die Kreise der christlichen Gemeinde hinein entsteht, wenn so verfahren wird. Alles dieses ist uns in Deutschland ein ständiges Erlebnis seit vielen Jahren. Gegenwärtig ist es in besonderem Maße durch den Meinungsstreit um die Wiederaufrüstung gesteigert. Was hat es damit auf sich?

Ich lasse in diesem Zusammenhang die politische Argumentation um eine westdeutsche Aufrüstung beiseite. Sie bewegt sich um Fragen nach dem Zeitpunkt der Entscheidung, um politische und militärische Gleichberechtigung, um die wirtschaftliche und soziale Tragbarkeit von Rüstungsaufwendungen angesichts von Flüchtlings- und Wohnungsnot, um die Intakthaltung unserer ungefestigten Demokratie, um die Rückwirkung auf den Osten, um die Zweiteilung Deutschlands, um das Problem nach dem völkerrechtlichen Status westdeutscher Soldaten angesichts bedingungsloser Kapitulation auch gegenüber Rußland und manches andere mehr. Für die Christenheit geht es bei alle dem um die besondere Frage, in der sich alles zusammenfaßt:

Was ist Gottes Wille heute in unserer Lage?

Diese Frage geht offensichtlich von einer Voraussetzung aus, nämlich davon, daß Gott nicht eine Idee, sondern der wahrhaftige Schöpfer und Herr der Welt ist, ohne dessen Willen kein Haar von unserem Haupte fallen kann. Glauben wir, was Psalm 46 sagt, oder glauben wir es nicht? »Gott ist unsere Zuversicht und Stärke, eine Hilfe in den großen Nöten, die uns getroffen haben.

Darum fürchten wir uns nicht, wenngleich die Welt unterginge und die Berge mitten ins Meer sänken,

wenngleich das Meer wütete und wallte und von seinem Ungestüm die Berge einfielen ...

Kommt her und schauet die Werke des Herrn, der auf Erden solch Zerstören anrichtet,

der den Kriegen steuert in aller Welt, der Bogen zerbricht und Spieße zerschlägt und Wagen mit Feuer verbrennt.

Seid stille und erkennt, daß ich Gott bin. Ich will Ehre einlegen unter den Heiden, ich will Ehre einlegen auf Erden ...«

Nur wer diese Psalmworte glaubend und vertrauend bejaht, ist an unserer Frage ganz beteiligt, zugleich aber auch auf sie verhaftet, wenn er ernstlich Politik aus christlicher Verantwortung treiben will. Diejenigen aber, welche nicht auf der Voraussetzung unserer Frage stehen, müssen sie wenigstens gelten lassen, solange sie sich an dem Gerede vom »christlichen Abendland« beteiligen. Niemand kann den Willen Gottes in unserer heutigen Lage verbindlich aussprechen. Evangelischerweise hat hier jeder, der zu einer Verantwortung berufen ist, aus seinem Gewissen zu handeln. Wir alle können einander darin nur brüderliche Hilfe leisten. Wir versuchen es, aber

die gewissensmäßige Entscheidung der Christen in Deutschland ist bisher keine einheitliche,

wenngleich eine Übereinstimmung in einer Reihe von sehr wichtigen Stücken nicht übersehen werden darf.

1. Wir sind uns bei aller Meinungsverschiedenheit über einen militärischen Verteidigungsbeitrag völlig in dem *Willen zur Erhaltung des Friedens* einig. Auch diejenigen unter uns, die der Aufrüstung das Wort reden, wollen damit dem Frieden dienen.

2. Wir sind uns ferner in der *Ablehnung des kommunistischen Totalstaates* einig. Auch diejenigen unter uns, die einer westdeutschen Aufrüstung genau so wie einer ostdeutschen widersprechen, lehnen den kommunistischen Totalitarismus entschieden ab. Niemand unter uns verkennt die Wohltat der Freiheiten und Rechtsgarantien, die im Westen gelten. Niemand beschönigt die Verhältnisse im Osten. Niemöller hat beispielsweise auf dem evangelischen Männertag in Frankfurt am 15. Oktober 1950 u. a. gesagt: »Wir haben allen Anlaß, uns keinerlei Illusionen hinzugeben: Was aus dem Osten auf uns zukommt, und was als drückende und erdrückende Last auf unseren Brüdern und Schwestern jenseits des Eisernen Vorhanges liegt, das ist mehr, als Menschen tragen und ertragen können, ohne schließlich in dumpfe Verzweiflung zu versinken, weil sie keinen Weg mehr wissen, die Freiheit ihrer persönlichen Verantwortung und damit ihr Menschentum festzuhalten. Es geht nicht an, diese Gefahr irgendwie zu verharmlosen; ja sie ist viel bedrohlicher, als es aus irgendwelchen Zeitungsartikeln und Reden zu entnehmen ist; denn da geht es wahrlich nach dem Apostelwort: ›Wir haben nicht mit Fleisch und Blut zu kämpfen, sondern mit Fürsten und Gewaltigen, nämlich mit den Herren der Welt, die in der Finsternis dieser Welt herrschen, mit den bösen Geistern unter dem Himmel‹.«

3. Wir sind uns des weiteren in der *Ablehnung aller Kreuzzugsideen* einig. Auch diejenigen, welche rüsten wollen, wissen deutlich, daß die Waffe nur einer Verteidigung der Freiheit, von Haus und Hof, von Weib und Kind dienen kann, niemals aber der Verteidigung unseres Christenstandes oder der christlichen Gemeinde. Als Christen und als Gemeinde Jesu Christi wissen wir uns gemeinsam unter dem Schutz des Herrn der Kirche und seiner Verheißung.

4. Wir sind uns endlich darin einig, daß das Evangelium *keine Grundlage für einen grundsätzlichen Pazifismus* bietet. Wir alle wissen, daß Obrigkeit nach Gottes Ordnung sein soll und daß ihr das Schwert zum Schutz gegen innere

und äußere Feinde gebührt. Wir folgern daraus gemeinsam, daß auch in der westdeutschen Bundesrepublik eine den Umständen entsprechende Polizei zur Verfügung der Obrigkeit sein muß. Wir gehen auseinander in der Frage, ob die westdeutsche Bundesrepublik auch in eine militärische Rüstung eintreten soll.

Ich möchte versuchen, die Sicht derer, die sich nach Gottes Willen heute gegen eine Aufrüstung in Deutschland aussprechen, wie folgt darzustellen:

Die Christenheit sieht in jedem Krieg ein Gericht Gottes an den Völkern.

Als im 16. Jahrhundert der Türke das Abendland bedrohte und Kaiser und Papst zur Verteidigung aufriefen, schrieb Luther in seiner Schrift »Vom Krieg wider den Türken«: »Ehe ich nun ermahne oder dazu ermuntere, gegen die Türken zu streiten, so höre mir doch um Gottes willen zu: Ich will dich zuvor lehren, mit gutem Gewissen den Krieg zu führen... Weil es gewiß ist, daß der Türke gar kein Recht und keinen Befehl hat, Streit anzufangen und die Länder anzugreifen, die nicht sein sind, ist offenbar sein Krieg lauter Frevel und Räuberei, wodurch Gott die Welt straft......Es muß wahrlich dieser Streit mit der Buße angefangen werden, und wir müssen unser Wesen bessern; sonst werden wir umsonst streiten, wie der Prophet Jeremia, Kap. 18, 7 ff., sagt... Denn Gott denkt etwas Böses wider uns um unserer Bosheit willen und rüstet den Türken gewißlich gegen uns aus... Vielmehr soll der Christ im Türken Gottes Rute und Zorn erkennen; das haben die Christen entweder zu leiden, wenn Gott ihre Sünde heimsucht, oder müssen sie allein mit Buße, Weinen und Gebet wider ihn fechten und ihn verjagen...«

In der Tschechen-Krise von 1938 gab die Vorläufige Leitung der Deutschen Evangelischen Kirche (d. h. die Bekennende Kirche) am 27. September 1938 eine Gottesdienstordnung heraus, in der es u. a. heißt: »Laßt uns Gott unsere Sünden bekennen... Herr unser Gott, wir armen Sünder bekennen vor Dir die Sünde unserer Kirche, ihrer Leitung, ihrer Gemeinden und unserer Hirten. Durch Lieblosigkeit haben wir den Lauf Deines Wortes oft gehindert, durch Menschenfurcht Dein Wort oft unglaubwürdig gemacht. Wir haben ein falsches Evangelium nur zu sehr geduldet... Wir bekennen vor Dir die Sünden unseres Volkes. Dein Name ist in ihm verlästert, Deine Wahrheit unterdrückt worden. Öffentlich und im geheimen ist viel Unrecht geschehen...« (Ausführliche Wiedergabe in »Evangelische Theologie« 1950, 175f.).

Über diese Gottesdienstordnung ergoß sich die Wut der Nationalsozialisten.

»Das Schwarze Korps« schrieb am 27. Oktober 1938: »Solche Gebete haben nichts mehr mit Religion zu tun, solche Theologie nichts mehr mit Theologie – sie sind politische Kundgebungen des Verrates und der Sabotage an der geschlossenen Einsatzbereitschaft des Volkes in ernsten Stunden seines Schicksals. Schluß damit! Die Sicherheit des Volkes macht die Ausmerzung dieser Verbrecher zur Pflicht des Staates... auch den treuesten Kirchenbesuchern muß diese jüngste Haltung der politisierenden Pastorei die Augen geöffnet haben!...«

Die Ausmerzung der »Verbrecher«, der »religiös getarnten Landesverräter« wurde gründlich getrieben. Aber auch die Augen sind aufgegangen – trotz der Einheitsfront in der Evangelischen Kirche gegen die Volksschädlinge, die der

Kirchenminister Kerrl wenigstens scheinbar und leider auch mit Hilfe etlicher Landesbischöfe (von Bayern, Baden, Hannover und Württemberg) zustande brachte.

Rüstet Gott heute den Bolschewisten gegen uns aus, um uns zur Besinnung zu rufen?

Hören wir diese Frage?

Diese Frage geht alle in Europa an, sonderlich aber uns in Deutschland. Wir wurden zweimal waffenlos gemacht um deswillen, was wir mit der Waffe angerichtet haben. Was sich 1945 vollzog, war nicht nur ein militärischer Zusammenbruch und eine bedingungslose Kapitulation vor fremden Armeen, war nicht nur eine nationale Katastrophe von furchtbaren Ausmaßen, sondern der Bankerott des ganzen Zutrauens, das ein fortschrittgläubiges 19. Jahrhundert erfüllt und sich bis in den Wahn des Nationalsozialismus gesteigert hatte. Sind wir alle in Europa und zumal in Deutschland dessen einsichtig geworden? Das war die Frage, die Gott mit seinem Gericht an uns gestellt hat und die die Evangelische Kirche in Deutschland mit der Stuttgarter Erklärung vom Oktober 1945 in unser aller Bewußtsein zu rücken versuchte. Unsere Selbstrechtfertigung ist weithin darüber hinweggegangen. Aber Gott läßt sich nicht spotten. Das haben wir wahrlich erfahren. Er fragt uns erneut durch die Bedrohung, die er über uns verhängt. Was ist unsere Antwort?

Ein Antibolschewismus genügt nicht!

Mit ihm traten wir 1933 an, um in der Katastrophe von 1945 zu enden. Soll ein neues Vertrauen auf die Waffen heute abermals dem Geist in unserem Volk das Tor öffnen, der den zweiten Weltkrieg heraufführte? Kann es eine glänzendere Rechtfertigung des Nationalsozialismus und des deutschen Militarismus geben als die, daß nun dieselben Mächte, die uns niederzwangen, um uns diesen Geist auszutreiben, uns heute wieder aufrüsten wollen, damit wir einen Beitrag zum Frieden leisten sollen? Was Gott fordert, ist die Besinnung auf sein Weltregiment!

Man sagt, das sei »unrealistischer Pazifismus«.

Unrealistisch nennt man das Übersehen wesentlicher Tatsachen. Es ist nun aber eben die Frage, wer etwas übersieht! Wer vom »unrealistischen Pazifismus« redet, meint, daß die Zahl der Divisionen, Panzer und Flugzeuge im Osten übersehen werde. Die Antwort kann nur lauten: Übersehet ihr nicht zu allererst, daß Gott der Herr der Welt ist, daß er mehr ist als Divisionen, Panzer und Flugzeuge? Es geht hier um den christlichen Realismus, den Mathias Claudius in seinem schönen Lied meint: »Es gibt gar viele Sachen, die wir getrost belachen, weil unsere Augen sie nicht seh'n«. Es geht um die Sicht unserer *ganzen* Situation, die gerade so, wie sie ist, in entscheidender Weise von Gott her bestimmt ist. Wir reden gar viel vom »christlichen Abendland«, aber sehr wenig von Christus. Er aber verschiebt all unsere Fragestellungen gründlich.

Man sagt, die Christenheit möge mit dererlei schweigen.

Religion sei Privatsache.

So etwas möge man für sich abmachen. Wir antworten: Christus ist der Herr der ganzen Welt. Sein Wort ist die öffentlichste Sache, die es gibt.

Man sagt, die Christenheit greife in ein fremdes Amt, wenn sie sich in »politische« Fragen mische. Wir antworten: Wir rufen freilich ins Rathaus hinein, weil solches unser Auftrag ist. Wir rufen, um zu helfen.

Wir rufen, weil auch Schweigen eine »Politik« wäre.

Denn Schweigen fördert, was im Gange ist. Schweigende Kirche bedeutet im Osten die Förderung des Totalstaates und seiner Willkür. Schweigende Kirche bedeutet im Westen die Förderung der Unbußfertigkeit und der Selbstrechtfertigung. Man möchte überall, im Osten wie im Westen, eine Ja sagende oder wenigstens eine schweigende Kirche, aber keinesfalls eine Nein sagende Kirche haben. Die Gemeinde Jesu Christi aber ist der dritte Ort außerhalb aller menschlichen Thesen und Antithesen. Weil Gott uns nicht bestätigt, ganz und gar nicht, kann auch seine Kirche nicht auf Bestätigungen in Anspruch genommen werden. Sie muß der Ort des Evangeliums bleiben.

Jeder einzelne in Deutschland ist zur Entscheidung gerufen. Der Rat der EKD hat auf Grund der Konferenz mit den leitenden Amtsträgern der evangelischen Landeskirchen am 17. November 1950 in Berlin erklärt: »Wir ermahnen alle, die im Osten oder im Westen Verantwortung tragen, in dieser Frage (der Wiederaufrüstung) mit letztem Gewissensernst zu handeln und sie nicht gegen den Willen des Volkes zu entscheiden«. Diese letztere Mahnung gilt auch der Bundesregierung und dem Bundestag. Sie kann nur den Sinn haben, daß der Wille des Volkes ermittelt werden muß und daß es falsch ist, sich mittels Paragraphen auf Mandate zu stützen, die eine Vollmacht, in dieser Sache zu entscheiden, offensichtlich nicht enthalten.

Der Christenheit im Osten und Westen aber ist aufgetragen,
der Angst zu wehren.

Hüben und drüben herrscht die Angst vor einem Angriff. Sie steigert sich wechselseitig. Aus der Geborgenheit in Gottes Weltregiment darf die Christenheit sagen: »Fürchtet euch nicht!« Diese Geborgenheit zu bezeugen und zu leben, ist ein entscheidender Beitrag zur Erhaltung des Friedens. Die Christenheit kann diese Geborgenheit um so zuversichtlicher bezeugen, als sie um die wahre Hoffnung weiß. Sie wartet auf Christus. Sie weiß, daß Gott nicht vor dem Unheil bewahrt, wohl aber auch im Unheil. Sie weiß, daß Gott nicht vor antichristlicher Obrigkeit bewahrt, wohl aber auch unter ihr. Sie ist überall gerufen, »der Stadt Bestes zu suchen«, und durch ihr tätiges Helfen ein Zeichen aufzurichten, das auf den helfenden Herrn hinweist.

Laßt uns in dieser erregenden Zeit gemeinsam der Welt sagen, wenn sie uns furchtsam machen will: *Eure Herren gehen, unser Herr aber kommt!*

C

Die folgende Rede wurde von Heinemann in Berlin am 13. März 1952 auf zwei Kundgebungen der Notgemeinschaft für den Frieden Europas im Neuköllner Metropalast und im Filmtheater Wintergarten gehalten. Ein Sonderdruck der Notgemeinschaft hat Text und Zwischenrufe wiedergegeben und vermittelt einen Eindruck von Heinemanns Argumentation zur Deutschlandfrage unmittelbar nach der Sowjetnote vom 10. März und von der Atmosphäre, in der Heinemann gehört wurde (GH 81).

DEUTSCHLAND UND DER FRIEDEN EUROPAS.
SOLLEN WIR AUFRÜSTEN?

Verehrte Damen und Herren!

Es gehört zum Eigenartigen unserer Lage, daß unter uns eine weitgehende Übereinstimmung über politische Ziele besteht, gleichzeitig aber eine scharfe Uneinigkeit über den besten Weg zu diesen Zielen. *(Sehr richtig!)*

Wir sind weitestgehend einig über ein dreifaches Ziel, nämlich darüber, daß es erstens gilt, den Frieden zu bewahren, weil alles andere Wahnsinn wäre; zweitens, daß es um eine friedliche Befreiung der russischen Zone vom totalitären System geht und drittens um eine Wiedervereinigung Deutschlands zu einem Staatswesen der Freiheit und der Menschenrechte. *(Bravo und langanhaltender Beifall.)* In diesen Zielen ist das Schicksal dieser Stadt Berlin und seiner leidgeprüften Bevölkerung eingeschlossen; denn die Rolle, die Berlin in unserem deutschen Volk bald wieder spielen soll, die Rolle, die ihm gebührt, wird davon abhängen, daß wir mit diesen drei Zielen weiterkommen.

Uneinigkeit besteht über den Weg zu diesen Zielen. So wie die Dinge liegen, dreht sich alles um die Frage, ob eine westdeutsche Aufrüstung und eine Eingliederung der Bundesrepublik in westliche Gemeinschaften der Weg zu diesen Zielen sein könnte; mit anderen Worten: dient Aufrüstung der Bewahrung des Friedens? Dient Aufrüstung in Westdeutschland der Befreiung der russischen Zone? Dient Aufrüstung und Eingliederung der Bundesrepublik in westliche Gemeinschaften einer Wiedervereinigung Deutschlands? Das ist es, um was es geht, und wenn ich recht sehe, gibt es in unserem Volk nur zwei Gruppen von Menschen, für die diese Frage eine erledigte Frage ist. Die eine Gruppe ist die der Pazifisten, d. h. der Menschen, die da sagen, man dürfe niemals Waffen in die Hand nehmen gegen Menschen. Für sie ist es klar, daß sie einer westdeutschen Aufrüstung, so wie jeder anderen Aufrüstung auch, aus dieser grundsätz-

lichen Haltung heraus widersprechen müssen. Und die andere Gruppe ist die
der Kommunisten, die auf dem Standpunkt stehen, daß das Heil aus dem Osten
kommen wird. Wie also kann man diesem Heil widerstehen? Für alle anderen
aber, und das ist die große Mehrheit in unserem Volk, ist die Frage der Aufrüstung das Problem, die Not, die uns umtreibt.

In dieser Frage, die unter uns so leidenschaftlich umstritten ist – diese Kundgebung hier und zugleich die andere drüben zeigt es – geht der Streit quer durch
uns alle hindurch, quer durch die politischen Parteien, quer durch die Gewerkschaften, ja sogar quer durch die Kirchen. Was ist über dieser Frage unter uns
nicht alles bis zum Zerreißen angespannt? Und wenn wir einen Blick auf den
Verlauf des Gesprächs über die Aufrüstung während der letzten anderthalb
Jahre zurückwerfen, so werden wir feststellen, daß die Konturen in dieser Auseinandersetzung immer schärfer geworden sind. Das hat einen doppelten
Grund. Unser Volk ist in der Gewalt fremder Mächte, welche sich uneinig sind,
und diese fremden Mächte greifen in ihrem Streit gegeneinander auch nach
den deutschen Menschen, die in diesem zweigeteilten Deutschland politisch tätig werden. Das färbt dann auf unsere innerdeutsche Auseinandersetzung ab.

Deutschland gehört uns allen

Vor allen Dingen aber werden die Konturen der Auseinandersetzung deshalb
unter uns scharf, weil nachgerade jede Gruppe der anderen vorwirft, sie sei
der Verderber unseres Volkes. Wer auf dem Standpunkt steht, daß nur Aufrüstung uns retten kann, muß doch in jedem, der einer Aufrüstung widerspricht,
einen Verderber unseres Volkes sehen, und umgekehrt wird man demjenigen,
der die Aufrüstung betreiben will, mit dem Vorwurf kommen, er bringe unser
Volk ins Verderben. Können wir das vermeiden, können wir vermeiden, daß
diese letzte Bitterkeit in unsere Auseinandersetzung kommt? Sehen wir nicht,
daß wir hier alle in Gefahr sind, in der Gefahr, uns gegenseitig zu diffamieren,
in der Gefahr, uns Teufeleien nachzusagen, wo es doch wirklich darum geht,
daß auf beiden Seiten, bei denen, die für die Aufrüstung sind, wie bei denen,
die gegen die Aufrüstung sind, aus gutem Willen gehandelt wird. Denn wie auch
immer wir uns entscheiden: Deutschland gehört uns gemeinsam! *(Langanhaltender Beifall, einzelne Störrufe.)*

Es wird darauf ankommen, daß wir keinen Augenblick die Bereitwilligkeit
verlieren, auf den anderen zu hören, seine Gründe einmal entgegennehmen und
sie nicht im voraus mit Diffamierung oder mit Pathos totzuschlagen. Weshalb
reden wir eigentlich von dem Reichtum »freiheitlicher Ordnungen des Westens«,
wenn wir es nicht ertragen können, daß eine Meinungsverschiedenheit unter uns
frei und offen ausgesprochen wird? *(Beifall.)* Machen wir uns doch vor allen
Dingen keine Sorge darüber, daß nicht von vornherein alle das gleiche denken!
Verehrte Damen und Herren, wo alle das gleiche denken, da denkt wahrscheinlich im Grunde genommen niemand sehr viel! *(Beifall.)*

Gründe des Völkerrechts

Ich möchte hier heute abend ein Zweifaches sagen, nämlich einmal meine Gründe gegen die westdeutsche Aufrüstung, und zum anderen, welche Bemühungen
denn nun meines Erachtens angestellt werden sollten, um uns weiterzuhelfen.

Ich meine, daß gegen eine westdeutsche Aufrüstung etwa sechs Gruppen von Gründen sprechen.

Die eine Gruppe ist die der europäischen und die der völkerrechtlichen Überlegungen. Ich glaube, daß Frau Helene Wessel in ihrem Vortrag zu den europäischen Dingen hier Stellung genommen hat und ... *(Sie hat die Sowjetunion vergessen!)* ... Dann seien Sie unbesorgt, daß ich die Sowjetunion nicht vergessen werde! ... *(Langanhaltender Beifall und Zwischenrufe.)* ... Mit der völkerrechtlichen Frage wollte ich hinweisen darauf, ob denn deutsche Männer, wenn man sie in Uniformen steckt, überhaupt Soldaten im völkerrechtlichen Sinne sein können. Das gilt ebenso für Männer in der russischen Zone ... *(und Westdeutschland)* ... jawohl, ich will es ja gerade sagen, seien Sie nicht so eilig ... wie in den westlichen Zonen. Diese ganze Frage knüpft an an ein Urteil eines amerikanischen Kriegsgerichtes aus dem Jahre 1947. Darin wurde ausgesprochen, daß Deutsche, die nach dem 8. Mai 1945 noch Waffen gegen eine der Siegermächte führten, überhaupt nicht mehr Soldaten im völkerrechtlichen Sinne sein konnten, sondern nur noch Kriegsverbrecher. Nun mag uns vielleicht durch den Kopf gehen, ob diese völkerrechtliche Beurteilung unserer Situation sich dadurch geändert hat, daß inzwischen die ehemals Alliierten uneinig geworden sind. *(Bravo und Beifall.)* Aber auch darauf hat ein amerikanisches Gericht die Antwort gegeben, und ich meine, daß dieser Vorgang, da er sich in Berlin zugetragen hat, Ihnen besser in Erinnerung sein müßte als mir. Im April 1950 sind nämlich durch Irrtum bewaffnete Volkspolizisten aus dem russischen Sektor von Berlin in den amerikanischen Sektor hineingerutscht und dort von amerikanischer Militärpolizei arretiert worden. Man hat sie unter Anklage gestellt wegen des Tragens einer Uniform einer halbmilitärischen Organisation ohne Genehmigung der Kommandantur. Das amerikanische Gericht hat sie im April 1950 (!) zu Gefängnisstrafen verurteilt, und der amerikanische Richter hat zur Begründung u. a. gesagt: die Tatsache, daß eine gewisse Macht – nämlich die Sowjetunion – die Mitarbeit im Kontrollrat ablehnt und sich aus der Berliner Kommandantur zurückgezogen hat, macht die Gesetze dieser Institution nicht unwirksam. So bleibt also diese völkerrechtliche Frage durch die Uneinigkeit der Alliierten eine brennende Frage, denn es hängen – wenn es hart auf hart käme – Menschenschicksale daran.

Demokratie riskieren!

Eine zweite Gruppe von Überlegungen betrifft innerpolitische Fragen. Auch da geht es zunächst um eine Rechtsfrage: Kennt unsere Verfassung überhaupt eine Wehrhoheit? Sehen Sie, es ist doch Bundespräsident Heuss selbst gewesen, der noch im Dezember 1949 offen sagte: »Unsere Verfassung erlaubt keine allgemeine Wehrpflicht.« Kann man denn nun mit einfacher Mehrheit in Bonn Wehrvorlagen entscheiden? Das wird letzten Endes das Bundesverfassungsgericht in Karlsruhe zu klären haben. Aber ich meine, wir sollten uns von allem Anfang an davor hüten, daß wir wieder einmal mit Rechtsfragen nach dem Satz umgehen, den Hitler uns beigebracht hat: Recht ist, was uns nützt. *(Beifall.)* Und eine weitere innerpolitische Frage würde die sein, ob dieser Bundestag – mit welcher Mehrheit auch immer – überhaupt als legitimiert angesehen wird, diese Frage zu entscheiden. Wer hat 1949, als der Bundestag zur Wahl stand, überhaupt im Sinn gehabt, daß Westdeutschlands Aufrüstung einmal in Betracht kommen würde? Ich weiß genau, daß man ein Parlament nicht wegen jeder neuen Frage auflösen kann; dafür wird das Parlament auf vier Jahre gewählt. Aber hier geht es um eine Frage, die nun einfach die zentrale Frage unseres Schicksals ist und in der eine Kehrtschwenkung um 180 Grad vollzogen werden soll. Da kommt es darauf an, daß das Parlament, daß die politische Führung in einem wirklichen Kontakt mit den Männern und Frauen des Volkes handelt; denn wenn wir Demokratie verteidigen wollen ... *(starker Beifall)* ... müssen wir auch Demokratie riskieren. *(Langanhaltender Beifall.)* ... *(Zwischenruf: Wir fordern weiter nichts als freie Wahlen!)* Meine Damen und Herren, nachdem nun innerhalb der Gewerkschaften im Bundesgebiet, und zwar beginnend in Bayern, dieser unüberhörbare Protest gegen eine Aufrüstung laut geworden ist, hat es sich nun auch in Bonn herumgesprochen, daß man offenbar den Zusammenhang mit dem Denken und Wollen der Menschen im Bundesgebiet stark verloren hat.

Eine dritte Gruppe von Überlegungen würde sich auf sozial-ökonomische Fragen beziehen, also etwa darauf, ob wir wirtschaftlich kräftig genug wären, die vielfältigen Nöte unseres gesamten Volkes, die Not der Ostvertriebenen, die Not der Wohnungslosen und dergleichen zu erfassen und gleichzeitig eine äußere Panzerung zu betreiben. Es wird von einem jährlichen Wehrbeitrag von elf Milliarden DM gesprochen. Dazu möchte ich mir den einen Hinweis erlauben, daß die Reichswehr zur Zeit der Weimarer Republik jährlich eine Milliarde gekostet hat!

» W a r t e t   m i t   d e m   A n g r i f f   b i s   1 9 5 4 ! «

Eine vierte Gruppe von Überlegungen wird auf die Frage hinauslaufen, ob unser Volk wohl handlungsfähig wäre; denn zum Kriegführen gehört wahrlich nicht zuletzt auch moralische Kraft. Haben die Regierungen echte Autorität in unserem Volk? Haben wir Solidarität untereinander? Sind wir mit den vielfältigen Dingen unserer Vergangenheit in einer sauberen Weise klar gekommen und fertig geworden, etwa mit den Problemen des Widerstandes gegen die eigene Obrigkeit, mit den Fragen des Eidbruches, mit dem Antisemitismus, mit den Fragen der Mitverantwortung für das nationalsozialistische Regime, mit den Rechtsbrüchen, die aus Zweckmäßigkeit getan und gebilligt worden sind? Haben wir die geistigen Positionen wirklich verlassen, von denen aus wir 1933 in das Unheil hineingegangen sind? *(Nein!)* Haben wir wieder gefestigte Ordnungen unter uns, oder ist nicht vieles auf Sand gebaut? Das ist es, was ich mit dieser Frage meine, und ich bitte zu sehen, daß das eine Frage ist, die nicht nur uns untereinander zu bewegen hätte, sondern auch das Verhältnis zwischen uns und den benachbarten Völkern angeht. Meine Damen und Herren, wer von Ihnen die neuntägige Aussprache im französischen Parlament über die Frage, ob Frankreich mit uns eine vereinigte Europa-Armee machen soll, verfolgt hat, muß tief betroffen sein über das große Mißtrauen, über die Angst geradezu, die das französische Volk vor dieser westdeutschen Bundesrepublik als einem Bundesgenossen immer wieder ausgesprochen hat. Offenbar haben wir es noch nicht fertiggebracht, in sieben Jahren nach dem Krieg mit unseren Nachbarn einen neuen Weg aufzuschließen, von dem aus eine Gemeinschaft unter uns lebensfähig sein könnte.

Und eine fünfte Frage: würde denn Aufrüstung wirklich der Sicherung des Friedens dienen? Meine Damen und Herren, ich muß mich immer wieder wundern, daß man nicht folgende einfache Überlegung anstellt: Wenn der Westen schwach wäre und nur durch westdeutsche Divisionen stark werden könnte, wieso wird dann die Sowjetunion warten, bis man mit diesen westdeutschen Divisionen fertig ist? *(Langanhaltender Beifall.)* Man kann doch unmöglich aus dem Westen nach dem Osten hinüberrufen: Wartet nur mit eurem Angriff – bis 1954, dann sollt ihr einmal sehen, wie wir ihn zurückschlagen werden! Noch einmal sage ich: Wenn der Westen schwach wäre und wirklich nur durch westdeutsche Divisionen stark werden könnte, können Sie es dann begreifen, daß man seit anderthalb Jahren über diese westdeutsche Aufrüstung sich hin und her streitet –, daß man in Bonn einen Berg von Vorbehalten ausspricht und in Paris einen anderen Berg von Vorbehalten, von Vorbehalten, die überhaupt nicht übereinzubringen sind, – daß man diese westdeutsche Aufrüstung und die Europa-Armee womöglich im letzten Augenblick noch an der Panne im Saargebiet scheitern läßt –, daß man sie scheitern lassen will an der Dekartellisierung der deutschen Industrie, – daß man sagt, eine nationale deutsche Armee käme aber niemals in Betracht? Wie ist das alles zu begreifen, wenn unser Schicksal wirklich davon abhängen sollte, daß westdeutsche Divisionen erstehen?

Wir würden es nicht überleben

Meine Damen und Herren, die Antwort auf alles dieses ist folgendes: der Westen hat ein Gleichgewicht der Macht gegen die Sowjetunion, so daß die Rote Armee nicht losschlagen wird, wissend, daß sie damit den dritten Weltkrieg auslösen würde. Haben Sie nicht gehört, was der Herr Bundeskanzler wiederholt öffentlich ausgesprochen hat, noch unlängst in seinen Wahlreden im Südweststaat, nämlich, daß die Sowjetunion nicht losschlagen werde, weil sie wisse, den dritten Weltkrieg nicht gewinnen zu können? Wenn es nun aber so ist, daß ein Gleichgewicht der Macht in der Welt besteht, dann frage ich, warum sollen wir denn als westlicher Teil unseres Volkes uns in die amerikanische Aufrüstung eingliedern? *(Beifall.)* Die erdumspannende Aufrüstung, die die Vereinigten Staaten gegen die Sowjetunion betreiben, soll erklärtermaßen eine Generalbereinigung vorbereiten. Man will mit der starken Faust die Sowjetunion an den Verhandlungstisch zwingen, um ihr dann zu eröffnen, was sie alles ändern müsse, damit man fortan nebeneinander lebt. Diese Generalbereinigung wird eine Angelegenheit auf Biegen und Brechen werden. Man steckt nicht Hunderte von Milliarden in eine Aufrüstung, wenn man nicht damit die Entschlossenheit verbindet, unter Umständen mit dieser starken Faust auch zuzuschlagen. Und das wäre, verehrte Damen und Herren, wenn es je geschähe, für uns der Untergang; denn wir sind wahrlich nicht an der Frage interessiert, wer einen dritten Weltkrieg in der ersten oder letzten Schlacht gewinnt, – wir überleben ihn nicht! *(Langanhaltender Beifall und Zwischenrufe.)* Wir können nur das eine Interesse haben, daß jegliche Politik defensiv bleibt. Das kann von uns aus nur da-

durch gefördert werden, daß wir beiden Lagern keine deutschen Soldaten zur
Verfügung stellen.

Schraube ohne Ende

Wenn die Bundesrepublik im Westen verschwindet, wird auf der anderen Seite
die Sowjetunion nun aus dem Pfand, das man ihr gegeben hat, als man sich
noch einig war, die Gegenmaßnahmen entwickeln. Die Sowjetunion hat 20 Millionen deutsche Männer und Frauen in den Händen. Und nun mögen Sie ein-
wenden, in der russischen Zone habe man mit diesem oder jenem begonnen;
das interessiert viel weniger als das, wie es weitergehen soll! Wollen wir die
Schraube ohne Ende auf beiden Seiten immer weiter bewegen oder sollten wir
nicht besser alles daransetzen, daß solchen Entwicklungen Einhalt geboten wird,
daß sie zum Stillstand kommen und daß wir als Deutsche hüben und drüben
aus dem Rüstungswettlauf der Weltmächte gegeneinander herauskommen?
(Langanhaltender Beifall.)

Eine letzte und sechste Überlegung muß sich um die Frage drehen, ob eine
westdeutsche Aufrüstung wirklich der Weg zur Wiedervereinigung Deutschlands
sein kann. Ich meine, das ist eine Frage, die Sie als Berliner hier am Brennpunkt dieser Auseinandersetzungen ganz besonders interessiert. In ausländischen Zeitungen liest man über diese Methode, durch westdeutsche Aufrüstung
zur Wiedervereinigung Deutschlands zu kommen, manchmal sehr unverblümte
Ansichten, so zum Beispiel in der englischen Zeitung »Manchester Guardian«
vom September vorigen Jahres: »Die Aussicht auf eine Wiedervereinigung
Deutschlands wird, wenn Adenauer seine Entscheidung verwirklicht hat, um
mindestens 20 bis 30 Jahre hinausgeschoben; wenn Westdeutschland erst einmal
bewaffnet ist, gibt es keine Grundlage mehr für eine Verständigung mit seinem
östlichen Bruder.« Und nun sagt man uns im Westen das genaue Gegenteil,
nämlich die Eingliederung in den Westen ist der Weg zum deutschen Osten.

Meine Damen und Herren, ich komme ja manchmal in die Gelegenheit, nach
Berlin zu reisen; ich bin aber noch nie auf den Gedanken gekommen, dann in
einen Zug zu steigen, der nach Paris fährt! *(Beifall.)* Damit will ich folgendes
sagen: wo werden in diesem Vereinigten Europa, von dem man da spricht, in
diesem vereinigten Kleinsteuropa überhaupt die Partner sein, die ein echtes
Interesse daran haben, uns zur Wiedervereinigung zu helfen? Man sagt uns,
man würde in den Generalvertrag schon gleich oben in die Einleitung hinein-
schreiben, daß man sich allerseits einig sei in der Bemühung um die Wiederherstellung der deutschen Einheit. Nun, Papier ist auch im diplomatischen Verkehr
geduldig. Mich interessiert vielmehr zu wissen und einmal lebendig zu erfahren,
wo denn nun in Paris oder Rom oder Brüssel Menschen sind, die ein Interesse
daran haben, daß wir als Deutsche wieder zu einem vereinten Staatswesen werden, wo sind sie? Der wichtigste Partner in einem Vereinten Europa würde doch
Frankreich sein. Spricht denn die französische Saar-Politik dafür, daß man uns
zur Wiedervereinigung Deutschlands helfen will? Sprechen die vielen Vorbehalte aus der neuntägigen Debatte in der französischen Kammer dafür? Frankreich will Sicherheiten gegenüber dem halben Deutschland als dem Bundesgenossen, mit dem es das vereinte Europa bilden soll. Wie wird es das ganze
Deutschland ansehen? Haben Sie nicht gehört, daß man sich gegen die Aufnah

me der Bundesrepublik in den Atlantikpakt sperrt mit der Begründung, daß die Bundesrepublik »territoriale Forderungen« in östlicher Richtung habe? Das alles spricht doch wahrlich nicht dafür, daß man uns wirklich zur Wiedervereinigung zu helfen entschlossen sein wird.

Kein Verzicht auf Ostzone

Meine Damen und Herren, lassen Sie es mich hier mit aller Entschiedenheit aussprechen, daß für viele Politiker im Westen die deutsche Spaltung die ideale Lösung der Deutschlandfrage ist! *(Sehr richtig und Beifall!)* Und deshalb ist es unsere Verantwortung, auf keinerlei Dinge einzugehen, die eine Wiedervereinigung ausschließen werden. Wer die Wiedervereinigung will, muß auf die Westeingliederung der Bundesrepublik verzichten, denn die Westeingliederung ist die Ausgliederung des deutschen Ostens. *(Bravo und Beifallsrufe, Zwischenrufe und Tumult.)* ... Meine Damen und Herren, ist das so schwer einzusehen, daß die Bundesrepublik mit einer Eingliederung in den Westen sich jeder Handlungsfreiheit begeben wird bezüglich unserer deutschen Probleme?

Und nun lassen Sie mich einiges sagen über das, was meines Erachtens unternommen werden sollte. Ich meine also, wir wollen die Wiedervereinigung Deutschlands zu einem Staatswesen der Freiheit und der Menschenrechte, und ich meine, wir würden uns auch darin einig sein, daß wir das ohne Krieg wollen. *(Bravo!)* Wenn wir das aber ernst meinen, dann müssen wir auch folgerichtig bereit sein, unsere Ziele auf dem Wege einer Verhandlung zu suchen; denn, verehrte Damen und Herren, es gibt nun einmal nichts anderes in dieser Welt als dieses: Wer nicht schießen will, muß sprechen. *(Bravo und Zustimmungsrufe!)* Das, was uns allein ohne Krieg weiterhelfen kann, ist ein Vertrag, den nicht nur die Westmächte unterschreiben, sondern auch Rußland. *(Bravo!)* Ich hätte gewünscht, daß alle diejenigen, die sich heute beim Gedanken an einen Vertrag mit der Sowjetunion aufregen, diese Aufregung im August 1939 gezeigt hätten. *(Bravo und Beifallskundgebung!) (Es entstehen Diskussionen innerhalb der Versammlung.)*

Es gibt nicht nur östliche fünfte Kolonnen

Wenn Sie sich einigermaßen abreagiert haben, können wir weitermachen. Trotz des Tumults werde ich etwas sagen, was wahrscheinlich noch größere Tumulte auslösen wird, aber ich erinnere all die Zwischenrufer daran, daß sie Anweisung haben, die Dinge nicht auf die Spitze zu treiben, es darf nicht zur Auflösung dieser Versammlung kommen. Sie wissen ganz genau, warum Sie Anweisung haben, die Störung nicht auf die Spitze zu treiben ... *(Minutenlange Tumulte.)* ... Stellen Sie sich vor, morgen würde in den Ostberliner Zeitungen stehen, hier in Westberlin könne man nicht mehr frei reden ... *(Bravo, bravo!)* ... Aus dem Grunde haben Sie ja Anweisung, die Sache nicht zum Äußersten zu treiben! Jetzt müssen Sie sich schon etwas danach richten, wofür man Sie hergeschickt hat! Es gibt eben nicht nur östliche »fünfte Kolonnen« ...! Ich wollte gerade das sagen, was einige wahrscheinlich zu noch größeren Protesten veranlassen wird.

Der Sinn der gesamtdeutschen Bemühungen

Wenn wir ernstlich unseren Weg ohne Krieg gehen wollen, wenn wir ernstlich einen Vertrag anstreben, den nicht nur die Westmächte, sondern auch die Sowjetunion unterschreiben würden, dann müssen wir verstehen, daß Rußland ein wiedervereinigtes Deutschland nicht zulassen wird, wenn dieses eines Tages wieder unter seinen Angreifern sein würde. Die Bundesregierung sagt uns ständig, wir müßten begreifen, daß Frankreich seine Sicherungen haben will gegenüber dem halben Deutschland, mit dem es eine Bundesgenossenschaft eingehen soll. Können wir dann nicht Verständnis dafür aufbringen, daß Rußland ein wiedervereinigtes ganzes Deutschland auch mit einiger Besorgnis ansieht im Hinblick darauf, was wir 1941 gemacht haben? *(Beifall.)* Und nun die andere Seite: Rußland muß verstehen, daß ein wiedervereinigtes Deutschland nicht eines Tages insgesamt ein Opfer des Bolschewismus sein soll. Hier, an dieser Stelle liegt der Sinn der Bemühungen um eine gesamtdeutsche Regierung. Eine gesamtdeutsche Regierung würde ein Doppeltes bewirken. Sie würde bewirken, daß in der russischen Zone Deutschlands das totalitäre System zu Ende käme, weil es bei freien Wahlen nicht bestehen bleibt. Eine gesamtdeutsche Regierung würde weiter bewirken, daß die militärische Eingliederung von Deutschland stückweise hüben und drüben in den Aufmarsch der Weltmächte gegeneinander aufhört. Unter einer gesamtdeutschen Regierung kann weder das ostdeutsche Bein in eine russische Aufrüstung hineinmarschieren noch das westdeutsche Bein in eine amerikanische Aufrüstung.

Ob eine solche gesamtdeutsche Regierung zu erreichen möglich wäre, steht seit vorgestern, seit dieser neuen Note der Sowjetunion, unter ganz neuen Gesichtspunkten. Nun ist diese Frage aufgeworfen auf beiden Ebenen, auf der deutschen Ebene so gut wie auf der Ebene der Westmächte, und wir müssen uns nun fragen, was wir zu tun gedenken. Ich meine, daß wir zu unserem Teil nach dem verfahren sollten, was die Bundesregierung selber am 15. Januar 1951 gesagt hat, als sie damals erklärte: »Die Bundesregierung ist sich mit allen Deutschen darin einig, daß nichts unversucht bleiben darf, die deutsche Einheit in Freiheit und Frieden wiederherzustellen.« Nichts darf unversucht bleiben, hat die Bundesregierung gesagt! Also muß nun versucht werden, auch auf diesem Wege die Lösung zu finden, und das wird die Frage sein, die uns jetzt in den nächsten Wochen und Monaten in Atem halten wird. Durch die Sowjetnote von vorgestern sind einige Einwände, die man bisher gegen gesamtdeutsche Bemühungen ins Feld führte, in ein neues Licht gerückt. Ein Einwand war der, daß eine gesamtdeutsche Bemühung beim Kontrollrat enden würde. Das war immer nur eine Irreführung. Denn wenn eine gesamtdeutsche Regierung käme, kann doch der Kontrollrat nicht wieder regieren, sondern allenfalls diese gesamtdeutsche Regierung kontrollieren, und wenn dieser Kontrollrat handlungsunfähig wird, hat die gesamtdeutsche Regierung um so mehr freie Fahrt. Nun steht in dieser Sowjetnote von vorgestern ausdrücklich drin, daß man natürlich nicht an die Wiederherstellung des Kontrollrats als Regierung denkt, sondern eine gesamtdeutsche Regierung haben will. Und der andere Einwand war der, daß bei einer gesamtdeutschen Regierung ein schutzloses und neutralisiertes Deutschland übrigbliebe. Auch das war nichts anderes als eine Vogelscheuche,

und bekanntlich sind Vogelscheuchen nur auf die Dummheit der Spatzen angelegt.

Ein Berg von Vorbehalten

Ich habe immer gesagt und wiederhole es hier: gesamtdeutsche Regierung bedeutet noch nicht besatzungsfreies Deutschland! Besatzungsfrei wird Deutschland doch erst dann, wenn eine gesamtdeutsche Regierung einen Friedensvertrag mit allen Siegermächten zustande bringt, wenn Washington und Moskau
sich über eine gemeinsame Räumung Deutschlands verständigen. Nun bitte ich
Sie, – wie wird die Welt aussehen, wenn Moskau und Washington sich verständigen?! Natürlich wird eines Tages die Frage des Schutzes eines wiedervereinigten Deutschlands für uns ein Problem sein, und auch dazu bringt die
Sowjetnote von vorgestern einen neuen Gesichtspunkt, indem sie sagt: für ein
wiedervereinigtes Deutschland käme eine Wehrmacht für Verteidigungszwecke
in Betracht.

Wir sind jetzt gefordert, eine ernste Überlegung daran zu wenden, ob wir
überhaupt eine gesamtdeutsche Lösung wollen. *(Bravo und Beifallsrufe.)* Jetzt
kommen wir an die Wegscheide, wo es darum geht, ob man in der Bundesrepublik *unter allen Umständen* aufrüsten und die Bundesrepublik *unter allen
Umständen* in den Westen eingliedern will oder ob dies alles zur Diskussion
stehen kann, wenn sich auf andere Weise eine gesamtdeutsche Lösung anbietet?
Die Bundesregierung hat in der Vergangenheit einerseits unentwegt davon geredet, daß gesamtdeutsche Wahlen sein sollten, daß eine gesamtdeutsche Regierung gebildet werden sollte, daß Deutschland wiedervereinigt werden sollte, und
gleichzeitig einen ganzen Berg von Vorbehalten darum geredet, so daß niemand
mehr ein noch aus findet, um was es ihr wirklich geht. Jetzt muß Farbe bekannt
werden, ob man die Aufrüstung fortsetzen will oder ob man eine gesamtdeutsche Lösung auch dann annimmt, wenn sie ohne Aufrüstung zu erreichen ist!
Ich bin der Meinung, daß das, was mit dieser Note angeboten wird, ernst genommen werden sollte ... Meines Erachtens gibt es überhaupt nur eine einzige
Haltung, die eine solche Bemühung um eine gesamtdeutsche Lösung unter Verzicht auf die tatsächliche Aufrüstung ablehnen könnte. Das wäre die Haltung,
daß man sagt, der Krieg kommt unter allen Umständen! Es ist frevelhaft zu
sagen, daß Kriege unvermeidlich seien! *(Beifall.)*
Damit, verehrte Damen und Herren, habe ich Ihnen gesagt, aus welchen Gründen ich eine westliche Aufrüstung und eine Eingliederung der Bundesrepublik
in den Westen für einen verhängnisvollen Weg halte und dafür eintrete, daß
eine gesamtdeutsche Bemühung ernst genommen werde.

Aus allen politischen Lagern

Ich habe Verständnis dafür, daß man dieser Notgemeinschaft mit soviel Aufregung begegnet, weil hier nun wirklich eine Stellungnahme zu den Alternativen
gefordert und erzwungen wird. Natürlich, anderthalb Jahre lang hat man sich
die Dinge bequem gemacht dadurch, daß man jeden Widerspruch gegen die
Außenpolitik der Bundesregierung für eine kommunistische Angelegenheit er-

klärte, und nun muß man sich mit einer Gruppe beschäftigen, die man mit kommunistischen Argumenten nicht recht in Einklang bringen kann, auch wenn man es mit viel Aufwand von Flugblättern und Papier versucht. Sehen Sie, meine Damen und Herren, wenn man die Dinge übertreibt, dann stumpft es doch ab. Wenn nun wirklich alles Kommunismus sein soll, was nicht Dr. Adenauer ist, dann geht doch die Sache in Lächerlichkeit unter ... Es ist eine interessante Sache, daß bei den Kundgebungen der Notgemeinschaft Männer und Frauen im ganzen Bundesgebiet mitarbeiten, die in den verschiedensten Positionen und auch in den verschiedensten politischen Lagern tätig sind, in der Sozialdemokratischen Partei oder in der Freien Demokratischen Partei usw. Ich will Ihnen ein paar Beispiele sagen: wir hatten in Hamburg genau wie hier in Berlin die Notwendigkeit, parallele Kundgebungen zu veranstalten. Die eine Kundgebung leitete ein sozialdemokratischer Senatsdirektor der Hansestadt Hamburg und die andere ein Mitglied der Bürgerschaft aus der Freien Demokratischen Partei. In Kiel tat es der Direktor des Predigerseminars der schleswig-holsteinischen Landeskirche, in Bremen der Vorsitzende des Ärztevereins, in Erlangen ein Universitätsprofessor, in Marburg eine Oberstudiendirektorin, in Ulm der Stadtrechtsrat, vor wenigen Tagen in Dortmund ein Kaufmann aus dem Präsidium der Handelskammer – was soll ich noch alles sagen? Sehen Sie, wenn das alles Kommunismus ist, dann ist ja der Westen bolschewisiert! *(Bravo und Beifallskundgebungen.)* *(Zwischenruf: »Wer bezahlt das alles?«)* Das bezahlen doch Sie! Dafür haben Sie doch Eintritt bezahlt! Mich hat noch keine einzige Kundgebung einen Pfennig gekostet, weil sie immer die Zuhörer bezahlt haben. *(Allgemeines Gelächter im Saal.)* Schließlich sollten Sie – wenn es Ihnen auch sauer angeht – einmal einen Blick in kommunistische Zeitungen werfen!.. *(Lesen wir gar nicht!)* ... Deshalb machen Sie auch so dumme Zwischenrufe! ... Wenn Sie zum Beispiel gelesen hätten, was das Zentralorgan der KPD, die kommunistische Zeitung »Freies Volk« vom 4. Februar dieses Jahres über die Notgemeinschaft und unsere Petition schreibt, so würden Sie hören, daß wir geistige Kriegsvorbereiter seien, weil wir von der »Befreiung der sowjetischen Zone« redeten; da wird gesagt, daß überhaupt nur eine einzige Friedensbemühung in Betracht kommen könne, das sei die kommunistische Aktion. Wir stehen im Kreuzfeuer der KPD auf der einen Seite und der Bundesregierung auf der anderen Seite, und vielleicht ist das der beste Beweis dafür, daß wir auf richtigem Wege sind.

Meine Damen und Herren, die Notgemeinschaft hat aufgerufen zu einer Unterschriftensammlung unter eine Petition an den Präsidenten des Bundestages. Warum eine solche Petition? Nun, aus dem Grunde, weil das die einzige Möglichkeit ist, einen Willen zu der Frage zu bekunden, die uns bewegt. Es wird keine Auflösung des Bundestages geben und damit keine Neuwahl. Es wird auch keine Befragung der Männer und Frauen von Amts wegen geben. Sie werden eben von Amts wegen überhaupt nicht bemüht und müssen sich infolgedessen selbst zum Wort melden durch eine Anrede an das Parlament. Sie müssen von dem Gebrauch machen, was in Artikel 17 des Bonner Grundgesetzes ausgesprochen worden ist, nämlich daß jedermann das Recht hat, einzeln oder in Gemeinschaft mit anderen eine Bitte an die Volksvertretung zu richten. Das ist das Petitionsrecht. Zu dieser Willensbekundung ruft die Nogemeinschaft auf, auch Sie hier, und ich schließe, indem ich Ihnen diese Petition vorlese und damit an Sie alle die Frage richte, ob Sie dieser Petition Ihre Unterschrift zu geben gedenken und was Sie an Kraft und Zeit aufzuwenden gedenken, um dieser Petition zu einer Höchstzahl von Unterschriften zu verhelfen.

PETITION

An den

Herrn Präsidenten des Bundestages, Bonn

überreicht durch die Notgemeinschaft für den Frieden Europas

Herr Präsident!
Da uns die Mitbestimmung über die geplante Wiederbewaffnung unsres Volkes versagt wird, bleibt uns als letzte legale Möglichkeit zur Bekundung unsres Willens nur eine Petition an den Bundestag.

Wir sind der Überzeugung, daß eine westdeutsche Aufrüstung nicht der Sicherung des Friedens dient, sondern die Kriegsgefahr erhöht. Ein Krieg würde unser Untergang sein. Deutschland wäre sein Schauplatz. Wir wollen aber nicht, daß es uns wie den Koreanern geht, wo man erst dann wieder Verhandlungen suchte, nachdem die Feuerwalze fremder Mächte Volk und Land vernichtet hatte.

Wir glauben nicht daran, daß westdeutsche Aufrüstung zur friedlichen Befreiung der Sowjetzone und Wiederherstellung der deutschen Einheit führt. Aufrüstung wird vielmehr den Eisernen Vorhang dichter schließen und achtzehn Millionen Deutsche, vor allem die junge Generation, den Gegenmaßnahmen des Sowjetsystems preisgeben.

Ohne einen Friedensvertrag mit allen vier Besatzungsmächten kann es völkerrechtlich überhaupt keine deutschen Soldaten geben. Wehrpflicht wäre ein staatlicher Zwang zu völkerrechtswidrigem Verhalten.

Wir fordern den Bundestag deshalb auf, die geplante Aufrüstung abzulehnen und die Bundesregierung zu veranlassen, eine Politik redlicher Verständigung und glaubhafter Bemühung um die Wiedervereinigung Deutschlands unter einer gesamtdeutschen Regierung zu führen.

Wir übergeben diese Petition dem früheren Bundesminister Dr. Heinemann und der Bundestagsabgeordneten Frau Helene Wessel mit der Ermächtigung, sie dem Präsidenten des Bundestages zu überreichen und gegenüber anderen Personen zu vertreten.

Bibliographie Gustav W. Heinemann
1945–1958

Erläuterungen

Zur Auswahl: Es sind alle Veröffentlichungen Heinemanns aufgenommen worden mit möglichst allen Fundorten. Für die Jahre bis 1957 ist wohl annähernd Vollständigkeit erzielt worden; seit 1957 mögen diejenigen Artikel, die durch den SPD-Pressedienst verbreitet worden sind, in weiteren Zeitungen abgedruckt worden sein. – Von den Reden in Parlamenten und Synoden sind nur diejenigen aufgenommen worden, die gesondert veröffentlicht worden sind. Die übrigen sind zu finden in:

1) Verhandlungen des Landtages Nordrhein-Westfalen (1947–50);
2) Verhandlungen des Deutschen Bundestages (1949–53, 1957ff);
3) Verhandlungen der Rheinischen Landessynode 1948ff.
4) Verhandlungen der verfassunggebenden Kirchenversammlung der Evangelischen Kirche Deutschlands 1948 und Berichte der Tagungen der ersten Synode der EKD 1949–55 und der zweiten Synode 1956ff, hg. i. A. des Rats v. d. Kirchenkanzlei der EKD.

Klammern nach einem Titel enthalten Erklärungen des Herausgebers. Klammern nach der Angabe eines zweiten oder weiteren Fundortes enthalten veränderte Titel (in Anführungszeichen).

Folgende *Abkürzungen* wurden verwandt:

GH, Friedens-politik	Deutsche Friedenspolitik. Reden und Aufsätze, hg. v. Verlag Stimme der Gemeinde, März 1952 (enthält Nr. 40, 41, 50, 55, 61, 67, 68, 70, 75, 80).
GH, Schnitt-punkt	Im Schnittpunkt der Zeit. Reden und Aufsätze. Mit einem Vorwort von Prof. H. Gollwitzer. Verlag Stimme der Gemeinde, Darmstadt 1957 (enthält Nr. 3, 7, 24, 73, 100b, 170, 179, 183, 186, 187, 194, 204, 205, 218, 227, 233, 236, 244, 259, 270, 284).
GH, Deutsch-landpolitik	Verfehlte Deutschlandpolitik. Irreführung und Selbsttäuschung. Artikel und Reden, hg. v. Stimme-Verlag, Frankfurt/Main, 1. Aufl. 1966, 2. Aufl. 1969, 3. Aufl. 1971 (enthält Nr. 61, 67, 70, 72, 91, 94, 106, 115, 136, 145, 148, 155, 160, 163, 177, 183, 201, 206, 208, 211, 221, 234, 235, 254, 267, 293, 301, 306 u. a.). Die Seitenzahlen werden nach der ersten Auflage zitiert.
GR	Gesamtdeutsche Rundschau, hg. i. A. der Notgemeinschaft für

den Frieden Europas von G. W. Heinemann, A. Scheu u. H.
Wessel, Dortmund 1953 (ab Nr. 23; vorher: »GVP-Nachrichten«) bis 1959.

JK   Junge Kirche, Protestantische Monatshefte.

KJ   Kirchliches Jahrbuch für die Evangelische Kirche in Deutschland, hg. v. J. Beckmann.

StdG   (Die) Stimme der Gemeinde zum kirchlichen Leben, zur Politik, Wirtschaft und Kultur, eine Halbmonatsschrift der Bekennenden Kirche.

WT   Westdeutsches Tageblatt.

1   Demokratie und christliche Kirche. Ein Beitrag zu einer »deutschen Demokratie«. Schriftenreihe der Christlich Demokratischen Union des
Rheinlandes, Heft 9, Köln o. J. (1946).

2   Die Kohlen- und die Zonenfrage. Osten und Westen gehören zusammen,
in: Deutschland und die Union. Die Berliner Tagung 1946. Reden und
Ansprachen, Berlin 1946, S. 113f.

3   Ansprache an den Gemeinderat beim Antritt des Amtes als Oberbürgermeister der Stadt Essen im November 1946, in: GH, Schnittpunkt, S. 82
(gekürzt).

4   Was geht heute in der Evangelischen Kirche in Deutschland vor? Vortrag
in Wuppertal-Barmen am 17. 12. 1946. Broschüre (gedr. b. Friedrich Berg
Söhne, Wuppertal, März 1947).

5   Mitbürger, Wähler und Wählerinnen! (Aufruf zur Landtagswahl in Nordrhein-Westfalen am 20. 4. 47) Flugblatt, Essen, April 47.

5a   Die entscheidende Rechtsfrage, in: Die Welt 17. 11. 47.

6   Gottes Ruf an uns. Zum Jahreswechsel 1947/48, in: Neue Kirche, Evangelisches Gemeindeblatt für Westfalen, Bethel/Bielefeld, 3, Nr. 1, 11. 1. 48,
S. 2.

6a   Kommentar zu den Detmolder Sätzen (vom 6. 11. 47, formuliert bei der
zweiten Begegnung zwischen evangelischen Vertretern der CDU und dem
Arbeitskreis der Evangelischen Akademie des Rates der EKD), in: Mitteilungen des Arbeitskreises Evangelische Akademie beim Rat der EKD,
hg. v. O. Hammelsbeck, Nr. 1, Jan. 48.

7   Die Ruhr ruft Europa, in: Reden, gehalten anläßlich der Kundgebung
»Die Ruhr ruft Europa« in Essen am 11. April 1948. Broschüre, hg. von
der Pressestelle der Landesregierung Nordrhein-Westfalen, o. J. (1948). –
GH, Schnittpunkt, S. 83 (gekürzt).

8   Demokratie und christliche Kirche, in: Unterwegs, Berlin, Heft 2, 1948,
S. 14–21. – Wending, Holland, Nov. 49, S. 563ff.

9a   Die Ergebnisse der Kirchenversammlung in Eisenach, in: Theologische
Literaturzeitung, Leipzig 1948, Nr. 8, S. 485f.

9b   Echte Einigung (Kirchenversammlung in Eisenach), in: Evangelische
Welt, Nachrichtendienst der Evangelischen Kirche von Westfalen, Heft 15,
1. 8. 48, S. 409.

10   Blick aus dem Fenster. Eindrücke von einer Reise in die Vereinigten
Staaten von Amerika, in: Informationsdienst der Wirtschaftsvereinigung

Groß- und Außenhandel Landesverband Nordrhein-Westfalen und der Bezirks- und Fachvereinigungen, Rundschreiben Nr. 13/48, Essen, 15. 8. 48.

10a Essens Aufgaben, in: Baurundschau, Zeitschrift für Bau- und Wohnungswesen, Baukunst, Städtebau und Landesplanung, Hamburg, 38, Nr. 19/20, Okt. 48, S. 439f.

10b Zwei Jahre Gemeindearbeit in Essen. Aus dem Rechenschaftsbericht (in der Ratsherrensitzung am 24. 9. 48), in: Essener Mitteilungen, Nr. 219, 9. 10. 48.

11a Vor großen Aufgaben. Der Oberbürgermeister zum neuen Jahr, in: Neue Ruhr-Zeitung 1. 1. 49.

11b Das Wesen der »Moralischen Aufrüstung« (Ansprachen von Heinemann, Otto Schmidt, Adolf Scheu auf einer Bergbautagung am 21. 10. 48), in: Bergbau und soziale Verantwortung, Glückauf-Verlag, Kettwig 1948, S. 49–52.

12 Die öffentliche Verantwortung des evangelischen Christen. Korreferat auf dem 1. Ev. Kirchentag in Hannover. Epdh. Nr. 77/49, Sonderausgabe C, Bl. 3, 29. 7. 49 (etwas gekürzt). – (Grundgedanken, z. Tl. im Wortlaut, auch in:) Kirche in Bewegung. Predigten und Vorträge, gehalten auf der Deutschen Evangelischen Woche in Hannover 1949. Lutherhaus-Verlag, Hannover 1949, S. 47–52. – Die Zeichen der Zeit, Evang. Monatsschrift, Berlin 1949, S. 312–16.

13 Der evangelische Christ in der Union, in: Union im Wahlkampf. Informations- und Rednerdienst der Arbeitsgemeinschaft der CDU/CSU Deutschlands, hg. von Bruno Dörpinghaus, Nr. 20, Frankfurt/M., 30. 7. 49, S. 3. – Polit. Monatsdienst der CDU, Kreispartei Essen, Aug. 49. – Rheinischer Merkur 13. 8. 49 (gekürzt).

14 Das Anliegen der Evangelischen Kirche Deutschlands an die Evangelische Reichsfrauenhilfe. Grußwort zur Feier des 50-jährigen Bestehens der Evangelischen Frauenhilfe am 26. Juni 1949 in Düsseldorf, in: Frauenhilfe, Soest, Nr. 12, Aug. 49, S. 4.

15 Mensch und Staat (Vortrag während der Evangelisch-Sozialen Woche in der Melanchthon-Kirche in Essen am 11. 5. 49), in: Mensch oder Nummer. Broschüre, hg. v. Evangelischen Männerwerk Essen, Okt. 49, S. 24–34.

16 Befreiung zum Dienst (Vortrag während der Evangelisch-Sozialen Woche im Zirkus Bügler in Essen am 15. 5. 49), in: Mensch oder Nummer, (s. GH 15), S. 70–72. – Kirche und Mann, April 50.

17 Die Bonner Verfassung in der Praxis. Kanzler und Minister gleichberechtigt – Verwaltung gefährdet Gesetzesaktualität, in: Die Welt 20. 12. 49.

18 Ruhm und Not Berlins. Gedanken zum Jahreswechsel, in: Der Kurier, Berlin, 31. 12. 49.

18a Die Eigentumsfrage im Ruhrbergbau. Vorschlag: Halbierung des Aktienstimmrechts, in: Die Welt 3. 1. 50 (anonym).

19 Kassenarztrecht. Engel-Verlag, Berlin, Jan. 50, 4. Auflage.

20 Was sagt Pastor Niemöller wirklich? in: Bremer Nachrichten 12. 1. 50.

21 Evangelische Kirche heute, in: Bekennende Kirche auf dem Weg, 1, Nr. 1, 15. 1. 50, S. 1–10. – KJ 77, 1950, S. 50f (gekürzt).

22 Gesetzesinitiative bei der Regierung oder beim Parlament? in: Die Neue Zeitung 31. 1. 50.

23 Wettrüsten zur Saalschlacht? in: Die Zeit 13. 4. 50.

24 Erklärung zur Schändung jüdischer Friedhöfe (im NWDR am 15. 4. 50), in: GH, Schnittpunkt, S. 84 (gekürzt).

25 Zum Geleit, in: Verantwortung und Zuversicht. Eine Festgabe für Bischof D. Dr. Otto Dibelius DD zum 70. Geburtstag am 15. Mai 1950, hg. in Gemeinschaft mit Ernst Detert und Kurt Scharf von Robert Stupperisch, Gütersloh 1950, S. 5.

26 Versammlungsordnung, in: Münchner Merkur 23. 5. 50.

27 Politik ohne Parteien verhängnisvoll, in: Die Welt 7. 6. 50.

28 Ansprache auf der Reformierten Synode in Nîmes, in: 53. Synode National 1950, 4. 6. 50, S. 162f.

29 Zum Tode von Marcel Sturm, in: StdG 2, Nr. 7, Juli 50, S. 1.

30 Die Situation der Evangelischen Kirche, in: Die Neue Zeitung 22. 7. 50.

31 Evangelischer Kirchentag, in: Essener Tageblatt – Ruhr-Nachrichten 23. 8. 50.

32 »Rettet den Menschen« (zum 2. Deutschen Evangelischen Kirchentag in Essen), in: Neue Ruhr-Zeitung 23. 8. 50.

33 Dürfen die Männer abseits stehen? (zum 2. Deutschen Evangelischen Kirchentag in Essen), in: Essener Allgemeine Zeitung 27. 8. 50.

34 Rede auf dem Männertreffen des Kirchentages in Essen, in: Kreuz auf den Trümmern, Furche-Verlag, Hamburg 1950, S. 106–108.

35 Rede auf der Schlußkundgebung des Kirchentages in Essen, in: StdG 2, Nr. 10, Okt. 50, S. 9f. – Kreuz auf den Trümmern, Hamburg 1950, S. 35f.

36 *Müssen* wir heute lutherisch oder reformiert sein? in: Bekennende Kirche auf dem Weg, 1, Nr. 9, 15. 9. 50, S. 1–6. – Evangelisch-Lutherische Kirchenzeitung, München, 4, Nr. 22, 30. 11. 50, S. 337f.

37 Was hast Du getan? Ein Wort zum Männersonntag, in: Neue Kirche (s. GH 6) 5, Nr. 21, 15. 10. 50.

38 Die Entwicklung des Kassenarztrechtes in Deutschland, in: Die Ortskrankenkasse, Okt. 50, S. 348–50.

39 Interview (am 12. 10. 50 mit dem Nachrichtendienst Dimitag), in: Rheinische Zeitung 13. 10. 50.

40 Deutsche Sicherheit, in: Stuttgarter Zeitung 18. 10. 50 (»Warum ich zurückgetreten bin«). – StdG 2, Nr. 11. Nov. 50, S. 1–4. – JK 11, Heft 18, 6. 11. 50, S. 633–642. – Europa-Archiv, hg. v. Wilhelm Cornides, Wien/Frankfurt/Basel, 5, Nr. 24, 20. 12. 50, S. 3594–96 (»Memorandum über die deutsche Sicherheit«). – Sonderdruck, hg. v. d. StdG, o. J. (1950) (»Warum ich zurücktrat«). – Der Weg, Ev. Sonntagsblatt für das Rheinland, Nr. 23/1950 (»Warum ich zurückgetreten bin«; gekürzt). – KJ 1950, S. 179–86 (»Deutsche Sicherheit«). – Allgemeine Zeitung, Windhoek, Nr. 65, 3. 4. 51. – Sonderdruck, hg. v. SOS, Zeitung für weltweite Verständigung, Berlin (-West), Sept. 51 (gekürzt). – Dokumente der Deutschen Politik und Geschichte von 1848 bis zur Gegenwart, hg. v. Joh. Hohlfeld, Bd. VI: Deutschland nach dem Zusammenbruch 1945, Berlin/München

1952, S. 542–45. – Dokumente zur parteipolitischen Entwicklung in Deutschland seit 1945, hg. v. O. Flechtheim u. a., Bd. VI: Innerparteiliche Auseinandersetzungen, 1. Teil, 1968, S. 19–25.

41 Freiheit des Volkes. Rede auf dem evangelischen Männertag Hessen-Nassau in Frankfurt am 15. 10. 50, in: GH, Friedenspolitik, S. 12–14.

42 Uns alle geht es an! in: Licht und Leben, Evangelisches Monatsblatt, hg. v. d. Evangelischen Gesellschaft für Deutschland in Wuppertal-Elberfeld u. v. Schriftenmissions-Verlag in Gladbeck/Westf., 1950, S. 191f.

43 Mein Rücktritt. Was steht zur Diskussion? – Ein Brief an die »Rheinische Post«, in: Rheinische Post 24. 10. 50 (gekürzt).

43a Du bist nach dem Waffendienst gefragt! in: Sonntagsblatt 5. 11. 50 (gekürzt).

44 Die evangelische Christenheit in Deutschland zur Wiederaufrüstung, in: Schweizer Evangelischer Pressedienst Nr. 55, 12. 12. 50, Bl. 2–4. – Oberländisches Volksblatt, Interlaken, 30. 12. 50. – Thurgauer Zeitung, Frauenfeld, 14. 12. 50 (gekürzt). – Bund, Bern, 15. 12. 50 (gekürzt). – Neue Bündner Zeitung, Chur, 16. 12. 50 (gekürzt). – Ostschweizerisches Tagblatt, Rorschach, 16. 12. 50 (gekürzt).

45 Evangelische Kirche in Deutschland heute und die Wiederaufrüstung. Vortrag in Bern am 1. 12. 50, in: Gemeindeblatt der Johannes- und Markus-Kirchengemeinden Bern, 11, Nr. 2, 4. 2. 51. – Anhang B.

46 Was heißt Neutralisierung? in: Stuttgarter Zeitung 27. 2. 51. – Velberter Zeitung 27. 2. 51. – Westfälische Zeitung 28. 2. 51. – Düsseldorfer Nachrichten 3. 3. 51 (gekürzt). – Die Wochenzeitung, Zürich, Nr. 10, 8. 3. 51 (»Deutschland – ein neutrales Land?«). – Der Weg, Ev. Sonntagsblatt für das Rheinland, 11. 3. 51.

47 Öffentliche Verantwortung im kirchengeschichtlichen Wandel, in: StdG, 3, Nr. 3, März 51, S. 1–4. – Rundbrief Bund für lebendige Kirche, Nürnberg, 6, Nr. 4, April 51.

48 Noch einmal: Müssen wir heute lutherisch oder reformiert sein? in: Bekennende Kirche auf dem Weg, 2, Nr. 3, 15. 3. 51, S. 3–6. – StdG, 3, Nr. 3, März 51, S. 4–6.

49 The German Controversy, in: British Weekly, A Journal of Christian and Social Progress, Vol. CXXIX, Nr. 3357, 15. 3. 51.

50 Deutsche Verantwortung heute, in: StdG, 3, Nr. 4, April 51, S. 1f. – GH, Friedenspolitik, S. 15–17.

51 Die Kirche und ihr Auftrag (Rundgespräch Dibelius, Lilje, Haug, Niemöller, Heinemann im NWDR; Auszug), in: Neue Kirche (s. GH 6), April 51.

51a Deutschland – wiederbewaffnet oder neutral? Interview mit Walter Gong, in: Bremer Nachrichten 5. 4. 51. – Nordsee-Zeitung/Nordwestdeutsche Zeitung 5. 4. 51. – Süddeutsche Zeitung 5. 4. 51 (»Ist eine Neutralisierung Deutschlands möglich?«). – Stuttgarter Nachrichten 5. 4. 51 (gekürzt). – Stimme des Friedens April 51 (gekürzt).

52 Die Hamburger Synode der EKD, in: Sonntagsblatt 29. 4. 51.

53 Zur theologischen Bemühung um Politik aus christlicher Verantwortung, in: StdG, 3, Nr. 5, Mai 51, S. 5f.

54 Volksbefragung, in: Stuttgarter Zeitung 1. 5. 51 – Velberter Zeitung 5. 5. 51. – Aachener Nachrichten 11. 5. 51 (»Mit Verboten ist es nicht getan«). – Bremer Nachrichten 12. 5. 51 (»Gedanken zur Volksbefragung«; gekürzt). – Stimme des Friedens, Nr. 19, Mai 51 (»Nicht ohne Willensentscheidung des Volkes«, gekürzt).

55 Was heißt Demokratie? Ein Wort zur Volksbefragung, in: StdG, 3, Nr. 6, Juni 51, S. 1f. – Kirche in der Zeit, 6, Nr. 13–14/1951, S. 165. – GH, Friedenspolitik, S. 18–21.

56 Wir sind doch Brüder – In der Kirche. Wozu ist die Kirche da? Rede auf dem Berliner Kirchentag am 12. 7. 51, in: Wir sind doch Brüder. Der Dritte Deutsche Evangelische Kirchentag vom 11.–15. Juli 1951 in Berlin, hg. i. A. des Präsidiums des Deutschen Evangelischen Kirchentages. Stuttgart o. J. (hektographiert). – Berlin 1951. Der Deutsche Evangelische Kirchentag in Wort und Bild, Stuttgart 1951, S. 21 (Auszug). – Einkehr. Bremer Kirchenzeitung, 6, Nr. 21, 7. 10. 51 (gekürzt).

57 Rede auf dem Männertreffen des Berliner Kirchentages am 15. 7. 51, in: Wir sind doch Brüder (s. GH 56), S. 196f. – Berlin 1951 (s. GH 56), S. 92 (Auszug).

58 Über den Berliner Kirchentag 1951, in: epd-Düsseldorf 19. 7. 51.

59 Die Verantwortlichkeit des Menschen im politischen Leben (Vortrag auf der Europäischen Laientagung in Bad Boll am 23. 7. 51). – Sonderdruck des Sekretariats für Laienarbeit des Ökumenischen Rats der Kirchen in Genf (hektographiert). – Neue Württembergische Zeitung 24. 7. 51. – epd B, Nr. 26, 28. 8. 51 (»Verantwortlichkeit im politischen Leben«; gekürzt). – Unsere Kirche, Ev. Nachrichtenblatt für Westfalen, 6, Nr. 36, 16. 9. 51 (»Der Christ im politischen Leben«; gekürzt). – Der Weg (s. GH 46), 23. 9. 51 (»Zur Mitarbeit auch heute gerufen«; gekürzt).

60 Sichtbare Gemeinde. Rückblick auf den Dritten Evangelischen Kirchentag, in: Deutsche Universitätszeitung, Göttingen, 6, Nr. 15–16, 31. 8. 51.

61 Deutsche Friedenspolitik, in: StdG, 3, Nr. 9, Sept. 51, S. 1–3. – Aachener Nachrichten 18. 9. 51 (»Der Kampf um den Frieden«). – Realpolitische Tagesschau, Nr. 219, 21. 9. 51, S. 2–5 (»Vor der großen Entscheidung«). – Wilhelmshavener Zeitung 24. 9. 51 (»Vor der großen Entscheidung«). – Main-Echo 9. 51. – Freisinger Tageblatt 9. 51. – Osnabrücker Tageblatt 9. 51. – Das andere Deutschland 13, Nr. 19/1951. – Deutsche Volkschaft. Offene Gemeinschaft von Christen der verschiedenen Bekenntnisse, Berufe und Parteien zur Gestaltung des politischen und kulturellen Lebens aus dem Geiste der Jugendbewegung, Warendorf/Westf., Nov./Dez. 51. – GH, Friedenspolitik, S. 21–27. – GH, Deutschlandpolitik, S. 9–15.

62 Michel – denk nach! Paß auf, was gespielt wird. Kleiner politischer Pressespiegel zur Wiederaufrüstung, hg. v. den Studentischen Aktionsgruppen Darmstadt/Frankfurt/Mainz, Herbst 51.

63 Protestant Witness. Documents of Christian Resistance 1933–1945 (Rezension von H. Hermelink, Kirche im Kampf, Tübingen 1950), in: Bulletin »The Wiener Library« (London).

64 Les tendances politiques du Protestantisme allemand. Conversation avec le Dr. Heinemann (par L. Zimmerer), in: Documentes.

65 Gesamtdeutsche Verantwortung, in: StdG, 3, Nr. 10, Okt. 51, S. 9. – Düsseldorfer Nachrichten 23. 9. 51 (Leserbrief).

66 Krieg unter keinen Umständen eine Lösung, in: Sonderbeilage von Kirche und Mann, Nr. 10, Okt. 51.

67 Die Stunde des freien Wortes, in: StdG, 3, Nr. 10, Okt. 51, S. 1f. – Aachener Nachrichten 6. 10. 51. – Stuttgarter Zeitung 18. 10. 51. – Nürnberger Nachrichten 26. 10. 51 (»Wir sind alle in Gefahr«). – Rundbrief Bund für lebendige Kirche, Nürnberg, 7, Nr. 1, Jan. 52. – Licht und Leben (s. GH 42), 63, Nr. 2, Febr. 52. – GH, Friedenspolitik, S. 27–29. – GH, Deutschlandpolitik, S. 16–18 (gekürzt).

68 Reise durch die Ostzone (Ende Okt./Anfang Nov. 51), in: StdG, 3, Nr. 11, Nov. 51, S. 3–5. – Aachener Nachrichten 8. 11. 51. – Süddeutsche Zeitung 13. 11. 51 (»Reise in die Sowjetzone«; gekürzt). – Blick in die Woche 3. 11. 51 (gekürzt). – Braunschweiger Zeitung 28. 11. 51 (»Gespräche in der Ostzone«; gekürzt). – Schwäbische Landeszeitung 28. 11. 51 (»Reise zu den Gemeinden in der Sowjetzone«; gekürzt). – Der Weg (s. GH 46), 2. 12. 51 (gekürzt). – The Ecumenical Review, Genf, Jan. 52, S. 190–94 (»In the Eastern Zone«). – GH, Friedenspolitik, S. 30–34.

69 Der Christ in der Politik (Vortrag in der Paulskirche in Frankfurt am 18. 11. 51), in: Das Parlament, Nr. 11, 28. 11. 51. – Für und Wider. Lebensfragen deutscher Politik, erörtert von W. Hallstein/C. Schmid/P. Löbe/H. Ehlers/G. Heinemann/A. Hundhammer, Bollwerk-Verlag, Offenbach/Frankfurt 1952, S. 65–74.

70 Der Weg zum Frieden und zur Einheit. Rede auf der ersten öffentlichen Kundgebung der »Notgemeinschaft für den Frieden Europas« in Düsseldorf am 21. 11. 51, in: Aufruf zur Notgemeinschaft für den Frieden Europas, hg. von G. Heinemann/H. Wessel/L. Stummel/A. Scheu, Essen 1951. – GH, Friedenspolitik, S. 34–40. – GH, Deutschlandpolitik, S. 18–23 (gekürzt; ab 2. Aufl. ungekürzt).

71 »Notgemeinschaft für den Frieden Europas«, in: StdG, 3, Nr. 12, Dez. 51, S. 3 (mit Teilen aus GH 70).

72 Deutschland in der Entscheidung, in: StdG, 4, Nr. 1, Jan. 52, S. 3–6. – Aachener Nachrichten 28. 12. 51. – Realpolitik, Nr. 22, 26. 1. 52. – Göppinger Kreisnachrichten 2. 2. 52. – Nürnberger Nachrichten 2. 2. 52 (»Schiefe Argumente«). – Ludwigsburger Kreiszeitung 6. 2. 52. – GH, Deutschlandpolitik, S. 23–27.

73 Die Einheit der Evangelischen Christenheit in Deutschland, in: Bekennende Kirche. Martin Niemöller zum 60. Geburtstag, hg. v. Joachim Beckmann und Herbert Mochalski, München 1952, S. 222–27. – GH, Schnittpunkt, S. 24–30.

74 Das Wort Gottes als Ordnungsmacht in den Wirren der Zeit (Vortrag in verschiedenen Orten der DDR im Okt./Nov. 1951), in: Die Zeichen der Zeit, hg. im Verlag Evangelische Verlagsanstalt Berlin-Weißensee, Heft 3, 1952, S. 81–84.

75 Die Rolle Deutschlands im heutigen Europa (Exposé, das der Ökumenischen Kommission für europäische Zusammenarbeit im Jan. 52 erstattet wurde), in: Ökumenische Kommission für europäische Zusammenarbeit.

Tagung der Kommission in Rengsdorf (Westerwald) v. 25.–27. 1. 52, hg.
v. Sekretär der Ökumenischen Kommission, S. 7–10 (hektographiert). –
GH, Friedenspolitik, S. 41–45. – JK 13, Heft 3/4, 15. 2. 52, S. 79–82
(»Antwort an Hermann Ehlers«; mit Vorwort). – Junge Gemeinde, hg.
v. Burckhardthaus-Verlag, Berlin-Dahlem, März 52, S. 15–19.

76 Eine Gefahr für Gesamtdeutschland, in: Weser-Kurier 2. 2. 52.

77 Diskussionsbeitrag zur Wiederbewaffnung. Um Frieden, Einheit und Freiheit, in: Ruhr-Nachrichten 15. 2. 52. – Essener Tageblatt 15. 2. 52.

78 Es gibt genügend Wege. Antwort auf eine Umfrage der Jungen Stimme
zum Thema: »Kann Bonn mit Moskau sprechen?«, in: Junge Stimme.
Eine Zeitung junger Christen, Stuttgart, 1, 26. 2. 52.

79 Was heißt Entpolitisierung der Kirche? in: StdG, 4, Nr. 2, Febr. 52, S. 38–
40.

80 Wege zueinander, in: StdG, 4, Nr. 3, März 52, S. 65–68. – GH, Friedenspolitik, S. 45–47.

80a Warum so unsachlich? Die »Notgemeinschaft« in der Bundestagsdebatte,
in: Nürnberger Nachrichten 7. 3. 52.

81 Deutschland und der Frieden Europas. Sollen wir aufrüsten? (Rede in
West-Berlin am 13. 3. 52), in: Ruf der Notgemeinschaft für den Frieden
Europas. Flugblatt, Berlin, März 1952. – Anhang C.

82 Deutsche Friedenspolitik. Brosch., Verlag StdG, Darmstadt, (März) 1952.

83 Was wollen wir? in: Aachener Nachrichten 29. 3. 52.

84 Neue Achsenpolitik, in: StdG, 4, Nr. 4, April 52, S. 97–100. – WT 2. 4. 52
(»Gefährliche Achsenpolitik«). – Lippische Landeszeitung 2. 4. 52 (»Gefährliche Achsenpolitik«). – Aachener Nachrichten 3. 4. 52 (»Neue Außenpolitik«). – Realpolitik, Nr. 83, 9. 4. 52 (»Gefährliche Achsenpolitik«).

85 Freiheit im Staat, in: Jugend unter dem Wort, April 52, S. 4f.

86 Wer honoriert Kassenfachärzte für Zahn-, Mund- und Kieferkrankheiten?
in: Die Betriebskrankenkasse 25. 5. 52.

87 Der weitere Weg, in: StdG, 4, Nr. 6, Juni 52, S. 169–72. – Aachener Nachrichten 7. 6. 52. – WT 7. 6. 52. – Lippische Landeszeitung 7. 6. 52. – Nürnberger Nachrichten 14. 6. 52 (»Eins nach dem andern«).

88 Was nun? in: Nachrichten der Notgemeinschaft für den Frieden Europas,
Nr. 3, Juni 52.

89 »Schwarzer Peter« genügt nicht, in: Fuldaer Volkszeitung 2. 7. 52 (»Nur
›Schwarzer Peter‹?«). – WT 2. 7. 52. – Lippische Landeszeitung 2. 7. 52.
– Hanauer Anzeiger 7. 7. 52.

90 Sind »politische« Geldsammlungen genehmigungspflichtig? in: Die Öffentliche Verwaltung, 5, Heft 13, Juli 52, S. 402f.

91 Wohin führt der Generalvertrag? (Rede anläßlich des Bundeskongresses
der Notgemeinschaft in Frankfurt in der Paulskirche am 8. 6. 52), in:
StdG, 4, Nr. 8, Aug. 52, S. 225–34. – Dill-Zeitung 17./22. 10. 52. – Der
Säemann, Evangelische Monatsschrift, 102, Nr. 5, Dez. 52/Jan. 53, S. 20–
22. – GH, Deutschlandpolitik, S. 27–35.

92 Ansprache auf dem Kirchentag Stuttgart 1952, in: StdG, 4, Nr. 9, Sept.
52, S. 261f. – KJ 79, 1952, S. 74f. – Wählt das Leben. Der Deutsche Evangelische Kirchentag Stuttgart 1952 in Wort und Bild, Stuttgart 1952.

93 Krieg durch falsche Friedenspolitik? in: WT 27. 8. 52. – Lippische Landes-
    zeitung 27. 8. 52. – SOS, Zeitung für weltweite Verständigung, West-Ber-
    lin, 2, Nr. 17, 1. 9. 52. – Aachener Nachrichten 3. 9. 52.

94 Die Petition der Notgemeinschaft, in: Nachrichten der Notgemeinschaft
    für den Frieden Europas, Nr. 7, 25. 9. 52. – Vox, Pressedienst, Nr. 15,
    30. 9. 52. – Stimme des Friedens Okt. 52. – Neutrales Deutschland, Nr. 1,
    Okt. 52. – GH, Deutschlandpolitik, S. 35–39 (gekürzt).

95 Antwort an Landesbischof D. Wurm, in: Die Gemeinde. Evangelisches
    Kirchenblatt, Mannheim, Nr. 18, 31. 8. 52, S. 1–3. – Evangelischer Presse-
    dienst, Landesdienst Rheinland, Nr. 69, Düsseldorf, 11. 9. 52 (gekürzt).

96 Eglise et Rearmement. Le vrai visage du protestantisme Allemand, in:
    Réforme, Paris, 27. 9. 52.

97 (mit Helene Wessel und Adolf Scheu:) Aufrüstung oder Viermächtekon-
    ferenz: Zwei oder Ein Deutschland. Eingabe der Notgemeinschaft für den
    Frieden Europas. Broschüre, hg. v. Helene Wessel/Gustav Heinemann/
    Adolf Scheu, Bonn/Essen 10. 10. 52. – Offene Worte zum Zeitgeschehen,
    Köln, 1, Nr. 6, Ende Oktober 52. – Blick in die Woche, Nr. 44, Okt. 52
    (Auszug), (»Weg zur Einheit und Souveränität«). – Verfahrensvorschläge
    zur Wiedervereinigung Deutschlands 1949–1959, zusammengestellt von
    Rudolf Schuster, hg. v. Forschungsinstitut der Deutschen Gesellschaft für
    Auswärtige Politik e. V., S. 59–64 (Auszug).

98 Gelebte Einheit. Ein Wort über die Evangelische Synode in Elbingerode,
    in: Velberter Zeitung 21. 10. 52.

99 Außenpolitische Umschau. Um Generalvertrag und EVG-Vertrag, in: Kir-
    che in der Zeit, 7, Heft 19/20, Okt. 52, S. 256f.

100a Brief an Dr. Meurer, den Vorsitzenden des Kreisparteivorstandes Es-
    sen der CDU, v. 29. 10. 52 (Austrittserklärung), in: Dokumente zur par-
    teipolitischen Entwicklung in Deutschland seit 1945, hg. v. O. Flechtheim
    u. a., Berlin 1968, 6. Band: Innerparteiliche Auseinandersetzungen, 1. Teil,
    S. 26.

100b Mein Abschied von der CDU, in: Lüdenscheider Zeitung 14. 11. 52
    (gekürzt). – Fuldaer Volkszeitung 15. 11. 52. – WT 15. 11. 52. – Aachener
    Nachrichten 18. 11. 52. – Winsener Anzeiger 18. 11. 52. – Wesermarsch,
    Nordenham, 11. 52. – Offene Worte zum Zeitgeschehen, 1, Nr. 7, 15. 11. 52.
    – Evangelischer Pressedienst ZA Nr. 266, 18. 11. 52 (gekürzt). – GH,
    Schnittpunkt, S. 50f (gekürzt: »Warum ich aus der CDU austrat«).

101 Wer mißbraucht die Kirche? in: StdG, 4, Nr. 11, Nov. 52, S. 345–48.

102 Gesamtdeutsche Volkspartei (Rede auf der Gründungs-Kundgebung in
    Frankfurt am 30. 11. 52), in: Gesamtdeutsche Volkspartei. Der Aufbruch
    des neuen politischen Wollens. Manifest und Gründungskundgebung, hg.
    v. Hans Bodensteiner, Essen 1953, S. 21–29.

103 Außenpolitische Umschau, in: Kirche in der Zeit, 7, Heft 23/24, Dez. 52
    (gezeichnet: »-n«).

104 Vom Sieg der christlichen Sache, in: Kirche in der Zeit, 7, Heft 23/24,
    Dez. 52. – Der Säemann, Evangelische Monatsschrift, April 53, S. 13f.

105 Den Frieden bewahren, in: Evangelische Literaturbeobachter, Beilage zu
    Kirche in der Zeit.

105a Interview der Neuen Presse, Coburg, mit Heinemann, Bodensteiner und H. Wessel 18. 12. 52.

106 An der Schwelle der Entscheidungen, in: StdG, 5, Nr. 1, Jan. 53, S. 9–12. – Aachener Nachrichten 31. 12. 52. – GH, Deutschlandpolitik, S. 39–43.

107 Hat Heinemann alles getan? Ehemaliger Bundesminister schreibt dem Fortschritt! (betr. 131-Gesetz), in: Fortschritt, Nr. 1/2, 2. Jan. 53. – (Antwort auf Leserbriefe: Fortschritt 23. 1. 53).

108 Komplette Narren, in: Geislinger Fünftälerbote, Neue Württembergische Zeitung, 14. 1. 53. – WT 21. 1. 53. – Münsterisches Tageblatt 21. 1. 53. – Lippische Landeszeitung 21. 1. 53. – GVP-Nachrichten 5. 2. 53.

109 Die neue Angst, in: Neue Presse, Coburg, 2. 2. 53. – Freie Presse, Bielefeld, 2. 2. 53 (»Weil die alte Angst nicht ausreicht«). – Mittelbayrische Zeitung, Regensburg, 3. 2. 53. – Fuldaer Volkszeitung 5. 2. 53. – Frei-Soziale Nachrichten, Nr. 8, 5. 3. 53.

110 Es wird ernst, in: Kirche in der Zeit, 8, Heft 3/4, Febr. 53, S. 46.

111 Splitterpartei? in: GVP-Nachrichten 19. 3. 53.

112 Die christliche Sache. Ein Wort zum Parteitag der CDU, in: StdG, 5, Nr. 4, April 53, S. 97–102.

113 Adenauers Bilanz in Washington, in: GVP-Nachrichten 16. 4. 53.

114 Interview: »Adenauer überwiegend abgelehnt« in: 8-Uhr-Blatt, Nürnberg, 21. 4. 53.

115 Was wird nun werden? in: StdG, 5, Nr. 5, Mai 53, S. 129–32. – GH, Deutschlandpolitik, S. 43–47.

116 Darf der Christ zur Waffe greifen? in: Unter uns. Mitteilungsblatt des Evangelischen Jungmännerwerks, Stuttgart, Mai 53, S. 87–89.

117 Der Weg nach Europa, in: GVP-Nachrichten 22. 5. 53.

118 Die entscheidende Frage der Deutschlandpolitik, in: WT 30. 5. 53.

119 Der Weg zur Wiedervereinigung Deutschlands, in: Süddeutsche Zeitung 20./21. 6. 53.

120 Die Lehre von Berlin, in: GVP-Nachrichten 26. 6. 53. – Stimme des Friedens Nr. 27, Juli 53. – Schleswig-Holsteinische Tagespost 8. 7. 53 (»Es gilt das deutsche Pulverfaß wegzuräumen«). – SOS (s. GH 93), Juli 53.

121 Der Weg des Gewissens, in: Licht und Leben (vgl. GH 42), Juli 53.

122 Schluß mit der Bonner Politik, in: StdG, 5, Nr. 7, Juli 53, S. 193–96.

123 Die Front verbreitern. Interview der Parlamentarischen Wochenschau, Juli 53.

124 Alpdruck Potsdam? in: Stimme des Friedens, Nr. 28, Juli 53. – Dokumentation der Zeit, Gesamtdeutsches Informations-Archiv des Deutschen Instituts für Zeitgeschichte, Berlin (-Ost), Heft 50, 15. 7. 53, S. 2685–88 (»Das Positive am Potsdamer Abkommen«; gekürzt).

125 Unfaires Wahlgesetz, in: GR 17. 7. 53.

125a Mit verstärkter Kraft. Erklärung zur Vereinbarung mit dem Bund der Deutschen (mit Scheu/Scholl/H. Wessel, 21. 7. 53), in: GR 28. 8. 53.

125b An alle Wähler der Bundesrepublik! (mit Scheu/Scholl/H. Wessel, 7. 8. 53), in: GR 14. 8. u. 28.8. 53.

126 Wieder einmal scheiden sich die Geister! in: StdG, 5, Nr. 8, Aug. 53, S. 233–36.

127 Die Gesamtdeutsche Volkspartei (Antwort auf Fragen zur Wahl), in: Kirche und Mann, Nr. 8, Aug. 53, S. 3.

128 Warum zusammen mit dem Bund der Deutschen? in: GR 14. 8. 53.

129 Brief an die Junge Kirche (auf die Bitte um ein Wort zur Ethik des Wahlkampfs), in: JK 14, Heft 15/16, 15. 8. 53, S. 376f.

130 Auf zur Wahl! in: GR 28. 8. 53.

130a Sehr geehrte Wählerin! Sehr geehrter Wähler! (Brief an alle Haushaltungen im Wahlkreis Siegen-Wittgenstein). Flugblatt, Siegen 28. 8. 53.

131 Brief an die Gemeinde (Antwort auf die Frage: Will die GVP den evangelischen Volksdienst wieder beleben?), in: Die Gemeinde (s. GH 95), 30. 8. 53.

132 Wir wollen weder Krieg noch Spaltung, in: Weser-Kurier, 1. 9. 53.

133 Zur GVP, in: Bremer Nachrichten 3. 9. 53 (»GVP will klären«). – Essener Allgemeine Zeitung 4. 9. 53 (»Gesamtdeutsche Volkspartei«; etwas verändert).

134 Gesamtdeutsche Volkspartei, in: Westdeutsche Allgem. Zeitung 3. 9. 53.

135 Ein letztes Wort zur Wahl, in: GR 4. 9. 53.

136 Die Dulles-Wahlen, in: StdG, 5, Nr. 9, Sept. 53, S. 257–60. – GH, Deutschlandpolitik, S. 48f.

137 Die Konferenz der Großen Vier, in: GR 9. 10. 53.

138 Die Sackgasse, in: GR 20. 11. 53.

139 Bonner Märchen, in: GR 4. 12. 53. – Der Freiheitsbote, Organ der Nationalen Partei Deutschlands, Nr. 16, Dez. 53.

140 Die Wahrheit läßt sich nicht unterdrücken, in: StdG, 5, Nr. 12, Dez. 53, S. 361f.

141 Zum Gespräch Courtin/Ehlers, in: Europäische Entscheidungsfragen. Informationsbrief der Arbeitsgemeinschaft: Christliche Verantwortung für Europäische Zusammenarbeit, Nr. 3, Dez. 53 (hektographiert; Text datiert vom 15. 6. 53).

142 Ein Jahr Gesamtdeutsche Volkspartei, in GR 4. 12. 53.

143 Der Ernstfall. Ein Wort zur Viererkonferenz, in: GR 18. 12. 53. – Stimme des Friedens, Nr. 1, Jan. 54 (gekürzt).

144 Einheitsgewerkschaft, in: GR 1. 1. 54.

145 Der richtige Hebel, in: StdG, 6, Nr. 1, 1. 1. 54, S. 5–10. – GR 15. 1. 54 (»Der richtige Hebel ist die Angst«). – GH, Deutschlandpolitik, S. 60–65 (gekürzt).

146 Was bringt das Jahr 1954 an politischem Geschehen? in: Der junge Mann. Monatsschrift, 6, Heft 1, Jan. 54. – Evangelischer Pressedienst 5. 1. 54 (gekürzt). – Unsere Kirche. Evangelisches Sonntagsblatt für Westfalen 9, Nr. 3B, 17. 1. 54 (»Gott hat Möglichkeiten die Fülle«; gekürzt).

147 Erklärung des Präsidiums der Gesamtdeutschen Volkspartei (mit Scheu/Scholl/Helene Wessel), in: GR 1. 1. 54.

148 Die Deutschlandfrage und der Weltfriede (Vortrag in Bern am 19. 11. und Zürich am 21. 11. 53). Broschüre, Bern 1954. – Ferner in: Unsere Kirche. Aus dem Kirchenkreis Siegen, Nr. 5 und 7, 31. 1. und 14. 2. 54. – De 3de Weg, 2, Nr. 1/2, Jan./Febr. 54 (»Duitsland en de Wereldvrede«). – GH, Deutschlandpolitik, S. 49–60 (gekürzt).

150 Rede im »Casino am Funkturm« in Berlin (-West), (am 20. 1. 54), in: GR 29. 1. 54 (Auszug). – SOS (s. GH 93), 1. Febr.-Ausgabe 1954 (Auszug).

151 Militärische Katastrophe oder politische Ordnung? Ein Wort zum Weltkonflikt und zur Deutschlandfrage. Broschüre: Schriftenreihe der GVP/ Heft 1. Aus Anlaß einer Berliner Rede hg. v. Landesverband Berlin der GVP, Berlin 1954.

152 Offener Brief an Dr. Adenauer, in: StdG, 6, Nr. 3, 1. 2. 54, S. 58–60. – GR 29. 1. 54. – Der Freiheitsbote (s. GH 139), Febr. 54. – Parlamentarische Wochenschau 3, Nr. 5, 1. Februarwoche 54. – Frau und Frieden. Mitteilungsblatt der Westdeutschen Frauenfriedensbewegung, Nr. 2, Febr. 54, S. 4. – Die Neue Zeitung 6. 2. 54. – Deutsch-Amerikanische Bürgerzeitung, Chicago, 30, Nr. 34, 25. 2. 54. – Funken. Aussprache-Hefte für internationale sozialistische Politik, 5, Nr. 3, März 54.

153 Gestalt und Wandel der Sozialdemokratischen Partei Deutschlands, in: StdG, 6, Nr. 3, 1. 2. 54, S. 49–56. – GR 26. 2. 54 (»Wohin geht die politische Linke?«). – Orientierung, kath. Blätter für weltanschauliche Information, Zürich, 15. 3. 54 (Auszüge).

154 Was geschieht in Berlin? in: GR 12. 2. 54.

155 Berliner Konferenz, in: StdG, 6, Nr. 5, 1. 3. 54, S. 97–99. – GH, Deutschlandpolitik, S. 65–69.

156 Menetekel – Marschall Juin. Ein Paradefall der EVG, in: GR 9. 4. 54.

157 Ostern, in: GR 16. 4. 54.

158 Barmer Synode 1934, in: Kirche und Mann, Nr. 5, Mai 54.

159 Zur Spandauer Synode, in: Kirche und Mann, Nr. 6, Juni 54.

160 Bonner Sackgassen, in: StdG, 6, Nr. 11, 1. 6. 54, S. 249–52. – GH, Deutschlandpolitik, S. 69–73 (gekürzt).

161 Versäumte Möglichkeiten, in: WT 9. 7. 54. – GR 16. 7. 54. – JK 15, Heft 13/14, 15. 7. 54 (Beilage). – Nürnberger Nachrichten 21. 7. 54 (»Gespräche in Moskau«; leicht gekürzt). – GH, Schnittpunkt, S. 125 (gekürzt).

161a Presseerklärung (nach der Rückkehr aus Moskau), in: Evangelischer Pressedienst ZA Nr. 153 vom 7. 7. 54. – Tägliche Rundschau 7. 7. 54.

162 Meine Moskaureise, in: Evangelische Welt. Informationsblatt für die Evangelische Kirche in Deutschland, 8, Nr. 15, 1. 8. 54, S. 439f. – GR 6. 8. 54 (»Moskaureise«).

163 Die neue Stunde Europas, in: StdG, 6, Nr. 15, 1. 8. 54, S. 346f. – GR 6. 8. 54. – GH, Deutschlandpolitik, S. 73–76.

164 Die Russisch-Orthodoxe Kirche. Ein Reisebericht, in: JK 15, Heft 15/16, 15. 8. 54, S. 369–71.

165 Die Kirche im Sowjetstaat. Ein kurzer Reisebericht, in: Kirche und Mann, Nr. 8, Aug. 54.

166 Die Russische Kirche – ein Verbündeter gegen Moskau? in: Neue Ruhr-Zeitung 7. 8. 54.

167 Weltkirchenkonferenz 1954. Erwartungen und Fragen, in: Der Weg (s. GH 46), 15. 8. 54.

168 Brief aus Evanston, in: StdG, 6, Nr. 17, 1. 9. 54, S. 385–90.

169 Im Reiche dieses Königs hat man das Recht lieb (Vortrag auf dem Kirchentag in Leipzig am 9. 7. 54), in: Seid fröhlich in Hoffnung. Der sechste

Deutsche Evangelische Kirchentag v. 7.–11. 7. 54 in Leipzig. Zusammengestellt von Hildegard Wulf, hg. im Auftrage des Präsidiums des Deutschen Evangelischen Kirchentags, Stuttgart o. J., S. 312–17 (hektographiert). – StdG, 6, Nr. 17, 1. 9. 54. – Die Zeichen der Zeit. Evangelische Monatsschrift, Heft 9, Sept. 54, S. 345f (»Menschliches Recht und Gottes Recht«; Auszug).

170 Der Weg der Sozialdemokratie, in: Die Neue Gesellschaft, 1, Nr. 2, Sept. 54, S. 44–49. – GH, Schnittpunkt, S. 38–47.

171 Zwischen Fortschritt und Glauben, in: GR 10. 9. 54. – WT 10. 9. 54.

172 Rückblick auf Evanston, in: Der Weg (s. GH 46), 19. 9. 54.

173 Neue Wegscheide, in: StdG, 6, Nr. 19, 1. 10. 54, S. 441f. – GR 24. 9. 54. – Stimme des Friedens Okt. 54.

174 Wieder der alte Kurs? Ein Wort zur Londoner Konferenz, in: Ludwigsburger Zeitung 29. 9. 54.

175 Rückschau auf Evanston, in: StdG, 6, Nr. 19, 1. 10. 54, S. 423–36.

176 Heraus aus dem Todeszirkel! Ein Nachwort zur Londoner Konferenz, in: GR 8. 10. 54. – WT 8. 10. 54.

177 Ich frage die amerikanische Politik, in: StdG, 6, Nr. 20, 15. 10. 54, S. 473–78. – GH, Deutschlandpolitik, S. 76–82 (gekürzt).

178 Rearmement, a German View, in: The Nation 16. 10. 54, S. 323–25. – Internationale Perspektiver, Kopenhagen, 4, Nr. 20–21, 1.–15. 11. 54, S. 246–48 (»Genoprustning, et tysk synspunkt«).

179 Weltkirchenversammlung, in: Deutsche Universitätszeitung, Göttingen, 9, Nr. 21, 8. 11. 54. – GH, Schnittpunkt, S. 35–37 (»Weltkirchenversammlung in Evanston 1954«; etwas erweitert).

179a Der Bergschaden, 2. Aufl., Berlin 1954.

180 Zwischen Moskau und Evanston. Vortrag bei einem Gemeindeabend anläßlich der Tagung der Kreissynode Essen, in: Der Weg (s. GH 46), 21. u. 28. 11. 54.

181 Gesamtdeutsche Aktion, in: StdG, 6, Nr. 23, 1. 12. 54, S. 559f.

182 Eure Herren gehen – unser Herr aber kommt, in: Leben und Glauben, Ev. Wochenblatt, Laupen/Bern, 29, Nr. 49, 4. 12. 54.

183 Deutschland und die Weltpolitik. Rede in Stuttgart-Bad Cannstatt am 26. Okt. 54. Broschüre, Schriften der Notgemeinschaft für den Frieden Europas e. V., Heft 1, Bonn 1954. Ferner in: GR 24. 12. 54. – GH, Schnittpunkt, S. 116–18 (Auszug). – GH, Deutschlandpolitik, S. 82–88 (gekürzt, ab 2. Aufl. ungekürzt).

184 Das Ende der Illusionen, in: Freie Presse, Bielefeld, 30. 12. 54. – Stuttgarter Zeitung 31. 12. 54. – GR 7. 1. 55.

185 So der Herr will und wir leben, in: Der Weg (s. GH 46), 2. 1. 55.

186 Die »christliche« Partei. Ein Wort an den Evangelischen Arbeitskreis der CDU, in: StdG, 7, Nr. 1, 1. 1. 55, S. 5–10. – GR 21. 1. 55. – GH, Schnittpunkt, S. 52–59.

187 Rede in der Paulskirche am 29. 1. 55 (»Der Bürger, der nur resigniert, muß dulden, was man ihm diktiert«), in: Rettet Einheit, Freiheit, Frieden! Gegen Kommunismus und Nationalismus! Broschüre (die auf der Kundgebung am 29. 1. 55 in der Paulskirche gehaltenen Reden und das

auf der Kundgebung beschlossene »Deutsche Manifest«), o. J. (1955). – GR 4. 2. 55 (»Heinemann in der Paulskirche«). – Wege zueinander, Halbmonatsblatt deutscher Wissenschaftler, Künstler und Erzieher, Stuttgart, Febr. 55. – GH, Schnittpunkt, S. 119f. (»Rettet Einheit, Freiheit, Frieden!«; Auszug).

188   Wer verwirrrt? in: StdG, 7, Nr. 3, 1. 2. 55, S. 57–59.

189   Ansprache in Paris auf der europäischen Konferenz für Verhandlungen über die deutsche Frage und die Abrüstung (am 11. u. 12. 12. 54), in: StdG, Sonderheft, Febr. 55, S. 12.

190   Zur Lage, in: Deutsche Universitätszeitung, Göttingen, 10, Nr. 3, 7. 2. 55, S. 11.

191   Notiz zu Helmut Thielicke, Theol. Ethik, Bd. I, in: GR 18. 2. 55.

191a Sozialethik (Besprechung von: Evangelisches Soziallexikon, i. A. des Deutschen Evangelischen Kirchentages hg. v. Fr. Karrenberg, Stuttgart 1954), in: Ev. Literaturbeobachter März 55.

192   Zur Bundestagsdebatte (über die Pariser Verträge), in: StdG, 7, Nr. 5, 1. 3. 55, S. 111–16.

193   Nach der Redeschlacht (im Bundestag 25.–27. 2. 55), in: GR 4. 3. 55.

194   Erklärung vor der Synode der EKD in Espelkamp am 6. 3. 55, in: Espelkamp 1955, Bericht über die erste Tagung der zweiten Synode der Evangelischen Kirche in Deutschland vom 6. bis 11. März 1955, hg. im Auftrage des Rates von der Kirchenkanzlei der Evangelischen Kirche in Deutschland, Hannover 1955, S. 65–70. – KJ 82, 1955, S. 36–38 (gekürzt). – StdG, Sonderheft, März 55, S. 9f. (gekürzt). – GH, Schnittpunkt, S. 68–72 (gekürzt).

195   Gleichgewicht statt Rüstungswettlauf, in: Schwäbische Donau-Zeitung 23. 3. 55.

196   The Church in the Soviet Union. Report of a Journey, in: World Dominion, Vol. 23, Nr. 2, März/April 1955, S. 115–17.

197   »Christliche« Partei – ein Nachwort zu Espelkamp, in: Kirche in der Zeit, 10, April 55, S. 82f. – JK 16, Heft 9/10, 15. 5. 55, S. 211f.

198   Kirchliche Begegnung in Prag, in: Sonntagsblatt, Nr. 15, April 55.

199   Um die deutschen Gefangenen. Erklärung zu Gesprächen mit Vertretern des tschechischen Roten Kreuzes, in: GR 8. 4. 55.

200   Wege zueinander, in: StdG, 7, Nr. 8, 15. 4. 55, S. 177–79.

201   Der Probefall Österreich, in: StdG, 7, Nr. 9, 1. 5. 55, S. 209–12. – GR 6. 5. 55 (»Der Probefall«). – GH, Deutschlandpolitik, S. 88–92.

202   Ungenutzte Chance? Wider die Unlust zu neuen Wegen, in: Der Weg (s. GH 46), 8. 5. 55.

203   Politisches Vokabular (Erläuterung politischer Begriffe), in: Politische Studien. Monatshefte der Hochschule für politische Wissenschaften, München, 5, Heft 61, Mai 55, S. 43.

204   Persönliche Verantwortung oder Linientreue? Zur Entwicklung der CDU, in: StdG, 7, Nr. 11, 1. 6. 55, S. 241–46. – GR 10. 6. 55 (»Linientreue statt Verantwortung. Die Fehlentwicklung der CDU zum Befehlsempfang von oben«). – GH, Schnittpunkt, S. 60–67.

205   Gibt es einen Ausweg aus dem leidigen Schulstreit? Das »Zumutbare«

und das »Sonderbare«, in: StdG, 7, 15. 6. 55, S. 279f. – GR 8. 7. 55 (»Ausweg aus dem leidigen Schulstreit. Das ›Zumutbare‹ und das ›Sonderbare‹«). – GH, Schnittpunkt, S. 85–88 (»Gibt es einen Ausweg aus dem Schulstreit? Das ›Zumutbare‹ und das ›Sonderbare‹«).

206 Was erwarten wir von der Genfer Konferenz? in: StdG, 1. 7. 55, S. 289–92. – GH, Deutschlandpolitik, S. 92–96 (gekürzt).

207 »Bündnisfreiheit«. Kann Deutschland neutralisiert werden?, in: GR 8. 7. 55. – WT 9. 7. 55 (»Kann Deutschland neutralisiert werden?«).

208 Wo bleibt nun die Wiedervereinigung? in: StdG, 15. 8. 55, S. 373f. – GR 5. 8. 55. – Freie Presse, Bielefeld, 5. 8. 55 (»Ein Vorschlag: Jetzt eine provisorische Nationalversammlung«). – Heidenheimer Zeitung 5. 8. 55 (»Wiedervereinigung und globale Entspannung«; gekürzt). – Stuttgarter Zeitung 6. 8. 55. – Rundbrief Bund für lebendige Kirche, 10, Nr. 9, Sept. 55. – Dokumentation der Zeit (s. GH 124), Heft 102, S. 7881f (gekürzt). – Verfahrensvorschläge zur Wiedervereinigung Deutschlands 1949–1959 (s. GH 97), S. 103 (gekürzt). – Dokumente zur Deutschlandpolitik, hg. v. Gesamtdeutschen Ministerium, Bd. III/1 (1957), S. 257f (gekürzt). – GH, Deutschlandpolitik, S. 97–99.

209 Kriegsdienstverweigerung im west-östlichen Spiegelbild, in: GR 9. 9. 55. – WT 9. 9. 55.

210 Politik des Lösegelds (betr. Kriegsgefangene in der Sowjetunion), in: GR 23. 9. 55.

211 Die neue Lage, in: StdG, 7, Nr. 19, 1. 10. 55, S. 433–38. – GH, Deutschlandpolitik, S. 99–104.

212 Ernüchterung, in: GR 21. 10. 55. – Realpolitik, 7, Nr. 244, 19. 10. 55. – Der Freiheitsbote (s. GH 139), Nov. 55.

213 Adenauer-Pläne (zur deutschen Frage 1947–55), in: StdG, 7, Nr. 22, 15. 11. 55, S. 533–36. – GR 25. 11. 55. – Sonderdruck der GR, o. J. (1955).

214 Genf (zur Außenminister-Konferenz), in: GR 18. 11. 55.

215 »Christliche« Gewerkschaft, in: StdG, 7, Nr. 23, 1. 12. 55, S. 549f.

216 Die Revision ist fällig. Der Mensch als Maßstab gesamtdeutscher Lebensordnungen, in: GR 1. 1. 56. – WT 30. 12. 55 (gekürzt).

217 Rückblick auf 1955, in: Der Weg (s. GH 46), 1. 1. 56.

218 Erbe und Auftrag. Geschichtliche Betrachtungen zum Thema Kirche und Demokratie, in: StdG, 8, Heft 1, 2, 3; 1. 1., 15. 1., 1. 2. 56, S. 5–8, 41–46, 69–72. – GH, Schnittpunkt, S. 8–23.

219 Geschichtsklitterung in »Christ und Welt« (zu einem Artikel über die Synode von Espelkamp), in: StdG, 8, Heft 2, 15. 1. 56, S. 55f.

220 Geht das die Kirche etwas an? in: JK 17, Heft 1/2, 15. 1. 56, S. 6–9.

221 Veränderte Szenerie, in: GR 20. 1. 56. – GH, Deutschlandpolitik, S. 109 bis 110 Mitte (gekürzt).

222 Späte Einsicht. SPD auf marktwirtschaftlichem Kurs, in: GR 27. 1. 56.

223 Verfassungstheorie und Wirklichkeit. Eine Betrachtung zu Artikel 21 des Grundgesetzes: »Die Gründung von Parteien ist frei!« in: GR 10. 2. 56. – Die Gegenwart, 11, (Nr. 2), Nr. 252, 28. 1. 56, S. 43f (»Ist die Gründung von Parteien frei?« – Leserbrief).

223a Pierre Maury (Nachruf), in: L'illustré protestant, Mensuel, Febr. 56.

224 Poujadismus, in: GR 3. 2. 56.

225 Wem die Stunde schlägt . . ., in: GR 17. 2. 56.

226 Szenenwechsel (zum Regierungswechsel in Nordrhein-Westfalen), in: GR 24. 2. 56.

227 Herbert Schöffler, ein Blick in seine theologische Arbeit, in: Ev. Theologie, 16, Febr./März 56, S. 133–41. – GH, Schnittpunkt, S. 31–34 (gekürzt).

228 Göttersturz, in: GR 2. 3. 56.

229 »Größere Einbrüche«. Kommentar zur Landtagswahl in Baden-Württemberg, in: StdG, 8, Heft 6, 15. 3. 56, S. 177f.

230 Die andere Ebene, in: GR 16. 3. 56. – GH, Deutschlandpolitik, S. 110 Mitte – 112.

231 Von der Europaarmee zur Kolonialtruppe, in: GR 30. 3. 56.

232 Bundestagswahl, in: GR 6. 4. 56.

233 Der Christ in der öffentlichen Verantwortung, in: JK 17, Heft 7/8, 15. 4. 56, S. 164f. – GH, Schnittpunkt, S. 73–75.

234 Zwang der Tatsachen, in: GR 20. 4. 56. – GH, Deutschlandpolitik, S. 112–14.

235 Stunde der Wahrheit, in: StdG, 8, Heft 9, 1. 5. 56, S. 257–60. – GH, Deutschlandpolitik, S. 114–19 (gekürzt).

236 ›Die dritte Kraft‹ als Weg zur deutschen Wiedervereinigung, in: Die Wiedervereinigung Deutschlands als Aufgabe der Deutschen und der Weltmächte. 6 Reden, gehalten während der 2. außenpolitischen Woche des Auslandsinstituts Dortmund, hg. v. d. Gesellschaft der Freunde des Auslandsinstituts e. V., Dortmund 1956, S. 75–90. – GR 27. 7. 56 (Auszug: »Europa als dritte Kraft«). – GH, Schnittpunkt, S. 121–23 (Auszug: »Die dritte Kraft«).

237 Wiedervereinigung als geschichtliches Problem, in: Der mündige Christ, hg. v. Heinrich Giesen/Heinz-Horst Schrey/Hans-Jürgen Schultz, Stuttgart 1956, S. 261–64.

238 Weggeworfene Stimmen (zur Landtagswahl in Baden-Württemberg), in: GR 11. 5. 56.

239 Abrüstungspolitik des Kreml beunruhigt Bonn, in: GR 25. 5. 56.

239a Kreditbeschränkung, in: GR 1. 6. 56.

240 Rätselraten oder wählen? Eine Frage an Dr. Dehler, in: GR 22. 6. 56.

241 Attentat auf den Rechtsstaat, in: WT 25. 6. 56.

242 Eine Frage an Herrn Brockmann, in: GR 29. Juni 56.

243 Aufmarsch der evangelischen CDU, in: StdG, 8, Heft 13, 1. 7. 56, S. 409f.

244 Was Dr. Adenauer vergißt. Notizen zu einer Biographie (von Paul Weymar, Konrad Adenauer, München 1955), in: Frankfurter Hefte 11, Heft 7, Juli 56, S. 455–72. – GR 3. 8. 56. – Süddeutsche Zeitung 25. 7. 56 (»Als Adenauer die Weiche stellte«; gekürzt). – GH, Schnittpunkt, S. 89–114. – Dokumente zur parteipolitischen Entwicklung in Deutschland seit 1945, Bd. VI (s. GH 40), S. 14–19 (gekürzt).

245 Gesamtdeutsche Synode gegen Wehrzwang, in: GR 6. 7. 56. – Velberter Zeitung 4. 7. 56. – JK 17, Heft 15/16, 15. 8. 56, S. 400f. – Deutsche Universitätszeitung, Göttingen, 11, Nr. 13/14, 19. 7. 56 (»Synode gegen Wehrzwang«). – KJ 83, 1956, S. 96f (Auszug).

246 Die große Debatte (im Bundestag am 6. 7. 56 über das Wehrpflichtgesetz), in: GR 13. 7. 56.

247 Brief an Präses Prof. Dr. von Dietze (gemeinsam mit H. Gollwitzer und H. Vogel), in: JK 17, Heft 15/16, 15. 8. 56, S. 403f. – StdG, 8, Heft 15, 1. 8. 56, S. 473f. – KJ 83, 1956, S. 76f.

248 Stellungnahme vom 27. 7. 56 (zu Dr. Eberhard Müller), in: JK 17, Heft 15/16, 15. 8. 56, S. 411–13. – KJ 83, 1956, S. 87f.

249 Der Wehrpflichtstreit in der Evangelischen Kirche, in: WT 27. 7. 56.

250 Unser Gespräch über die Wiedervereinigung, in: StdG, 8, Heft 15, 1. 8. 56, S. 455–58.

251 Die Kernfrage, in: GR 10. 8. 56.

252 Anrede an Moskau, in: GR 14. 9. 56.

253 Politik im Umbruch, in: StdG, 8, Heft 19, 1. 10. 56, S. 597–600.

254 Halbstarke Politik, in: GR 19. 10. 56. – WT 15. 10. 56. – Die Diskussion, Studenten-Kurier, Nov. 56. – GH, Deutschlandpolitik, S. 119–121.

255 Kommunalwahl (in Nordrhein-Westfalen), in: GR 26. 10. 56.

256 Drei Ereignisse (zu Polen – Ungarn – Ägypten), in: GR 9. 11. 56. – WT 9. 11. 56 (»Die drei Ereignisse«).

257 Das Verbrechen an Ungarn, in: GR 16. 11. 56. – Die Diskussion, Studenten-Kurier, Dez. 56.

258 »Symbolische« Bundeswehr, in: GR 30. 11. 56.

259 »Theologie der Abrüstung«. Ein Wort zu Ungarn, in: StdG, 8, Heft 23, 1. 12. 56, S. 713–16, 721. – GH, Schnittpunkt, S. 124–29 (»Ein Wort zu Ungarn«).

260 Weihnachten, in: GR 21. 12. 56.

261 Krise der Rüstungspolitik. Lehre von Ungarn und Ägypten. Rede in der Darmstädter Stadthalle am 20. 11. 56, in: GR 4. 1. 57. – WT 5. 1. 57.

262 »Theologie der Abrüstung«. Antwort an Bischof D. Lilje, in: StdG, 9, Heft 2, 15. 1. 57, S. 37–40.

263 »Sternstunde der Menschheit«, in: GR 18. 1. 57. – Die Diskussion, Studenten-Kurier, Jan. 57. – Der Ruf, Braunschweig, Jan. 57 (»Alibi für künftige Unfairneß?«).

264a Zwei-Klassen-Wahlrecht, in: GR 1. 2. 57. – WT 25. 1. 57. – Deutsche Universitätszeitung, Göttingen, 12, Nr. 3, 12. 2. 57.

264b Das Wahlrecht, in: StdG, 9, Heft 4, 15. 2. 57, S. 117f.

265 Aufbruch aus der Verkrampfung, in: Zeitschrift für Geopolitik in Gemeinschaft und Politik, 28, Heft 3, März 57, S. 28–30.

266 Wer ist der Staat? in: GR 1. 3. 57.

267 Franz-Josef-Strauß-Politik, in: StdG, 9, Heft 5, 1. 3. 57, S. 145f. – Der Freiheitsbote (s. GH 139), 7. 3. 57. – GH, Deutschlandpolitik, S. 121f (gekürzt).

268 Das Ende der »Verteidigung«, in: GR 15. 3. 57. – StdG, 9, Heft 7, 1. 4. 57, S. 205–08.

269 »Mit brutaler Gewalt« (zu Erhards Wirtschaftspolitik), in: GR 22. 3. 57.

270 Die Warnung (der 18 Atomwissenschaftler vor westdeutscher Atomrüstung am 13. 4. 57), in: StdG, 9, Heft 9, 1. 5. 57, S. 269–72. – Broschüre: Wir sind gewarnt – Was können wir tun? hg. v. der StdG. – Wege zuein-

ander (s. GH 187), 6, Nr. 10, 2. Maiheft 1957, S. 3. – GH, Schnittpunkt, S. 130–34.

271 Die Lawine, in: GR 10. 5. 57.

272 »Am Tiefpunkt« –? (Leserbrief an die FAZ zu einer Glosse der FAZ v. 25. 4. 57), in: GR 17. 5. 57.

273 Warum zur SPD? in: SPD-Pressedienst 24. 5. 57. – Hamburger Echo 25. 5. 57. – GR 31. 5. 57. – Flugblatt, hg. v. Vorstand der SPD Bonn. – JK 18, Heft 11/12, 10. 6. 57, S. 366f.

274 Kann man SPD wählen? in: Der Freiheitsbote (s. GH 139), Nr. 26, Juni 57.

275 Kalkül oder Gehorsam? in: StdG, 9, Heft 11, 1. 6. 57, S. 325–27.

276 Ohne – nicht, in: SPD-Pressedienst 4. 6. 57.

277 Der christliche Vorbehalt, in: Vorwärts 7. 6. 57. – StdG, 9, Heft 13, 1. 7. 57, S. 409f.

278 Stehengebliebene Uhren, in: GR 7. 6. 57.

279 Zwiespältige CDU, in: GR 28. 6. 57.

280 Im Schnittpunkt der Zeit. Reden und Aufsätze. Mit einem Vorwort von Helmut Gollwitzer (vom Juni 1957), Verlag StdG, Darmstadt 1957.

281 Politisierung der Kirche? (Erklärung zu einem Offenen Brief der Pfarrer Köllner/Kemner/Turck/Deitenbeck), in: StdG, 9, Heft 13, 1. 7. 57, S. 410f. – JK 18, Heft 13/14, 10. 7. 57, S. 427f. – KJ 84, 1957, S. 66f.

282 Weltanschauung reißt künstliche Fronten. Die Deutsche Politik im Grabensystem der Bekenntnisse, in: Politische Verantwortung. Evangelische Stimmen, 1, Nr. 1, Anfang Juli 57.

283 Du sollst kein falsches Zeugnis reden! in: Licht und Leben (s. GH 42), Juli 57, S. 109.

284 Gedanken zur politischen Ethik, in: JK 18, Heft 13/14, 10. 7. 57, S. 373–75. – GH, Schnittpunkt, S. 76–79.

285 Wie schon oft in unserer Geschichte, in: StdG-Sonderheft zum Militärseelsorge-Vertrag, August 57, S. 461f.

286 Staatspartei und Kirchenpartei, in: StdG, 9, Heft 16, 15. 8. 57, S. 497f. – SPD-Pressedienst 7. 8. 57. – GR 23. 8. 57.

287 Die halben Rechnungen, in: SPD-Pressedienst 23. 8. 57. – Wege zueinander (s. GH 187), 6, Nr. 17, 2. Septemberheft 1957.

288 Die Entscheidung des 15. September. Mit der SPD für gesamteuropäische Verständigung, in: Politische Verantwortung, 1, Nr. 6, Mitte Sept. 57.

289 Erklärung (zu einem Offenen Brief von Dr. Eberhard Müller v. 23. 8. 57), in: Politische Verantwortung, 1, Nr. 6, Sept. 57. – KJ 84, 1957, S. 71.

290 Die Krise der CDU, in: StdG, 9, Heft 18, 15. 9. 57, S. 549f.

291 Das Große Experiment, in: SPD-Pressedienst 25. 9. 57. – Hamburger Echo 27. 9. 57. – GR 27. 9. 57 (»Jetzt kommen die Experimente«).

292 Worte und Taten, in: GR 4. 10. 57.

293 Die 3. Runde, in: GR 25. 10. 57. – GH, Deutschlandpolitik, S. 123f (gekürzt).

294 Vierzig Jahre Sowjetunion, in: GR 8. 11. 57.

295 Todesstrafe? in: GR 15. 11. 57. – WT 19. 11. 57.

296 Die Kirche in der Sowjetunion (Rezension von John Shelton Curtiss, Die

Kirche in der Sowjetunion 1917–1956, München 1957), in: GR 29. 11. 56.

297 Rufmord, in: GR 6. 12. 57.

298 Der programmatische Wandel der SPD. Selbstbesinnung nicht nur bei der Opposition, in: StdG, 9, Heft 23, 1. 12. 57, S. 709–12. – GR 13. 12. 57. – Vorwärts 31. 1. 58 (»SPD und christliche Kirchen«; gekürzt). – Berliner Stimme 15. 3. 58 (»SPD und christliche Kirchen«; gekürzt). – Dokumente zur parteipolitischen Entwicklung in Deutschland seit 1945, hg. v. O. Flechtheim u. a., 7. Bd: Innerparteiliche Auseinandersetzungen, 2. Teil, S. 88f (gekürzt).

299 Worum geht es 1958? in: StdG, 10, Heft 1, 1. 1. 58, S. 1–4.

300 Njet, in: GR 24. 1. 58.

301 Rede im Bundestag am 23. 1. 58 (zur Deutschlandfrage der Nachkriegszeit), in: Sten. Berichte des Deutschen Bundestages, 3. Wahlperiode, 9. Sitzung, 23. 1. 58, S. 401–06. – StdG, 10, Heft 4, 15. 2. 58, S. 105–12. – Die Information. Wege zueinander (s. GH 187), 7, Nr. 5, Febr. 58, S. 29–40. – JK 19, Heft 3/4, 10. 2. 58, S. 110–12 (gekürzt). – Politische Verantwortung 2, Nr. 2, Febr. 58. – Sonderdrucke der SPD. – Dokumente zur Deutschlandpolitik, hg. v. Ministerium f. Gesamtdeutsche Fragen, Bd. III/4 (1958), S. 399–409. – GH, Deutschlandpolitik, S. 124–36 (gekürzt).

302 Unteilbares Deutschland. Rundfunkrede vom 25. 1. 58, in: Sozialdemokratische Bundestagsfraktion, Mitteilung für die Presse Nr. 35/58, Bonn 25. 1. 58.

303 Das Doppelspiel der CDU, in: SPD-Pressedienst 28. 1. 58. – Hamburger Echo 29. 1. 58. – Freie Presse, Bielefeld, 29. 1. 58.

304 Die Entlarvung, in: GR 31. 1. 58.

305 Lazarett für die Opfer der Spaltung (Gesamtdeutscher Ausschuß in Berlin), in: Neue Rhein-Zeitung 1. 2. 58.

306 23. Januar 1958, in: StdG, 10, Heft 4, 15. 2. 58, S. 97–100. – WT 18. 2. 58. – GH, Deutschlandpolitik, S. 136–140.

307 Brief aus Bonn, in: Neue Ruhr-Zeitung 15. 2. 58.

308 Offene Antwort (auf einen Offenen Brief von Friedrich Kühn, Geschäftsführer der Hermann-Ehlers-Gesellschaft), in: GR 21. 2. 58. – Politische Verantwortung, 2, Nr. 3, März 58.

309 Rückäußerung gegenüber der »Jungen Stimme« (»Ein Nein zur Gottesleugnung. Dr. Heinemann äußert sich nochmals zur Bundestagsrede«), in: Junge Stimme (s. GH 78), 8. 3. 58. – Politische Verantwortung, 2, Nr. 3, März 58 (»Was heißt: ›Christus starb nicht gegen Karl Marx‹«).

310 Interview mit »Der Mittag«, Düsseldorf, 11. 3. 58. – GR 14. 3. 58.

311 Brief aus Bonn, in: Neue Ruhr-Zeitung 15. 3. 58.

312 Rede im Bundestag am 25. 3. 58 (zur Frage der atomaren Bewaffnung der Bundeswehr), in: Sten. Berichte des Deutschen Bundestages, 3. Wahlperiode, 21. Sitzung, 25. 3. 58, S. 1059–67. – StdG, 10, Heft 9, 1. 5. 58, S. 391–97. – GR 4. 4. 58 (»Sagt nein zum atomaren Wahnsinn. Massenvernichtungsmittel sind rechtswidrig und unsittlich«). – Dokumente zur Deutschlandpolitik, hg. v. Gesamtdeutschen Ministerium, Bd. III/4 (1958), S. 851–64.

313 Die Debatte (im Bundestag am 25. 3. 58), in: StdG, 10, Heft 8, 15. 4. 58, S. 343f.

314 Brief aus Bonn, in: Neue Ruhr-Zeitung 19. 4. 58.

315 Das Alsop-Interview (zu dem Artikel von Joseph Alsop: »Matter of Fact. Dialogue at Tempelhof« in: New York Herald Tribune 10. 2. 58), in: StdG, 10, Heft 8, 15. 4. 58, S. 343f.

316 Rede im Bundestag am 25. 4. 58 (zum Antrag der SPD auf Volksbefragung wegen der atomaren Bewaffnung der Bundeswehr), in: Sten. Berichte des Deutschen Bundestages, 3. Wahlperiode, 26. Sitzung, 25. 4. 58, S. 1476–80. – GR 2. 5. 58 (»Wir werden unser Volk nur dann demokratisch machen, wenn wir Demokratie riskieren«).

317 Atomwaffen und Evangelische Kirche, in: GR 9. 5. 58.

318 Heute wie vor 2000 Jahren. Das Zeichen der Pfingsten, in: Freie Presse, Bielefeld, 25. 5. 1958.

319 Ungarn, in: SPD-Pressedienst 24. 6. 58. – GR 27. 6. 58.

320 Rede im Bundestag am 4. 7. 58, in: Sten. Berichte des Deutschen Bundestages, 3. Wahlperiode, 40. Sitzung, 4. 7. 58, S. 2341–46. – GR 11. 7. 58 (»Eine Aufgabe für den Evangelischen Arbeitskreis der CDU«; gekürzt).

321 Das Erbe des 20. Juli 1944, in: SPD-Pressedienst 16. 7. 58. – Neue Rhein-Zeitung 19. 7. 58 (»Das Erbe des 20. Juli heißt Verantwortung«). – Hannoversche Presse 19. 7. 58. – GR 25. 7. 58 (»20. Juli«).

322 Evangelische Kirche im geteilten Deutschland, in: Die Neue Gesellschaft, 5, Heft 4, Juli/Aug. 58, S. 247–49. – Neue Politik, 3, Nr. 27, 5. 7. 58 (»Die Kirche im geteilten Deutschland«).

323 Einsame Entschlüsse, in: SPD-Pressedienst 30. 7. 58. – GR 1. 8. 58.

324 Der Spruch von Karlsruhe, in: Vorwärts 8. 8. 58. – GR 8. 8. 58 (»Offengelassene Fragen«; gekürzt).

325 Der Kirchenkampf in Essen (Vortrag in Essen im Sommer 1958; Nachschrift), in: Der Weg (s. GH 46), Nr. 34–38, Aug./Sept. 58.

326 Die falsche Rechnung, in: StdG, 10, Heft 17, 1. 9. 58, S. 633–36.

327 Innerdeutsche Regelungen, in: SPD-Pressedienst 3. 10. 58. – Westfälische Rundschau 6. 10. 58 (»Im Niemandsland«). – GR 10. 10. 58.

328 Parlamentär im Niemandsland, in: Vorwärts 24. 10. 58.

329 Die Nein-Denker in der CDU, in: SPD-Pressedienst 27. 10. 58. – Die Freiheit, Mainz, 29. 10. 58. – Westfälische Rundschau 1. 11. 58.

330 Wir sollen glauben, was sie selbst bezweifeln? in: GR 31. 10. 58.

331 Innerdeutsche Regelungen, in: Die Neue Gesellschaft, 5, Heft 6, Nov./ Dez. 58, S. 464f.

332 Berlin, in: GR 5. 12. 58.

333 Weihnacht 1958, in: SPD-Pressedienst 20. 12. 58. – GR 19. 12. 58.

334 Die Herren und der Herr, in: Leben und Glauben (s. GH 182), 33, Nr. 51, 20. 12. 58, S. 4.

335 Gemeinsame Deutschlandpolitik, in: SPD-Pressedienst 29. 12. 58. – GR 2. 1. 59. – Die Freiheit, Mainz, 3. 1. 59.

336 Die V. These der Barmer Erklärung (Vortrag in Mülheim im Sommer 1957), in: Frohe Befreiung – dankbarer Dienst. Die theologische Erklärung der ersten Bekenntnissynode der Deutschen Evangelischen Kirche

Barmen 1934, hg. von der Evangelischen Akademie Haus der Begegnung Mülheim/Ruhr, Düsseldorf 1958, S. 77–90.

337 Plädoyer (in Verteidigung von Dr. Viktor Agartz vor dem Bundesgerichtshof am 11. 12. 57), in: Hans-Georg Hermann, Verraten und verkauft, Fulda 1958, S. 229–49.

Verzeichnis der Abkürzungen

(mit Quellenhinweisen)

AH   Archiv Heinemann, Bonn (Die Fundstellen wurden im einzelnen nicht bezeichnet, weil das Archiv neu geordnet wird)

AScheu Archiv von Adolf Scheu, Wuppertal-Sonnborn

BKadW Bekennende Kirche auf dem Weg. Informations- und Nachrichtenblatt des Bruderrats der Evangelischen Kirche in Deutschland, Darmstadt 1950ff.

Bulletin Bulletin des Presse- und Informationsamtes der Bundesregierung, Bonn 1951ff.

DNZ   Die Neue Zeitung. Die amerikanische Zeitung in Deutschland

dpa   Deutsche Presse-Agentur

DUD   Deutschland-Union-Dienst. Pressedienst der Christlich-Demokratischen und Christlich-Sozialen Union Deutschlands, Bonn

EA   Europa-Archiv, hg. v. Wilhelm Cornides, Wien/Frankfurt/Basel

epd   Evangelischer Pressedienst, Bethel bei Bielefeld

FAZ   Frankfurter Allgemeine Zeitung

FR   Frankfurter Rundschau

GH   Gustav Heinemann, Bibliographie S. 540–560

GR   Gesamtdeutsche Rundschau

JK   Junge Kirche. Protestantische Monatshefte

KAG   Archiv der Gegenwart, früher Keesings Archiv, Bonn/Wien/Zürich

KJ   Kirchliches Jahrbuch, hg. v. Joachim Beckmann, Gütersloh

LKAB   Landeskirchliches Archiv, Bielefeld

NYHT New York Herald Tribune

NYT   New York Times

NZZ   Neue Zürcher Zeitung

StdG   (Die) Stimme der Gemeinde, Darmstadt 1949ff.

StZ   Stuttgarter Zeitung

Die Zeitungsartikel stammen aus der Pressedokumentation des Deutschen Bundestages, Bonn; dem Forschungsinstitut der Deutschen Gesellschaft für Auswärtige Politik e. V., Bonn; dem Hamburgischen Welt-Wirtschafts-Archiv, Hamburg; dem Archiv Heinemann, Bonn; dem Archiv Niemöller, Bielefeld; dem Archiv von Radio Bremen; dem Archiv des Nachrichtenmagazins Der Spiegel, Hamburg; dem Westfälisch-Niederrheinischen Institut für Zeitungsforschung, Dortmund.

Personenregister

(mit Literaturhinweisen)

Die *kursiv* gesetzten Seitenzahlen bezeichnen die Stellen, an denen die Veröffentlichung eines Autors zum ersten Mal zitiert wird; auf den betreffenden Seiten sind die vollständigen bibliographischen Angaben zu finden. Sammlungen von Dokumenten sind am Schluß aufgeführt.

334, 379, 408, 421, 442, 443, 445,
447, 481, 483, 485, 486
Ordemann, Conrad 175, 273, 411
Ordemann, Gertrud, s. Staewen
Ordemann, Hilda, s. Heinemann
von Ostau 238
Ostertag, Roland 482

Pakenham, Lord Francis A. 72, 89
Paulus 119, 182, 187
Pautke, Johannes 296
Pechel, Rudolf 384
Pferdmenges, Robert 98, 348
Pfleiderer, Karl-Georg 335, 336, *336,*
337, 338, 343–345, 350, 364, 369,
378, 381, 443
Pieck, Wilhelm 98, 162, 256
Pinkernell, F. A. 47
Pleven, René 194, 243
Plog, Hermann 213
Posser, Diether *12,* 250, 269–271, *277,*
280, 377, 380, 382, 410, 412, 414,
442, *476,* 484, 485, 497, *497*
Poth, Walter 399
Priebe, Albert 271, 329
Pünder, Hermann *98,* 107
Puschkin, Georgij 435
Puttfarcken, Hans 296
Putz, Eduard 467, 470
Pyun, Außenminister (Korea) 420

von Rad, Gerhard *33, 188*
Rademacher, Ottfried 270
Raiser, Ludwig 120, 296, 470
Rasmussen 381
Rau, Johannes 382, *484, 487*
Raymond, Allen 149
Raymond, Jack 203
Reger, Erik 89
Rehling, Luise 445, 495
Reinecke, Werner 381
Reismann, Bernhard 385
Remer, Otto Ernst 238
Rendtorff, Heinrich 296
Renner, Heinz 56, 71, 102, 197, 322
Respondek, Erwin 341

Reuter, Ernst 24, 25, 89, 254
Reuter, Georg 445
Rhee, Syngman 142, 148, 149, 151,
247, 248
Richardson, James L. *458*
Richert, Ernst *448*
Rietz, Werner 271
Ritter, Gerhard 283
Robertson, Sir Brian 73, 86
Rodenberg, Ludwig 372
Röpke, Wilhelm 48, *89*
von Rohr, Hansjoachim 337
Rosendahl, Hugo 56
Rupp, Hans Karl *461*

Sabel, Karl *72, 73*
Sänger, Fritz 421
Sauer, Hermann 466
Schäfer, Hermann 144
Schaefer, Hermann 382
Schäffer, Fritz 169, 170
Scharf, Kurt 473, *543*
Scharnberg, Hugo 348
Schelz, Sepp 374
Schempp, Paul *29*
Schenke, Wolf 409, 410
Scheu, Adolf 174, 269, 270, 272, 289,
329, 341, 342, 349, 374, 375, 378,
380, 382–384, 409, 425, 429, 433,
442, 455, *455, 481,* 482–485, *541,*
542, 546, 548–550
Schiller, Karl 427
Schlingensiepen, Johannes 53
Schmid, Carlo 144, 177, 206, 318, 319,
320, 322, 334, 335, 546
Schmidt, Dietmar *35*
Schmidt, Eberhard *232*
Schmidt, Jürgen *27, 35*
Schmidt, Otto 56, 70, 542
Schneider, Herbert 494
Schneider, Reinhold 391
Schnepel, H. (Lübeck) 273
Schöffel, Simon 296
Schöffler, Herbert 61, *61, 555*
Scholl, Robert 374, 375, *549, 550*
Schreiber, Hermann *11*
Schrey, Heinz-Horst 363, *555*

Vogel, Heinrich 119, 126, 128, 464, 467, 470, 473, 496, *556*
Vogel, Walter *16*
Vogelsang, Thilo *16, 24*
Vogelsanger, Peter *491*
Voß, Heinrich 448
von der Vring, Thomas *408*

Wacher, Gerhard 445
Walter, Johanna, s. Heinemann
Walter, Gustav (47)
Warburg, James P. 380, *380,* 438
Weber, Alfred 88, 90, 445
Weber, Helene 78, 416
Weber, Hermann *340*
Weber, Jürgen *227, 308*
Weckerling, Rudolf 104
Wehner, Herbert 334, 442, 481, 485
Weitz, Heinrich 434, 435
Wenger, Paul Wilhelm 494
Werner, Herbert 249
Wessel, Helene 269, 270–272, *270, 271,* 274, 279–282, 284–286, 289, 309, 326, 327, 337, *337,* 338, 341, 342, 344, 374, 375, 388, 391, 407, 408, 410, 433, 442, 480, 484, 485, 489, 501, 531, 539, *541, 546, 548, 549, 550*
Wester, Reinhard 296
Wettig, Gerhard *16, 90*
Weymar, Paul *98*

Wicke, Heinrich 272
Wieck, Hans Georg *56*
Wiedmann, Karl 357
Wildermuth, Eberhard 162, 168
Wilkens, Erwin 210–213
Wilm, Ernst *12,* 215, 299, 357, 360, 361, 363, 382
Wilson, Duncan 73
Wirth, Joseph 272, 285, 312, 384, 385, 399, 401, 410, 413–415, 421
Wolf, Ernst *40*
Wulf, Hildegard *552*
Wurm, Theophil 28, 29, 34, 35, 37, 41, 53, 55, 57, 60, 187, 217, 218, 296, 354–357, 548

Zaisser, Wilhelm 420
Zehrer, Hans 115, 136
Zimmerer, Ludwig 388, 401, *545*
Zimmermann, Karl *69*
Zorin, Valerian 434
Zywietz, Hanns-Martin *12*

Sammlungen von Dokumenten
zur politischen Entwicklung *15, 21, 22, 80, 83, 99, 129, 130, 157, 177, 228, 261, 306, 321, 402, 429, 446, 452, 496*
zur kirchlichen Entwicklung *28, 30, 43, 50, 118, 157, 158, 365, 449, 463, 472, 473*

Eberhard Bethge

Dietrich Bonhoeffer

Theologe · Christ · Zeitgenosse. Eine Biographie. 3. Auflage. 1104 Seiten
mit 32seitigem Beiheft. Leinen DM 46.–

Der Biograph hat eine erstaunliche Arbeit vollbracht. Aus ungezählten
Entwürfen, Briefen, Tagebuchaufzeichnungen, Vorlesungsabrissen, Kol-
legnachschriften, Zetteln und mündlichen Berichten der Familie und
Freundschaft hat er ein Werk zustande gebracht, das nicht nur für die
Geschichte der Theologie, sondern auch für die des politischen Wider-
standes von Bedeutung ist.   Rheinische Post

Dieses Buch ist ein Ereignis, in aller gebotenen Nüchternheit sei es so
gesagt. Von nicht vielen Lebensbeschreibungen deutscher Autoren könnte
Ähnliches behauptet werden. Hier liegt eine große Arbeit vor, eine be-
wegende, spannende, sprachlich glänzende, materialreiche Schilderung
eines erregenden Lebens. Die deutsche Biographie der Nachkriegszeit hat
einen Höhepunkt erreicht.
Bethge leistete mehr als einen Freundschaftsdienst; er gab, indem er das
außergewöhnliche Leben dieses Mannes beschrieb, der Nation ein Vorbild, der Jugend dieses Landes vor allem.   Die Zeit

Bonhoeffers Weg, Entscheidung und Schicksal, das in diesem großen
Werk mit ebensoviel sachlicher Kompetenz wie mit innerer Beteiligung
vergegenwärtigt wird, darf nicht Vergangenheit bleiben, es muß lebendige, weiterwirkende, bedeutsam werdende Geschichte sein, es ist Weg-
weisung und Ermutigung für das Zeugnis, das der christliche Glaube
jederzeit zu geben hat. Bonhoeffers Vermächtnis gehört nicht nur seiner
Konfession, es gehört allen Christen, und alle Christen geht es an; nicht
nur in Deutschland, sondern in der Ökumene.
     Professor Dr. Heinrich Fries in »Christ in der Gegenwart«, Freiburg

In Hunderten von literarischen Momentaufnahmen entrollt sich beim
Studium der Biographie ein Streifen Welt-, Wissenschaft- und Kirchengeschichte von umfassender Aktualität.   Zeitwende

Chr. Kaiser Verlag

Politische Verantwortung und Zeitgeschichte

Eberhard Bethge: Ohnmacht und Mündigkeit. Beiträge zur Zeitgeschichte und Theologie nach Dietrich Bonhoeffer. 192 Seiten. Kartoniert DM 14.50

Dietrich Bonhoeffer: Ethik. Aus dem Nachlaß herausgegeben von Eberhard Bethge. 7. Auflage. 408 Seiten. Leinen DM 19.–

Dietrich Bonhoeffer: Widerstand und Ergebung. Neuausgabe. Briefe und Aufzeichnungen aus der Haft. Herausgegeben von E. Bethge. 468 Seiten. Sonderausgabe kartoniert DM 19.80. Leinen DM 24.50

Armin Boyens: Kirchenkampf und Ökumene 1933–1939. Darstellung und Dokumentation. 488 Seiten. Leinen DM 36.–

John S. Conway: Die nationalsozialistische Kirchenpolitik 1933–1945. Ihre Ziele, Widersprüche und Fehlschläge. Aus dem Englischen. 384 Seiten. Leinen DM 35.–

Diskussion zur »politischen Theologie«. Mit einer Bibliographie zum Thema. Herausgegeben von Helmut Peukert. XIV, 320 Seiten. Kartoniert DM 19.80 (In Gemeinschaft mit dem Matthias-Grünewald-Verlag)

Helmut Gollwitzer: Forderungen der Freiheit. Aufsätze und Reden zur politischen Ethik. 2. Auflage. XL, 392 Seiten. Kartoniert DM 16.–, Leinen DM 19.80

Helmut Gollwitzer: Krummes Holz – aufrechter Gang. Zur Frage nach dem Sinn des Lebens. 4. Auflage. 388 Seiten. Leinen DM 26.50

Johann Christoph Hampe: Ehre und Elend der Aufklärung gestern wie heute. Ein engagierter Vergleich. 104 Seiten. Kartoniert DM 6.80

Friedrich-Wilhelm Marquardt: Theologie und Sozialismus. Das Beispiel Karl Barths. Mit einem Geleitwort von Helmut Gollwitzer. 376 Seiten. Snolin DM 29.50 (In Gemeinschaft mit dem Matthias-Grünewald-Verlag)

Wolf-Dieter Marsch: Gegenwart Christi in der Gesellschaft. Eine Studie zu Hegels Dialektik. 320 Seiten. Geheftet DM 23.–

Theodor Strohm: Kirche und demokratischer Sozialismus. Studien zur Theorie und Praxis politischer Kommunikation. 204 Seiten. Kartoniert DM 15.80

Gibson Winter: Grundlegung einer Ethik der Gesellschaft. Sozialwissenschaft, Ethik und Gesellschaftspolitik. Aus dem Amerikanischen. 304 Seiten. Snolin DM 24.– (In Gemeinschaft mit dem Matthias-Grünewald-Verlag)

Ernst Wolf: Barmen. Kirche zwischen Versuchung und Gnade. 2. Auflage. 184 Seiten. Kartoniert DM 15.–

Bastiaan Wielenga: Lenins Weg zur Revolution. Eine Konfrontation mit Sergej Bulgakov und Petr Struve im Interesse einer theologischen Besinnung. XVI, 536 Seiten. Kartoniert DM 27.–

Chr. Kaiser Verlag